DER JUGEND-BROCKHAUS

Band 3

DER JUGEND BROCKHAUS

2. Auflage

Dritter Band: PIC – Z

F. A. BROCKHAUS
Leipzig · Mannheim

Redaktionelle Leitung: Eberhard Anger M.A.

Die Deutsche Bibliothek – CIP-Einheitsaufnahme
Der **Jugend-Brockhaus**/[Red.: Eberhard Anger]. –
Leipzig; Mannheim: Brockhaus.
ISBN 3-7653-2302-0 Gb. in Kassette
NE: Anger, Eberhard [Red.]
3. Pic–Z. – 2. Aufl. – 1993
ISBN 3-7653-2332-2

Satz: Bibliographisches Institut & F. A. Brockhaus AG (DIACOS Siemens) und Mannheimer Morgen Großdruckerei und Verlag GmbH, Mannheim
Druck: Klambt-Druck GmbH, Speyer
Bindearbeit: Franz Spiegel Buch GmbH, Ulm
Printed in Germany
Gesamtwerk: ISBN 3-7653-2302-0
Band 3: ISBN 3-7653-2332-2

Picasso. Der spanische Maler, Graphiker und Bildhauer **Pablo Picasso** (mit vollem Namen Pablo **Ruiz y Picasso,** * 1881, † 1973) gilt als bedeutendster Maler der ersten Hälfte des 20. Jahrh. und als einer der vielseitigsten und schöpferischsten Künstler. Er ließ sich schon als junger Mann in Paris nieder, wo er den größten Teil seines Lebens verbrachte.

Picassos Werk weist sehr unterschiedliche Stilphasen auf. Auf die ›Blaue Periode‹, in der er schwermütig wirkende Figurenbilder in verschiedenen Blautönen schuf (1901–04), folgte die ›Rosa Periode‹ mit Darstellungen besonders aus der Welt des Zirkus, oft vor einem rosa getönten Hintergrund (1905/06). Das Bild ›Die Mädchen von Avignon‹ (1906/07) leitete eine radikale Stilwende ein. Denn nun begann Picasso, angeregt von den Bildern Paul Cézannes und der Kunst der Naturvölker, die Formen expressionistisch zu übersteigern und zu zersplittern. Gleichzeitig mit dem französischen Maler Georges Braque schuf er die ersten kubistischen Gemälde (→Kubismus). Die Auflösung der menschlichen und dinglichen Formen in geometrische Strukturen näherte sich in der Folgezeit immer mehr der Abstraktion (→abstrakte Kunst). Später standen widersprüchliche Kunstrichtungen in Picassos Werk gleichzeitig nebeneinander: Neben kubistischen Bildern entstanden realistische Porträts, dann wieder ›klassizistisch‹ anmutende Frauenbildnisse, ferner Bilder, die vom →Surrealismus beeinflußt sind. Daneben schuf er Plastiken, Zeichnungen, Radierungen und Lithographien. Ein immer wiederkehrendes Motiv war der Stierkampf. Nach der Zerstörung der baskischen Stadt Guernica im Spanischen Bürgerkrieg schuf er in düsteren Grautönen sein wohl berühmtestes Werk, das große Gemälde ›Guernica‹ (1937), eine Anklage gegen die Schrecken des Krieges. Nach dem Zweiten Weltkrieg entwarf er das Friedenssymbol, die ›Friedenstaube‹. Seit 1947 entstand eine große Anzahl bemalter Keramiken. Picasso war bis ins hohe Alter hinein künstlerisch tätig. (BILD Lithographie)

Piccard [pikar]. Der aus der Schweiz stammende Physiker **Auguste Piccard** (* 1884, † 1962) unternahm 1931/32 mit einem Ballon die ersten Stratosphärenflüge, wobei er eine größte Höhe von 16940 m erreichte. Seit 1947 führte er – zusammen mit seinem Sohn **Jacques Piccard** (* 1922) – Versuche im Tiefseetauchen durch. Mit einem von ihm selbst entwickelten Tauchgerät (›Bathyskaph‹), einer Stahlkugel von 2 m Durchmesser, die von einem spindelförmigen Körper getragen wurde, erreichte er 1953 eine Tiefe von 3150 m. Mit der Weiterentwicklung dieses Tauchbootes gelangte sein Sohn 1960 bis in eine Tiefe von 10912 m. (→Tauchgeräte)

Piemont, geschichtliche Landschaft in Oberitalien. Sie umfaßt den westlichen Teil der Poebene und das anschließende Alpengebiet. Das Gebiet um die Millionenstadt Turin zählt zu den wichtigsten Landwirtschafts- und Industriegebieten Italiens (Eisen- und Stahl-, chemische, Textil-, Automobil-, Leder- und Lebensmittelindustrie). – Die Grafen, seit 1416 Herzöge, von Savoyen erwarben seit dem 11. Jahrh. Piemont, Aosta, die Waadt (diese kam 1356 an Bern) und 1388 Nizza. Viktor Amadeus II. gewann 1713 Montferrato, Teile Mailands und Sizilien mit der Königskrone. Sizilien mußte er 1718/20 gegen Sardinien austauschen, so daß Piemont seitdem Königreich Sardinien hieß. 1815 kam Genua an Piemont. Von Piemont ging unter Karl Albert (Regierungszeit 1831–49) und seinem Sohn Viktor Emanuel II. (Regierungszeit 1849–78) die Nationalbewegung und damit die Vereinigung Italiens aus.

Pieper, kleine, in Mitteleuropa sehr häufige Singvögel, die ihr Nest am Boden zwischen Grasbüscheln bauen. Hier suchen sie nach Insekten, Spinnen und Samen. Auf der Heide, auf Marsch- und Gebirgswiesen nistet der **Wiesenpieper.** Heidegebiete in Waldnähe bevorzugt der **Baumpieper.**

Pietismus [von lateinisch pietas ›Frömmigkeit‹], eine einflußreiche geistliche Richtung innerhalb der evangelischen Kirchen, vor allem im 17. und 18. Jahrh. Der Pietismus strebte eine verinnerlichte, entschieden christliche Lebensführung an. Er kam aus England und den Niederlanden nach Deutschland. Ihr wichtigster Vertreter, der Pfarrer Philipp Jakob Spener (* 1635, † 1705), führte regelmäßige Bibel- und Erbauungsstunden ein. Sie sollten den einzelnen zu Werken der Liebe und Heiligung (›geistliche Wiedergeburt‹) anspornen. Weitere bedeutende Vertreter des deutschen Pietismus waren Nikolaus Ludwig Graf von Zinzendorf (* 1700, † 1760) und August Hermann Francke (* 1663, † 1727), der auch zahlreiche Waisenhäuser, Schulen und Altersheime gründete.

Piezoelektrizität, [zu griechisch piezein ›drücken‹], **Piezoeffekt, piezoelektrischer Effekt,** von Jacques und Pierre Curie 1880 entdeckte Erscheinung, daß Quarzkristalle (und bestimmte andere Kristalle) sich bei Deformation unter mechanischen Beanspruchungen wie Druck, Zug, Torsion (Verdrehung) auf Prismen-

P

Pillendreher: Skarabäus (aus einem Schmuck aus dem Grab Tut-ench-Amuns)

flächen elektrisch positiv und negativ aufladen. Da die Größe der auftretenden Ladungen von der Stärke der einwirkenden Kraft abhängt, eignet sich der piezoelektrische Effekt zur Druckmessung. Praktische Anwendungen finden sich z. B. auch beim Feuerzeug oder beim Gasanzünder. Außer den natürlichen piezoelektrischen Kristallen haben bestimmte keramische Materialien (z. B. Titan- und Niobverbindungen) gute piezoelektrische Eigenschaften. Neuerdings konnten auch Kunststoffe entwickelt werden, die Piezoelektrizität zeigen.

Pigmente [von lateinisch pigmentum ›Farbe‹], in pflanzlichem, tierischem und menschlichem Gewebe gelöste, teils mit bloßem Auge sichtbare, teils nur mikroskopisch erkennbare körnige Stoffe mit Eigenfarbe. Körpereigene Pigmente kommen z. B. regelmäßig in Augen, Haut und Haaren vor; auch der Blutfarbstoff und die Gallenfarbstoffe gehören dazu. Bei Sonnenbestrahlung werden braune bis schwarze Pigmente (Melanine) als Lichtschutz vermehrt in der Haut abgelagert (Bräunung der Haut). Pigmente können aber auch der Außenwelt entstammen. So können z. B. eingelagerte Rußteilchen eine Pigmentierung (Färbung) der Lunge verursachen. Auch bei der Tätowierung wird eine Pigmentierung der Haut von außen erreicht. Ein wichtiges Pflanzenpigment ist z. B. das Chlorophyll, das für die →Photosynthese vor allem der grünen Pflanzen unerläßlich ist.

In der Maltechnik sind Pigmente bunte oder unbunte (→Farbe) unlösliche Farbpulver, im Unterschied zu den in Wasser oder Lösemitteln löslichen, organischen **Farbstoffen.** Man unterscheidet natürliche Pigmente (Erdfarben, aus gemahlenen weißen oder farbigen Erden) und künstlich erzeugte Pigmente (die anorganischen Mineralfarben). Pigmente werden als Farbmittel für Mal- und Anstrichfarben verwendet.

Pikkoloflöte [zu italienisch piccolo ›klein‹], eine kleine →Querflöte, die halb so groß wie diese ist und eine Oktave höher klingt. Ihr Klang ist sehr scharf und durchdringend.

Piko, Vorsatzzeichen **p,** ein Vorsatz vor →Einheiten für den Faktor 10^{-12} (Billionstel); z. B.: 1 Pikofarad = 1 pF = 10^{-12} F.

Pilgerväter, englische →Puritaner, die 1620 als erste englische Siedler mit der ›Mayflower‹ nach Nordamerika kamen, um dort frei nach ihrem Glauben leben zu können. Sie waren geprägt von einem starken religiösen Sendungsbewußtsein, das noch heute im amerikanischen Demokratieverständnis nachwirkt.

Pillendreher, überwiegend in wärmeren Gebieten lebende Käfer, die aus dem Dung von Weidetieren große Kotpillen kneten, die sie fortrollen und eingraben. Ähnlich wie bei den →Mistkäfern legt das Weibchen in diese ›Nester‹ seine Eier. Wegen seiner geheimnisvollen Entstehung aus einer Dungkugel wurde der **Heilige Pillendreher** oder **Skarabäus** im alten Ägypten kultisch verehrt. Nachbildungen wurden als Schmuck getragen oder mit beschrifteter Unterseite als Siegel verwendet und waren auch eine beliebte Grabbeigabe.

Pilot [von italienisch pilota ›Steuermann‹], Flugzeugführer, auch der Fahrer eines Rennwagens. Man unterscheidet zwischen **Privatpiloten,** z. B. Sportfliegern, die das Fliegen als Hobby betreiben, **Berufspiloten,** z. B. Verkehrspiloten, die Passagiermaschinen fliegen, und **Luftwaffenpiloten,** die Militärflugzeuge steuern. Jeder Pilot muß einen Pilotenschein (Luftfahrerschein) erwerben. Die Ausbildung zum Piloten umfaßt neben praktischen Flugstunden und Training im Simulator auch theoretischen Unterricht, z. B. in Navigation, Wetterkunde und Flugtechnik.

Pilotprojekt, Pilotstudie, Versuchsprogramm kleinen Maßstabs, mit dem Leistungen und Kosten eines Gesamtprogramms erkundet werden sollen; Beispiele: Durch Vorarbeiten in einem Labor werden chemische Reaktionen erforscht, die zunächst in einer kleineren Pilotanlage erprobt werden, bevor man eine kostspielige industrielle Großanlage anlaufen läßt; oder: Im Fernsehprogramm werden Seriensendungen auf ihren möglichen Erfolg oder Mißerfolg getestet, indem eine erste Folge als Pilotsendung das Zuschauerurteil erkunden soll.

Pilze, Pflanzen von großer Formenvielfalt. Sie besitzen keine Wurzeln, Stengel und Blätter und vermehren sich durch →Sporen. Ihr Körper erzeugt Substanzen, die sonst vor allem im Tierreich vorkommen, z. B. in den Zellmembranen →Chitin, und nur selten Cellulose wie andere Pflanzen. Allen Pilzen fehlt das Chlorophyll (Blattgrün), mit dem sich die grünen Pflanzen aus Wasser und Luft mit Hilfe des Sonnenlichts ihre Nahrung selbst herstellen (→Photosynthese). Pilze sind bei ihrer Ernährung wie die Tiere auf die Zufuhr organischer Stoffe angewiesen (heterotrophe Ernährung). Sie brauchen daher kein Licht wie andere Pflanzen, um zu gedeihen. Feuchtigkeit und Wärme begünstigen ihre Entwicklung. Die meisten Pilze sind Fäulnisbewohner, die abgestorbene Teile von Pflanzen und Tieren für sich aufschließen und diese dabei zersetzen. So sind Pilze von großer Bedeutung im Stoffkreislauf der Natur. Sie wachsen z. B. in abgefallenem Laub, auf Mist und totem Holz. Andere Pilze sind Parasiten in lebenden Organismen. Das sind meist winzig kleine Pilze, die z. B. als Erreger von Krankheiten bei Menschen, Tieren und Pflanzen auftreten. Manche Pilze, z. B. Flechten, Hutpilze, beziehen zwar ihre Nahrung auch zum großen Teil von einer lebenden grünen Pflanze, leben aber mit dieser in →Symbiose.

Einzellige, nur unter dem Mikroskop erkennbare Pilze sind z. B. die →Hefen, die den Wein zum Gären bringen und den Teig aufgehen lassen. Die häufigen **Schimmelpilze** bestehen aus einem stark verzweigten Fadengeflecht **(Myzel).** Sie erscheinen z. B. als blaugrüne Flecken (›Schimmel‹) in Brot und Marmelade, haben aber auch große Bedeutung für die Käseherstellung und vor allem für die Gewinnung von →Antibiotika.

Eine bekannte Gruppe der Pilze sind die **Hutpilze,** die nach ihrem oft lebhaft bunt gefärbten, auf einem Stiel sitzenden ›Hut‹ benannt sind. Dazu gehören die meisten Speise- und Giftpilze. Sie wachsen meist zu mehreren vom Frühjahr (häufig erst vom Spätsommer) bis zum Herbst auf dem Boden dichter Wälder, auf Lichtungen und Wiesen. Besonders nach warmem Regen erscheinen sie in großer Zahl (→Hexenring). Doch was man gewöhnlich als ›Pilz‹ bezeichnet, ist nur der sichtbare Fruchtkörper eines weißlichen, spinnwebartigen Myzels (dem eigentlichen Pilz), das sich unter dem Gras- oder Waldboden oft über weite Strecken ausdehnt (z. B. der Wiesenchampignon, der einen Teil seiner Nahrung dem Kot von Weidetieren entnimmt). Andere Pilze umspinnen die feinen Wurzeln bestimmter Waldbäume. Es entsteht eine enge Ernährungsgemeinschaft (›Symbiose‹) zwischen Baum und Pilz. Der Pilz lockert den Boden und hilft bei der Aufnahme von Wasser und Mineralsalzen. Dafür erhält er aus der Photosynthese gewonnene Stoffe (vor allem Kohlenhydrate). Der Birkenpilz bevorzugt Birken, der Steinpilz Eichen und Buchen, der Fliegenpilz Kiefern. Nur wenige Pilze können Bäumen gefährlich werden (z. B. der Hallimasch), da sie an ihnen schmarotzen und sie schließlich zum Absterben bringen. An den Stellen, an denen sich die Pilzfäden dichter zusammenschließen, bilden sich die Fruchtkörper aus. In ihrer Hutunterseite werden Milliarden von staubfeinen Sporen auf mikroskopisch kleinen Ständerchen ausgebildet (daher auch **Ständerpilze**).

Die Sporen werden vom leichtesten Lufthauch fortgeweht. Fallen sie auf geeigneten Boden, ent-

Pilze: Speisepilze

Pilze: giftige und ungenießbare Pilze

wickeln sich wieder Pilzfäden. Die Hutunterseite ist unterschiedlich ausgestaltet. Sie hat z. B. Blätter (›Lamellen‹), Röhren oder Leisten. Zu den **Blätterpilzen** gehören unter anderem Champignon, Hallimasch, der giftige Fliegenpilz und der äußerst giftige Knollenblätterpilz, der dem Champignon ähnlich sieht. **Röhrenpilze** sind z. B. Steinpilz, Rotkappe, Maronenpilz und der giftige Satanspilz. Der bekannteste **Leistenpilz** ist der Pfifferling. Außer der großen Gruppe der Hutpilze gehören zu den Ständerpilzen z. B. auch korallen- oder keulenförmige Pilze (Krause Glucke, Ziegenbart) und Bauchpilze, die die Sporen im Innern des Fruchtkörpers erzeugen, wie der giftige Kartoffelbovist.

Pindar, griechischer Dichter (* 522 oder 518, † nach 446 v. Chr.). Er trat Anfang des 5. Jahrh. v. Chr. als Dichter und Komponist von Chorliedern auf, in denen Vers, Musik und Tanzbewegung harmonisch verbunden sind. Seine Dichtungen verherrlichen das Wirken des Göttlichen in der Welt. Erhalten sind Siegesgesänge auf die Preisträger der Olympischen Spiele und anderer Wettkämpfe.

Pinguine, Seevögel, die nicht fliegen können, dafür aber sehr gut schwimmen und tauchen. Sie leben nur auf der Südhalbkugel der Erde, vor allem in den kalten Meeren und auf dem Eis der Antarktis. Auf der Jagd nach Fischen, Krebsen und Tintenfischen schwimmen sie sehr schnell (bis 36 km/h) und können 5–10 Minuten tauchen. Dabei rudern sie mit ihren floßartigen Flügeln und steuern mit den platten, mit Schwimmhäuten ausgestatteten Füßen. Sie können sich einen solchen Schwung geben, daß sie ähnlich wie die Delphine oft 1–2 m hoch aus dem Wasser schnellen, um Luft zu holen oder auf ein hochgelegenes Ufer oder eine Eisplatte zu springen.

Der spindelförmige Körper erhält durch harte, fast schuppenartige Federn eine glatte Oberfläche. So kann das eisige Meerwasser nicht eindringen und läuft sofort ab. Gegen die Kälte schützen darunterliegende Flaumfedern und eine dicke Fettschicht. Die Körpertemperatur eines Pinguins beträgt nämlich etwa 40 °C, die Lufttemperatur an den vereisten Küsten dagegen −30 °C bis −50 °C. Hauptfeinde der Pinguine sind Zahnwale und Robben. An Land, wo sie ihre Eier ablegen, watscheln Pinguine aufrecht. Auf Schnee rutschen sie auch auf dem Bauch und schieben mit Füßen und Flügeln nach. Beim Stehen stützen sie sich auf ihre steifen Schwanzfedern. Pinguine brüten meist in Ufernähe in riesigen Kolonien (bis 1 Million Tiere). Das Weib-

Piranha

chen kleinerer Arten legt seine 2–3 Eier zwischen Steinen ab und brütet sie meist allein aus. Bei den **Kaiserpinguinen,** die zum Brüten oft weit landeinwärts wandern, klemmt meist das über 1 m hohe Männchen das einzige Ei zwischen Fußrücken und Bauch fest und bebrütet es über 60 Tage lang; während dieser Zeit frißt es nicht. Die Jungen, die zum Schutz vor Feinden in ›Kindergärten‹ gesammelt werden, werden auch vom Weibchen gefüttert. Große Pinguine können bis 30 Jahre alt werden.

Pinie, charakteristischer Baum des Mittelmeergebiets mit schirmförmig flacher Krone. Die Pinie, eine bis 25 m hohe Kiefernart, trägt rötlichbraune Zapfen, deren große Samen eßbar sind.

Pipeline [paiplain, englisch], Rohrleitung zum Transport hauptsächlich von Rohöl (Erdöl) und Erdgas. Rohöl und Erdgas werden zum größten Teil nicht dort verarbeitet oder gebraucht, wo sie vorkommen. Deshalb befördert man sie heute zu den Häfen und Raffinerien in Pipelines, von denen es zur Zeit etwa 1 Million km gibt. Sie führen durch Wüsten, Urwald, Sümpfe und Dauerfrostgebiete und wurden sogar auf dem Meeresboden verlegt. Gegenüber anderen Transportmitteln ist dieses Verfahren sehr wirtschaftlich.

Pippin III., der Jüngere, *714, †768, stammte aus dem Haus der →Karolinger. Er folgte seinem Vater Karl Martell 741 als Hausmeier unter dem fränkischen König Childerich III. Neben dem schwachen König war Pippin der eigentliche Herrscher. Er sicherte sich die Unterstützung des Papstes, um selbst König zu werden. 751 wurde er auf einer Reichsversammlung zum fränkischen König gewählt und erhielt die kirchliche Salbung. 754 bat der Papst Pippin um Hilfe gegen die Langobarden, die Rom bedrohten. Pippin sagte Hilfe zu, und der Papst wiederholte die Salbung Pippins und seiner beiden Söhne. Pippin besiegte die Langobarden und schenkte dem Papst das eroberte Land, aus dem der Kirchenstaat entstand (›Pippinsche Schenkung‹). Vor seinem Tod teilte Pippin sein Reich zwischen seine Söhne Karlmann und Karl, der später ›der Große‹ genannt wurde.

Piranhas [piranjas], Fische, die in einigen Flüssen Südamerikas leben. In Schwärmen fallen sie selbst große Tiere, z. B. Büffel, und badende Menschen an, besonders wenn diese mit blutenden Wunden ins Wasser gehen. Mit ihren rasiermesserscharfen Zähnen können diese sehr gefräßigen Fische ihr Opfer in kurzer Zeit zerfleischen und bis auf die Knochen abnagen.

Piratensender, eine private Rundfunkgesellschaft, die ohne fernmelderechtliche Genehmigung und Sendefrequenz arbeitet. Er sendet Hörfunk- oder Fernsehprogramme, z. B. von Bord eines Schiffes oder von einer künstlichen Insel außerhalb der Hoheitszone eines Küstenlandes.

Piräus, 196400 Einwohner, Haupthafen und bedeutendes Industriezentrum Griechenlands am Golf von Ägina. Piräus ist mit →Athen zu einem Stadtkomplex zusammengewachsen. Von Piräus gehen fast alle Schiffslinien zu den griechischen Inseln aus.

Pirole gehören in Deutschland zu den auffälligsten Singvögeln. Das etwa starengroße Männchen hat ein leuchtend gelbes Gefieder mit schwarzen Flügeln und Schwanzfedern. Das Weibchen ist unscheinbarer grünlich gefärbt. Die scheuen Pirole leben in parkartigen Landschaften, wo sie sich geschickt in Baumkronen verbergen. Aus Halmen und Fasern weben sie ein kunstvolles Nest, das sie frei in den Gabeln dünner Äste aufhängen. Weithin ist der klare, flötende Ruf des Männchens zu hören, nach dem er auch ›Vogel Bülow‹ genannt wird. Mit ihrem schlank gestreckten Schnabel fangen Pirole Schmetterlinge und Raupen und pflücken kleine Beeren und Früchte ab. Der Pirol ist ein Zugvogel, der frühestens Ende April eintrifft und nur bis zum August bleibt.

Pisa, 104500 Einwohner, Stadt in Italien oberhalb der Mündung des Arno in das Ligurische Meer. Pisa, von den Etruskern gegründet, danach römische Kolonie, war im 11.–13. Jahrh. eine bedeutende Handelsstadt und mit seiner Baukunst führend in Mittelitalien. Im Mittelalter entstanden z. B. der Dom und dazugehörend das Taufgebäude und der Friedhof. Frei neben dem Dom steht der Glockenturm **(›Schiefer Turm von Pisa‹),** dessen Neigung schon während der Bauzeit entstand, weil sich der Boden senkte.

Pistazien, immergrüne Bäume und Sträucher der Mittelmeerländer. Die Steinfrüchte der **Echten Pistazie** enthalten einen mandelähnlichen, grünen Samen, der als Gewürz für Süßigkeiten und Wurst verwendet oder geröstet und gesalzen gegessen wird.

Pinguine:
OBEN Brillenpinguin,
MITTE Felsenpinguin,
UNTEN Kaiserpinguin

Pirol

Francisco Pizarro

Pistole, kleine Handfeuerwaffe (Faustfeuerwaffe). Sie wird als Nahkampfmittel und zur Selbstverteidigung vor allem beim Militär eingesetzt, aber auch als Sportgerät verwendet. Früher einschüssige Vorderlader, sind Pistolen heute meist mehrschüssige Hinterlader mit einem mehrere Patronen enthaltenden Magazin, die sich nach jedem Einzelschuß automatisch wieder selbst laden (Selbstlader).

Pitcairn [pitkern], britische Insel im südlichen Pazifischen Ozean, rund 5 km² groß. Die etwa 60 Einwohner sind Nachkommen von Tahitierinnen und der Matrosen, die 1790 nach der Meuterei auf dem englischen Segelschiff ›Bounty‹ auf der Insel Zuflucht nahmen. Sie leben von Viehzucht, Gartenbau und Fischfang.

Pitt. Der britische Politiker **William Pitt der Ältere,** * 1708, † 1778, der **1. Earl of Chatham,** leitete 1756/57–1761 die Außenpolitik seines Landes. Diese Jahre waren entscheidend für den Aufstieg Großbritanniens zur Weltmacht. Als vorzüglicher Organisator der Kriegführung und als ausgeprägter Machtpolitiker nutzte er den →Siebenjährigen Krieg für seine Ziele. So schloß er 1758 ein Bündnis (Subsidienvertrag) mit Preußen, das Frankreichs Gegner war. Großbritannien konnte das geschwächte Frankreich ganz aus Nordamerika drängen und auch aus seinen letzten Stützpunkten in Südindien. Nach der Thronbesteigung Georgs III. (1760) wurde Pitt von der Friedenspartei gestürzt.

Sein Sohn, **William Pitt der Jüngere** (* 1759, † 1806) war 1783–1801 und 1804–06 der leitende britische Politiker (Premierminister). Er stellte nach dem Verlust der 13 britischen Kolonien in Nordamerika das Ansehen Großbritanniens wieder her und baute dessen Macht aus, indem er die Flotte vergrößerte und ein stehendes Heer schuf. Die Kolonien Kanada und Ostindien band er fester ans englische Mutterland, Australien, Ceylon (heute Sri Lanka) und Kapstadt wurden unter ihm dazugewonnen. Pitt der Jüngere war ein Gegner des revolutionären wie des Napoleonischen Frankreich.

Pizarro. Der spanische Abenteurer und Eroberer des südamerikanischen Inka-Reiches **Francisco Pizarro** (* 1478, † 1541) ließ sich nach mehreren Erkundungsfahrten von Panama aus 1529 von Kaiser Karl V. zum Statthalter von Peru ernennen. Dann drang er mit nur knapp 200 Mann ins Innere vor und eroberte die Hauptstadt Cuzco. Den Herrscher der Inka, Atahualpa, lockte er in einen Hinterhalt, ließ sich ein ganzes Zimmer mit Gold für Atahualpas Freilassung anfüllen und ließ den Herrscher der Inka dann doch erdrosseln. Pizarro setzte den Inka Manco Capac II. als Vertreter Spaniens ein. 1535 gründete er Lima. Einen Aufstand der Indianer unter Manco Capacs Führung schlug er blutig nieder (1536/37). Im Streit um den Besitz von Cuzco brachte Pizarro seinen früheren Gefährten, den Konquistador Diego de Almagro, um. Dessen Sohn ließ Pizarro ermorden.

Pjöngjang, →Pyŏngyang.

Pkw, Abkürzung für **P**ersonen**k**raft**w**agen (→Kraftwagen).

Planck. Der Physiker **Max Planck** (* 1858, † 1947) entdeckte bei der Untersuchung der Wärmestrahlung eine neue Naturkonstante, die nach ihm später als **Plancksches Wirkungsquantum** bezeichnet wurde. Um die Energieverteilung der Strahlung **(Plancksches Strahlungsgesetz)** richtig beschreiben zu können, ging er davon aus, daß die Atome Strahlungsenergie nicht stetig in jeder beliebigen Größe, sondern nur stoßweise in bestimmten Energieportionen (Quanten) aussenden oder aufnehmen können. Nach Planck ergibt sich die Energie E eines Energiequants durch die Frequenz ν der betreffenden Strahlungsart, multipliziert mit dem Planckschen Wirkungsquantum h, $E = h \cdot \nu$.

Durch diese Erkenntnisse wurde Planck zum Begründer der Quantentheorie und löste eine der größten Umwälzungen der Physik aus. Er erhielt 1918 den Nobelpreis für Physik.

Planet [zu griechisch planes ›der Umherschweifende‹], **Wandelstern,** nicht selbst leuchtender Himmelskörper, der einen →Stern umkreist und nur durch das reflektierte Licht des Sterns leuchtet. Planeten sind bis jetzt nur bei einem einzigen Stern, nämlich der Sonne, sicher nachgewiesen. Sie bewegen sich nach den →Kepler-Gesetzen auf Ellipsenbahnen um die Sonne. Nach der Entfernung von der Sonne (BILD 1) teilt man die 9 Planeten (BILD 2 Seiten 12/13) unseres Sonnensystems ein in die **4 inneren** (Merkur, Venus, Erde, Mars) und die **5 äußeren Planeten** (Jupiter, Saturn, Uranus, Neptun, Pluto). Die Vermutung, daß ein zehnter Planet jenseits des Pluto, der Transpluto, vorhanden sei, hat sich bisher nicht bestätigt. Zwischen den Bahnen von Mars und Jupiter laufen die →Planetoiden um die Sonne.

Planet 1: Entfernungen der Planeten von der Sonne

Planetarium, verdunkelter, kuppelförmiger Raum, an dessen Innenfläche die scheinbaren Bahnen von Sonne und Planeten sowie deren Monden projiziert werden. Unser Fixsternhimmel, die Stellung und Bewegung der Gestirne, aber auch Sonnen- und Mondfinsternisse können so anschaulich dargestellt werden.

Planetoiden [griechisch ›Planetenähnliche‹], **Asteroiden, Kleinplaneten,** kleinere, planetenähnliche Himmelskörper, die vor allem im Bereich zwischen Mars- und Jupiterbahn in Ellipsenbahnen unsere Sonne umkreisen. Sie könnten aus der Zertrümmerung eines oder mehrerer größerer Mutterplaneten entstanden sein. Die größten Planetoiden, Ceres, Pallas, Vesta und Juno, haben Durchmesser von etwa 1000, 560, 525 und 190 km. Die Gesamtzahl der Planetoiden bis herab zu einem Durchmesser von 100 m wird auf 40000 geschätzt; ihre Gesamtmasse wird mit $^4/_{10000}$ der Erdmasse angegeben. Die Bahnen sind teilweise sehr langgestreckt, extrem bei Hidalgo, dessen Bahn fast bis an die des Saturn reicht.

Planimetrie [zu lateinisch planus ›flach‹ und griechisch metron ›Maß‹], Teilgebiet der →Geometrie.

Plankton [von griechisch planktos ›umherirrend‹], die Lebensgemeinschaft winziger Pflanzen und Tiere, die in Schwärmen ohne oder mit nur geringer Eigenbewegung frei im Wasser treiben und von Strömungen fortgeführt werden. Das **pflanzliche Plankton (Phytoplankton)** besteht überwiegend aus winzigen Algen, das **tierische Plankton (Zooplankton)** aus sehr kleinen Krebsen, Geißeltierchen, Muschel-, Wurm-, Schnekken- und Fischlarven sowie winzigen Quallen; viele dieser Tierchen können leuchten. Planktonarmes Meerwasser erscheint blau, planktonreiches grün. Plankton reichert das Wasser mit Sauerstoff an und ist für viele Wassertiere als Nahrung unentbehrlich. Es findet sich besonders in flachen, kalten Meeren. Die Ölverschmutzung der Meere gefährdet auch das Plankton.

Plantagenet [pläntädschinit], englische Königsfamilie, die 1154 mit Heinrich II. auf den Thron kam. Der Name bedeutet ›Ginsterbusch‹ (lateinisch planta genista), nach dem Wappen von Heinrichs Vater, Graf Geoffrey von Anjou. Nach dem Grafen von Anjou heißt die Familie auch **Anjou-Plantagenet.** Sie regierte in direkter Linie bis 1399 und in den Linien **Lancaster** und **York** bis 1485.

Planwirtschaft, Zentralverwaltungswirtschaft, Wirtschaftsordnung, in der nicht wie bei der →Marktwirtschaft die privaten Haushalte und Unternehmen das wirtschaftliche Geschehen bestimmen, sondern der Staat einen zentralen Plan über alle Herstellungs- und Verbrauchsentscheidungen aufstellt und durchsetzt. Den Betrieben werden Planziele vorgegeben, in welcher Menge sie produzieren und zu welchen Preisen sie ihre Güter absetzen dürfen. Meist werden Pläne für mehrere Jahre aufgestellt (z. B. Fünfjahresplan). Das wirtschaftliche Handeln richtet sich auf die Erfüllung der Planvorgaben. – Aufgabe der Planwirtschaft ist die Unterordnung wirtschaftlicher Vorstellung unter politische Ziele. Dies war ein Hauptanliegen der kommunistischen Staaten; so bestand z. B. in der Sowjetunion eine Planwirtschaft seit den 1930er Jahren. Sie befindet sich seit Anfang der 1990er Jahre im Umbruch. Später übernahmen auch die anderen Länder des Ostblocks das System der zentralen Planung.

Die Wirtschaftlichkeit einer solchen Wirtschaftsordnung ist allerdings wegen der geringen Leistungsanreize für die Unternehmen und Arbeitnehmer, wegen des Fehlens von Privateigentum sowie wegen der fehlenden Selbständigkeit der Entscheidungen gefährdet. Auch kann die zentrale staatliche Planung an den wirklichen Bedürfnissen der Verbraucher vorbeigehen, da es keinen freien Markt gibt, auf dem sich Angebot und Nachfrage über den Preis ausgleichen. Das Nichtvorhandensein eines freien Marktes kann für die Bevölkerung zu Wohlstandseinbußen führen, besonders im Vergleich mit Ländern mit marktwirtschaftlicher Wirtschaftsordnung.

Plasma [griechisch ›Geformtes‹], **1) Protoplasma,** Zellinhalt in allen lebenden →Zellen aller Lebewesen. Dabei unterscheidet man das **Zellplasma (Zytoplasma)** und das **Kernplasma** des Zellkerns. Die Bestandteile des Zellplasmas sind in Wasser gelöste Eiweißkörper, Kohlenhydrate und Mineralsalze sowie eingelagerte Zellorganellen. Das Plasma ermöglicht die Stoffwechselvorgänge in der Zelle.

2) Blutplasma, flüssiger Bestandteil des →Blutes.

3) Physik: ionisiertes heißes Gas aus Ionen, Elektronen und neutralen Teilchen.

Plastiden [zu griechisch plastos ›geformt‹], Zellorganellen, die in den →Zellen aller autotrophen →Pflanzen vorkommen. Die meisten Plastiden sind durch →Pigmente gefärbt. Es gibt aber auch farblose Plastiden, die man Leukoplasten nennt. Am verbreitetsten unter den pigmenthaltigen Plastiden sind die **Chloroplasten** der grünen Pflanzen, die das für die →Photosynthese wichtige →Chlorophyll enthalten. **Leukoplasten** haben vor allem Speicherfunktion, so die Stärkekörner in der Kartoffel. Die gelbrote Farbe der Mohrrübe beruht ebenfalls auf pigmenthaltigen Plastiden; sie enthalten als farbgebende Substanz vor allem Karotinoide.

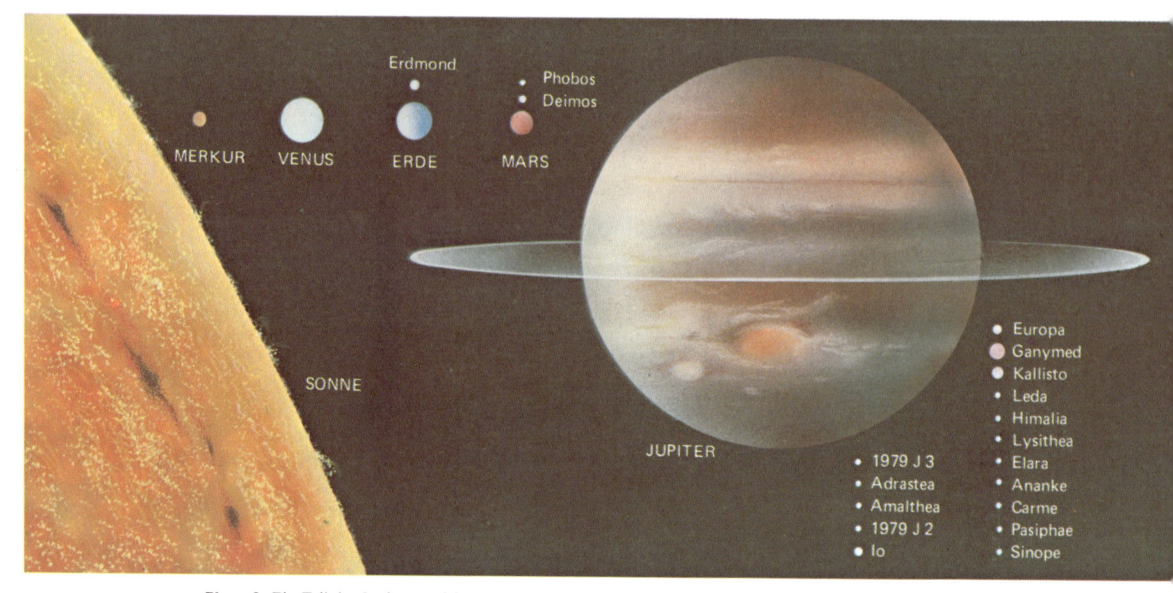

Planet 2: Ein Teil der Jupiter- und Saturnmonde, die im Bild noch mit vorläufigen Namen (Jahreszahl gibt das Entdeckungsjahr an) eingetragen sind, haben inzwischen endgültige Namen erhalten: 1979 J 3 = Metis, 1979 J 2 = Thebe; 1980 S 28 = Atlas, 1980 S 1 = Janus, 1980 S 3 = Epimetheus, 1980 S 13 = Telesto, 1980 S 25 = Calypso

Platane

Platon (römische Kopie, Marmor, 370/60 v. Chr.)

Plastik [zu griechisch plastike (techne) ›Kunst des Gestaltens‹], **1)** im engeren Sinn das auf bestimmte Weise gefertigte Werk der →Bildhauerkunst, im weiteren Sinn auch andere Bezeichnung für die Bildhauerkunst selbst oder allgemein für ein einzelnes Bildwerk.

2) umgangssprachliche Bezeichnung für →Kunststoffe.

Platanen, bis 30 m hohe Laubbäume, die man an ihren ›gescheckten‹ Stämmen erkennt. Die alte graue Borke blättert in großen Platten ab, wodurch die junge, gelbgrüne Rinde sichtbar wird. Die gegen Abgase verhältnismäßig unempfindlichen Platanen werden gern als Park- und Alleebäume in Großstädten angepflanzt. Die kugeligen Fruchtstände, die bis tief in den Winter am Baum hängen, sehen wie kleine, stachelige Bällchen aus.

Platin [von spanisch platina ›Silberkörnchen‹], Zeichen **Pt,** grauweißes, dehnbares Edelmetall, das an der Luft und gegen bestimmte Säuren beständig ist (→chemische Elemente, ÜBERSICHT). Fein verteilt (›Platinschwamm‹) nimmt es Wasserstoff und Sauerstoff auf; es wird in dieser Form häufig als Katalysator verwendet. Der größte Teil des Metalls wird jedoch in der Schmuckwarenindustrie sowie für korrosionsbeständige medizinische und Laborgeräte, im Apparatebau und in der Raum- und Luftfahrtindustrie verwendet.

Platon, griechischer Philosoph (* 427, † 347 v. Chr.), Schüler des →Sokrates, dessen Denken vor allem durch Platon überliefert ist. Platons Werke, die fast vollständig erhalten sind, haben die Form von Gesprächen, in denen um die neue philosophische **Ideenlehre** gestritten wird. In der Regel läßt Platon den Sokrates das Wort ergreifen; Rede und Gegenrede führen zur Erkenntnis des Guten und der Tugend. Für seine Vorstellung von einem mustergültigen Staatswesen suchte Platon auf Reisen in die Griechenstädte Unteritaliens und Siziliens zu werben. Bald nach 387 v. Chr. gründete er als seine eigene Schule in Athen die **Akademie,** die bis 529 n. Chr. bestand. Alle späteren Philosophen bauten auf der Philosophie von Platon auf oder setzten sich mit ihr auseinander.

Plattdeutsch, Niederdeutsch, Sprache, die in Norddeutschland gesprochen wird. Sie war seit dem 13. Jahrh. alleingültige Sprache, in der auch geschrieben wurde. Erst im 16./17. Jahrh. setzte sich Hochdeutsch als Schriftsprache durch. Daraus ergab sich, daß Plattdeutsch seit etwa 1650 auch eine Sammelbezeichnung für

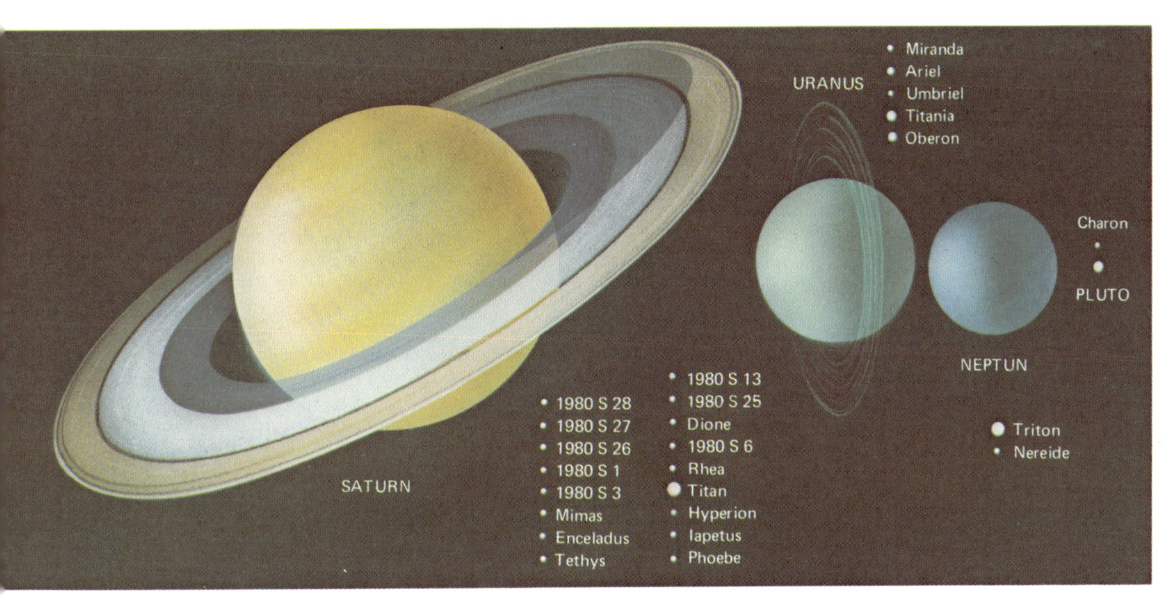

niederdeutsche Mundarten (z. B. Niedersächsisch, Niederpreußisch, Märkisch und Berlinisch) ist.

Plattensee, ungarisch **Balaton,** See in Westungarn, mit 591 km² der größte in Mitteleuropa. Der 78 km lange und 15 km breite See hat nur eine durchschnittliche Tiefe von 3 m (größte Tiefe 11 m). Er wird von nur kleinen Zuflüssen gespeist; zur Donau existiert ein kanalisierter Abfluß. Da sich das seichte Wasser des fischreichen Sees schnell erwärmt, ist das Plattenseegebiet ein beliebtes Fremdenverkehrsgebiet.

Plattenspieler, Gerät, mit dem Musik oder Sprache, die auf einer →Schallplatte aufgezeichnet ist, wiedergegeben werden kann. Im weiteren Sinn versteht man unter Plattenspielern auch die Abspielgeräte für →Compact Discs und →Bildplatten.

Der herkömmliche, mechanisch abtastende Plattenspieler besteht aus Laufwerk, Tonarm und Tonabnehmersystem. Zum **Laufwerk** gehört ein Elektromotor, der den **Plattenteller** direkt, über einen Riemen oder bei einfachen Geräten über ein Reibrad antreibt. Üblich sind Drehzahlen von 33 ⅓ und 45 Umdrehungen pro Minute, bei älteren Modellen gelegentlich auch 78. Der **Tonarm** ist drehbar gelagert und zur Plattentellermitte hin leicht abgeknickt. Damit erreicht man, daß die Nadel des am Tonarm befestigten Tonabnehmersystems während des Abspielvorgangs im richtigen Winkel auf der Plattenrille sitzt. Eine wirklich exakte Abtastung erzielt man aber erst mit einem Tonarm, der nicht in einem Punkt gelagert ist, sondern der Plattenrille in genau dem Maß nachgeführt wird, wie diese sich der Plattenmitte nähert. Dazu benötigt der Tonarm einen eigenen Antrieb.

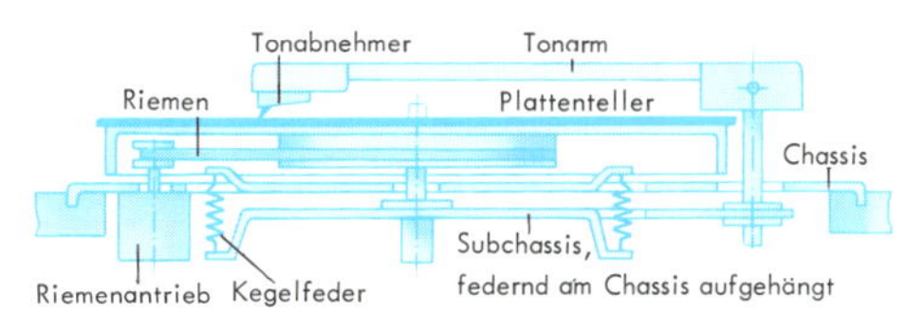

Plattenspieler:
Aufbau eines Plattenspielers mit Subchassis; der Tonarm und der Plattenteller sind mit dem Chassis federnd verbunden; Riemenantrieb

Das **Tonabnehmersystem** besteht aus dem Abtaststift und dem Tonabnehmer. Als **Abtaststift** verwendet man Diamant- oder Saphirnadeln. Der **Tonabnehmer** ist ein mechanisch-elektrischer Wandler, der die seitlichen Schwingungen der Nadel in der Plattenrille in elektrische Spannungen umwandelt. Die vom Tonabnehmer gelieferten Wechselspannungen werden verstärkt und einem Lautsprecher zugeführt. Bei dem am meisten verbreiteten magnetodynamischen Tonabnehmer, kurz Magnettonabnehmer, bewegt die Nadel einen kleinen Permanentmagneten in einer feststehenden Spule und induziert darin entsprechende Spannungen. Daneben gibt es dynamische Tonabnehmer mit festem Magneten und

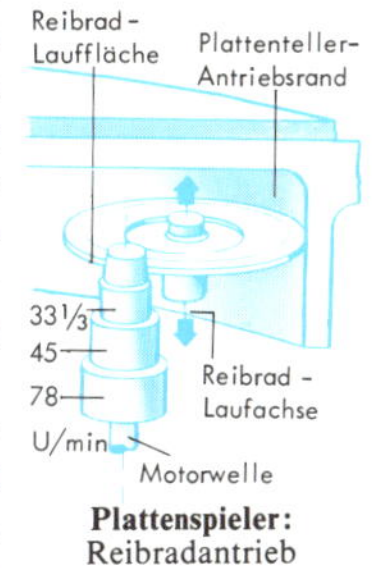

Plattenspieler:
Reibradantrieb

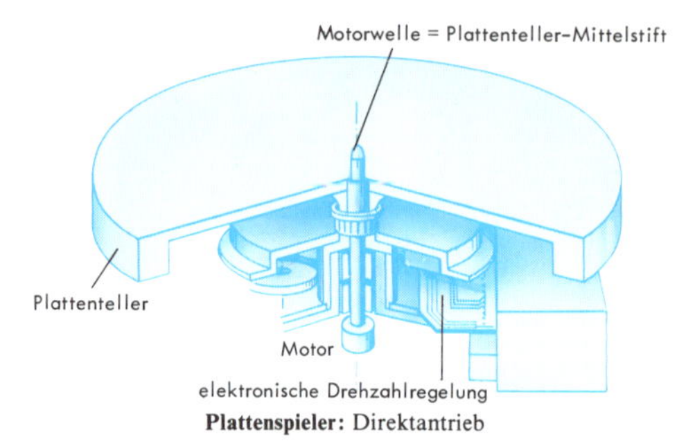

Plattenspieler: Direktantrieb

bewegter Spule. Für beide Systeme ist ein besonderer Vorverstärker (›Entzerrervorverstärker‹) nötig. Bei **Stereoplattenspielern** sind einige Elemente im Tonabnehmer doppelt, damit die in der Rille einer Stereoschallplatte enthaltenen Schwingungszüge für den rechten und den linken Kanal getrennt ausgewertet werden können. Die so gewonnenen beiden Wechselspannungen werden getrennt verstärkt und über 2 Lautsprecher abgestrahlt. Für →Quadrophonie sind Vierkanal-Tonabnehmer erforderlich. **Automatikplattenspieler** setzen den Tonarm selbsttätig am Plattenanfang auf und führen ihn nach Abspielende zurück. Bei **Halbautomaten** wird nur eine dieser Funktionen automatisch ausgeführt.

Plattenwechsler sind Plattenspieler mit einer Stapelachse für mehrere Schallplatten, die nach Abtasten einer Platte automatisch die nächste Platte im Stapel abspielen. Plattenspieler gibt es als Einzelgerät, zum Teil mit eingebautem Verstärker, oder als Bestandteil einer Kompaktanlage. Sie können mit zusätzlichen Einrichtungen, z. B. Drehzahlfeineinstellung zur Tonhöhenregulierung, gedämpftem Tonarmlift, Sensortasten und anderem ausgestattet sein.

Der Vorläufer des Plattenspielers war der **Phonograph,** der 1877 von Thomas Alva Edison erfunden wurde. Mit diesem Gerät konnte man Aufnahmen machen und auch wieder abspielen. Dabei wurden die Töne durch eine Membran am Ende eines Schalltrichters in Schwingungen umgeformt. Diese bewegten eine Stahlnadel, die dadurch Rillen in eine Walze ritzte. Eine Weiterentwicklung war das von Emil Berliner 1887 erfundene Grammophon. Statt einer Walze diente ihm eine flache Scheibe als Tonträger.

Plattentektonik, eine wissenschaftliche Theorie, mit der Verschiebungen und Bewegungen von Teilen der Erdkruste erklärt werden. Danach besteht die Erdkruste aus 6 großen (Afrika, Amerika, Antarktis, Indien–Australien, Europa–Asien, Pazifik) und mehreren kleinen Platten, die mehr oder weniger starr und bis zu 100 km dick sind. Durch Strömungen im Erdmantel, in den sie eintauchen, werden die Platten langsam, aber stetig bewegt. Wo diese Platten auseinanderdriften, entstehen Dehnungsfugen (Spreadingachsen), in denen aufsteigende vulkanische Schmelzen untermeerische Schwellen bilden. Eine solche Schwelle ist z. B. der Mittelatlantische Rücken. Dort, wo sich die Platten aufeinander zu bewegen, schiebt sich die eine unter die andere (Subduktionszone); die überlagernde Platte wird zusammengestaucht, ihre Gesteine werden zu großen Faltengebirgen oder Inselbogen aufgefaltet. Ein solches Gebirge sind z. B. die südamerikanischen Anden. Bewegen sich die Platten fast waagerecht aneinander vorbei, spricht man von Transformströmungen.

Plattentektonik

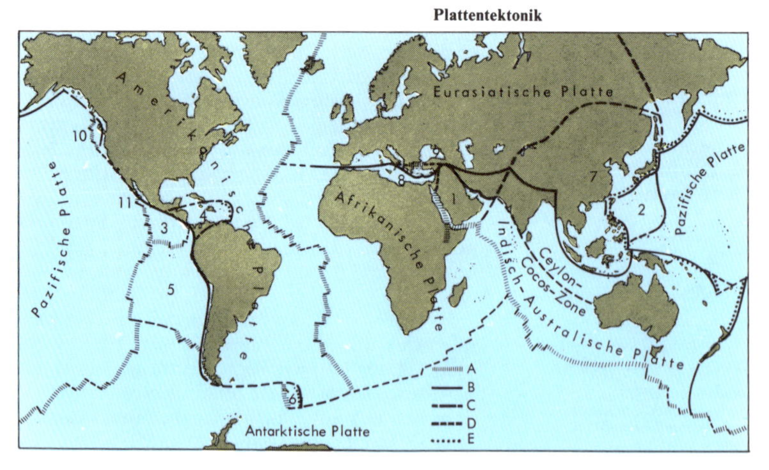

Plattengrenzen:
A – Spreadingachsen
B – Subduktionszonen
C – Transformströmungen
D – Charakter unsicher
E – Vulkanische Inselbögen

Platten:
1 – Arabische Platte
2 – Philippinen-Platte
3 – Kokos-Platte
4 – Karibische Platte
5 – Ostpazifische oder Nazca-Platte
6 – Südsandwich-Platte
7 – Südasiatische Platte
8 – Ägäische Platte
9 – Türkische Platte
10 – Juan-de-Fuca-Platte
11 – Rivaer-Platte

Plattfische, Fische mit flachem, scheibenförmigem Körper. Während ihre Larven frei im Wasser schwimmen und symmetrisch gebaut sind, wird der Körper im Verlauf der →Entwicklung zum erwachsenen Tier (›Metamorphose‹) asymmetrisch. Er plattet sich seitlich stark ab, wobei das Auge der späteren Unterseite auf die Gegenseite verlagert wird. Auch das Maul verschiebt sich zu dieser Seite hin. Meist liegen die erwachsenen Plattfische auf der ›blinden‹ Seite (die hell und farblos bleibt) am Boden, häufig wühlen sie sich in den Sand oder Schlamm ein und lauern auf Fische und andere Bodentiere, die sie blitzschnell mit ihrem großen Maul packen. Sie sind gut getarnt, da die Oberseite eine dunkle, dem Untergrund angepaßte Färbung annimmt. Plattfische schwimmen in der ›Seitenlage‹ durch wellenförmige Bewegungen des Körpers oder kriechen auf dem Flossensaum am Grund.

Plattfische, die auch in europäischen Küstengewässern leben, sind beliebte Speisefische. Sie werden in Schleppnetzen gefangen, vor denen eine eiserne Kette hängt, die die Fische aufstöbert. Der fast kreisrunde **Steinbutt** wird bis 1 m lang und 3,5 kg schwer. Die bis 95 cm lange **Scholle** hat auf der Oberseite orangefarbene Flecken. Ihr ähnlich ist die viel kleinere und dunklere **Flunder,** die auch in Flußläufe vordringt. Die größte heimische Art ist der **Heilbutt** (1–2 m lang, 100–200 kg schwer), der wie die viel kleinere **Seezunge** einen etwas gestreckteren Körper hat als die anderen Plattfische. (BILD Fische)

Plattfuß, eine Fehlhaltung des →Fußes.

Plautus. Der lateinische Komödiendichter **Titus Maccius Plautus** (* 250, † 184 v. Chr.) bearbeitete griechische Komödien für die römische Bühne. Seine Stücke, von denen 21 (darunter ›Amphitryon‹) erhalten sind, sind von sprudelnder, oft derber Komik und wurden zum Vorbild für viele Lustspieldichter bis ins 18. Jahrhundert.

Plazenta [lateinisch ›Kuchen‹], der →Mutterkuchen.

Plebiszit [von lateinisch plebiscitum ›Volksentscheid‹], →Volksabstimmung.

Plebs [lateinisch ›nichtadliger Bürger‹], **Plebejer,** Bauern, Besitzlose und Handwerker, die in der römischen Republik nicht zu den adligen Familien der Patrizier gehörten. Die Plebs bildeten keine einheitliche Schicht. Es gab arme und reiche Plebejer. Seit 494 v. Chr. schuf sich die Plebs eine eigene Volksversammlung und hatte politische Vertreter, die 10 Volkstribunen. Diese sollten die Plebs gegen patrizische Willkür schützen. Im Senat konnten sie Gesetze zu Fall bringen (Vetorecht). 366 v. Chr. erhielten die Plebejer Zugang zum Konsulat; amtsfähig wurde aber nur eine plebejische Oberschicht. Sie verschmolz bald mit den Patriziern zu einer neuen Schicht, der Nobilität. 287 wurden die Beschlüsse der Volksversammlung, die **Plebiszite,** mit den Gesetzen gleichgestellt. Damit waren die Ständekämpfe, die Auseinandersetzung zwischen Patriziern und Plebejern, abgeschlossen.

Pleistozän [von griechisch pleistos ›am meisten‹ und kainos ›neu‹], die →Eiszeit.

Plektron [griechisch ›Werkzeug zum Schlagen‹], **Plektrum,** kleines Plättchen aus Holz, Elfenbein, Metall oder Kunststoff, mit dem die →Saiten einiger Zupfinstrumente angerissen oder geschlagen werden, z. B. →Mandoline oder →Zither. Der Klang wird schärfer und brillanter, als wenn nur die Fingernägel benutzt würden.

Pleuelstange

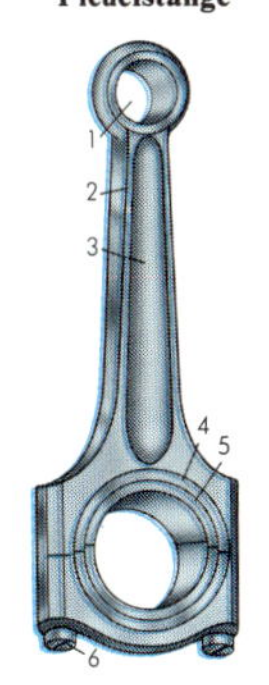

Pleuelstange eines Verbrennungsmotors: **1** Kolbenbolzenauge, **2** Schaft, **3** Steg, **4** Pleuellager, **5** Lagerschalen, **6** Pleuelschrauben

Pleuelstange, Maschinenteil, der die hin- und hergehende Bewegung des Kolbens in die Drehbewegung der Kurbelwelle umwandelt. Eine Pleuelstange besteht im wesentlichen aus dem Schaft, der an beiden Enden einen ringförmigen Kopf trägt. Durch den einen, auch Auge genannt, wird der Kolbenbolzen gesteckt, der andere umschließt mit Lagerschalen den Kurbelzapfen der Kurbelwelle.

Plinius, zwei römische Schriftsteller. **Plinius der Ältere** (* 24, † 79 n. Chr.) schrieb als erster ein umfassendes Werk über die Natur (Geographie, Tiere, Pflanzen, Heilmittel und Gesteine), die er dabei in eine Ordnung brachte. Sein Neffe, **Plinius der Jüngere** (* 62, † 113 n. Chr.), gibt in seinen in Büchern veröffentlichten Briefen ein anschauliches Bild des Lebens der Gesellschaft zur römischen Kaiserzeit.

PLO, Abkürzung für englisch **P**alestine **L**iberation **O**rganization, die Palästinensische Befreiungsorganisation (→Palästinenser).

Plotter [englisch ›Zeichner‹], von einem Computer gesteuertes Gerät, das Kurven, Graphiken, Zeichen und Schriften auf einen Bogen Papier zeichnet. Es dient – ähnlich wie ein Drucker – zur Ausgabe von Informationen und Daten.

Plural [zu lateinisch plures ›mehrere‹], die Mehrzahl (→Numerus).

Pluralismus [zu lateinisch plures ›mehrere‹], Bezeichnung für das vielfältige Nebeneinander von Parteien, Interessen- und Berufsverbänden,

Kirchengemeinschaften und Vereinen in einer Gesellschaft. Die freie Entfaltung dieser Gruppen als Bindeglied zwischen Bürger und Staat gilt als Ausdruck einer demokratisch geordneten Gesellschaft und als wirksamer Schutz gegen die Entstehung von Diktaturen.

Plus [lateinisch ›mehr‹, ›größer‹], Zeichen **+**, das Rechenzeichen für die Addition (→Grundrechenarten).

Plusquamperfekt [aus lateinisch plusquamperfectum ›mehr als vollendet‹], Vorvergangenheit, Zeitform des Präteriums, die ausdrückt, daß der dargestellte Vorgang bereits in der Vergangenheit beendet ist (→Tempus).

Pluto [nach dem griechischen Gott Pluton], der neunte und sonnenfernste Planet unseres Sonnensystems. Mit einem Durchmesser von etwa 3000 km ist er der kleinste Planet. Pluto wird von einem etwa halb so großen Mond **(Charon)** umkreist. Die Oberflächentemperatur des Pluto liegt unter −230 °C. Seine mittlere Entfernung zur Sonne beträgt 5,92 Milliarden Kilometer. Um die Sonne einmal zu umkreisen, braucht Pluto 248 Jahre, für die eigene Umdrehung 6,4 Tage. Er wurde 1930 von Clyde Tombaugh entdeckt.

Pluton, lateinisch **Pluto,** ursprünglich der Gott des Reichtums der Erde, dem die Griechen dankten, wenn sie Bodenschätze fanden oder gute Ernten hatten. In der griechischen und römischen Götterwelt wurde er dann als Gott der Unterwelt verehrt, der dem griechischen →Hades und dem römischen →Orkus gleichgestellt war.

Plutonium [nach dem Planeten Pluto], Zeichen **Pu,** ein radioaktives →chemisches Element (ÜBERSICHT). Es kommt in sehr kleinen Mengen in Uranmineralen vor, wird aber in größeren Mengen in Brutreaktoren erzeugt. Das silberweiße, unedle Metall wird als Kernbrennstoff für bestimmte Kernreaktoren und für Kernwaffen sowie zur Herstellung radioaktiver Isotope und anderer Transurane verwendet. Wegen seiner hohen Alphastrahlung und seiner Neigung zur Ablagerung im Knochenmark gehören Plutonium und seine Verbindungen zu den gefährlichsten Giftstoffen.

Po, Strom in Oberitalien, mit 652 km der größte Fluß Italiens. Er entspringt in 2020 m Höhe in den Westalpen und tritt bei Saluzzo in die Poebene ein. Bei Ferrara zweigt er mehrere Nebenarme ab und mündet in einem Delta, das immer weiter in das Adriatische Meer hinauswächst. Der Po führt im Frühjahr und Herbst Hochwasser; die Schiffahrt ist auf Grund wandernder Sandbänke nur mit kleineren Schiffen möglich und deshalb unbedeutend.

Die **Poebene** ist die am dichtesten besiedelte Landschaft Italiens. Auf dem fruchtbaren Boden gedeihen Weizen, Mais, Reis, Futterpflanzen, Obst und Wein. Auch Seidenraupenzucht und Milchwirtschaft werden betrieben. Daneben gibt es eine bedeutende Großindustrie, vor allem in den Großräumen Mailand und Turin.

Pocken, Blattern, eine ansteckende Krankheit, die durch ein Virus übertragen wird. Sie beginnt mit hohem Fieber, Kopf- und Gliederschmerzen. Nach etwa 4 Tagen bilden sich auf der Haut zunächst Knötchen, dann Bläschen und Eiterpusteln, die nach einiger Zeit eintrocknen und nach dem Abheilen tiefe Narben hinterlassen. Bei ungünstigem Verlauf kann die Krankheit durch Mitbeteiligung von Gehirn und Organen zum Tod führen.

Die Pocken waren weltweit verbreitet, zuletzt besonders in den unterentwickelten Ländern Afrikas und Asiens. Obwohl die Herstellung eines Impfstoffs gegen die Pocken schon seit 1796 möglich war, gelang es erst nach der Einführung des **Pockenimpfgesetzes** (1874), die Krankheit soweit zurückzudrängen, daß keine Epidemien mehr ausbrachen. Heute sind die Pocken nach Massenimpfungen in gefährdeten Gebieten fast völlig ausgerottet, so daß das Pockenimpfgesetz zum 1. Juli 1983 aufgehoben werden konnte.

Poe [pou]. Der amerikanische Schriftsteller **Edgar Allan Poe** (* 1809, † 1849) gilt als Meister der Kurzgeschichte, die er zur Kunstform erhob und für die er eine Theorie entwickelte. In seinen Kurzgeschichten (z. B. ›Der Untergang des Hauses Usher‹, 1840), die das Unheimliche, Grauenvolle und Übersinnliche in beklemmender Spannung behandeln, zeigen sich Poes Scharfsinn und sein Hang zum Makabren. Mit der Erzählung ›Der Doppelmord in der Rue Morgue‹ (1841) erfand der Schriftsteller die Gattung der Detektivgeschichte und mit Auguste Dupin die erste Detektivfigur. Poe schrieb auch stimmungsvolle Gedichte wie ›Der Rabe‹ (1845).

Poesie [zu griechisch poiein ›machen‹], die Dichtkunst (→Dichtung).

Pogrom [russisch ›Zerstörung‹], ursprünglich Bezeichnung für die gegen Juden gerichteten Gewaltakte, die seit 1880 in Rußland stattfanden. Dabei mißhandelte man die Menschen, vertrieb sie aus ihren Wohnungen und zerstörte oder stahl ihr Hab und Gut. Seit dieser Zeit nennt man Ausschreitungen gegen Juden oder gegen andere Minderheiten eines Landes Pogrom.

Pol, 1) Punkt, an dem die Drehachse eines sich drehenden Körpers die Oberfläche durchstößt. Bei Himmelskörpern, besonders der Erde, werden →Nordpol und →Südpol unterschieden.

2) elektrischer Pol. Jede Elektrizitätsquelle, z. B. eine Batterie oder ein →Akkumulator, hat 2 Anschlußstellen, die man Pole nennt. Da die Pole nicht gleichartig sind, unterscheidet man **Pluspol** (+) und **Minuspol** (−). Der Pluspol einer Stromquelle weist immer einen Elektronenüberschuß, der Minuspol einen Elektronenmangel auf.

Polargebiete, die Gebiete um die beiden Pole der Erde, rein rechnerisch begrenzt durch die Polarkreise.

Das **Nordpolargebiet (Arktis)** umfaßt das Nordpolarmeer mit Inseln (darunter Grönland, Spitzbergen, Nowaja Semlja) und einen schmalen Streifen der angrenzenden Festländer Amerikas, Europas und Asiens. Das Meer ist in seinen nördlichen Abschnitten von Treib- und Packeis bedeckt. Die Inseln und Festländer sind größtenteils Eis-, Fels- und Schuttwüste. Das arktische Klima ist meist trocken; die Temperaturen steigen im Sommer auf 1–8 °C und sinken im Winter bis unter −40 °C.

Etliche Nordpolarexpeditionen im 19. Jahrh. scheiterten. Frederick Cook behauptete, am 21. April 1908 am Nordpol gewesen zu sein. Robert Peary hat dies in heftigen Auseinandersetzungen mit Cook bestritten. Er selbst erreichte den Nordpol am 7. April 1909. 1925 versuchte Roald Amundsen, mit 2 Wasserflugzeugen an den Nordpol zu gelangen. Ein Jahr später überflog er zusammen mit anderen den Nordpol mit dem Luftschiff ›Norge‹. 1958 unterquerte das atomkraftgetriebene U-Boot ›Nautilus‹ (›Skate‹) der US-Marine den Nordpol.

Das **Südpolargebiet (Antarktis)** ist fast ganz von einem mächtigen Eispanzer bedeckt. Die größte bisher gemessene Eisdicke liegt bei mehr als 4000 m. Das Klima ist sehr kalt mit Temperaturen bis −90 °C. 1910 brachen 2 Expeditionen unter dem Norweger Roald Amundsen und dem Engländer Robert Scott zum Südpol auf, Amundsen mit Hundeschlitten, Scott mit Ponyschlitten und zu Fuß. Beide kämpften aus persönlichem und nationalem Ehrgeiz um den Ruhm, den Südpol als erster zu erreichen. Dies gelang Amundsen am 14. Dezember 1911, während Scott erst am 17. Januar 1912 ankam; auf dem Rückweg fanden Scott und seine Begleiter den Tod.

Die ersten Polarexpeditionen waren hauptsächlich geprägt vom Abenteurergeist und Entdeckerwillen, wenn Scott auch schon Landkarten angefertigt, Landschaft und Tiere gezeichnet und photographiert und verschiedenste Messungen durchgeführt hat. Heute gibt es in der Antarktis mehr als 30 Forschungsstationen von 11 Staaten, darunter auch die Deutsche Antarktis-Station. Mehrere hundert Forscher untersuchen das Eis und die Gesteine, forschen nach Bodenschätzen und messen Klimaerscheinungen. Man hat schon reiche Lagerstätten von Kohle, Eisenerz, Kupfer, Mangan und Molybdän gefunden.

Polarisationsfilter, →Lichtfilter.

Polarkreise, nördlicher und südlicher Breitengrad, der vom Äquator 66,5° und von den Erdpolen 23,5° entfernt ist. Sie trennen die Polargebiete von den →gemäßigten Zonen. Die Schrägstellung der Erdachse bewirkt, daß an beiden Polarkreisen jährlich einen Tag lang Polartag und einen Tag lang →Polarnacht herrscht.

Polarlicht, Leuchterscheinung der hohen Atmosphäre mit wechselnder Stärke, Farbe und Form. Auf der Nordhalbkugel wird sie als **Nordlicht,** auf der Südhalbkugel als **Südlicht** bezeichnet. Das Polarlicht wird durch elektrisch geladene Teilchen ausgelöst, die von der Sonne abgestrahlt werden. Wegen des Magnetfeldes der Erde können die Teilchen nur in den Gebieten um die Pole in die Erdatmosphäre eindringen. In Höhen zwischen 100 und 400 km regen sie die Atome der Atmosphäre zum Leuchten an, meist in grünlicher bis rötlicher Farbe. Das Polarlicht erscheint in Form von Bändern und Bogen oder als Bündel von Lichtstreifen am nächtlichen Himmel.

Polarlicht

Polarnacht, die Zeit, während der die Sonne in den Polargebieten länger als 24 Stunden unter dem Horizont bleibt. Die Länge der Polarnacht nimmt von den Polarkreisen zu den Polen hin zu; an den Polen dauert sie fast ein halbes Jahr. Während des **Polartags,** der gegenteiligen Erscheinung, bleibt die Sonne länger als 24 Stunden über dem Horizont **(Mitternachtssonne).**

Polarstern, hellster Stern im Sternbild des Kleinen Wagens, wo er das Deichselende bildet. Die Erdachse weist heute zufällig fast direkt auf den Polarstern, so daß man diesen Stern als ruhenden Himmelspol ansehen kann, um den sich das Himmelsgewölbe zu drehen scheint. Er ist zur Zeit weniger als 1° vom Himmelsnordpol entfernt und zeigt somit fast genau die Nordrichtung an. Deshalb wird er auch als **Nordstern** oder **Nordpolarstern** bezeichnet. Schon vor 2000 Jahren diente der Polarstern als Wegweiser in der Nacht, obwohl er damals noch 12° vom Himmelsnordpol entfernt war.

Polarzone, die Klimazone der Polargebiete (→ Klima).

Polder, neu eingedeichtes Land (→ Koog).

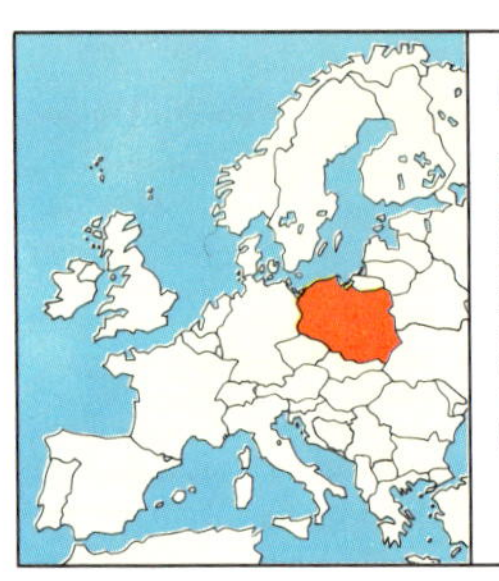

Polen

Fläche: 312 683 km²
Bevölkerung: 38,4 Mill. E
Hauptstadt: Warschau
Amtssprache: Polnisch
Nationalfeiertage: 3. Mai und 11. Nov.
Währung: 1 Złoty (Zł) = 100 Groszy (Gr, gr)
Zeitzone: MEZ

Polen

Staatswappen

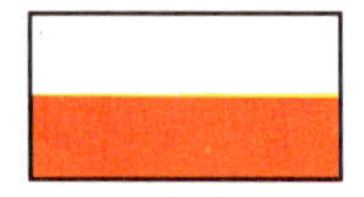

Staatsflagge

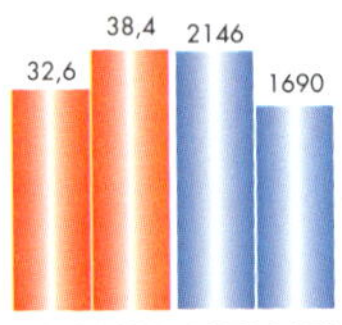

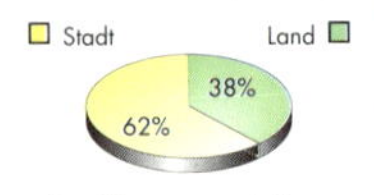

Bevölkerungsverteilung 1990

Bruttoinlandsprodukt 1990

Polen, Republik im Osten Mitteleuropas, zwischen Karpaten und Ostsee, etwas kleiner als Norwegen. Das sich an der Ostseeküste anschließende Tiefland ist von den Eiszeiten geschaffen worden. Das Tal der Weichsel trennt es in eine westliche und eine östliche Hälfte. Im Norden finden sich im Bereich des Baltischen Landrükkens zahlreiche Seen. Die Böden sind fruchtbar. Die größten Höhen des sich südlich anschließenden Berg- und Hügellandes liegen um 600 m. Die Gebirgszone im Süden wird von Sudeten und Karpaten gebildet. Die höchsten Teile des Riesengebirges waren vergletschert. Höchster Berg Polens ist die Meeraugspitze (Rysy) in der Hohen Tatra mit 2 499 m. Hauptflüsse sind Oder und Weichsel.

Das Klima ist gemäßigt. Nach Osten und zum Binnenland hin nehmen die Niederschläge ab, bevor sie am Gebirge wieder ansteigen.

Die meisten Einwohner sind Polen. Durch die Abtretung Ostpolens an die Sowjetunion und die Übernahme der deutschen Ostgebiete durch Polen nach dem Zweiten Weltkrieg kam es zu großen Umsiedlungen und Binnenwanderungen. Der größte Teil der Deutschen floh oder wurde vertrieben; heute leben noch einige hunderttausend Deutsche im Land.

Die größten Städte sind Warschau, Lodz, Krakau, Breslau, Posen und Danzig. Polen hat sich von einem Agrarstaat zu einem Industriestaat gewandelt. Die Landwirtschaft liegt überwiegend in Händen kleinbäuerlicher Privatbetriebe. Die Hälfte des Landes ist ackerbaulich nutzbar. Roggen, Weizen, Gerste, Hafer und Kartoffeln sind wichtige Anbauerzeugnisse. Viehzuchtprodukte sind für die Ausfuhr bedeutend.

Von den Bodenschätzen hat die Steinkohle des oberschlesischen Industriereviers die größte Bedeutung. Hier liegt auch das Zentrum der Hütten- und Metallindustrie. Warschau und die großen Städte sind Mittelpunkte der verarbeitenden Industrie. Schiffe werden in Danzig, Gdingen und Stettin, den wichtigsten Seehäfen, gebaut. Bedeutendste Wasserstraße ist die Oder, die über ein Kanalsystem das oberschlesische Industriegebiet mit den Ostseehäfen verbindet.

Geschichte. Zwischen den Flüssen Oder und Weichsel entstand 1025 aus dem Herzogtum Polen das Königreich Polen, das unter dem Herrscherhaus der Piasten eine Union mit Ungarn (1370–82), unter der Dynastie der Jagiellonen eine Union mit Litauen einging. Im 14. Jahrh. war Polen die führende Macht in Osteuropa.

Nach dem Aussterben der Jagiellonen 1572 wurde Polen zum Wahlkönigtum. Der König besaß keine Macht, den größten Einfluß hatte der Adel, der unter sich zerstritten war und die Beschlußfähigkeit der Reichstage lähmte. Polen verlor seine Vormachtstellung. Schließlich teilten die Nachbarstaaten Preußen, Österreich und Rußland in 3 → Polnischen Teilungen (1772, 1793, 1795) das Land vollständig unter sich auf.

1809 entstand durch Napoleon I. ein Herzogtum Warschau, das 1815 als Königreich Polen mit Rußland vereinigt wurde (›Kongreßpolen‹).

Erst durch die Friedenskonferenzen 1919 entstand ein neues unabhängiges Polen, nun als Republik. Nach dem Zweiten Weltkrieg, den der deutsche Einmarsch in Polen ausgelöst hatte, wurde Polen von sowjetischen Truppen besetzt. Die polnischen Ostprovinzen fielen an die Sowjetunion; Polen erhielt dagegen die Verwaltung der deutschen Gebiete östlich von Oder und Neiße. Nach dem Zweiten Weltkrieg setzten sich die Kommunisten in der Regierung des Landes durch, die Struktur und Verfassung an das sowjetische Vorbild anglichen. Polen wurde Mitglied des COMECON und des Warschauer Pakts. 1970 schlossen die Bundesrepublik Deutschland und Polen den Warschauer Vertrag, in dem festgestellt wird, daß die Oder-Neiße-Grenze die Westgrenze Polens ist. 1980 kam es als Folge einer Streikbewegung zur Gründung der unabhängigen Gewerkschaft ›Solidarität‹; sie wurde zwar 1982 aufgelöst, 1983 jedoch wieder zugelassen. Im Gespräch mit der Regierung wurde die Ablösung der kommunistischen Herrschaft und die Hinwendung zum demokratischen System vereinbart; 1989 fanden freie Parlamentswahlen statt; eine Verfassungsänderung führte zum demokratischen Rechtsstaat. (KARTE Band 2, Seite 201)

Polio, Abkürzung für **Polio**myelitis, die → Kinderlähmung.

Polis bezeichnete ursprünglich in Griechenland die Burg, später die Siedlung im Schutz der Burg. Die Polis wurde zum politischen Mittelpunkt des umliegenden Gebiets. Sie war Sitz der Beamten, hier tagten der Rat und die Volksversammlung. So entwickelte sich der ›Stadtstaat‹ (eine Stadt mit einigen Dörfern), der nach seinen eigenen Gesetzen lebte und versuchte, auch wirtschaftlich unabhängig zu sein. Der Bürger betrachtete die Polis als Heimat und Vaterland; er war Athener, Thebaner oder Korinther und erst an zweiter Stelle Grieche. Die um jeden Preis angestrebte Selbständigkeit führte zu vielen Kämpfen und zur Zersplitterung der griechischen Stämme in manchmal winzige Stadtstaaten; über größere Gebiete geboten nur Athen und Sparta. Die Blütezeit der Polis lag im 6.–4. Jahrh. v. Chr.

Politik [griech.], alle Handlungen, die auf eine ordnende Gestaltung des Gemeinwesens bezogen sind. Sie vollzieht sich in allen Bereichen (z. B. Außenpolitik, Innenpolitik) innerhalb von Grenzen, die durch Gesetze (Völkerrecht, Menschenrechte, Bürgerrechte usw.) festgelegt sind.

Polizei [von griechisch politeia ›Staatsverwaltung‹]. Die Polizei hat die Aufgabe, über die öffentliche Sicherheit und Ordnung zu wachen und somit Gefahren für die Allgemeinheit und den einzelnen abzuwehren.

Die **Vollzugspolizei** umfaßt vor allem die uniformierte **Schutzpolizei,** die durch Streifenfahrten und Verkehrsüberwachung in Erscheinung tritt. Hierzu gehört auch die nicht uniformierte **Kriminalpolizei,** die sich mit der Aufklärung und Verfolgung strafbarer Handlungen befaßt. Außerdem gibt es zur Ausbildung des Polizeinachwuchses und als Polizeireserve die **Bereitschaftspolizei** und ferner die **Wasserschutzpolizei** zur Überwachung des Schiffsverkehrs im Inland.

Zur **Ordnungsverwaltung** gehören die Baubehörden, Gesundheitsämter, die Gewerbeaufsicht und das Ausländeramt.

Zur Polizei gehören noch der →Bundesgrenzschutz, das →Bundeskriminalamt, die Bahnpolizei und der Zoll als besondere Polizeibehörden.

Pollen [lateinisch ›Staubmehl‹], der Blütenstaub (→Blüten).

Pollution [lateinisch ›Verunreinigung‹], spontaner Samenerguß im Schlaf (→Ejakulation).

Pollux, einer der beiden →Dioskuren. Nach ihm wurde ein Stern im Sternbild der Zwillinge benannt.

Polnischer Korridor, der Landstreifen zwischen Pommern und der Freien Stadt Danzig. Im →Versailler Vertrag von 1919 wurden fast ganz Posen und Westpreußen dem neu gebildeten Staat Polen zugesprochen. Dadurch erhielt Polen einen Zugang zum Meer. Ostpreußen wurde aber vom Reichsgebiet abgetrennt. Seit 1938 forderte Hitler Verkehrswege durch dieses Gebiet. Die Korridorfrage diente ihm 1939 als Anlaß für den deutschen Angriff auf Polen.

Polnische Teilungen. Als nach dem Tod des polnischen Königs, Augusts III., 1763 die Gefahr bestand, daß Rußland sich ganz Polen einverleiben würde, schalteten sich Preußen und Österreich ein. 1772 vereinbarten sie mit Rußland eine Aufteilung polnischen Staatsgebiets. In dieser **1. Polnischen Teilung** erhielt Rußland Weißrußland östlich von Düna und Dnjepr, Österreich Ostgalizien und Preußen Westpreußen, das Ermland und den Netzedistrikt. Das so verkleinerte Polen war noch lebensfähig, bis es 1793 zur **2. Polnischen Teilung** kam. Preußen besetzte Danzig, Thorn, Posen und Kalisch (das sogenannte Südpreußen) und Rußland Teile Litauens, Wolhyniens und Podoliens. Bei der **3. Polnischen Teilung** 1795 wurde der Reststaat aufgeteilt. Preußen erhielt Gebiete südlich von Ostpreußen (Neu-Ostpreußen), Rußland das gesamte noch verbliebene östliche polnische Gebiet und Österreich Westgalizien. Die vom Wiener Kongreß 1815 beschlossene Aufteilung des von Napoleon I. 1807 geschaffenen Großherzogtums Warschau wird gelegentlich als **4. Polnische Teilung** bezeichnet. Im August 1939 einigten sich Hitler und Stalin über eine Teilung Polens in ›Interessengebiete‹ (Stalin-Hitler-Pakt); dies nennt man auch **5. Polnische Teilung.**

Polo, ein reiterliches Treibball- und Zielspiel, gespielt von 2 Mannschaften mit je 4 Spielern. Die Spieler suchen im Reiten den Ball aus Bambus (Gewicht: rund 130 g, Durchmesser: 8,25 cm) mit der Breitseite des holzhammerähnlichen Schlägers (Länge 120–140 cm) ins gegnerische Tor zu treiben. Das Spielfeld mißt 274 × 182 m. In der Mitte der beiden Endlinien stehen die 7,30 m breiten Tore. Sie sind nach oben offen und werden durch zwei 3 m hohe Stangen gebildet. Das Spiel ist in 4–8 Spielabschnitte (Chukkers) von je 7 ½ Minuten reiner Spielzeit eingeteilt. Die Spieler sind nach ihrer Leistungsstärke, ihrem **Handicap,** eingestuft. Zur Handicap-Kennzeichnung dienen Zahlen zwischen 1 und 10; die 10 kennzeichnet die besten Spieler. Bei Turnieren wird die Handicap-Zahl einer Mannschaft ermittelt und dann der schwächeren Mannschaft eine Punktvorgabe gewährt, damit möglichst gleiche Gewinnaussichten bestehen. Die beim Polo gerittenen Pferde **(Poloponys)** sind ausdauernde und wendige Halbblut- oder Vollblutponys.

Polo. Der Venezianer **Marco Polo** (* 1254, † 1324) reiste als einer der ersten Europäer durch ganz Asien bis nach China. 1271 brach er mit seinem Vater und seinem Onkel von Venedig auf, erst 24 Jahre später kehrte er zurück. In China gewann er die Gunst des Kaisers Shih Tsu. Dieser war ein Großchan (Kubilai) der Mongolen, die im 13. Jahrh. große Teile von China eroberten. Marco Polo wurde ein Berater des Kaisers und unternahm in seinem Auftrag ausgedehnte Reisen in China. Als reicher Mann kehrte er 1295 über das Südchinesische Meer, Vorderindien, Persien und Konstantinopel nach Venedig zurück. Wenig später geriet er in genuesische Gefangenschaft und diktierte einem Mitgefangenen den Bericht über seine Reise. Was er vom Glanz des märchenhaften östlichen Reiches erzählte, glaubten seine Zeitgenossen nicht. Erst später wurde sein Bericht von anderen Reisenden bestätigt. Seine genauen Beobachtungen prägten das Wissen um die Beschaffenheit der Erde im 14. und 15. Jahrh. Auch Kolumbus besaß Marco Polos Reisebericht.

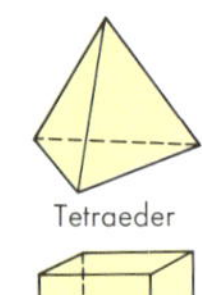
Tetraeder

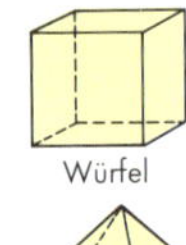
Würfel

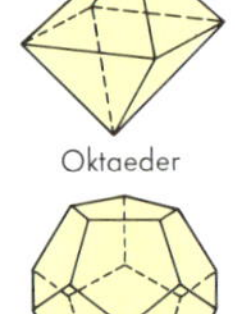
Oktaeder

Dodekaeder

Ikosaeder

Polyeder: regelmäßige Polyeder

Polonium [nach der polnischen Heimat von Marie Curie], Zeichen **Po,** →chemische Elemente, ÜBERSICHT.

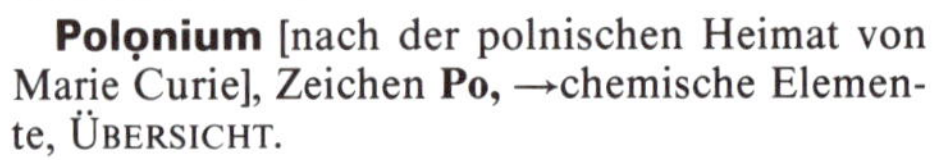

Polydeukes, einer der beiden →Dioskuren.

Polyeder, Vielflach, ein geometrischer →Körper, der von →Vielecken begrenzt wird. Die Flächen, die das Polyeder begrenzen, heißen **Seitenflächen.** Die Schnittlinie von 2 Seitenflächen wird als **Kante,** die Endpunkte der Kanten werden als **Ecken** bezeichnet. Unter einem **regelmäßigen Polyeder** versteht man ein Polyeder, das von untereinander kongruenten (→Kongruenz) und regelmäßigen Vielecken begrenzt wird. Es gibt nur 5 regelmäßige Polyeder:

1. das **Tetraeder** mit 4 gleichseitigen Dreiecksflächen, 6 Kanten, 4 Ecken (gleichseitige Pyramide);
2. der **Würfel (Hexaeder)** mit 6 quadratischen Seitenflächen, 12 Kanten, 8 Ecken;
3. das **Oktaeder** mit 8 gleichseitigen Dreiecksflächen, 12 Kanten, 6 Ecken;
4. das **Dodekaeder** mit 12 regelmäßigen Fünfecken als Seitenflächen, 30 Kanten, 20 Ecken;
5. das **Ikosaeder** mit 20 gleichseitigen Dreiecksflächen, 30 Kanten, 12 Ecken.

Die Namen Tetra, Hexa, Okta, Dodeka und Ikosa stammen aus dem Griechischen und geben die Anzahl der Seitenflächen des regelmäßigen Polyeders an.

Polyester, organische chemische Stoffe, in denen die Atomgruppe –CO–O– in vielfacher Wiederholung auftritt. Gesättigte Polyester werden zur Herstellung von Synthesefasern wie Diolen, Trevira oder Terylen, von Folien, technischen Artikeln und Lackharzen verwendet. Ungesättigte Polyester lassen sich z. B. als Gießharze und Lacke einsetzen. Durch schichtweisen Aufbau mit Glasgewebe dienen sie z. B. zur Herstellung von Tanks, Schwimmbecken, Bootskörpern.

Polygamie [griechisch ›Vielehe‹], im engeren Sinn das eheliche Zusammenleben eines Mannes mit mehreren Frauen **(Polygynie)** oder einer Frau mit mehreren Männern **(Polyandrie);** im weiteren Sinn versteht man darunter auch eine gleichzeitige geschlechtliche Beziehung mit mehreren Partnern. Während es Polyandrie ziemlich selten gibt (z. B. in Tibet und Südwestindien), ist die Polygynie weiter verbreitet und kommt vielfach zusammen mit der →Monogamie vor. In den meisten Staaten ist Polygamie jedoch verboten und strafbar. Bis 1887 war sie in den USA bei den Mormonen zugelassen; in der Türkei wurde sie durch Kemal Atatürk abgeschafft.

Polygon, ein →Vieleck.

Polyneikes, in der griechischen Sage Bruder der →Antigone.

Polynesien [griechisch ›Vielinselland‹], die aus Tausenden von Inseln bestehende Inselwelt im zentralen Pazifischen Ozean. Zu Polynesien gehören die Hawaii-Inseln, die Sporaden, die Phoenix-, Tokelau-, Samoa-, Tonga-, Cook-, Gesellschafts-, Tubuai-, Tuamotu- und Marquesas-Inseln. Im Osten reicht Polynesien bis zur Osterinsel, im Südwesten schließt es die Kermadec-Inseln und Neuseeland ein. Die Inselwelt umfaßt rund 45 000 km² mit etwa 1,4 Millionen Einwohnern (ohne Neuseeland). Bis auf wenige Ausnahmen gehören die Inselgruppen politisch zur USA, zu Großbritannien, Frankreich, Neuseeland und Chile. Die Inseln sind entweder vulkanischen Ursprungs oder Atolle. Das Klima ist tropisch bis subtropisch (feucht und warm) und steht unter dem Einfluß der Passate. Der Anbau von Kokospalmen, Bananen, Zuckerrohr usw. dient wie der Fischfang meist der Selbstversorgung. (KARTE Band 2, Seite 198)

Polyp [aus griechisch polypous ›Vielfuß‹], die meist festsitzende ungeschlechtliche Erscheinungsform der →Nesseltiere. Der becher- oder sackförmige Körper heftet sich mit der Fußscheibe am Meeresgrund, auf Felsen oder Wasserpflanzen fest und streckt die Mundöffnung mit den Fangarmen, auf denen die zahlreichen Nesselzellen sitzen, nach oben. Polypen leben einzeln (z. B. die →Seerosen, manche Korallen) oder entwickeln durch Abschnürung, Längs- oder Querteilung oft reich verzweigte, zum Teil riffbildende Tierstöcke (→Korallen). Die kleinen Süßwasserpolypen (wie die Hydra) befestigen sich meist an Wasserpflanzen oder Steinen in Tümpeln und Teichen. Mit ihren Fangarmen fangen sie Wasserflöhe und kleinste Krebse als Nahrung ein. Sie können ihre äußere Gestalt stark verändern und sich auch fortbewegen, z. B. um hellere Standorte aufzusuchen, wenn sie – ähnlich wie die Korallen – mit grünen Algen in →Symbiose leben. Süßwasserpolypen können auch große Kolonien bilden (z. B. das Zypressenmoos). Durch ungeschlechtliche Vermehrung entstehen am Rumpf mancher Polypen die später freischwimmenden →Quallen, die geschlechtliche Generation der Nesseltiere.

Polyp ist auch die volkstümliche Bezeichnung für die Kraken (→Tintenfische).

Polyphem, nach der griechischen Sage einer der Zyklopen, der einäugige Sohn des Poseidon. In der Sage um den Helden →Odysseus gehörte er zu dessen Gegnern.

Polytheismus [griechisch ›Vielgottglaube‹], die Verehrung einer Vielzahl von Gottheiten, im Gegensatz zum **Monotheismus,** der vom Glauben an einen Gott bestimmt wird. Die verschiedenen Gottheiten sind meist einer Landschaft oder einem bestimmten Lebensbereich zugeordnet. So kennen z. B. viele Religionen Götter und Göttinnen der Liebe, des Krieges, der Jagd oder des Todes. Der Polytheismus findet sich unter anderem in den antiken Religionen, dem →Hinduismus und in den Naturreligionen.

Pommern, ehemalige preußische Provinz südlich der Ostsee, von der Darßer Nehrung im Westen bis zum Zarnowitzer See im Osten. Die Hauptstadt der 30 208 km² großen Provinz war Stettin. Die Oder trennt das vorwiegend ebene Land in **Vorpommern** (Westpommern) und **Hinterpommern** (Ostpommern). Der Ostteil wird von der **Pommerschen Seenplatte** durchzogen. Land- und Forstwirtschaft sowie Fischerei in der Ostsee waren die Haupterwerbsquellen der Bevölkerung.

Ursprünglich war Pommern germanisch, seit dem 6./7. Jahrh. slawisch besiedelt. Nach der Christianisierung kam es im 12. Jahrh. unter deutschen Einfluß. Die slawischen Herzöge wurden 1181 Reichsfürsten, die das westliche Pommerellen (Landschaft an der Weichsel) und Rügen erwarben. Nach dem Aussterben der Reichsfürstenfamilie wurde Pommern zwischen Brandenburg, Schweden (1648) und Preußen (1720/1815) aufgeteilt. Nach dem Zweiten Weltkrieg kam Vorpommern bis westlich von Stettin zur Deutschen Demokratischen Republik und ist heute Teil des Bundeslandes Mecklenburg-Vorpommern, das übrige Pommern unter polnische Verwaltung, heute bei Polen.

Pompadour [põpadur]. Die Mätresse (Geliebte) des französischen Königs Ludwig XV., **Madame Pompadour** (* 1721, † 1764), hieß eigentlich Jeanne Antoinette Poisson und war einfacher Herkunft. Ludwig XV. verlieh ihr den Adelstitel einer Marquise (1745). Madame Pompadour gewann Einfluß am Königshof, förderte Künstler und Schriftsteller und wirkte auch auf die Politik ein. So trat sie 1756 für ein Bündnis Frankreichs mit Österreich gegen Preußen im Siebenjährigen Krieg ein.

Pompeius. Der römische Staatsmann **Gnaeus Pompeius Magnus** (* 106, † 48 v. Chr.), ein ehemaliger Anhänger Sullas, wurde 70 v. Chr. zum erstenmal Konsul. Er stellte gegen die Senatsherrschaft das Volkstribunat wieder her. Durch das Volk erhielt er außerordentliche Vollmachten (›Imperium‹) zum Kampf gegen die Seeräuber und König Mithridates VI. von Pontos (in Kleinasien). Er eroberte weite Gebiete im Osten. Da der Senat sich weigerte, die Neuordnung der Provinzen im Osten zu bestätigen, verbündete sich Pompeius 60 v. Chr. mit Caesar und Crassus zum **1. Triumvirat** (Dreimännerbund). Das Triumvirat wurde 56 v. Chr. erneuert, jedoch kam es zum Bruch, als Pompeius sich mit dem Senat aussöhnte und zum alleinigen Konsul eingesetzt wurde. Caesar eröffnete daraufhin den Bürgerkrieg. 49 v. Chr. brachte er ganz Italien in seine Gewalt. Pompeius und die meisten Senatoren flohen aus Rom. In Griechenland sammelte Pompeius ein großes Heer. Aber Caesar folgte ihm und schlug ihn 48 v. Chr. bei Pharsalos. Im selben Jahr wurde Pompeius in Ägypten ermordet.

Pompeji. Am frühen Nachmittag des 24. August 79 n. Chr. beobachteten die Anwohner des Golfs von Neapel eine dunkle Wolke von gewaltigem Ausmaß über dem östlichen Ende der Bucht. Es handelte sich um eine riesige, pilzförmige Wolke aus Asche und Erde, die der Vulkan Vesuv ausgestoßen hatte und die, als der Druck des Vulkans nachließ, in Form von Aschenregen

Pompeji
Stadt bei Neapel, Italien, südöstlich des Vesuvs, 22 000 Einwohner
Ausgrabungsfeld der 79 n. Chr. zerstörten antiken Stadt

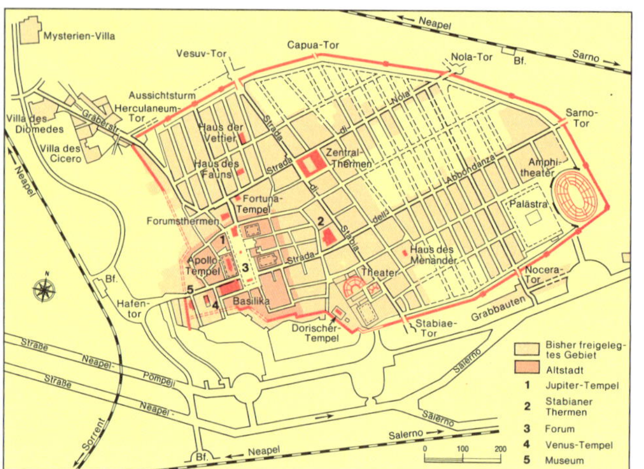

Pompeji: Lageplan

über der römischen Stadt Pompeji niederging. Plinius der Jüngere hat den Ausbruch des Vesuvs beschrieben, der außer Pompeji noch die Städte →Herculaneum und Stabiae vernichtete. Pompeji, das damals etwa 10000 Einwohner zählte, wurde unter einer bis zu 5 m dicken Schicht aus Bimsstein und Asche verschüttet.

In den folgenden Jahrhunderten geriet Pompeji in Vergessenheit. Als 1748 mit den ersten planmäßigen Ausgrabungen begonnen wurde, zeigte sich bald, wie leicht das Ausräumen der pompejanischen Asche gegenüber dem Graben in der Lava von Herculaneum war. Seitdem sind ⅔ des alten Pompeji ausgegraben worden, und von der Mitte des letzten Jahrhunderts an legten die Archäologen auch größeren Wert auf die Erhaltung der Gebäude und ihres Mobilars und Schmucks an Ort und Stelle, so daß ein Besuch Pompejis mit seinen Straßen, Tempeln, Amtsgebäuden, Handwerksbetrieben und seinen zahlreichen Wohnhäusern ein lebendiges Bild vom Leben der alten Römer vermittelt. Viele Funde aus Pompeji sind im Nationalmuseum in Neapel ausgestellt, z. B. das Mosaikbild der Alexanderschlacht.

Pond, Einheitenzeichen **p,** nicht gesetzliche Einheit der Kraft, 1 p = 9,80665 mN (Millinewton).

Pony, kleines →Pferd.

Ponyreiten wird von 7–16jährigen Kindern und Jugendlichen als Wettkampf auf Ponys mit einem Stockmaß (Schulterhöhe des Pferdes) von 1,17 m–1,48 m durchgeführt. Die Reiter messen ihr Können in Eignungs-, Dressur-, Spring- und Fahrprüfungen. Die Prüfungen sind in 3 vom Stockmaß abhängige Abteilungen gegliedert.

Pool-Billard [puhlbiljart, englisch], **American Pool** [emeriken puhl], eine in den USA entstandene Spielform des Billards zwischen 2 Parteien. Der Spieltisch mißt 1,12 × 2,24 m; in den Ecken und in der Mitte jeder Längsbande ist er jeweils mit einem Loch versehen. Es gilt, die 15 verschiedenfarbigen, numerierten Kugeln mit dem weißen Anstoßball in festgelegter Reihenfolge in den Löchern zu versenken. Dabei spielt eine Partei die Kugeln 1–7, die andere die Kugeln 9–15. Die Kugel 8 wird von dem Spieler gespielt, der zuerst die Kugeln seiner Partei versenkt hat. Eine Erschwernis bedeutet es, wenn auch die Reihenfolge der Löcher, in die die Kugeln zu spielen sind, vorher festgelegt wird.

Pop Art [von englisch popular art ›volkstümliche Kunst‹], Strömung der zeitgenössischen bildenden Kunst (etwa seit 1952), die in den 1960er Jahren auch auf den übrigen Kulturbereich (Popmusik, Filme, Zeitschriften) übergriff. Die Popkunst entdeckte die bunte Welt der Unterhaltungsindustrie (z. B. Comics) und der Werbung als eigene künstlerische Wirklichkeit. Die alltäglichen Dinge des Massenkonsums wie Cola-Dosen, Kaugummi, Konservenbüchsen oder ein Auto wurden zu Kunstgegenständen oder Bildvorlagen, oft in Vergrößerung, mehrfacher Aneinanderreihung und in neuen, komisch oder verfremdend wirkenden Zusammenhängen. Bevorzugt wurden grelle (›poppige‹) Farbzusammen-

Pop Art: Andy Warhol: Marilyn Monroe; Siebdrucke, 1967 (Hamburg, Kunsthalle)

stellungen und große Bildformate. Ausdrucksformen waren das →Happening, die →Collage, die Photomontage, der plastische Aufbau ganzer Innenräume (›Environment‹) mit Gipsabgüssen von Menschen und Gegenständen. Die Popkünstler wollten die Kunst mit der modernen Lebenswirklichkeit verbinden, diese aber auch parodieren und kritisieren. Einer der bekanntesten Künstler ist der Amerikaner Andy Warhol.

Popmusik [zu englisch pop, gekürzt aus popular ›volkstümlich‹]. Die Popmusik, in Europa meist als **›Beat‹** oder **›Pop‹**, in den USA als **›Rock‹** bezeichnet, nahm ihren Ausgang von dem amerikanischen →Rock'n'Roll der 1950er Jahre und wurde dann von englischen Gesangsgruppen wie den Beatles und den Rolling Stones, die ihre Songs mit 3 elektrischen Gitarren und Schlagzeug begleiteten, fortgesetzt. Typisch ist der hart geschlagene, gleichförmig pulsierende ›Beat‹. Im Gegensatz dazu entstand der durch weichere Klanggebung gekennzeichnete und meist von traditionellen Instrumenten begleitete ›Soft Beat‹. Durch die seit 1965 immer stärker werdende Annäherung an andere Musikstile wie Jazz, Blues, Folksong und die Kunstmusik entwickelten sich die verschiedensten Poprichtungen. Am bekanntesten sind der auf Blues, Rhythm and Blues und Gospelsong zurückgreifende Soul (James Brown, Ray Charles), der Blues Rock (Alexis Korner, Janis Joplin), der Elemente beider Stilrichtungen vereinigt, der provozierende Polit Rock (Mothers of Invention, Fugs), der durch neuartige Klangexperimente gekennzeichnete Psychedelic Rock (Pink Floyd, Tangerine Dream), der von fernöstlicher Klangwelt angeregte Exotic Rock (Raga-Rock), der Jazz Rock (Chicago, John MacLaughlin) und der auf klassischen Vorbildern aufbauende Classic Rock (Ekseption, Deep Purple, Emerson, Lake & Palmer). In der 2. Hälfte der 70er Jahre entstanden der Discosound und der aggressive Punk Rock, Anfang der 80er Jahre kamen Impulse durch afroamerikan. Musikformen wie Funk, Reggae, Rap und Hip-Hop. Zur wichtigsten Erscheinungsform der 80er Jahre wurde Heavy Metal, eine Wiederbelebung der aggressiven Urform des Rock.

Popocatépetl, Vulkan am Rand des Hochlandes von Mexiko. Der 5452 m hohe Berg liegt im Südosten der Stadt Mexiko. Er ist oberhalb von 4300 m ständig mit Schnee bedeckt. Der Vulkan ist mit einem breiten Bergrücken mit dem Nachbarvulkan Ixtaccíhuatl verbunden.

Pore [von griechisch poros ›Loch‹, ›Öffnung‹], kleines Loch, feine Öffnung. Besonders die in der Hautoberfläche des Menschen endenden Ausführungsgänge der Schweißdrüsen oder der Talgdrüsen bezeichnet man als Poren. In der Kern- und Zellmembran dienen Poren unter anderem zum Stofftransport zwischen den Zellen oder zwischen Zellplasma und Kernplasma. Bei den Pflanzen werden vor allem die Zentren der auf den Blättern liegenden Spaltöffnungen, die der Regulierung der Wasserverdunstung dienen, als Poren bezeichnet.

Porsche. Der Ingenieur **Ferdinand Porsche** (* 1875, † 1951) entwickelte 1900 ein Elektromobil mit Radnabenmotor. 1923 ging er zur Daimler Motorengesellschaft nach Stuttgart-Untertürkheim und arbeitete an der Konstruktion von Personen- und Lastkraftwagen. In Stuttgart gründete er 1931 ein Konstruktionsbüro und entwarf für verschiedene Firmen Kraftfahrzeuge, die technisch den neuesten Entwicklungsstand darstellten (z. B. der Rennwagen der Auto Union). Porsche konstruierte 1934 den Volkswagen, der als ›Käfer‹ noch heute im Straßenverkehr zu sehen ist.

Nach Ende des Zweiten Weltkrieges entwickelte er mit seinem Sohn den ersten Porsche-Sportwagen. Bis heute ist der Sportwagenbau, aber auch der Bau von Rennwagen in der Bundesrepublik Deutschland im wesentlichen mit dem Namen der Firma Porsche verbunden.

Porta Nigra [lateinisch ›schwarzes Tor‹], monumentales römisches Stadttor in Trier. Es wurde Ende 2. Jahrh. n. Chr. erbaut und ist eines der besterhaltenen römischen Bauwerke in Deutschland.

Port-au-Prince [portoprẽß], 1,14 Millionen Einwohner, Hauptstadt der Republik Haiti, liegt an der Westküste der Insel Hispanola.

Porta Westfalica [lateinisch ›westfälisches Tor‹], die →Westfälische Pforte.

Porträt [porträ], **Bildnis,** künstlerische Darstellung eines bestimmten Menschen mit erkennbarer Ähnlichkeit, die nicht naturalistisch zu sein braucht. Porträts im eigentlichen Sinn entstanden nur in realistischen Kunstepochen wie der römischen Antike und der europäischen Kunst seit dem ausgehenden Mittelalter. Zu anderen Zeiten, etwa in der frühen griechischen Kunst und im frühen und hohen Mittelalter, entstanden eher Idealbildnisse, die auf Ähnlichkeit verzichteten und den Dargestellten z. B. durch Inschrift und Wappen kennzeichneten. Nach der Anzahl der dargestellten Personen unterscheidet man das **Einzel-, Doppel-** und **Gruppenporträt;** ferner gibt es das **Selbstporträt.** In übertragenem Sinn spricht man auch bei der literarischen Darstellung einer Person von einem Porträt.

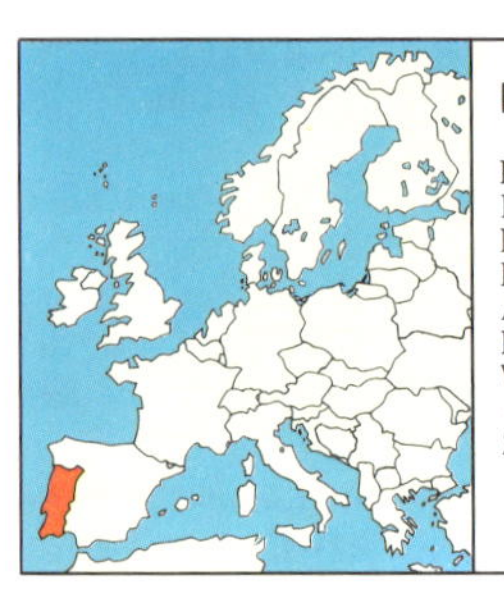

Portugal

Fläche: 92 389 km² (einschl. Madeira und Azoren)
Bevölkerung: 10,39 Mill. E
Hauptstadt: Lissabon
Amtssprache: Portugiesisch
Nationalfeiertag: 25. April
Währung: 1 Escudo (Esc) = 100 Centavos (c, ctvs)
Zeitzone: MEZ – 1 Stunde

Portugal

Staatswappen

Staatsflagge

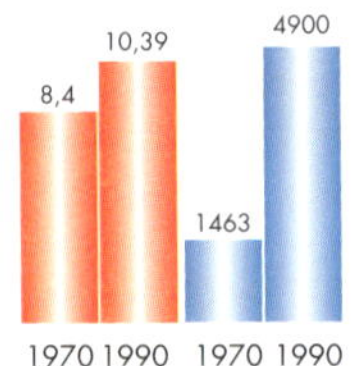

Bevölkerung (in Mill.)
Bruttosozialprodukt je E (in US-$)

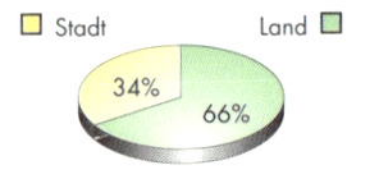

Bevölkerungsverteilung 1990

Bruttoinlandsprodukt 1989

Portugal, Republik im Westen der Iberischen Halbinsel, etwa dreimal so groß wie Belgien. Die zum Staatsgebiet gehörenden Inselgruppen Madeira und Azoren haben begrenzte Selbstverwaltung. 550 km lang und 150 km breit erstreckt sich das Land im äußersten Südwesten Europas. Im Norden und Osten hat Portugal Anteil am inneren Hochland der Halbinsel mit Gebirgen bis fast 2000 m. An der Küste und im Süden herrscht Tiefland vor. Klimatisch gehört Portugal zum Mittelmeerbereich. Der Norden ist feuchter und kühler als der Süden. Die Niederschläge nehmen von 2500 mm im Jahr im Nordwesten bis unter 400 mm im Süden ab. Die meisten Portugiesen leben in den Küstengebieten, sie gehören überwiegend der Katholischen Kirche an. Wichtigste Städte sind Lissabon und Porto.

Fast die Hälfte des Landes ist ackerbaulich nutzbar. Im Norden herrschen kleinbäuerliche Betriebe vor, im Süden Großgrundbesitz, der nach 1975 zum Teil enteignet wurde. In den fruchtbaren Gebieten werden Getreide, Mais, Kartoffeln, Wein, Oliven und Obst angebaut. Im Süden stehen Weizen, Reis, Tomaten und Schafzucht im Vordergrund. Der in den Korkeichenwäldern gewonnene Kork ist ein wichtiges Exportgut. Die traditionell bedeutende Fischerei fängt und verarbeitet besonders Sardinen, Kabeljau und Thunfisch.

Das rohstoffarme Portugal macht verstärkte Anstrengungen, die traditionellen Industrien Textilverarbeitung und Fischindustrie zu ergänzen. Bei Lissabon und Porto wurde eine Stahlindustrie errichtet, in Sines im Süden gibt es eine Erdölraffinerie und petrochemische Werke. $^2/_3$ der Industrie sind verstaatlicht. Der Tourismus spielt besonders im Süden eine große Rolle.

Der Sieg über das spanische Kastilien 1385 sicherte die Unabhängigkeit Portugals. Im 15. Jahrh. stieg es zu einer der führenden See- und Kolonialmächte Westeuropas auf. 1534 begann die Erschließung Brasiliens. 1910 wurde die Monarchie gestürzt und die Republik ausgerufen. Ab 1926 wurde das Land diktatorisch regiert; wichtigster Politiker war Oliveira Salazar. 1974 stürzte das Militär die Diktatur. 1976 trat eine demokratische Verfassung mit sozialistischen Tendenzen in Kraft. (KARTE Band 2, Seite 202)

Porzellan [von italienisch porcellana ›Porzellanschnecke‹], feinkeramisches Erzeugnis aus Porzellanerde (→ Kaolin), Feldspat und Quarz (→ Keramik). Zur Formgebung wurden früher runde Gegenstände (Teller, Tassen, Schüsseln) auf der Töpferscheibe gedreht, heute werden sie durch Eindrehen in Gipsformen mit einer Schablone geformt, Figuren und Vasen meist nach Modellen gegossen. Anschließend werden die Stücke sorgfältig getrocknet und dann in einem ersten Brand bis etwa 900 °C verglüht. Die vorgebrannte Ware wird nun in die Glasuraufschwemmung getaucht und erhält im folgenden Gut-, Gar- oder Glattbrand bei hohen Temperaturen (›Scharffeuer‹, 1300–1460 °C) ihren glasartigen Überzug, die Glasur. Zur Verzierung bieten sich 2 Möglichkeiten an: Bei der **Unterglasurmalerei** (auch **Inglasur**) werden die im ersten Brand verglühten Stücke mit färbenden, hochtemperaturbeständigen Metalloxiden (›Scharffeuerfarben‹) bemalt, glasiert und gutgebrannt. Die Bemalung ist weitgehend unvergänglich und unabnutzbar. Bei der **Aufglasurmalerei** wird mit leicht schmelzenden Farben (›Muffelfarben‹) auf die fertige, glasierte Weißware gemalt; dann folgt das Einbrennen bei mäßiger Hitze im Muffelofen, einem Ofen mit schamottegeschützten Brennkammern. Die Aufglasurfarben sind weniger haltbar als die Unterglasurfarben, weisen aber eine reichere Farbpalette auf.

Gemäß der Brenntemperatur unterteilt man die Porzellane in **Hart-** und **Weichporzellan.** Das widerstandsfähige Hartporzellan wird besonders für Tafelgeschirr verwendet, das Weichporzellan eher für Luxus- und Kunstgegenstände. Nach der Zusammensetzung unterscheidet man verschiedene Weichporzellane, z. B. das sehr leichte, durchscheinende **Knochenporzellan,** das stets unglasiert bleibende **Biskuitporzellan** und das glasartige **Frittenporzellan.**

Das Ursprungsland des Porzellans ist China, wo sich eine schrittweise Entwicklung von einfacherer Keramik zum Porzellan vollzog; als echtes Porzellan gilt schon Ware aus dem 11. Jahrh. Seit Ende des 13. Jahrh. gelangten Einzelstücke nach Europa, wo man sich seit dem 16. Jahrh. um die Porzellanherstellung bemühte. Diese gelang erst **Ehrenfried Walther Graf von Tschirnhaus** in Meißen (1708) und seinem Gehilfen **Johann Friedrich Böttger.** 1710 wurde die Meißener Porzellan-

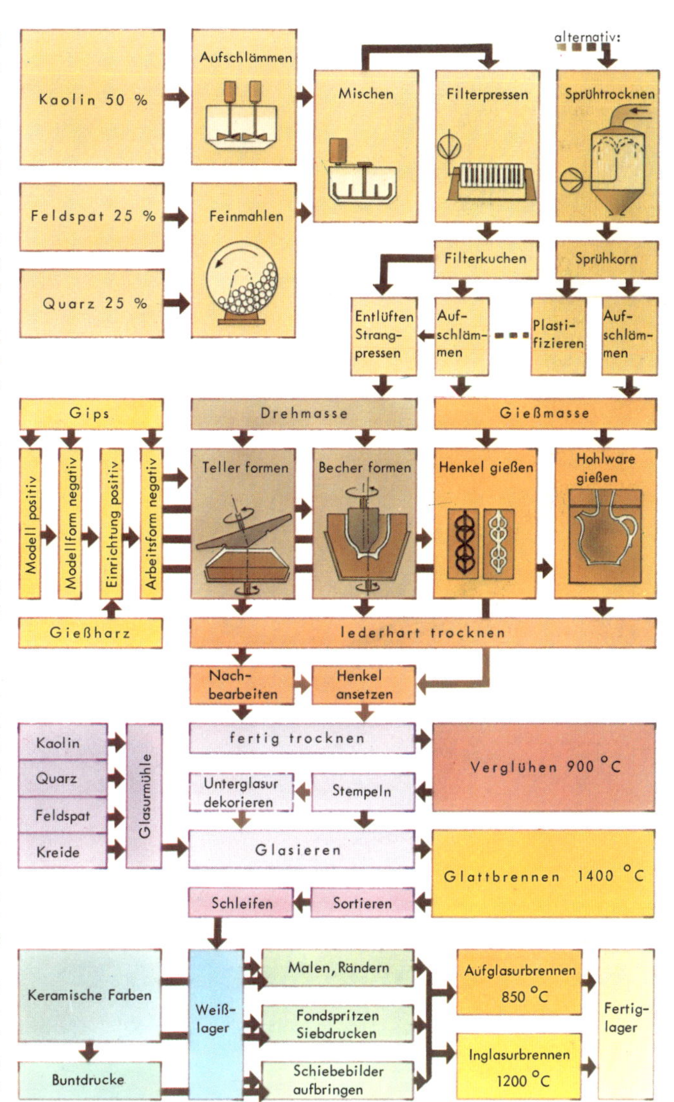

Porzellan: Schema der Herstellung

manufaktur gegründet. Berühmt wurden neben anderen auch die Manufakturen in Berlin, Höchst, Kopenhagen, Wien und Sèvres bei Paris.

Posaune [von lateinisch bucina ›Jagdhorn‹], großes Blechblasinstrument (→Blasinstrumente), dessen Schallröhre in 3 parallel laufende Stränge gebogen ist, die einem plattgedrückten S ähneln. Angeblasen wird die Posaune mit einem Kesselmundstück; am anderen Ende öffnet sie sich zu einem weiten Schalltrichter. Das Mittelstück ist stufenlos ausziehbar. Dadurch kann die Posaune gleichmäßig alle Töne hervorbringen, ohne Ventile oder Grifflöcher als Hilfsmittel. Ihr Klang ist voll und rund. Sie wird als **Alt-, Tenor-** und **Baßposaune** im Orchester, im Jazz und in der Kirchenmusik (Posaunenchöre) verwendet.

Poseidon, der griechische Gott des Meeres. Er war ein Bruder des Göttervaters Zeus und des Unterweltgottes Hades. Als die Brüder die Welt unter sich aufteilten, fiel Poseidon das Meer zu. Meist wurde er mit einem Dreizack und einem Fisch oder Delphin dargestellt, obwohl man ihn im griechischem Binnenland als Gott der Pferde und des Erdbebens verehrte. Die Römer setzten ihm den **Neptun** gleich.

Positiv, Grundstufe, →Komparation.

Post [aus lateinisch posita ›Standort (für Pferdewechsel)‹], Einrichtung zur Übermittlung von Nachrichten und Beförderung von Gütern und Personen (Postbusse) sowie zur Abwicklung von Geldverkehr (Postsparkassen, Postscheckämter). In den meisten Ländern ist die Post ein staatliches Unternehmen. Im Mittelpunkt der postalischen Dienstleistungen steht der Transport von Briefen, Postkarten, Drucksachen, Zeitungen, Paketen usw. **(›gelbe Post‹),** die leitungsgebundene (Kabel) und leitungsungebundene (Funk) Nachrichtenübermittlung, das **Fernmeldewesen.**

Die Telekom verfügt über ein leistungsstarkes Telefonnetz, das jetzt auch in den neuen Bundesländern aufgebaut wird. Dies wird auch zur Übertragung via Telefax und für das Bildtelefon benützt. Auch die Sendeeinrichtungen für Hörfunk und Fernsehen gehören fast alle der Post. Um immer schnellere und bessere Nachrichtenverbindungen anbieten zu können, erprobt die Post technische Neuerungen und führt diese bei Bedarf auch ein (z. B. →Bildschirmtext, schnurloses →Telefon).

In der Bundesrepublik Deutschland untersteht die **Deutsche Bundespost,** Abkürzung **DBP,** dem Bundesminister für das Post- und Fernmeldewesen. Sie ist gegliedert in D. B. Postdienst (gelbe Post), D. B. Postbank und D. B. Telekom (Fernmeldewesen), selbständige öffentliche Unternehmen mit (jeweils) eigenem Management. In Österreich beaufsichtigt das Bundesministerium für Verkehr die **Österreichische Post- und Telegraphenverwaltung,** die von einem Generaldirektor geleitet wird. Die **Schweizerische Post-, Telephon- und Telegraphenbetriebe,** Abkürzung **PTT,** sind eigene Betriebe innerhalb der bundesgesetzlichen Bestimmungen.

1

2

3

4

Post: 1 Automatische Briefverteilanlage in Wuppertal, im Vordergrund die beiden Eingabegeräte und die Zuführstrecken zu den Codierplätzen, links das Vorverteilrinnensystem mit Codierplätzen, im Hintergrund die Feinverteilmaschine. **2** Codierplatz, Berlin. **3** Nachforschungsstelle mit Belegverwaltung und Mikroverfilmung in Essen. **4** Paketverteilanlage, Braunschweig

Um die internationale Zusammenarbeit im Postwesen zu verbessern, haben sich (1874) 22 Staaten zum **Weltpostverein** (Sitz: Bern) zusammengeschlossen. Seit 1948 ist der Weltpostverein eine Sonderorganisation der Vereinten Nationen; mittlerweile sind 168 Staaten Mitglied.

Nach dem **Postmonopol** hat die Deutsche Bundespost das alleinige Recht, Fernmeldeanlagen zu errichten und zu betreiben (Fernmeldehoheit). Private Fernmeldeleitungen müssen von der Bundespost genehmigt werden. Außerdem hat nur die Bundespost das Recht, Briefe zu befördern (Beförderungsvorbehalt). Ähnliche Regelungen bestehen in Österreich und der Schweiz. In den meisten Ländern ist die Post ein staatliches Dienstleistungsunternehmen.

Im Altertum und Mittelalter beförderten private Boten zu Fuß oder auf Pferden, die sie unterwegs an Zwischenstationen wechselten, die Nachrichten von Königen, Gelehrten oder Kaufleuten. In Europa errichtete 1495 Franz von Taxis die erste ununterbrochene Postlinie zwischen Wien und Brüssel. Diese Verbindung wurde weiter ausgebaut, bis im 18. Jahrh. die Postlinien von Thurn und Taxis (seit 1597 als Kaiserliche Reichspost) ganz West- und Mitteleuropa durchzogen. Generalpostmeister Heinrich von Stephan vereinheitlichte 1880 mit der Gründung des Reichspostamts das deutsche Postwesen. Nach dem Ersten Weltkrieg wurde ein eigenes Reichspostministerium geschaffen, 1924 die Deutsche Reichspost als weitgehend selbständiges Unternehmen aus der Reichsverwaltung ausgegliedert.

Postanweisung, der Auftrag an die Post, auf einem bestimmten Vordruck einen bar eingezahlten Geldbetrag bis zu 3 000 DM einem in der Anweisung genannten Empfänger bar auszuzahlen. Dieser Betrag wird dem Empfänger durch den Briefträger überbracht. Die Postanweisung kann auch telegraphisch übermittelt werden.

Postleitzahl, mehrstellige Kennziffer der Post als Zusatz zur Ortsangabe, damit Postsendungen schneller verteilt und zugestellt werden können (z. B. mit Hilfe automatischer Briefverteilanlagen). In der Bundesrepublik Deutschland bezeichnen die ersten beiden Ziffern der fünfstelligen Postleitzahl die Region, die letzten drei Ziffern die Orte, den Zustellbereich und die Postfächer für Kunden, die viel Post erhalten. Die Neuordnung der Postleitzahlen zum 1. 7. 1993 wurde durch die Wiedervereinigung Deutschlands notwendig.

Poststempel, Die auf Postsendungen aufgeklebten Briefmarken dienen als Nachweis, daß man die Postgebühren (das Porto) bezahlt hat. Durch den Poststempel werden diese Briefmarken entwertet. Auf dem runden Poststempel stehen auch Datum und Ort der Einlieferung der Postsendungen bei den Postämtern.

Postwertzeichen, amtliche Bezeichnung für →Briefmarken.

Potemkin [patjomkin]. Der russische Fürst und Feldherr **Grigorij Aleksandrowitsch Potemkin** (* 1739, † 1791) war seit 1774 Günstling und Ratgeber der russischen Kaiserin Katharina II. Er eroberte 1783 die Halbinsel Krim am Schwarzen Meer. Die Erschließung der neugewonnenen Gebiete Südrußlands war das Werk Potemkins. Als die Kaiserin einmal auf dem Weg zur Krim war, soll Potemkin Attrappen von Häusern aufgebaut haben, um Wohlstand dieser Gebiete vorzutäuschen. Seit dieser Zeit spricht man von **Potemkinschen Dörfern,** wenn man meint, etwas sei nur Blendwerk, nur Fassade.

Potenz [von lateinisch potentia ›Macht‹], Mathematik: Ein Produkt mit gleichen Faktoren kann man als **Potenz** schreiben. So gilt z.B.: $4 \cdot 4 \cdot 4 \cdot 4 \cdot 4 = 4^5$ (4^5 wird gelesen als: vier hoch fünf). Der Ausdruck 4^5 heißt Potenz. Hierbei bezeichnet man die Zahl 4 als **Grundzahl** oder **Basis** und die Zahl 5 als **Hochzahl** oder **Exponent.** Die Hochzahl gibt somit an, wie oft man die Basis mit sich selbst multiplizieren muß.

Die Potenz ist zunächst als ein Produkt mit mehr als 2 Faktoren erklärt. Nämlich:

$a^n = \underbrace{a \cdot a \cdot \ldots \cdot a}_{n \text{ Faktoren}}$, $a \in \mathbb{R}$ und $n = 2, 3, 4, \ldots$

Ferner setzt man fest: $a^1 = a$.

Beispiele:

$$5^1 = 5;$$
$$3^4 = 3 \cdot 3 \cdot 3 \cdot 3 = 81;$$
$$(-2)^5 = (-2) \cdot (-2) \cdot (-2) \cdot (-2) \cdot (-2) = -32;$$
$$(-9)^2 = (-9) \cdot (-9) = 81.$$

Man erkennt: Die Potenz einer positiven Basis ist stets positiv, die einer negativen Basis ist für gerade Hochzahlen positiv und für ungerade Hochzahlen negativ.

Für das Rechnen mit Potenzen gelten die folgenden Regeln:

1) Man multipliziert Potenzen mit gleicher Basis, indem man die Exponenten addiert: $a^m \cdot a^n = a^{m+n}$.

Beispiele:

$$2^3 \cdot 2^2 = 2^{3+2} = 2^5;$$
$$(-7)^4 \cdot (-7)^2 = (-7)^{4+2} = (-7)^6.$$

2) Man dividiert Potenzen mit gleicher Basis, indem man die Exponenten subtrahiert: $a^m : a^n = a^{m-n}$.

Beispiele:

$$2^3 : 2^2 = 2^{3-2} = 2^1;$$
$$(-7)^5 : (-7)^2 = (-7)^{5-2} = (-7)^3.$$

3) Man potenziert eine Potenz, indem man die Exponenten multipliziert: $(a^m)^n = a^{m \cdot n}$.

Beispiele:

$$(2^2)^3 = 2^{2 \cdot 3} = 2^6;$$
$$((-7)^4)^2 = (-7)^{4 \cdot 2} = (-7)^8.$$

4) Man potenziert ein Produkt, indem man jeden Faktor potenziert: $(a \cdot b)^n = a^n \cdot b^n$.

Beispiele:

$$(4 \cdot 5)^2 = 4^2 \cdot 5^2; \quad 2^3 \cdot 50^3 = (2 \cdot 50)^3 = 100^3.$$

5) Man potenziert einen Quotienten, indem man Zähler und Nenner potenziert: $\left(\frac{a}{b}\right)^n = \frac{a^n}{b^n}$.

Beispiele:

$$\left(\frac{7}{3}\right)^2 = \frac{7^2}{3^2}; \quad \frac{100^4}{25^4} = \left(\frac{100}{25}\right)^4 = 4^4.$$

Potenzen lassen sich auch auf ganzzahlige und auf rationale Hochzahlen erweitern. So setzt man fest:

$a^0 = 1$ (0^0 ist nicht defininert),

$a^{-n} = \frac{1}{a^n}$, $n \in \mathbb{N}$, $a \neq 0$,

$a^{\frac{m}{n}} = \sqrt[n]{a^m}$, $m, n \in \mathbb{N}$, $a > 0$ (→Wurzel),

$a^{-\frac{m}{n}} = \frac{1}{\sqrt[n]{a^m}}$, $m, n \in \mathbb{N}$, $a > 0$.

Beispiele:

$$2^0 = 1; \; 25^{\frac{1}{2}} = \sqrt{25^1} = \sqrt{25} = 5;$$
$$8^{\frac{2}{3}} = \sqrt[3]{8^2} = \sqrt[3]{64} = 4; \; 4^{-\frac{3}{2}} = \frac{1}{\sqrt{4^3}} = \frac{1}{\sqrt{64}} = \frac{1}{8}.$$

Für die Potenzen mit ganzen und rationalen Hochzahlen gelten ebenfalls die 5 Potenzgesetze.

Die Potenzgesetze werden häufig zur Vereinfachung von →Termen benutzt. Einige Beispiele sollen dies demonstrieren:

Beispiele:

1) $\left(\frac{x \cdot (x+1)}{(x+1)}\right)^2 = \frac{x^2 \cdot (x+1)^2}{(x+1)^2} = x^2.$

2) $\left(\frac{2a}{4b^2}\right)^3 : \left(\frac{4a}{8b^2}\right)^2 = \frac{2^3 a^3}{4^3 b^6} : \frac{4^2 a^2}{8^2 b^4} = \frac{8a^3}{64 b^6} \cdot \frac{64 b^4}{16 a^2} = \frac{a}{2b^2}.$

3) $\sqrt{6} \cdot \sqrt{14} \cdot \sqrt{21} = \sqrt{6 \cdot 14 \cdot 21} = \sqrt{1764} = 42.$

Potsdam, 140 000 Einwohner, Hauptstadt von Brandenburg, an der Havel. Das Schloß

Sanssouci entstand 1745–47 als Sommerresidenz mit Garten unter Friedrich dem Großen, zum Teil nach eigenen Entwürfen; Sanssouci ist ein Hauptwerk des deutschen Rokoko. Im Schloß Cecilienhof wurde 1945 das Potsdamer Abkommen vereinbart.

Potsdamer Abkommen, die Übereinkunft zwischen Großbritannien, der Sowjetunion und den USA über die Behandlung des besiegten Deutschland. Sie wurde am 2. August 1945, am Ende der **Potsdamer Konferenz** der 3 Siegermächte (17. Juli bis 2. August 1945), unterzeichnet. Am 7. August 1945 stimmte ihm auch Frankreich unter Vorbehalt zu.

Nach diesem Abkommen wurde ein Alliierter Kontrollrat als oberstes Regierungsorgan eingerichtet. Folgende Grundsätze sollten angewandt werden: völlige Abrüstung Deutschlands, Zerschlagung der NSDAP und der ihr angeschlossenen Organisationen, Aufhebung der nationalsozialistischen Gesetzgebung, Entfernung von Nationalsozialisten nicht nur aus dem öffentlichen Dienst, sondern z. B. auch aus den Bereichen von Kultur und Wirtschaft (›Entnazifizierung‹). In wirtschaftlicher Hinsicht sollte Deutschland als Einheit betrachtet werden; die Kartelle (große Zusammenschlüsse von Unternehmen) sollten aufgelöst werden. Die Höhe der Reparationsansprüche der Siegermächte wurde genau festgelegt.

Die deutschen Gebiete östlich der →Oder-Neiße-Linie wurden vom deutschen Staatsgebiet abgetrennt; dabei kam der größte Teil unter vorläufige polnische Verwaltung; Königsberg und Ostpreußen wurden der Sowjetunion übergeben. Die in diesen Gebieten, in der Tschechoslowakei und Ungarn lebende deutsche Bevölkerung sollte in ›ordnungsgemäßer und humaner Weise‹ in das restliche Deutschland umgesiedelt werden.

pound [paund], Einheitenzeichen **lb,** Gewichts- und Masseneinheit in Großbritannien und den USA. Der vereinheitlichte Wert beträgt 1 lb = 0,45359237 kg (Kilogramm).

Prachtfinken, zu den →Webervögeln gehörende kleine, bunte Vögel.

Prädikat [von lateinisch praedicare ›öffentlich ausrufen‹], **Satzaussage,** ein Satzteil, der zusammen mit dem Subjekt (Satzgegenstand) die Grundform des →Satzes bildet. Prädikat kann sein: ein selbständiges Verb (Die Sonne leuchtet), ein Hilfsverb mit Prädikatsnomen, das heißt mit einem Adjektiv (Die Sonne ist groß) oder mit einem Substantiv (Die Sonne ist ein Stern).

Präfekt [von lateinisch praefectus ›Vorgesetzter‹], in der römischen Republik Beamter, der im Unterschied zu anderen Beamten nicht gewählt, sondern von Konsuln und Diktatoren ernannt wurde. Er hatte meist militärische Befugnisse. Der **Praefectus praetorio** war der Befehlshaber der Garde der römischen Feldherren (später Leibwache der Kaiser); der **Praefectus urbi** war seit Kaiser Tiberius (14–37 n. Chr.) der Polizeichef Roms.

Prag, 1,19 Millionen Einwohner, Hauptstadt der Tschechischen Republik zu beiden Seiten der Moldau. Prag, wegen seiner schönen Lage, seiner Bauwerke und Kunstschätze auch ›das Rom des Nordens‹ oder die ›goldene‹, ›hunderttürmige‹ Stadt genannt, ist kultureller Mittelpunkt der Tschechoslowakei mit einer Universität (1348 als erste deutsche Universität gegründet). Über der Moldau erhebt sich der **Hradschin** mit der ehemaligen Hofburg (14.–18. Jahrh.; heute Sitz des tschechoslowakischen Staatspräsidenten) und dem Sankt-Veits-Dom mit der Gruft böhmischer Herrscher. Prags Baudenkmäler sind auf die Viertel **Altstadt** (Karlsbrücke, 14. Jahrh.) mit **Judenviertel** oder **Josefstadt** (Altneusynagoge, 13. Jahrh.), **Neustadt** und auf die malerische **Kleinseite** auf dem linken Ufer der Moldau verteilt.

Das Bistum Prag wurde 973 gegründet. In Prag wirkte der Kirchenreformer Jan Hus (* um 1370, † 1415). Die Kultur Prags hat z. B. die Dichter Franz Kafka und Rainer Maria Rilke geprägt.

Prager Fenstersturz. Zum **ersten Prager Fenstersturz** kam es, als die Obrigkeit Maßnahmen gegen die →Hussiten, die Anhänger der religiösen und nationalen Bewegung von Jan Hus, erließ. Unruhen führten dazu, daß am 30. Juli 1419 mehrere Ratsherren aus den Fenstern des Rathauses geworfen wurden. Dieser Vorfall löste die ›Hussitenkriege‹ aus (1419–36). Der **zweite Prager Fenstersturz** fand 200 Jahre später, am 23. Mai 1618, statt. Hier entlud sich die Unzufriedenheit der böhmischen Protestanten gegenüber der gegenreformatorischen Politik des katholischen Kaisers Matthias. Zwei Statthalter des Kaisers wurden mitsamt ihrem Schreiber aus dem Fenster der Prager Burg, des Hradschin, in den Burggraben geworfen. Dies war der Auftakt zum Böhmischen Aufstand, der den →Dreißigjährigen Krieg einleitete.

Pragmatische Sanktion, feierlicher Erlaß, grundlegendes Staatsgesetz.

Besonders wichtig in der deutschen Geschichte ist die Pragmatische Sanktion von 1713, in der Kaiser Karl VI. (1711–40) die Erbfolge für die habsburgischen Länder regelte. Danach sollten seine Töchter vor den Töchtern seines älteren Bruders, Joseph I. (1705–11), den Vorrang haben. Durch dieses Gesetz wurde Maria Theresia 1740 Erzherzogin von Österreich und Königin von Ungarn und Böhmen. Obwohl die europäischen Mächte das Gesetz anerkannt hatten, mußte Maria Theresia um ihr Erbe den →Österreichischen Erbfolgekrieg führen.

Prämie [von lateinisch praemium ›Preis‹], Belohnung für eine besondere Leistung. In Betrieben wird z. B. ein **Prämienlohn** (→Lohn) gezahlt, wenn ein Mitarbeiter Vorschläge für wirtschaftlicheres Arbeiten macht. – Im Versicherungswesen heißt Prämie der Betrag, den man für einen abgeschlossenen Versicherungsvertrag leisten muß. Meist ist eine jährliche Prämie für das versicherte Risiko oder den versicherten Gegenstand (z. B. Versicherung des Hausrats vor Diebstahl oder Zerstörung, Versicherung des Kraftfahrzeuges vor Unfallschäden) an das Versicherungsunternehmen zu zahlen.

Präposition [von lateinisch praeponere ›voranstellen‹], **Verhältniswort,** Wortart, die ein Substantiv (Hauptwort) mit einem anderen Wort verbindet. Die Präposition zeigt an, wie sich Dinge oder Personen zueinander verhalten. In dem Beispiel ›Die Banane liegt auf der Kiste, in der Kiste, unter der Kiste‹ gibt sie das räumliche Verhältnis von Banane und Kiste an. Die Präposition verlangt einen bestimmten Kasus (Fall), in dem das zu ihr gehörende Substantiv oder Pronomen (Fürwort) gebeugt werden muß.

PRÄPOSITION

Akkusativ (Wenfall)	durch, für, ohne, um, gegen. Er geht **ohne den** Hund **durch den** Wald.
Dativ (Wemfall)	mit, aus, von, bei, nach, zu, seit. Er geht **mit dem** Hund **aus dem** Haus.
Genitiv (Wesfall)	während, wegen, statt, diesseits, jenseits, außerhalb, innerhalb, unterhalb, unweit, längs Er geht **wegen des** Hundes **unweit der** Bäume.
Akkusativ oder Dativ	an, auf, hinter, neben, in, über, unter, zwischen, vor.

Auf die Frage: Wo? steht der Dativ, auf die Frage: Wohin? steht der Akkusativ.

Prärie [französisch ›Wiese‹], das große Steppengebiet in Nordamerika, das von den Waldgebieten im Osten und den Rocky Mountains im Westen begrenzt wird. Der östliche Teil wird als **Langgrassteppe** bezeichnet und ist heute das wichtigste Getreideanbaugebiet der Erde mit Weizen, Mais und Baumwolle. Der trockenere Westteil, die **Kurzgrasprärie** (Great Plains), läßt Ackerbau nur mit Bewässerung zu und wird daher hauptsächlich als Weidegebiet genutzt.

Präriehunde, Nagetiere aus der Familie der →Hörnchen, die in Aussehen und Verhalten den Murmeltieren ähneln. Sie sind nach ihrer ›bellenden‹ Stimme benannt. Präriehunde bewohnen die Prärien Nordamerikas; sie graben sehr weit verzweigte, unterirdische Höhlen, in denen sie in riesigen Familien leben. Wie alle Hörnchen sind sie Winterschläfer. Da sie sehr verfolgt wurden und ihr Lebensraum eingeengt wurde, sind sie in ihrem Bestand zurückgegangen. (BILD Nagetiere)

Präriewolf, ein Wildhund (→Coyoten).

Präsens [von lateinisch praesens ›gegenwärtig‹], **Gegenwart,** Zeitform, die ausdrückt, daß der dargestellte Vorgang sich gerade zuträgt, während von ihm gesprochen oder geschrieben wird, und daß er noch andauert (→Tempus).

Praeseodym [von griechisch praeseios ›lauchgrün‹], Zeichen **Pr,** →chemische Elemente, ÜBERSICHT.

Präteritum [lateinisch ›das Vorübergegangene‹], Sammelbezeichnung für die Vergangenheitsformen des Verbs (→Imperfekt, →Perfekt, →Plusquamperfekt).

Prätor [lateinisch ›Vorangeher‹], seit 366 v. Chr. hoher römischer Beamter, der für die Rechtsprechung zuständig war. Später wurden Prätoren als **Proprätoren** Statthalter in den Provinzen. In der Kaiserzeit verloren sie an Bedeutung und waren schließlich nur noch für die Ausrichtung und Leitung der Spiele zur Unterhaltung des Volks zuständig.

Prätorianer, die Garde der römischen Feldherren, seit Kaiser Augustus die Leibgarde der römischen Kaiser. Besonders im 3. Jahrh., in der Zeit der Soldatenkaiser, gewannen sie großen Einfluß auf die Erhebung von Kaisern. 312 wurde die Prätorianergarde durch Kaiser Konstantin den Großen aufgelöst.

Preis [von lateinisch pretium ›Wert‹]. Jeder Gegenstand und jede Dienstleistung hat einen in Geld ausgedrückten Gegenwert, den Preis. Der Preis für die Arbeit heißt **Lohn** oder **Gehalt,** für die Bereitstellung von Geld **Zins.**

In einer →Marktwirtschaft, der Wirtschaftsordnung mit Entscheidungsfreiheit für Unternehmen und Haushalte über Herstellungs- und Verbrauchswünsche, ergibt sich der Preis in der Regel aus Angebot und Nachfrage. Auf dem →Markt stehen sich Produzenten und Käufer gegenüber, reagieren durch ihre Kauf- oder Verkaufsentscheidungen auf ihre Marktpartner und beeinflussen so den Preis. Dabei hängt die Preisfestsetzung maßgeblich von der Menge der Anbieter und der Nachfrager, der **Marktform,** ab. Ein Preis, bei dem kein Marktteilnehmer benachteiligt oder übervorteilt wird, bildet sich auf einem ›vollkommenen Markt‹, bei dem eine große Zahl von Anbietern auf eine große Nachfragerzahl stößt. Ein anderer Fall, in dem der Preis nur von der Anbieterseite bestimmt wird, liegt beim Monopol vor. Dagegen wird in zentralgelenkten Wirtschaftsordnungen (→ Planwirtschaft) der Preis nicht vom Markt, sondern vom Staat festgesetzt.

Preiselbeere

In Marktwirtschaften sind oft auf den Waren mehrere Preise zu sehen. Der Hersteller hat auf der Verpackung einen Preis aufgedruckt, nach dem sich die Handelsunternehmen (z. B. Warenhäuser) richten sollen **(Preisempfehlung).** Will der Händler das Produkt billiger anbieten, läßt er die Waren mit eigenen Preisschildern auszeichnen. Nur noch für Bücher und Zeitschriften gilt die **Preisbindung,** das heißt, der Ladenpreis für Bücher darf nicht unter dem vom Verlag festgesetzten Preis liegen.

Preiselbeeren, Kronsbeeren, Zwergsträucher mit immergrünen Blättern, die an trockenen Stellen des Waldes und vor allem in der Heide wachsen. Die im Spätsommer reifenden dunkelroten Beeren haben einen herben Geschmack und werden nur zu Marmelade und Kompott verarbeitet.

Prellung, meist schmerzhafte Gewebsverletzung, die durch Einwirken von stumpfer Gewalt, z. B. Schlag, Stoß, Fall, entsteht. Die Haut bleibt dabei äußerlich unverletzt. Durch Zerreißen von Blutgefäßen unter der Haut oder in der Muskulatur tritt Blut in das Gewebe aus, und es entsteht ein Bluterguß. Dies kann zunächst als Schwellung, danach beim Abbau des Blutfarbstoffes als blaugrüne Verfärbung sichtbar werden.

Preßburg, slowakisch **Bratislava,** 435 000 Einwohner, Hauptstadt der Slowakischen Republik. Preßburg liegt an der Donau, am Fuß der Kleinen Karpaten. Die Stadt entstand an einem befestigten Platz der Römer.

Presse. Unter dem Begriff Presse versteht man die periodisch erscheinenden Druckschriften Zeitung und Zeitschrift, im engeren Sinn nur die Tages- und Wochenzeitung. **Zeitungen** erscheinen in regelmäßiger Folge, meist täglich. In ihnen wird über aktuelle Ereignisse der verschiedensten Bereiche, vor allem Politik, Wirtschaft, Kultur, Sport, Lokales usw., berichtet. **Zeitschriften** werden meist wöchentlich, monatlich oder vierteljährlich herausgegeben. Während sich die Publikumszeitschriften, unter ihnen die politisch engagierten **Magazine** (Nachrichtenmagazine), die reich bebilderten **Illustrierten** oder die Programm-, Frauen- und Hobbyzeitschriften, mit ihren Themen an eine breite Öffentlichkeit richten, sind **Fachzeitschriften** für Wissenschaft und praktische Tätigkeit gedacht.

Die Presse ist wichtig als Informationsquelle, für die Darstellung der öffentlichen Meinung und für den Prozeß der Meinungsbildung.

Die **Pressefreiheit,** also die Freiheit, Gedanken in Druckschriften frei zu äußern und ungehindert zu verbreiten, ist in der Bundesrepublik Deutschland und in anderen freiheitlich-demokratischen Staaten garantiert: im Artikel 5 des Grundgesetzes, im Artikel 10 der Europäischen Menschenrechtskonvention, im Artikel 13 des österreichischen Staatsgrundgesetzes und im Artikel 55 der schweizerischen Bundesverfassung.

PRESSE

Artikel	kleiner Aufsatz in Zeitungen oder Zeitschriften; an auffallender Stelle (erste Seite) und mit wichtigem Thema: **Leitartikel**
Feuilleton	der sich mit kulturellen Ereignissen beschäftigende Teil der Zeitung (einschließlich Fortsetzungsroman, Kurzgeschichten)
Glosse	kurzer, polemischer Kommentar zu aktuellen Ereignissen
Impressum	gesetzlich vorgeschriebene Nennung von Verleger, Herausgeber, verantwortlichem Redakteur und Firma des Druckers
Interview	Befragung von Persönlichkeiten des öffentlichen Lebens zu bestimmten Problemen
Journalist	›Tagesschriftsteller‹, der für Presse, Rundfunk tätig ist
Kommentar	subjektiv wertende Beurteilung von Ereignissen
Layout	graphischer Entwurf für die Gestaltung von Buch- und Presseerzeugnissen, Lageplan der Text- und Bildelemente
Recherche	Ermittlung und Überprüfung von Informationen durch den Journalisten
Reportage	Bericht über aktuelle Ereignisse, meist mit Interviews und Kommentar

presto, musikalische Tempobezeichnung: sehr schnell. Das **Presto** ist ein Satz in diesem Tempo, z. B. in einer Sonate oder Sinfonie.

Pretoria, 528 400 Einwohner, Hauptstadt und industrielles Zentrum der Republik Südafrika, im südafrikanischen Hochland gelegen. Die 1855 gegründete Stadt, nach dem Führer der Buren, Andries Pretorius, benannt, hat einen schachbrettartigen Grundriß.

Preußen, bis 1945 der größte Teilstaat des Deutschen Reiches. 1939 hatte Preußen eine Fläche von 293 938 km² und war damit größer als die Bundesrepublik Deutschland in den Grenzen bis 1990, aber mit 41,47 Millionen Einwohnern dünner besiedelt. Im einzelnen bestand Preußen aus den Provinzen Ostpreußen, Grenzmark Posen-Westpreußen, Pommern, Brandenburg, Berlin, Niederschlesien, Oberschlesien, Sachsen, Schleswig-Holstein, Hannover, Westfalen, Hessen-Nassau, Rheinprovinz, Hohenzollern.

Geschichte. Die Entstehung des preußischen Staates ist verknüpft mit der Geschichte des Herrschergeschlechts der Hohenzollern, die seit 1415 Kurfürsten von Brandenburg waren und 1618 das Herzogtum Preußen erwarben. Der ›Große Kurfürst‹ Friedrich Wilhelm (1640–88) konnte Preußen aus der Abhängigkeit vom Königreich Polen lösen. Durch die Aufnahme von Hugenotten wurde ab 1685 die gewerblich-industrielle Entwicklung gefördert. Der Sohn des Großen Kurfürsten, Friedrich III., krönte sich 1701 in Königsberg als Friedrich I. zum König ›in Preußen‹ (das bedeutete ursprünglich nur in dem außerhalb der Reichsgrenzen liegenden Gebiet). Unter Friedrich Wilhelm I. (1713–40) wuchsen Preußen und Brandenburg zusammen. Er schuf das preußische Heer und das Beamtentum, die von nun an Träger der Macht waren.

Friedrich II., der Große (1740–86), erhob Preußen zur europäischen Großmacht. Er eroberte das bisher österreichische Schlesien und verteidigte es im Siebenjährigen Krieg. Außerdem erwarb er 1744 Ostfriesland. Er gewährte allen Bürgern Glaubensfreiheit, betrieb eine großzügige Erschließung unterentwickelter Gebiete und schuf das Preußische Allgemeine Landrecht, einen Vorläufer des Bürgerlichen Gesetzbuches. Durch die →Polnischen Teilungen erhielt Preußen Westpreußen mit dem Ermland und dem Netzegebiet sowie weitere Gebiete des heutigen Polen. Nach dem totalen Zusammenbruch im Krieg gegen Napoleon I. verlor Preußen 1807 die Hälfte seines Staatsgebietes. Danach führten Karl Freiherr vom Stein, Karl August Fürst von Hardenberg und Gerhard von Scharnhorst Reformen durch (Bauernbefreiung, Selbstverwaltung der Städte, allgemeine Wehrpflicht, Judenemanzipation). Durch den Wiener Kongreß (1814/15) erhielt Preußen die Provinz Posen, den Rest Vorpommerns, die nördliche Hälfte des Königreichs Sachsen, Westfalen und die Provinz Rheinland. Es gründete 1828–34 den Deutschen Zollverein.

Nach vorübergehendem Sieg des bürgerlichen Liberalismus in der Märzrevolution von 1848 folgte eine konservative Verfassung (1850) mit der Einführung des Dreiklassenwahlrechts (Einteilung nach Steuerhöhe). Unter der Regierung Wilhelms I. (1861–88) kam es 1866 zum Krieg zwischen Österreich und Preußen um die Vormachtstellung in Deutschland, aus dem Preußen als Sieger hervorging. 1867 gründete es den Norddeutschen Bund, und schließlich entstand nach dem Sieg über Frankreich (1870/71) das Deutsche Reich. Eine wesentliche Rolle spielte dabei der preußische Ministerpräsident Otto von Bismarck. Wilhelm I. wurde am 18. Januar 1871 in Versailles zum deutschen Kaiser ausgerufen. Im Deutschen Reich hatte nun Preußen die führende Rolle. Seine Geschichte ging seit 1871 untrennbar in die deutsche Geschichte über. Preußen wurde am 25. 2. 1947 durch den alliierten Kontrollrat staatsrechtlich aufgelöst.

Priel, Wasserrinne im Wattenmeer der Nordsee, in der bei Ebbe das Wasser abläuft. Bei Flut füllt sich der Priel zuerst mit Wasser.

Priester [von griechisch presbyteros ›der Ältere‹], der Mittler oder Vermittler zwischen der Gottheit und dem Volk der Gläubigen, der die kultische Gemeinschaft bei Gebet und Opfer leitet. In vielen Religionen glaubt man, daß eine göttliche Kraft ihn zu den heiligen Handlungen befähigt. Das Priestertum kann erblich sein oder als Amt durch Handauflegung, Salbung und Weihen übertragen werden. Häufig wird vom Priester Ehelosigkeit gefordert; verbreitet sind auch besondere Tracht und besonderer Haarschnitt.

Im alten Ägypten handelten die Priester in Vertretung und im Auftrag des Königs. Im griechischen wie im römischen Kult wurden dem Priester zum Teil übersinnliche Kräfte zugeschrieben, die ihn zur Deutung von Vorzeichen und zur Weissagung befähigten; er übte jedoch kein besonderes Lehramt aus.

Das jüdische Priestertum mit dem Hohenpriester an der Spitze bildete sich im 7. Jahrh. v. Chr. aus dem Amt der Leviten. Es verlor seine Bedeutung mit der Zerstörung des Jerusalemer Tempels (70 n. Chr.).

In der katholischen Kirche erhält der Priesteramtsanwärter nach dem Studium der Theologie und nach der Diakonatsweihe durch Handauflegung des Bischofs die **Priesterweihe,** die zu den 7 →Sakramenten gehört. In der Regel werden Priester vom Bischof beauftragt, Sakramente zu spenden, der Eucharistiefeier vorzustehen und eine Gemeinde seelsorgerisch zu betreuen. Ist der Priester Leiter einer Pfarrei, trägt er den Titel **Pfarrer** oder **Pastor.** Er ist zur Ehelosigkeit (→Zölibat) verpflichtet, ein Ausdruck ungeteilten Dienstes für Gott und die Menschen.

Die evangelischen Kirchen kennen keinen besonderen Priesterstand. Hier sieht man das

$$
\begin{aligned}
72 &= 2 \cdot 36 \\
&= 2 \cdot 2 \cdot 18 \\
&= 2 \cdot 2 \cdot 2 \cdot 9 \\
&= 2 \cdot 2 \cdot 2 \cdot 3 \cdot 3 = 2^3 \cdot 3^2
\end{aligned}
$$

1

1	**2**	**3**	4	**5**	6	**7**
8	9	10	**11**	12	**13**	14
15	16	**17**	18	**19**	20	21
22	**23**	24	25	26	27	28
29	30	**31**	32	33	34	35
36	**37**	38	39	40	**41**	42
43	44	45	46	**47**	48	49
50						

Primzahlen 2

Priestertum als eine allen Gläubigen zustehende Aufgabe, den Menschen das durch den Tod Jesu zugedachte Heil zu vermitteln (Priestertum der Gläubigen). Der an der Spitze evangelischer Gemeinden stehende Pfarrer oder Pastor hat lediglich eine leitende und ordnende Funktion.

Primaten [von lateinisch primatus ›erste Stelle‹], **Herrentiere,** die vor allem in Bezug auf das Großhirn höchstentwickelte Ordnung der →Säugetiere mit etwa 170 noch lebenden Arten, die in →Affen und →Halbaffen zusammengefaßt sind; im zoologischen System wird auch der Mensch eingeschlossen. Alle Primaten haben nach vorn gerichtete Augen, die ein perspektivisches Sehen ermöglichen, 5 Finger und 5 Zehen mit Nägeln.

Prime [von lateinisch prima ›die erste‹]; Musik: das →Intervall des Einklanges. Es wird durch den Grundton und seine Verdopplung gebildet.

Primeln, Zimmer- und Gartenzierpflanzen mit röhrenförmigen weißen, gelben, roten oder blauen Blüten, die meist in Dolden stehen. Die Blätter bilden häufig eine Rosette. Die aus China stammende **Becherprimel** enthält in ihren Drüsenhaaren ein hautreizendes Sekret, das bei empfindlichen Menschen Allergien hervorrufen kann. Primeln nennt man auch die auf Feldern und Wiesen blühenden gelben Schlüsselblumen.

Primogenitur [lateinisch ›Erstgeburt‹], Grundsatz, nach dem allein der Erstgeborene zur Erbfolge berechtigt ist. Durch das Reichsgesetz der →Goldenen Bulle von 1356 wurde die Primogenitur erstmals für die Kurfürstentümer eingeführt, um deren Aufteilung zu verhindern. Später wurde sie von fast allen Fürstentümern und Herrscherhäusern übernommen. Eine den Zweitgeborenen zustehende Erbfolge sowie deren Anwartschaft auf bestimmte Herrschafts- oder Amtsstellen heißt **Sekundogenitur.**

Primzahlen, natürliche Zahlen (→Zahlenaufbau), die nur durch sich selbst und die Zahl 1 teilbar sind. Eine Ausnahme bildet die Zahl 1, die nicht zu den Primzahlen gehört. Die ersten Primzahlen lauten: 2, 3, 5, 7, 11, 13, 17, 19, 23, 29, ...

Es gibt unendlich viele Primzahlen. Jede natürliche Zahl (außer 1) ist entweder selbst eine Primzahl oder läßt sich eindeutig als Produkt von Primzahlen schreiben. Die Zerlegung einer natürlichen Zahl in ein Produkt aus Primzahlen heißt **Primfaktorzerlegung.**

Beispiel einer Primfaktorzerlegung (BILD 1): Die Primfaktorzerlegung wird angewendet bei der Bestimmung des kleinsten gemeinsamen Vielfachen (kgV, →Vielfaches) oder des größten gemeinsamen Teilers (ggT, →Teiler) zweier oder mehrerer natürlicher Zahlen. Der griechische Mathematiker Eratosthenes (* 275, † 195 v. Chr.) hat ein Verfahren, das **›Sieb des Eratosthenes‹**, angegeben, mit dem man die Primzahlen bestimmen kann. Um z. B. die Primzahlen von 1 bis 50 zu bestimmen, sind folgende Schritte durchzuführen (BILD 2):

1. Notiere alle natürlichen Zahlen von 1 bis 50!
2. Streiche 1!
3. Streiche alle Vielfachen von 2, außer 2 selbst!
4. Streiche alle Vielfachen von 3, außer 3 selbst!
5. Suche die nächste nicht gestrichene Zahl; das ist die 5. Streiche alle Vielfachen von 5, außer 5 selbst!
6. Suche die nächste nicht gestrichene Zahl; das ist die 7. Streiche alle Vielfachen von 7, außer 7 selbst!

Geht die Reihe der natürlichen Zahlen über 50 hinaus, so kann das Verfahren entsprechend fortgesetzt werden. Die nicht gestrichenen Zahlen sind die Primzahlen.

Prince of Wales [prinß of wehls], seit dem 15. Jahrh. Titel des englischen Thronfolgers.

Prinz [von lateinisch princeps ›der Erste‹], Mitglied einer adeligen Herrscherfamilie, das selbst nicht regiert; in der weiblichen Form **Prinzessin.** Der Titel geht auf Octavian, den späteren römischen Kaiser Augustus, zurück, der sich seit 27. v. Chr. als **Princeps,** als ›ersten Bürger‹ des Staates, bezeichnete. Mit der Stellung des Princeps war eine Fülle von Ämtern verbunden. Danach wurde das Kaisertum von Augustus bis Diokletian (284–305) **Prinzipat** genannt.

Prisma [griechisch ›das Zersägte‹], **1)** Mathematik: ein geometrischer →Körper, der meist von 2 parallelen und kongruenten Dreiecken und 3 Parallelogrammen begrenzt wird. In diesem Fall spricht man von einem **Dreikantprisma.** Die beiden Dreiecke werden **Grund-** und **Deckfläche,** die Parallelogramme **Seitenflächen** genannt. Stehen die Seitenflächen senkrecht auf der Grundfläche, so spricht man von einem **geraden Prisma** (BILD 1). In allen anderen Fällen spricht man von einem **schiefen Prisma** (BILD 2). Das Lot von der Deckfläche auf die Grundfläche heißt **Höhe** des Prismas.

Allgemein spricht man von einem Prisma, wenn die Grund- und Deckfläche aus parallelen und kongruenten →Vielecken bestehen (BILD 3). Die Seitenflächen sind stets Parallelogramme. Da das Prisma von Vielecken begrenzt wird, gehört es zu den →Polyedern. Sonderfälle eines Prismas sind der →Quader und der →Würfel. Ein Prisma, dessen Grundfläche ein Parallelogramm ist, heißt **Parallelepiped** oder **Spat.**

Formel: Für das Volumen jedes Prismas gilt: $V = G \cdot h$, wobei G der Inhalt der Grundfläche und h die Länge der Höhe ist.

2) Optik: Ein **optisches Prisma** ist ein Körper aus lichtdurchlässigem und lichtbrechendem Stoff, der von mindestens 2 sich schneidenden Ebenen begrenzt ist. Die Schnittkante dieser Ebenen heißt **brechende Kante.** Der Winkel γ an der brechenden Kante ist der **Prismenwinkel (brechender Winkel).** Ein im Einfallswinkel α auftreffender einfarbiger Lichtstrahl wird aus seiner ursprünglichen Richtung um den **Ablenkwinkel** β des Prismas abgelenkt (BILD 1). Die Ablenkung erfolgt immer nach dem breiten Ende des Prismas. Ein Lichtbündel wird durch ein Prisma infolge Brechung und Dispersion (→Farbe) in die einzelnen Farben zerlegt (BILD 2).

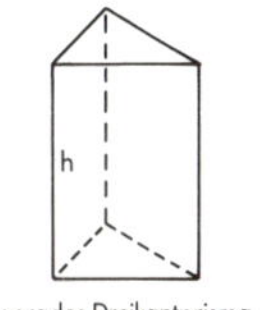

1 gerades Dreikantprisma

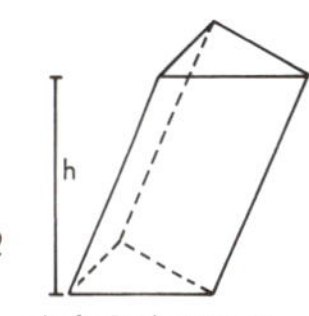

2 schiefes Dreikantprisma

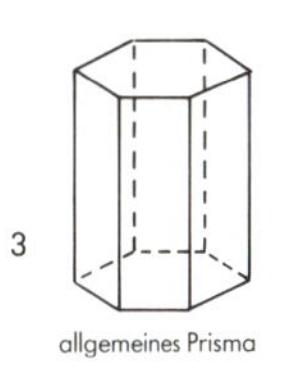

3 allgemeines Prisma

Prisma 1)

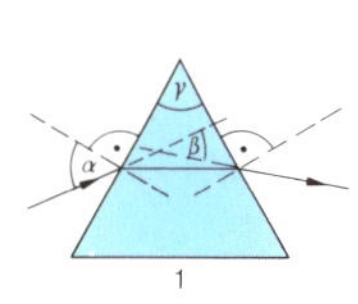

1

2

Prisma 2)

Prismenfernrohr, →Fernrohr.

Produkt [zu lateinisch producere ›hervorbringen‹], **1)** Mathematik: das Ergebnis einer Multiplikationsaufgabe (→Grundrechenarten).

2) Wirtschaft: Erzeugnis, das in einem betrieblichen Fertigungsprozeß **(Produktion)** durch Einsatz von **Produktionsfaktoren** (z. B. Arbeitskräfte, Maschinen, Werkstoffe) hergestellt wird.

Profi [von englisch professional ›berufsmäßig‹], Berufssportler im Unterschied zum →Amateur. Ein Profi betreibt Sport nachgewiesenermaßen auch zu materiellem Gewinn; meist bestreitet er seinen Lebensunterhalt mit seiner sportlichen Tätigkeit, z. B. die Fußballspieler der Bundesliga. Ein Profi kann seinen Namen in der Werbung vermarkten, wobei die Honorare ihm direkt (nicht auf dem Umweg über einen Verband) zukommen.

Programmieren, das Erstellen von Anweisungen für einen Computer oder eine computergesteuerte Maschine. Der Computer benötigt zur Lösung einer bestimmten Aufgabe genaue und eindeutige Anweisungen. Er kann die ihm gestellte Aufgabe nur lösen, wenn er alle notwendigen Informationen, Daten, Befehle und Einzelanweisungen vollständig erhält. Einige Angaben, die für häufig wiederkehrende Vorgänge (z. B. Textausgabe) nötig sind, besitzt der Computer bereits; diese stehen ihm in seinem Festwertspeicher, der nicht gelöscht werden kann, zur Verfügung. Andere Angaben, die im Zusammenhang mit der besonderen Aufgabenstellung stehen, müssen ihm zusätzlich eingegeben werden. Die zur Lösung des Problems zusammengefaßten Anweisungen nennt man **Programm.** Dies muß in eine Form gebracht werden, die der Computer versteht. Im Grunde kann er nur Anweisungen verarbeiten, die im Binärcode geschrieben sind, das heißt, aus den Zeichen 0 und 1 bestehen. Da es aber umständlich und äußerst zeitraubend wäre, Programme in diesem Code zu schreiben, wurden besondere **Programmiersprachen** entwickelt. Jede dieser Sprachen ist auf ein bestimmtes Anwendungsgebiet zugeschnitten. Für kaufmännische Berechnungen wird z. B. COBOL verwendet, für mathematisch-naturwissenschaftliche und technische Berechnungen z. B. ALGOL, BASIC, FORTRAN, LOGO oder PASCAL. Der Computer verfügt dazu über ein Programm, das ihm die Anweisungen der verwendeten Sprache in den Binärcode übersetzt.

Programmusik, eine Form der Instrumentalmusik, durch die der Komponist ein ›Programm‹, das heißt ein Thema außerhalb der Musik, z. B. eine Geschichte, ein Gedicht oder eine Bildbeschreibung, gestaltet. Meist ist dieses Programm als Titel der Komposition vorangestellt und lenkt so die Phantasie des Zuhörers in eine bestimmte Richtung. Zur Programmusik gehören Werke wie ›Die Moldau‹ von Bedřich Smetana, ›Bilder einer Ausstellung‹ von Modest Mussorgskij und die Sinfonie Nr. 6, die ›Pastorale‹, von Ludwig van Beethoven.

Projektion [von lateinisch proiectio ›das Vorwerfen‹], die Abbildung von Körpern durch Strahlen auf einer ebenen Bildfläche. Man unterscheidet zwischen **Zentralprojektion** und **Parallelprojektion** (BILD 1). Bei der Zentralprojektion (→Perspektive) gehen die Strahlen von einem in

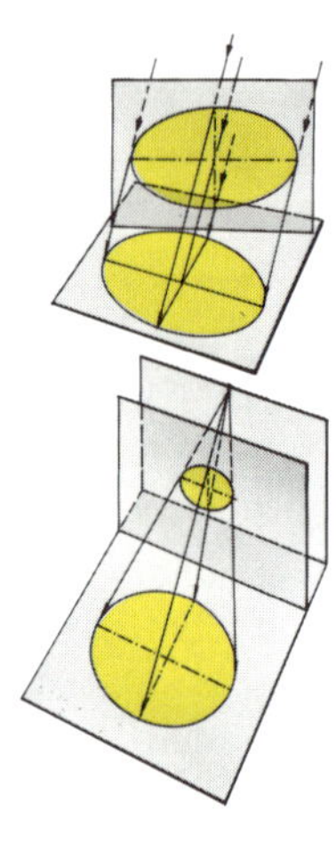

Projektion 1: OBEN Parallelprojektion, UNTEN Zentralprojektion

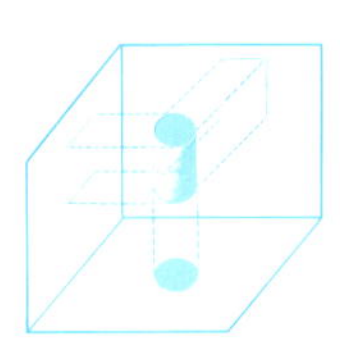

Projektion 2: Parallelprojektion

Sergej Prokofjew

nächster Nähe gelegenen Punkt, dem Zentrum, aus, während bei der Parallelprojektion das Projektionszentrum unendlich weit weg ist, so daß die Projektionsstrahlen parallel verlaufen. Auf diese Weise entsteht eine Abbildung, die **schräge Parallelprojektion** oder **Schrägbild** genannt wird. Die Strahlen der Sonne z. B. kann man wegen der riesigen Entfernung der Sonne zur Erde als parallel ansehen. Sie ergeben deshalb bei der Schattenprojektion ein Schrägbild. Treffen parallele Projektionsstrahlen senkrecht auf die Zeichenebene, so spricht man von **senkrechter Parallelprojektion.** Hierbei werden die zur Bildebene parallelen Strecken in ihrer tatsächlichen Größe abgebildet. Darum wird diese Abbildungsweise beim technischen Zeichnen angewendet. Durch die Parallelprojektion auf 3 senkrecht aufeinanderstehenden Ebenen erhält man den **Grund-, Auf-** und **Seitenriß** eines Körpers (BILD 2).

Projektor, ein Gerät, mit dem Photographien oder Filme auf einer Projektionswand vergrößert abgebildet werden können. Der **Diaprojektor** strahlt einzelne Bilder auf die Projektionsfläche. Die verwendeten Bildvorlagen, die Dias oder Diapositive, sind einzeln gerahmte Photos auf einem durchsichtigen Filmstreifen. Das Diapositiv wird von einem Schieber aus dem Magazin in den Strahlengang des Projektors geschoben und von dem Licht der Lampe durchstrahlt. Das Licht wird durch ein Linsensystem gebündelt und auf eine Projektionswand geworfen. Manche Diaprojektoren haben eine Fernbedienung und eine automatische Scharfeinstellung (›Autofocus‹).

Für den Unterricht in Schulen verwendet man oft einen **Tageslichtprojektor.** Als Bildvorlage dienen dafür durchsichtige Folien, auf denen man auch während der Projektion schreiben und zeichnen kann. Undurchsichtige Bilder lassen sich mit dem **Episkop** wiedergeben. Die Vorlage (z. B. eine Abbildung in einem Buch) wird von einer Lampe angestrahlt, die Lichtstrahlen werden von der Vorlage zurückgeworfen und über einen Spiegel und ein Linsensystem auf die Projektionsfläche geleitet.

Zur Vorführung von Filmen im Kino verwendet man **Filmprojektoren,** die mit einer Einrichtung zum Filmtransport und zur Abtastung der Tonspur ausgerüstet sind (→Tonfilm). Der auf eine Spule aufgewickelte Film wird über eine Vielzahl von Rollen schrittweise Bild für Bild an der Lampe vorbeigeführt. Eine Blende zwischen Lampe und Filmstreifen sorgt dafür, daß das Bild nur dann beleuchtet wird, wenn es genau vor dem Bildfenster im Strahlengang des Projektors steht.

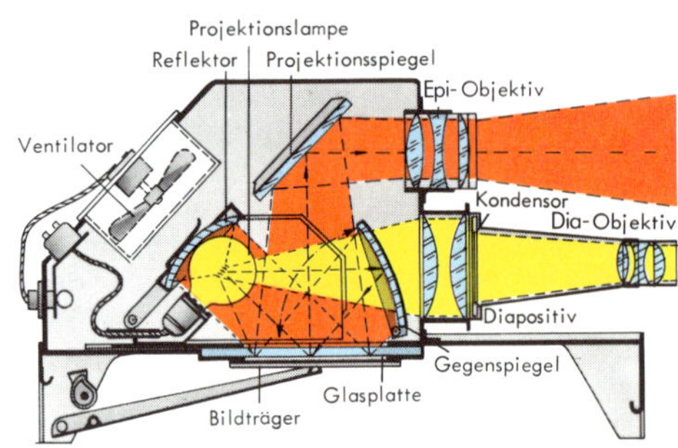

Projektor: Epidiaskop, als Episkop (roter Strahlengang) und als Diaskop (gelber Strahlengang) schaltbar

Während der ruckweisen Weiterbewegung des Filmstreifens bleibt die Leinwand für einen kurzen Moment dunkel. Diese Unterbrechung und den darauffolgenden Wechsel zum nächsten Bild kann man jedoch nicht sehen, da das menschliche Auge für derart schnelle Vorgänge zu träge ist. Auf der Leinwand verschmelzen die einzelnen Bilder miteinander, so daß für den Betrachter der Eindruck entsteht, die Bewegungen liefen ohne Unterbrechung ab.

Als Projektionsflächen sind eine Perlwand, eine Leinwand oder einfach eine weiße Wand geeignet. Besonders helle Bilder liefern Perlwände, die mit sehr kleinen Glasperlen beschichtet sind und daher die Bilder gut zurückstrahlen.

Prokofjew. Der russische Komponist **Sergej Sergejewitsch Prokofjew** (* 1891, † 1953) verließ 1918 seine Heimat und lebte in Japan, den USA und Paris. 1933 kehrte er in die Sowjetunion zurück und fügte sich seitdem der Kulturpolitik seines Landes. Sein Werk zeichnet sich durch kühne Harmonik, urwüchsige Rhythmik, Witz und klare formale Gestaltung aus, z. B. ›Sinfonie Classique‹ D-Dur op. 25 (1916/17) und das musikalische Märchen ›Peter und der Wolf‹ op. 67 (1936).

Proletarier [von lateinisch proles ›Nachkomme‹], im alten Rom die Bürger, die auf Grund ihrer Armut keine Steuern bezahlen konnten, aber als ›proletarii‹ (als ›Eltern vieler Kinder‹) für den Staat eine große Bedeutung hatten.

Im →Kommunistischen Manifest (1848) greifen Karl Marx und Friedrich Engels diesen Begriff auf. Nach ihnen ist der Proletarier der Lohnarbeiter, der in der kapitalistischen Gesellschaft keinen Besitzanteil an den Produktionsmitteln hat und daher allein vom Verkauf seiner Arbeitskraft an die Besitzer von Produktionsmitteln (die Kapitalisten) leben muß. Es ist nach Marx und Engels die historische Aufgabe der sozialen Gruppe (der Klasse) der Proletarier, des **Prole-**

tariats, durch **Klassenkampf** und **Revolution** die kapitalistische Gesellschaftsordnung zu beseitigen und durch eine sozialistische zu ersetzen. (→Marxismus)

Prolog, Vorrede oder Vorspiel, das z. B. bei einem Theaterstück die Ausdeutung vorwegnehmen oder den Theaterzettel ersetzen kann. Das Gegenstück zum Prolog ist der →Epilog.

Prometheus. Nach der griechischen Sage entstammte Prometheus dem Göttergeschlecht der Titanen. Gegen Zeus' Willen entwendete er bei den Göttern das Feuer und brachte es den Menschen. Zur Strafe fesselte Zeus Prometheus an einen Felsen im Kaukasusgebirge. Ein Adler fraß täglich an seiner Leber, die des Nachts wieder nachwuchs. Schließlich befreite ihn der griechische Held Herakles. – Nach späterer Überlieferung soll Prometheus den ersten Menschen aus Lehm geformt haben.

Promethium [nach Prometheus], Zeichen **Pm,** →chemische Elemente, ÜBERSICHT.

Promille [lateinisch ›pro tausend‹], Zeichen **‰,** ein Tausendstel (1 ‰) des Ganzen. Besonders kleine Anteile werden nicht in Prozent, sondern in Promille angegeben, z. B. der Alkoholgehalt im Blut. – Bei der Promillerechnung verfährt man wie bei der →Prozentrechnung.

Pronomen, Fürwort, Wortart, die im Satz die Aufgabe hat, ein Substantiv zu vertreten oder zu begleiten. Das Pronomen kann Subjekt oder Objekt sein.

Personalpronomen (persönliches Fürwort)	ich, du, wir
Possessivpronomen (besitzanzeigendes Fürwort)	mein, dein, unser
Demonstrativpronomen (hinweisendes Fürwort)	dieser, jener
Reflexivpronomen (rückbezügliches Fürwort)	sich
Relativpronomen (bezügliches Fürwort)	der, welcher
Interrogativpronomen (fragendes Fürwort)	wer, was, welche
Indefinitpronomen (unbestimmtes Fürwort)	jemand, man, nichts

Propan, ein gasförmiger Kohlenwasserstoff, der aus Erdgas und bei der Veredlung von Erdöl gewonnen wird. Er dient als →Flüssiggas in Druckgasflaschen für Laboratorien und im Haushalt als Heiz- und Brenngas sowie als Kältemittel in der Industrie und als chemischer Rohstoff.

Propeller [von lateinisch propellere ›vorwärtstreiben‹], Bauteil von Wasser- und Luftfahrzeugen, das den Vortrieb bewirkt. Ein Propeller besteht aus mehreren in sich verwundenen Flügeln mit der Nabe als Mittelpunkt. Die Flügel haben einen tragflügelartigen Querschnitt; bei rascher Umdrehung saugen sie mit der Vorderseite einen Wasser- oder Luftstrom an und drükken mit der Rückseite die Strömung nach hinten. Der so erzeugte Schub wird auf das ganze Fahrzeug übertragen. Der **Schiffspropeller** oder die **Schiffsschraube** besteht aus 3–7, meist breiten, abgerundeten Flügeln. Die **Luftschraube** hat meist 2–4 Flügel (Blätter), die schmaler und langgestreckt sind. Luft- und Schiffsschraube sind meist verstellbar **(Verstellpropeller),** um sie verschiedenen Belastungen anzupassen (z. B. langsam – schnell, Start – Landung).

Prophet [griechisch ›Sprecher‹], der Verkünder und Deuter einer Gottesbotschaft, die er als göttliche Offenbarung in der unmittelbaren Berührung mit Gott, z. B. durch Schauen himmlischer Gesichter (›Visionen‹) oder durch Hören himmlischer Stimmen (›Auditionen‹), empfangen hat. Die Propheten des Alten Testaments erhielten den Auftrag, dem Volk Israel den Willen Gottes mitzuteilen, den Zorn Gottes bei Übertretung seiner Gebote anzukündigen und es zur Umkehr zu mahnen. Ihre Heilsweissagungen sieht das Christentum in →Jesus Christus erfüllt. Auch andere Religionen kennen ein Prophetentum. So gilt im Islam →Mohammed als der größte Prophet.

Proportion [lateinisch ›Verhältnis‹], **1)** Mathematik:

Aufgabe: Im Jahr 1963 kostete ein Liter Benzin 48 Pf. Anfang 1980 kostete er 108 Pf. Vergleiche die Preise.
Lösung: Man berechnet, in welchem Verhältnis die Preise zueinander stehen.

Also $\frac{108\text{ Pf}}{48\text{ Pf}} = 2\frac{1}{4}$.

Der Preis hat sich also mehr als verdoppelt.

Der Bruch $\frac{a}{b}$ zweier Größen oder Zahlen a und b heißt auch **Verhältnis.** Eine Gleichung aus 2 Verhältnissen (z. B. $\frac{108\text{ Pf}}{48\text{ Pf}} = \frac{9}{4}$) heißt **Verhältnisgleichung** oder **Proportion.** Allgemein läßt sich eine Proportion in der Form $\frac{a}{b} = \frac{c}{d}$ oder $a{:}b = c{:}d,\ b,\ d \neq 0$ schreiben. Man sagt: a verhält sich zu b wie c zu d. Hierbei heißen a und d **Außenglieder** und b und c **Innenglieder.** Die einzelnen Glieder a, b, c, d werden auch als **Proportionale** bezeichnet.

Bei einer Proportion gilt:

1. $\frac{a}{b} = \frac{c}{d} \Leftrightarrow a \cdot d = b \cdot c;\ b, d \neq 0$
(Produkt der Außenglieder = Produkt der Innenglieder).

2. $\frac{a}{b} = \frac{c}{d} \Leftrightarrow \frac{a}{c} = \frac{b}{d};\ b, c, d \neq 0$
(Innenglieder sind vertauschbar).

3. $\frac{a}{b} = \frac{c}{d} \Leftrightarrow \frac{d}{b} = \frac{c}{a};\ a, b, d \neq 0$
(Außenglieder sind vertauschbar).

Treten in einer Proportion gleiche Innen- oder gleiche Außenglieder auf, so spricht man von einer **stetigen Proportion.** Sind die Innenglieder gleich ($a{:}b = b{:}c$), so wird für das gemeinsame Innenglied b der Ausdruck **mittlere Proportionale** verwendet.

2) Die Frage nach den ›richtigen‹ Proportionen etwa des menschlichen Körpers oder eines Bauwerks spielte in der bildenden Kunst eine bedeutende Rolle. Bestimmte Epochen wie die klassische griechische Kunst und die Renaissance waren besonders darum bemüht, ›ideale‹ Maßverhältnisse zu errechnen, die ihnen als Grundlage für die Ausgewogenheit und Schönheit der Gesamterscheinung galten. (→Goldener Schnitt)

Proportionalität, Mathematik: **1. Direkte Proportionalität.** Die folgende Tabelle gibt den Zusammenhang zwischen der Benzinmenge und dem dafür zu zahlenden Preis an:

Benzinmenge in Liter	1	2	3	4	5	6
Preis in DM	1,50	3,00	4,50	6,00	7,50	9,00

Aus der Tabelle geht hervor: Verdoppelt (verdreifacht usw.) man die Benzinmenge, so verdoppelt (verdreifacht usw.) sich auch der Preis. Man sagt: Die Benzinmenge verhält sich **direkt proportional** zum Preis.

Ob 2 Größen sich direkt proportional zueinander verhalten, erkennt man am einfachsten daran, daß der Quotient einander zugeordneter Werte stets gleich groß ist. Im obigen Beispiel gilt:

$$\frac{\text{Preis}}{\text{Benzinmenge}} = 1{,}50\ \frac{\text{DM}}{\text{Liter}}.$$

Trägt man die einander zugehörigen Werte der Tabelle als Punkte in ein →Koordinatensystem ein, so sieht man, daß sie auf einer Geraden durch den Koordinatenursprung liegen (BILD 1). Dies ist immer dann der Fall, wenn die beiden dargestellten Größen sich zueinander direkt proportional verhalten.

2. Umgekehrte Proportionalität

Ein Reiseunternehmen vermietet einen Bus. Der Reisepreis für jeden Teilnehmer ist abhängig von der Gesamtzahl der Reisenden. In der folgenden Tabelle ist der Zusammenhang dargestellt:

Anzahl der Reisenden	5	10	15	30	60
Preis pro Teilnehmer in DM	120	60	40	20	10

Aus der Tabelle geht hervor: Verdoppelt (verdreifacht usw.) sich die Anzahl der Reisenden, so halbiert (drittelt usw.) sich der Preis pro Teilnehmer. Man sagt: Die Anzahl der Reisenden verhält sich **umgekehrt proportional** zum Preis pro Teilnehmer.

Ob 2 Größen sich umgekehrt proportional zueinander verhalten, erkennt man am einfachsten daran, daß das Produkt einander zugeordneter Werte stets gleich groß ist. Im obigen Beispiel gilt: Anzahl der Reisenden · Preis pro Teilnehmer = 600 DM.

Trägt man die einander zugehörigen Werte der Tabelle als Punkte in ein Koordinatensystem ein, so sieht man, daß sie auf einer gekrümmten Kurve, nämlich einer →Hyperbel, liegen (BILD 2). Dies ist immer dann der Fall, wenn die beiden dargestellten Größen sich zueinander umgekehrt proportional verhalten.

Die Proportionalität zwischen Größen ist Voraussetzung für die Anwendung des Dreisatzverfahrens (→Dreisatz) in der Mathematik.

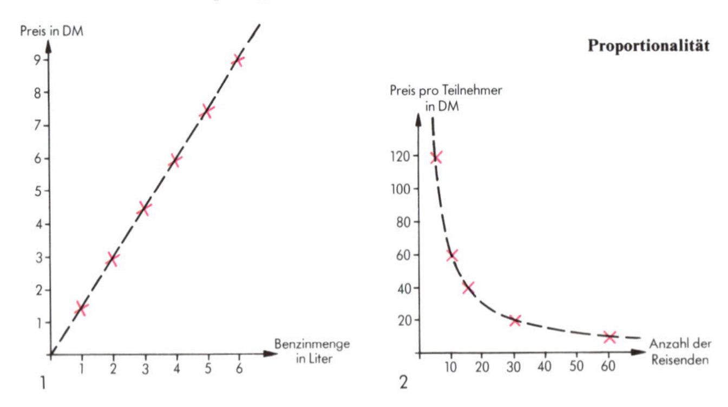

Proportionalität

Prosa [von lateinisch prosa oratio ›geradeaus gehende Redeweise‹], freie, nicht in Versen gebundene Sprachform, die sowohl in der Alltagssprache als auch in künstlerisch ausgestalteten Rede- und Schrifttexten verwendet wird. Entsprechend bringt sie zweckgebunden-sachliche oder auch dichterische Aussagen zum Ausdruck.

Über Wortwahl, Satzbau, Rhythmus und andere Stilmittel kann sich die Prosa, z. B. in Prosagedichten, der Verssprache annähern. – Als literarische Darstellungsform erscheint sie in der Dichtung später als die versgebundene Aussageweise. In der Neuzeit tritt die erzählende und die essayistische Prosa, z. B. im Roman und Essay, gegenüber anderen Sprachformen in den Vordergrund; auch das Drama verwendet im 18. und 19. Jahrh. mehr und mehr die Prosasprache.

Protactinium, Zeichen **Pa,** →chemische Elemente, ÜBERSICHT.

Protein [zu griechisch protos ›erster‹], →Eiweiß.

Protestantismus, die aus der →Reformation Martin Luthers, Ulrich Zwinglis und Johannes Calvins hervorgegangenen christlichen Kirchen und Gemeinschaften. Im Verlauf der Reformation beschloß der Speyerer Reichstag 1529 unter Kaiser Karl V. ein härteres Vorgehen gegen die Ausbreitung des neuen Glaubens. Dagegen ›protestierten‹ die evangelischen Stände (›Protestanten‹). Auf dem Augsburger Reichstag 1530 legten sie auf Wunsch des Kaisers eine Rechtfertigungsschrift vor: das **Augsburger Bekenntnis** (→Augsburger Religionsfriede). In dieser wichtigen Bekenntnisschrift sind Glaube und Lehre des Protestantismus niedergelegt. Die Protestanten nennen sich auch evangelische Christen. Damit wollen sie deutlich machen, daß das Evangelium die Richtschnur ihres Glaubens und Lebens ist.

Protonen [zu griechisch protos ›erster‹], die positiv geladenen Bausteine der →Atome, die mit den ungeladenen →Neutronen die Atomkerne bilden. Einzig das gewöhnliche Wasserstoffatom enthält in seinem Kern kein Neutron, sondern lediglich ein Proton. Die Zahl der Protonen im Kern eines Atoms legt fest, zu welchem Element das Atom gehört.

Protoplasma, →Plasma.

Protozoen [griechisch ›erste Lebewesen‹], die →Urtierchen.

Provence [prowạ̃ß], geschichtliche Landschaft in Südfrankreich. Sie umfaßt das Küstengebiet des Mittelmeers zwischen Rhône und Var sowie die südlichsten und südwestlichsten Teile der französischen Alpen. Die Provence ist vorwiegend Gebirgsland, in dem meist Schaf- und Ziegenzucht betrieben wird. In den tieferen, küstennahen Regionen mit mildem mittelmeerischem Klima wird Acker- und Gartenbau (Gemüse, Obst, Wein, Oliven, Südfrüchte, Blumen) betrieben. In der Küstenregion (französische Riviera) ist der Fremdenverkehr der bedeutendste Wirtschaftszweig. Wirtschaftliches Zentrum mit vielfältiger Industrie ist die Hafenstadt Marseille. – In vielen Städten der ehemals römischen Provinz sind noch Bauten aus der Römerzeit zu sehen. Im Mittelalter gehörte die Landschaft zu Burgund und kam mit diesem 1032 an das deutsche Reich. 1246 fiel die Provence durch Heirat an das Haus Anjou, 1481 an Frankreich.

Provinz. In der römischen Republik bezeichnete **provincia** den Aufgabenbereich eines Beamten. So war die Leitung der Rechtsprechung die ›provincia‹ des Prätors. Später wurden mit Provinz die außeritalischen Gebiete des Römischen Reiches bezeichnet, z. B. Sizilien, Asia (Kleinasien). Seit der Verwaltungsreform des Kaisers Augustus unterschied man kaiserliche und senatorische Provinzen. – In der Katholischen Kirche bilden mehrere Bistümer eine Kirchenprovinz, die einem Erzbistum entspricht. – Das Königreich Preußen wurde 1815 in Verwaltungsbezirke eingeteilt, die mit Provinz bezeichnet wurden, z. B. die Rheinprovinz, und später ihre eigenen Provinziallandtage erhielten. Provinzen gab es auch in Hessen. Die Selbstverwaltungsaufgaben der früheren Provinzen nehmen in der Bundesrepublik Deutschland die Regierungsbezirke wahr.

Prozentrechnung. Aufgabe: Herr Maier kauft ein Auto für 16 500 DM. Bei Barzahlung kann der Verkäufer ihm 5% Preisnachlaß gewähren. Wieviel DM sind dies?

In der obigen Aufgabe nennt man den Kaufpreis 16 500 DM den **Grundwert** *(A)*, den Preisnachlaß 5 den **Prozentsatz** *(p)*, den gesuchten Geldbetrag den **Prozentwert** *(w)*. Ein Prozent, abgekürzt geschrieben 1%, ist festgelegt als Hundertstel des Ganzen. 5% bedeuten somit 5 Hundertstel des Ganzen. Allgemein entspricht der Grundwert 100 Hundertstel, also dem Ganzen oder 100%. Der Prozentwert ist ein Teil des Grundwertes. Der Prozentsatz gibt an, wie groß dieser Teil ist. In der Prozentrechnung unterscheidet man zwischen 3 Grundaufgaben:

1. der Berechnung des Prozentwertes bei gegebenem Grundwert und Prozentsatz,
2. der Berechnung des Grundwertes bei gegebenem Prozentwert und Prozentsatz,
3. der Berechnung des Prozentsatzes bei gegebenem Grundwert und Prozentwert.

Alle 3 Grundaufgaben können mit Hilfe des Dreisatzverfahrens (→Dreisatz) gelöst werden. So ergibt sich z. B. als Lösung der obigen Aufgabe:

1. Schritt: 100% des Kaufpreises entsprechen 16500 DM.
2. Schritt: 1% des Kaufpreises entsprechen 16500 DM : 100 = 165 DM.
3. Schritt: 5% des Kaufpreises entprechen 165 DM · 5 = 825 DM. Herr Maier spart also bei Barzahlung seines neuen Autos 825 DM.

Aus dem Lösungsweg erkennt man, daß bei der Berechnung des Prozentwertes stets nach dem Schema

$$\text{Prozentwert} = \frac{\text{Grundwert} \times \text{Prozentsatz}}{100}$$

$$\text{oder} \quad w = \frac{A \cdot p}{100}$$

verfahren werden kann.

Durch Umformung dieser Gleichung ergeben sich für die beiden anderen Grundaufgaben die Formeln

$$A = \frac{w \cdot 100}{p} \text{ und } p = \frac{w \cdot 100}{A}.$$

Prozeß [von lateinisch processus ›Verlauf‹], im Recht ein genau geregeltes Verfahren, in dem Streitfälle vor Gericht behandelt oder Straftäter abgeurteilt werden. Je nachdem, vor welchem Gericht der Prozeß stattfindet, spricht man z. B. vom **Zivilprozeß** (bei Streitigkeiten der Bürger untereinander) oder vom **Strafprozeß.** Derjenige, der einen Prozeß in Gang bringt, heißt Kläger (im Strafprozeß: Ankläger), sein Gegner Beklagter (im Strafprozeß: Angeklagter und Verteidiger).

Prozessor [von lateinisch procedere ›voranschreiten‹], allgemeine Bezeichnung für die Zentraleinheit eines Computers. Sie besteht aus dem Steuer- und dem Rechenwerk und koordiniert das gesamte Datenverarbeitungssystem. Alle Daten und Anweisungen, die dem Computer eingegeben werden, kommen zuerst zur Zentraleinheit. Von dort werden sie in festgelegter Reihenfolge an die richtigen Stellen weitergeleitet und bearbeitet. Große Anlagen können auch mehrere Prozessoren enthalten.

PS, Einheitenzeichen für →**Pf**erdestärke.

Psalmen [zu griechisch psallein ›Zither spielen‹], die religiösen Lieder des Volkes Israel und der jüdischen Glaubensgemeinschaft. Es sind 150 Gesänge, die aus der Zeit von 1000 v. Chr. bis 165 v. Chr. stammen. Viele dieser Psalmen sollen von David und anderen Personen des israelitischen Altertums verfaßt worden sein, was jedoch wissenschaftlich nicht belegbar ist. Die Psalmen bilden ein Buch des Alten Testaments (→Bibel).

Pseudonym [von griechisch pseudonymos ›mit falschem Namen auftretend‹], ein angenommener oder vorgetäuschter Name, Deckname oder Künstlername. Pseudonyme wurden schon im Altertum verwendet; in Zeiten politischer und religiöser Kämpfe erschienen sie häufiger. Sie sind unter anderem ein Mittel, einen Verfasser vor Angriffen und Verfolgungen zu schützen.

Ptolemäer, die makedonische Dynastie, die nach dem Tod Alexanders des Großen (323 v. Chr.) in Ägypten die Herrschaft erlangte, benannt nach Ptolemaios I., der ein Leibwächter und Freund Alexanders gewesen war. Von Ägypten aus bauten Ptolemaios I. und seine Nachfolger ein Reich auf, das in seiner Blütezeit (3. Jahrh. v. Chr.) auch Zypern, Palästina, Küstengebiete Kleinasiens und die griechischen Inseln umfaßte. Die Hauptstadt Alexandria war der geistige Mittelpunkt der hellenistischen Welt. Die Dynastie endete mit dem Tod der Kleopatra (30 v. Chr.).

Pubertät [von lateinisch pubertas ›Geschlechtsreife‹], der Entwicklungsabschnitt zwischen Kindheit und Erwachsensein. Zwischen dem 11. und 15. Lebensjahr tritt unter dem Einfluß von Hormonen der →Hirnanhangdrüse die Geschlechtsreife, verbunden mit verstärktem körperlichem Wachstum, ein. In dieser Zeit bilden sich die äußeren (sekundären) Geschlechtsmerkmale aus wie Scham- und Achselbehaarung; beim Mädchen entwickelt sich die Brust, beim Knaben setzen der Bartwuchs und der Stimmbruch ein. In die Zeit der Pubertät fällt auch die Ausreifung der inneren Geschlechtsorgane, was beim Mädchen zur ersten Regelblutung (→Menstruation), beim Knaben zur Bildung befruchtungsfähiger Samenfäden (→Sperma) führt. Die Pubertät bringt daneben auch Veränderungen im seelischen Bereich und im Verhalten mit sich; Unsicherheit, Minderwertigkeitsgefühle, Unausgeglichenheit, Stimmungsschwankungen sowie Auseinandersetzungen mit der Umwelt sind Kennzeichen dieser Reifungsphase.

Publizistik [zu lateinisch publicare ›veröffentlichen‹], die öffentliche Verbreitung von Informationen und Meinungen, der Austausch von Wissen unter Menschen. Dies geschieht entweder unvermittelt von Angesicht zu Angesicht, oder vermittelt durch die Medien Presse, Hörfunk, Fernsehen und neue Informationstechniken (z. B. Bildschirmtext). Der Begriff wird auch für die **Publizistikwissenschaft** verwendet. Sie befaßt sich mit den Massenmedien, mit dem Vorgang des Informationsaustausches und mit dessen Auswirkungen (z. B. auf das Freizeitverhalten und politische Einstellungen).

Puccini [putschini]. Die Opern des italienischen Komponisten **Giacomo Puccini** (* 1858, † 1924), besonders ›La Bohème‹ (1896), ›Tosca‹ (1900) und ›Madame Butterfly‹ (1904), zählen zusammen mit denjenigen von Giuseppe Verdi zu den am häufigsten aufgeführten Opern. Ihre Musik zeichnet sich durch großen Melodienreichtum aus. Sie gibt die Gefühle der handelnden Personen mit den Mitteln des musikalischen Impressionismus wieder. Die Handlung ist nicht mehr wie bei Verdi vom Heroischen gekennzeichnet, sondern zeigt dramatische Ereignisse aus dem Alltag. Puccini starb, bevor er seine letzte Oper, ›Turandot‹, vollenden konnte.

Pudel, eine Rasse der →Hunde.

Pueblo [spanisch ›Dorf‹], mehrstöckige Anlage aus terrassenartig angelegten Wohneinheiten, häufig im Südwesten der USA, bewohnt von **Pueblo-Indianern.** Das Pueblo wird aus luftgetrockneten Ziegeln oder aus Steinen errichtet, die man mit Lehm verbindet. Es konnte früher nur über Leitern durch Öffnungen im Dach betreten werden. – In Lateinamerika bezeichnet **der Pueblo** einen kleinen Ort.

Puerto Rico [spanisch ›reicher Hafen‹], kleinste Insel der Großen Antillen, mit Nebeninseln 8897 km^2 groß. Die Hauptstadt ist San Juan. Die Insel wird in ihrer Längsrichtung von einer Gebirgskette (bis 1338 m hoch) durchzogen. Im Norden und Süden schließen sich Bergländer an, die sich zu den schmalen Küstenebenen absenken. Das Klima ist tropisch, im Norden und Osten regenreich, im Süden trockener. Die fast 4 Millionen Puertoricaner sind Nachkommen vor allem von Spaniern und Schwarzen. Neben der Landwirtschaft (Anbau von Zuckerrohr, Ananas, Bananen, Kaffee) gibt es eine vielseitige Industrie. Der Fremdenverkehr hat große Bedeutung.

Puerto Rico gehört seit 1898 zu den USA und hat beschränkte Selbstverwaltung. (KARTE Band 2, Seite 197)

Puffotter, eine Schlange aus der Familie der →Vipern.

Puls [von lateinisch pulsus ›Schlag‹], die an größeren Arterien (→Adern) tastbare Druckwelle, die bei der Herzaktion entsteht und sich durch die Elastizität der Arterien bis in entfernte Gefäßgebiete fortpflanzt. Typische Taststellen sind an der Schläfe, am Hals, am Handgelenk und am Fußrücken. Die Pulszahl beträgt in Ruhestellung beim Erwachsenen 60–80, beim Kleinkind 110–120 Schläge in der Minute.

Puma, amerikanische Art großer →Katzen, die als Einzelgänger Wälder und offene Landschaften bis ins hohe Gebirge bewohnen. Sie haben einen auffallend kleinen Kopf und einen sehr langen Schwanz. Das Fell ist silbergrau (daher auch **Silberlöwe**) bis gelbrot; Jungtiere sind gefleckt. Pumas, die auch von Baum zu Baum springen können, jagen kleine oder junge Tiere, Mäuse und Vögel und erbeuten mitunter Haustiere. Menschen greifen sie nur selten an.

Pumpe, Maschine zum Fördern von Flüssigkeiten und Gasen. Je nach Verwendungszweck gibt es verschiedene Bauarten, vor allem nach dem Prinzip der Verdränger- und der Kreiselpumpe. Die als Luftpumpen bezeichneten Geräte, mit denen Fahrzeugreifen aufgepumpt werden, sind keine Pumpen, sondern Verdichter.

Bei den **Verdrängerpumpen** wird der Arbeitsraum periodisch abwechselnd vergrößert und verkleinert. Die Flüssigkeit oder das Gas wird in den Arbeitsraum angesaugt und anschließend in die Druckleitung gedrückt. Verdrängerpumpen werden vor allem als Kolbenpumpen, als Flügelpumpen oder als Rotationspumpen gebaut. Bei der aus Haus und Garten bekannten **Kolbenpumpe** bewegt sich ein Kolben in einem Zylinder hin und her. Beim Saughub wird durch das Saugventil Flüssigkeit angesaugt, beim Druckhub durch das Druckventil in die Leitung gedrückt. Auch die Membranpumpe ist eine Verdrängerpumpe; sie wird z. B. als Benzinpumpe in Autos eingebaut.

Die **Kreiselpumpe** ist die heute verbreitetste Pumpenbauart. Sie ist eine Strömungsmaschine und funktioniert wie die Umkehrung einer Wasserturbine. Während bei einer Kolbenpumpe die Flüssigkeit stoßweise gefördert wird, erzeugen Kreiselpumpen eine stetige Förderung. Die Flüssigkeit strömt durch eine Saugleitung dem ständig rotierenden Laufrad, das mit Schaufeln versehen ist, zu, wird beschleunigt und auf Grund der Fliehkraft aus dem Laufrad herausgeschleudert. Dadurch strömt dann weitere Flüssigkeit nach. Je nach Austrittsrichtung der Flüssigkeit unterscheidet man radiale, halbaxiale und axiale Laufräder. Jeweils nachgeschaltet ist dem Lauf-

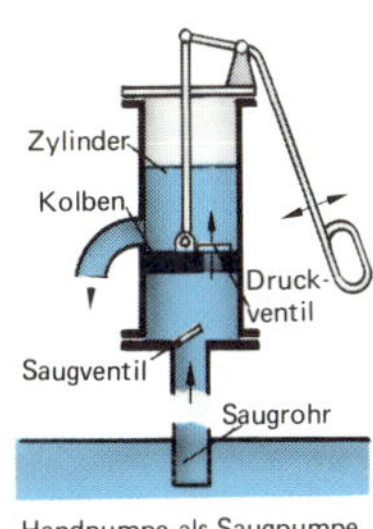

Handpumpe als Saugpumpe

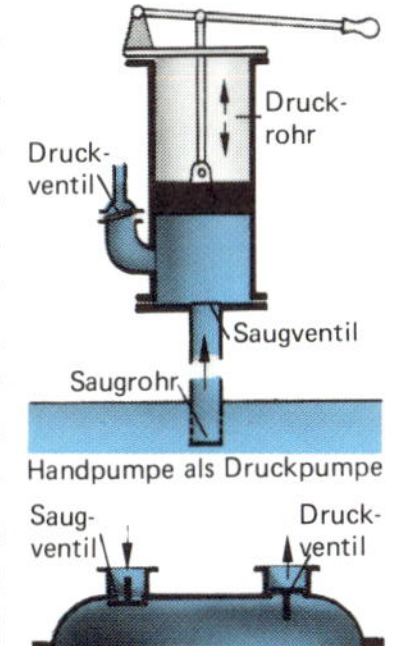

Handpumpe als Druckpumpe

Membranpumpe

Kolbenpumpen

Druck-
ventile

Saug-
ventile

Flügelpumpe

Pumpe: Verdrängerpumpen

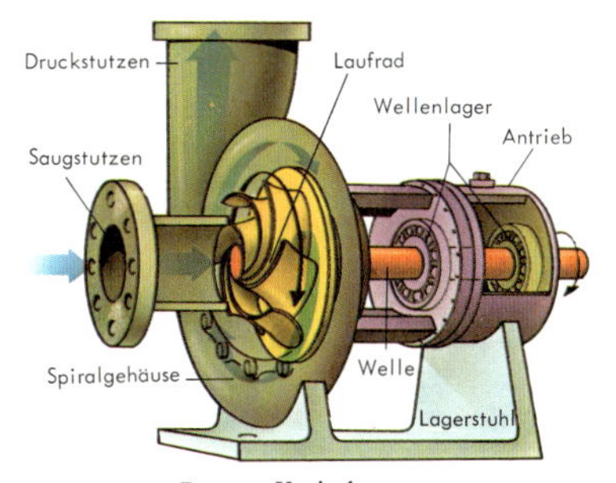

Pumpe: Kreiselpumpe

rad ein Leitrad, das die Bewegungsenergie der Flüssigkeit in Druckenergie umwandelt.

Punische Kriege, 3 Kriege zwischen Römern und Karthagern (von den Römern ›Punier‹ genannt) um die Vormacht im westlichen Mittelmeer, das seit dem 5. Jahrh. von den Karthagern beherrscht wurde. Im **1. Punischen Krieg** (264–241 v. Chr.) konnten die Römer Sizilien als die erste römische Provinz gewinnen. Im **2. Punischen Krieg** (218–201 v. Chr.) griffen die Karthager unter ihrem Feldherrn Hannibal von Spanien aus Rom selbst an. Zunächst mußten die Römer schwerste Niederlagen hinnehmen: 217 am Trasimenischen See und 216 bei Cannae. 204 griffen die Römer unter ihrem Feldherrn Publius Cornelius Scipio die Stadt Karthago direkt an. 202 besiegte er bei Zama Hannibal. Karthago mußte auf Spanien verzichten, wurde auf ein kleines Gebiet in Afrika beschränkt, mußte alle Kriegsschiffe bis auf 10 ausliefern und eine hohe Kriegsentschädigung zahlen. Der **3. Punische Krieg** (149–146 v. Chr.) endete mit der Zerstörung Karthagos. Afrika wurde nun römische Provinz.

Punkt [von lateinisch pungere ›stechen‹], das einfachste Grundelement der Geometrie. Er wird als Schnittstelle zweier Geraden aufgefaßt und ist ein Gebilde ohne räumliche Ausdehnung.

Punktrechnung, die →Grundrechenarten der Multiplikation und der Division.

Punktspiegelung, eine →Abbildung.

Punktsymmetrie, Art der →Symmetrie.

Pupille [von lateinisch pupilla ›Püppchen‹], die Sehöffnung des →Auges, eine runde Aussparung in der Mitte der Regenbogenhaut (Iris). Sie reguliert den Lichteinfall in das Auge.

Puppe, Nachbildung der menschlichen Gestalt; häufig Kinderspielzeug. In der Biologie das letzte Jugendstadium in der Entwicklung mancher →Insekten.

Puritaner [zu lateinisch purus ›rein‹], die Anhänger einer im 16. Jahrh. in England entstandenen Glaubensbewegung, die dem Calvinismus (→Calvin) nahestand. Sie verwarfen Lehre, Verfassung und Liturgie der anglikanischen →Kirche von England als ›widerbiblisch‹ und forderten eine strenge Selbstzucht und den Verzicht auf weltliche Vergnügungen. Nach der Machtübernahme im Jahre 1640 versuchten die radikalen Puritaner unter Oliver Cromwell (* 1599, † 1658), ihren Grundsätzen unerbittlich Geltung zu verschaffen. Daher wurde das Ende ihrer Herrschaft im Jahr 1660 von der Bevölkerung als Befreiung empfunden. In der Folge wurden die Puritaner in England unterdrückt. Bereits 1620 waren Puritaner als →Pilgerväter nach Nordamerika ausgewandert.

Purpur, ein Farbengemisch zwischen karmin- und violettrot. Der antike Purpur wurde vor allem aus dem Schleim der Purpurschnecke durch Einwirkung von Luftsauerstoff und Licht gebildet. Der heute verwendete künstliche Purpurfarbstoff besteht in der Hauptsache aus Indigo und Indigoverbindungen.

Puschkin. Der russische Lyriker, Dramatiker und Prosaerzähler **Aleksandr Sergejewitsch Puschkin** (* 1799, † an den Folgen eines Duells 1837) gilt als Begründer der modernen russischen Literatur. Sein Hauptwerk, der Versroman ›Eugen Onegin‹ (1825–32; danach Oper von Peter Tschaikowsky), ist der erste bedeutende psychologisch-gesellschaftskritische Roman der russischen Literatur. Die historische Tragödie ›Boris Godunow‹ (1825) wurde Vorlage für eine Oper von Modest Mussorgskij. In den letzten Lebensjahren verstärkte sich Puschkins Interesse an der Prosa. Er schrieb Novellen wie ›Pique Dame‹ (1834; danach Oper von Peter Tschaikowsky) und den Roman ›Die Hauptmannstochter‹ (1836), der zur Zeit des russischen Volksaufstandes im 18. Jahrh. spielt.

Pußta, ungarisch **Puszta,** Bezeichnung für ehemals fast baumlose, nur spärlich mit Gras bewachsende Gebiete im Ungarischen Tiefland. Früher ausschließlich durch Rinder- und Pferdezucht genutzt, wird die Pußta heute durch künstliche Bewässerung als Ackerland (Anbau von Mais, Weizen, Zuckerrüben, Sonnenblumen, Obst, Wein, Tabak, Baumwolle) bewirtschaftet.

Pustertal, italienisch **(Val) Pusteria,** etwa 100 km langes Alpental zwischen Zillertal und den Hohen Tauern im Norden, den Dolomiten und den Karnischen Alpen im Süden. Hauptorte sind Bruneck und Toblach. Das Pustertal ist ein beliebtes und vielbesuchtes Fremdenverkehrsgebiet (Sommerfrische und Wintersport).

Puten, →Truthühner.

Pygmäen [von griechisch pygmaios ›faustgroß‹], zwergwüchsige Menschengruppen in tropischen Regenwaldgebieten. Die erwachsenen Männer sind im Durchschnitt höchstens 150 cm groß; sie haben einen langen Rumpf, lange Arme, dünne, kurze Beine und Kraushaar. Die menschlichen Zwergrassen in Zentralafrika und Südostasien haben sich unabhängig voneinander entwickelt. Die volle körperlich-geistige Leistungs- und Anpassungsfähigkeit widerlegt Deutungen des Zwergwuchses als Kümmerform, die in Mangelgebieten entstanden sein soll. Die Pygmäen sind Urwaldjäger und -sammler. Die fortschreitende Einengung ihres Lebensraumes stellt jedoch eine starke Bedrohung ihrer Lebensmöglichkeiten dar.

Pyŏngyang, Pjöngjang, 2,5 Millionen Einwohner, Hauptstadt von Nord-Korea, liegt oberhalb der Mündung des Taedonggang ins Gelbe Meer. Pyŏngyang ist das älteste Kulturzentrum Koreas.

Pyramide, ein geometrischer →Körper. Er wird oft begrenzt von einem Quadrat und 4 Dreiecken, die von je einer Seite des Quadrates ausgehen und in einem Punkt, der **Spitze,** zusammenstoßen. In diesem Fall spricht man von einer **quadratischen Pyramide** (BILD 1). Das Quadrat wird **Grundfläche,** die 4 Dreiecke werden **Seitenflächen** genannt. Eine Verbindungsstrecke der Spitze mit einer Ecke der Grundfläche heißt **Seitenkante,** die Seiten der Grundfläche heißen **Grundkanten.** Das Lot von der Spitze auf die Grundfläche bezeichnet man als **Höhe.** Die Oberfläche der quadratischen Pyramide besteht aus einem Quadrat und 4 gleichschenkligen Dreiecken (BILD 2).

Formeln: Für das Volumen V und den Inhalt der Oberfläche O einer quadratischen Pyramide gilt $V = \frac{1}{3} a^2 \cdot h$, $O = a^2 + 2ah'$, wobei a die Länge der Grundkante, h die Länge der Pyramidenhöhe und h' die Länge einer Dreieckshöhe ist. Schneidet man eine quadratische Pyramide längs der Flächendiagonalen auf, so erhält man als Schnittfläche ein gleichschenkliges Dreieck. Hierbei ist die Schenkellänge des Dreiecks gleich der Kantenlänge s der Pyramide. Die Basislänge entspricht der Länge d der Flächendiagonalen, und die Länge der Dreieckshöhe ist gleich der Länge h der Pyramidenhöhe. Nach dem →Pythagoreischen Lehrsatz gilt $s^2 = h^2 + \left(\frac{d}{2}\right)^2$, und mit $d = a \cdot \sqrt{2}$ (→Quadrat) gilt: $s^2 = h^2 + \frac{1}{2} a^2$ (BILD 3).

Allgemein spricht man von einer Pyramide, wenn die Grundfläche ein →Vieleck ist. Die Seitenflächen sind stets Dreiecke (BILD 4). Eine **regelmäßige Pyramide** hat ein regelmäßiges Vieleck als Grundfläche. Für das Volumen V jeder Pyramide gilt die Formel $V = \frac{1}{3} G \cdot h$, wobei G der Inhalt des Vielecks und h die Länge der Pyramidenhöhe ist.

Pyramiden, die Grabmäler, die sich die Pharaonen (altägyptische Könige) noch zu Lebzeiten erbauen ließen. In ihrem Innern legte man Gangsysteme und Grabkammern mit einem Granitsarkophag an, in den die Mumie des Pharao gelegt wurde. Dann wurde die Pyramide unzugänglich verschlossen. Am bekanntesten sind die 3 Pyramiden von →Giseh, die zu den →Sieben Weltwundern zählen. Die größte davon, die Pyramide des Pharao Cheops, war 147 Meter hoch und hatte eine Kantenlänge von 233 Metern; 2,3 Millionen Kalksteinblöcke wurden hier verbaut. Die Pyramiden waren ursprünglich an der Oberfläche glatt poliert. Davor befand sich ein Tempelbezirk, in dem der tote Pharao und andere Götter verehrt wurden. Zu einem solchen Tempelbezirk gehörte der gewaltige →Sphinx, der heute noch in der Nähe der Pyramiden von Giseh zu sehen ist. Pyramiden als Grabmäler und Heiligtümer gibt es auch in Mittelamerika und Südostasien.

Pyrenäen, Hochgebirge im Südwesten Europas, das sich vom Golf von Biscaya (Atlantischer Ozean) bis zum Golf von Lion (Mittelmeer) er-

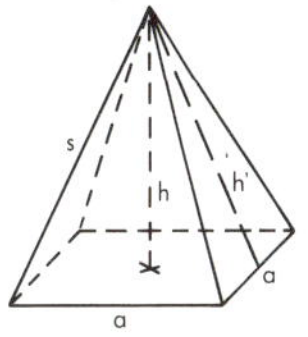

1 quadratische Pyramide

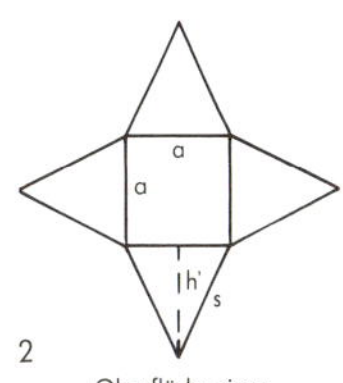

2 Oberfläche einer quadratischen Pyramide

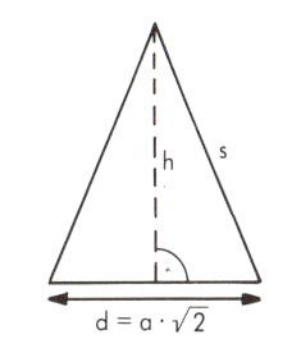

3 Schnittfläche der quadratischen Pyramide längs ihrer Flächendiagonalen

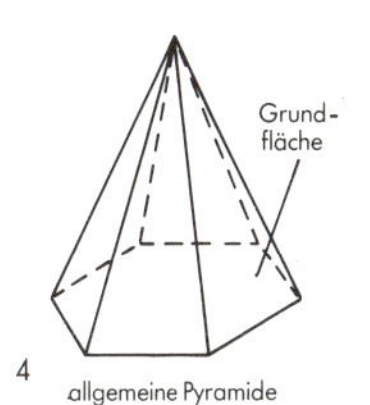

4 allgemeine Pyramide

Pyramide

Pyramiden von Giseh (von links nach rechts die Pyramiden des Cheops, Chephren und Mykerinos)

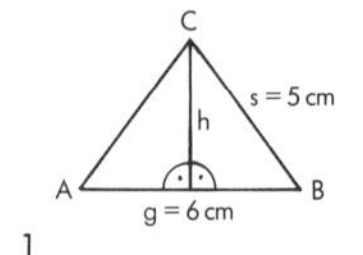

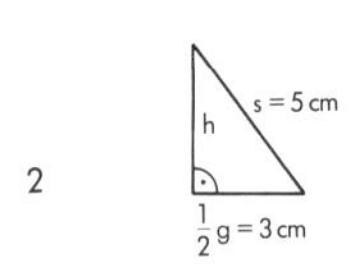

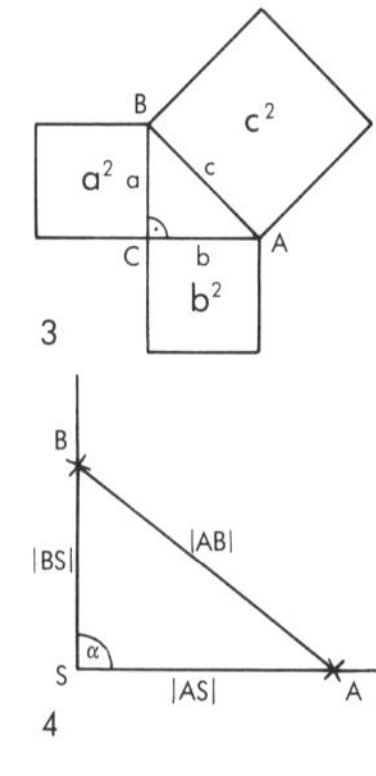

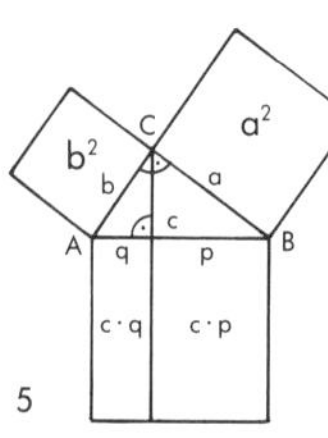

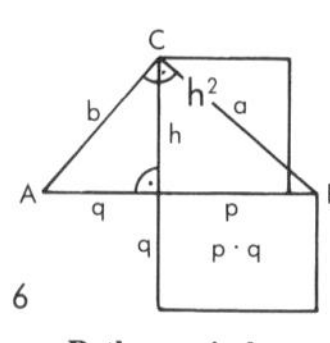

Pythagoreischer Lehrsatz

streckt und Spanien von Frankreich trennt. Im östlichen Teil des Gebirges liegt der Zwergstaat Andorra. Scharfe Grate und steile Hänge kennzeichnen den 435 km langen und 100 km breiten Gebirgszug, der im Pico de Aneto mit 3 404 m die höchste Erhebung erreicht. Nur die höchsten Regionen der Pyrenäen tragen Spuren eiszeitlicher Vergletscherung (Kare, Karseen, Trogtäler). Die Schneegrenze liegt, ähnlich wie in den Alpen, zwischen 2 700 und 3 100 m Höhe. Die den atlantischen Westwinden ausgesetzte französische Abdachung ist wesentlich feuchter als die spanische und trägt deshalb Eichen-, Buchen-, Ahorn- und Kastanienwälder. Oberhalb der Waldgrenze (2 400–2 500 m) breiten sich Zwergstrauchheiden und alpine Matten aus. In dem dünn besiedelten Gebirge leben in Mitteleuropa selten gewordene Tiere wie Wölfe, Füchse, Braunbären, Gemsen und Steinböcke. Auf der französischen Seite sind Landwirtschaft und Industrie (begünstigt durch Wasserkraftwerke zur Elektrizitätsgewinnung) wesentlich besser entwickelt als auf der spanischen. Mehrere Bahnlinien und Straßen mit teils recht langen Tunnels queren die Pyrenäen.

Pyrenäenhalbinsel, →Iberische Halbinsel.

Pyrrhos I., lateinisch **Pyrrhus I.,** König von Epirus im nordwestlichen Griechenland, * 319, † 272 v. Chr. Er zog 280 v. Chr. mit einem großen Heer nach Unteritalien, um der Griechenstadt Tarent gegen Rom beizustehen. Pyrrhos siegte in mehreren Schlachten. Seine Verluste waren jedoch so hoch, daß er ausrief: ›Noch ein solcher Sieg und wir sind verloren.‹ Seitdem nennt man einen Sieg, der durch große Opfer erkauft wurde, einen **Pyrrhussieg.**

Pythagoreischer Lehrsatz, Mathematik: Aufgabe: Bestimme den Flächeninhalt eines gleichschenkligen Dreiecks ABC mit der Schenkellänge $s = 5$ cm und der Grundseite $g = 6$ cm.

Lösung: Der Flächeninhalt eines Dreiecks berechnet sich nach der Formel $A = \frac{1}{2} g \cdot h$, wobei g die Länge der Grundseite und h die Länge der zugehörigen Höhe ist (→Dreieck). Die Höhe h zerlegt das Dreieck ABC in 2 gleiche rechtwinklige Dreiecke (BILDER 1 und 2). Gesucht ist nun eine Beziehung zwischen den bekannten Größen $s = 5$ cm und $\frac{1}{2} g = 3$ cm sowie der unbekannten Größe h. Eine solche Beziehung liefert der **Lehrsatz des Pythagoras.** Danach ist in jedem rechtwinkligen Dreieck die Summe der Quadrate über den Katheten a und b gleich dem Quadrat über der Hypotenuse c (BILD 3), also $a^2 + b^2 = c^2$.

Somit ergibt sich in der obigen Aufgabe: $(5\,\text{cm})^2 = (3\,\text{cm})^2 + h^2$, also: $h^2 = 16\,\text{cm}^2$ und somit $h = 4$ cm. Für den Flächeninhalt des Dreiecks ergibt sich:

$$A = \frac{1}{2} \cdot 6\,\text{cm} \cdot 4\,\text{cm} = 12\,\text{cm}^2.$$

Drei Zahlen a, b und c, die die Gleichung $a^2 + b^2 = c^2$ erfüllen, heißen **pythagoreische Zahlen.** Beispiel: $a = 3$; $b = 4$ und $c = 5$.

Auch die Umkehrung des Lehrsatzes von Pythagoras gilt. Gilt für die Seitenlängen a, b und c eines Dreiecks die Beziehung $a^2 + b^2 = c^2$, dann ist das Dreieck rechtwinklig. Mit diesem Satz kann man, ohne den Winkel zu messen, nachprüfen, ob ein Winkel α rechtwinklig ist. Hierzu legt man 2 Punkte A und B auf den beiden Schenkeln des Winkels fest und mißt ihre Abstände zum Scheitel S des Winkels. Gilt für die Länge $|AB|$ die Beziehung $|AB|^2 = |AS|^2 + |BS|^2$, dann ist der Winkel rechtwinklig (BILD 4).

Mit dem Pythagorischen Lehrsatz lassen sich weitere Sätze am rechtwinkligen Dreieck ableiten:

Kathetensatz des Euklid: In jedem rechtwinkligen Dreieck ist das Quadrat über einer Kathete gleich dem Rechteck aus der Hypotenuse und dem zur Kathete gehörenden Hypotenusenabschnitt; also: $a^2 = c \cdot p$ und $b^2 = c \cdot q$ (BILD 5).

Als Hypotenusenabschnitte bezeichnet man die Teile der Seite c, die durch Errichten der Höhe auf die Seite c entstehen. Der Hypotenusenabschnitt, der an die Kathete a angrenzt, heißt der zur Kathete a zugehörige Hypotenusenabschnitt; entsprechend ist der zur Kathete b zugehörige Hypotenusenabschnitt derjenige, der an die Kathete b angrenzt.

Höhensatz: In jedem rechtwinkligen Dreieck ist das Quadrat über der Höhe gleich dem Rechteck aus den beiden Hypotenusenabschnitten; also: $h^2 = p \cdot q$ (BILD 6).

Der nach dem griechischen Philosophen Pythagoras, der im 6. und 5. Jahrh. v. Chr. lebte, benannte Satz war schon lange zuvor in Babylon bekannt.

Pythia, Seherin, die im Apollontempel in →Delphi die Weissagungen (→Orakel) des Gottes Apoll in vieldeutigen Sprüchen verkündete.

Q, der siebzehnte Buchstabe des Alphabets, ein Konsonant. In Verbindung mit Längeneinheiten bedeutet q **Q**uadrat (z. B. qm = **Q**uadrat**m**eter = m^2); diese Schreibweise ist jedoch gesetzlich nicht mehr zugelassen.

Quader [von lateinisch quadrus ›viereckig‹], ein geometrischer →Körper, der von 6 rechteckigen Flächen begrenzt wird.

Die Eigenschaften eines Quaders sind:

1. Die gegenüberliegenden Rechtecke sind kongruent (→Kongruenz) und liegen parallel zueinander.
2. Die 6 Rechtecke stoßen in 12 Kanten zusammen. Jeweils 4 Kanten sind gleich lang und liegen parallel zueinander.
3. Ein Quader besitzt 8 Ecken. In jeder Ecke stoßen die Kanten zusammen, die paarweise miteinander rechte Winkel bilden.

Da ein Quader von Rechtecken begrenzt wird, gehört er zu den →Polyedern. Sonderfälle eines Quaders sind der →Würfel und die **quadratische Säule.** Diese ist ein Quader mit einer quadratischen Grundfläche. Drei nicht parallele Kanten werden als **Länge, Breite** und **Höhe** des Quaders bezeichnet.

Für das Volumen V und den Inhalt der Oberfläche O eines Quaders gilt: $V = abc$, $O = 2ab + 2ac + 2bc$ wobei a, b und c die Kantenlängen des Quaders sind. Die →Diagonalen der Begrenzungsflächen heißen **Flächendiagonalen.** Außerdem besitzt ein Quader noch 2 **Raumdiagonalen,** die gleich lang sind.

Für die Längen d_1, d_2 und d_3 der Flächendiagonalen gilt nach dem →Pythagoreischen Lehrsatz: $d_1 = \sqrt{a^2 + b^2}$, $d_2 = \sqrt{b^2 + c^2}$ und $d_3 = \sqrt{a^2 + c^2}$. Für die Länge d der Raumdiagonalen gilt: $d = \sqrt{a^2 + b^2 + c^2}$.

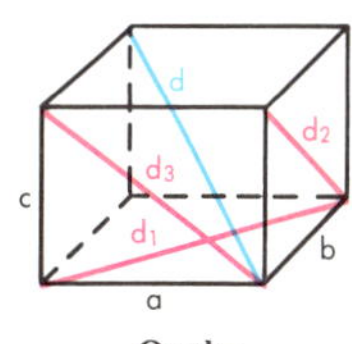

Quader

Quadrat [von lateinisch quadrus ›viereckig‹], ein →Viereck mit 4 gleich langen Seiten und 4 rechten Winkeln (BILD).

Die Eigenschaften eines Quadrates sind:

1. Die gegenüberliegenden Seiten sind parallel.
2. Die beiden →Diagonalen sind gleich lang, stehen senkrecht aufeinander, halbieren sich gegenseitig und halbieren die 4 rechten Winkel des Quadrats.
3. Beide Mittellinien und beide Diagonalen sind Symmetrieachsen (Achsensymmetrie, →Symmetrie).

Wegen der Eigenschaft **1** ist das Quadrat ein Sonderfall des →Parallelogramms. Da das Quadrat 4 rechte Winkel besitzt, gehört es zu den →Rechtecken, und da alle 4 Seiten gleich lang sind, ist das Quadrat auch eine →Raute.

Formeln: Für den Flächeninhalt A und den Umfang U eines Quadrates gilt: $A = a \cdot a = a^2$, $U = 4 \cdot a$, wobei a die Seitenlänge des Quadrates ist. Ist d die Länge der Flächendiagonalen, so gilt nach dem →Pythagoreischen Lehrsatz: $d^2 = a^2 + a^2 = 2a^2$, das heißt $d = a\sqrt{2}$.

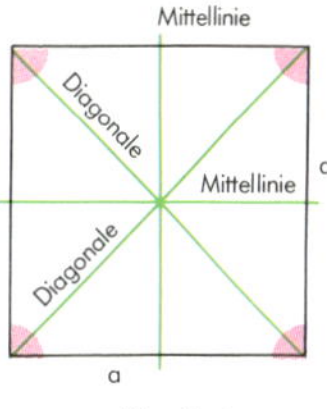

Quadrat

Quadratmillimeter, Quadratzentimeter, Quadratdezimeter, Quadratmeter, Quadratkilometer, Flächeneinheiten (→Einheiten).

Quadratur des Kreises. Die Griechen der Antike versuchten viele mathematische Probleme mit Zirkel und Lineal zu lösen. Eines der Probleme, das nicht gelöst werden konnte, ist die **Quadratur des Kreises.** Das ist die Aufgabe, allein mit Zirkel und Lineal einen Kreis in ein Quadrat mit gleichem Flächeninhalt umzuwandeln. Untersuchungen der modernen Mathematik haben nachgewiesen, daß dieses Problem, ebenso wie die beiden anderen klassischen Probleme der griechischen Mathematik, tatsächlich unlösbar ist. Bei den beiden anderen Problemen handelt es sich einmal darum, einen Winkel nur mit Zirkel und Lineal in 3 gleiche Teile zu zerlegen **(Dreiteilung des Winkels),** und zum anderen, aus einem Würfel einen zweiten zu konstruieren, der den doppelten Rauminhalt hat **(Würfelverdopplung, Delisches Problem).**

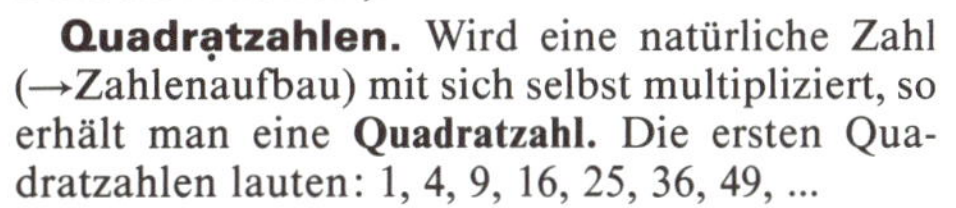

Quadratzahlen. Wird eine natürliche Zahl (→Zahlenaufbau) mit sich selbst multipliziert, so erhält man eine **Quadratzahl.** Die ersten Quadratzahlen lauten: 1, 4, 9, 16, 25, 36, 49, ...

Quadrophonie [zu lateinisch quadri- ›vier‹ und griechisch phone ›Schall‹], eine Erweiterung der →Stereophonie, bei der 4 getrennte Signale über 4 Mikrophone aufgezeichnet werden. Die Tonwiedergabe geschieht über 4 Lautsprecher, die so angeordnet werden, daß die Schallwellen den Zuhörer sozusagen von allen Seiten umgeben.

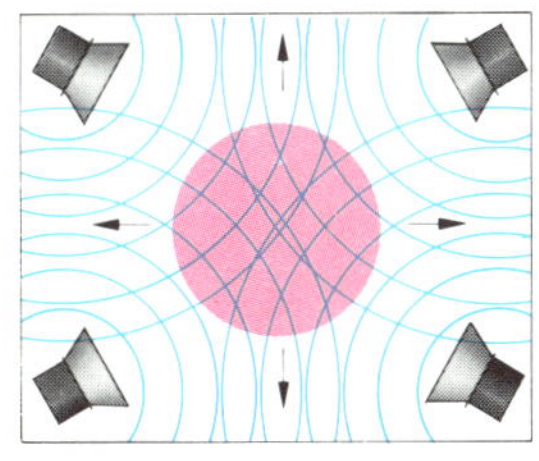
Quadrophonie: Schallverteilung bei vier Lautsprecherboxen

Quäker [von englisch quaker ›Zitterer‹], ursprünglich Spottname, später Selbstbezeichnung einer religiösen Gemeinschaft, die im 17. Jahrh. in England entstand; sie selbst nennen sich ›**Ge-**

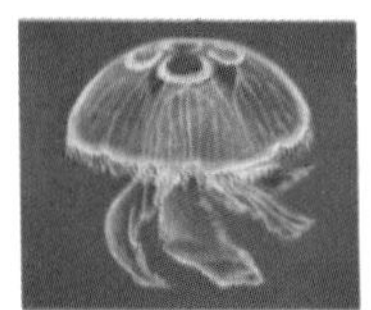

Quallen: OBEN Ohrenqualle; UNTEN Kompaßqualle

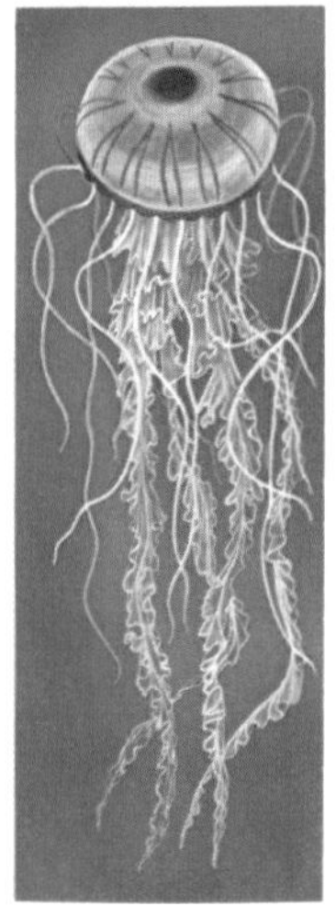

sellschaft der Freunde‹, englisch **›Society of Friends‹**. Sie lehnen die kirchlichen Ämter und Einrichtungen, die Sakramente, den Kriegsdienst und alle äußerlichen Bräuche und Feste ab. Ihre Lehre, daß alle Menschen wegen des ihnen gemeinsamen ›inneren Lichtes‹ vor Gott und den Menschen gleich seien, gilt als eine der Wurzeln modernen demokratischen Denkens. Von heute etwa 200 000 Quäkern leben die meisten in England und in den USA, wo sie 1682 den Staat Pennsylvania gegründet hatten.

Qualle, Meduse, die frei im Wasser schwimmende geschlechtliche Generation der →Nesseltiere. Der schirm- oder glockenförmige Körper, aus dessen nach unten gerichteter Öffnung ein Mundrohr heraushängt, ist zart, fast durchsichtig, kann aber auch leuchtend bunt gefärbt sein. Er setzt sich aus einer gallertartigen Masse zusammen, die zu über 90% aus Wasser besteht. Werden Quallen an den Strand gespült, sind sie nach wenigen Stunden ausgetrocknet. Gewöhnlich umgeben 4 längere lappenartige Fangarme den Mund; am Schirmrand sitzen zahlreiche kleinere Fangarme; meist sind alle mit Nesselzellen besetzt. Sie fangen die Beute (Plankton, kleine Fische und Krebse) ein und führen sie, nachdem diese mit dem Gift der Nesselzellen gelähmt wurde, dem Mund zu. Kommt man beim Schwimmen mit den Nesselzellen bestimmter Quallen in Berührung, fängt die Haut stark an zu brennen und zu jucken. Quallen schwimmen, indem sie den Schirmrand ruckartig zusammenziehen. Dabei wird Wasser aus der Schwimmglocke ausgedrückt und die Qualle nach dem Rückstoßprinzip nach oben getrieben. Durch die Schwerkraft sinkt sie wieder nach unten.

Quallen pflanzen sich geschlechtlich fort. Sie geben Ei- und Samenzellen ins Wasser ab. Aus dem befruchteten Ei entwickelt sich eine winzige freischwimmende Larve, die sich an Tang oder Steinen festsetzt und zu einem →Polypen heranwächst. Durch ringförmige Abschnürung bringen diese Polypen junge Quallen hervor (→Generationswechsel). Erfolgt diese Querteilung an mehreren untereinandergelegenen Stellen gleichzeitig, so zerfällt der Polyp in zahlreiche, nach Art eines Tellersatzes ineinandergesteckte Scheiben. Bei einigen Nesseltieren fehlt die ungeschlechtliche Generation des Polypen, bei anderen unterbleibt die Entwicklung zur freilebenden Qualle.

Quallen mit einem Schirmdurchmesser von 0,5–50 cm leben auch in der Nord- und Ostsee, darunter die **Kompaßqualle** und die **Ohrenqualle.** Die größten Quallen der Südsee haben über 2 m Durchmesser und 30 m lange Fangarme.

Quant [von lateinisch quantus ›wie groß?‹], kleinste, unteilbare Menge einer physikalischen Größe, z. B. der elektrischen Ladung **(elektrisches Elementarquantum, Elementarladung).** Die Aufnahme und Abgabe von elektromagnetischer Strahlungsenergie geschieht in Form von **Energiequanten** (Energieportionen). Auch die elektromagnetische Strahlungsenergie selbst tritt in Form von Quanten auf.

Quantenmechanik, physikalische Theorie, die eine widerspruchsfreie (mathematische) Beschreibung aller nichtrelativistischen (→Relativitätstheorie) Vorgänge in der Mikrophysik (Moleküle, Atome, Festkörper) gestattet. Sie ist ein Teilgebiet der Quantentheorie.

Quantentheorie, die Theorie des physikalischen Verhaltens mikrophysikalischer Systeme wie Moleküle, Atome, Atomkerne, Elementarteilchen. Sie berücksichtigt, daß das mikrophysikalische Geschehen nicht stetig, sondern sprunghaft (quantenhaft) ist. Ihre Gesetze sind von statistischer Art; eine entscheidende Rolle spielt das Plancksche Wirkungsquantum h (→Planck).

Quarantäne, die Zeit, in der Menschen und Tiere, die mit bestimmten ansteckenden Krankheiten in Berührung gekommen oder an diesen erkrankt sind, von anderen abgesondert werden. Das Wort stammt aus dem Französischen und bedeutet ›Zeitraum von 40 Tagen‹, das war die Zeit, für die früher den Schiffen, die aus Seuchengebieten kamen, eine Hafensperre auferlegt wurde. Heute richtet sich die Dauer der Quarantäne nach der Art der Krankheit.

Quarks [kwohks, englisch], fundamentale Bausteine der Materie, aus denen die Protonen und Neutronen aufgebaut sind (→Elementarteilchen).

Quartär [von lateinisch quartus ›der vierte‹], die jüngste Periode der →Erdgeschichte (ÜBERSICHT).

Quarte [von lateinisch quarta ›die vierte‹], Musik: das →Intervall im Abstand von 4 Notenstufen.

Quartett [von italienisch quartetto, zu lateinisch quartus ›der vierte‹], eine Komposition für 4 Instrumente (→Kammermusik) oder 4 Singstimmen. Auch die 4 Instrumentalisten oder Sänger, die diese Komposition ausführen, werden als Quartett bezeichnet.

Quarz, englische und französische Schreibung **Quartz,** nach den Feldspaten das häufigste Mineral der Erdkruste, das meist farblos, weiß, glas- oder fettglänzend, durchsichtig, trüb oder undurchsichtig ist und reine Kieselsäure, SiO_2, darstellt. Kristallisiert tritt er als sechseckige Säule mit aufgesetzter Pyramide auf. Quarz kommt in Magmagesteinen wie Granit, in metamorphen Gesteinen wie Quarzit und Gneis sowie in Sedimentgesteinen vor. Auch in vielen Gangausfüllungen ist er weit verbreitet. In Sanden und Kiesen ist Quarz oft wegen seiner Härte und Schwerlöslichkeit angereichert.

Auf Klüften und in Drusen tritt Quarz häufig kristallisiert auf, wobei Färbung und Durchsichtigkeit unterschiedlich ausgebildet sein können. So ist der **Bergkristall** farblos durchsichtig, der **Milchquarz** weiß und trüb, der **Amethyst** violett und durchsichtig, der **Rosenquarz** rosafarben. Diese Varietäten sind als Schmucksteine ebenso geschätzt wie die aus Kieselgelen entstandenen Chalcedone oder Opale.

Quarzsand dient z. B. als Strahl- und Schleifmittel, als Filtermaterial in Brunnen, zur Herstellung von Zement, Glas und Porzellan. Dagegen werden die für elektrotechnische und optische Zwecke benutzten Quarze aus Reinheitsgründen künstlich gefertigt.

Quästor [lateinisch ›Untersucher‹], in der frühen römischen Republik seit 447 v. Chr. Untersuchungsrichter, später der oberste Finanzbeamte in Rom, der das Ärarium, den Staatsschatz im Saturntempel, verwaltete. In den Provinzen waren die Quästoren die Stellvertreter der Statthalter und verwalteten die Gelder der Marktgerichtsbarkeit.

Quebec [kwibek], 166 500 Einwohner, kanadische Stadt am Sankt-Lorenz-Strom, der hier 1 200 m breit ist. Der Flußhafen ist von Dezember bis April wegen Eisgangs unbenutzbar. Quebec, 1608 gegründet, war die Hauptstadt des französischen Kolonialreichs in Nordamerika, das 1759 von Großbritannien erobert wurde. Noch heute zeigt z. B. das rege kulturelle Leben der Stadt französisches Gepräge; Amtssprache in der kanadischen Provinz Quebec ist seit 1977 Französisch.

Quecksilber, Zeichen **Hg** (von griechisch-lateinisch **h**ydrar**g**yrum), silbrig glänzendes →chemisches Element (ÜBERSICHT), ein Schwermetall, das als einziges Metall bei Zimmertemperatur flüssig ist. Beim Arbeiten mit Quecksilber ist darauf zu achten, daß sowohl seine Dämpfe als auch seine Verbindungen **hochgiftig** sind. In der Natur findet man es am häufigsten als **Zinnober,** eine Verbindung aus Quecksilber und Schwefel. Viele technische Geräte zur Messung von Druck und Temperatur sind mit Quecksilber gefüllt, das sich bei Erwärmung sichtbar ausdehnt und bei Abkühlung zusammenzieht. Quecksilber löst viele andere Metalle, wobei Amalgame entstehen, die vielseitig verwendet werden, z. B. Silberamalgam als Material der Zahnfüllungen.

Quelle, aus der Erde austretendes fließendes Wasser, meist Grundwasser. Das von Niederschlägen sowie von fließenden und stehenden Gewässern gespeiste Grundwasser wird auf wasserundurchlässigen Schichten (z. B. Ton) gestaut. Am Schnittpunkt des Grundwasserspiegels mit der Erdoberfläche tritt es auf natürliche Weise wieder zutage. Als →Thermen bezeichnet man Quellen mit Temperaturen von über 20 °C; das Wasser **heißer Quellen** hat über 50 °C. Das Wasser von **Mineralquellen** kann durch seinen Mineralgehalt oder seine Temperatur auf bestimmte Organe oder den ganzen Organismus heilend wirken **(Heilquellen).**

Querflöte, Holzblasinstrument aus der Gruppe der →Flöten. Die Querflöte besteht aus einer dreiteiligen, zylindrisch gebohrten Schallröhre aus Metall (Silber), die an einem Ende offen ist. Das andere Endstück enthält seitlich das Anblaseloch, auf dessen Rand der Bläser die Luft durch die Lippen leitet. Der Münchener Flötist Theobald Boehm erfand um 1840 eine Anordnung der Grifflöcher nach physikalischen Gesetzen und einen neuen Klappenmechanismus. Ihr silbriger, schwebender Klang hat die Querflöte zu einem bevorzugten Orchester- und Soloinstrument gemacht. Sie war das Lieblingsinstrument Friedrichs des Großen.

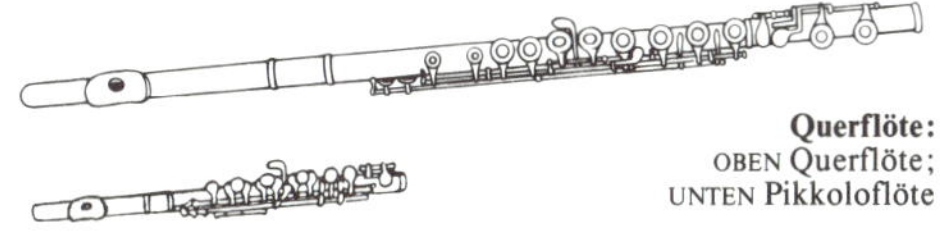

Querflöte: OBEN Querflöte; UNTEN Pikkoloflöte

Querschnitt. Will man z. B. die Raumdiagonale eines Würfels berechnen, so ist es sinnvoll, einen Schnitt quer durch den Würfel hindurch zu legen. Die Schnittfläche, in der dann die Raumdiagonale liegt, heißt **Querschnitt.** Mit Hilfe des Querschnitts ist man leichter in der Lage, eine Formel zur Berechnung der gesuchten Größe aufzustellen. (BILD Seite 46)

Quersumme, die Summe aller Ziffern einer →natürlichen Zahl. Die Kenntnis der Quersumme einer Zahl ist manchmal nützlich, weil sich mit ihrer Hilfe bestimmen läßt, ob die Zahl durch 3 oder durch 9 teilbar (→Teiler) ist.

Es gilt: **Eine natürliche Zahl ist teilbar durch 3 oder 9, wenn ihre Quersumme durch 3 oder 9 teilbar ist.**

1

2

3

4

Quarz: **1** Milchquarzadern (Georgenborn, Taunus). **2** Bergkristall (Schweizer Alpen). **3** Rosenquarz (Böhmen, Tschechoslowakei). **4** Amethystdruse (Idar-Oberstein)

Beispiele:
3 456 hat die Quersumme 3+4+5+6 = 18
9 105 hat die Quersumme 9+1+0+5 = 15
8 240 hat die Quersumme 8+2+4+0 = 14

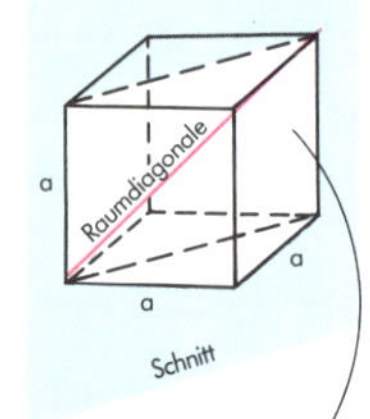

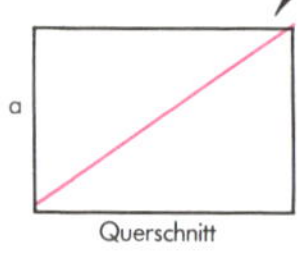

Querschnitt
(a = Kantenlänge des Würfels)

Somit gilt im obigen Beispiel: Die Zahl 3 456 ist durch 3 und durch 9 teilbar, die Zahl 9 105 ist durch 3 und nicht durch 9 teilbar, die Zahl 8 240 ist weder durch 3 noch durch 9 teilbar.

Quinte [von lateinisch quinta ›die fünfte‹], Musik: das →Intervall im Abstand von 5 Notenstufen.

Quintenzirkel. Sämtliche Dur- und Molltonarten lassen sich nach Art und Zahl der Vorzeichen in einem Kreis (Zirkel) anordnen. Der Abstand der Grundtöne beträgt jeweils eine Quinte. In aufsteigender Richtung (rechtsherum) befinden sich die #-Tonarten, in absteigender (linksherum) die ♭-Tonarten (→Versetzungszeichen). Dabei treffen sich in Dur die Quintenfolgen C-G-D-A-E-H und C-F-B-Es-As-Des in Fis = Ges (›enharmonische Verwechslung‹), die entsprechenden Reihen in Moll bei dis = es.

Quintett [von italienisch quintetto, zu lateinisch quintus ›der fünfte‹], eine Komposition für 5 Instrumente (→Kammermusik) oder 5 Singstimmen. Auch die 5 Instrumentalisten oder Sänger, die diese Komposition ausführen, werden als Quintett bezeichnet.

Quirinal, der nördlichste der 7 Hügel der Stadt Rom. Seit 1947 hat hier der italienische Präsident der Republik seinen Sitz.

Quito [kito], 1,1 Millionen Einwohner, Hauptstadt von Ecuador, liegt in einem von Vulkanen umgebenen Hochbecken der Kordillieren (2 850 m hoch) fast am Äquator. Quito wurde an

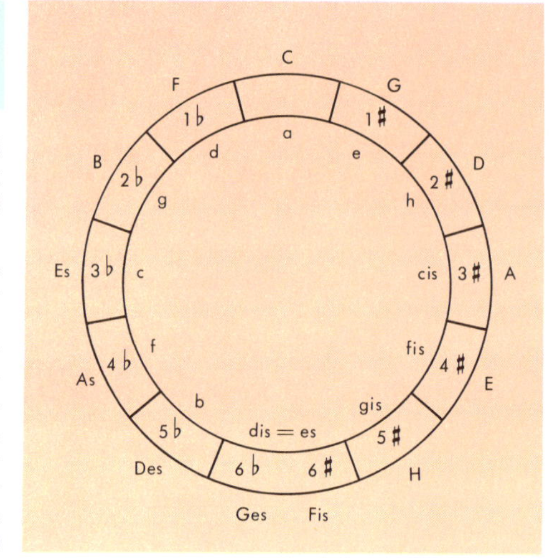

Quintenzirkel

der Stelle einer Indianerstadt 1534 als spanische Kolonialstadt gegründet und hat ein von Bauwerken der Kolonialzeit geprägtes Stadtbild.

Quitten, gelbliche, apfel- oder birnenförmige Früchte mit filziger Haut. Sie stammen aus Südasien und werden in Mitteleuropa vor allem in Gärten angepflanzt. Verwildert wachsen die 2–4 m hohen Bäumchen mit blaßrosa oder weißen Blüten auch in Gebüschen. Das harte Fruchtfleisch ist roh kaum eßbar.

Quotient [von lateinisch quotiens ›wie oft?‹], das Ergebnis einer Divisionsaufgabe (→Grundrechenarten).

R

R, der achtzehnte Buchstabe des Alphabets, ein Konsonant. °R ist das Einheitenzeichen für →Grad **R**éaumur.

Raab, ungarisch **Rába,** etwa 400 km langer rechter Nebenfluß der Donau. Sie entspringt in der Steiermark (Österreich) und mündet unterhalb der westungarischen Stadt **Raab** (ungarisch **Györ**) in die Donau.

Raabe. Der deutsche Schriftsteller **Wilhelm Raabe** (* 1831, † 1910) stellte in seinen Werken häufig Sonderlinge dar. Die seltsamen Käuze oder schwärmerischen Jünglinge stehen außerhalb der Gesellschaft. In seinem Erstlingswerk ›Die Chronik der Sperlingsgasse‹ (1857) über die Menschen einer Straße Alt-Berlins beschrieb Raabe in melancholischem Ton das Schwinden der alten Zeit. Im Roman ›Der Hungerpastor‹ (1864) wird die Menschlichkeit eines Pastors der Machtbesessenheit seines berechnenden Freundes gegenübergestellt. Als sein bestes Buch bezeichnete Raabe die humorvolle Kriminalgeschichte ›Stopfkuchen‹ (1891). Auch historische Erzählungen wie ›Die schwarze Galeere‹ (1865) gehören zu Raabes umfangreichem Gesamtwerk.

Rab, Insel im Adriatischen Meer, zu Kroatien gehörend. Hauptort ist die 1 700 Einwohner zählende Stadt Rab, die ihr mittelalterliches Stadtbild noch weitgehend bewahrt hat. Mildes Klima mit langer Sonnenscheindauer sowie eine malerische Felsküste mit tief ins Land reichenden

Wörter, die man unter Q vermißt, suche man unter K

Buchten ließen die Insel zu einem Touristenzentrum werden.

Rabat, 518 600 Einwohner, Hauptstadt von Marokko, liegt an der Küste des Atlantischen Ozeans, rund 100 km nördlich von Casablanca. Rabat ist Residenz des marokkanischen Königs. Der Hassan-Turm, das Minarett einer unvollendeten Moschee, ist heute Wahrzeichen der Stadt.

Rabatt [von italienisch rabettere ›abschlagen‹, ›einen Preisnachlaß gewähren‹], Abschlag, Preisnachlaß. Kauft ein Händler von einem Hersteller einen größeren Posten Waren, so räumt dieser seinem Abnehmer unter Umständen einen Preisnachlaß ein, oder er gibt ihm ein paar Stücke umsonst dazu **(Mengenrabatt).** Weitere Gründe für die Gewährung eines Rabatts sind z. B. der Kauf von Waren bei gleichbleibendem Anbieter **(Treuerabatt)** und die schnelle Bezahlung der gekauften Güter mit Bargeld **(Barzahlungsrabatt).** In manchen Unternehmen wird den Angestellten beim Kauf von betriebseigenen Waren ein **Personalrabatt** eingeräumt. – Eine andere Form des Preisnachlasses ist das →Skonto.

Rabbiner [hebräisch Rabbi ›mein Lehrer‹], der religiöse Lehrer der jüdischen Gemeinde. Ursprünglich war er vor allem als Schriftgelehrter für die Auslegung der Texte und Gesetze des →Talmud zuständig. Jedoch hat sich seine Stellung verändert und der des christlichen Geistlichen angeglichen. Heute bilden Predigt, Seelsorge und Erteilung von Religionsunterricht den Schwerpunkt seiner Tätigkeit. Der Rabbiner wird von der Gemeinde meist auf Lebenszeit gewählt.

Rabenvögel, kräftige, meist dunkel gefärbte Vögel, die weltweit verbreitet sind, z. B. →Kolkrabe, →Dohle, →Eichelhäher, →Elster und →Krähen. Die schwarze **Alpendohle,** die höhere Gebirge des südlichen Europa bewohnt, hat einen gelben, die ähnlich verbreitete schwarze **Alpenkrähe** einen roten Schnabel und rote Füße. Rabenvögel werden wegen ihres singvogelartigen Kehlkopfs zu den Singvögeln gerechnet, haben aber meist nur rauhe, krächzende Stimmen. Sie sind Allesfresser mit großem, starkem Schnabel, der oft leicht gekrümmt ist und dessen Nasenlöcher meist mit Federborsten bedeckt sind. Ihre Nahrung suchen sie mit Ausnahme der Häher gewöhnlich am Boden und halten sie zum Zerkleinern unter den Zehen fest.

Rabenvögel sind sehr anpassungsfähig, neugierig und schlau. Manche ahmen die Laute anderer Tiere nach (Eichelhäher) und in Gefangenschaft, wo sie meist leicht zu zähmen sind, auch die menschliche Sprache. Ähnlich wie die Papageien lernen sie einige Wörter oder sogar kleine Sätze sprechen (besonders Dohlen, Elstern, Raben), die sie aber nicht verstehen.

Rachen, griechisch **Pharynx,** ein mit Schleimhaut ausgekleideter Muskelschlauch, der sich an Nasen- und Mundhöhle anschließt und bis zum Kehlkopf reicht. Er bildet das für Atem- und Verdauungswege gemeinsame Verbindungsstück bis zum Eingang in die Luft- oder Speiseröhre.

Rachenmandeln, →Mandeln.

Rachitis, Englische Krankheit, eine Stoffwechselerkrankung, die sich besonders an Veränderungen der Knochen zeigt. Hauptsymptom ist die **Knochenerweichung,** hervorgerufen durch eine verzögerte Verkalkung der Knochen. Ursache hierfür ist ein Mangel an Vitamin D (bedingt durch einseitige Ernährung oder mangelnde Sonnenbestrahlung), der zu einer ungenügenden Calciumaufnahme aus dem Darm führt. Somit kommt es zu einer Störung im Calcium- und Phosphatstoffwechsel, durch den der Knochenaufbau beeinflußt wird. Rachitis tritt bevorzugt im Säuglings- und Kindesalter auf. Die Folgen sind Eindrückbarkeit des Schädels, Verformungen der Beine (meist O-, seltener X-Beine), des Brustkorbes (Trichterbrust) und des Rückens (Sitzbuckel) sowie allgemeine Muskelschwäche. Durch eine erfolgreiche Vitamin-D-Vorsorge im Säuglingsalter ist die Erkrankung in den letzten Jahren zurückgegangen.

rad, Einheitenzeichen für →Radiant.

Rad, ein Rollkörper, dessen äußerer, kreisrunder Kranz, **Radkranz** oder **Felge,** durch Speichen oder eine Scheibe mit der **Nabe** im Mittelpunkt verbunden ist. Mit der Nabe sitzt das Rad auf der **Achse,** um die es sich dreht. Das Rad ist vor allem als (seit 1888 luftbereiftes) Fahrzeugrad bekannt, daneben als Maschinenteil vor allem in der Form des →Zahnrads. Jahrtausendelang – seit der Induskultur und seit dem sumerischen Ur (3. Jahrtausend v. Chr.) – ermöglichte das hölzerne Wagenrad den Transport von Menschen und Gütern. In der Bronzezeit wurden Räder und Speichen aus Bronze gegossen. In der Hallstattzeit erhielt das Holzrad einen eisernen Reifen. In China kannte man schon im 4. Jahrh. v. Chr. Räder mit schräg eingesetzten Speichen. Nur in Amerika war das Rad als Gebrauchsgegenstand vor Kolumbus unbekannt.

Radar, Abkürzung für englisch **ra**dio **d**etecting **a**nd **r**anging [›Funkermittlung und Entfernungsmessung‹], **Funkmeßtechnik,** ein Funkverfahren, mit dem Ziele erfaßt und deren Richtung und Entfernung bestimmt werden können.

Elster

Kolkrabe

Nebelkrähe

Eichelhäher

Rabenvögel

Radar arbeitet im Frequenzbereich von 500 MHz bis 40 GHz, was Wellenlängen von 60 cm bis 0,75 cm entspricht. Das Funktionsprinzip beruht auf der Tatsache, daß Funkwellen von festen Gegenständen, besonders von solchen aus Metall, reflektiert werden. Man verwendet dieses System zur Erfassung von Kraftfahrzeugen, Flugzeugen, Schiffen oder Hindernissen (z. B. Eisbergen).

Eine Radaranlage besteht aus einem Sender, einer Antenne, einem Empfänger, an den eine Reihe von Auswertegeräten angeschlossen ist, und einem Bildschirm. Von der Antenne werden sehr kurze elektromagnetische Wellen ausgestrahlt. Sie treffen auf den entsprechenden Gegenstand und werden von ihm reflektiert. Ein Teil dieser Funkwellen wird von der Antenne des Radargeräts wieder aufgefangen. Gleichzeitig wird auch die Zeit bis zum Eintreffen dieses ›Echos‹ gemessen und ausgewertet. Mit Hilfe einer Entfernungsskala auf dem Radarschirm kann die Entfernung des erfaßten Gegenstandes direkt abgelesen werden. Seine Geschwindigkeit wird durch wiederholte Messungen und Vergleich der jeweiligen Standorte ermittelt. Bei den Rundumsuchgeräten, die mit rotierenden Antennen arbeiten, tastet der Peilstrahl nacheinander die ganze Umgebung ab.

Ursprünglich waren Radaranlagen für militärische Zwecke entwickelt worden. Heute jedoch sind sie auch für die zivile Verkehrsüberwachung unentbehrlich. Man findet sie im Luft- und im Schiffsverkehr, bei der Wetterbestimmung und bei der polizeilichen Geschwindigkeitsüberwachung von Straßenfahrzeugen. Einer der wichtigsten Vorzüge der Radartechnik ist die Tatsache, daß ihre Qualität weder von Dunkelheit noch von Regen, Nebel oder Schnee beeinflußt wird.

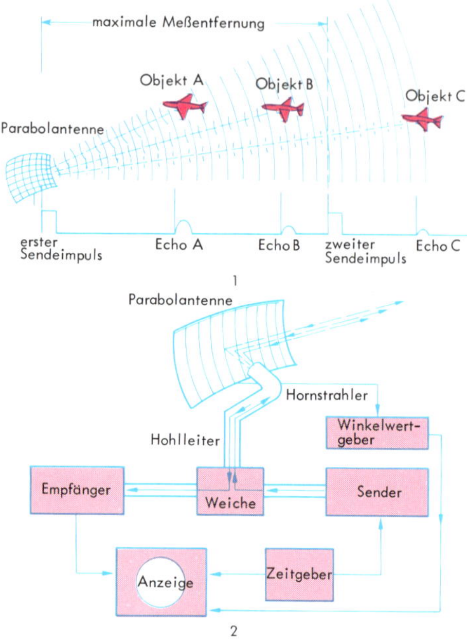

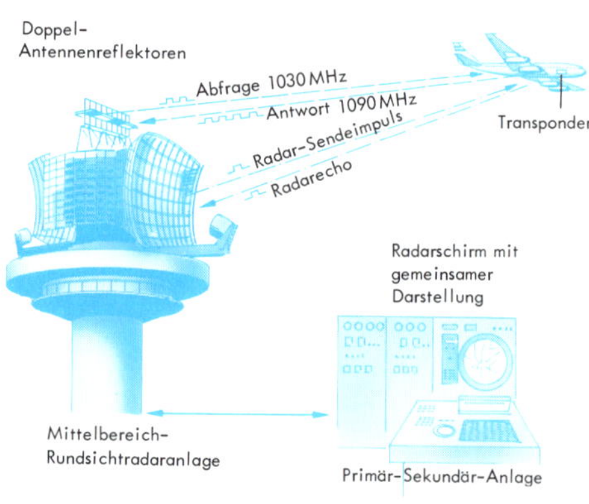

Radar: 1 impulsmodulierte Radaranlage (Schema). **2** Primärradaranlage (Blockdiagramm). **3** Primär- mit Sekundärradaranlage kombiniert

Radball. Zwei Mannschaften suchen in der Halle den Ball vom Fahrrad aus ins Tor zu treiben. Einen Torwart gibt es nicht. Sieger ist die Mannschaft, die nach einer Spieldauer von 2 × 7 Minuten die meisten Tore geschossen hat. Die Spielfläche ist mindestens 9 × 12 m und höchstens 11 × 14 m groß. Die Tore messen 2 × 2 m. Der Ball (Gewicht: 500–600 g, Durchmesser: 16–18 cm) darf nur mit dem Rad oder dem Körper berührt werden. Das Rad besitzt weder Bremse noch Freilauf, hat eine nach oben gebogene Lenkstange und eine sehr geringe Übersetzung

Rädertiere, winzig kleine, im Wasser lebende Würmer. Sie erhielten ihren Namen von dem Wimpernkranz um die Mundöffnung, der in Bewegung an ein sich drehendes Rad erinnert. Damit bewegen sich diese Tiere fort und strudeln Nahrung herbei. Rädertiere verankern sich im Schlamm oder leben im Plankton. Sie sind von großer Bedeutung für den Stoffhaushalt der Gewässer und als Fischnahrung.

Rädertiere

Rädertiere: 1 Keratella. **2** Philodina (beide Abbildungen stark vergrößert). – Nach P. Brohmer, Fauna von Deutschland

Radiant [von lateinisch radiare ›strahlen‹], Einheitenzeichen **rad,** SI-Einheit des ebenen

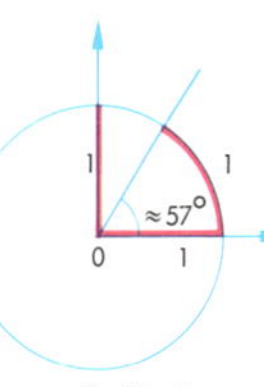

Radiant

Winkels, definiert als jener Winkel, dessen Bogen am Kreis gleich ist dem Radius dieses Kreises (BILD). 1 rad = 1 m/m = 180°/π = 57,2957795° (Grad).

Radierung, eine auf Ätzung beruhende Weiterentwicklung des →Kupferstichs.

Radieschen, Pflanze aus der Familie der Kreuzblüter, die vom Gartenrettich abstammt. Aus der Keimpflanze verdickt sich das zwischen dem Ansatz der Keimblätter und der Wurzel liegende Stengelstück zu einer Knolle. Zum Wachsen benötigt die Pflanze humusreichen Boden und reichlich Wasser. Die Haut des Radieschens färbt sich beim Heranreifen karminrot.

radikal [von lateinisch radix ›Wurzel‹], in der Politik eine Haltung, die Ideen und Interessen ohne Verständigungsbereitschaft mit anderen Kräften und Gruppen verfolgt. Als **linksradikal** werden sozialrevolutionäre, anarchistische und marxistische Gruppen bezeichnet, als **rechtsradikal** vor allem nationalistische und rassistische Vereinigungen, besonders solche, die an Faschismus und Nationalsozialismus anknüpfen.

Radikand [von lateinisch radicare ›Wurzel schlagen‹], Mathematik: die Zahl, aus der die →Wurzel gezogen wird.

Radio [Kurzwort von englisch radiotelegraphy ›Funkverkehr‹, zu lateinisch radius ›Strahl‹], Kurzwort für →Rundfunk, Rundfunkstation oder das Empfangsgerät des Rundfunkhörers.

Radioaktivität. Besonders seit dem Abwurf der Atombomben (→Kernwaffen) über Japan 1945 und der zunehmenden Bedeutung der Kernkraftwerke (→Kernenergie, →Kernspaltung) für die Stromversorgung wird über die Radioaktivität und ihre möglichen Folgen intensiv diskutiert.

Es handelt sich bei der Radioaktivität um die Eigenschaft der Atomkerne einiger besonders schwerer Elemente, selbständig unter Aussendung von Strahlung zu zerfallen **(natürliche Radioaktivität).** Man kennt allerdings auch Verfahren, um die Kerne anderer, stabiler Elemente umzuwandeln und zum Zerfall und damit zur Strahlung zu bringen **(künstliche Radioaktivität).**

Radioaktive Strahlung kann man mit menschlichen Sinnesorganen nicht wahrnehmen, daher erscheint sie auch vielen Menschen unheimlich und bedrohlich. Sie besteht aus 3 Arten von Strahlung, die man mit den ersten 3 Buchstaben des griechischen Alphabets gekennzeichnet hat:

α-Strahlung (→Alphastrahlung) = (positiv geladene) Heliumkerne,

β-Strahlung (→Betastrahlung) = (negativ geladene) Elektronen,

γ-Strahlung (Gammastrahlung) = energiereiche elektromagnetische Strahlung, die die gleiche Eigenschaft wie Röntgenstrahlung hat.

Radioaktive Strahlen haben folgende Wirkungen:

a) Sie können Photopapier durch die lichtundurchlässige Verpackung hindurch schwärzen.

b) Sie bringen bestimmte Stoffe in völliger Dunkelheit zum Leuchten.

c) Sie erzeugen in der sie umgebenden Luft →Ionen, wodurch diese elektrischen Strom leiten kann.

d) Sie können Strahlenkrankheiten hervorrufen, die zum Tod führen können.

Jeder Mensch ist täglich radioaktiver Strahlung ausgesetzt, gegen die er sich nicht schützen kann. Neben dieser von radioaktiven Elementen ausgehenden Strahlung wird der menschliche Organismus noch durch weitere ionisierende Strahlung wie Röntgenstrahlung und kosmische Strahlung belastet. Man unterscheidet:

1) natürliche Strahlenbelastung

a) durch radioaktive Atome im Material der Erdkruste und daraus hergestellten Baustoffen,

b) durch die kosmische Strahlung aus dem Weltall,

c) durch radioaktive Atome in der Nahrung, vor allem radioaktive Kohlenstoff-, Phosphor- und Calciumatome;

2) künstliche Strahlenbelastung

a) durch Röntgenuntersuchungen und Einsatz radioaktiver Stoffe in der Medizin,

b) durch Kernwaffenversuche,

c) durch Kernkraftwerke.

Radiosonde, zur Wetterbeobachtung und -vorhersage verwendetes Meßgerät. An einem wasserstoffgefüllten Ballon (Startdurchmesser 2 m) steigt das Meßgerät in die Höhe. Es enthält einen Kurzwellensender, Luftdruck-, Temperatur- und Luftfeuchtigkeitsmesser (→Hygrometer, →Barometer). Die Meßdaten werden beim Aufstieg mit dem Kurzwellensender zur Bodenstation übermittelt. Windgeschwindigkeit und Windrichtung in verschiedenen Höhen werden durch Radar- oder Funkpeilung aus der Ballonflugrichtung bestimmt. Die Radiosonde steigt in Höhen von 30–50 km; dort zerplatzt der Ballon nach einer Flugzeit von etwa 100 Minuten. Das Meßgerät fällt an einem Fallschirm zur Erde und kann wiederverwendet werden.

Radium [von lateinisch radius ›Strahl‹], Zeichen **Ra,** ein radioaktives →chemisches Element (ÜBERSICHT).

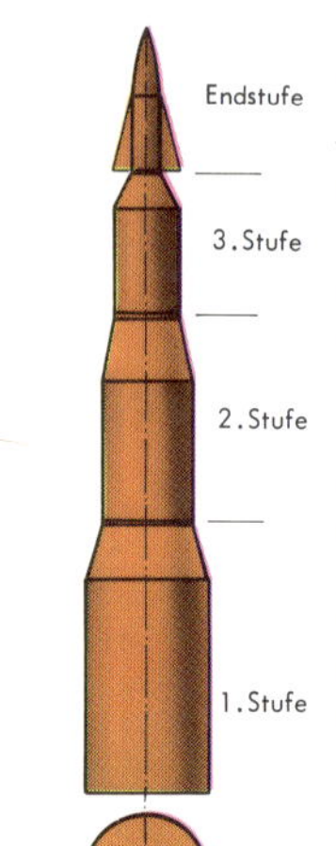

Serien-Stufenrakete

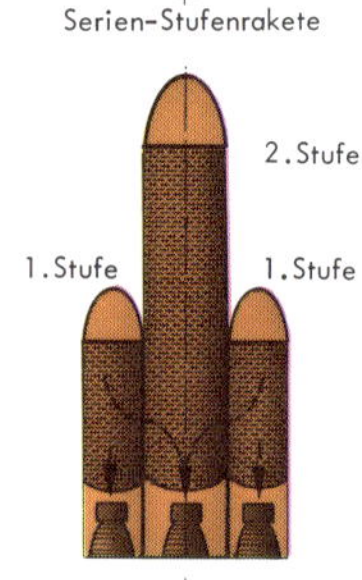

Bündelrakete mit Kreuzpumpenbetrieb

Rakete: Stufenanordnungen

Radius [lateinisch ›Strahl‹], Zeichen *r*, die Verbindungsstrecke eines Punktes auf einem →Kreis oder der Oberfläche einer →Kugel mit dem Kreis- oder Kugelmittelpunkt.

Radon [von lateinisch radius ›Strahl‹], Zeichen **Rn**, ein radioaktives →chemisches Element (ÜBERSICHT) aus der Gruppe der Edelgase.

Radsport, Sammelbezeichnung für alle sportlichen Wettkämpfe auf Fahrrädern. Man unterscheidet zwischen Straßen- und Bahnrennen, die als Einzel- und Mannschaftsrennen ausgetragen werden. Zu den **Straßenrennen** gehören neben Etappenrennen, Rundstrecken- und Bergrennen auch die Querfeldeinrennen, bei denen auch weglose Streckenteile zu überwinden sind. Manchmal ist der Fahrer dabei gezwungen, sein Rad zu tragen. Als schwerstes Straßenradrennen der Welt gilt die ›Tour de France‹, ein Etappenrennen, das über etwa 4600 km durch weite Teile Frankreichs führt. Ein berühmtes Straßenrennen ist auch der ›Giro d'Italia‹. **Bahnrennen** werden auf speziellen Radrennbahnen ausgetragen. Dazu gehören z. B. Tandemrennen, Steherrennen, Verfolgungs- und Zeitfahren. Zu den bekanntesten Bahnrennen zählen die Sechstagerennen. Für Amateure und Profis gibt es mit Ausnahme der Querfeldeinrennen getrennte Rennveranstaltungen. Während der Radrennsport vor allem Kraft und Ausdauer erfordert, verlangt der Hallensport (Radball und Kunstradfahren) besonders die artistische Beherrschung des Fahrrads.

Radstädter Tauern, 1) westlichste Gruppe der zu Österreich gehörenden Niederen →Tauern.

2) 1739 m hoher Paß in den Niederen Tauern.

Raffael. Der italienische Maler und Architekt **Raffael** (* 1483, † 1520) aus Urbino, der eigentlich **Raffaello Santi (Sanzio)** hieß, gilt als der Künstler, der das Streben der →Renaissance nach Harmonie und Schönheit in seinen Werken am vollkommensten verwirklicht hat. Raffael war Schüler des Malers Perugino in Perugia, ging 1504 nach Florenz, 1508 nach Rom und wurde dort 1515 Bauleiter der Peterskirche und Konservator der antiken Denkmäler Roms. Er wurde im römischen Pantheon beigesetzt.

In Florenz lernte Raffael die Werke Leonardo da Vincis, Michelangelos und anderer Renaissancekünstler kennen; unter ihrem Einfluß bildete er seinen eigenen Stil aus. Aus dieser Zeit stammen einige seiner schönsten Madonnenbilder, so die ›Madonna im Grünen‹ (heute in Wien) und die ›Madonna mit dem Stieglitz‹ (Florenz). In Rom erteilte ihm der Papst den Auftrag, einige ›Stanzen‹ (Gemächer) des Vatikans auszumalen. Besonders berühmt wurde das Fresko ›Die Schule von Athen‹ in der ersten Stanze. Es zeigt in ausgewogener Komposition die antiken Philosophen und ihre Schüler; sie haben sich in einem weiten, reich gegliederten Innenraum versammelt, der die architektonischen Vorstellungen der Renaissance widerspiegelt. Unter den Schülern befindet sich ein Jüngling, in dem Raffael sich selbst porträtiert hat. Die antike Götterwelt ließ Raffael in den Fresken der Villa Farnesina neu erstehen (1514–18). Gleichzeitig malte er Porträts (Papst Julius II., Papst Leo X. mit Kardinälen) und weitere Madonnenbilder (›Sixtinische Madonna‹, heute in Dresden). Raffael hinterließ auch viele Handzeichnungen

Raffinerie [von französisch raffiner ›verfeinern‹], technische Anlage, in der chemische Produkte (z. B. Erdöl) oder Nahrungsmittel (z. B. Zucker) gereinigt und veredelt werden.

Rakete [aus italienisch rocchetta, von rocca ›Spinnrocken‹]. Die Feuerwerksraketen, die jedermann in der Silvesternacht zünden kann, die Trägerraketen, die den Flug zum Mond ermöglichten, die Raketenwaffen mit ihren Sprengladungen – sie alle haben eines gemeinsam: Sie werden durch →Rückstoß angetrieben. Im **Raketentriebwerk,** das das hintere Ende einer Rakete ausfüllt, wird Treibstoff erhitzt, verbrannt oder elektrisch aufgeladen, so daß ein Gasstrahl durch Düsen mit großer Geschwindigkeit nach hinten ausgestoßen wird. Den so erzeugten Vortrieb der Rakete nennt man **Schub.** Der Schub ist um so größer, je schneller und je mehr Gas aus den Düsen ausströmt. Die Einheit des Schubs ist das Newton. Die Schubkräfte heutiger Raketen liegen zwischen 30 N und 7000 kN (Kilo-Newton). Das alles gilt ähnlich auch für die →Strahltriebwerke, die in Flugzeugen eingebaut sind. Der grundlegende Unterschied dazu besteht aber darin, daß die Rakete den zur Verbrennung des Treibstoffs nötigen Sauerstoff nicht der umgebenden Luft entnimmt, sondern ihn mit sich führt. Die Rakete ist somit unabhängig von der Lufthülle der Erde und daher die einzige Antriebsmöglichkeit für die →Raumfahrt.

Bei **Flüssigkeitsraketen** besteht der Treibstoff aus 2 flüssigen Komponenten, die in getrennten Behältern transportiert werden: Der eine ist der Brennstoff, z. B. Wasserstoff, Alkohole oder Kerosin, der andere der Sauerstoffträger oder Oxidator, z. B. Sauerstoff, Fluor, Salpetersäure. Beim Zusammentreffen in der Brennkammer reagieren beide Komponenten miteinander. Bei **Feststoff-**

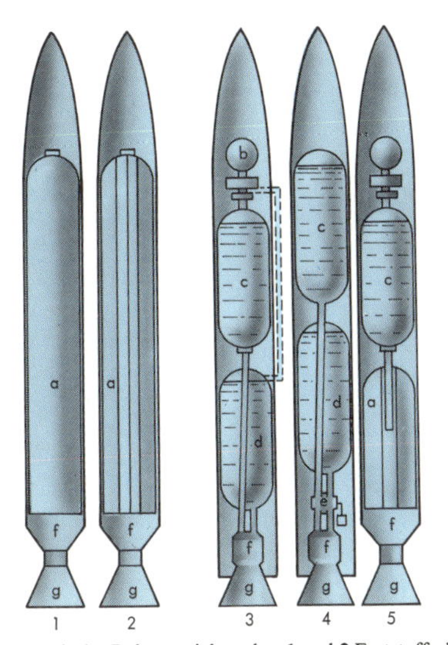

Rakete: chemische Raketentriebwerke; **1** und **2** Feststoffraketen; **1** Stirnbrenner, **2** Innenbrenner. **3** und **4** Flüssigkeitsraketen (Zweistoffsystem); **3** mit Druckgasförderung, **4** mit Turbopumpenförderung. **5** Hybridrakete. – **a** fester Treibstoff, **b** Druckgasbehälter, **c** flüssiger Treibstoff, **d** Oxidator, **e** Turbopumpe, **f** Brennkammer, **g** Schubdüse

raketen wird der Treibstoff als gepreßter Block in die Brennkammer eingeschoben oder direkt in sie eingegossen. Beide **chemischen Raketenantriebe** haben Vor- und Nachteile. Die großen Trägerraketen sind meist Flüssigkeitsraketen, die Signal- und Feuerwerksraketen sowie die Raketenwaffen sind Feststoffraketen. Bei den **elektrischen Raketenantrieben** ist der **Ionenantrieb** am bekanntesten. Hierbei wird Cäsium als Treibstoff elektrisch aufgeladen; die Ionen werden durch elektrische Felder beschleunigt; sie treten als gerichteter Strahl aus und müssen dabei neutralisiert werden, um die Empfangs- und Sendeantennen nicht zu stören. Elektrische Antriebe haben höchstmögliche Ausströmgeschwindigkeiten und lange Betriebszeiten, aber geringe Massendurchsätze und entsprechend geringe Schubkräfte. Sie kommen nur als Steuer- und Lageregelungsantriebe in Frage, wofür auch Steuerdüsen mit chemischem Antrieb verwendet werden.

Um große Höhen und Reichweiten zu erzielen, muß man **Stufenraketen** bauen, das heißt, man setzt eine Rakete aus 2, 3 oder 4 Raketen zusammen, die man dann Raketenstufen nennt. Sobald beim Start die unterste Stufe ihren Treibstoff verbraucht hat, wird sie automatisch abgeworfen und die nächste Stufe gezündet. Die letzte Stufe erreicht dann mit dem ›Brennschlußpunkt‹ das Ende der Antriebsbahn, womit die Freiflugbahn beginnt. Das Stufenprinzip führt bei hohen Nutzlasten zum Bau sehr großer Raketen, z. B. der Saturn-Rakete für das →Apollo-Programm.

Raketen hat es schon vor Jahrhunderten in China als Feuerwerkskörper, aber auch als Waffen gegeben. Die Kenntnis davon gelangte über

Flugrichtung
Rollen um Längsachse
Nicken um Querachse
Gieren um Hochachse

Rakete

Rakete: Lageregelung durch Schwenken zweier gegenüberliegender Steuertriebwerke. Der Schwerpunkt *S* liegt im Schnittpunkt der Längsachse *x*, der Querachse *y* und der Hochachse *z*

Rakete: elektrische Triebwerke (schematisch): LINKS elektrothermisch, MITTE elektrodynamisch, RECHTS elektrostatisch. Als Brennstoff dient ein leicht ionisierbares, das heißt positiv aufladbares Element wie Wasserstoff (H_2), Cäsium (C_s) oder Quecksilber (Hg)

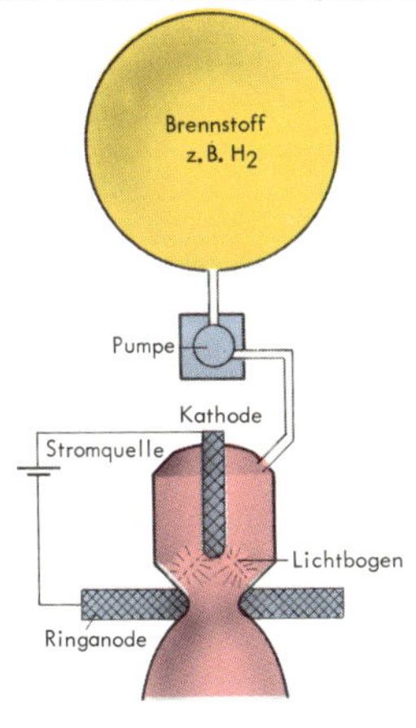

elektrothermischer Raketenantrieb

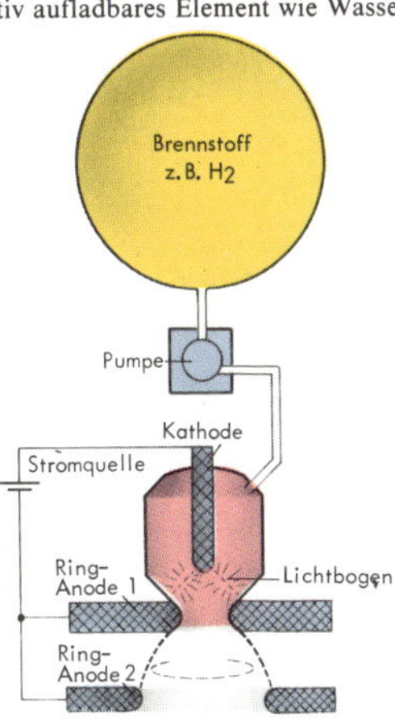

elektrodynamischer Antrieb

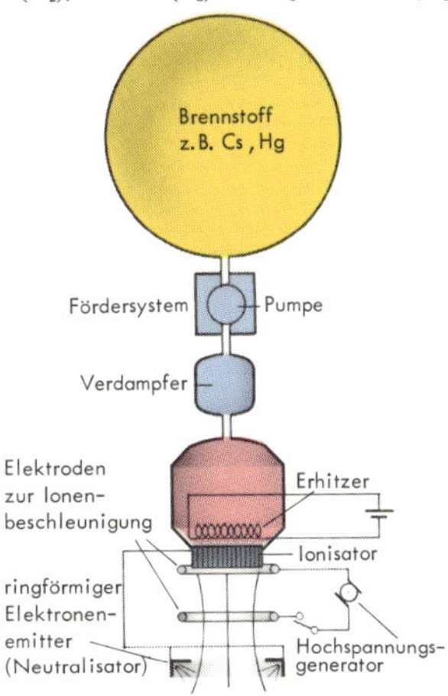

elektrostatischer Antrieb (Ionentriebwerk)

Rallen:
1 Tüpfelralle,
2 Wasserralle

die Mongolen und Araber nach Europa, wo bereits im 17. Jahrh. von Zar Peter dem Großen in Moskau eine Raketenanstalt gegründet wurde. Die Briten bauten im 19. Jahrh. Pulverraketen, aber die nachhaltige Raketenentwicklung begann erst im 20. Jahrh. mit dem Russen Konstantin Ziolkowskij, dem Amerikaner Robert Goddard und dem Deutschen Hermann Oberth. 1930 wurde in Berlin-Tegel der erste Raketenstartplatz der Erde gegründet, 1942 in Peenemünde bei Rostock die erste Großrakete gestartet. Wernher von Braun war dabei führend beteiligt wie auch später in den USA. Namen von großen Trägerraketen der Raumfahrt sind ein Begriff geworden, z. B. Atlas, Thor, Delta, Jupiter, Saturn, Ariane.

Raketenwaffen, unbemannte Flugkörper mit Rückstoßantrieb einschließlich der dazugehörigen Abschußvorrichtung. Bereits im Zweiten Weltkrieg setzte man Raketenwaffen ein. Besonders von der Artillerie wurden kleine Raketengeschosse verfeuert (›Nebelwerfer‹, ›Stalinorgel‹). Die erste Fernraketenwaffe war die ›Vergeltungswaffe‹ V 2, die gegen Ende des Zweiten Weltkrieges von Deutschland eingesetzt wurde. Heutige Raketenwaffen werden nach ihrer Einsatzart und ihrer Reichweite eingeteilt. So gibt es **Langstreckenraketen** (Reichweite mehrere tausend Kilometer), die meist einen atomaren Sprengkopf tragen. Bei den **Kurzstreckenraketen** unterscheidet man: Boden-Boden-Raketen bei der Artillerie, Boden-Luft-Raketen bei der Flugabwehrtruppe und Luft-Luft- sowie Luft-Boden-Raketen, die von Flugzeugen verschossen werden. Ungelenkte Raketen sind verhältnismäßig treffungenau und werden nur gegen großflächige Ziele eingesetzt. Mit Lenkraketen schießt man dagegen auf einzelne Objekte wie Panzer oder Flugzeug.

Raleigh [rọhli]. Der englische Seefahrer **Walter Raleigh** (* um 1552, † 1618) war ein Günstling der Königin Elisabeth I. In ihrem Auftrag unternahm er mehrere Beute- und Entdeckungsfahrten nach Übersee, die sich gegen die spanische Weltmachtstellung und Seeherrschaft richteten. 1584 versuchte er, eine erste englische Kolonie in Nordamerika zu gründen, die nach dem Beinamen der Königin Elisabeth ›Virginia‹ genannt wurde, doch scheiterte dieser Versuch 1589. Eine andere Fahrt führte ihn auf der Suche nach dem sagenhaften Goldland (Eldorado) 1595 nach Guayana. 1600 wurde er Gouverneur der Kanalinsel Jersey. Unter dem Nachfolger Elisabeths, Jakob I., wurde er 1603 wegen Hochverrats zum Tode verurteilt. Das Urteil wurde aber nicht vollstreckt. Er war bis 1616 im Tower in London gefangen, wurde dann freigelassen, um noch einmal eine Fahrt nach Guayana anzutreten. Dabei geriet er in Kämpfe mit den Spaniern. Um den Frieden mit Spanien zu wahren, ließ Jakob I. das noch bestehende Todesurteil vollstrecken.

Rạllen, mittelgroße, mit den →Kranichen verwandte Vögel, die meist sehr scheu sind. Sie leben an Teichen, in Sümpfen und auf feuchten Wiesen und verbergen sich tagsüber im dichten Pflanzengewirr, das sie mit ihren schmalen Körpern auf der Suche nach Insekten und Würmern geschickt durchschlüpfen können; manche Arten tauchen nach Nahrung. Ihre Nester bauen sie im Röhricht schwimmend oder am Boden. Mit ihren kurzen Flügeln fliegen sie schlecht. Meist können sie gut schwimmen. In Deutschland leben z. B. die **Tüpfelrallen** und **Wasserrallen.** Bekannter sind, weil sie weniger versteckt leben, die →Bleßhühner und →Teichhühner.

Rallye [rạli oder rạ̈li], Automobilwettbewerb in einer oder mehreren Etappen mit mehreren Sonderprüfungen. Auf den Anreise- und Verbindungsstrecken zu und zwischen den Etappenzielen sind bestimmte Geschwindigkeiten einzuhalten. Sonderprüfungen führen je nach Jahreszeit durch Eis und Schnee, über unbefestigte Schotterstraßen und über andere, an den Fahrer hohe Anforderungen stellende Straßen. Einen entscheidenden Anteil am Erfolg eines Teams hat der Beifahrer (Copilot), der den Fahrer anhand seiner Streckenaufzeichnungen (›Gebetbuch‹) dirigiert. Eine der bekanntesten Rallyes ist die Rallye Monte Carlo, während die Rallye Paris–Dakar als eine der härtesten gilt.

Ramadạn, der islamische Fastenmonat. Er fällt zusammen mit dem 9. Monat des islamischen Mondjahres. Da das Mondjahr 11 Tage kürzer ist als das Sonnenjahr, durchwandert der Ramadan sämtliche Jahreszeiten. Das Fasten im Monat Ramadan gehört zu den 5 Geboten, die der Moslem befolgen muß (→Islam). Bei diesem islamischen Fasten ist Essen, Trinken und Rauchen von Sonnenaufgang bis Sonnenuntergang verboten. Sobald es Abend ist, werden oft ausgiebige Festmahle abgehalten.

Rạmses II., ein Pharao der 19. Dynastie, der 1290 bis 1224 v. Chr. regierte. Unter seiner Herrschaft war Ägypten eine Weltmacht. Er kämpfte gegen die Hethiter, mit denen er schließlich einen Friedensvertrag schloß, der die damalige Welt in einen ägyptischen und einen hethitischen Einflußbereich teilte. Ramses II. hinterließ gewaltige Bauwerke, darunter den Tempel von →Abu Simbel und Teile des Tempels von →Luxor.

Rangordnung, System innerhalb von Tiergruppen, in denen jedes Tier einen bestimmten Platz (Rang) einnimmt. Die Voraussetzung hierfür ist, daß sich die Mitglieder der Gruppe erkennen können. Daher gibt es typische Rangordnungen nur bei Wirbeltieren. Sie werden durch Kämpfe festgelegt, die aber in der Regel keine ernsthaften Auseinandersetzungen sind, sondern Rituale. Die Rangordnung gewährleistet, daß ständige Streitigkeiten in der Gruppe, z. B. um Futter oder den besten Schlafplatz, unterbleiben. Hierdurch wird Energie gespart, was wiederum einen Überlebensvorteil schafft.

Bei Tieren, die in Herden wandern, übernimmt das ranghöchste Tier (Leittier) die Führung der Gruppe. Die Tiere können in der Rangordnung auf- und absteigen. Welchen Rang ein Tier einnimmt, hängt von unterschiedlichen Faktoren wie Alter, Größe, Verhalten, dem Vorhandensein von Jungen und anderem ab. (→Hackordnung)

Rangun, 2,46 Millionen Einwohner, Hauptstadt von Birma und Hafenstadt im Mündungsdelta des Irrawaddy. Das auf einer Anhöhe gelegene buddhistische Heiligtum, die goldglänzende Shwe-Dagon-Pagode, ist Wahrzeichen der Stadt.

Ranke. Der Geschichtswissenschaftler **Leopold von Ranke** (* 1795, † 1886) lehrte als Professor an der Universität von Berlin. Der preußische König erhob ihn 1841 zum Historiographen (Geschichtsschreiber) von Preußen. Für Ranke beruhten die Grundlagen der Geschichtswissenschaft auf einem gewissenhaften Studium alter Aufzeichnungen. Nach seiner Ansicht sollte man versuchen, die Vergangenheit so zu verstehen, wie sie wirklich war, und sie nicht von der jeweiligen Gegenwart aus beurteilen. Durch diese Auffassung ist Ranke zum Begründer der modernen Geschichtswissenschaft geworden.

Rapallo-Vertrag, Vertrag, den der deutsche Politiker Walter →Rathenau 1922 mit der Sowjetunion abschloß.

Rappe, ein schwarzes →Pferd.

Rappen, in der Schweiz seit 1799 deutschsprachige Bezeichnung für $^{1}/_{100}$ Franken. Der Rappen war ursprünglich eine Münze, die seit etwa 1350 am Oberrhein geprägt wurde. Auf der Elsässer Rappenmünze war der Kopf eines Adlers aufgeprägt, der als ›Rappe‹ (= Rabe) verspottet wurde. Der Name wird auch von ›Rappe‹ (schwarzes Pferd) hergeleitet, da die Münze dunkelfarbig, schwarz angelaufen war.

Raps, gelbblühende, 1–1,5 m hohe Feldpflanze, die im kalten und feuchten Klima von Kanada, Mittel- und Osteuropa der wichtigste Öllieferant ist. Aus den dunkelbraunen, kugelförmigen Samen, die in langen, schmalen Schoten reifen, gewinnt man ein dickflüssiges Öl, das als Speiseöl, zum Schmieren von Maschinen und zur Seifenherstellung verwendet wird.

Rasenkraftsport, ein Dreikampf für Herren, bestehend aus dem leichtathletischen Hammerwerfen, Gewichtwerfen und Steinstoßen. Der **Rasendreikampf** wird nach Gewichtsklassen ausgetragen. Hammer- und Gewichtwerfen sind in der Technik einander ähnliche Disziplinen. Sie werden aus einem Wurfkreis heraus ausgeführt. Während beim Wurfhammer (7,25 kg) der Griff mit einem Stahlseil am Hammerkopf befestigt ist, hängt beim Wurfgewicht (12,5 kg) der Griff direkt an der Kugel. Beim Steinstoßen muß ein 15 kg schwerer Stein nach beliebig langem Anlauf einarmig möglichst weit gestoßen werden. Bei allen Teildisziplinen werden die erzielten Weiten in Punkte umgerechnet. Sieger ist der Athlet mit der höchsten Gesamtpunktzahl. Damen tragen einen aus Steinstoßen und Gewichtwerfen bestehenden Zweikampf aus.

Rasse, Gruppe von Lebewesen, die sich durch ihre gemeinsamen Erbanlagen von anderen Lebewesen ihrer Art unterscheiden. In der Biologie wird **Rasse** auch als **Unterart** bezeichnet. Angehörige verschiedener Rassen einer Art können sich untereinander fortpflanzen. **Rassenmerkmale** zeigen sich im Körperbau und in der Lebensweise. Wenn Individuen einer Art denselben Lebensraum in verschiedenen Gegenden eines Verbreitungsgebietes bewohnen, nennt man sie **geographische Rassen.** Von der Kohlmeise, die im Waldgürtel über ganz Eurasien verbreitet ist, kennt man z. B. 3 geographische Hauptrassen: die europäische, die südasiatische und die ostasiatische Rasse. Diese 3 Rassen der Kohlmeisen unterscheiden sich in Größe, Färbung, Gesang und weiteren Merkmalen. Wenn verschiedene Rassen desselben Gebietes verschiedene Lebensräume bewohnen, so spricht man von **ökologischen Rassen.** So kennt man z. B. von der einheimischen Kreuzotter neben der bekannten Form mit dem charakteristischen Zickzackband eine weitere, einheitlich schwarze Rasse (›Höllenotter‹), die in Mooren lebt, und eine gelbliche Rasse (Wiesenotter).

Wird die Entstehung von Tier- oder Pflanzenrassen vom Menschen beeinflußt, spricht man von →Züchtung. So hat der Mensch z. B. viele Hunderassen gezüchtet. **Kulturrassen** werden besonders im Hinblick auf Widerstandsfähigkeit gegen Krankheiten, Ertragsreichtum und Anpassung an bestimmte Umweltbedingungen gezüchtet. In der Pflanzenzüchtung sind anstelle des Begriffs **Rasse** die Begriffe **Form** oder **Sorte** gebräuchlicher.

Rasseln, Geräuschinstrumente, bei denen durch Schütteln die beweglichen Teile gegeneinander schlagen oder klappern. Bei uns kennt man sie als Kinderinstrumente, z. B. Ratsche, Klappern. Bei Naturvölkern spielen Rasseln eine große Rolle im kultischen Tanz, wo sie, um Arme und Beine geschlungen, eine ständige Untermalung bilden. Als Material kann fast alles dienen, z. B. Holzkugeln, Muscheln, Tierhörner, Metall.

Rassengesetze, im weiteren Sinn Gesetze, die Angehörige bestimmter Volksgruppen oder rassischer Gruppen in ihrer Person und ihren Rechten herabsetzen (z. B. →Apartheid); im engeren Sinn die im nationalsozialistischen Deutschland ergangenen judenfeindlichen (antisemitischen) Gesetze: Das ›Gesetz zur Wiederherstellung des Berufsbeamtentums‹ (1933) versperrte allen Personen, die nach nationalsozialistischen Vorstellungen keine →Arier waren, den Zugang zum öffentlichen Dienst (›Arierparagraph‹). Darüber hinaus wurde ›Nichtariern‹ verboten, ein Handels-, Handwerks- oder Industrieunternehmen zu betreiben. Die judenfeindliche Gesetzgebung gipfelte 1935 in der Verabschiedung der **Nürnberger Gesetze:** Das ›Reichsbürgergesetz‹ schloß Juden von der ›Reichs- und Gemeindebürgerschaft‹ aus. Das ›Blutschutz-Gesetz‹ verbot die Eheschließung zwischen Juden und ›Angehörigen deutschen und artverwandten Blutes‹. Die Rassengesetzgebung war ein wesentlicher Faktor bei der systematischen Verfolgung der Juden im nationalsozialistischen Deutschland.

rassistisch, eine Haltung, die die eigene Rasse oder Volksgruppe als gesellschaftlich und kulturell, oft auch als menschlich überlegen ansieht. In enger Wechselwirkung mit dieser Auffassung werden andere Rassen und Volksgruppen als minderwertig herabgesetzt und häufig – bis hin zum →Völkermord – politisch verfolgt.

Eine rassistische Haltung **(Rassismus)** kann bestimmte Beweggründe haben (z. B. →Antisemitismus, →Apartheid) oder das Ergebnis allgemeiner Aggressionsgefühle, z. B. Fremdenhaß, Neid, sein. Mit dem Versuch, die europäischen →Juden systematisch auszurotten, nahm der Rassismus im nationalsozialistischen Deutschland besonders unmenschliche Formen an.

Rate, Teilbetrag. Beim Kauf verhältnismäßig teurer Gegenstände kann zwischen dem Käufer und dem Verkäufer ein **Ratengeschäft (Abzahlungsgeschäft)** vereinbart werden: Der Kunde entrichtet den Kaufpreis nicht sofort in bar, sondern in regelmäßigen Teilbeträgen über einen bestimmten Zeitraum hinweg. Da der Verkäufer länger auf sein Geld warten muß, berechnet er außerdem Zinsen.

Räterepublik, eine Republik, in der sich das ganze Volk über die Bildung von **Räten** direkt an der Regierung beteiligt. Auf der untersten Ebene, im Bereich der Städte und Dörfer sowie der Betriebe und Armee-Einheiten, wählen die stimmberechtigten Bürger in Vollversammlungen Beauftragte, die als Körperschaft einen **Rat** bilden. Die Ratsmitglieder sind bei allen Entscheidungen an die Weisung ihrer Wähler gebunden; sie sind jederzeit absetzbar und ersetzbar. Die Räte auf der untersten Ebene wählen die Räte auf der jeweils höheren Ebene. So geht die Linie von der Basis, z. B. den **Gemeinde-** und **Betriebsräten,** über **Kreis-** und **Landesräte** bis hin zum **zentralen Rat** eines ganzen Staates. Die Räte besitzen gesetzgebende, ausführende und richterliche Funktionen. Eine →Gewaltenteilung besteht nicht.

Den Aufstand der Pariser →Kommune (1871) und die Errichtung einer Herrschaft nach dem Rätesystem wertete Karl Marx als Muster einer sozialistischen Revolution. Unter dem Schlagwort ›Alle Macht den Räten‹ forderte Lenin 1917 den Aufbau einer Räterepublik (→Sowjet) in Rußland und setzte sie nach der Oktoberrevolution 1917 durch. Ihre radikaldemokratische Grundlage wurde jedoch durch die Alleinherrschaft der ›Kommunistischen Partei‹ aufgehoben. In Deutschland entstanden im Verlauf der →Novemberrevolution Arbeiter- und Soldatenräte, deren Reichsversammlung sich jedoch im Dezember 1918 für die Wahl einer Nationalversammlung auf parlamentarisch-demokratischer Basis entschied.

Rathenau. Der liberale Politiker, Industrielle und Schriftsteller **Walter Rathenau** (* 1867, † ermordet 1922) entstammte einer jüdischen Familie und war der Sohn des Industriellen **Emil Rathenau,** des Begründers der ›Allgemeinen Elektricitäts-Gesellschaft‹ (AEG) in Berlin. 1915 wurde er Nachfolger seines Vaters als Präsident dieses Unternehmens. Nach dem Ende des Ersten Weltkriegs berief ihn die Regierung des Deutschen Reichs zur Mitarbeit an der Vorbereitung der Friedenskonferenz. Als Außenminister (Februar bis Juni 1922) suchte er die führenden Kriegsgegner Deutschlands von der Unerfüllbarkeit ihrer Reparationsforderungen (→Reparationen) zu überzeugen. Im April 1922 schloß er mit der Sowjetunion in Rapallo, einem Seebad in der Nähe von Genua, einen Vertrag ab (›**Rapallo-Vertrag**‹: Verzicht auf gegenseitige finanzielle Forderungen; Aufnahme diplomatischer Beziehungen) und führte mit ihm Deutschland aus der außenpolitischen Isolierung heraus. Nationalistische und antisemitische Gruppen warfen ihm vor, zu sehr auf die Wünsche der ehemaligen Kriegsgegner eingegangen zu sein. Am 24. Juni 1922 wurde er auf der Fahrt ins Auswärtige Amt erschossen.

Als Schriftsteller bemühte sich Rathenau, den Gedanken einer ›neuen Wirtschaft‹ zu entwickeln.

rationale Zahlen, Zeichen ℚ (gesprochen Doppelstrich-Q), die Menge der Brüche (→Zahlenaufbau).

Rationalismus [von lateinisch ratio ›Vernunft‹], die von den Philosophen René Descartes, Gottfried Wilhelm Leibniz, Baruch de Spinoza und Voltaire im 17. und 18. Jahrh. entwickelte Anschauung, die auf dem Glauben an eine unbegrenzte menschliche Erkenntniskraft beruht. Gegenüber der praktisch-sinnlichen Erfahrung und der Religion behaupten die Vertreter des Rationalismus, daß der Mensch, allein auf seine Vernunft gestellt, Freiheit und Fortschritt erreichen könne. Der Rationalismus wurde so zur bevorzugten Denkweise der →Aufklärung.

Rätoromanen, Volksgruppe im Alpengebiet, zu denen die **Bündner** im schweizerischen Kanton Graubünden, die **Ladiner** in Südtirol und die **Friauler** in Friaul (Italien) gehören.

Die von ihnen gesprochene **rätoromanische Sprache** (auch Rätoromanisch) läßt sich in 3 große Mundartgruppen unterteilen: 1) das **Westrätische, (Grau-)Bündnerische** oder **Bündnerromanische (Romontsch, Rumantsch),** früher auch Churwelsch, das von rund 40 000 Menschen gesprochen wird. 1938 wurde das Bündnerromanische neben Deutsch, Französisch und Italienisch vierte Landessprache der Schweiz. 2) das **Mittelrätische** in Teilen Südtirols, von etwa 16 500 Menschen gesprochen. 3) das **Friaulische** (oder **Furlanische**) in der Landschaft Friaul in Nordostitalien, das heute etwa eine halbe Million Menschen sprechen. Das Rätoromanische kämpft seit Jahrhunderten um seinen Bestand. Eine einheitliche Schriftsprache hat sich nicht entwickelt. Dagegen haben einzelne Mundarten eine eigene Literatur.

Ratten, den →Mäusen nah verwandte Nagetiere.

Ratzeburger See, 14 km² großer See in Schleswig-Holstein, dessen nördliches Ufer an Mecklenburg-Vorpommern grenzt. Der in der Eiszeit entstandene See ist durchschnittlich 12 m tief und weist steile, meist bewaldete Ränder auf. Benannt ist er nach der Stadt **Ratzeburg,** die auf einer Insel im See liegt.

Raubtiere, eine Ordnung der Säugetiere, die sich vor allem von anderen, meist selbsterbeuteten Tieren ernährt (Fleischfresser). Dieser Nahrung ist ihr Gebiß angepaßt, an dem die vorstehenden, spitzen Eckzähne (Fangzähne) auffallen, mit denen die Beutetiere auch getötet werden. Raubtiere halten keinen Winterschlaf, aber zum Teil eine Winterruhe wie der Bär. Zu den Landraubtieren gehören die katzenartigen Raubtiere (→Katzen, z. B. Wildkatze, Luchs, Löwe, Tiger, Leopard, Jaguar), die hundeartigen Raubtiere (→Hunde, z. B. Fuchs, Wolf, Schakal), die marderartigen Raubtiere (→Marder, z. B. Baum- und Hausmarder, Iltis, Wiesel, Dachs, Fischotter) und die →Bären, die größten Landraubtiere, die vorwiegend pflanzliche Nahrung fressen. Wasserraubtiere sind die →Robben.

Raumanzug, Raumfahrt: besondere Schutzkleidung, die während des Starts und der Landung bemannter Raumfahrzeuge und beim Aufenthalt im Weltraum getragen wird. Sie muß absolut luftdicht sein, Schutz vor Strahlung und Mikrometeoriten bieten und anschließbar sein an ein Klimaversorgungsgerät, das für Belüftung, Kühlung oder Erwärmung und Atemsauerstoff sorgt. Schließlich muß sie die Nahrungsaufnahme und die Verrichtung natürlicher Bedürfnisse ermöglichen.

Raumfähre, der →Raumtransporter.

Raumfahrt, Weltraumfahrt, Astronautik. Schon ein altgriechischer Schriftsteller träumte um 160 n. Chr. von einer Reise zum Mond. Seitdem hat es Raumfahrtunternehmen als literarisches Thema immer wieder gegeben, z. B. im 19. Jahrh. in den Romanen des Franzosen Jules Verne. In der zweiten Hälfte des 20. Jahrh. begann die Verwirklichung der Raumfahrt, die weiträumigste Besitzergreifung der Welt, die der Mensch je leisten kann.

Raumfahrt läßt sich beschreiben als den Vorstoß des Menschen mit Hilfe von →Raketen, bemannten →Raumfahrzeugen und unbemannten →Raumflugkörpern in den Raum außerhalb der Lufthülle der Erde. Ziele der Raumfahrt sind Überwachung und Erkundung der Erde, die Er-

Raumanzug

Raumanzug: Flexibler Raumanzug für Arbeiten auf dem Mond; a Sauerstoff-Regenerator, b Lebenserhaltungs- und Nachrichtenübermittlungs-System, c Wärme/Meteorit-Schutzanzug, d Biomedizinischer Verschluß (Urine Transfer), e Mond-Überschuhe, f Arbeits-Handschuhe für den Aufenthalt außerhalb des Raumfahrzeugs, g Anschluß (Nachrichten, Ventilation, Kühlung), h Abdeckung für Anschlüsse, i Regelgerät, k Helm mit ›Mond‹-Visier

Raumfahrt: Übersicht über die wichtigsten Programme der unbemannten Raumfahrt

Programm/ Nummer	Raumflugkörper	Staat	Zeitraum	Startdatum, Aufgaben, Ergebnisse und anderes
Sputnik 1-10	Satelliten	Sowjetunion	1957-61	Sputnik 1, Start 4. 10. 1957. Sputnik 2 mit Hündin Laika; Tests für das bemannte Wostok-Programm.
Explorer 1-56	Satelliten	USA	1958-76	Explorer 1, Start 31. 1. 1958, entdeckte den Van-Allen-Strahlungsgürtel der Erde; geophysikalische, Atmosphären-, Astronomie-, Sonnen-, Meteoritenforschung.
Pioneer 1-13 (Pioneer 12 und 13 = Pioneer-Venus)	Raumsonden zu Mond, Sonne, Jupiter, Saturn	USA	seit 1958	Pioneer 1 (1958) und 4 (1959) waren Mondsonden, Pioneer 6-9 (1965-68) Sonnensonden. Pioneer 10 (Pioneer-Jupiter), Start 1972, und Pioneer 11 (Pioneer-Saturn), Start 1973, flogen erstmals zu den äußeren Planeten. 1974 größte Annäherung an Jupiter mit 42000 km, 1979 an Saturn mit 21400 km. Pioneer 10 verließ 1983 als erster Raumflugkörper das Sonnensystem.
Tiros 1-10	Wettersatelliten	USA	1960-65	Tiros 1 (1960) war der erste Wettersatellit.
Venera 1-14	Venussonden	Sowjetunion	seit 1961	Venera 3 (1965) erster Raumflugkörper auf einem anderen Planeten; 1970 erste weiche Landung, 1975 erste Photos von der Venusoberfläche. Venera 13 und 14 (beide 1981) untersuchten Bodenproben.
Ranger 1-9	Mondsonden	USA	1961-65	Ranger 7, 8 und 9 lieferten Funkbilder vor der harten Landung; Vorprogramm zu Surveyor und damit zum Apollo-Programm.
Kosmos	Satelliten	Sowjetunion	seit 1962	Seit Kosmos 1 (1962) wurden rund 1500 Kosmos-Satelliten gestartet, darunter Forschungs-, Nachrichten-, Navigationssatelliten, überwiegend militärische Satelliten. Kosmos 1267 (1981) und 1443 (1983) koppelten an Saljut-Raumstationen an.
Telstar 1-3	Nachrichtensatelliten	USA	1962-84	Telstar 1 (1962) und 2 (1963) waren noch nichtgeostationäre Satelliten mit erster Fernseh-Livesendung zwischen USA und Europa.
Mariner 1-10	Raumsonden zu Venus, Mars, Merkur	USA	1962-73	Mariner 2 (1962), 5 (1967) und 10 (1973) flogen zur Venus, Mariner 4 (1964), 6 (1969) und 9 (1971) zum Mars; Vorbeiflüge in 4000 km und 3000 km Entfernung; viele gute Bild- und Datenübertragungen. Mariner 10 flog von der Venus zum Merkur und lieferte 1974/75 die bisher besten Merkurbilder.
Luna 1-24	Mondsonden	Sowjetunion	1963-76	Erste weiche Mondlandungen. Luna 16 (1970), 20 (1972) und 24 (1976) kehrten vom Mond zur Erde mit erbohrtem Mondgestein zurück. Luna 17 (1970) und 21 (1973) setzten je ein ferngesteuertes Mondfahrzeug (Lunochod) ab, das mit Kameras und Analysengeräten ausgerüstet war.
Intelsat	Nachrichtensatellit	USA, international	seit 1965	Geostationäre Fernsprech- und Fernsehsatelliten. Von Intelsat 1 (1965) bis zur Serie 5 (1980) wurde die Kapazität je Satellit von 240 Fernsprechkreisen oder 1 Fernsehkanal auf 12000 Fernsprechkreise und 2 Fernsehkanäle gesteigert.
Surveyor 1-7	Mondsonden	USA	1966-68	Weiche Mondlandungen; Tausende von Funkbildern und Daten für das Apollo-Programm.
Lunar Orbiter 1-5	Mondsonden und Satelliten	USA	1966-67	Kartographierung des Mondes aus Umlaufbahnen, Übermittlung von Detailbildern für die Apollo-Landungen.
Interkosmos	Satelliten	Sowjetunion, international	seit 1968	Forschungsprogramm wissenschaftlicher Satelliten, auch für Länder des sowjetischen Einflußbereichs, begann mit Kosmos 261.
Landsat	Erderforschungssatelliten	USA	seit 1972	Auf polaren Umlaufbahnen Rohstoff-Explorationen; meteorologische, geologische, topographische und kartographische Aufgaben.
Helios 1 und 2	Sonnensonden	USA, Bundesrepublik Deutschland	1974-76	Die hitzebeständige Struktur und 7 der jeweils 10 Bordinstrumente wurden in der Bundesrepublik Deutschland gebaut. Die größte Sonnenannäherung betrug 43 Millionen km.
Symphonie 1 und 2	Nachrichtensatelliten	Bundesrepublik Deutschland, Frankreich	1974-75	Geostationäre Nachrichtensatelliten für europäische Weiterentwicklungen (ECS).
Viking 1 und 2	Marssonden und Satelliten	USA	1975-76	Bestanden je aus einem Orbiter und einem Landegerät; weiche Landungen 1976, während die Orbiter im Umlauf blieben. Beide machten Mars zum am besten erforschten Planeten. Anzeichen niederen biologischen Lebens wurden nicht gefunden.
Meteosat 1 und 2	Wettersatelliten	ESA	1977, 1981	Der geostationäre Satellit liefert aus rund 36000 km Höhe alle 30 Minuten Bilddaten des Wettergeschehens.
GEOS 1 und 2	Erdforschungssatelliten	ESA	1977-78	Erstes geostationäres Satellitenprojekt der ESA zur Magnetosphärenforschung.
Voyager 1 und 2	Raumsonden zu den äußeren Planeten	USA	seit 1977	Beide Sonden passierten 1979 Jupiter; nächste Entfernung 278000 km; Entdeckung eines Ringsystems und neuer Monde; 33000 Fernsehbilder. Voyager 1 passierte 1980, Voyager 2 1981 Saturn; nächste Entfernung 102000 km; Entdeckung weiterer Saturnringe, neuer Monde, Zirkulationserscheinungen in der Wolkenschicht, 36000 Fernsehbilder. Voyager 2 erreichte 1986 Uranus, 1989 Neptun.

Raumfahrt: Übersicht über die wichtigsten Programme der unbemannten Raumfahrt

Programm/ Nummer	Raumflugkörper	Staat	Zeitraum	Startdatum, Aufgaben, Ergebnisse und anderes
ISEE A–C	Satelliten-, Kometensonde	USA/ESA	seit 1977	Amerikanisch-europäisches Satellitenprogramm zur Sonnen-, Erde-Magnetosphärenforschung. ISEE–C (umbenannt in ICE) sollte 1985 durch den Schweif des Kometen Giacobini-Zinner zu fliegen.
Meteosat 1 und 2	Wetter-satelliten	ESA	seit 1977	Mit der europäischen Rakete Ariane gestarteter erster, nur der Wetterforschung dienender Satellit der ESA.
Pioneer–Venus 1 und 2	Venussonden	USA	1978	Pioneer–Venus 1, Venus-Orbiter und Relaisstation für Pioneer–Venus 2 (1978), die als Eintauchsonde mit 4 weiteren Landekapseln landete. Neben vielen Daten über Atmosphäre und Oberfläche der Venus ergab sich, daß die normale Sichtweite 3 km beträgt.
Marecs 1 und 2	Nachrichten-satelliten	ESA	seit 1981	Geostationäre Nachrichtensatelliten für den Seeverkehr.
IRAS	Astronomie-satellit	USA, Niederlande	1983	Auf polaren Umlaufbahnen wird eine ganze Infrarotkarte des Himmels zusammengesetzt.
Exosat	Astronomie-satellit	ESA	seit 1983	Die extrem elliptische Bahn (zwischen 300 km und 200 000 km über der Erde) erlaubt längere ununterbrochene Beobachtungen mit dem Röntgenteleskop.
ECS 1 und 2	Nachrichten- und Fernseh-satelliten	ESA	seit 1983	Mit Ariane-Raketen gestartet. ECS 1 dient als Fernsehsatellit für SAT 1 und SAT 3.
Wega 1 und 2	Raumsonden zu Venus und Halleyschem Kometen	Sowjetunion	seit 1984	Wega 1 und 2 erreichten im Juni 1985 die Venus, setzten dort je einen Landeapparat und einen Ballon ab, flogen weiter zum Halleyschen Kometen, den sie wenige Tage vor Giotto, am 6. und 9. 3. 1986, in 9 000 km Entfernung passierten.
Giotto	Raumsonde zum Halleyschen Kometen	ESA	seit 1985	Start im Juli 1985, flog am 14. 3. 1986 am Halleyschen Kometen in weniger als 600 km Entfernung vorbei. Die Experimente und Aufnahmen zielten auf den Kometenkern, die chemische Zusammensetzung und physikalische Beschaffenheit seiner Gas- und Staubteilchen.
Galileo	Raumsonde zu Jupiter	USA	1986	Programmiert wurde eine Sonde, die 1989 Jupiter als Satellit 20 Monate lang umkreiste, während eine zweite Sonde als Eintauchkörper und am Fallschirm auf den Jupiter herabsank.
TV-Sat	Fernsehsatellit	Deutschland	1986	Geostationärer Fernsehsatellit für Direktempfang.
TDF	Fernsehsatellit	Frankreich	1986	Geostationärer Fernsehsatellit für Direktempfang, im wesentlichen baugleich mit dem deutschen TV-Sat.
Space Telescope	Astronomie-satellit	USA	1990	Das Weltraumteleskop mit 2,4 m Spiegeldurchmesser wurde mit dem Space shuttle auf eine 610 km hohe Bahn gebracht, von wo der Blick siebenmal weiter reicht als von der Erde.
ROSAT	Astronomie-satellit	Europa USA	1990	Programmiert auf die Durchmusterung des Himmels nach Ultraviolett (UV-) und Röntgenquellen.

forschung des Wetters, der oberen Atmosphäre, der Magnetfelder und Strahlungsgürtel der Erde, die Erforschung des Erdmondes, der Planeten bis hin zur Sonne. Die Bestrebungen sind stark auf wirtschaftliche und militärische Nutzungen des Weltraums gerichtet. Dagegen gehören bemannte Langzeit-Raumflüge zu anderen Planeten nicht zu den vordringlichen Zielen. Ein Flug zum Mars z. B. würde Jahre dauern.

Nur mit Hilfe des Raketenantriebs ist es möglich, den luftleeren und schwerkraftfreien Weltraum zu erreichen und sich in ihm zu bewegen. Damit ein Körper von dort nicht wieder auf die Erde zurückfällt, muß er mindestens die Kreisbahngeschwindigkeit, die erste der →kosmischen Geschwindigkeiten, erreichen. Er bewegt sich dann nach den Gesetzen der →Gravitation auf Raumflugbahnen wie die Himmelskörper selbst. Der aktive Teil der Flugbahn, während die Raketen arbeiten, die **Antriebsbahn,** dauert nur Minuten. Das ist nur ein kleiner Bruchteil des passiven Teils, der als **Freiflugbahn** antriebslos zurückgelegt wird. Bei Raumflügen zu anderen Himmelskörpern, z. B. von →Raumsonden, bringt man die letzte Raketenstufe mit der Sonde zunächst in eine Erdumlaufbahn. Auf dieser **Parkbahn** wird zu einem bestimmten Zeitpunkt das Triebwerk wieder gezündet, um die Sonde auf Fluchtgeschwindigkeit zu beschleunigen. So läßt sich der Flug-

Raumfahrt: Bahnparameter von Satellitenbahnen

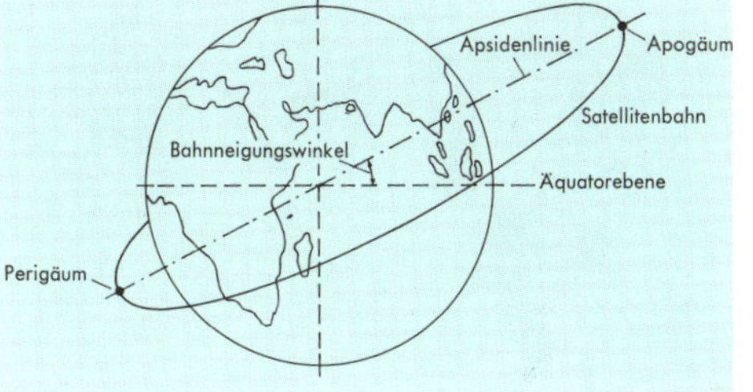

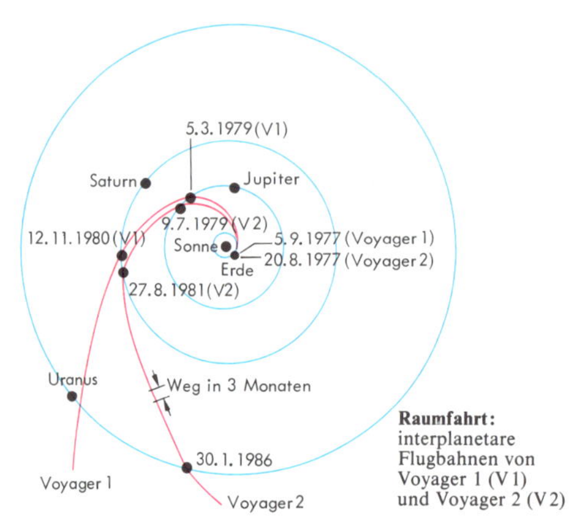

Raumfahrt: interplanetare Flugbahnen von Voyager 1 (V 1) und Voyager 2 (V 2)

körper auch genau in die berechnete Richtung bringen. Man nennt den dafür einzuhaltenden Winkel **Einschußkorridor,** der für einen jeweiligen Tag im Raum festliegt; er bestimmt auch den oder die möglichen Starttage, das sogenannte **Startfenster.** Trotz aller anfänglichen Genauigkeit sind vor allem auf längeren Raumflügen Bahnkorrekturen nötig, die von kleinen Steuer- und Lageregelungstriebwerken ausgeführt werden. So lassen sich z. B. die Energie erzeugenden Solarzellenträger von Satelliten auf die Sonne und wissenschaftliche Instrumente auf das Meßobjekt ausrichten. Auch werden so die Umlaufbahnen von →Satelliten überwacht, damit sie der Erde nicht zu nahe kommen und abstürzen. Diese Aufgaben gehören zur **Raumflugführung** oder **Raumflugnavigation,** die ohne eine hochentwikkelte Elektronik nicht denkbar wäre. Werden die Steuerbefehle von der Erde zum Raumflugkörper gefunkt, spricht man von **Kommandosteuerung.** Die Steuerbefehle können aber auch an Bord errechnet und erteilt werden, wie sie die sogenannte Trägheitsnavigation aus einem vorgegebenen Flugprogramm bestimmt; dann handelt es sich um eine **Programmsteuerung.** Bemannte Raumfahrzeuge werden gewöhnlich von der Besatzung selbst gesteuert.

Mit dem Start des ersten Satelliten, Sputnik 1, am 4. Oktober 1957, begann das erste **Raumfahrtprogramm.** Unter den folgenden unbemannten Programmen folgten seitens der Sowjetunion Lunik, Luna, Venera, Kosmos, Mars und Wega, seitens der USA Explorer, Pioneer, Ranger, Mariner, Surveyor, Lunar Orbiter, Viking, Voyager und Pioneer-Venus; die europäische Raumfahrtbehörde (ESA) plant mit Giotto einen Flug zum Halleyschen Kometen. Die bemannten Raumfahrtprogramme wurden mit Wostok ebenfalls von der Sowjetunion eingeleitet, die Woschod, Sojus und Saljut folgen ließ. Die USA waren mit Mercury, Gemini und Apollo zunächst ganz auf das Mondlandeprogramm ausgerichtet, bevor Skylab und Space shuttle die Unternehmungen im erdnahen Raum ausbauten. Die Sowjetunion hatte hier einen Erfahrungsvorsprung bei Langzeitflügen gewonnen. Ziel beider Raumfahrtgroßmächte ist die Errichtung von weiteren →Raumstationen.

Raumfahrt: Mondlandung von Apollo 15 (30. 7. 1971); Mondlandefähre ›Falcon‹, RECHTS Elektrowagen ›Rover‹ (im Hintergrund die Mond-Apenninen)

Raumfahrt: Übersicht über die Programme und wichtigsten Ereignisse der bemannten Raumfahrt

Programm	Staat	Jahr	Besatzung	Besondere Ereignisse
Wostok 1-6	Sowjetunion	1961-63	1 Mann	12. 4. 1961 Jurij Gagarin in Wostok 1 erster Mensch im All bei einem Erdumlauf. 16. 6. 1963 Walentina Tereschkowa in Wostok 6 erste Frau im All bei 48 Erdumläufen.
Mercury 6-9	USA	1962-63	1 Mann	20. 2. 1962 John Glenn in Mercury 6 erster Amerikaner im All bei 3 Erdumläufen.
Woschod 1 und 2	Sowjetunion	1964-65	2-3 Mann	März 1965, A. Leonow erster Ausstieg eines Menschen aus der Raumkapsel.
Gemini 3-12	USA	1965-66	2 Mann	Juni 1965, E. White erster Ausstieg eines Amerikaners aus der Raumkapsel. Erprobung von Kopplungsmanövern.
Sojus 1-40	Sowjetunion	1967-81	2-3 Mann	Januar 1969 Kopplung von Sojus 4 und 5, Umstieg der Besatzung. Oktober 1969 Gruppenflug von Sojus 6, 7, 8. April 1971 Kopplung von Sojus 10 an Raumstation Saljut 1. Juni 1971 Kopplung von Sojus 11 und Umstieg der Besatzung G. Dobrowolskij, W. Wolkow, V. Pazajew in Saljut 1, dort 22tägiger Aufenthalt; Besatzung kommt bei der Rückkehr zur Erde ums Leben. August 1978 Sigmund Jähn (Deutsche Demokratische Republik) an Bord von Sojus 31 erster Deutscher im All.
Apollo 7-10	USA	1968-69	3 Mann	Vorbereitungsflüge, darunter Apollo 8 im Dezember 1968, Apollo 10 im Mai 1969. Flüge zum Mond ohne Landung.
Apollo 11-17	USA	1969-72	3 Mann	Juli 1969 Apollo 11 erste Mondlandung, Neil Armstrong und Edwin Aldrin betreten am 21. 7. 1969 als erste Menschen den Mond. Steigerung des Mondaufenthalts von 21 Stunden (Apollo 11) auf 75 Stunden (Apollo 17), der geborgenen Mondsubstanz von 21 auf 117 kg. Flug von Apollo 13 April 1970 mußte nach einer Explosion im Sauerstofftank abgebrochen werden; J. Lovell, F. Haise, J. Swigert umflogen den Mond. Ab Apollo 15 wurde ein Mondfahrzeug mitgeführt.
Saljut 1-5	Sowjetunion	1971-77	3 Mann	Erste Versuchsraumstationen, erstmals Juni 1971 durch Menschen besetzt (Besatzung von Sojus 11).
Skylab	USA	1973-74	3 Mann	Erste Versuchsraumstation der USA, dreimal von einer Dreiermannschaft mit Apollo-Raumkapsel aufgesucht. Längster Aufenthalt von G. Carr, W. Pogue, E. Gibson mit 84 Tagen. Skylab verglühte im Juli 1979.
Apollo-Sojus	USA, Sowjetunion	1975	3+2 Mann	Rendezvous und Kopplung 17. 7. 1975 von Sojus 19 mit 2 Mann und einer Apollo-Raumkapsel mit 3 Mann; gemeinsame Experimente und Besatzungsbesuche; Trennung am 19. 7.
Saljut 6 und 7	Sowjetunion	seit 1977	bis 5 Mann	Verbesserte Raumstationen der Sowjetunion. Erste Besatzung durch Sojus 26 Dezember 1977; letzte Besatzung von Saljut 6 durch Sojus 40 Mai 1981. Längster Aufenthalt an Bord von Saljut 6 durch L. Popow und W. Rjumin 184 Tage. Saljut 6 verglühte Juli 1982. Erste Besatzung von Saljut 7 durch Sojus T-5 Mai 1982; durch Sojus T-7 August 1982 Swetlana Sawitzkaja als erste Frau in einer Raumstation. Dauerrekord durch 8. 2. 1984 mit Sojus T-10 gestartete Mannschaft L. Kisim, W. Solowjow, O. Atkow an Bord von Saljut 7 mit 237 Tagen.
Sojus T	Sowjetunion	seit 1980	3 Mann	Verbesserte Raumkapseln zum Koppeln an Saljut. Mit Sojus T-10 gelangte die Rekordmannschaft am 8. 2. 1984 zu Saljut 7, mit Sojus T-11 kehrte sie nach 237 Tagen zurück.
Progress	Sowjetunion	seit 1978	–	Unbemannte Transportkapseln zur Versorgung und Entsorgung der Saljut-Raumstationen.
Space shuttle	USA	seit 1981	bis 7 Mann	Der amerikanische Raumtransporter startete erstmals 12. 4. 1981 mit dem Orbiter Columbia, beim 6. Start 4. 4. 1984 mit Challenger, beim 12. Start 30. 8. 1984 mit Discovery, beim 21. Start Ende September 1985 mit Atlantis. Beim 7. Start 18. 6. 1983 befand sich unter der fünfköpfigen Besatzung Sally Ride als erste Amerikanerin im All. Beim 9. Start 28. 11. 1983 befanden sich das europäische Raumlabor Spacelab und der Physiker Ulf Merbold (Bundesrepublik Deutschland) an Bord. Beim 10. Start 3. 2. 1984 gelangen mittels ›Düsenrucksack‹ erstmals Freiflüge von Menschen im All. Beim 13. Start 5. 10. 1984 erstmals 7 Besatzungsmitglieder, darunter 2 Frauen. Beim 14. Start 8. 11. 1984 wurden 2 fehlgesteuerte Satelliten geborgen. Der 15. Start 24. 1. 1985 diente nur militärischen Zwecken, teilweise auch der 18. Start am 17. 6. 1985. Bei der D2-Mission (1993) führten die deutschen Wissenschaftsastronauten H. W. Schlegel und U. Walter medizinische Tests und verschiedene wissenschaftliche Versuche durch.

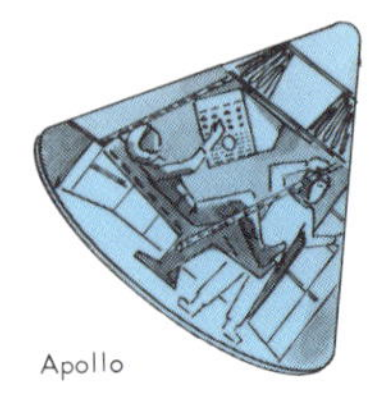

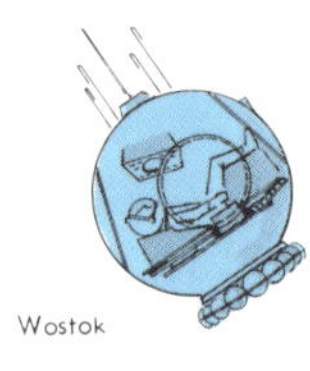

Mercury

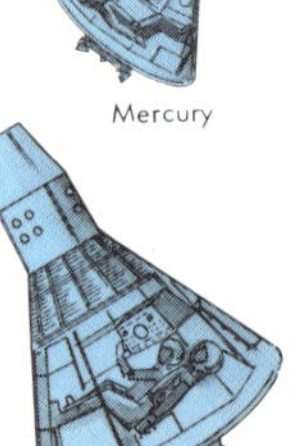

Raumfahrzeug: Raumkapseln

Die **Raumfahrtmedizin** beobachtet und erforscht vor allem die Auswirkungen der Schwerelosigkeit auf den menschlichen Körper. In den ersten Tagen des Weltraumaufenthalts kommen Mattigkeit, Appetitlosigkeit und Übelkeit vor. Bei längeren Aufenthalten sind Veränderungen in Blut und Knochenmark möglich.

Raumfahrzeug, Oberbegriff für bemannte Raumfluggeräte. Die bemannte →Raumfahrt begann mit **Raumkapseln,** verhältnismäßig kleinen, engen, kugeligen oder kegelförmigen Behältern für 1–3 Mann Besatzung, die an der Spitze einer Trägerrakete in eine Erdumlaufbahn gebracht wurden. Auch der Flug zum Mond im →Apollo-Programm wurde mit einer Raumkapsel bewerkstelligt, und die Sowjets erreichen und verlassen ihre →Raumstation ›Saljut‹ weiterhin mit Hilfe von Raumkapseln. Die Amerikaner verwenden ihren →Raumtransporter, den sie ›Space shuttle‹ nennen, als bisher einziges wiederverwendbares Raumfahrzeug. Er soll später auch als Raumfähre dienen zwischen der Erde und einer Raumstation als größtmöglichem Raumfahrzeug.

Raumflugkörper, Oberbegriff für unbemannte Raumfluggeräte, bei denen man →Satelliten und →Raumsonden unterscheidet. Seltener wird darunter eine Rakete verstanden.

Raumschiff. In früheren Zukunfts- oder Science-fiction-Romanen waren Menschen im Raumschiff unterwegs zu anderen Himmelskörpern. Heute ist die Vorstellung von einem ›Schiff‹ im Weltraum nicht mehr zweckmäßig, obwohl man die Bezeichnung noch oft hören kann, wenn ein →Raumfahrzeug gemeint ist.

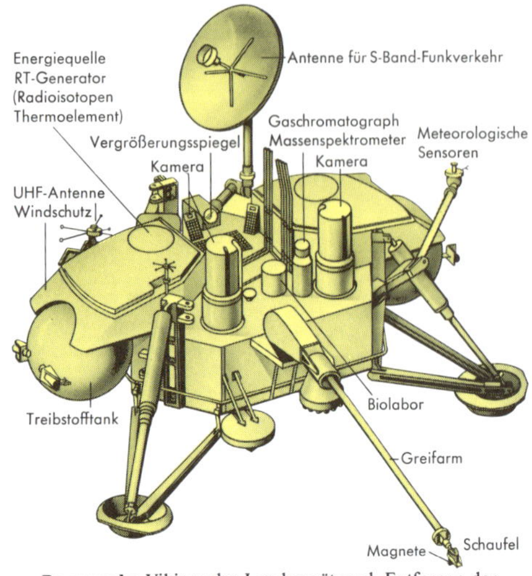

Raumsonde: Viking; das Landegerät nach Entfernen der Schutzkapsel

Raumsonde. Wie die →Satelliten sind auch Raumsonden unbemannte Raumflugkörper. Im Unterschied zu den Satelliten bewegen sie sich aber nicht auf Erdumlaufbahnen, sondern verlassen diese, um den interplanetaren Raum, das ist der Weltraum zwischen den Planeten, die Planeten selbst und die Sonne, zu erforschen. Damit sie diese Ziele erreichen, müssen Raumsonden auf Fluchtgeschwindigkeit (→kosmische Geschwindigkeiten) beschleunigt werden. Neben wissenschaftlichen Meßinstrumenten haben Raumsonden starke Funkanlagen an Bord, deren

Raumsonde: LINKS sowjetische Raumsonde ›Luna 9‹, der am 3. 2. 1966 die erste weiche Landung auf dem Mond gelang; MITTE sowjetische Raumsonde ›Venus 4‹, die am 18. 10. 1967 weich auf der Venusoberfläche landete und chemisch-physikalische Untersuchungen der Venusatmosphäre durchführte; RECHTS Sonnensonde ›Helios‹

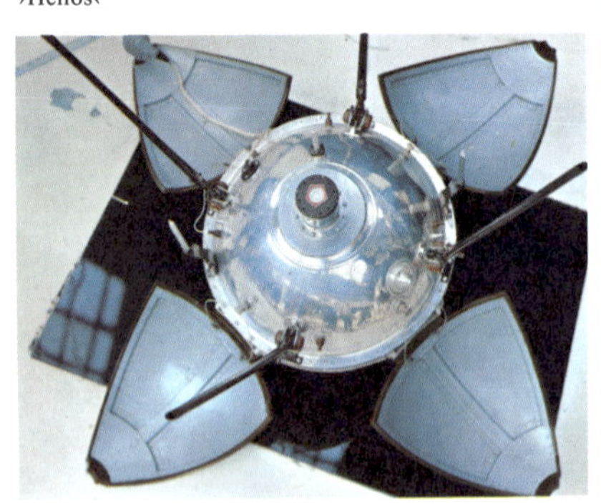

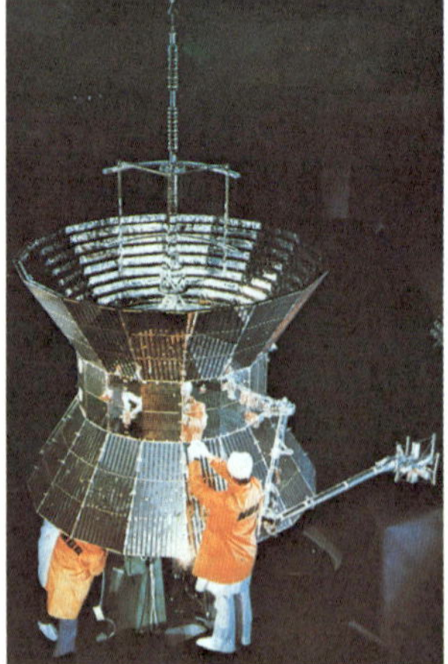

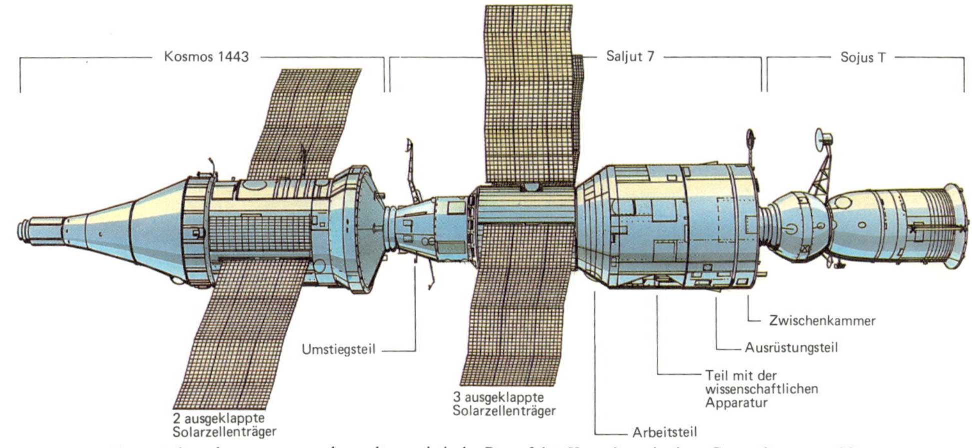

Raumstation: der zusammengekoppelte sowjetische Raumfahrt-Komplex mit einer Gesamtlänge von 35 m

Energiebedarf von Solarzellen gedeckt wird. **Mondsonden** waren die sowjetischen ›Lunik‹ und ›Luna‹, die auch auf dem Mond landeten, ein Forschungsfahrzeug absetzten und wieder zurückkehrten, sowie die amerikanischen ›Lunar Orbiter‹, ›Ranger‹ und ›Surveyor‹. Mit den **Planetensonden** ›Mars‹ und ›Venera‹ (sowjetisch) sowie den amerikanischen ›Mariner‹, ›Pioneer‹, ›Viking‹ und ›Voyager‹ wurden bisher Merkur, Venus, Mars, Jupiter und Saturn angeflogen und neue große Entdeckungen gemacht. Weiche Landungen gab es auf Venus und Mars. ›Voyager‹ befindet sich auf dem Weg zu den äußersten Planeten Uranus und Neptun, vielleicht gibt es auch Erkenntnisse über den bisher fast unbekannten Pluto. **Sonnensonden** waren die beiden deutsch-amerikanischen ›Helios‹.

Raumstation, Weltraumstation, Orbitalstation, ein bemannter Weltraumstützpunkt, der auf einer Satellitenbahn um die Erde kreist und mehreren Raumfahrern einen Weltraumaufenthalt bis zu mehreren Monaten ermöglicht. Die Raumstation bietet dabei mehr Bequemlichkeit, mehr Beobachtungs- und Forschungseinrichtungen als die engen Raumkapseln und auch als der Raumtransporter. Vor allem sollen Raumstationen eine Plattform und Umsteigestation für weitergehende Raumflüge sein. Vieles von diesem uralten Menschheitstraum, der heute die Science-fiction-Literatur und -Filme beschäftigt, ist noch unerfüllt. Aber erste Erfahrungen wurden 1973 mit der amerikanischen Versuchsstation ›Skylab‹ und seit 1971 mit den sowjetischen (russischen) Raumstationen ›Saljut‹ gemacht (→Raumfahrt).

Raumtransporter, Raumfähre, Raumgleiter, deutsche Bezeichnungen für den amerikanischen **Space shuttle** und das entsprechende Raumfahrzeug, das in der Sowjetunion erprobt wird. Der Space shuttle entstand aus dem Wunsch, ein bemanntes Transportgerät für 1–7 Personen zu bauen, das – anders als Trägerraketen und Raumkapseln – wiederverwendbar und damit kostensparend ist. Das ganze Fahrzeug, das 1981 erstmals startete, besteht grob aus 3 Systemen: Das eigentliche bemannte und Lasten tragende flugzeugähnliche Fluggerät, der Orbiter (englisch ›Erdumkreiser‹), sitzt beim Start huckepack auf einem Treibstofftank, der größer als der Orbiter selbst ist und dessen 3 Haupttriebwerke mit flüssigem Treibstoff versorgt. Links und rechts des Außentanks befindet sich je eine Feststoffrakete zur Startunterstützung. Diese beiden ›Booster‹ brennen beim Start zuerst aus, werden abgeworfen und an Fallschirmen zur Erde schwebend geborgen. Später, kurz vor Erreichen der Erdumlaufbahn, ist auch der große Außentank leer, er wird abgeworfen und geht als einziger Teil verloren. Nach Beendigung der Aufgaben des Orbiters, die vor allem in Erd- und Himmelsbeobachtungen, im Aussetzen, Einholen und Reparieren von Satelliten bestehen, kehrt er dank des →Hitzeschilds zur Erde zurück und landet wie ein Flugzeug. (BILDER Seiten 62/63)

Raupe, das Larvenstadium der →Schmetterlinge.

Raute, Rhombus, ein Viereck mit 4 gleich langen Seiten. Die Eigenschaften einer Raute sind:

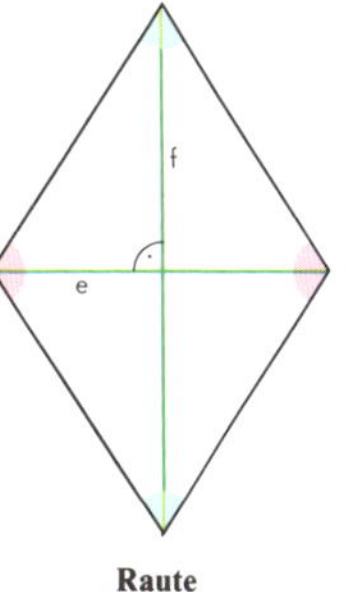

Raute

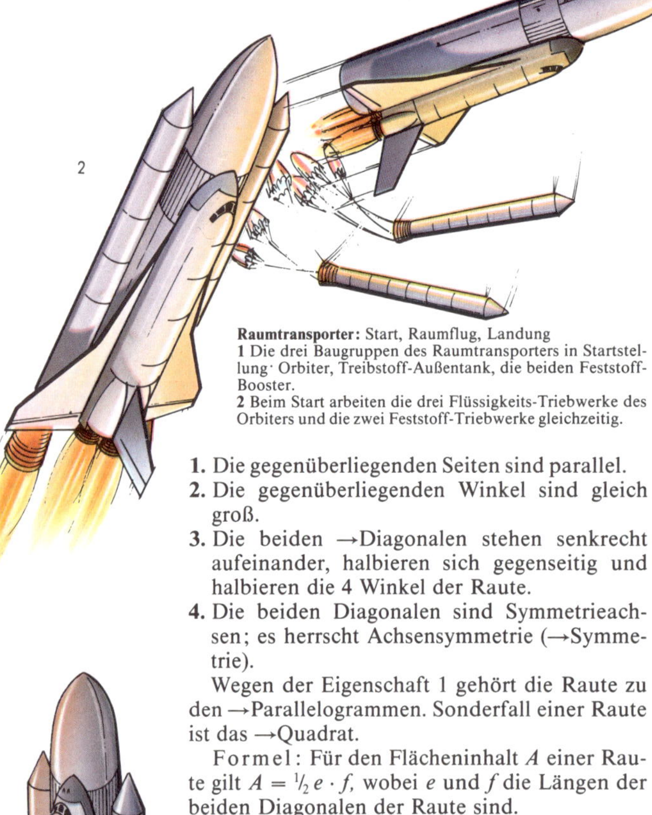

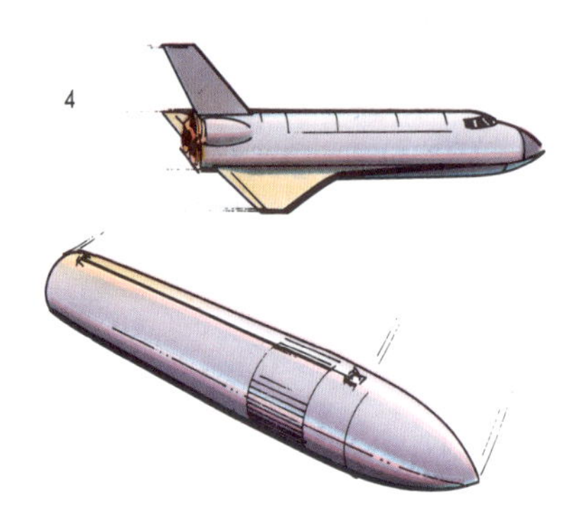

Raumtransporter: Start, Raumflug, Landung
1 Die drei Baugruppen des Raumtransporters in Startstellung· Orbiter, Treibstoff-Außentank, die beiden Feststoff-Booster.
2 Beim Start arbeiten die drei Flüssigkeits-Triebwerke des Orbiters und die zwei Feststoff-Triebwerke gleichzeitig.

3 In etwa 48 km Höhe werden die beiden ausgebrannten Booster vom Treibstofftank abgesprengt, die Triebwerke des Orbiters arbeiten weiter.
4 Kurz vor Erreichen der Umlaufbahn ist der Außentank leer, die Haupttriebwerke des Orbiters werden abgestellt, der Tank wird abgeworfen.

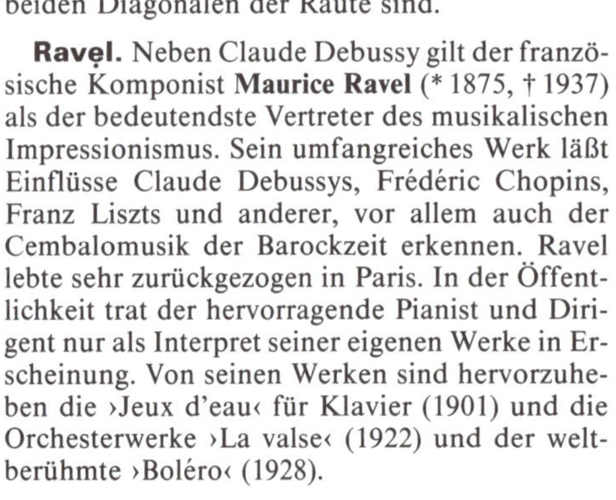

1. Die gegenüberliegenden Seiten sind parallel.
2. Die gegenüberliegenden Winkel sind gleich groß.
3. Die beiden →Diagonalen stehen senkrecht aufeinander, halbieren sich gegenseitig und halbieren die 4 Winkel der Raute.
4. Die beiden Diagonalen sind Symmetrieachsen; es herrscht Achsensymmetrie (→Symmetrie).

Wegen der Eigenschaft 1 gehört die Raute zu den →Parallelogrammen. Sonderfall einer Raute ist das →Quadrat.

Formel: Für den Flächeninhalt A einer Raute gilt $A = \frac{1}{2} e \cdot f$, wobei e und f die Längen der beiden Diagonalen der Raute sind.

Ravẹl. Neben Claude Debussy gilt der französische Komponist **Maurice Ravel** (* 1875, † 1937) als der bedeutendste Vertreter des musikalischen Impressionismus. Sein umfangreiches Werk läßt Einflüsse Claude Debussys, Frédéric Chopins, Franz Liszts und anderer, vor allem auch der Cembalomusik der Barockzeit erkennen. Ravel lebte sehr zurückgezogen in Paris. In der Öffentlichkeit trat der hervorragende Pianist und Dirigent nur als Interpret seiner eigenen Werke in Erscheinung. Von seinen Werken sind hervorzuheben die ›Jeux d'eau‹ für Klavier (1901) und die Orchesterwerke ›La valse‹ (1922) und der weltberühmte ›Boléro‹ (1928).

Ravẹnna, 138 000 Einwohner, Industriestadt mit Erdölraffinerien in Italien. Ursprünglich an der Adria gelegen, liegt Ravenna heute mit seinem Hafen im Po-Delta, rund 10 km vor der Mittelmeerküste. Bekannt ist die Stadt besonders wegen der prächtigen Mosaiken frühchristlich-byzantinischer Kirchen aus dem 5./6. Jahrhundert.

Rạzzia, großangelegte Suchaktion der Polizei, die bezweckt, Straftäter aufzuspüren. Personen, die sich im Zuge der Razzia nicht ausweisen können, dürfen zur Feststellung ihrer Personalien festgenommen werden.

Re, der Sonnengott in der altägyptischen Götterwelt, der als der eigentliche Schöpfer der Welt galt. (BILD Seite 63)

Ré, Île de Ré [ihlderẹ], Insel vor der französischen Westküste, gegenüber von La Rochelle. Die 85 km² große Insel hat 800 Einwohner; Hauptorte sind Saint-Martin-de-Ré und Ars-en-Ré. Die Insel war ehemals bewaldet; sie wird heute durch Getreide-, Frühgemüseanbau und Weinbau landwirtschaftlich genutzt. Von großer wirtschaftlicher Bedeutung ist die Austernzucht und der im Sommer rege Fremdenverkehr.

Reạktor [englisch reactor, zu to react ›reagieren‹], kurz für Kernreaktor, →Kernspaltung.

Realịsmus [von spätlateinisch realis ›sachlich‹], philosophische Auffassung, die alle Erkenntnis aus der sinnlich wahrnehmbaren Außenwelt hervorgehen läßt. Das sinnlich Wahrgenommene wird im Gegensatz zum →Idealismus dabei als vom Bewußtsein unabhängige Wirklichkeit angesehen.

In der bildenden Kunst bezeichnet der Begriff Realismus eine Darstellungsweise, die um große Wirklichkeitsnähe ohne idealisierende Deutung bemüht ist. Eine Abgrenzung zum noch enger an das Naturvorbild angelehnten →Naturalismus ist oft schwierig. Auf irgendeine Weise

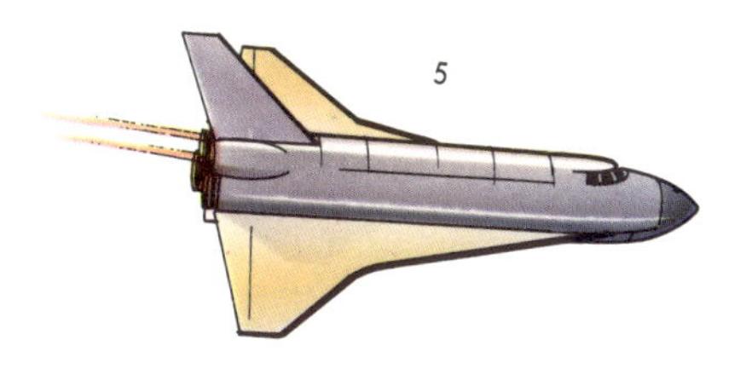

5 Die zwei Manövriertriebwerke werden gezündet, um den Orbiter in die genaue Umlaufbahn und Lage zu bringen.
6 Nach Überprüfung sämtlicher Bordsysteme führt die Besatzung die vorgesehene Aufgabe durch. Dazu werden die Tore der Nutzlastbucht geöffnet.

7 und **8** Die Mission ist beendet. Mit Hilfe der Manövriertriebwerke verläßt der Orbiter die Umlaufbahn, tritt in die Atmosphäre ein und beginnt den antriebslosen Gleitflug zurück zur Erde. Der Orbiter setzt mit etwa 350 km/h auf der Landebahn auf.

setzt sich jeder Künstler mit der Wirklichkeit auseinander, doch dient sie ihm nicht zu allen Zeiten gleichermaßen als unmittelbare Vorlage. So strebten die Bildhauer der griechischen Klassik oder die Renaissancekünstler auch Naturähnlichkeit an, doch wollten sie gleichzeitig ihre Idealvorstellungen von Schönheit und Harmonie sichtbar machen. Das vom Jenseitsglauben erfüllte Mittelalter empfand die irdische Welt als zweitrangig, deshalb war in der Kunst die religiöse Aussage wichtiger als naturgetreue Abbildung der irdischen Wirklichkeit. Realismus kennzeichnet dagegen die römische Porträtplastik der republikanischen Zeit, die spätgotische Plastik der zweiten Hälfte des 15. Jahrh. und die holländische Malerei des 17. Jahrh.

Als Realismus im engeren Sinn versteht man eine Stilrichtung der Malerei im zweiten Drittel des 19. Jahrh.; der Name geht auf den französischen Maler Gustave Courbet zurück. Kennzeichnend waren Freilichtmalerei und neue Bildthemen (Industriebilder, z. B. von Adolph von Menzel). Auch im 20. Jahrh. entstanden in Gegenbewegung zur abstrakten Kunst wieder realistische Kunstströmungen.

Blütezeit des Realismus in der Literatur war das 19. Jahrh. Es war die Epoche, die sich an die ausgehende Romantik anschloß und am Jahrhundertende in den Naturalismus überging. Den Schriftstellern ging es um die Wiedergabe der Wirklichkeit des individuellen und gesellschaftlichen Lebens, um die Ausleuchtung der psychologischen und sozialen Zusammenhänge. Wichtigste Literaturgattung war der Roman, in Deutschland auch die Novelle. Die bedeutendsten Vertreter des Realismus waren in Frankreich Honoré de Balzac und Gustave Flaubert, in England Charles Dickens, in Rußland Lew Tolstoj, Fjodor Dostojewskij und Iwan Turgenjew, im deutschsprachigen Raum Gottfried Keller, Wilhelm Raabe, Conrad Ferdinand Meyer, Theodor Storm und Theodor Fontane.

Réaumur [reomü̯r], →Grad Réaumur.

Rẹbe, Name verschiedener Pflanzen; am bekanntesten ist die **Weinrebe** (auch **Weinstock**), eine holzige Kletterpflanze mit kurzem, kräftigem Stamm. Da die Äste oder Reben ziemlich schwach sind, werden sie an Pfählen (Rebstökken, Drähten) aufgebunden. Gabelförmige Ranken, die kreisende Suchbewegungen durchführen, geben den Reben an den Stützen Halt. Die Ranken sitzen jeweils den fünflappigen Blättern gegenüber. Dennoch sind sie keine Blattranken, sondern Stengel- oder Sproßranken. Berührt eine Ranke einen der aufgestellten Rebstöcke, so umschlingt sie ihn in kurzer Zeit mehrfach. Die unscheinbaren Blüten stehen in rispenförmigen Blütenständen und werden meist von Insekten bestäubt. Der Fruchtknoten entwickelt sich zu einer saftigen Beere. Die meisten Weintrauben verarbeitet man zu Most. Man preßt den Saft aus, macht ihn als Traubensaft haltbar oder läßt ihn zu →Wein vergären.

Rẹbhuhn, buntscheckiger, rundlicher Vogel, der in niedrigen Gehölzen an Feld- und Wiesenrändern lebt. In einer Bodenmulde brütet das Weibchen bis zu 20 Eier aus. Rebhühner vertilgen vor allem schädliche Insekten. Bei Gefahr ducken sie sich an den Boden, fliegen erst im letz-

Re

Rebhuhn

ten Augenblick auf, um schnell laufend weiterzuflüchten. Die Jagd auf diese etwa 30 cm großen →Hühnervögel ist vielfach eingestellt worden, weil ihr Bestand unter anderem durch Vernichtung ihres Lebensraumes stark zurückgeht.

Rebläuse können im Weinbau sehr schädlich werden. Als Wurzel- und Blattlaus saugen sie Pflanzensäfte und verursachen Wucherungen und Gallen. Vor 100 Jahren wurden Rebläuse aus Nordamerika eingeschleppt. Man bekämpft sie mit Insektiziden und durch Verwendung widerstandsfähiger Reben.

Receiver [rißihwer, englisch ›Empfänger‹], Radiogerät, das in einer Kompaktanlage oder in Musiktürmen eingebaut ist. Es enthält →Tuner und Verstärker, jedoch keine Lautsprecher.

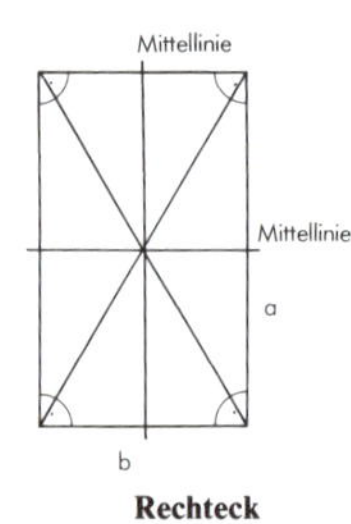

Rechteck

Rechenanlage, Rechner, Datenverarbeitungsanlage, Digitalrechner, elektronischer Rechner, Elektronengehirn, Bezeichnungen für einen →Computer.

Rechenmaschinen. Die geschichtliche Entwicklung der Rechenmaschinen begann dort, wo beim einfachen Abzählen die Anzahl der Finger nicht ausreichte und der Mensch Steine zu Hilfe nahm. Das erste Rechengerät war der →Abakus, der aus dem ersten Jahrtausend v. Chr. stammt. Er besteht aus Holzkügelchen, die auf Drähten aufgereiht sind und zum Rechnen verschoben werden können. Aus ihm entwickelte sich im Mittelalter das Rechnen auf dem **Rechenbrett.**

Die erste Rechenmaschine, die selbständig den Zehnerübertrag ausführte, stammte von dem Tübinger Astronomen Wilhelm Schickard (1623).

Zu erwähnen sind auch die Rechenmaschinen von Blaise Pascal und von Gottfried Wilhelm Leibniz, mit denen man die 4 Grundrechenarten ausführen konnte. Der Engländer Charles Babbage verband die Erfindung von Leibniz und die Erfindung der Lochstreifensteuerung zum Weben von Stoffmustern und plante 1821 als erster eine programmgesteuerte Rechenmaschine, die allerdings wegen fehlender technischer Möglichkeiten niemals richtig zum Arbeiten kam.

Erst der Bauingenieur Konrad Zuse nahm die Idee von Babbage wieder auf und baute 1938 eine aus gestanzten Blechen bestehende, rein mechanisch arbeitende Anlage, die **Z 1** genannt wurde. Bei der 1941 in Betrieb genommenen **Z 3** wurden die bewegten Teile durch elektromagnetische Relais ersetzt. Parallel zu der Entwicklung in Deutschland plante in den USA Howard H. Aiken eine Rechenanlage, die 1944 unter dem Namen **Mark I** fertiggestellt wurde. Einige Jahre später folgte das Relais-Rechengerät **Mark II.**

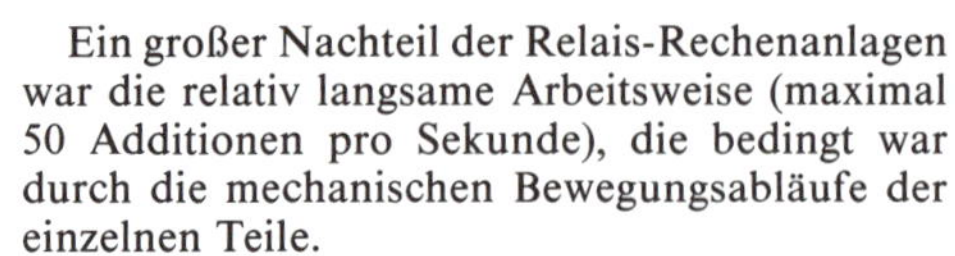

Ein großer Nachteil der Relais-Rechenanlagen war die relativ langsame Arbeitsweise (maximal 50 Additionen pro Sekunde), die bedingt war durch die mechanischen Bewegungsabläufe der einzelnen Teile.

Eine deutliche Steigerung der Rechengeschwindigkeit gelang erst durch den Einsatz von Elektronenröhren (1946). Mit der Entwicklung der Halbleitertechnik vom Transistor zum integrierten Schaltkreis (›Chip‹) wurde der Bau von Rechenanlagen möglich, die wir heute als →Computer bezeichnen.

Rechenzentrum, Datenverarbeitungszentrum, Unternehmen oder Abteilung eines Unternehmens, die darauf spezialisiert ist, Programme zu erstellen und Rechenaufträge durchzuführen.

Rechteck, ein →Viereck, bei dem die 4 Winkel rechte →Winkel sind. Die Eigenschaften eines Rechtecks sind:

1. Die gegenüberliegenden Seiten sind parallel und gleich lang.
2. Die beiden →Diagonalen sind gleich lang und halbieren sich.
3. Die beiden Mittellinien sind Symmetrieachsen; es herrscht Achsensymmetrie (→Symmetrie).

Wegen der Eigenschaft 1 gehört das Rechteck zu den →Parallelogrammen. Sonderfall eines Rechtecks ist das →Quadrat.

Für den Flächeninhalt A (→Fläche) und den →Umfang U eines Rechtecks gilt:

$A = a \cdot b, \quad U = 2 \cdot a + 2 \cdot b,$

wobei a und b die Seitenlängen des Rechtecks sind.

rechts, Bezeichnung für eine politische Richtung, die sich aus der Sitzordnung der Parteien in den französischen Parlamenten zu Beginn des 19. Jahrh. ableitet. Damals saßen, vom Parlamentspräsidenten aus gesehen, die Konservativen auf der rechten Seite des Parlaments. Heute bezeichnet man allgemein mit rechts jene politischen Richtungen, die überkommene Vorstellungen nach Möglichkeit bewahren wollen oder sich stark an den Interessen des Nationalstaats orientieren.

rechtwinklig. Zwei Geraden stehen **rechtwinklig** aufeinander, wenn die Winkel, die von beiden Geraden gebildet werden, rechte Winkel sind, das heißt 90° betragen (→senkrecht).

Reconquista [räkonkista, spanisch ›Rückeroberung‹], die schrittweise Zurückdrängung der Araber von der Iberischen Halbinsel. 711 vernichteten die Araber das Westgotenreich in Spanien. Im Nordwesten Spaniens entstand bald darauf das kleine christliche Königreich Asturien. Von hier ging die Reconquista aus. Hauptstadt wurde 925 León. Neben Asturien-León bildeten sich die Königreiche Navarra, Kastilien und Aragón. Im 11. Jahrh. wurde die Reconquista von französischen, burgundischen und normannischen Rittern unter der Führung der Königreiche Kastilien und Aragón getragen. 1212 rief Papst Innozenz III. zum Kampf gegen den spanischen Islam auf. Nach der Schlacht von Las Navas de Tolosa im Juni 1212 blieb nur noch das kleine islamische Reich Granada bestehen. Der seit 1469 vereinigten Macht von Kastilien und Aragón erlagen die Mauren. Die Eroberung von Granada 1492 bildete den Endpunkt der Reconquista.

Recorder [englisch ›Aufzeichner‹], Gerät zur magnetischen Aufzeichnung von Sprache, Musik, Bildern, Daten oder sonstigen Informationen auf Bänder oder Platten (→Kassettenrecorder, →Tonbandgerät, →Videorecorder).

Recycling [rißaikling, englisch ›wieder in den Kreislauf bringen‹], die Wiedereinführung nicht verbrauchter Ausgangsstoffe in den Produktionskreislauf oder die Aufarbeitung von Fabrikationsrückständen. Voraussetzung ist, daß die Rückstände verwertbare Rohstoffe (Wertstoffe) enthalten. Ein bekanntes Beispiel ist die Wiederverwertung von Altpapier und Altglas, das in Containern gesammelt wird. Schrott ist für Gießereien ein gefragter Anteil für die Schmelze, Abwasser wird nach Reinigungs- und Aufbereitungsprozessen dem menschlichen Bedarf als Trinkwasser zugeführt. Aus dem Müll (z. B. Glas, Dosen) lassen sich Wertstoffe gewinnen, aus Stalldung und anderen organischen Abfällen Biogas (Faulgas). Die wirtschaftliche Entwicklung (›Wegwerfgesellschaft‹) ließ die Wiederverwertung in natürlichen Kreisläufen in Vergessenheit geraten. Erst die Verteuerung von Rohstoffen (z. B. Erdöl) und ein zunehmendes Umweltbewußtsein haben zu einem Umdenken im Hinblick auf eine Wiederverwertung geführt.

Reduktion [lateinisch ›Zurückführung‹], Chemie: ursprünglich die Entfernung von Sauerstoff aus sauerstoffhaltigen Verbindungen und damit der entgegengesetzte Vorgang zur Oxidation; dann auch die Einführung von Wasserstoff in Verbindungen. Im weiteren Sinn ist Reduktion ein chemischer Vorgang mit Übertragung von Elektronen von einem als **Reduktionsmittel** bezeichneten auf einen anderen Stoff, der reduziert wird. Wichtige Reduktionsmittel sind unedle Metalle, Kohlenstoff und Wasserstoff.

reelle Zahlen, Zeichen $\mathbb{R}$ (gesprochen Doppelstrich-R), die Menge der rationalen und irrationalen Zahlen (→Zahlenaufbau).

Referendum [lateinisch ›das zu Berichtende‹], der Volksentscheid, eine Form der →Volksabstimmung.

Reflex [von lateinisch reflexus ›das Zurückbeugen‹], Vorgang bei Tieren und dem Menschen, der als Antwort auf einen bestimmten Reiz vom Willen unabhängig abläuft. Dabei wird die z. B. in einem Sinnesorgan entstandene Erregung dem Rückenmark oder dem Gehirn zugeleitet und innerhalb der grauen Substanz auf Fasern übertragen, die zu Muskeln oder Drüsen als Erfolgsorgan führen **(Reflexbogen).** So verengt sich z. B. bei Lichteinfall (Reiz) die Pupille (Erfolgsorgan). Reflexe dienen vor allem Flucht- und Abwehrreaktionen und der Erhaltung des Gleichgewichts. Sie beeinflussen die Haltung der Glieder, des Rumpfes und des Kopfes.

Reflexion [lateinisch ›das Zurückbeugen‹]. Läßt man ein Lichtbündel auf eine weiße Wand fallen, so wirft diese das auftreffende Licht nach allen Seiten zurück. Da dabei keine Richtung bevorzugt wird, spricht man von **diffuser Reflexion** (von lateinisch diffundere ›zerstreuen‹).

Ein →Spiegel oder eine andere hinreichend glatte Grenzfläche zwischen 2 Medien reflektiert das auftreffende Licht in eine ganz bestimmte Richtung. Man spricht von **regelmäßiger** oder **gerichteter Reflexion (Spiegelung).** Dabei ist stets der **Einfallswinkel,** das heißt der Winkel zwischen einfallendem Strahl und der im Einfallspunkt errichteten Flächensenkrechten **(Einfallslot),** gleich dem **Reflexionswinkel,** das heißt dem Winkel zwischen reflektiertem Strahl und dem Einfallslot; einfallender Strahl, Flächensenkrechte und reflektierter Strahl liegen in einer Ebene **(Reflexionsgesetz).** Beim Übergang von Licht aus einem optisch dünneren in ein optisch dichteres Medium (z. B. beim Übergang von Luft in Wasser) wird stets nur ein Teil des Lichts reflektiert, der Rest wird absorbiert oder gebrochen (→Brechung).

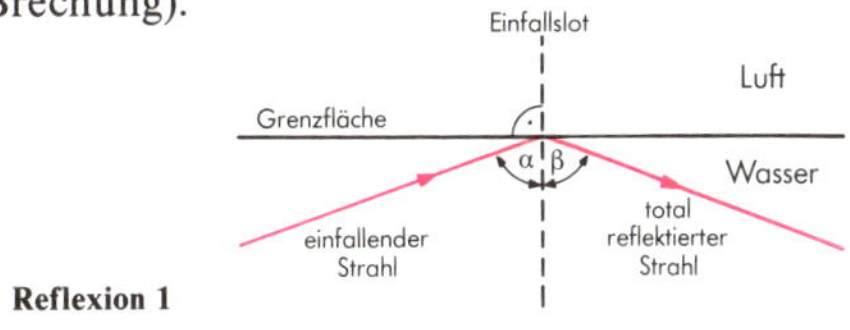

Reflexion 1

Trifft ein Lichtbündel auf die Grenzschicht von einem optisch dichteren zu einem optisch dünneren Medium, so wird es von einem bestimmten Einfallswinkel an nicht mehr gebrochen, sondern vollständig reflektiert. Man nennt diese Erscheinung **Totalreflexion.**

Möchte man eine Totalreflexion beobachten, so muß der Einfallswinkel α an der Grenzfläche von Wasser zu Luft größer als 48,5° sein (BILD 1).

Da sich über stark erhitzten oder gekühlten Flächen Luftschichten wechselnder Dichte ausbilden können (wärmere Luft ist optisch dünner als kältere), kann man in der Natur durch Totalreflexion hervorgerufene →Luftspiegelungen beobachten.

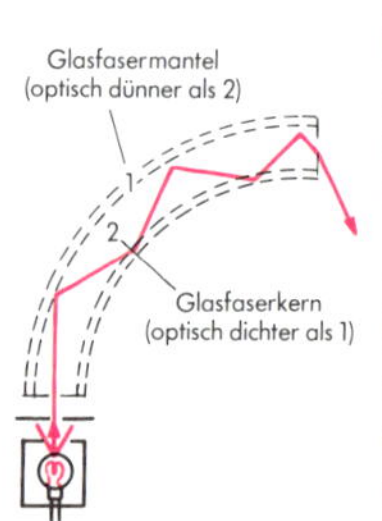

Reflexion 2: Entstehung der Lichtleitung in einer Glasfaser

In Glasfasern, deren Durchmesser kleiner als 1 mm ist, kann man Licht leiten wie in einem Schlauch. Das Licht, das an einem Ende eintritt, verläßt die Glasfasern erst am anderen Ende, da es an den Grenzflächen zwischen den beiden unterschiedlichen Glassorten immer wieder total reflektiert wird (BILD 2).

So benutzt z. B. der Arzt ein Bündel solcher leicht biegsamen Fasern (Endoskop), um Licht in dunkle Körperhöhlen (z. B. den Magen) zu bringen und so Organe sehen und operieren zu können.

Reflexion tritt nicht nur bei Licht auf, sondern auch bei anderen elektromagnetischen Wellen (z. B. Wärmestrahlung, Rundfunkwellen) oder bei elastischen Wellen (z. B. Wasser-, Schall- und Erdbebenwellen).

Reformation [lateinisch ›Umgestaltung‹], die durch Martin →Luther ausgelöste religiöse Bewegung und Erneuerung an der Wende vom Mittelalter zur Neuzeit, die zur Auseinandersetzung mit der Leitung der Kirche und zum Ende der kirchlichen und politischen Einheit des Abendlandes führte.

Seit dem 14. und 15. Jahrh. haben immer wieder einzelne Gruppen von Christen versucht, offensichtliche Mißstände in der Kirche zu überwinden: die Verquickung kirchlicher Ämter mit politischer Macht, den Reichtum von ›Kirchenfürsten‹, die Verweltlichung des Papsttums, den mangelnden Einsatz in der Seelsorge und die unzureichende Kenntnis und Berücksichtigung der biblischen Botschaft. Reformen wurden vorgeschlagen, aber wegen der fehlenden Bereitschaft maßgeblicher Kirchenführer verschleppt.

Im 16. Jahrh. forderten Männer wie Luther in Deutschland, Johannes →Calvin und Ulrich →Zwingli in der Schweiz eine Reform der Kirche ›an Haupt und Gliedern‹. Sie beriefen sich dabei auf das Evangelium und griffen die Autorität der kirchlichen Hierarchie an. Es kam zum Bruch mit der Leitung der Kirche. Die beabsichtigte Reform der Kirche führte zu ihrer Spaltung. Dabei spielten nicht nur unterschiedliche theologische Auffassungen eine Rolle, sondern auch Mißverständnisse und politische Interessen von Landesfürsten und Städten. Neue kirchliche Gemeinschaften (Landeskirchen) und eine neue religiöse Haltung (→Protestantismus) entstanden.

Die Reformation begann am 31. Oktober 1517 mit Luthers Veröffentlichung von 95 Thesen gegen den Ablaßhandel (Verkauf von Ablaßbriefen, das heißt Urkunden, auf denen die Kirche zeitliche Sündenstrafen erließ); in kurzer Zeit ergriff die Lehre Luthers weite Teile des deutschen Volkes. Den geforderten Widerruf verweigerte Luther dem Papst in Rom wie dem Kaiser (Wormser Reichstag 1521). Obwohl Luther mit der Reichsacht (→Acht und Bann) belegt wurde, nahm die Reformation ihren Lauf, wurde jedoch vorübergehend auch von nationalen und sozialrevolutionären Kräften berührt, so im →Bauernkrieg. In den zum Teil heftigen Auseinandersetzungen hielt Luther die Reformation von radikalen Einflüssen frei; sie fand ihren Schutz bei den Reichsständen.

Da sich Karl V. der Reformation versagte, ihr aber aus außenpolitischen Gründen (Krieg mit Frankreich und der Türkei) nicht entgegentreten konnte, kam es zur religiösen Spaltung der Reichsstände. 1531 schlossen sich die protestantischen Landesherren im →Schmalkaldischen Bund zusammen. Evangelische Landeskirchen entstanden, an deren Spitze der jeweilige Landesherr trat. Um 1540 schien die Reformation in ganz Deutschland zu siegen. Der Staat des Deutschen Ordens (Preußen) war schon 1525 in ein weltliches Herzogtum umgewandelt worden; nun standen auch andere geistliche Fürstentümer vor der →Säkularisierung. Auch in Österreich drang die Reformation ein; nur Bayern verschloß sich ihr. Karl V. konnte im Schmalkaldischen Krieg die protestantischen Stände in der Schlacht bei Mühlberg (1547) niederwerfen. Er wollte nun unter katholischen Vorzeichen einen Ausgleich in der Glaubensfrage vorbereiten, doch widersetzten sich ihm die Evangelischen in den vom Schmalkaldischen Krieg nicht berührten Gebieten. Gleichzeitig erhoben sich die Fürsten gegen die Steigerung der kaiserlichen Macht und erzwangen den →Augsburger Religionsfrieden (1555); in ihm wurde das Augsburger Bekenntnis reichsrechtlich anerkannt; der Landesherr (nicht der Untertan) erhielt das Recht der freien Religionswahl; die geistlichen Fürstentümer wurden in ihrem Besitzstand gesichert. Damit war die religiöse Spaltung Deutschlands vollzogen; der Kaiser mußte sich auf seine weltlichen Aufgaben zurückziehen. Die evangelischen Kirchen feiern seit dem 18. Jahrh. an jedem 31. Oktober das **Reformationsfest.** Sie würdigen damit den Thesenanschlag Luthers und die Reformation. Von Deutschland aus verbreitete sich die Reformation in vielen Ländern Europas, auch in Nordamerika.

reformierte Kirchen, die aus der Reformation Ulrich →Zwinglis und Johannes →Calvins hervorgegangenen Kirchen und Gemeinschaften. Das Ursprungsland des reformierten Protestantismus ist die Schweiz; Zwingli verbreitete seine reformerischen Ideen von Zürich, Calvin von Genf aus. Daneben gibt es reformierte Kirchen vor allem in Frankreich (Hugenotten), Deutschland, den Niederlanden, England und den USA. Auf Weltebene bilden sie den ›Reformierten Weltbund‹.

Refraktion [zu lateinisch refringere ›brechen‹, ›zurückwerfen‹], die →Brechung.

Regen, flüssiger Niederschlag in Form von Tropfen. Regen ist nach Form und Häufigkeit der wichtigste Niederschlag. Er bildet sich aus Wasserdampf der Luft, wenn diese abkühlt. Man spricht von **Niesel-** oder **Sprühregen,** wenn die Tropfen sehr klein sind, und von **Schauern,** wenn der Regen mit großen Tropfen plötzlich einsetzt und ebensoschnell aufhört. Sehr ergiebige Starkregen nennt man auch **Wolkenbrüche.**

Beim Fall der Regentröpfchen durch eine Luftschicht mit Temperaturen unter 0 °C können Eiskörner **(Hagel)** entstehen; fallen Tropfen auf die unterkühlte Erde, so bildet sich Glatteis **(Eisregen).**

Der Regen enthält chemische Stoffe, wie sie in der Luft vorkommen, z. B. Sauerstoff- und Stickstoffverbindungen sowie Schwefelsäure. Bei einem zu hohen Anteil saurer Stoffe entsteht **saurer Regen,** der an Gebäuden und Pflanzen erhebliche Schäden verursachen kann (→pH-Wert).

Regenbogen. In regenreichen Gebieten der nördlichen Breiten sind Regenbogen häufig zu sehen. Sie entstehen, wenn Sonnenstrahlen an Regentropfen abgelenkt oder zurückgeworfen werden, und können nur beobachtet werden, wenn der Betrachter die Sonne im Rücken hat.

Das Sonnenlicht wird an den Regentropfen wie beim Durchgang durch ein Prisma in seine farblichen Bestandteile zerlegt. Von hohen Bergen aus kann man einen kreisförmigen Bogen sehen. Der Kreismittelpunkt liegt auf der verlängerten Linie durch Sonne und Kopf des Betrachters. Je höher die Sonne am Himmel steht, desto tiefer sinkt der Kreis. Sichtbar bleibt dann nur ein Stück von ihm, eben der Regen-›Bogen‹.

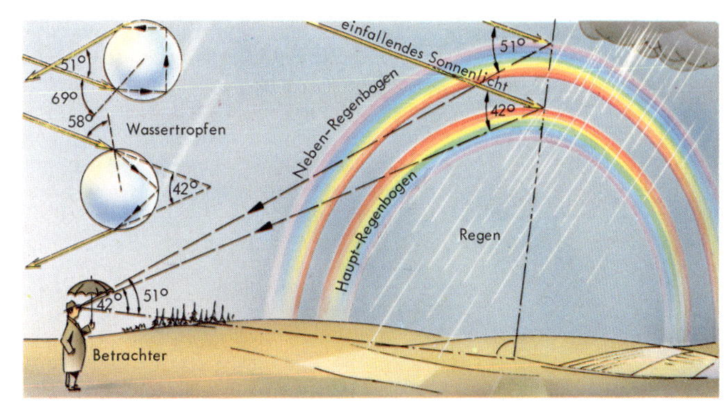

Regenbogen: Entstehung des Haupt- und Nebenregenbogens; oben links Brechung und Reflexion des Lichtes in einzelnen Wassertropfen

Regenbogenhaut, Iris, vorderer sichtbarer Abschnitt einer bindegewebigen Haut des Auges mit einer kreisförmigen Öffnung, der Pupille. Der unterschiedliche Pigmentgehalt der Regenbogenhaut bestimmt die Augenfarbe.

Regenpfeifer, Familie kräftiger, gedrungener Vögel mit kurzem, geradem Schnabel und großen Augen; ihr wohltönender Pfiff ist besonders bei Regen zu hören. Sie nisten meist in Wassernähe am Boden und ernähren sich von Insekten, Würmern und Kleinkrebsen. In Deutschland leben an den Küsten der etwa starengroße **Sandregenpfeifer,** auf Sand- und Kiesbänken von Flüssen der **Flußregenpfeifer** und sehr selten in norddeutschen Mooren der drosselgroße **Goldregenpfeifer.** Der **Mornell** brütete früher in den Alpen. Alle Regenpfeifer sind Zugvögel.

Regenpfeifer: OBEN Goldregenpfeifer, UNTEN Mornell

Regensburg, 132 000 Einwohner, bayerische Stadt an der Mündung von Regen und Naab in die Donau. Regensburg entwickelte sich als Brücken- und Umschlagplatz des Donauhandels aus einer keltischen und einer römischen Siedlung und war im 11.–13. Jahrh. der bedeutendste Handelsort des deutschen Südostens. Um 1230 wurde der Bischofssitz Regensburg Reichsstadt. Seit dem hohen Mittelalter fanden hier Reichs- und Fürstentage statt; so tagte 1663–1806 im Regensburger Rathaus der ›immerwährende Reichstag‹.

Regenwald, tropischer Regenwald, immergrüner Wald der inneren Tropen bei ganzjährig heißem, feuchtem Klima. Die Bäume des Regenwaldes erreichen Höhen bis 60 m und darüber. Sie haben häufig derbe Blätter zum Schutz vor den starken Niederschlägen. Sehr hohe Bäume bilden Brett- oder Stelzwurzeln aus. Die Vielfalt der Arten macht den Regenwald oft undurchdringlich. Das größte zusammenhängende Regenwaldgebiet der Erde ist das Amazonasbecken in Südamerika. Außerdem findet er sich im Kongobecken in Afrika und in Teilen Hinterindiens und Neuseelands. Zur Gewinnung von Holz, Rohstoffen und zur landwirtschaftlichen Nutzung wird Regenwald ständig abgeholzt, was teilweise zur Versteppung, langfristig auch zu klimatischen Veränderungen führt.

Regenwürmer verlassen bei starkem Regen ihre selbstgegrabenen Erdröhren. Sie würden sonst ›ersticken‹, da sie durch ihre feuchte Haut atmen. Die Haut ist auch das Gesamtorgan für alle Sinne, denn ein Regenwurm hat keine Augen, Ohren und Nase und kann doch mit entsprechend gebauten Zellen Licht-, Geruchs-, Geschmacks- sowie Berührungs- und Erschütterungsreize wahrnehmen. Er kommt gewöhnlich nur nachts an die Oberfläche, um Pflanzenteilchen zu suchen, die er in seine Wohnröhren zieht. Regenwürmer fressen faulende organische Teilchen. Sie fressen sich regelrecht durch den Boden. Als Kot scheiden sie die verschluckte Erde mit den unverdaulichen Resten aus.

Der in Deutschland heimische Regenwurm wird 9–30 cm lang. Sein Körper besteht aus 100–180 Ringen (daher ›Ringelwurm‹), die mit Hilfe von Muskeln wie eine Ziehharmonika bewegt werden können. Die Borsten, die an jedem Ring sitzen, verhaken sich im Boden, damit der Wurm beim Kriechen nicht zurückrutscht. Regenwürmer sind Zwitter, die sich wechselseitig befruchten. Die Eier befinden sich in dem verdickten gelblichen ›Gürtel‹ im vorderen Drittel des Körpers. Der Gürtel wird abgestreift und bildet eine Art Kokon für das Ei, aus dem später der Wurm kriecht. (BILD Würmer)

Regenzeit, Jahreszeit, in der Regenfälle vorherrschen. In tropischen Ländern ist dies meist der Sommer, in Gebieten mit Mittelmeerklima und am Rand der Subtropen der Winter. In den Tropen fällt die Regenzeit mit dem Höchststand der Sonne zusammen. Im Bereich stärkster Erwärmung – dort, wo die Sonne senkrecht steht – steigt die Luft über dem warmen Boden auf, so daß es zur Bildung von Wolken und fast täglich zu Niederschlägen kommt. Infolge der scheinbaren Wanderung der Sonne zwischen den Wendekreisen weisen die inneren Tropen 2 Regenzeiten auf, die gegen die Wendekreise zu einer verschmelzen. Zum Rand der Tropen hin werden die Regenzeiten also immer kürzer und bringen teilweise nur noch geringe Niederschläge. Bleiben sie einmal aus, so kann dies zu verheerender Dürre und damit zu Hungerkatastrophen führen, wie sie beispielsweise in den letzten Jahren die afrikanische Sahelzone heimgesucht haben.

Register, bei der →Orgel eine Gruppe von Pfeifen gleicher Bauart und Klangfarbe. Es gibt auch Register nur für den hohen Tonbereich oder die Obertöne. Ihre Kombination, die ›Mixtur‹, erlaubt es, auf der Orgel die Klangfarbe verschiedener Instrumente nachzuahmen. Auch die Veränderung der Lautstärke der Orgel ist nur durch die Anzahl der gewählten Register möglich.

Bei Tasteninstrumenten, vor allem beim →Cembalo, ist das Register eine Vorrichtung, durch die Klangfarbe und Lautstärke eines Saitenchors verändert werden können.

Rehabilitation [zu lateinisch rehabilitare ›in den früheren Stand einsetzen‹], Maßnahmen zur Wiederherstellung der Leistungsfähigkeit und Wiedereingliederung eines durch Unfall, körperliche oder seelische Erkrankung beeinträchtigten Menschen in die Gesellschaft und, wenn möglich, in das Arbeitsleben. Die Rehabilitation wird häufig in Spezialkliniken durchgeführt und durch soziale Maßnahmen ergänzt. Sie umfaßt ein zielgerichtetes Training, das den Funktionsverlust einzelner Organe ausgleichen oder aufheben soll, z. B. Gangschulung bei einer halbseitigen Lähmung nach Schlaganfall, Kraft- und Bewegungstraining nach Operationen, Ausdauertraining nach Herzinfarkt, Rollstuhltraining bei Querschnittslähmung. Auch die Versorgung der Patienten mit Prothesen und Gehhilfen sowie Patientenwohnheime und Werkstätten für Behinderte sind Teil der Rehabilitation.

Rehe, kleine, zierliche Verwandte der →Hirsche. Sie sind von Westeuropa bis nach China verbreitet und kommen auch in den Wäldern Mitteleuropas häufig vor. Das Männchen, der Bock, wird 1,30 m lang und 75 cm hoch. Er trägt ein →Geweih (der Jäger sagt Gehörn), das er wie der Hirsch einmal im Jahr, im Oktober/November, abwirft; es wächst bis etwa Ende März wieder nach. Zunächst ist der Bock in der Jägersprache ein ›Spießer‹ (eine Spitze an jeder Stange), dann ein ›Gabler‹ (je 2 Spitzen); mit 3 Spitzen an jeder Stange ist er ein ›Sechsender‹ oder ›Sechser‹. Mehr Enden bekommt ein älterer Rehbock nicht, das Geweih wird jedoch stärker. Nach 40 Wochen Tragzeit ›setzen‹ die Weibchen, die Rikken, meist Anfang Juni 1–2 hellgefleckte Junge. Bei Gefahr flüchtet nur die Mutter. Findet man ein zurückgelassenes, gut getarntes Kitz, darf man es auf keinen Fall berühren, da es sonst von der Mutter, die immer zurückkommt, verlassen wird und verhungern muß. Rehe werden etwa 10–12 Jahre alt. Im Sommer leben sie einzeln (nur Ricke und Kitze bleiben zusammen), im Winter bilden sie größere Gruppen (›Sprünge‹). Das im Sommer rotbraune Fell ist dann graubraun, wird länger und dichter. Rehe äsen auch am Tag. In unseren Wäldern gibt es teilweise zu viele Rehe, da der Mensch ihre natürlichen Feinde (Luchs, Wolf) ausgerottet hat. Aus Nahrungsmangel schädigen sie die Rinde junger Bäume (›Verbißschäden‹). Der Jäger muß den Bestand regulieren (Jagd). Bei der Nahrungssuche benutzen Rehe bestimmte Wege (›Wildwechsel‹), auf denen man sie gut beobachten und schießen kann. Im Winter werden Rehe gefüttert.

Reibung, die Hemmung der relativen Bewegung sich berührender Körper **(äußere Reibung)** oder von Teilen eines Körpers gegeneinander **(innere Reibung).** Reibung beruht bei festen Körpern vorwiegend auf mikroskopischen Unebenheiten, bei der Reibung von Flüssigkeiten an Gefäßwänden auf der → Adhäsion.

Wenn ebene Flächen fester Körper aufeinander gleiten, tritt **Gleitreibung** auf. Die in der Berührungsebene liegende **Reibungskraft** F_R ist der Kraft F_N (Normalkraft), mit der die Körper gegeneinandergedrückt werden, angenähert proportional **(Coulombsches Reibungsgesetz)** $F_R = \mu \cdot F_N$; sie ist in der Ruhelage **(Haftreibung)** am größten und nimmt mit wachsender Geschwindigkeit ab. Die Proportionalitätskonstante μ heißt **Reibungszahl** (früher **Reibungskoeffizient**). Die Haftreibung ermöglicht den festen Halt von Nägeln und Schrauben, das Gehen auf ebenen und geneigten Flächen sowie den Antrieb selbstfahrender Räderfahrzeuge. Bei **trockener Reibung** gleiten die Flächen direkt aufeinander, bei **flüssiger** oder **schwimmender Reibung** sind die Flächen durch einen Schmierfilm vollständig voneinander getrennt, so daß sich die Reibung in der Flüssigkeitsschicht vollzieht und nur von deren **innerer Reibung** (Viskosität) bestimmt wird. **Halbflüssige Reibung** oder **Mischreibung** tritt im Übergangsgebiet zwischen trockener und flüssiger Reibung auf, in dem der Schmierfilm nicht vollständig ausgebildet ist, z. B. beim Anlaufen von Maschinen. Die **Rollreibung** beruht auf der mit der Rollbewegung fortschreitenden Deformation der Fläche. Sie ist wesentlich kleiner als die Gleitreibung. – Die Lehre von der Reibung heißt **Tribologie.**

Reichenau, 4,5 km^2 große Insel im Untersee (Teil des Bodensees). Die als ›Garten im Untersee‹ bezeichnete Insel versorgt viele Städte Süddeutschlands mit Frühgemüse. – Kunsthistorisch bemerkenswert sind auf der Reichenau z. B. die 724 gegründete Benediktinerabtei und die 3 romanischen Kirchen.

Reichsinsignien:
LINKS Reichsapfel; 21 cm hoch, Goldblech auf Harzmasse, staufisch. RECHTS Reichskrone; von der Stirn- zur Nackenplatte 21 cm, Gold, wahrscheinlich auf der Insel Reichenau gefertigt für die Kaiserkrönung Ottos des Großen, Kreuz um 1000, Bügel von Konrad II. zugefügt (Wien, Hofburg, Weltliche Schatzkammer)

Reichsdeputationshauptschluß, der Beschluß der letzten außerordentlichen Reichsdeputation 1803. Reichsdeputationen waren vom Reichstag eingesetzte Versammlungen für bestimmte Aufgaben. Durch den Beschluß von 1803 wurden alle geistlichen Fürstentümer aufgehoben. Die Reichsstädte kamen bis auf 6 an Landesherren. Mit diesen Gebieten wurden die weltlichen Fürsten entschädigt, die durch die Abtretung des linken Rheinufers an Frankreich (1801) Besitz verloren hatten.

Reichsinsignien, Reichskleinodien, Schmuckstücke, die die Kaiser des alten deutschen Reiches (919–1806) bei ihrer Krönung trugen. Dazu gehörten die goldene Krone und ein vergoldetes Zepter, die Zeichen der kaiserlichen Macht. Der vergoldete Reichsapfel, eine Weltkugel mit einem Kreuz darauf, sollte die Herrschaft Christi über die ganze Erdkugel symbolisieren. Die Heilige Lanze, die Lanze, mit der Jesus die Seite durchbohrt worden sein soll, stammte aus dem Besitz Kaiser Konstantins des Großen (306–337) und war vom Burgunderherzog Rudolf II. an Heinrich I. (919–936) übergeben worden. Sie zählt mit einigen Schwertern und Reliquien zu den **Reichsheiligtümern.** Die Reichsinsignien wurden 1424–1796 und 1938–46 in Nürnberg aufbewahrt. Zwischenzeitlich waren sie in Wien untergebracht, wo sie auch seit 1946 wieder in der Hofburg zu besichtigen sind.

Reichskanzler, im Deutschen Reich 1871–1918 der einzige Reichsminister. Er berief seine Staatssekretäre, die den heutigen Ministern entsprachen. Der Reichskanzler wurde vom Kaiser ernannt und bestimmte mit diesem die politischen Richtlinien. Er war nicht vom Vertrauen des Reichstags abhängig. Im Unterschied dazu wurde der Reichskanzler nach der Weimarer Verfassung von 1919 vom Reichstag, der aus allgemeinen Wahlen hervorgegangenen Volksvertretung, gewählt. Nach Adolf Hitlers Amtsantritt als Reichskanzler 1933 errang die Regierung praktisch diktatorische Vollmachten.

Reichskonkordat, das kurz nach der nationalsozialistischen Machtergreifung (1933) abgeschlossene →Konkordat zwischen dem Vatikan und dem Deutschen Reich. Es regelte die Stellung der Katholischen Kirche und ihrer Geistlichen gegenüber dem Staat und gilt noch heute in Österreich und in der Bundesrepublik Deutschland (als der Rechtsnachfolgerin des Deutschen Reichs). Die wichtigsten Bestimmungen betreffen das Recht der Kirche zur Erhebung von Kirchensteuern, Religion als Unterrichtsfach an Schulen, finanzielle Leistungen des Staates, Einrichtungen von kirchlichen Schulen und von katholisch-theologischen Fakultäten an den Universitäten. Die nationalsozialistische Reichsregierung betrachtete den Abschluß des Reichskonkordats vor allem als Gewinn an politischem Ansehen im In- und Ausland. Die Katholische Kirche begründete ihre Verhandlungsbereitschaft besonders mit dem Hinweis, einen Damm gegen den alles umfassenden (totalitären) Eingriff des Staates in das religiöse Leben zu errichten; angesichts der Entwicklung der nationalsozialistischen Gewaltherrschaft blieb in der historisch-kritischen Diskussion ihre Haltung umstritten.

Reichskristallnacht [vermutlich nach dem in dieser Nacht zerbrochenen Glas]. In der Nacht vom 9. zum 10. November 1938 kam es im Deutschen Reich zu schweren Ausschreitungen gegen jüdische Mitbürger. Auf Initiative des nationalsozialistischen Reichspropagandaministers Josef Goebbels (* 1897, † 1945) zerstörten SA und SS in Zivil jüdische Wohnungen und Friedhöfe, 7 000 Geschäfte und fast alle Synagogen. 91 Juden wurden dabei ermordet und mehr als 30 000 verhaftet und in Konzentrationslagern inhaftiert. Anlaß zur Reichskristallnacht bildete die Ermordung eines deutschen Botschaftssekretärs in Paris durch einen polnischen Juden.

Reichspräsident, 1919–34 das Staatsoberhaupt des Deutschen Reichs, das vom Volk auf 7 Jahre gewählt wurde. Eine Wiederwahl war zulässig. Seine Rechte waren z. B.: Ernennung und Entlassung des Reichskanzlers und der Reichsminister, Auflösung des Reichstags, Begnadigung, Oberbefehl über die Reichswehr, völkerrechtliche Vertretung des Deutschen Reichs. Gestützt auf den Artikel 48 Absatz 2 konnte der Reichspräsident bei erheblicher Störung der öffentlichen Sicherheit und Ordnung bestimmte Grundrechte außer Kraft setzen (z. B. Meinungs-, Versammlungs- und Vereinigungsfreiheit, Post- und Fernmeldegeheimnis) und mit diktatorischen Vollmachten regieren. Reichspräsidenten waren: 1919–25 Friedrich Ebert (SPD), 1925–34 Generalfeldmarschall Paul von Hindenburg.

Reichsritterschaft, im hohen Mittelalter der niedere Adel, der meist aus den **Ministerialen** hervorgegangen war. Die Ministerialen waren ursprünglich Unfreie, die mit Verwaltungs- oder Kriegsdiensten beauftragt waren. Als Entlohnung erhielten sie kleine Güter. Die Reichsritter (→Ritter) waren zwar reichsunmittelbar, unterstanden also keinem Landesherrn, sondern direkt dem Kaiser, aber sie erlangten nicht die Stellung der Reichsstände. 1577 schlossen sich die Reichsritter zu einer Körperschaft zusammen, die sich in die Kreise Schwaben, Franken und Rhein gliederte. Zu jedem Kreis gehörten mehrere Kantone (Orte). Die Kantone wurden von einem Ritterhauptmann geleitet. 1806 wurden alle reichsritterschaftlichen Gebiete durch die Rheinbundakte mediatisiert, sie wurden ›mittelbar‹ gemacht: Ihre Gebiete wurden den sie umschließenden Staaten zugewiesen.

Reichsstände, im Deutschen Reich bis 1806 die Fürsten und Städte, die das Recht und die Pflicht hatten, an Reichstagen teilzunehmen. Sie gehörten auf dem Reichstag 3 Kollegien an: 1. dem Kurfürstenkollegium, 2. dem Reichsfürstenrat (geistliche und weltliche Fürsten, Grafen und adlige Herren), 3. dem Reichsstädtekollegium. Die Reichsstände wirkten bei Reichsgesetzen mit. Sie berieten über Krieg und Frieden und konnten die Erhebung von Steuern beschließen. Die 3 Kollegien berieten getrennt. Sie entschieden mit einfacher Mehrheit. Ein Beschluß, der ›Reichsschluß‹, kam aber erst dann zustande, wenn die 3 Kollegien und der König zugestimmt hatten. Durch den Westfälischen Frieden, der

1648 den Dreißigjährigen Krieg beendete, erhielten die Reichsstände die volle Landeshoheit. Sie durften nun sogar Bündnisse mit ausländischen Regierungen schließen, falls diese nicht gegen das Reich gerichtet waren.

Reichstag. Im Mittelalter versammelten die deutschen Könige in unregelmäßigen Abständen die Fürsten. Bis zum 15. Jahrh. bildete sich eine feste Ordnung heraus: Die Versammlungen hießen nun Reichstage, zu denen die →Reichsstände geladen wurden. 1663–1806 tagte der Reichstag ständig in Regensburg; dies war der ›immerwährende‹ oder ›ewige‹ Reichstag. Im Norddeutschen Bund (1866/67–1871) und im Deutschen Reich (1871–1918) hieß das gesetzgebende Organ Reichstag. In der Weimarer Republik (1919–33) hatte der Reichstag eine starke Stellung, da die Regierungen von ihm kontrolliert wurden und von seinem Vertrauen abhängig waren. Das nationalsozialistische Regierungssystem (1933–45) behielt den Reichstag bei, jedoch bestand seine Rolle bald nur noch darin, Erklärungen der Regierung Beifall zu spenden.

Reichstagsbrand, die Zerstörung des Reichstagsgebäudes in Berlin durch Brandstiftung am 27. Februar 1933. Die nationalsozialistische Reichsregierung beschuldigte sofort die deutschen Kommunisten dieser Tat und ließ viele von ihnen verhaften. Gleichzeitig nahm sie das Ereignis zum Anlaß, bestimmte Grundrechte außer Kraft zu setzen, und schuf damit eine entscheidende Voraussetzung für die Errichtung ihres diktatorischen Herrschaftssystems. Im **Reichstagsbrandprozeß** vor dem Reichsgericht (21. September bis 23. Dezember 1933) wurde der niederländische Kommunist Marinus van der Lubbe zum Tod verurteilt; seine Alleintäterschaft wurde jedoch seitdem bezweifelt. Die Annahme, daß der Reichstagsbrand von einer terroristischen Gruppe der NSDAP verübt worden sei, ist umstritten; die Tatumstände sind nicht restlos geklärt.

Reif, Niederschlag aus feinen Eisteilchen an festen Gegenständen, z. B. Grashalmen, Ästen, Zäunen, Drähten. Reif bildet sich aus dem Wasserdampf der umgebenden Luft bei Temperaturen unter dem Gefrierpunkt; der Wasserdampf geht dabei direkt aus dem gasförmigen in den festen Aggregatzustand über. Bei Temperaturen über 0 °C bildet sich →Tau.

Reihe, Mathematik: Eine Reihe ist eine Addition endlich oder unendlich vieler Glieder ($a_0 + a_1 + a_2 + a_3 + \ldots$). Spezielle Reihen sind die arithmetischen und geometrischen Reihen. Bei einer **arithmetischen Reihe** haben jeweils 2 aufeinanderfolgende Glieder die gleiche Differenz. Die Aufgabe, alle Zahlen von 1 bis 10 zu addieren, also $1+2+3+4+5+6+7+8+9+10$, ergibt z. B. eine arithmetische Reihe. Bei einer **geometrischen Reihe** ist der Quotient von jeweils 2 aufeinanderfolgenden Gliedern gleich; z. B. ist $2+4+8+16+32+64$ eine geometrische Reihe.

Reiher, große →Schreitvögel, die in Europa, Asien und Afrika stets in der Nähe von Gewässern und Sümpfen leben. Sie beschleichen ihre Beute oder belauern sie, indem sie lange Zeit unbeweglich im seichten Wasser stehen. Plötzlich schnellen sie den zwischen die Schultern eingezogenen Kopf vor, um mit ihrem langen, spitzen Schnabel Fische, Frösche, Mäuse oder Heuschrecken wie mit einer Zange zu packen oder wie mit einem Dolch zu spießen. In Deutschland (Norddeutsches Tiefland, Rheinebene, Bayern) nistet in Kolonien auf großen Bäumen der sehr scheue, fast storchengroße **Graureiher** (auch **Fischreiher**), dessen schwarze Scheitelfedern haubenartig verlängert sind. Teils ist er Zugvogel, teils überwintert er an eisfreien Gewässern. In jedem Frühjahr kehrt er zum alten Horst zurück; manche Kolonien bestehen schon seit fast 100 Jahren. Herabfallender Kot läßt die Nistbäume wie gekalkt aussehen. Im Flug krümmt der Graureiher im Unterschied zu Storch und Kranich den langen Hals S-förmig zurück. Da der Graureiher als Fischräuber stark verfolgt wurde und klare Gewässer als Lebensraum braucht, ist er in Deutschland selten geworden.

Reiher: Purpurreiher

Den an Brust und Bauch rostbraun gefiederten **Purpurreiher** und die weißen **Seiden-** und **Silberreiher** sieht man in Europa in größerer Zahl noch am Neusiedler See (Österreich/Ungarn). Zu den Reihern gehört auch die viel kleinere, nur nachts muntere **Rohrdommel,** ein Zugvogel. Sie lebt im dichten Schilf, in dem sie mit ihrem hellbraungestreiften Gefieder kaum zu sehen ist. Bei Gefahr reckt sie Hals und Schnabel steil nach oben, um sich durch diese ›Pfahlstellung‹ noch stärker zu tarnen. Zur Balzzeit läßt das Männchen einen eigenartigen, lauten Ruf ertönen.

Reim, Gleichklang zweier oder mehrerer Silben (vom letzten betonten Vokal an: heben – schweben). Der Reim ist ein sprachliches Mittel, mit dessen Hilfe metrische Einheiten wie →Verse der Strophen gegliedert werden können. Dies und seine einprägsame Musikalität sind Gründe dafür, daß der Reim in der Literatur vieler Völker erscheint. An Reimarten unterscheidet man im

Deutschen **Endreim** (das Aufeinanderreimen der Versschlüsse) und **Binnenreim** (**Innerer Reim** innerhalb eines Verses, z. B. in ›Sie blüht und glüht und leuchtet.‹). Bei 2 unmittelbar aufeinanderfolgenden Reimwörtern wie ›singende, klingende‹ wird der Binnenreim zum **Schlagreim.** Man spricht von **Mittelreim,** wenn die Wörter in der Versmitte, von **Anfangsreim,** wenn die ersten Wörter zweier Verse reimen. Nach der Abfolge unterscheidet man z. B. **Paarreim** (einem sich reimenden Zeilenpaar folgt ein anderes: aa, bb) und **Kreuzreim** (ab, ab). Stimmen die Reimsilben in Vokalen und Konsonanten, abgesehen vom Anlaut der ersten Reimsilbe, genau zusammen, so ist der Reim **rein;** bei etwas abweichenden Lauten (z. B. erschienen–grünen) ist er **unrein.** Im weiteren Sinn gehört auch der →Stabreim zu den Reimen.

Reims [rẽß], 182 000 Einwohner, französische Stadt nordöstlich von Paris in der Region Champagne-Ardenne, Hauptort der Champagnerherstellung. Reims war fränkische Königsresidenz und seit 1179 Krönungsstadt der Könige von Frankreich. Die Westfassade der Kathedrale (13.–15. Jahrh.) zählt zu den klassischen Werken französischer hochgotischer Bildhauerkunst.

Reis, Getreidegattung, die vor allem in Ostasien angebaut wird (›Brot Asiens‹). Man unterscheidet 2 Arten, den **Bewässerungs-** oder **Naßreis** und den **Trocken-** oder **Bergreis.**

Reis verlangt für ein gutes Wachstum Temperaturen von 20 °C. Vor der Aussaat werden Kanäle, Be- und Entwässerungsdämme angelegt, durch die während der Wachstumszeit der Naßreis immer höher ($^1/_4$ seiner Länge) bewässert werden kann. Nach der Blüte wird das Wasser abgelassen, damit rechtzeitig zur Ernte die Böden trocken und befahrbar sind. Zur Aufbereitung wird der Reis enthülst und geschält; hierdurch erhält man den braunen Reis. Weißer Reis ist geschliffener brauner Reis, bei dem der ölhaltige Kern und das vitamin- und eiweißreiche Silberhäutchen entfernt wurden. Durch diesen Eingriff gehen zwar wertvolle Inhaltsstoffe verloren, der Reis wird jedoch haltbarer, da das Fett im ölhaltigen Keim schnell ranzig würde. Beim Parboiled Reis wird ein Teil der wasserlöslichen Vitamine aus dem Silberhäutchen in das Reiskorn gebracht und geht somit beim Schälen nicht verloren.

Reisepaß, andere Bezeichnung für →Paß.

Reißen, eine Disziplin des →Gewichthebens.

Relais [relạ, französisch ›Wechsel‹], als elektrischer Schalter wirkendes elektromechanisches Bauelement. Das am häufigsten verwendete **elektromagnetische Relais** ist aus einem Elektromagneten (Spule mit Eisenkern), einem beweglichen Anker und Schaltkontakten aufgebaut. Es arbeitet mit 2 voneinander getrennten Stromkreisen. Der Strom des Steuerkreises fließt durch die Relaisspule und erzeugt dort ein Magnetfeld. Auf Grund der Kraftwirkung dieses Magnetfelds wird der Anker angezogen und betätigt dadurch einen oder mehrere Schaltkontakte. Diese Schaltkontakte gehören nicht mehr zum Steuerkreis, sondern zum Last- oder Arbeitsstromkreis, das heißt, diese Kontakte öffnen oder schließen den Stromkreis, der einen Verbraucher (z. B. Elektromotor, Elektroheizung) mit elektrischer Energie versorgt. Dadurch kann man mit einem kleinen Steuerstrom einen höheren Laststrom schalten.

Relais: Prinzip des elektromagnetischen Relais

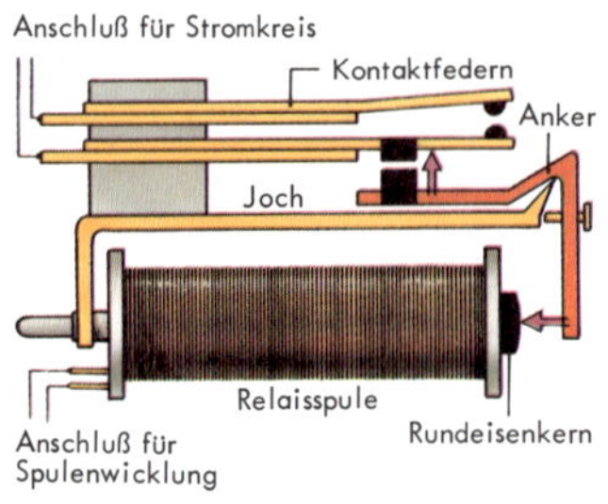

Neben dem elektromagnetischen Relais gibt es noch das **thermische Relais,** bei dem der Steuerstrom durch eine Heizwicklung einen Bimetallstreifen erwärmt, dessen Bewegung den Schaltvorgang auslöst.

Relais werden eingesetzt als Magnetschalter für den Autoanlasser, bei Motoren von Straßenbahnen und Eisenbahnen, bei Verkehrsampeln und Bahnsignalen. Sie stellen die Verbindungen beim Selbstwählfernverkehr her und sind wichtige Teile einer Funkfernsteuerung. In vielen Bereichen sind Relais durch elektronische Schaltungen abgelöst worden, die aus Halbleiterbauelementen (Transistoren, Thyristoren) bestehen.

Als Relais oder **Relaisstation** werden auch Sendestationen bezeichnet, die als Zwischenstelle bei Richtfunkverbindungen elektromagnetische Wellen empfangen, verstärken und auf einer anderen Frequenz weitersenden.

Relation [von lateinisch relatio ›Bericht‹], Mathematik:

Aufgabe: Gib alle Zahlenpaare an, die folgende Aussageformen erfüllen, wobei $x \in A = \{1, 2, 3, 4\}$ und $y \in B = \{1, 2, 4\}$:

1. $x < y$,
2. x ist Teiler von y,
3. x ist teilerfremd zu y.

Lösung:
1. $R = \{(1;2), (1;4), (2;4), (3;4)\}$
2. $R = \{(1;1), (1;2), (1;4), (2;2), (2;4), (4;4)\}$
3. $R = \{(1;1), (1;2), (1;4), (2;1), (3;1), (3;2), (3;4), (4;1)\}$

Bei allen Zahlenpaaren steht stets an erster Stelle ein x-Wert und an zweiter Stelle ein y-Wert. Man spricht deshalb von **geordneten Zahlenpaaren.** Das geordnete Zahlenpaar (1; 2) bedeutete im 1. Beispiel $1 < 2$, im 2. Beispiel 1 ist Teiler von 2, und im 3. Beispiel 1 ist teilerfremd (→Teiler) zu 2. In allen 3 Beispielen ist die Menge R stets eine Untermenge des Kartesischen Produkts

$A \times B = \{(1;1), (1;2), (1;4), \ldots, (4;1), (4;2), (4;4)\}$ (→Mengenlehre).

Dies veranlaßt zu folgender Definition:
Eine **Relation *R*** zwischen Elementen aus den Mengen A und B ist eine Teilmenge des Kartesischen Produkts $A \times B$. Steht x in Relation zu y, so schreibt man xRy oder $x \sim y$. Die Relation ist eine Erweiterung des Funktionsbegriffs (→Funktion), da nun nicht mehr verlangt wird, daß jedem x-Wert genau ein y-Wert zugeordnet werden muß.

Eine Relation wird, wie in den obigen Fällen auch, meist durch eine Aussageform mit 2 Variablen beschrieben. Die Darstellung einer Relation kann wie bei einer Funktion durch eine Wertetabelle (BILD 1), ein Pfeildiagramm (BILD 2) oder einen Graphen im Koordinatensystem (BILD 3) erfolgen. Beispiel: Dargestellt wird die Relation x teilt y mit $A = B = \{1, 2, 3, 4\}$.

Die Darstellung der Relation als Pfeildiagramm läßt sich wegen $A = B$ vereinfachen. Es reicht, die Menge A nur einmal darzustellen und die Zuordnungspfeile innerhalb dieses Diagramms zu zeichnen (BILD 4).

Wenn es im Pfeildiagramm einer Relation R bei jedem Element einen Ringpfeil gibt, dann heißt die Relation **reflexiv:** Für alle x gilt: xRx.

Wenn es im Pfeildiagramm einer Relation R zu jeder Pfeilkette auch einen Überbrückungspfeil gibt, dann heißt die Relation **transitiv:** Aus xRy und yRz folgt xRz.

Wenn es im Pfeildiagramm einer Relation R zu jedem Pfeil einen Gegenpfeil gibt, dann heißt die Relation **symmetrisch:** Aus xRy folgt yRx.

Die Teilerrelation x teilt y ist somit reflexiv, transitiv, aber nicht symmetrisch. Die Gleichheitsrelation $x = y$ ist dagegen reflexiv, transitiv und symmetrisch. Eine Relation, die alle 3 Eigenschaften erfüllt, heißt **Äquivalenzrelation.**

Relativitätstheorie, eine von Albert Einstein geschaffene physikalische Theorie, die die Vorstellungen von Raum und Zeit einschneidend verändert und fortentwickelt hat. Die **spezielle Relativitätstheorie** liefert Aussagen über Körper, die sich mit **relativistischen Geschwindigkeiten,** das heißt mit Geschwindigkeiten nahe der Lichtgeschwindigkeit, bewegen. Sie sagt z. B. aus, daß die Masse eines Körpers mit der Geschwindigkeit zunimmt **(relativistische Massenveränderlichkeit)** oder daß Geschwindigkeiten nahe der Lichtgeschwindigkeit nicht einfach addiert werden können, wie wir das aus dem täglichen Leben gewöhnt sind. Wenn sich z. B. 2 Autos mit den jeweiligen Geschwindigkeiten u und v auseinanderbewegen, dann bewegen sie sich relativ zueinander mit der Geschwindigkeit $u + v$ auseinander. Für 2 Körper, die sich jeweils annähernd mit Lichtgeschwindigkeit auseinanderbewegen, würde die einfache Additionsformel ergeben, daß sich die beiden Körper relativ zueinander mit einer Geschwindigkeit auseinanderbewegen, die größer als die Lichtgeschwindigkeit wäre. Das ist aber nicht möglich, weil die Lichtgeschwindigkeit die höchste Geschwindigkeit ist. Auch die berühmte Formel $E = mc^2$ (→Einstein) folgt aus der speziellen Relativitätstheorie.

Die **allgemeine Relativitätstheorie** ist eine Theorie der →Gravitation. Sie sagte z. B. voraus, daß das Licht eines Sterns, das nahe an der Sonne vorbeigeht, von dieser abgelenkt wird, was tatsächlich gemessen wurde.

Relief [französisch ›das Hervorgehobene‹], **1)** Sammelbegriff für die Oberflächenformen der Erde. Das Relief wird durch Kräfte des Erdinnern (z. B. Vulkanismus), aber vor allem durch von außen wirkende Kräfte wie fließendes Wasser, Niederschläge, Hitze und Kälte, Wind und Schwerkraft ständig verändert.

2) ein Werk der →Bildhauerkunst, dessen Figuren nicht wie bei der Rundplastik frei im Raum stehen, sondern an eine Fläche (einen Hintergrund) gebunden sind, aus der sie erhaben hervortreten. Nach dem Grad der Erhebung über den Grund unterscheidet man das **Flachrelief** vom **Hochrelief.** Eine Sonderform ist das **versenkte Relief** in der ägyptischen Kunst, das in die Fläche eingetieft wurde. Reliefs dienen als Schmuck, z. B. an Bauten, Türflügeln und Möbeln; Materialien sind Stein, Elfenbein, Holz, Metall, Stuck und Terrakotta. Das Relief findet sich in fast allen Kulturen und Epochen; seit dem Barock verlor es in der europäischen Kunst an Bedeutung.

Religion [von lateinisch religio ›Gottesfurcht‹], die Ausrichtung des Menschen auf einen

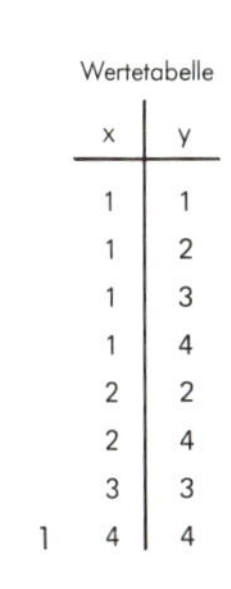
Wertetabelle

x	y
1	1
1	2
1	3
1	4
2	2
2	4
3	3
4	4

1

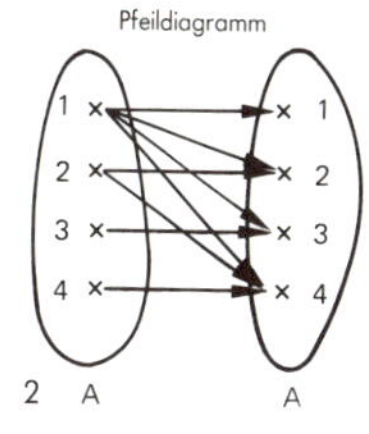

2

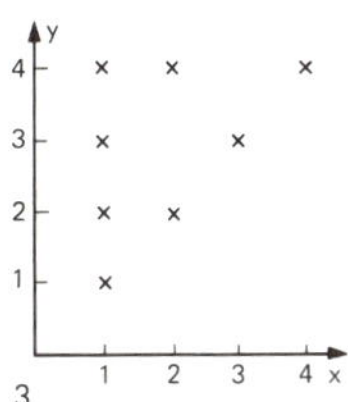

3

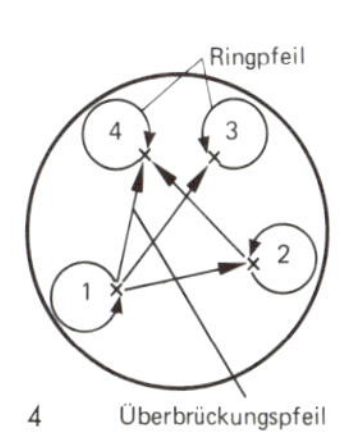

4

Relation

absoluten Sinn- und Wesensgrund, auf Gott. Religiöses Erleben äußert sich in Gebet, Gottesdienst, Verehrung und Lebensführung. Es überschreitet die mit den Sinnen erfahrbare Welt und wendet die Menschen einem sinngebenden absoluten Sein (Gott) zu. Dieser Gott wird als die Ursache der Welt (Schöpfer), als das unvergängliche, ewige, wahre Sein empfunden. Religion findet ihren Ausdruck meist in einem bestimmten Bekenntnis und in einer Glaubensgemeinschaft, die geprägt ist von ihrem Stifter und ihrer Geschichte. Die unterschiedlichen Religionen lassen sich meist dem Monotheismus (Glaube an einen Gott) oder dem Polytheismus (Glaube an mehrere Götter) zuordnen. Von ihrem Ursprung her spricht man von **Naturreligionen,** die das Heilige in sichtbaren Dingen verehren, oder von **Offenbarungsreligionen,** die durch geschichtliche Persönlichkeiten gestiftet wurden und das durch sie Geoffenbarte in heiligen Schriften bewahren. Außerdem unterscheidet man **Volksreligionen,** die an eine begrenzte Gemeinschaft (Stamm, Volk) gebunden sind, und **Universalreligionen,** die bei allen volksmäßigen Unterschieden den einzelnen Menschen überall auf der Welt zu erfassen suchen.

Reliquien [von lateinisch reliquiae ›das Zurückgelassene‹] werden in vielen Religionen verehrt. Eine Reliquie besteht aus Gebeinen eines Heiligen oder auch aus Gegenständen, die mit seinem Leben in Verbindung stehen. Über den Gräbern der christlichen Märtyrer wurden bereits im 4. Jahrh. Altäre und Kirchen errichtet. Daraus entstand eine ausgeprägte Reliquienverehrung, die im Mittelalter in einen Mißbrauch (Reliquienhandel, Aberglaube) ausartete. Ein Reliquienkult findet sich noch heute in der katholischen und der orthodoxen Volksfrömmigkeit. Hier verehrt man die Heiligen in deren sichtbaren Überresten.

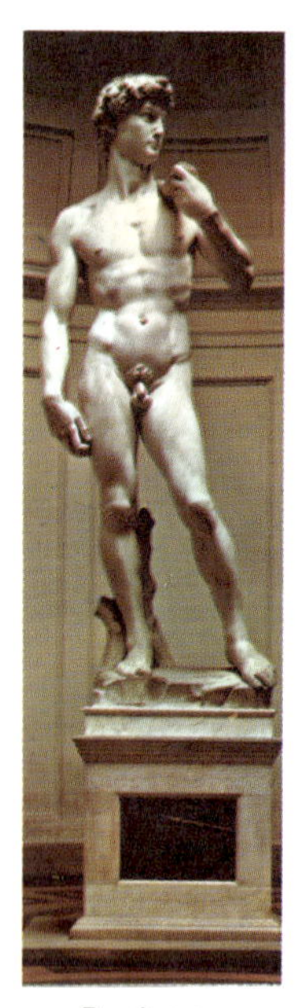

Renaissance: Michelangelo, David; 1501–04 (Florenz, Akademie)

Rembrandt. Der holländische Maler und Graphiker **Rembrandt** (* 1606, † 1669), mit vollem Namen Rembrandt Harmensz **van Rijn,** war einer der größten Künstler des Barockzeitalters. Nach einer ersten Schaffensperiode in seiner Heimatstadt Leiden lebte er seit 1631 in Amsterdam. So oft wie kein anderer Künstler hat er sich selbst porträtiert (rund 70 Gemälde und Radierungen). Insgesamt hinterließ er etwa 420 Gemälde, über 300 Radierungen und weit über 1 000 Zeichnungen. (BILD Zeichnung)

Die eigentlich holländischen Bildgattungen wie Stilleben, Landschaft und Alltagsszenen (Genrebilder) hat Rembrandt nur ausnahmsweise behandelt. Bevorzugt stellte er biblische Szenen dar. Dabei kam es ihm vor allem darauf an, das seelische Geschehen sichtbar zu machen. Der erregte Ausdruck der Gesichter, die ausgreifende Bewegtheit der Personen sowie betonte Gegensätze von Licht und Schatten steigerten seine Darstellung oft ins Dramatische. Beispiele sind die Gemälde ›Opferung Isaaks‹ (1635, Leningrad) und ›Samsons Blendung‹ (1636, Frankfurt am Main). Daneben schuf Rembrandt viele lebensvolle Porträts holländischer Bürger. Neu für seine Zeitgenossen war seine Auffassung des Gruppenbildes: Anstatt nur mehrere Einzelporträts nebeneinanderzumalen, wie es bis dahin üblich war, faßte er die dargestellten Personen zu einem einheitlichen, lebendigen Geschehen zusammen. Das erste Bild dieser Art war das Gemälde ›Anatomie des Dr. Tulp‹ (1632, Den Haag), auf dem 7 Ärzte gebannt dem Lehrer der Anatomie bei der Arbeit zuschauen, das berühmteste die ›Nachtwache‹ (1642, Amsterdam), das die Mitglieder der Amsterdamer Bürgerwehr beim gemeinsamen Aufbruch zeigt. Die Beleuchtung der bühnenmäßigen Szene ist so düster, daß viele der Dargestellten sich nicht mehr auf dem Bild erkennen konnten und es deshalb ablehnten.

In seinen späteren Jahren wurde Rembrandts Malerei ruhiger; er beschränkte sich zeitweise auf Brauntöne und wenige Rottöne. In dieser Zeit entstanden viele Porträts und Selbstporträts.

Remus, →Romulus und Remus.

Renaissance [renäßãß], im 19. Jahrh. geprägte Bezeichnung für die kulturgeschichtliche Epoche von etwa 1350 bis zum Anfang des 16. Jahrh., die als Übergangszeit vom Mittelalter zur Neuzeit gilt. Das französische Wort Renaissance bedeutet ›Wiedergeburt‹, gemeint war die Wiedergeburt der Antike. Die Gelehrten der Zeit, die Humanisten (→Humanismus), studierten wieder die Schriften des griechischen und römischen Altertums. In Florenz entstand eine Philosophenschule nach Art der Athener Akademie Platons. Die Dichter erneuerten die antiken Literaturformen wie Epos, Lyrik, Satire, Epigramm, Biographie, historische Erzählung. Als Neuschöpfungen der Italiener kamen Novelle und Sonett hinzu. Berühmte Dichter des Renaissancezeitalters waren in Italien **Francesco Petrarca** und **Giovanni Boccaccio,** in England **William Shakespeare,** in Frankreich **François Rabelais.**

Für Bildung und Erziehung galten neue, auf Natürlichkeit beruhende Grundsätze. Die Naturwissenschaften nahmen einen großen Aufschwung, bisher unbekannte Erdgegenden wurden erforscht; die Erfindung des Buchdrucks er-

Renaissance: Ansicht einer Idealstadt, Gemälde eines unbekannten Meisters des 16. Jahrh. (Urbino, Galleria Nazionale)

möglichte die Verbreitung des neuen Wissens. Der Mensch löste sich aus mittelalterlichen Bindungen; er verstand sich nicht mehr nur als Mitglied der Kirche, der Sippe, einer Zunft oder Gilde. Er beanspruchte ein Recht auf Glück und die Entfaltung seiner Persönlichkeit. Kennzeichnend sind die Bejahung des Diesseits und bei den Reichen der Sinn für verfeinerten Lebensgenuß.

Geburtsland der Renaissance war Italien, wo ein hochentwickeltes Städtewesen das Aufblühen von Kunst und Kultur begünstigte. Neben Adel und Klerus wurde das wohlhabende patrizische Bürgertum zum Träger von Macht und Bildung. Förderer von Kunst und Wissenschaft waren die führenden Familien wie die Medici in Florenz, aber auch die Päpste in Rom, zeitweise der Kaiser (Maximilian I.) und die europäischen Könige (Franz I. in Frankreich, Heinrich VIII. und Elisabeth I. in England).

In der bildenden Kunst löste der neue, an der Antike geschulte Stil in Florenz um 1420 die Gotik ab **(Frührenaissance),** erreichte um 1500 seinen Höhepunkt **(Hochrenaissance)** und ging 1520/30 seinem Ende entgegen (**Spätrenaissance,** meist dem →Manierismus gleichgesetzt). Wegbereitend waren italienische Maler des 14. Jahrh. wie Giotto, im Norden Meister der altniederländischen Tafelmalerei wie die Brüder van Eyck, in deren Werken wie auch in Teilen der gotischen Skulptur der neue Wirklichkeitssinn vorgebildet war. Wirklichkeitssinn und Naturnähe der Renaissance bedeuteten nicht, daß man nur das Naturvorbild kopieren wollte, sondern wie die Künstler der klassischen Antike wollte man in natürlich ›richtigen‹ Formen ideale Schönheit und Harmonie sichtbar machen. Diesem Ziel dienten von Anfang an auch wissenschaftliche Untersuchungen, etwa zur Zentralperspektive (→Perspektive) und zur →Proportion.

Merkmale der Architektur, die mit den Bauten **Filippo Brunelleschis** (Domkuppel in Florenz) begann und von **Bramante** (Entwurf für den Neubau der Peterskirche) zur Reife geführt wurde, war die Übernahme der antiken Säulenordnungen (→Säule), das Verdrängen des gotischen Spitzbogens durch den Rundbogen oder das gerade Gebälk und des Kreuzgewölbes durch das Tonnengewölbe oder die flache, geschmückte Decke. Alle Bauteile wurden in klaren, harmonisch abgestimmten Maßverhältnissen aufeinander bezogen. In der kirchlichen Baukunst entsprach der Zentralbau am ehesten dem Ideal allseitig ausgeglichener Harmonie, doch kam es aus liturgischen Gründen meist zu einem Kompromiß zwischen Zentralbau und Basilika. Architekten entwarfen die ›Idealstadt‹.

Die Bildhauerkunst **(Donatello, Michelangelo)** löste sich aus der Bindung an die Architek-

Renaissance: Sandro Botticelli, Der Frühling (Florenz, Uffizien)

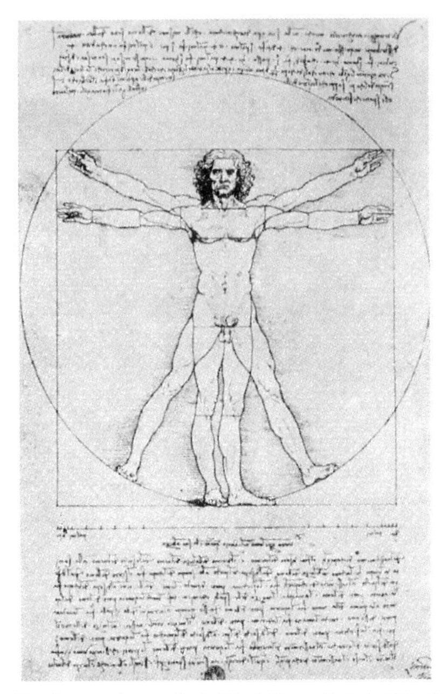

Renaissance: Leonardo da Vinci, Proportionsstudie; um 1485–90

tur; es entstand die Rundfigur mit anschaubarer Seiten- und Rückenansicht. Antike Bildformen wurden wiederaufgenommen, so das Reiterdenkmal und die Porträtbüste. In der Malerei überwanden die Künstler die Flächenhaftigkeit des Bildes und erzielten mit Hilfe der mathematischen Konstruktion der Zentralperspektive räumliche Tiefe (zuerst **Andrea Mantegna**). Neben der neuen Vorstellung vom Porträt als der Darstellung eines unverwechselbaren Menschen entwickelte sich, ausgelöst durch ein neues Naturgefühl, die Landschaftsmalerei. In Plastik und Malerei kehrte der im Mittelalter weitgehend gemiedene Akt wieder. Themen der antiken Mythologie traten neben die religiösen Inhalte. Bedeutende Renaissancemaler waren in Italien **Sandro Botticelli, Leonardo da Vinci, Raffael, Michelangelo, Tizian,** in Deutschland mit einigen seiner Werke **Albrecht Dürer** und **Hans Holbein** der Jüngere.

Rendite [von italienisch rendita ›Gewinn‹], der jährliche Ertrag, die Verzinsung angelegten Geldes auf einem Bankkonto, bei der Anlage in Aktien oder anderen Wertpapieren, bei der Anschaffung eines ertragbringenden Sachgutes, z. B. eines Mietshauses; im letzten Fall ergibt sich die Rendite z. B. aus den Mieteinnahmen abzüglich der Kosten für die Instandhaltung des Gebäudes, der Steuern und Gebühren sowie der Anschaffungskosten, die über die Jahre der Geldanlage verteilt werden. Die Rendite wird in der Regel in Prozent der angelegten Geldsumme angegeben.

Rennrodeln, →Schlittensport.

Renoir [renoar]. Der französische Maler und Graphiker **Auguste Renoir** (* 1841, † 1919) gehört zu den Begründern des →Impressionismus. Gleichzeitig mit Claude Monet entwickelte er die impressionistische ›Pinselschrift‹: Kurze Farbstriche, mit dem Pinsel nebeneinandergetupft, zerlegen die Bildfläche in kleinste Einheiten. Auf diese Art hielt er die sich im wechselnden Licht verändernden farbigen Erscheinungen fest. Renoir malte Figurenbilder von blühender Farbigkeit, auch viele weibliche Akte, ferner Porträts und leuchtende, lichterfüllte Landschaften. Besonders häufig stellte er junge Frauen von heiterer, natürlicher Anmut dar. Überhaupt zeigte er auf seinen Bildern die Menschen gern in glücklichen, friedvollen Augenblicken des Alltags (›Am Frühstückstisch‹, 1879). In den letzten Lebensjahren waren seine Hände vom Rheuma verkrüppelt; in dieser Zeit schuf er mit Hilfe eines Bildhauers auch Bronzeplastiken.

Rente [aus altfranzösisch rente ›Ertrag‹, ›Gewinn‹], ursprünglich der Ertrag, der einem Besitzer von Vermögen regelmäßig zufließt: Zinsen für das Verleihen von Geld **(Kapitalrente),** Miete für das Überlassen von Wohnraum, Pacht für das Überlassen von Grundstücken **(Grundrente** oder **Bodenrente).** Rente heißt auch das Einkommen, das der Staat oder eine Versicherung bezahlt, wenn jemand aus Alters- oder Krankheitsgründen seinen Beruf nicht mehr ausübt und aus dem Arbeitsleben ausscheidet (→Altersversorgung). Die Rente ersetzt in diesem Fall den Lohn und dient zur Sicherung des Lebensunterhalts für ältere und kranke Menschen. Träger der Rente sind die private und die gesetzliche Krankensowie die Rentenversicherung im Rahmen der →Sozialversicherung.

Rentiere, auch **Rene,** kälteliebende, stämmige Verwandte der →Hirsche, die die kalten Gebiete Europas, Asiens und Amerikas bewohnen. Mit ihrem sehr dichten, langhaarigen Fell (im Sommer rotbraun, im Winter grauweiß) und ihren auffallend breiten, spreizbaren Hufen, die ein Einsinken in Schnee und Morast verhindern, sind sie ihrem Lebensraum gut angepaßt. Männchen und Weibchen tragen Geweihe, die Weibchen einfachere und kleinere. Das Geweih hat lange, gebogene Stangen und meist nur auf einer

Seite eine schaufelartige Sprosse über dem Auge. Rentiere sind die einzigen Hirsche, die zum Haustier wurden, z. B. bei den Finnen und Lappen. Trotz Zähmung bleiben sie halbwild und sind z. B. nicht an Stallfütterung zu gewöhnen. Ist ein Weideland abgegrast, ziehen sie in großen Herden (mit bis zu 500 Tieren) weiter und zwangen früher ihre Besitzer, als Nomaden zu leben. Heute sind diese seßhaft, betreiben vielfach auch Landwirtschaft und folgen ihren Herden mit Motorschlitten und anderen Fahrzeugen (Halbnomaden). Im Sommer, wenn Rentiere vor allem Gras fressen, wandern sie in nördlicher Richtung in die Tundren, im Winter kehren sie in den schützenden Wald zurück, wo sie mit ihren Vorderhufen das Rentiermoos auch aus dem Schnee scharren. Das Rentier wird als Zug-, Trag- und Reittier gehalten; es liefert Milch (Käse, Butter) und Fleisch. Die Felle werden zu Kleidung und Zelten verarbeitet, das Geweih und die Knochen zu Messern und Haushaltsgeräten. Das nordamerikanische, sehr selten gewordene **Karibu** ist nicht gezähmt; es zieht am weitesten nach Norden. Im Zoo sind Rentiere selten zu sehen.

Reparationen [von lateinisch reparare ›wiederherstellen‹], Bezeichnung für Geld-, Sach- oder Dienstleistungen, die besiegten Staaten auferlegt werden; sie sollen damit die von den Siegerstaaten im Krieg erlittenen Verluste wiedergutmachen.

Nach dem Ersten Weltkrieg wies der Friedensvertrag von Versailles Deutschland die Alleinschuld am Krieg zu und machte es für alle Kriegsschäden verantwortlich. Die Siegermächte forderten zunächst Reparationszahlungen von 223 Milliarden, nach einer Neufestlegung (1921) 132 Milliarden Goldmark und knapp $^1/_3$ vom Wert der deutschen Ausfuhr. Die Frage der deutschen Reparationsleistungen und die mit ihr zusammenhängende Frage der Kriegsschuld löste in Deutschland eine leidenschaftliche Diskussion aus; die Reparationsfrage bestimmte stark die Politik und innere Entwicklung der →Weimarer Republik. Nach Versuchen, die laufenden Reparationsleistungen der deutschen Zahlungsfähigkeit anzupassen, wurden die Reparationen 1932 durch die Abgabe von Schuldverschreibungen in Höhe von 3 Milliarden Reichsmark abgelöst.

Nach dem Zweiten Weltkrieg hat Deutschland Reparationszahlungen in Form von Auslandsguthaben und Industrieanlagen, die abgebaut (demontiert) und in die Siegerländer abtransportiert wurden, geleistet. Die deutschen Leistungen an die Westmächte betrugen 517 Millionen Dollar. Die Sowjetunion zog – nach westlichen Angaben – Reparationen in Höhe von 13 Milliarden Dollar aus ihrer Besatzungszone.

Repetiergewehr, veraltete Bezeichnung für ein **Mehrladergewehr,** das in einem Magazin oder einer Trommel mehrere Patronen enthält. Die ersten dieser Gewehre (19. Jahrh.) mußten noch nach jedem Schuß von Hand neu geladen werden, moderne Mehrladergewehre laden sich nach jedem Schuß selbst (Selbstladegewehr).

Repräsentantenhaus, englisch **House of Representatives,** im Zweikammerparlament der USA, dem Kongreß, die Abgeordnetenkammer; in ihr ist im Gegensatz zum →Senat die Wählerschaft nach ihrer Kopfzahl vertreten.

Reptilien [zu lateinisch repere ›kriechen‹], die →Kriechtiere.

Republik [von lateinisch res publica ›öffentliche Angelegenheit‹], jeder Staat, in dem (im Gegensatz zur →Monarchie) das Staatsvolk als Träger der Staatsgewalt gesehen wird und ein mit Amtsgewalt ausgestatteter Bürger (ein Präsident) an der Spitze des Staates steht; die Amtsgewalt ist meist befristet. Häufiger nimmt auch ein staatliches Organ und dessen Vorsitzender die Funktion des Staatsoberhauptes wahr.

Requiem [von lateinisch requies ›Ruhe‹], die Totenmesse in der Katholischen Kirche, die mit den lateinischen Worten ›Requiem aeternam dona eis, Domine‹ (›Herr, gib ihnen die ewige Ruhe!‹) beginnt.

Reservation, Reservat [zu lateinisch reservare ›zurückhalten‹, ›bewahren‹], →Indianerreservation.

Résistance [resistãß, französisch ›Widerstand], die französische Widerstandsbewegung im Zweiten Weltkrieg gegen die deutsche Besatzungsmacht und den mit ihr zusammenarbeitenden ›État Français‹ (deutsch: Französischer Staat) unter Philippe Pétain.

Nach der Niederlage Frankreichs gegen Deutschland rief General Charles de Gaulle am 18. Juni 1940 von London aus zur Fortsetzung des Krieges auf. Er setzte sich an die Spitze des ›Freien Frankreich‹, das heißt aller zum Widerstand entschlossenen politischen und militärischen Gruppen und Einzelpersonen. Als Organe schuf er das ›Französische Nationalkomitee‹, 1943 – nach seiner Übersiedlung von London nach Algier – das ›Französische Komitee der nationalen Befreiung‹. Dieses Komitee arbeitete eng mit dem ›Nationalrat der Résistance‹ zusammen, der die in Frankreich selbst kämpfenden

Widerstandsgruppen zusammenfaßte; die Gruppen verwickelten die deutschen Truppen in schwere militärische Auseinandersetzungen und beteiligten sich nach der Landung der alliierten Truppen in der Normandie (Juni 1944) an der Zurückdrängung der deutschen Truppen aus Frankreich. Im Oktober 1944 übernahm de Gaulle an der Spitze einer provisorischen Regierung in Paris die Führung des von deutschen Truppen befreiten Frankreich.

Resonanzkreis, →Schwingkreis.

Restauration [lateinisch ›Wiederherstellung‹], die Wiederherstellung von politischen Verhältnissen, wie sie vor einem Umsturz bestanden. In der Geschichte nennt man die Jahre zwischen den →Freiheitskriegen (1815) und der französischen Julirevolution (1830) **Restaurationszeit,** weil die europäischen Staaten versuchten, die politischen Verhältnisse der Zeit vor der Französischen Revolution von 1789 wiederherzustellen.

Restaurierung [von lateinisch restaurare ›wiederherstellen‹], die Wiederherstellung gealterter, beschädigter oder durch spätere Hinzufügung entstellter Kunstwerke. Restauriert werden können Werke der bildenden Kunst, aber auch Baudenkmäler, historische Musikinstrumente oder andere kulturgeschichtlich bedeutende Gegenstände. Zunehmende Schwierigkeiten verursacht den **Restauratoren** heute die Umweltverschmutzung.

Rettich, Pflanze aus der Familie der Kreuzblüter. Wildwachsend kommt bei uns der **Ackerrettich** oder **Hederich** vor. Wie beim Radieschen verdickt sich das zwischen dem Ansatz der Keimblätter und der Wurzel liegende Stengelstück knollenförmig. Beim Rettich verdickt sich aber auch der obere Teil der Pfahlwurzel. Der scharfwürzige Geschmack der Wurzel wird durch den Gehalt an Senföl und Zucker bewirkt.

Rettungsschwimmen, sportliche Schwimmübungen und Wettbewerbe wie Flossenkraulen, Kleiderschwimmen, Streckentauchen, Tieftauchen. Sie dienen als vorbereitende Übungen zur Rettung Ertrinkender. Es gibt nationale und internationale Meisterschaften. Die Rettungsschwimmer sind in der **Deutschen Lebens-Rettungs-Gesellschaft (DLRG)** zusammengeschlossen. Die DLRG organisiert während der Badesaison den Einsatz von Rettungsschwimmern an Gewässern und in Schwimmbädern und gibt Schwimmkurse. In der Schweiz besteht die Schweizerische Lebensrettungs-Gesellschaft, in Österreich die Österreichische Wasserrettung.

Réunion [reünjõ], 2510 km² große Insel im Indischen Ozean östlich von Madagaskar. Saint Denis ist die Hauptstadt der zu Frankreich gehörenden Insel, die 520000 Einwohner hat. Unter tropischem Klima werden Zuckerrohr, Mais, Tabak, Kartoffeln und Gewürzpflanzen angebaut. Die von Portugiesen entdeckte Insel ist seit dem 17. Jahrh. von Franzosen besiedelt. (KARTE Band 2, Seite 194)

Reunionen [von französisch réunion ›Wiedervereinigung‹]. Im Westfälischen Frieden von 1648 und später hatte Frankreich Gebiete im Elsaß erworben. 1679 setzte König Ludwig XIV. Sondergerichte, die ›Reunionskammern‹, ein. Sie sollten klären, welche Territorien irgendwann einmal mit den von Frankreich gewonnenen in lehnsrechtlicher Verbindung gestanden hatten. Diese sollten dann ›wiedervereinigt‹ werden. Dies sollte als Rechtsgrundlage für die Einverleibung von etwa 600 reichsritterschaftlichen und anderen Orten im Elsaß, in der Pfalz und in Luxemburg dienen. Die Reichsstadt Straßburg wurde 1681 sogar ohne diese Begründung von Frankreich besetzt. Im Frieden von Rijswijk (1697) mußte Frankreich einen Teil der Reunionen zurückgeben.

Revision [lateinisch ›Überprüfung‹], allgemein die Prüfung von Sachverhalten, z. B. bei Banken die richtige Buchung von Zahlungen, bei Unternehmen die Ordnungsmäßigkeit der →Bilanz durch externe Prüfer (Wirtschaftsprüfer).

Bei Gericht ist die Revision neben der →Berufung eine Möglichkeit, ein Gerichtsurteil durch ein höherrangiges Gericht überprüfen zu lassen. Im Unterschied zum Berufungsgericht überprüft das Revisionsgericht das Verfahren nur rechtlich, nicht tatsächlich; Zeugen werden nicht mehr gehört. Gegen ein Berufungsurteil kann in der Regel Revision eingelegt werden, gegen ein Revisionsurteil kann nicht weiter vorgegangen werden.

Revisionismus, eine politische Richtung in der deutschen Sozialdemokratie (→sozialdemokratisch).

Revolution [spätlateinisch, eigentlich ›Umdrehung‹], **1)** in der Astronomie des späten Mittelalters das Kreisen von Himmelskörpern um einen Zentralkörper.

2) im politisch-sozialen Bereich eine von unzufriedenen Teilen der Bevölkerung eines Staates ausgehende, tiefgreifende, gewaltsame Änderung der politischen und sozialen Ordnung (z. B. in der Französischen Revolution von 1789 und den russischen Revolutionen von 1917). Im Hinblick auf die gesellschaftliche Gruppe, die die Revolution trägt, spricht man z. B. von einer bäuerlichen, einer bürgerlichen oder einer proletarischen Revolution. Will man den allgemeinen Rahmen beschreiben, in dem eine Revolution stattfindet oder stattfinden soll, so wird sie z. B. als nationale Revolution oder als Weltrevolution bezeichnet. Die Gegner einer Revolution werden oft ›Konterrevolutionäre‹ genannt. Entwicklungen z. B. in Wirtschaft und Technik, die tiefgreifende Veränderungen im Leben der Gesellschaft und des einzelnen Menschen bewirken, werden oft auch als Revolution bezeichnet (→ Industrielle Revolution).

Revọlver [aus englisch to revolve ›sich drehen‹], eine Handfeuerwaffe. Der Revolver hat im Gegensatz zur Pistole kein Magazin, sondern eine Trommel, die mehrere Patronen (meist 6–8) enthält. Ein besonders bekanntes Revolvermodell war der von Samuel Colt 1835 konstruierte Revolver, der nach ihm **Colt** genannt wurde.

Rẹykjavik [isländisch ›Rauchbucht‹], 96 000 Einwohner, Hauptstadt mit Regierungssitz und Haupthafen Islands in der stets eisfreien Bucht Faxaflói. Reykjavik ist wichtigste Handels- und Industriestadt des Landes, die auch wissenschaftliche (Universität) und kulturelle Einrichtungen besitzt. Die Stadt, die um 874 von norwegischen Wikingern gegründet wurde, kann zum Teil mit erbohrtem, natürlichem Heißwasser beheizt werden.

Rezessiọn [lateinisch ›Rückgang‹]. Ist das (wirtschaftliche) Wachstum des Werts aller in einem Jahr produzierten Güter und Dienstleistungen (Sozialprodukt) gebremst, liegt eine Rezession vor. Die → Konjunktur bewegt sich vom Aufschwung weg in Richtung einer → Depression, in der schließlich das Sozialprodukt sogar kleiner wird.

reziprọker Wert, der → Kehrwert.

Rezitatịv [von lateinisch recitare ›vorlesen‹], eine Gesangsform in der Oper, die in Rhythmus und Tonfall dem normalen Sprechen angepaßt ist (also eine Art ›Sprechgesang‹): Das Rezitativ wird, wie die → Arie, von einem einzelnen Sänger (einem Solisten) vorgetragen und von Instrumenten begleitet.

Rhein, der größte und wasserreichste Fluß Deutschlands. Der 1 320 km lange Rhein entspringt östlich vom Sankt Gotthard (Schweiz) als **Vorderrhein.** Er vereinigt sich im Kanton Graubünden mit dem von den Adula-Alpen kommenden **Hinterrhein** zum **Alpenrhein.** Dieser bildet die Grenze zwischen der Schweiz und Liechtenstein sowie Österreich und mündet bei Bregenz in den Bodensee, wo er ein sich ständig vergrößerndes Delta schafft. Als **Hochrhein** verläßt er den zum Bodensee gehörenden Untersee, überwindet unterhalb von Schaffhausen die Jurakalkstufen im 21 m hohen Rheinfall und weitere Stromschnellen, um bei Basel als **Oberrhein** in die Oberrheinische Tiefebene einzutreten. Von unterhalb Eglisau bis kurz vor Karlsruhe ist der Rhein Grenzfluß zwischen der Schweiz, Frankreich und der Bundesrepublik Deutschland. Durch Regulierungen (1817–74) wurde der Fluß um insgesamt 82 km verkürzt. Bei Mainz wendet sich der Rhein nach Westen, um von Bingen an als **Mittelrhein** in einem sehr engen Tal das Rheinische Schiefergebirge in nordwestlicher Richtung zu durchqueren. Als **Niederrhein** tritt er bei Bonn in die Kölner Bucht ein. Bei Emmerich erreicht der Rhein niederländisches Gebiet, wo er mit der Maas zusammen ein ausgedehntes Delta bildet. Er mündet als **Lek** und **Waal** in die Nordsee.

Die Wasserführung des Rheins ist unterschiedlich; sowohl die Frühjahrsschneeschmelze in den deutschen Mittelgebirgen als auch in den Alpen erzeugen im März/April sowie im Juni/Juli Hochwasser. Im Herbst und im frühen Winter ist die Wasserführung am geringsten. Der allgemeinen Belastung des Rheinwassers durch Industrie, Kraftwerke, Haushalte und Landwirtschaft ist der einstige Fischreichtum zum Opfer gefallen. Im Bereich des Hoch- und Oberrheins wird der Fluß durch zahlreiche Staustufen zur Elektrizitätsgewinnung genutzt.

Die Schiffahrt auf dem Rhein hat eine zweitausendjährige Tradition, denn in römischer Zeit und im Mittelalter gab es jeweils eine große Rheinflotte. Heute ist der Rhein die Hauptader eines ausgedehnten mitteleuropäischen Wasserstraßennetzes. Die für Schiffe bis 2 000 t schiffbare Strecke ab Rheinfelden (oberhalb von Basel) beträgt 886 km. Kleinere Seeschiffe können rheinaufwärts bis Köln fahren. Von den Nebenflüssen sind Main, Mosel und Neckar für Schiffe bis 1 500 t erschlossen. Der Main-Donau-Kanal (→ Rhein-Main-Donau-Großschiffahrtsweg) schafft die Verbindung zur Donau. Durch Kanäle ist der Rhein mit Rhône, Marne, Nordsee und dem mitteldeutschen Flußnetz sowie mit Amsterdam und Antwerpen verbunden. Der Güterverkehr ist beträchtlich. Fast $^4/_5$ der auf deutschen Binnengewässern beförderten Gütermenge wird auf dem Rhein transportiert, davon 58 % auf ausländischen Schiffen. Die wichtigsten Güter sind

Hauptzuflüsse des Rheins

von links	von rechts
Alpenrhein	
	Landquart
	Ill
Hochrhein	
Thur	Wutach
Aare	
Birs	
Oberrhein	
Ill	Wiese
Zorn	Elz
Lauter	Kinzig
Queich	Rench
	Murg
	Neckar
	Weschnitz
	Main
Mittelrhein	
Nahe	Lahn
Mosel	Sieg
Ahr	
Niederrhein	
Erft	Wupper
	Ruhr
	Emscher
	Lippe

Kohle, Sand, Steine, Erz, Öl, Holz. Auch der Personenverkehr ist bedeutend.

Rheinbund, zwei von Frankreich geförderte Bündnisse deutscher Fürsten, deren Länder meist am Rhein lagen. Ein **erster Rheinbund** kam im Zeitalter Ludwigs XIV. 1658 für 20 Jahre zustande. 1806 veranlaßte Napoleon I. die Gründung eines **zweiten Rheinbundes,** dem sich 16 süd- und westdeutsche Fürsten anschlossen und durch den Frankreich seinen Einfluß in Mitteleuropa sicherte. Dieser Rheinbund zerfiel 1813.

Rheingau, Südabdachung des südwestlichen Taunus (Rheingaugebirge) zwischen Wiesbaden und Rüdesheim am Rhein. Gute Böden und günstiges Klima haben den Rheingau zu einem der führenden Weinbaugebiete Deutschlands werden lassen. Daneben wird Obst angebaut.

Rheinhessen, Landschaft in Rheinland-Pfalz mit dem Zentrum Mainz. Der Name entstand im 19. Jahrh., als Mainz mit seinem Hinterland Teil der Herzogtums Hessen-Darmstadt war. Seit 1969 bildet Rheinhessen mit der Pfalz den Regierungsbezirk Rheinhessen-Pfalz. Das sehr waldarme, hügelige Rheinhessen besitzt ein besonders günstiges Klima und gute Böden. Obst- und Weinbau sowie Getreide- und Zuckerrübenanbau sind weit verbreitet.

Rheinland-Pfalz
Landeswappen

Rheinischer Städtebund. Als im 13. Jahrh. mit dem Untergang der Staufer die Reichsgewalt zerfiel, schlossen sich die Städte zu Bünden zusammen mit dem Ziel der gemeinsamen Sicherung des Landfriedens. Gemeinsam wollte man die Handelswege gegen den Straßenraub durch das aufkommende Raubrittertum sichern und übermäßigen Zollforderungen der Landesfürsten entgegentreten. Die Bünde setzten sich für eine starke Königsgewalt ein: Die Städte wollten reichsunmittelbar und von den Landesherren frei sein. Der erste große Städtebund war der Rheinische Städtebund, 1254 von Mainz und Worms begründet. Ihm schlossen sich mehr als 70 Städte und zahlreiche Bischöfe, Grafen und Herren an. Er zerbrach 1257 an der Uneinigkeit bei der Königswahl.

1381 bildete sich ein neuer Rheinischer Städtebund, der sich dem 1376 gebildeten Schwäbischen Städtebund anschloß. Auf ihrem Kriegszug in die linksrheinische Pfalz wurden die Truppen der Städte 1388 geschlagen. 1389 verbot König Wenzel alle Städtebünde.

Rheinisches Schiefergebirge, der Westteil der deutschen Mittelgebirgsschwelle. Das Gebirge ist eine von einzelnen Kuppen und Höhenzügen charakterisierte Hochfläche. Ursprünglich war hier ein mächtiges Gebirge, das aber im Lauf von Jahrmillionen abgetragen und eingeebnet wurde. Die tiefen Einschnitte von Rhein, Nahe, Mosel, Lahn und Sieg gliedern das Rheinische Schiefergebirge in (linksrheinisch) **Hunsrück, Eifel, Hohes Venn** mit Verbindung an die belgischen Ardennen, (rechtsrheinisch) **Taunus, Westerwald, Rothaargebirge, Bergisches Land, Sauerland** und **Kellerwald.** Die engen Flußtäler sind klimatisch begünstigt und ermöglichen den Anbau von Obst und Wein (besonders an Rhein und Mosel). Auf den rauhen, dünn besiedelten Hochflächen wird meist Forstwirtschaft und Viehzucht betrieben. Industrie ist besonders im mittelrheinischen Becken sowie im Sieger- und Sauerland (Metallindustrie) angesiedelt.

Rheinland, die Gebiete beiderseits des Mittelrheins und Niederrheins. Historisch umfaßt das Rheinland die 1824 gebildete preußische Rheinprovinz. Diese bestand im wesentlichen aus den heutigen Regierungsbezirken Koblenz, Trier, Köln, Aachen und Düsseldorf.

Rheinland-Pfalz. Das Land wurde 1946 von der französischen Militärregierung aus Rheinhessen, der ehemals bayerischen Rheinpfalz und dem Süden der früheren preußischen Rheinprovinz gebildet. Seit 1947 ist es deutsches Bundesland. Rheinland-Pfalz grenzt im Süden und Westen an Frankreich, das Saarland, Luxemburg und Belgien, im Norden an Nordrhein-Westfalen. Im Osten bildet der Rhein die Grenze zu Baden-Württemberg und Hessen; am Mittelrhein, etwa von Bingen bis südlich von Bonn, gehören rechtsrheinisch große Teile des Westerwalds und das untere Lahngebiet zu Rheinland-Pfalz.

Rheinland-Pfalz
Fläche: 19 848 km²
Einwohner: 3 702 000
Hauptstadt: Mainz

Den nördlichen Landesteil nimmt das **Rheinische Schiefergebirge** ein. Es wird durch die Flüsse Ahr, Mosel und Nahe linksrheinisch in Eifel und Hunsrück gegliedert, durch die Lahn rechtsrheinisch in Westerwald und Taunus. Hier ist das Klima rauher und die Besiedlung dünner als im übrigen Land. Im Süden fallen das **Pfälzer Bergland** und der **Pfälzer Wald** mit der **Haardt** nach Osten zur Oberrheinischen Tiefebene ab.

Im Vorland der Haardt verläuft die **Deutsche Weinstraße;** mit dem nördlich anschließenden **Rheinhessischen Hügelland** gehört dieses Gebiet zu den fruchtbarsten und klimatisch mildesten Landschaften Deutschlands. Neben Wein werden hier auch Weizen, Zuckerrüben, Obst und Gemüse und sogar Tabak angebaut. Die Rheinpfalz, Rheinhessen und das Gebiet Mosel-Saar-Ruwer sind die 3 größten deutschen Weinbauregionen. Der Weinbau macht die beiden wichtigen Verkehrsadern Mosel und Rhein mit zu ausgesprochenen Fremdenverkehrsregionen. Neben den berühmten Weinorten Traben-Trarbach und Bernkastel-Kues liegt an der Mosel **Trier,** eine Siedlung aus der Römerzeit und Deutschlands älteste Stadt. Römischen Ursprungs sind auch viele Rheinstädte, wie **Speyer, Mainz** und **Koblenz.** Der Mittelrhein gilt im internationalen Tourismus als Sinnbild des ›romantischen‹ Deutschland. In einem engen Tal durchbricht er zwischen Hunsrück und Taunus das Schiefergebirge nach Norden, und malerische Weinorte und Burgen säumen die Ufer.

Das Zentrum der Industrie des Landes ist **Ludwigshafen** am Oberrhein, das mit dem gegenüberliegenden Mannheim und mit Heidelberg zum Ballungsraum Rhein-Neckar zusammengewachsen ist. Hier bestimmen Aluminiumproduktion und chemische Industrie das Bild. Daneben haben sich nur noch wenige Wirtschaftszentren geringerer Größe entwickeln können: um Mainz als Teil des Ballungsraumes Rhein-Main, um Koblenz im Norden und in der Pfalz um Kaiserslautern (Maschinenbau). Wörth am Oberrhein bildet mit dem gegenüberliegenden Karlsruhe ein Zentrum der Erdölverarbeitung.

Rhein-Main-Donau-Großschiffahrtsweg, Europakanal Rhein-Main-Donau, Binnenschiffahrtsstraße, die mit einer Länge von 677 km eine Verbindung von der Nordsee bis zum Schwarzen Meer herstellt (rund 3 500 km). Sie durchquert Mittel- und Südosteuropa und wird 13 Staaten miteinander verbinden. Die Verwirklichung des Projektes begann 1921 mit dem Ausbau des Mains, der 1962 mit dem Bau des Bamberger Hafens abgeschlossen wurde. Der Main-Donau-Kanal wurde 1959 begonnen und 1992 eröffnet. Er verbindet den Main bei Bamberg mit der Donau bei Kelheim über 15 Staustufen mit 153 km Länge. Gegen Weiterbau und Fertigstellung gab es verstärkten Widerstand sowohl wegen der bezweifelten Wirtschaftlichkeit dieser Wasserstraße als auch wegen der Eingriffe in reizvolle Landschaften.

Rhenium [von lateinisch Rhenus ›Rhein‹], Zeichen **Re,** →chemische Elemente, ÜBERSICHT.

Rhesusaffe, →Makaken.

Rhetorik [griechisch rhetor ›Redner‹], allgemein die Technik wirkungsvollen Redens. Im engeren Sinn bezeichnet Rhetorik die klassische Redekunst der Antike. In den antiken Rhetorikschulen wurden Redetechniken vermittelt, die bis in die Gegenwart hinein gültig sind. Zu den überlieferten Elementen der Redekunst gehören Stoffsammlung, Gliederung, stilistische Ausgestaltung und Vortrag. Die nach rhetorischen Regeln aufgebaute und vorgetragene Rede ist gewöhnlich zweckgebunden; mit ihr soll die Meinung der Zuhörer zu einem Thema in eine bestimmte Richtung gelenkt werden. Hierdurch kann die Rhetorik im Dienst politischer Propaganda mißbraucht werden.

Rhesusfaktor, erbliche Eigenschaft des Blutes, die an die roten Blutkörperchen gebunden ist. Der Rhesusfaktor ist nach den Rhesusaffen benannt, bei denen dieses Merkmal (1937) zuerst entdeckt wurde. Fehlt dieser Faktor im Blut (bei 15% der Menschenrassen in Europa), wird die Person als **Rhesus negativ (rh)** bezeichnet, ist er vorhanden, als **Rhesus positiv (Rh).** Nichtbeachtung des Rhesusfaktors führt z. B. bei wiederholten Blutübertragungen zu Unverträglichkeitsreaktionen. Ist bei einer Schwangerschaft die Mutter Rhesus negativ, der →Fötus jedoch Rhesus positiv (vom Vater ererbt), werden im Blut Gegenstoffe (Antikörper) gebildet, so daß es besonders bei den nächsten Schwangerschaften zu einer Schädigung des Kindes kommen kann.

Rheumatismus, allgemeine Bezeichnung für schmerzhafte Veränderungen der Gelenke, des Bindegewebes und der Muskulatur mit sehr unterschiedlichen Krankheitsbildern. Dazu gehören: das **akute rheumatische Fieber** nach Streptokokkeninfektion mit Befall der großen Gelenke und des Herzens; der **chronische Gelenkrheumatismus** mit fortschreitender Zerstörung kleiner und großer Gelenke; schmerzhafte Gelenkveränderungen durch Abnutzungserscheinungen **(Arthrose);** Stoffwechselerkrankungen mit Beteiligung der Gelenke, z. B. **Gicht; Weichteilrheumatismus** in Form von schmerzhaften Muskelverspannungen **(Hartspann)** oder von entzündlichen Veränderungen des Bindegewebes, der Sehnenscheiden und der Schleimbeutel.

Rhodesien, Gebiet im südlichen Afrika, aus dem Sambia, Malawi und Simbabwe hervorgingen.

Rhodium [von griechisch rhodeios ›rosenfarbig‹], Zeichen **Rh,** →chemische Elemente, ÜBERSICHT.

Rhodos, griechische Insel vor der Südwestküste der Türkei. Mit 1 398 km² ist Rhodos etwa halb so groß wie das Saarland. Von den 66 800 Einwohnern lebt die Hälfte in der gleichnamigen Hauptstadt. Die gebirgige Insel, die auch den

Beinamen ›Roseninsel‹ trägt, ist auf Grund von mildem Klima, üppiger Pflanzenwelt, langen, geschützten Buchten und Ruinen antiker Stätten (z. B. Lindos) Anziehungspunkt für den Fremdenverkehr. Landwirtschaftlich wird die Insel durch Wein- und Olivenanbau genutzt. – Im 2./1. Jahrh. v. Chr. war Rhodos eine bedeutende See- und Handelsmacht. Im Mittelalter gehörte die Insel dem Johanniterorden, von dessen Bautätigkeit zahlreiche Zeugen, vor allem in der Stadt Rhodos, erhalten sind. – Der **Koloß von Rhodos** galt als eines der → Sieben Weltwunder.

Rhọmbus [griechisch ›Kreisel‹], die → Raute.

Rhön, vulkanisches Mittelgebirge im Grenzraum von Hessen, Bayern und Thüringen (Deutsche Demokratische Republik). Charakteristisch für die Rhön sind die breiten Bergrücken, aus denen bewaldete Kuppen aus hartem Basalt herausragen. Der höchste Teil ist die Hohe Rhön, wo aus Basalt große, tafelförmige Decken entstanden sind. Die **Wasserkuppe,** der ›Berg der Segelflieger‹, ist mit 950 m die höchste Erhebung. Nach Norden und Westen hin schließt sich die Kuppen-Rhön an, die in der Milseburg mit 835 m die höchste Erhebung hat. Im Süden liegt die stark bewaldete Süd-Rhön (im Hag Kopf 514 m hoch).

Rhộne, deutsch **Rhọne,** wasserreichster Fluß Frankreichs. Der 812 km lange Fluß entspringt dem Rhonegletscher in der Dammagruppe der Berner Alpen (Schweiz). Der im Oberlauf auch **Rotten** genannte Fluß durchfließt das Wallis und den Genfer See. Die Rhône nimmt bei Lyon die Saône auf und folgt deren Lauf nach Süden, um als riesiges Delta in den Golf von Lion zu münden. Zwischen den beiden Hauptmündungsarmen liegt die Camargue. Die Rhône ist durch Kanäle mit Rhein, Seine, Marne, Loire und mit Marseille verbunden. Beim Ausbau der Rhône (seit 1934) wurden Anlagen zur Elektrizitätsgewinnung und zur Bewässerung geschaffen.

Rhythmische Spọrtgymnastik, von Damen wettkampfmäßig betriebene Form der Gymnastik. Auf der 12 × 12 m großen Wettkampffläche werden Einzel-, Mehr- und Mannschaftskämpfe ausgetragen. International üblich ist ein Vierkampf. Die 4 Teildisziplinen werden aus insgesamt 5 Disziplinen (Reifen, Keule, Seil, Ball und Band) ausgewählt. Die Gymnastinnen tragen die Übungen, die aus Pflicht und Kür bestehen, zu einer den Bewegungsfluß bestimmenden Musikbegleitung vor. Die Bewertungsskala der Punktrichterinnen reicht von 0 bis 10 Punkte. – Mannschaftskämpfe werden von 6 Gymnastinnen ausgetragen, die meist nicht an den Einzel- und Mehrkämpfen teilnehmen. – Seit 1984 ist der Vierkampf olympische Disziplin.

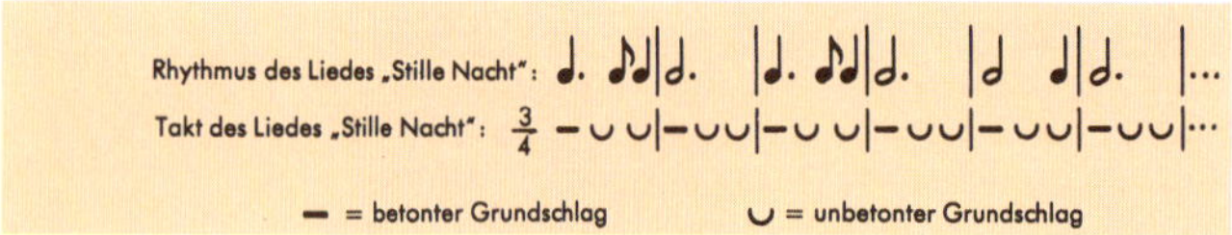

Rhythmus [aus griechisch rhythmos ›Takt‹, ›Rhythmus‹], Musik: der zeitliche Ablauf in der Musik; er wird durch die Aufeinanderfolge von langen und kurzen Tönen, ihr Verhältnis nach Gewicht und Betonung und die Geschwindigkeit des Ablaufs bestimmt.

Rhythmus

Rhythmus des Liedes „Stille Nacht“:

Takt des Liedes „Stille Nacht“: 3/4 – ∪ ∪ | – ∪ ∪ | – ∪ ∪ | – ∪ ∪ | – ∪ ∪ | – ∪ ∪ | ...

– = betonter Grundschlag ∪ = unbetonter Grundschlag

Rịad, Er-Rịad, Er-Rijạd, 2 Millionen Einwohner, Hauptstadt und größte Stadt Saudi-Arabiens im Zentrum der arabischen Halbinsel. Durch die Erdölförderung im 20. Jahrh. entwickelte sich die Oasenstadt schnell zu einer modernen Großstadt.

Rịchard Lọ̈wenherz, König von England (1189–99), wurde 1157 als 3. Sohn König Heinrichs II. und der Eleonore von Aquitanien geboren. Er nahm am 3. Kreuzzug teil und wurde auf der Rückreise nach England zuerst in Österreich auf der Burg Dürnstein, nach seiner Auslieferung an Kaiser Heinrich VI. auf der Burg Trifels in der Pfalz gefangengehalten. Daß der Sänger Blondel Richard Löwenherz aus seinem Dürnsteiner Gefängnis befreit haben soll, ist Sage. Erst 1194 ließ ihn Heinrich VI. gegen ein hohes Lösegeld frei. Außerdem mußte Richard für sein Königreich England dem Kaiser den Lehnseid leisten.

Von seiner zehnjährigen Regierungszeit war Richard Löwenherz nur ein knappes Jahr in England. Dort mußte er sich nach seiner Rückkehr gegen seinen Bruder Johann durchsetzen, der ihm den Thron streitig machte. Seine französischen Besitzungen mußte er gegen den französischen König Philipp II. August verteidigen. In einer Fehde wurde Richard Löwenherz 1199 tödlich verwundet. In die Geschichte ging er als ein tapferer Ritter, weniger als zielstrebiger Herrscher ein.

Richelieu [rischeljọ̈h]. Der französische Staatsmann **Armand-Jean du Plessis, Herzog von Richelieu** (* 1585, † 1642), war Bischof der Stadt Luçon im Poitou und seit 1622 Kardinal, bevor er 1624 zum ersten Minister des französischen Königs Ludwig XIII. berufen wurde. Diese Stellung hatte er bis zu seinem Tod inne. Sein Bestreben war, Frankreich den ersten Platz in der europäischen Staatenwelt zu erkämpfen. Dazu stärkte er die Macht der Krone im Inland, indem er die politische Sonderstellung der →Hugenotten beseitigte, ohne ihnen die im Edikt von Nantes gewährte Freiheit des Glaubens zu nehmen, und indem er den aufsässigen Hochadel dem Willen des Königs unterwarf. Seine Außenpolitik im →Dreißigjährigen Krieg war darauf gerichtet, Frankreich aus der Umklammerung durch habsburgische Länder zu befreien. So unterstützte er die deutsche Fürstenopposition gegen den Kaiser und schloß ohne konfessionelle Bedenken ein Bündnis mit dem protestantischen König Gustav Adolf von Schweden. 1635 erklärte er dem habsburgischen Spanien den Krieg. Richelieu leitete 1641 die Vorverhandlungen zum Westfälischen Frieden ein.

Richelieu veranlaßte 1635 die Gründung der Académie Française, deren 40 Mitglieder (die ›Unsterblichen‹) bis heute den französischen Sprachgebrauch festlegen.

Richter, Juristen, denen die Rechtsprechung der Gerichte anvertraut ist. In einem parlamentarischen Rechtsstaat sind sie unabhängig und nur den Gesetzen unterworfen (→Gewaltenteilung), das heißt Richter sind bei der Erfüllung ihrer Aufgaben nicht an Weisungen gebunden. Sie sind keine Beamten, werden aber wie diese auf Lebenszeit, manchmal auf Zeit (so beim Bundesverfassungsgericht der Bundesrepublik Deutschland) ernannt. Die Eignung zum Richteramt muß in der Regel durch 2 Staatsprüfungen nachgewiesen werden. (→Schöffen)

Richter-Skala, →Erdbeben.

Richtfunk, technisches System zur drahtlosen Nachrichtenübertragung. Von einem Sender werden elektromagnetische Wellen gerichtet, das heißt durch besondere →Antennen **(Richtstrahler)** stark gebündelt abgestrahlt. Der Empfänger besitzt eine Empfangsantenne, meist eine Spiegelantenne, die genau auf den Sender ausgerichtet ist. In der Empfängerstation werden die elektromagnetischen Wellen verstärkt, meist auf eine andere Frequenz umgesetzt und an die nächste Station weitergeleitet. Im allgemeinen muß zwischen Sender und Empfänger Sichtverbindung bestehen, das heißt es dürfen keine Berge oder größeren Gebäude die Ausbreitung der Wellen behindern. Über Richtfunkverbindungen werden Telefongespräche, Fernsehprogramme und Daten übertragen. Zur Überbrückung sehr großer Entfernungen, z. B. zwischen Kontinenten, dienen Nachrichtensatelliten als Zwischenstation (›Relaisstation‹).

Ricke, das Weibchen der →Rehe.

Riedgräser, Sauergräser, Seggen, weltweit verbreitete Familie der →Einkeimblättrigen, die auf feuchten Wiesen im Uferbereich von Gewässern und in Mooren und Sümpfen wachsen. Sie sehen den →Gräsern ähnlich, haben aber einen dreikantigen Stengel, der nicht durch Knoten in einzelne Abschnitte gegliedert ist. Die unscheinbaren Blüten bilden rispen-, ähren- oder köpfchenähnliche Blütenstände. Sie sind eingeschlechtlich; männliche und weibliche Blüten befinden sich aber meist auf derselben Pflanze, wenn auch oft in getrennten Ähren. Zu den Riedgräsern gehört die Papyrusstaude (→Papyrus).

Riemenschneider. Der Bildhauer und Bildschnitzer **Tilman Riemenschneider** (* um 1460, † 1531) war einer der größten Künstler der ausgehenden Gotik. Er stammt wohl aus Thüringen (Heiligenstadt) und ließ sich nach Wanderjahren, die ihn wahrscheinlich nach Schwaben und an den Oberrhein führten, in Würzburg nieder; hier war er zeitweise sogar Bürgermeister. Seine Werkstatt versorgte ganz Mainfranken mit Bildwerken. Im Bauernkrieg (1525) ergriff er für die Bauern Partei, mußte deshalb Kerkerhaft und Folterungen erdulden und verlor Ämter, Ehren und Teile seines Vermögens.

Riemenschneiders Schnitzwerke, vor allem die mit Figurenreliefs geschmückten Flügelaltäre, beziehen Licht- und Schattenwirkung in die Formgebung ein und machen durch zarte Oberflächenbehandlung die Bemalung entbehrlich. Die Figuren zeigen sich im natürlichen, warmen Ton des Lindenholzes, nur Einzelheiten wie Lippen und Augen sind farbig angedeutet. Durch in die Komposition einbezogene Fenster in der Schreinrückwand erhalten die Reliefszenen größere Tiefe und mehr Licht. Die berühmtesten Altäre sind der Heiligblutaltar in der Jakobskirche in Rothenburg ob der Tauber (1501–05; mit Abendmahlsszene), der 7 m hohe Marienaltar in der Herrgottskirche in Creglingen (um 1505; Darstellung der Himmelfahrt Mariens) und der Kreuzigungsaltar in der Kirche Sankt Peter und Paul in Detwang, einem Ortsteil von Rothenburg ob der Tauber (etwa 1505–10). Aus Sandstein schuf er unter anderem bedeutende Grabmäler, so das für Kaiser Heinrich II. und Kaiserin Kunigunde im Bamberger Dom (1499–1513).

Riese, Ries. Der Rechenmeister **Adam Riese** (* 1492, † 1559) verfaßte mehrere Lehrbücher des praktischen Rechnens. Infolge der weiten Verbreitung seiner Bücher bürgerte sich die Redewendung ›nach Adam Riese‹ ein.

Rechenung nach der
lenge/ auff den Linihen
vnd Feder.
Darzu forteil vnd behendigkeit durch die Proportiones/Practica genant/Mit gründlichem unterricht des visierens.
Durch Adam Riesen.
im 1550. Jar.

Cum gratia & priuilegio
Caesareo.

Adam Riese
(Titelblatt eines Lehrbuchs von Adam Riese, 1550)

Riesen, in den Märchen und Sagen verschiedener Völker riesenhafte Wesen mit übermenschlichen Kräften. Naturereignisse wie Stürme oder das Niedergehen von Lawinen, die man ohne naturwissenschaftliche Kenntnisse nicht deuten konnte, schrieb man z. B. in den alten griechischen Sagen oder in den **Rübezahl-**Sagen aus dem Riesengebirge dem Tun eines oder mehrerer Riesen zu. – In der germanischen Sage waren die Riesen die Gegner von Göttern und Menschen, die in ihrem Kampf zwar siegreich blieben, aber dabei selbst zugrundegingen. Anders im Alten Testament: Dort wurde der Riese **Goliath** von dem körperlich unterlegenen David mit Hilfe einer Steinschleuder besiegt.

Riesengebirge, höchster Gebirgszug der Sudeten, zwischen Isergebirge und Waldenburger Bergland. Die höchste Erhebung ist die Schneekoppe mit 1603 m. Auf dem Kamm des rund 37 km langen und 22 km breiten Gebirges verläuft seit dem Ende des Zweiten Weltkriegs die Grenze zwischen Polen und der Tschechischen Republik. Wie viele höhere Mittelgebirge in Mitteleuropa weist auch das Riesengebirge Spuren eiszeitlicher Vergletscherung auf.

Riesenslalom, Disziplin des alpinen Skisports, eine Zwischenform zwischen Abfahrtslauf und Slalom. Die Herren haben meist 2 durch Kontrolltore bestimmte Strecken in kürzestmöglicher Zeit zu durchfahren. Sieger ist der Läufer mit der niedrigsten Gesamtzeit. Damen tragen meist nur einen Lauf aus. Die Strecke ist ähnlich einer Abfahrtslaufstrecke. Sie muß mindestens 30 Tore von mindestens 4 und höchstens 8 m Breite aufweisen. Die Tore bestehen auf jeder Seite aus jeweils 2 Stangen, zwischen die von Tor zu Tor abwechselnd ein rotes und blaues Tuch gespannt ist. – Der Riesenslalom ist seit 1952 olympische Disziplin.

Rif, Teil des Atlasgebirges (→Atlas).

Riff, stockförmig gewachsene Erhöhung des Meeresbodens aus Fels, abgelagertem Sand oder Korallenskeletten (→Korallenriff).

Rilke. Der in Prag geborene Dichter **Rainer** (eigentlich René) **Maria Rilke** (* 1875, † 1926) übte großen Einfluß auf die Lyrik des beginnenden 20. Jahrh. aus. Rilke lebte unter anderem in Worpswede, in Paris, ab 1919 in der Schweiz; auf langen Reisen, besonders nach Rußland und Italien, und bei Gastaufenthalten in Adelshäusern lernte er fast ganz Europa kennen. 1894 schrieb Rilke die ersten Gedichte. Unter dem Eindruck der ersten Rußlandreise entstand die Lyrik-Sammlung ›Das Stunden-Buch‹ (1905), untergliedert in die Bücher: ›Vom mönchischen Leben‹, ›Von der Pilgerschaft‹, ›Von der Armut und vom Tode‹. Populär wurde die lyrische Prosadichtung ›Die Weise von Liebe und Tod des Cornets Christoph Rilke‹ (1906), in der Rilke das Schicksal eines jungen Offiziers beschreibt. Eine Wendung zur Gegenständlichkeit (›Ding-Gedichte‹) zeigen die ›Neuen Gedichte‹ (1907, 1908), z. B. ›Der Panther‹. In seinen Roman ›Die Aufzeichnungen des Malte Laurids Brigge‹ (1910), der von einem in Paris lebenden Dichter handelt, brachte Rilke eigene Erfahrungen der Großstadtwirklichkeit (Paris) ein. Als Hauptwerke seiner Reifezeit sind die auf Schloß Duino an der Adria begonnenen, in der Schweiz vollendeten ›Duineser Elegien‹ und die ›Sonette an Orpheus‹ (beide 1923) zu nennen, die nach einer Sinndeutung des Daseins und des Künstlertums suchen.

Rikscha, ein in Ost- und Südasien verbreitetes Beförderungsmittel: ein leichter, zweirädriger, ein- oder zweisitziger Wagen, der von einem zwischen die Deichseln sich vorspannenden Mann gezogen wird. Die Rikscha kam 1869 in Japan auf; heute wird sie auch von einem Rad- oder Motorradfahrer gezogen.

Rinde, bei Pflanzen die äußere, mantelartige Schicht an Stamm, Stengel, Ast, Wurzel.

Rinder: **1** Simmentaler Fleckvieh, **2** Allgäuer Braunvieh, **3** Deutsches Schwarzbuntes Niederungsvieh

1

2

3

4

5

6

Rinder: **4** Zebu, **5** Yak (Wildform), **6** Wasserbüffel (Hausbüffel), **7** Watussi-Rinder (1–4, 6 und 7 Hausrinder, 5 Wildrind)

7

Rinder, große, starke, etwas gedrungene →Huftiere mit nacktem, immer feuchtem Maul. Beide Geschlechter tragen Hörner. Als ihre Urheimat wird Asien angesehen; heute sind Rinder weltweit verbreitet. Als **Wildrinder** leben (in Schutzgebieten) in Europa der →Wisent, in Nordamerika der →Bison, in Afrika und Asien der →Büffel, in asiatischen Hochgebirgen der selten gewordene →Yak. Aus Wildrindern züchtete man seit frühester Zeit Hausrinder.

Das europäische **Hausrind** stammt wie das asiatische →Zebu vom **Auerochsen** (auch **Ur**) ab. Er bewohnte früher bis nach China lichte Wälder, ist aber seit über 300 Jahren ausgestorben. Die Bullen wurden fast 2 m hoch. Aus Hausrindrassen hat man in einigen Zoos ein dem Auerochsen ähnliches Rind gezüchtet (›Rückzüchtungs-Ur‹). Durch Züchtung und unter dem Einfluß von Klima, Boden und Futter bildeten sich verschiedene Hausrinderrassen. Hausrinder gehören zu den wichtigsten Nutztieren. Aus einem etwa 700 kg schweren Tier werden etwa 390 kg Fleisch gewonnen. Kühe geben bis zu 6 000 Liter Milch im Jahr. Manchmal dient ein Rind als Zug- und Lasttier. Die Haut wird zu Leder gegerbt. Rinder weiden im Sommer auf der Weide, im Winter werden sie im Stall gehalten.

Das männliche Rind heißt Stier oder Bulle, ist es kastriert (künstlich unfruchtbar gemacht), Ochse. Das weibliche Rind, die Kuh, hat ein Euter mit 4 Zitzen. Nach etwas mehr als 9 Monaten Tragzeit wird meist nur 1 Kalb geboren, das man bald vom Muttertier trennt, um möglichst viel Milch zu bekommen. Heute gewinnt die künstliche Besamung immer größere Bedeutung, da man mit dem Samen eines Bullen 1 000–3 000 Kühe besamen kann.

Das Rind spielt in der Glaubensvorstellung vieler Völker eine bedeutende Rolle, z. B. wird in Indien das Zebu als ›heilige Kuh‹ verehrt. (Weitere BILDER Seite 84)

Ringelnatter, etwa 1 m lange Schlange aus der Familie der ungiftigen →Nattern. Sie ist die in Deutschland häufigste Schlange. Kennzeichnend sind 2 gelbliche, halbmondförmige Flecken am Hinterkopf, die kreisrunden Pupillen und die in die Kloaken mündenden Stinkdrüsen, deren Sekret zur Abwehr von Feinden abgegeben wird. Oft wird die Ringelnatter mit der giftigen →Kreuzotter verwechselt. Die scheue Ringelnatter lebt mit Vorliebe an Bächen und Teichen; sie schwimmt mit schlängelnder Bewegung, wobei der Kopf aus dem Wasser schaut. Bei Gefahr und zur Nahrungssuche taucht sie unter. Wie alle Kriechtiere ist sie bei kühler Witterung träge, bei Wärme kann sie das Tempo eines Fußgängers erreichen. Das Weibchen legt seine 10–30 Eier in lockere Erde, feuchtes Moos oder Laub. Die Jungen, die etwa so lang wie ein Bleistift sind, sind sofort selbständig und fressen Kaulquappen und Molchlarven. Ringelnattern, die etwa 20 Jahre alt werden können, stehen unter Naturschutz. Sie ringeln sich häufig zusammen, wobei nur der Kopf in der Mitte herausschaut. Aus dieser Stellung schnellen sie vor, um Frösche und Fische zu erbeuten, die sie lebend verschlingen; eine Mahlzeit reicht für 8–10 Tage.

Ringelnatter

Ringen, meist von Männern ausgeübte Zweikampfsportart, die zu den ältesten sportlichen Disziplinen gehört. Das heutige Wettkampfringen ist auf Körpergriffe beschränkt. Gerungen wird im **griechisch-römischen Stil** (Griffe bis zur

Ringen

1

2

3

4

5

6

Gürtellinie erlaubt) oder im **Freistil** (Griffe an Oberkörper und Beinen möglich) auf einer Matte von 9 m Durchmesser. Der Kampfrichter entscheidet auf Schultersieg, wenn einer der beiden Kämpfer den Gegner eine Sekunde lang auf beiden Schultern am Boden halten kann. Erreicht keiner der beiden Ringer einen Schultersieg, so werden die angewendeten Griffe mit ›technischen‹ Punkten bewertet. Einen Punkt erhält, wer den Gegner auf den Boden bringt und dort festhält; 2 Punkte gibt der Punktrichter dem Ringer, der den Gegner durch einen korrekt ausgeführten Griff in eine gefährliche Lage bringt; 3 Punkte erhält, wer seinen Gegner 5 Sekunden lang in einer gefährlichen Lage hält. Um möglichst gleiche Siegchancen zu haben, treten nur Ringer gleicher →Gewichtsklassen gegeneinander an. – Seit 1896 ist Ringen olympische Disziplin.

Ringwall, vor- und frühgeschichtliche Befestigungsanlage. Besonders die Kelten schützten ihre meist auf Anhöhen liegenden Wohnsitze (Oppida und Burgen) durch einen Stein- oder Erdwall, der die ganze Siedlung umschloß. Oft baute man auch 2 Ringwälle, einen äußeren und einen inneren, die in gewissem Abstand meist parallel zueinander verliefen. Reste dieser Ringwälle findet man z. B. östlich von Manching (Oberbayern), auf dem Dollberg bei Nonnweiler (Kreis Sankt Wendel, Saarland) und auf dem Altkönig im Taunus.

Rio de Janeiro [-schanẹhro], 5,62 Millionen, mit Vororten 9,02 Millionen Einwohner, Hafenstadt in Brasilien an der Guanabara-Bucht am Atlantischen Ozean. Rio de Janeiro, meist kurz **Rio** genannt, ist das zweitgrößte Industriezentrum nach São Paulo und der wichtigste Einfuhrhafen Brasiliens. Das Wahrzeichen von Rio de Janeiro ist der 395 m hohe **Zuckerhut,** ein Felshügel in Glockenform. Der Straßenkarneval und mehrere Badestrände, z. B. im Stadtteil **Copacabana,** führen jährlich viele Touristen in die Stadt. 1822–1960 war Rio de Janeiro die Hauptstadt Brasiliens (seitdem Brasilia).

Rio Grande del Norte [spanisch ›Großer Fluß des Nordens‹], 3 034 km langer Strom in Nordamerika. Er entspringt in den Rocky Mountains im Staat Colorado, USA, durchfließt in teilweise tiefen Schluchten Neu-Mexiko und bildet ab El Paso den Grenzfluß zwischen Mexiko und den USA (Texas). Bei Matamoros und Brownsville mündet er in den Golf von Mexiko. Mehrere Staudämme dienen der Bewässerung und der Elektrizitätsgewinnung.

Ringen: 1 Griffzonen (links griechisch-römischer Stil, rechts Freistil), **2** Ringkampfstellungen (links parallele, rechts diagonale Fußstellung), **3–6** Körpergriffe; **3** Bank, **4** Doppelbrücke, **5** Armschlüssel, **6** Armdurchzug (oben Doppelfassen des Gegners, Mitte Drücken der Schulter gegen den Gegner, unten Drängen des Gegners in die seitliche Brückenlage)

Rippen, bogenförmig gekrümmte, platte Knochen, die zusammen mit der Brustwirbelsäule und dem Brustbein den →Brustkorb bilden.

Rippenfell, →Lunge.

Rispe, ein →Blütenstand.

Ritter [mittelhochdeutsch ›Reiter‹], Angehöriger des adligen Kriegerstandes im Mittelalter. Im 8. Jahrh. wurde im Frankenreich das Aufgebot der freien Bauern durch ein Heer weniger schwerbewaffneter Berufskrieger zu Pferde ersetzt. Damit konnten die fränkischen Könige über lange Zeiträume und weite Entfernungen Krieg führen, während die Bauern ihre Landwirtschaft betreiben konnten. Um den Kriegerstand wirtschaftlich abzusichern, überließ der König jedem Kämpfer leihweise einigen Grundbesitz (→Lehen), der durch eine Burg gesichert wurde. Die Ritter entwickelten als einzige Waffenträger ein starkes Selbstbewußtsein und sonderten sich von anderen Schichten ab. Knaben aus ritterlichen Geschlechtern wurden frühzeitig auf ihre Aufgabe vorbereitet. Mit 7 Jahren traten sie bei der Frau eines Ritters in den **Pagendienst,** mit 14 Jahren wurden sie **Knappen,** mit 21 Jahren erhielten sie den **Ritterschlag (Schwertleite),** durch den sie wehrhaft und mündig (volljährig) wurden.

Die ritterlichen Ideale, die von Dichtern wie Hartmann von Aue, Wolfram von Eschenbach und Walther von der Vogelweide besungen und verbreitet wurden, waren vor allem kriegerische Tüchtigkeit und Zucht, Treue zum Lehnsherrn, Schutz der Schwachen und Verehrung der Frauen (Minne). Unehrenhaftes Verhalten führte zum Verlust der Ritterehre. Im Verlauf der →Kreuzzüge entwickelte sich ein Zusammengehörigkeitsgefühl aller europäischen Ritter; es entstanden verschiedene Ritterorden (→Orden). Seit dem 13. Jahrh. wurden die Ritter dem niederen Adel zugerechnet.

Mit der Revolutionierung des Kriegswesens durch die Feuerwaffen verloren die Ritter im Spätmittelalter ihre militärische und damit auch gesellschaftliche Bedeutung. Aus wirtschaftlicher Not und sozialem Abstieg entstand das Raubrittertum. Als grundbesitzender Adelsstand, nur dem Kaiser untertan, konnte sich das Rittertum in veränderter Form (→Reichsritterschaft) bis zum Ende des Heiligen Römischen Reiches Deutscher Nation 1806 behaupten.

Ritterorden, →Orden.

Riviera [italienisch ›Küstenland‹], schmaler, durch Buchten und Vorgebirge gegliederter Küstensaum des Mittelmeers von Marseille in Frankreich bis La Spezia in Italien. Der **Französischen Riviera (Côte d'Azur)** mit den Orten Saint-Tropez, Cannes, Antibes, Nizza, Monaco und Menton folgt die **Italienische Riviera.** Diese gliedert sich wiederum in die **Riviera di Ponente** (westlich von Genua) mit den Orten Bordighera, Ospedalette, San Remo, Alassio und die **Riviera Levante** (östlich von Genua) mit den Orten Nervi, Rapallo, Santa Margherita und Portofino. Der durch Gebirge geschützte Küstensaum hat mildes, sonnenreiches Klima mit üppiger Vegetation. Die Riviera ist eines der bedeutendsten Fremdenverkehrsgebiete Europas.

Rizinus, in Ostindien heimische Pflanze, die im südlichen Europa angepflanzt wird. Die stark ölhaltigen Samen sind **giftig;** beim Pressen der Samen verbleiben die Giftstoffe in den Preßrückständen. **Rizinusöl** ist ein sehr dickflüssiges, fettes Öl mit unangenehmem Geruch und Geschmack, das auch als Abführmittel verwendet wird.

RNS, Abkürzung für **Ribo**nucleinsäure, eine →Nucleinsäure, die im Zellkern und im Zellplasma vorkommt.

Robben, Säugetiere, die sich dem Leben im Wasser angepaßt haben, aber nicht so vollkommen wie Wale und Seekühe; zur Paarung, zum Gebären, zum Haarwechsel und oft auch zum Schlafen kommen sie an Land. Mit ihrem spindelförmigen Körper und zu Flossen mit Schwimmhäuten zwischen den Zehen umgebildeten Gliedmaßen schwimmen Robben sehr gewandt. Sie können gut tauchen (12–15 Minuten lang und über 100 m tief), wobei sie Nase und Ohren verschließen. Eine dicke Fettschicht schützt sie vor Kälte. Da sie mit Lungen atmen, müssen sie immer wieder auftauchen. Nach fast einjähriger Tragzeit bekommen die Weibchen meist nur ein Junges. Das Gebiß der Robben mit den vorstehenden Eckzähnen ähnelt dem der an Land lebenden Raubtiere; es hat jedoch keine Reißzähne. Die Nahrung wird daher nicht zerkleinert. Robben jagen Fische, seltener Meeresvögel und fressen auch Krebse und Muscheln. Sie bewohnen häufig kühlere Meere im Norden und Süden der Erde, einige Arten auch Binnenseen (z. B. das Kaspische Meer). Viele Robben, vor allem die jungen Tiere, werden wegen ihres wertvollen Felles gejagt. Die Aufklärung über die Fangmethoden, bei der die Tiere mit einem Knüppel erschlagen werden, ließ die Nachfrage nach Robbenfellen zurückgehen.

Robben:
1 Polarmeer-Walroß, **2** und **3** Ohrenrobben, **2** Nördlicher Seebär, **3** Stellers Seelöwe, **4–6** Seehunde, **4** Klappmütze, **5** Seeleopard, **6** Seehund

Eine bekannte Robbenfamilie sind die hellgrauen, dunkel gefleckten **Seehunde** mit rundlichem Kopf, die vor allem in den Küstengewässern der nördlichen Erdhalbkugel leben. Man kann sie auch auf Sandbänken an der deutschen Nordseeküste beobachten. An Land bewegen sie sich nur unbeholfen ›robbend‹ fort, dafür schwimmen sie besonders schnell und geschickt. Sie ernähren sich vor allem von Küstenfischen. Verirrte oder verlassene Jungtiere (›Heuler‹, da sie durch Heulen auf sich aufmerksam machen) können vom Menschen aufgezogen werden; eine deutsche Aufzuchtstation gibt es z. B. in Norden-Nordendeich in Ostfriesland.

Zur Familie der Seehunde gehört die größte Robbe, der **See-Elefant,** der in großen Herden vor der kalifornischen Küste und auf antarktischen Inseln lebt. Die Bullen werden über 3 t schwer und über 6 m lang. Die massigen **Walrosse** mit langen Borsten auf der Oberlippe, die in großen Herden an den Küsten der arktischen Meere leben, ernähren sich vor allem von Muscheln, die sie mit ihren weit nach unten ragenden Eckzähnen aus dem Schlamm wühlen. Sie können trotz ihrer Körperfülle an Land recht gut laufen, wobei sie die Flossen unter den Körper stellen. Begehrt ist das Elfenbein ihrer Zähne. Zur Familie der **Ohrenrobben,** die kleine Ohrmuscheln haben, gehören die geschmeidigen **Seelöwen,** die an nordpazifischen Küsten leben. Sie sind gelehrig und werden wegen ihrer Balancierkünste im Zoo und Zirkus vorgeführt.

Robespierre [robespjạhr]. Der französische Politiker **Maximilien de Robespierre** (*1758, †1794) war ein führendes Mitglied im Klub der →Jakobiner und wurde während der Französischen Revolution zum Führer der radikalen ›Bergpartei‹ (benannt nach ihren Sitzen auf den höher gelegenen Bänken im Versammlungssaal des Nationalkonvents, also des damaligen Parlaments). Er betrieb die Absetzung und Hinrichtung König Ludwigs XVI. Zwischen Juli 1793 und Juli 1794 Mitglied des Wohlfahrtsausschusses, sicherte er sich eine unumschränkte Machtstellung und wurde zum Urheber der →Schreckensherrschaft. Schließlich wurde er gestürzt und mit seinen politischen Freunden hingerichtet.

** Rọbin Hood** [-hud], Held vieler englischer Volksballaden aus dem 14. und 15. Jahrh., lebte als Anführer einer Schar von getreuen Gesellen in einem Versteck im Sherwood Forest bei Nottingham. Er raubte die Reichen auf ihrem Weg durch diesen Wald aus und verteilte die Beute an die Armen. Der größte Feind Robin Hoods war der Sheriff von Nottingham, der ihn trotz Verfolgung und ausgesetzter Belohnungen nicht gefangennehmen konnte. Die auch heute noch durch Jugendbücher und Filme populäre Figur ist wahrscheinlich ein Geschöpf der Volkssage und keine historische Person. Es gab jedoch tatsächlich Männer, die nach der Eroberung Englands durch die Normannen in die Wälder flohen und von dort aus Widerstand gegen die Herrscher leisteten.

Rọbinson Crusoe [-krụsou], Held des gleichnamigen Abenteuerromans, den der englische Schriftsteller Daniel →Defoe 1719 schrieb, wird bei einem Schiffbruch auf eine unbewohnte Insel verschlagen und lebt dort bis zu seiner Rettung 28 Jahre. Ganz auf sich gestellt, eignet er sich handwerkliche Fähigkeiten an und betreibt Ackerbau und Viehzucht. Harte Arbeit, Handeln nach der Vernunft und Vertrauen in Gott prägen sein Leben. In dem Eingeborenen Freitag, den Robinson vor den Kannibalen rettet, findet er einen Gefährten. Er vermittelt ihm Bildung und erzieht ihn zum Christen. Der Roman geht auf Erlebnisse eines schottischen Matrosen zurück, der 1704–09 allein auf einer Pazifikinsel lebte. Der Erfolg des Buches veranlaßte Defoe zu 2 Fortsetzungsromanen.

Rọboter [zu tschechisch robota ›Fronarbeit‹]. Ursprünglich wurde der Begriff Roboter für einen künstlichen Menschen geprägt, der scheinbar selbständig Bewegungen ausführt. Heute verwendet man den Begriff für alle durch Computer gesteuerte Automaten, die bestimmte sich ständig wiederholende Arbeiten verrichten. Bereits in den 1930er Jahren gab es die ersten automatisch gesteuerten Bearbeitungsmaschinen (z. B. Drehbänke). Heute findet man kaum noch Industriezweige ohne Roboter. Sie werden überall dort eingesetzt, wo entweder gleichbleibende Arbeiten auszuführen sind, z. B. an Montagebändern, oder wo Menschen durch die Arbeit gefährdet sein können, z. B. bei der Handhabung radioaktiver Stoffe. Während die ersten Roboter nur automatisch gesteuerte Maschinen waren, gibt es heute Versuche, Roboter mit ›künstlicher Intelligenz‹ zu bauen. Derartige Roboter besitzen Sensoren zum Tasten und ›Sehen‹ und verfügen über eine gewisse Lernfähigkeit, die durch elektronische Speicher und Verknüpfungsschaltungen ermöglicht wird.

Rọchen, im Meer lebende, mit den Haien eng verwandte Knorpelfische. Sie haben meist einen stark abgeflachten, scheibenförmigen Körper, sehr große seitliche Brustflossen und einen langen peitschenartigen Schwanz. Sie leben meist in Küstennähe am Meeresboden. Ihre Oberseite, die Augen, Nasen- und Spritzlöcher trägt, ist farblich dem Untergrund angepaßt. Mund und Kiemenspalten liegen an der hellen Unterseite. Rochen schwimmen durch wellenartige Bewegung der Flossen. Die meisten haben Zähne und fressen Muscheln, Krebse und Stachelhäuter. Nur eine Familie der Rochen ist eierlegend, bei allen anderen Rochen schlüpfen die Jungen noch

Rochen: **1** Mantarochen oder Teufelsrochen, **2** und **3** Zitterrochen, **4** Glattrochen, **5** Sägefisch, **6** Stachelrochen, **7** Geigenrochen

im Mutterleib aus den Eiern. Der **Manta-** oder **Teufelsrochen** der tropischen Meere kann bis 6 m breit und mehrere Tonnen schwer werden. Der **Stachelrochen** hat einen starken, mit Giftdrüsen verbundenen Stachel auf der Schwanzoberseite. Der bis 6 m lange und 2 t schwere **Sägefisch** mit haiähnlichem Körper, der auch im Mittelmeer lebt, hat eine schwertartige Schnauze mit beiderseits sägeartigen Zähnen. Der etwa 1 m lange **Zitterrochen,** der im östlichen Atlantik von Frankreich bis Südafrika und im Mittelmeer vorkommt, besitzt am Kopf ein stromerzeugendes Organ (→Elektrische Fische).

Rọckmusik, →Popmusik.

Rock'n'Roll [-roul, englisch ›wiegen und schaukeln‹], in den 1950er Jahren entstandene Form des **Rhythm and Blues,** einer stark rhythmusbetonten Form des Blues. Typisch ist der harte, dennoch federnde Grundschlag der Rhythmusgruppe, die kehlige Singweise, die meist 12-taktige Bluesformel und die Verwendung der Bandbesetzung mit elektrischer Gitarre und Bläsern. Bekannte Interpreten waren **Bill Haley** und **Elvis Presley.**

Rọcky Mountains [-maụntins], der östliche Teil der nordamerikanischen Kordilleren. Das Gebirge erstreckt sich über 4 800 km vom Norden Kanadas bis zum Süden der USA. Die Rocky Mountains erreichen Höhen über 4 000 m (Mount Elbert, 4 399 m) und fallen nach Osten steil zu den Great Plains ab, während sie nach Westen in Hochbecken und -ebenen übergehen. Das Gebirge ist reich an Bodenschätzen (Kupfer, Eisen, Silber, Gold, Blei, Zink, Molybdän, Uran, Erdöl, Erdgas). Zahlreiche Nationalparks sind die Grundlage für einen bedeutenden Fremdenverkehr.

Rodin [rodẽ̩]. Der französische Bildhauer **Auguste Rodin** (* 1840, † 1917) fand früh zu einer betont realistischen Darstellungsweise, die in seiner Zeit auf Ablehnung stieß. Seine bronzene Jünglingsgestalt ›Das eherne Zeitalter‹ (1876) hielt man anfangs sogar für einen Naturabguß. Auf Reisen nach Florenz und Rom sowie innerhalb Frankreichs lernte er die Skulpturen Michelangelos und die gotische Kathedralplastik kennen; diese Eindrücke beeinflußten die Ausbildung seines eigenen Stils. Die Oberfläche seiner Bildwerke ist meist zerklüftet, so daß das Spiel von Licht und Schatten malerische, impressionistische Wirkungen erzeugt. Oft suchte Rodin den Reiz des Skizzenhaften und Unvollendeten und arbeitete die Figuren nur teilweise aus dem Block heraus (›Danaide‹, 1890). Mit der Bronzeplastik der sechs ›Bürger von Calais‹, die sich während der Belagerung ihrer Stadt durch die Engländer (1347) im Büßerhemd samt den Stadtschlüsseln dem Feind auslieferten, schuf er einen neuen Denkmaltyp ohne jede heldenmäßige Verklärung (1884–86). Auch die Bronzestatue des Dichters Honoré de Balzac (1891–98) im Schlafrock zeigt ein neues, unheroisches Verständnis des schöpferischen Menschen. Berühmt sind auch die kraftvoll wirkende Bronze-Sitzfigur ›Der Denker‹ (1880) sowie die Marmorgruppe ›Der Kuß‹ (1886). Die meisten Werke befinden sich im Rodin-Museum in Paris.

Rọgen, die Eier der →Fische.

Rokoko: Joseph Anton Feuchtmayer, Der Honigschlecker; um 1750 (Wallfahrtskirche Birnau)

Roggen, ein →Getreide.

Rohrblatt, aus Schilfrohr, heute gelegentlich auch aus Kunststoff gefertigtes Blättchen bei →Oboen, →Fagotten und →Klarinetten, das als elastischer Teil am Mundstück befestigt ist. Seine Schwingung unterbricht den Luftstrom des Bläsers in schneller Folge. Dadurch wird die Luftsäule im Instrument zur Schwingung und zum Klingen gebracht.

Rohrdommel, eine Art der →Reiher.

Röhricht, Wuchsform von →Wasserpflanzen in der Uferregion eines Gewässers und die aus diesen gebildete Ufervegetation.

Rohrsänger, mit den →Grasmücken verwandte Singvögel.

Rohstoffe, meist noch unbearbeitetes Ausgangsmaterial für die Herstellung von Gütern. Man unterscheidet die Nahrungs- und Futtermittel-Rohstoffe, z. B. Getreide, Kaffee, Tee, Ölfrüchte, Fleisch, Milch, von den Industrie-Rohstoffen, z. B. Bodenschätze wie Eisen, Erdöl sowie Kautschuk, Holz, Wolle und Baumwolle.

Rokoko, in der bildenden Kunst der dem Barock folgende Stil, der sich zwischen 1730 und 1770 besonders in Frankreich, Deutschland und Italien ausprägte. Er leitet zum Klassizismus über, der sich seit etwa 1750 neben ihm herausbildete. Bevorzugte Ornamentform war die asymmetrisch schwingende, aus der Muschelform entwickelte **Rocaille** (französisch für ›Muschelwerk‹), von der sich der Name Rokoko herleitet.

Rokoko: Konzertzimmer in Schloß Sanssouci; Dekoration von Johann Michael Hoppenhaupt, Wandgemälde von Antoine Pesne

Im Rokoko wandelten sich die schweren, prunkvollen Formen des Barocks ins Leichte, Zierliche und Elegante, wie es dem Ideal der höfischen Gesellschaft entsprach. Der neue Stil entfaltete sich als Dekorationsstil des Pariser Stadtadels zuerst in der Innenarchitektur. In den Stadtpalästen verdrängten helle, intime Räume die düsteren barocken Säle. Der neue Gestaltungswille zeigte sich in graziösen Tapetenmustern, einfallsreicher Stuckornamentik, großen Wandspiegeln, die das Licht der Kronleuchter reflektierten, und zierlichen Möbeln.

In weit geringerem Maß wirkte sich der Rokokostil auf den Außenbau aus. Von der deutschen Baukunst des 18. Jahrh. (meist als Spätbarock bezeichnet) rechnet man dem Rokoko vor allem Bauten wie Schloß Sanssouci in Potsdam zu (›Friderizianisches Rokoko‹) sowie die gegen Ende der Epoche entstandenen Kirchen in Süddeutschland (›Bayerisches Rokoko‹), z. B. die Wallfahrtskirche Wies in Oberbayern, erbaut von **Dominikus Zimmermann.** Weitere Baumeister waren **Johann Michael Fischer** und die **Brüder Asam.**

Fließend wie in der Baukunst sind die Übergänge vom Barock zum Rokoko auch in der Plastik. Diese entwickelte sich besonders in Süddeutschland zu hoher Vollendung. Hier schufen Künstler wie **Ignaz Günther** und die Brüder **Joseph Anton** und **Johann Michael Feuchtmayer** religiöse Bildwerke aus Holz oder Stuck, oft für entlegene Dorfkirchen. Daneben entstanden kostbare Werke der Porzellanplastik (Nymphenburger Porzellanmanufaktur).

In der Malerei überwogen in Frankreich weltliche Themen wie galante Feste, Schäfer- und Hirtenszenen; herausragende Maler waren **Jean-Antoine Watteau, François Boucher** und **Jean Honoré Fragonard.** Zarte, duftige Farben herrschten vor. In Italien erlebte besonders Venedig eine Spätblüte der Malerei, die auch nach Deutschland ausstrahlte (**Giovanni Battista Tiepolo,** Fresken in der Würzburger Residenz). In Deutschland und Österreich entstanden vor allem kirchliche Deckenfresken.

In der Literatur kam das Lebensgefühl des Rokoko in Frankreich besonders in der **höfischen Gesellschaftsdichtung,** in Deutschland in der **Dichtung der Empfindsamkeit** und in der **Schäferdichtung** zum Ausdruck. Höhepunkte der deutschen Rokokoliteratur sind die Werke von **Christoph Martin Wieland.**

Roland, Held aus dem Sagenkreis um Karl

den Großen. Als Führer der Nachhut von Karls Heer geriet Roland in einen Hinterhalt, bei dem er und seine Männer nach heldenhaftem Kampf umkamen. Das historische Vorbild für die Sagengestalt des Roland war ein Graf Hruotlant aus der Bretagne, der 778 in einem Gefecht gegen die Basken bei Roncesvalles fiel. Die Sage machte ihn zum Neffen Karls und zum Hauptheiden des **Rolandsliedes,** dessen älteste überlieferte Form um 1100 in Nordfrankreich aufgeschrieben wurde.

Rom, italienisch **Roma,** 3,8 Millionen Einwohner, Hauptstadt Italiens, beiderseits des Tiber gelegen. Rom ist Sitz der Regierung, der zentralen Verwaltung des Staates, Sitz des Papstes in der → Vatikanstadt und kulturelles Zentrum Italiens mit bedeutendem Fremdenverkehr. Rom ist ein nationaler und internationaler Handelsplatz (Börsen, Banken, Versicherungen). Viele staatliche, private (auch kirchliche) oder ausländische Bildungs- und Forschungseinrichtungen haben ihren Sitz in Rom. Der Bestand an Kunstwerken in den bedeutenden römischen Museen und Galerien gehört zu den umfangreichsten der Erde.

Geschichte. Der Legende nach soll die Stadt Rom 753 v. Chr. durch Romulus, der als erster König der Stadt gilt, gegründet worden sein (→ römische Geschichte). Im Lauf der Zeit breitete sich die Besiedlung vom Palatin und Kapitol über die Anhöhe des Aventin, Esquilin, Quirinal, Viminal und Caelius zum Rom der 7 Hügel aus. Als die Sabiner und Latiner die sumpfige Senke zwischen Palatin und Kapitol trockengelegt hatten, entstand das Forum Romanum (→ Forum). Später wurde die zu klein gewordene Anlage durch die Kaiserforen mit Caesar-, Augustus-, Nerva-, Vespasian- und Trajansforum (mit der erhaltenen 30 m hohen Trajanssäule) erweitert. Im 4. Jahrh. v. Chr. wurde das Stadtgebiet erstmalig mit einer Mauer umgeben, steinerne Brükken wurden über den Tiber errichtet, und die ersten Aquädukte wurden gebaut. In der Kaiserzeit wurde Rom glanzvoll ausgebaut, und nach Bränden, vor allem dem von 64 n. Chr., wurde die Stadt nicht weniger prächtig erneuert mit Marmortempeln, Thermen (besonders die riesigen Anlagen von Diokletian und Caracalla), kaiserlichen Palästen auf dem Palatin, Geschäftshäusern und Wohnkomplexen. Die Triumphbögen des Titus, Septimius Severus und Konstantin säumen noch heute die Straßen. 2 Gebäude beeindrucken besonders: die riesige Ruine des → Kolosseums und der gut erhaltene Rundbau des → Pantheon mit der größten jemals aus Backsteinen erbauten Kuppel. Ende des 3. Jahrh. wurde Rom unter Kaiser Aurelian mit einer 19 km langen und 8–10 m hohen Stadtmauer zur Abwehr von zunehmenden Angriffen neu befestigt. Mit dem Sieg des Christentums Anfang des 4. Jahrh. ging das antike Rom zu Ende; die ersten christlichen Kirchen wurden gebaut (Lateranbasilika, Peterskirche). Nach Verlegung der Hauptstadt des Imperiums nach Konstantinopel 330 nahm die politische Bedeutung Roms ab. Barbareneinfälle und -verwüstungen leiteten im 5. Jahrh. eine Verfallszeit ein, die sich im Mittelalter fortsetzte.

Rokoko: François Boucher, Diana im Bade (Paris, Louvre)

Die Päpste erhielten 754 durch die ›Pippinsche Schenkung‹ (→ Pippin III.) die weltliche Herrschaft über Rom, die aber durch häufige Abhängigkeit von den großen Adelsgeschlechtern geschwächt wurde. Die Zerstörung der Stadt durch die Normannen (1084) und schließlich die Übersiedlung der Päpste im 14. Jahrh. nach Avignon ließen Rom am Ende des Mittelalters zu einer verarmten Stadt werden. Erst seit der Mitte des 15. Jahrh. erstarkte die päpstliche Macht wieder, und Rom erlebte einen gewaltigen Aufschwung. Die Päpste im 16. Jahrh., vor allem Julius II., Paul III. und Sixtus V., gaben mit Hilfe großer Künstler (Bramante, Raffael, Michelangelo) der Stadt ein neues Gepräge. Kirchen (Neubau von Sankt Peter), Paläste und Villen wurden gebaut, der Kapitolsplatz wurde von Michelangelo neu gestaltet, Raffael malte die Gemächer des Vatikans aus, Michelangelo die Sixtinische Kapelle. Im 17. Jahrh. entstand in der ganzen Stadt eine

Vielzahl barocker Bauwerke, vor allem prunkvoll ausgestattete Kirchen. Auftraggeber waren wiederum Päpste (Urban VIII., Innozenz X., Alexander VII.). Bedeutende Künstler dieser Zeit waren Gian Lorenzo Bernini, Francesco Borromini, Pietro da Cortona.

Zu den Neuschöpfungen des 18. Jahrh. zählen vor allem die Spanische Treppe und die Fontana di Trevi. Im 19. Jahrh. ging auf Grund politischer Ereignisse die künstlerische und kulturelle Bedeutung Roms zurück. 1870 endete die weltliche Herrschaft der Päpste, und Rom wurde nach der Einigung Italiens 1871 Hauptstadt des Königreichs. Im 20. Jahrh. griff Mussolini mit neuen Straßen (Via dei Fori Imperiali) und Anlagen (Foro Italico, Universität) in das Stadtbild ein. Nach dem Zweiten Weltkrieg wurde mit dem Bahnhof (Stazione Termini) ein international richtungweisender Bau geschaffen.

Roma, Eigenbezeichnung einer hauptsächlich in Europa verbreiteten ethnischen Minderheit indischer Herkunft. Sie wurde zwischen 800 und 1000 durch das Vordringen arabischer Volksstämme zur Auswanderung veranlaßt. Über Persien und Syrien gelangten die Roma auf den Balkan und waren um 1500 in ganz Europa verbreitet. Die Stämme tragen die unterschiedlichsten Namen, oft nach der von ihnen ausgeführten Tätigkeit, z. B. waren die rumänischen Lautari Musiker. Nach Nordamerika kamen sie in einer größeren Welle gegen Ende des 19. Jahrh. In den Aufnahmeländern wurden die verschiedenen Stämme mit ihrem starken Zusammengehörigkeitsgefühl meist verfolgt oder vertrieben. So nötigte man die Roma zu einem Wanderleben, das sie zu einer ihnen eigentümlichen Lebensform entwickelten. Einen Höhepunkt erreichten diese Verfolgungen zur Zeit des → Nationalsozialismus in Deutschland.

1990 lebten von schätzungsweise 7 bis 9 Millionen Roma zwischen 1,9 und 5,6 Millionen in Europa. Alle Roma mit deutscher Staatsangehörigkeit bezeichnen sich als **Sinti;** in Deutschland leben etwa 40 000 Sinti und 20 000 Roma. Sie sind im ›Zentralrat Deutscher Sinti und Roma‹ (Heidelberg) organisiert.

Entsprechend dem Gastland hat sich die ursprünglich zum indischen Sprachstamm gehörende Sprache der Roma verändert; der Bestand an Lehnwörtern gibt Hinweise auf Herkunft und Wanderwege der einzelnen Stämme. Auch in ihrer Religion passen sich die Roma dem jeweiligen Land an, behalten daneben oft noch Elemente eines eigenen Glaubens bei. Sie leben in vaterrechtlich organisierten Großfamilien (→ Patriarchat); wirtschaftliche Lebensgrundlagen sind z. B. Schmiedekunst, Kunsthandwerk, Musik und Wahrsagerei; mit dem Wechsel zur seßhaften Lebensweise werden jedoch auch hier Anpassungen notwendig.

Roman, Form der erzählenden Dichtung, die im Unterschied zum Epos Prosa verwendet und Darstellungsarten wie Bericht, Brief, Gespräch und Monolog in sich aufnehmen kann. Von Erzählung und Novelle unterscheidet den Roman die größere Ausführlichkeit der Darstellung, die nicht nur eine herausragende Begebenheit, sondern in vielen Fällen das ganze Leben einer Person oder sogar mehrerer Generationen zum Thema hat. Dabei ist er inhaltlich in seinen geschichtlich-gesellschaftlichen Bezügen oft anders angelegt als das Epos; er konzentriert sich stärker auf das Einzelschicksal der geschilderten Personen. Stofflich unterschieden hat man z. B. **Abenteuer-, Schelmen-, Familien-, Gesellschafts-, Heimat-, Kriegs-** und **Staatsroman;** nach formalen Kennzeichen wurden beispielsweise die Begriffe **Ich-Roman** oder **Briefroman** (Roman in Briefen) geprägt.

Die ersten europäischen Romane (noch nicht so bezeichnet), Erzählwerke von abenteuerlicher, phantastischer Art, entstanden in der griechischen und römischen Antike. Mit der Auflösung des mittelalterlichen **Versromans,** der häufig noch zum Epos gerechnet wird, und den Prosaerzählungen des 15. Jahrh. begann die eigentliche Geschichte des neuzeitlichen Prosaromans. Seine Bedeutung wuchs im 18. Jahrh. mit dem Aufstieg des Bürgertums in der Gesellschaft; er zählte bald zu den gebräuchlichsten literarischen Ausdrucksformen. Während im englischen und französischen Roman die bürgerliche Gesellschaft eine wesentliche Rolle spielte, wurde in deutschen **Entwicklungs-** und **Bildungsromanen** (Goethes ›Wilhelm Meister‹) eher die Entwicklung und Erziehung einer Einzelpersönlichkeit dargestellt. Dieser Romantypus blieb, oft in der Form des **Künstlerromans,** bis in das 20. Jahrh. erhalten. Die im 18./19. Jahrh. entstandenen Typen des **Gespenster-, Schauer-** und **Kriminalromans** sind in der heutigen Unterhaltungsliteratur, teils abgewandelt, gleichfalls noch vertreten, ebenso der **geschichtliche Roman.** Er leitete über zu den wirklichkeitsnahen Formen des **realistischen, naturalistischen** und **psychologischen Romans** (→ Realismus, → Naturalismus), wie er in der zweiten Hälfte des 19. Jahrh. von Schriftstellern wie Gustave Flaubert, Émile Zola und Fjodor M. Dostojewskij verfaßt wurde. Seit Ende des 19. Jahrh. begann die äußere Handlung in vielen Romanen weniger wichtig zu werden; dafür beschrieb man Vorgänge, die im Bewußtsein der Hauptfiguren ablaufen, ausführlicher (James Joyce, ›Ulysses‹). Nach 1945 wurde zwar häufig von einer ›Krise des Romans‹ gesprochen, da seine in sich geschlossene Wirklichkeitsdarstellung einem modernen Weltbild nicht mehr entspreche; dennoch entwickelten sich neue Formen, z. B. der experimentelle **Nouveau roman** in Frankreich. In vielen deutschsprachigen Romanen der Gegenwart, beispielsweise von Heinrich Böll, Günter Grass und Max Frisch, auch im englischen und amerikanischen Roman, stehen dagegen formale Neuerungen weniger im Vordergrund. – Außer in Europa und Amerika kam der Roman zu hoher Blüte in Japan (höfische, zum Teil von Frauen geschriebene Romane des 10./11. Jahrh.) und China (14.–18. Jahrh.).

Romanik [von lateinisch romanus ›römisch‹], die um 950 auf die →karolingische Kunst folgende und mit ihr eng verbundene Stilepoche der mittelalterlichen Kunst, die im 13. Jahrh., in Frankreich schon im 12. Jahrh., von der →Gotik abgelöst wurde. Die Frühromanik (bis um 1080) wird in Deutschland **ottonische Kunst** genannt, die Hochromanik (bis um 1150) **salische Kunst.** Parallel zur französischen Frühgotik schließt sich

Romanik: Daniel in der Löwengrube (Ausschnitt aus einem Relief im Wormser Dom, Ende 12. Jahrh.)

Romanik: LINKS Wormser Dom von Westen; um 1234. RECHTS Speyerer Dom, Mittelschiff gegen Osten; 11.–12. Jahrh.

eine Phase der Spätromanik an (bis um 1240), die in Deutschland und Italien der **staufischen Kunst** entspricht. Die Bezeichnung ›Romanik‹ kam um 1820 in Frankreich auf. Sie erklärt sich daraus, daß die Romanik römische Bauformen (Rundbogen, Säule, Pfeiler, Gewölbe) übernahm und weiterbildete.

Die Baukunst vor allem der Hoch- und Spätromanik zeichnet sich durch die einheitliche Durchgestaltung des ganzen Baukörpers aus. Als Grundform des Kirchenbaus wurde die altchristliche Basilika übernommen und durch weitere Bauteile (Querhaus, Chor, Kapellen, Türme) vielfältig ergänzt. Die Gruppierung solch verschiedener Bauteile (rechteckiger und runder, längs- und quergerichteter) zu einem wuchtigen Gesamteindruck ist ein entscheidender Unterschied der Romanik zur römischen Baukunst. Ein Beispiel für einen solchen Bau ist die Klosterkirche Maria Laach in der Eifel. Die →Krypta wurde zum unterirdischen Kirchenraum ausgeweitet. Der frühromanische Kirchenbau war noch flach gedeckt. Im späten 11. Jahrh. begann sich die Wölbung durchzusetzen, besonders das Tonnen- und das Kreuzgratgewölbe. Der erste vollständig gewölbte Großbau Mitteleuropas war der Dom zu Speyer. Doppelchörige Kirchen (mit Ostchor und Westchor) wurden besonders in Deutschland gebaut, z. B. die Kaiserdome in Mainz und Worms. Die klare Grundform der Mauermassen wurde plastisch gegliedert durch

Romanik: LINKS Der Prophet Jeremia; Wandmalerei in der Apsis von San Vincenzo in Galliano bei Cantù (Provinz Como), gegen 1007. RECHTS Der heilige Audemarus und sein ungehorsamer Diener; Buchmalerei, 2. Hälfte des 11. Jahrh. (Saint-Omer, Bibliothèque Municipale)

›Pilaster‹ und ›Lisenen‹ (vorgesetzte Mauerstreifen mit und ohne Fußteil und Kapitell), Halbsäulen, Sockel, Gesimse und ›Zwerggalerien‹ (Laufgänge mit Arkaden unter dem Dachansatz), im Innern durch den rhythmischen Wechsel von Pfeilern und Säulen (›Stützenwechsel‹), durch Empore und Galerien. – Von der weltlichen Baukunst zeugen besonders die staufischen Kaiserpfalzen (Speyer, Gelnhausen, Goslar, Wimpfen).

Die Plastik blieb zunächst auf Bildwerke kleinen Formats beschränkt (Elfenbeinschnitzereien). Um 1000 entstanden auch größere Werke, z. B. die rundplastische ›Goldene Madonna‹ im Essener Münsterschatz (Holz, mit einem Überzug aus Goldblech, Ende 10. Jahrh.) und das ›Gerokreuz‹ im Kölner Dom (um 970); vorherrschend aber war die Reliefkunst. Die romanische Plastik war größtenteils Architekturplastik, in Frankreich mehr am Außenbau (Portale, Fassaden), in Deutschland im Innenraum (Chorschranken, Taufsteine). Auf den Kapitellen der Säulen und Pfeiler finden sich fast rundplastisch ausgearbeitete Szenen, die Menschen, Tiere, Fabelwesen und Pflanzen zeigen. Um 1100 entstand die hochromanische Skulptur, die sich durch kraftvolle Körperlichkeit auszeichnet, z. B. die ›Gewändefiguren‹ (Heilige, Apostel) an der gestuften, seitlichen Mauereinfassung (›Gewände‹) der Kirchenportale. Mit ihnen hat vor allem Frankreich die Grundlage der späteren gotischen Skulptur geschaffen.

In der Malerei der Romanik herrschte die Wandmalerei vor. Die Kirchen waren mit biblischen Szenen und Heiligenlegenden ausgemalt. In Italien findet sich daneben das häufig von der byzantinischen Kunst beeinflußte Mosaik (Markuskirche, Venedig). Ein Höhepunkt mittelalterlicher Buchmalerei wurde besonders in ottonischer Zeit erreicht. Aus romanischer Zeit stammen auch die frühesten →Glasmalereien.

romanische Sprachen, Sprachgruppe, deren Grundlage die lateinische Sprache ist: Französisch, Provenzalisch, Italienisch, Sardisch, Portugiesisch, Katalanisch, Spanisch, Rumänisch, Rätoromanisch. Die romanischen Sprachen gehören zu den **indogermanischen Sprachen.**

Romanow, russisches Adelsgeschlecht, dem 1613–1917 die Zaren und Kaiser von Rußland entstammten, unter anderen Peter der Große, Alexander I. und Alexander II. Der letzte Kaiser, Nikolaus II., wurde mit seiner Familie in der russischen Oktoberrevolution 1917 erschossen.

Romantik [abgeleitet von ›Roman‹], allgemein eine zum Gefühlvollen, Wunderbaren und Märchenhaften (›Romanhaften‹) neigende Weltauffassung, im besonderen eine geistes- und stilgeschichtliche Epoche, die um 1800 Aufklärung und Klassizismus ablöste oder sich zum Teil daneben entwickelte. Die Romantik war eine gesamteuropäische Bewegung, ihr Schwerpunkt lag in Deutschland.

Romantik: Caspar David Friedrich; Kreidefelsen auf Rügen; um 1820 (Winterthur, Stiftung Oskar Reinhart)

Als Reaktion auf die Vernunftbetonung der Aufklärung suchten die Romantiker auf schwärmerische Weise die Verbindung mit der Natur und wandten sich verstärkt der Geschichte zu, besonders dem Mittelalter, das als ideale Epoche der religiösen Einheit verherrlicht wurde, ferner der Religion, dem Volksleben, der Volksdichtung und dem Bereich des Seelischen. Die historischen Wissenschaften wurden gefördert, ebenso die Sprachwissenschaften. Die Dichter waren von Sehnsucht nach dem Unendlichen erfüllt; Symbol dafür war die ›blaue Blume‹. Eine der bevorzugten Literaturformen (neben dem Roman) war das Märchen. Nicht nur die alten Volksmärchen wurden gesammelt (Gebrüder Grimm), auch neue ›Kunstmärchen‹ erschienen in großer Zahl; Dichter waren Ludwig Tieck, Novalis, Clemens von Brentano, Wilhelm Hauff, E(rnst) T(heodor) A(madeus) Hoffmann, ferner Joseph von Eichendorff, der neben Erzählungen Gedichte von volksliedhafter Einfachheit schuf. Gleichzeitig erschienen bedeutende Übersetzungen der Weltliteratur ins Deutsche, z. B. die Shakespeare-Übersetzung von August Wilhelm Schlegel. Er und sein Bruder Friedrich Schlegel gelten als die Begründer der romantischen Kunstauffassung.

Die Ideen der Romantik wirkten auf den politischen und gesellschaftlichen Bereich. In der Staats- und Wirtschaftslehre galt die nach Ständen geordnete Wirtschaftsverfassung des Mittelalters als Ideal. Groß war der Widerstand gegen die einsetzende industrielle Entwicklung. – Im gesellschaftlichen und literarischen Leben übten auch Frauen einen bestimmenden Einfluß aus (Karoline Schelling, Dorothea Schlegel, Bettina von Arnim, Rahel Varnhagen).

Von der Literatur wurde der Stilbegriff Romantik auf die bildende Kunst übertragen. Das wichtigste Merkmal der romantischen Architektur ist die Wiederaufnahme gotischer Formen **(Neugotik),** die mit der allgemeinen Hochschätzung des Mittelalters zusammenhängt. Mit der Besinnung auf die nationale Vergangenheit entwickelte sich die **Denkmalpflege;** so wurde in Deutschland der bis dahin unvollendet gebliebene Kölner Dom weitergebaut. Die Hauptaufgabe der romantischen Skulptur war das **Denkmal;** hierfür griff man vielfach auf barocke Formen zurück. Die vorherrschende Gattung der Malerei war die **Landschaftsmalerei.** In der Landschaft suchten vor allem die norddeutschen Romantiker die ›göttliche Offenbarung‹, so etwa Caspar David Friedrich, zeitweise auch Friedrich Schinkel, der als Architekt in neugotischen und klassizistischen Formen baute. Allegorische Figurenbilder schuf Philipp Otto Runge, geschichtliche Stoffe bevorzugte Moritz von Schwind. Die französischen Romantiker Eugène Delacroix und Théodore Géricault knüpften in ihrer Malweise an barocke Maler wie Peter Paul Rubens an; stimmungshafte Landschaften schufen die Engländer John Constable und William Turner. Die religiöse Kunst erneuern wollte eine Gruppe von deutschen und österreichischen Malern in

Romantik: Karl Friedrich Schinkel, Der Dom; 1815 (Berlin, Staatliche Museen)

Rom, die **Nazarener** genannt wurden; sie bezogen sich vor allem auf die Malerei Raffaels und Albrecht Dürers. Mitte des 19. Jahrh. setzte in England die Künstlervereinigung der **Präraffaeliten** die Romantik fort. Sie nahmen sich die italienische Malerei vor Raffael zum Vorbild (daher der Name) und knüpften mit den religiösen Inhalten ihrer Bilder an die Nazarener an.

Die Musik war nach romantischer Anschauung eine eigenständige Welt der Töne, die besonders das subjektive Gefühl und die Stimmung ausdrücken sollte. Formal knüpften die Romantiker zum Teil an die Musik der Vorklassik und der →Wiener Klassiker an, besonders Franz Schubert, der, bei romantischer Grundhaltung, die Klassik eigenständig fortsetzte. Er wurde auch zum Schöpfer des neueren deutschen Liedes. Die Betonung des Nationalen zeigte sich etwa in Carl Maria von Webers Oper ›Der Freischütz‹, der Rückgriff auf mittelalterliche Stoffe in seiner Oper ›Euryanthe‹. Besonders volkstümlich wurden die Opern Albert Lortzings. Die Instrumental-(vor allem Klavier-)Musik wurde vor allem von Frédéric Chopin, Robert Schumann und Felix Mendelssohn-Bartholdy gepflegt. In Frankreich begründete Hector Berlioz die romantische Programmusik, in der ein ›Programm‹ – eine Geschichte, ein Gedicht oder eine Bildbeschreibung – musikalische Gestalt annimmt. Franz Liszt führte sie in Deutschland fort. Über Johannes Brahms und Anton Bruckner reichen Ausläufer spätromantischer Musik bis zu Franz Pfitzner, Richard Strauss, Max Reger, Gustav Mahler und Arnold Schönberg. Im Werk Richard Wagners erreichte die romantische Oper als ›Gesamtkunstwerk‹ von Dichtung, Musik, bildender Kunst, Schauspielkunst und Tanz ihren Höhepunkt.

römische Geschichte. Die Sage berichtet von der Gründung der Stadt →Rom auf dem Palatin, einem Hügel am Tiber, im Jahr 753 v. Chr. durch →Romulus und Remus. In Wirklichkeit war dieser Hügel schon viel früher besiedelt, doch konnte von einer Stadt erst gesprochen werden, als die Etrusker die besiedelten Hügel zu einer Stadt mit dem etruskischen Namen ›Roma‹ zusammenfaßten. Zunächst regierten Könige in Rom, von denen der letzte, Tarquinius Superbus, 509 v. Chr. gestürzt worden sein soll.

Seitdem verstanden die Römer ihren Staat als Republik – als ›res publica‹, das heißt als ›öffentliche Sache‹. Die Leitung des Staats hatten die →Patrizier inne, deren Vertreter im Senat, dem einflußreichen „Stadtrat" Roms, 2 →Konsuln für jeweils ein Jahr wählten. Die Konsuln hatten die Befehlsgewalt in der Stadt, im Kriegsfall waren sie auch Befehlshaber des Heeres. Die Masse des Volkes, die →Plebs, hatte zunächst keine politischen Rechte, mußte aber Kriegsdienst leisten. Allerdings erkämpften sich die Plebejer in den 2 Jahrhunderten zwischen 500 und 300 v. Chr. eigene Beamte, die **Volkstribunen,** die Beschlüsse des Senats durch ihr ›Veto‹ (lateinisch ›ich verbiete‹) verhindern konnten. Grundlage für das Rechtsleben in Rom wurden geschriebene Gesetze, die im **Zwölftafelgesetz** festgehalten waren. Allmählich bildete sich bei den Plebejern eine Oberschicht heraus, die mit den patrizischen Familien zur ›Nobilität‹ verschmolz. Dieser Amtsadel blieb bis zu den Bürgerkriegen gegen Ende der Republik Träger der Staatsgewalt.

Nach außen erweiterte Rom in vielen Kriegen seinen Herrschaftsbereich. Am Ende des 4. Jahrh. v. Chr. beherrschte es ganz Mittelitalien und eroberte die griechischen Städte Süditaliens. Im Norden dehnte Rom seine Macht bis zur Poebene aus. Im 3./2. Jahrh. v. Chr. drang Rom nach Spanien und Nordafrika (→Karthago, →Punische Kriege), Griechenland, Syrien und Kleinasien vor.

Die Kriege führten zu einer Verarmung der Bauern und damit zu einer landwirtschaftlichen Krise, die die →Gracchen durch Reformen zu lösen versuchten. Schließlich kam es zum Bürgerkrieg, der andauerte, bis →Caesar sich vom Senat zum Diktator auf Lebenszeit ernennen ließ und den Staat neu ordnete (46 v. Chr.). Seine Ermor-

Die legendären 7 Könige Roms

Romulus – Numa Pompilius – Tullus Hostilius – Ancus Marcius – Tarquinius Priscus – Servius Tullius – Tarquinius Superbus

Die wichtigsten römischen Kaiser

aus dem julisch-claudischen Haus:	
27 v. Chr.–14 n. Chr.	Augustus
14–37	Tiberius
37–41	Caligula
41–54	Claudius
54–68	Nero
aus der Dynastie der Flavier:	
69–79	Vespasian
79–81	Titus
81–96	Domitian
aus der Reihe der ›Adoptivkaiser‹:	
98–117	Trajan
117–138	Hadrian
161–180	Mark Aurel
aus der Severischen Dynastie:	
198–217	Caracalla
aus der Reihe der ›Soldatenkaiser‹:	
253–260	Valerian
aus der Spätzeit des Römischen Reiches:	
284–305	Diokletian
306–337	Konstantin der Große
379–395	Theodosius der Große

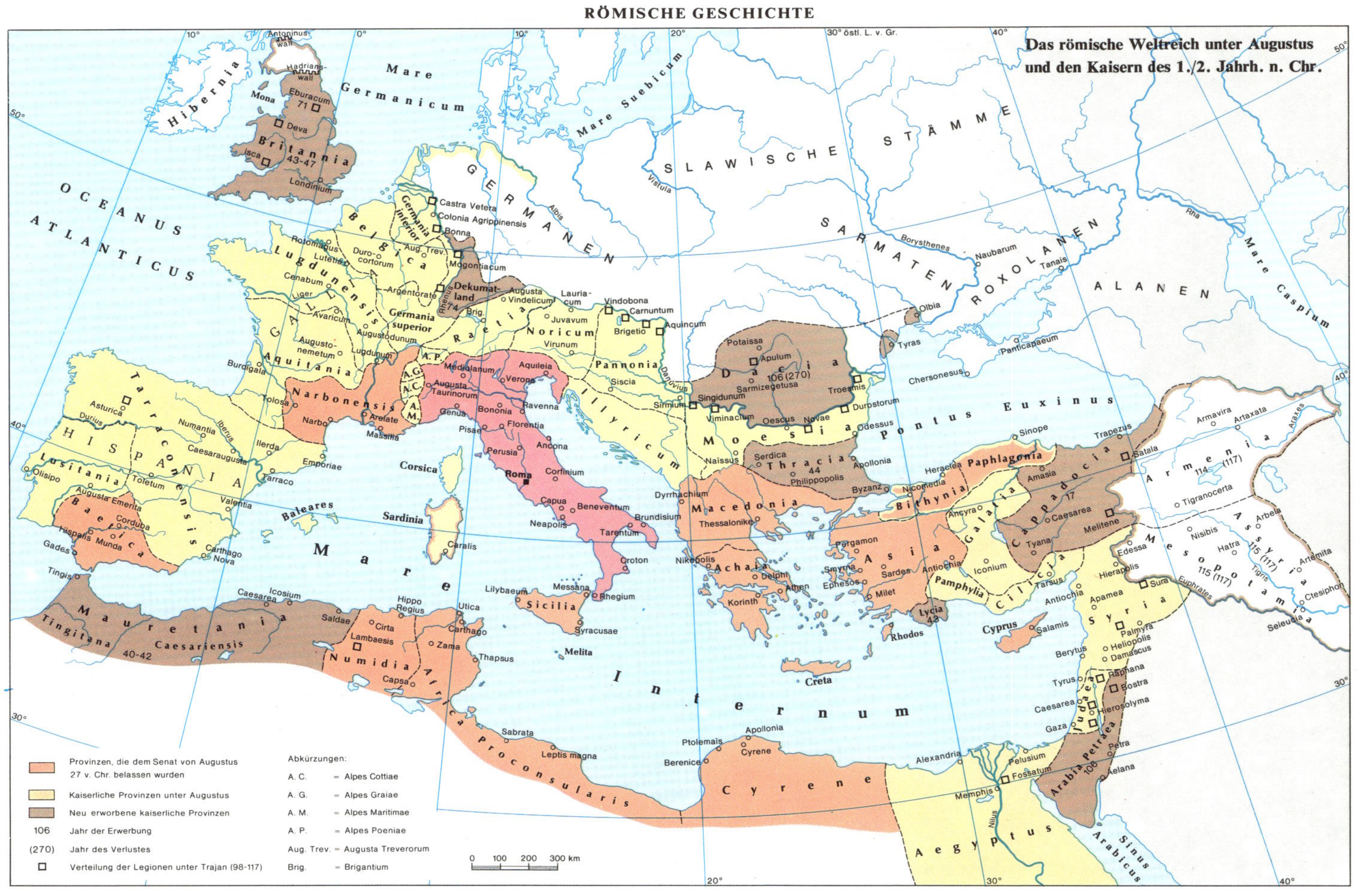

Das römische Weltreich unter Augustus und den Kaisern des 1./2. Jahrh. n. Chr.
Provinzen, die dem Senat von Augustus 27 v. Chr. belassen wurden
Kaiserliche Provinzen unter Augustus
Neu erworbene kaiserliche Provinzen
106 Jahr der Erwerbung
(270) Jahr des Verlustes
Verteilung der Legionen unter Trajan (98-117)
Abkürzungen:
A. C. = Alpes Cottiae
A. G. = Alpes Graiae
A. M. = Alpes Maritimae
A. P. = Alpes Poeniae
Aug. Trev. = Augusta Treverorum
Brig. = Brigantium
0 100 200 300 km
30° östl. L. v. Gr.
OCEANUS ATLANTICUS
Mare Germanicum
Mare Suebicum
Mare Caspium
Pontus Euxinus
Mare Internum
Sinus Arabicus
Hibernia
Britannia 43-47
GERMANEN
SLAWISCHE STÄMME
SARMATEN
ROXOLANEN
ALANEN
Germania inferior
Germania superior
Belgica
Lugdunensis
GALLIA
Aquitania
Narbonensis
Dekumatland 74
Raetia
Noricum
Pannonia
Illyricum
Dacia 106 (270)
Moesia
Thracia 44
Macedonia
Achaia
Asia
Bithynia
Paphlagonia
Galatia
Cappadocia 17
Pamphylia
Cilicia
Lycia 43
Cyprus
Creta
Rhodos
Syria
Judaea
Arabia petraea 106
Armenia 114 (117)
Assyria 115 (117)
Mesopotamia 115 (117)
Aegyptus
Cyrene
Africa Proconsularis
Numidia
Mauretania Caesariensis
Tingitana 40-42
HISPANIA
Tarraconensis
Lusitania
Baetica
Baleares
Corsica
Sardinia
Sicilia
Melita
Roma

DATEN ZUR RÖMISCHEN GESCHICHTE

753 v. Chr.	Gründung Roms.
510/509 v. Chr.	Vertreibung des etruskischen Königs aus Rom; Entstehung der römischen Republik.
451/450 v. Chr.	Zwölftafelgesetz.
366 v. Chr.	Wahl des ersten Plebejers zum Konsul.
396 v. Chr.	Die Römer zerstörten die Etruskerstadt Veji im Nordwesten Roms.
387 v. Chr.	Besetzung Roms durch die Kelten (die Römer nannten sie Gallier) unter ihrem Führer Brennus. Gegen Gold erkaufte Rom den Abzug der Gallier.
264–241 v. Chr.	1. Punischer Krieg.
218–201 v. Chr.	2. Punischer Krieg.
149–146 v. Chr.	3. Punischer Krieg: Rom und Karthago kämpften um die Herrschaft im Mittelmeer. Das Ringen endete mit der Zerstörung Karthagos 146 v. Chr.
146 v. Chr.	Zerstörung der griechischen Stadt Korinth.
133–121 v. Chr.	Versuche der Gracchen, soziale Reformen durchzusetzen.
111–105 v. Chr.	Gaius Marius besiegte in Nordafrika den Numiderkönig Jugurtha.
102/101 v. Chr.	Marius besiegte die Germanenstämme der Teutonen und Kimbern.
91–82 v. Chr.	Die Bundesgenossen Roms erkämpften sich in Italien das römische Bürgerrecht.
88 v. Chr.	Aufstand im Osten des Römischen Reiches unter der Führung des Königs Mithridates von Pontus, der in den Mithridatischen Kriegen von Sulla und Pompeius bekämpft und 64 v. Chr. niedergeworfen wurde.
73 v. Chr.	Aufstand der Sklaven unter Führung von Spartacus in Italien; von Pompeius niedergeworfen.
65–63 v. Chr.	Vorderasien wurde unter Pompeius zu römischem Provinzgebiet erklärt. Gründung des ersten Triumvirats (›Dreibündnis‹) zwischen Pompeius, Crassus und Caesar, der das Ende der alten römischen Republik einleitete.
58–51 v. Chr.	Caesar eroberte Gallien. Nach dem anschließenden Bürgerkrieg wurde er Alleinherrscher im Römischen Reich.
15. 3. 44 v. Chr.	Ermordung Caesars; aus dem folgenden Bürgerkrieg ging Octavianus (Augustus) als Sieger hervor.
27 v. Chr.–14 n. Chr.	Regierungszeit des Augustus, sie wird als Friedenszeit (›Pax Augusta‹) bezeichnet.
9 n. Chr.	Von Arminius geführte Germanen vernichteten 3 römische Legionen im Teutoburger Wald.
64 n. Chr.	Rom wurde durch einen Brand zerstört. Kaiser Nero beschuldigte und verfolgte die Christen.
84 n. Chr.	Die Römer sicherten ihre Grenzen zwischen Rhein und Donau durch einen Grenzwall, den Limes.
um 200	Germanische Stämme drangen erstmals in römisches Grenzland an Rhein und Donau ein.
212	Kaiser Caracalla gab durch die ›Constitutio Antoniniana‹ allen Reichsangehörigen das römische Bürgerrecht.
um 250	Franken breiteten sich am Rhein aus.
284–305	Kaiser Diokletian ordnete die Verwaltung des Reiches neu. Sein Nachfolger wurde Konstantin der Große.
313	Toleranzedikt von Mailand.
325	Berufung der ersten allgemeinen Bischofsversammlung (›Konzil‹) nach Nicäa.
um 375	Beginn der Völkerwanderungszeit.
380	Theodosius erhob das Christentum zur Staatsreligion.
395	Kaiser Theodosius teilte das Römische Reich unter seinen 2 Söhnen: Die Hauptstadt des Ostens wurde Konstantinopel, Hauptstadt des Westens blieb Rom, Residenz der weströmischen Kaiser seit 402 war Ravenna.
410	Eroberung Roms durch die Westgoten. Damit war Rom seit 387 v. Chr. erstmals wieder von einem fremden Heer besetzt. Viele Provinzen gingen dem Römischen Reich nach und nach verloren.
476	Absetzung des letzten weströmischen Kaisers, Romulus Augustulus, durch den germanischen Heerführer Odoaker. Dieses Datum bezeichnete das Ende Westroms.

dung 44 v. Chr. ließ den Bürgerkrieg erneut aufflammen. Octavian beendete ihn 37 v. Chr. endgültig. Er erhielt vom Senat den Beinamen →Augustus und wurde auf Lebenszeit mit besonderen Vollmachten ausgestattet, die ihn einem Monarchen gleichstellten. Offiziell war Rom zwar nach wie vor Republik, doch die Staatsgeschäfte wurden von Augustus und den ihm nachfolgenden ›Imperatoren‹ (im Deutschen nennt man sie „Kaiser") bestimmt.

In der Kaiserzeit erreichte das Römische Reich seine größte Ausdehnung. Die Grenzen erstreckten sich zeitweise vom Euphrat im Osten bis zu Donau und Rhein im Norden. Im Süden war die afrikanische Wüste Sahara die Grenze. Manche Kaiser übten eine blutige Herrschaft aus, z. B. Nero, der 54–68 n. Chr. regierte und als erster die Christen verfolgte; diese lehnten es ab, den Kaiser als Gott zu verehren. Erst Kaiser Konstantin beendete die Christenverfolgungen und erließ 313 n. Chr. das Toleranzedikt von Mailand. 330 verlegte er die Residenz nach Byzanz (neuer Name: Konstantinopel). 395 kam es dann zur endgültigen Teilung des Reiches. Das **Weströmische Reich,** weiterhin mit der Hauptstadt Rom, ging allmählich im Ansturm der germanischen Völkerschaften unter, die in dieser Zeit nach Süden drängten (→Völkerwanderung). Der letzte weströmische Kaiser Romulus Augustulus wurde 476 von dem germanischen Heerführer Odoaker abgesetzt. Das **Oströmische Reich** hatte als →Byzantinisches Reich noch Bestand bis zur Eroberung Konstantinopels durch die Türken im Jahr 1453.

römische Kultur, zusammenfassende Bezeichnung für die Kultur des antiken Rom, im weiteren Sinn auch des Römischen Reiches. Sie nahm besonders Elemente der etruskischen und griechischen Kultur in sich auf und war bis zur Völkerwanderung prägend in Europa. Mit der Ausbreitung der römischen Herrschaft über das östliche Mittelmeer wuchs zwar der griechische Einfluß, doch behauptete sich auch der römische Volkscharakter: Festhalten an altem Brauchtum, Götterfurcht, eine auf das Praktische ausgerichtete Gesinnung und staatsbürgerliche Tugend.

römische Kunst: LINKS mehrstöckiges Ladengebäude auf den Trajansmärkten (hinter dem Trajansforum) in Rom; um 110 n. Chr. RECHTS Titusbogen in Rom; nach 81 n. Chr.

In der altrömischen Götterwelt nahmen der Himmelsgott Jupiter und die Kriegsgötter Mars und Quirinus eine herausragende Stellung ein. Seit dem 6. Jahrh. v. Chr. wurden die römischen Götter mit den griechischen gleichgesetzt, z. B. Jupiter mit Zeus. In spätantiker Zeit wurden auch orientalische Gottheiten, z. B. der ursprünglich in Persien beheimatete Lichtgott Mithras, verehrt.

Die römische Literatur entstand größtenteils durch die Nachahmung griechischer Vorbilder und die Auseinandersetzung mit ihnen. Als Vertreter der klassischen römischen Dichtung gelten Vergil, dessen großer Heldengesang ›Aeneis‹ die weltgeschichtliche Bedeutung Roms versinnbildlichte, Horaz, der die Kunstform der Satire vollendete, und Ovid, der den griechischen Mythos in die römische Literatur einbürgerte. Das in klassischer Prosa verfaßte Geschichtswerk ›Ab urbe condita‹ des Historikers Livius blieb bis ins 19. Jahrh. für das Bild der römischen Geschichte bestimmend. Auf die Denkweise der Renaissance und des →Humanismus wirkte der römische Politiker und Philosoph Cicero ein, der die überlieferten Begriffe und Probleme der griechischen Philosophie in das römische Denken einführte.

römische Kunst, die Kunst der Römer und die unter ihrer Herrschaft entstandene Kunst im gesamten Römischen Reich. Da die römische Kunst in starkem Maß politischen Zwecken und staatlicher Selbstdarstellung diente, blieb ihr eigentliches Zentrum Rom, wo die für das übrige Reichsgebiet maßgeblichen künstlerischen Ideen entwickelt wurden. Bis in die Spätzeit wird die römische Kunst durch das italisch-etruskische Erbe und die immer neue Auseinandersetzung mit der griechischen Kunst bestimmt.

In der Baukunst wurden neben ingenieurtechnischen Leistungen wie Brückenbau, Anlage von Straßen und Wasserleitungen riesige Raum-

römische Kunst: Marmorstatue des Augustus aus Primaporta; Höhe 2,04 m, zwischen 20 und 17 v. Chr. (Rom, Vatikanische Museen)

römische Kunst: Porträt eines jungen Mädchens; Wandmalerei aus Pompeji (Neapel, Nationalmuseum)

anlagen geschaffen (Basiliken, Paläste, Villen, Thermen). Die Verwendung von Ziegel- und Gußmauerwerk ermöglichte größte Spannweiten (→Pantheon in Rom). Das →Forum in den Stadtzentren wurde als große geschlossene Freiraumanlage gestaltet. Neuschöpfungen der Römer waren das →Amphitheater (Kolosseum in Rom) und der →Triumphbogen (Bögen des Augustus, des Titus und des Konstantin in Rom). Auch die riesigen Mausoleen des Augustus und des Hadrian (die spätere Engelsburg) in Rom zeigen typisch römische Bauformen. Eine umfassende Kenntnis des Wohnbaus vermittelten die Ausgrabungen in Pompeji, Herculaneum und Ostia: Neben Atriumhäusern wurde das vielstöckige Mietshaus gebaut. Immer aufwendiger wurden die ländlichen, überdimensional die kaiserlichen Villen (z. B. Tivoli) angelegt.

Bildhauerkunst. Rundplastische Werke der römischen Zeit waren überwiegend Kopien oder Umgestaltungen griechischer Vorbilder. Porträtbüsten und -statuen waren dagegen selbständige Leistungen der römischen Kunst. In der Porträtkunst, die sich vor allem in den Bildnissen der Kaiser darstellt, wechseln klassizistische, pathetische und realistische Stile. Die Reliefkunst schmückte besonders Sarkophage, meist mit mythologischen Darstellungen, Triumphbogen und Gedenksäulen mit Schilderungen historischer Ereignisse (Trajanssäule, Marc-Aurel-Säule, beide in Rom).

Malerei und Mosaik. Die römische Wandmalerei ist vor allem aus Pompeji, Herculaneum und Rom überliefert; in ihr vermischen sich eine vorgetäuschte Raumgestaltung mit dekorativer Ausstattung und Darstellung von Mythen und Szenen aus dem Alltagsleben. Vielen Bildern liegen meist verlorene griechische zugrunde. In großer Zahl erhalten sind Mosaiken, überwiegend als Fußbodenschmuck: Sie sind farbig oder schwarz-weiß und zeigen häufig landschaftliche oder figürliche Darstellungen. (BILD Mosaik)

Einige Zweige der Kleinkunst erlebten in römischer Zeit eine besondere Blüte, z. B. Silbergefäße, in Treibarbeit hergestellt, und Glasarbeiten in allen Farben und verschiedenen Formen (auch figürlichen). Zu einem bedeutenden Zentrum der Glasproduktion entwickelte sich das Rheinland. Weite Verbreitung fand reliefierte Keramik, vor allem das dünnwandige rote Tafelgeschirr aus Arretium (heute Arezzo). Prunkvolle Reliefs (Gemmen, Kameen), aus Halbedelsteinen geschnitten, brachte die Steinschneidekunst hervor.

Römisches Reich, der Geltungsbereich der Befehlsgewalt (›imperium‹) der höchsten Beamten Roms, zur Zeit der Republik der Konsuln und Prätoren, in den Provinzen der Statthalter, später der römischen Kaiser. Allgemein bezeichnet man das unter römischer Herrschaft stehende Gebiet als Römisches Reich oder **Imperium Romanum** (KARTE Römische Geschichte).

römische Zahlen. Vor der Darstellung von →Zahlen durch arabische →Ziffern wurde in der von den alten Römern beeinflußten Welt die **römische Schreibweise** benutzt. Alle Zahlen wurden mit Hilfe von 7 Zeichen dargestellt. Diese Zeichen sind: I (= 1), V (= 5), X (= 10), L (= 50), C (= 100), D (= 500), M (= 1 000).

römische Kunst: Spätantikes Fußbodenmosaik (verwundeter Jäger) in der Villa Romana del Casale in Piazza Armerina

Für das Schreiben von Zahlen mit römischen Zeichen gelten folgende Regeln:

1. Jedes der Zeichen I, X, C darf höchstens dreimal in einer Zahl vorkommen; jedes der Zeichen V, L, D darf höchstens einmal vorkommen; das Zeichen M darf beliebig oft vorkommen.

2. Bei der römischen Zahlschreibweise werden die Werte der Zeichen addiert; Ausnahme: Steht eines der Zeichen I, X, C vor einem Zeichen mit größerem Wert, so wird der kleinere Wert vom nachfolgenden größeren subtrahiert. Vor einem Zahlzeichen darf nur ein kleineres stehen (also nicht IXC, da diese Kombination 89 und 91 bedeuten könnte).

Beispiele:
VIII = 5 + 1 + 1 + 1 = 8
IX = 10 − 1 = 9
CCLXV = 100 + 100 + 50 + 10 + 5 = 265
MDCCXIX = 1000 + 500 + 100 + 100 + 10 + (10 − 1) = 1719
MCMLXXXIV =
1000 + (1000 − 100) + 50 + 10 + 10 + 10 + (5 − 1) = 1984

Römische Zahlen

I = 1	IX = 9	XXX = 30	CC = 200
II = 2	X = 10	XL = 40	CCC = 300
III = 3	XI = 11	L = 50	CD = 400
IV = 4	usw.	LX = 60	D = 500
V = 5	XX = 20	LXX = 70	DC = 600
VI = 6	XXI = 21	LXXX = 80	M = 1000
VII = 7	usw.	XC = 90	MCM = 1900
VIII = 8	XXIX = 29	C = 100	

Romulus und Remus, nach der Sage die Gründer Roms. Sie waren Söhne des Mars und der Rea Silvia, der Tochter des Königs Numitor von Alba Longa. Dieser war von seinem Bruder Amulius verjagt worden. Amulius ließ die neugeborenen Zwillingsbrüder Romulus und Remus aussetzen. Doch eine Wölfin fand sie und säugte sie zusammen mit ihren Jungen. Später wurden sie von dem Hirten Faustulus großgezogen. Sie beschlossen, auf dem Palatin, einem der Hügel Roms, eine Stadt zu gründen. Romulus zog eine Mauer auf dem Palatin, die aber so niedrig war, daß Remus sie spottend übersprang. Darüber geriet Romulus so in Zorn, daß er seinen Zwillingsbruder Remus erschlug. Seine Stadt öffnete Romulus – der Sage nach 753 v. Chr. – jedem, der sich dort ansiedeln wollte.

Röntgenröhre, geschlossene Glasröhre, in der Elektronenstrahlen durch Aufprallen auf Metall →Röntgenstrahlung auslösen. In den ältesten, auf Wilhelm Conrad Röntgen zurückgehenden Formen der Röntgenröhre wird der Elektronenstrahl durch eine Gasentladung erzeugt **(Ionenröhre).** Die heute fast ausschließlich verwendete **Coolidge-Röhre** besteht aus einem hochevakuierten Glaskolben (Druck $< 10^{-4}$ mbar), in den eine elektrisch heizbare Wolframkathode als Elektronenquelle und eine metallene Anode eingearbeitet sind. Die Anode ist bei leistungsfähigeren Röhren zur Kühlung rotierbar gebaut (**Drehanoden-Röntgenröhre,** BILD) oder kann mit hindurchströmender Flüssigkeit gekühlt werden. Durch hohe Röhrenspannung zwischen Anode und Kathode ($0{,}5 \cdot 10^4$ bis 10^7 V) werden die aus der Glühkathode austretenden Elektronen stark beschleunigt und treffen mit hoher Geschwindigkeit im **Brennfleck** auf der Anode auf. Beim Aufprall geht ihre Bewegungsenergie zu rund 99 % in Wärme über und heizt die Anode auf. Der Rest regt die Atome des Anodenmaterials zur Röntgenstrahlung an.

Die Durchdringungsfähigkeit der Röntgenstrahlen ist um so größer, je höher die Elektronenbeschleunigungsspannung ist, sie kann durch Veränderungen der Anodenspannung variiert werden. Da weiche Strahlen, z. B. für die Hauttherapie, bereits in der Glaswand der Röntgenröhre absorbiert werden, läßt man sie durch ein besonderes röntgenstrahldurchlässiges Fenster austreten, das aus einem Spezialglas oder einer Berylliumfolie besteht. Damit die vom Brennfleck radial abgestrahlte Röntgenstrahlung seitlich aus der Röntgenröhre austreten kann, ist die Auftrefffläche der Anode geneigt. Bei der Erzeugung harter Röntgenstrahlung umgibt eine Bleiabschirmung die Röntgenröhre, um die Abstrahlung nicht benötigter Teile des Strahlenbündels zu verhindern.

Röntgenröhren dienen zur medizinischen Diagnostik und Therapie sowie für Grob- und Feinstruktur-Materialuntersuchungen.

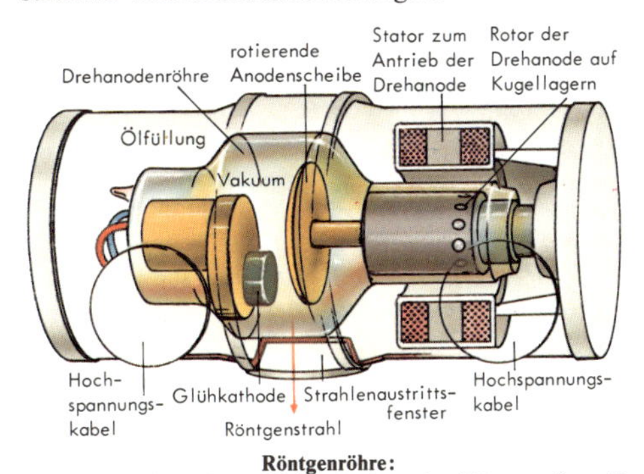

Röntgenröhre:
Schnittbild einer Doppelfokus-Drehanoden-Röntgenröhre für die Röntgendiagnostik; im Brennfleck entstehen maximal Temperaturen von 2500 °C

Röntgenstrahlung. 1895 entdeckte der Würzburger Physikprofessor **Wilhelm Conrad**

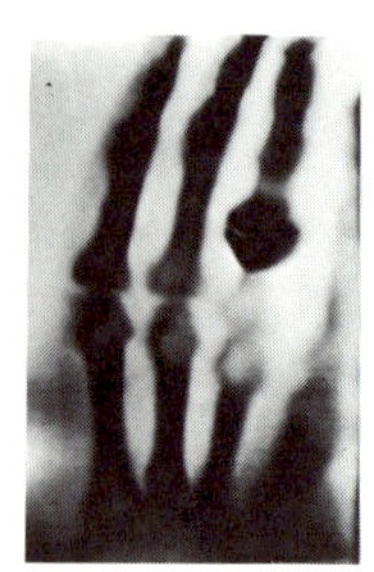
Röntgenstrahlung: Eine der ersten Röntgenaufnahmen (22. 12. 1895) von W. C. Röntgen

Röntgen (* 1845, † 1923) beim Experimentieren mit Gasentladungsröhren (→Röntgenröhre), daß Elektronen beim Aufprallen auf ein Metallblech eine sehr durchdringende Strahlung erzeugen. Diese Strahlung, die er **X-Strahlung** nannte, wurde später ihm zu Ehren Röntgenstrahlung genannt. Für diese Entdeckung und die Erforschung der Eigenschaften der Röntgenstrahlung, die im elektromagnetischen →Spektrum jenseits der unsichtbaren Ultraviolett-Strahlung liegt, erhielt Röntgen 1901 den Nobelpreis für Physik.

Röntgenstrahlen lassen einen Leuchtschirm, der mit Zinksulfid beschichtet ist, grünlich aufleuchten. Sie schwärzen eine photographische Platte oder einen Film, man kann also mit Röntgenlicht photographieren.

Eine besondere Eigenschaft der Röntgenstrahlung ist, daß sie undurchsichtige Stoffe durchdringt, und zwar Stoffe geringer Dichte wie unsere Haut und unsere Muskeln sehr leicht, aber Stoffe größerer Dichte wie unsere Knochen kaum. Dadurch entstehen auf dem Film oder auf dem leuchtenden Röntgenschirm unterschiedliche Konturen, mit deren Hilfe der Arzt seine Diagnose stellen kann (BILD). Röntgenstrahlung wirkt gesundheitsschädigend, wenn man ihr häufig ausgesetzt ist. In der richtigen Dosierung können Röntgenstrahlen auch die Heilung bestimmter Krankheiten bewirken, da sie krankhaft wuchernde Zellen abtöten.

In der Technik benutzt man Röntgenstrahlen, um Guß- oder Schmiedeteile auf Materialfehler zu untersuchen.

Roosevelt [rouswelt], der Name zweier Präsidenten der USA.

Der Demokrat **Franklin Delano Roosevelt** (* 1882, † 1945) war der 32. Präsident der USA (1933–45). Entgegen dem Grundsatz, daß der amtierende Präsident sich nur einmal zur Wiederwahl stellen darf, wurde ihm die Möglichkeit eingeräumt, sich ein zweites und drittes Mal zur Wiederwahl zu stellen; er wurde 1936, 1940 und 1944 wiedergewählt. Unter der Bezeichnung ›New Deal‹ (Ausdruck aus dem Bereich des Kartenspiels: ›Neuverteilung der Karten‹) stellte er ein Reformprogramm auf, das die große Wirtschaftskrise überwinden und die soziale Not großer Teile der Bevölkerung lindern sollte. Er gewann, verstärkt seit 1935, große Anziehungskraft bei bisher benachteiligten Gruppen (Arbeiterschaft, Einwanderer, Farbige), traf aber andererseits auf die Gegnerschaft konservativer Kräfte. Seine Außenpolitik war zunehmend von der Sorge über den Aufstieg vor allem des nationalsozialistischen Deutschland, aber auch Japans bestimmt. Im Zweiten Weltkrieg setzte er im Kongreß (März 1941) ein militärisches Hilfsprogramm (Flugzeuge, Schiffe, Fahrzeuge, Nahrungsmittel) besonders für Großbritannien durch, in das auch die Sowjetunion nach dem deutschen Angriff (Juni 1941) auf dieses Land einbezogen wurde. Gemeinsam mit dem britischen Premierminister Winston Churchill verkündete er im August 1941 die Atlantik-Charta. Nach dem Eintritt der USA in den Zweiten →Weltkrieg (Dezember 1941, ausgelöst durch den japanischen Überfall auf den amerikanischen Stützpunkt Pearl Harbor auf Hawaii) mobilisierte Roosevelt in der folgenden Zeit die große Wirtschaftskraft der USA im Kampf gegen die Achsenmächte (vor allem Deutschland und Japan) und war die einigende Kraft im Bündnis gegen sie, vor allem auf den großen Konferenzen von Teheran und Jalta.

Der Republikaner **Theodore Roosevelt** (* 1858, † 1919) war der 26. Präsident der USA (1901–1909). 1901 wurde er zunächst Vizepräsident, jedoch noch im selben Jahr Nachfolger des ermordeten Präsidenten William McKinley. Innenpolitisch bemühte er sich um eine Kontrolle wirtschaftlicher Macht. Zugleich setzte er sich für einen sparsamen Umgang mit Wald- und Wasserreserven ein. Seine Außenpolitik war bestimmt von imperialistischen Vorstellungen; so vertrat er z. B. einen Aufsichtsanspruch der USA über die Staaten Lateinamerikas. Für die Vermittlung des Friedens von Portsmouth, der den Russisch-Japanischen Krieg (1905) beendete, erhielt Roosevelt 1906 den Friedensnobelpreis.

Rosen: OBEN Heckenrose, UNTEN veredelte Rose

Rosen, überwiegend Zierpflanzen aus der Familie der Rosengewächse. Nur einige Arten wie **Hundsrose** und **Heckenrose** wachsen in Deutschland wild. Sie haben 5 etwa herzförmige rosa Blütenblätter. Die Zweige sind mit Stacheln besetzt und bilden oft undurchdringliche Hecken. Die hartschaligen, roten Früchte heißen **Hagebutten;** ihr säuerliches Fruchtfleisch wird auch zu Marmelade und Saft verarbeitet. Die Gartenrosen wurden schon vor vielen hundert Jahren aus diesen und anderen wildwachsenden Arten gezüchtet; sie haben meist gefüllte Blüten mit sehr viel mehr als 5 Blütenblättern. Es gibt weiße und gelbe, rosa, rote und dunkelrote Sorten. Rosen sind mit dem Kern- und Steinobst verwandt, wie man an der ähnlichen Blütenform erkennen kann.

Rosenkriege, in England die kriegerischen Auseinandersetzungen zwischen den Adelsfamilien der Lancaster und der York um den Thron. Der Name kommt von den Rosen in den Wappen beider Häuser, einer roten im Wappen der Lancaster, einer weißen in dem der York. 1455 erhob sich Richard von York gegen König Heinrich VI. aus dem Hause Lancaster. Aber erst Richards Sohn Eduard (IV.) erkämpfte dem Haus York den Thron und stürzte 1461 Heinrich VI. Als Heinrich 1471 starb, hinterließ er keine männlichen Erben. Seine Ansprüche gingen nun auf das Haus Tudor über. Heinrich Tudor besiegte York 1485 in der Schlacht bei Bosworth und bestieg als Heinrich VII. den englischen Thron, beendete die Rosenkriege und versöhnte die Opposition des Hauses York, indem er Elisabeth von York heiratete.

Rosinen, getrocknete Weinbeeren aus südlichen Ländern, vor allem aus Griechenland, der Türkei und Kalifornien. Nach der Ernte werden die Beeren, damit sie nicht faulen, in eine Lösung aus Pottasche (Kaliumkarbonat) getaucht und dann an der Sonne getrocknet. Aus großen, hellen und kernlosen Trauben werden **Sultaninen,** aus kleinen, dunklen Trauben werden **Korinthen.**

Roßbreiten, seemännische Bezeichnung für die beiden subtropischen Hochdruckgürtel in 20–35° nördlicher und südlicher Breite. In diesen Gebieten treten häufig Windstillen auf. Der Name kam zustande, weil bei Pferdetransporten auf Segelschiffen nach Südamerika dort aus Futter- und Wassermangel viele Pferde eingingen.

Rossini. Der italienische Komponist **Gioacchino Rossini** (* 1792, † 1868) zeichnete sich vor allem auf dem Gebiet der komischen Oper aus. Sein Meisterwerk ›Der Barbier von Sevilla‹ wurde 1816 in Rom uraufgeführt und begründete seinen Ruhm. 1815–23 stand er im Dienst des Theaterunternehmers Barbaja, für den er 20 Opern, unter ihnen ›Aschenbrödel‹ (1817), ›Die diebische Elster‹ und ›Moses‹ (1818), komponierte. 1824 ließ er sich in Paris nieder, wo er bis 1830 die Italienische Oper leitete. In dieser Zeit entstand auch bedeutende Kirchenmusik wie sein ›Stabat mater‹ (1832/42) und die ›Petite Messe solennelle‹ (1863).

Rost, braunroter rauher Überzug, der sich auf Eisen bildet, wenn Feuchtigkeit mit ihm in Berührung kommt. Chemisch besteht eine Rostschicht aus wasserhaltigen Eisenoxiden. Diese Schicht bietet keinen Schutz vor →Korrosion. Um die Bildung von Rost zu verhindern, muß das Eisen vor der es umgebenden feuchten Luft geschützt werden; dies geschieht durch einfaches Einfetten oder durch Überzüge aus Lack, Kunststoff, Zink, nichtrostenden Legierungen oder edleren Metallen.

Rostock, 239 100 Einwohner, Stadt in Mecklenburg-Vorpommern, am linken Ufer der Warnow. Mit seinem Seekanal ist der Rostocker Hafen ein moderner Überseehafen. Der Vorhafen zu Rostock, das Ostseebad **Warnemünde,** wurde 1934 eingemeindet. Werften und Fischverarbeitung gehören zu den wichtigsten Rostocker Industriezweigen. Das Bild der Stadt, die 1942 schwer beschädigt wurde, prägen Bauwerke der Backsteingotik, 3 Stadttore sind erhalten.

Rotdorn, →Weißdorn.

Rötel, Rotstein, Eisenrot, Roter Bolus, erdiges, bräunlich- bis blutrotes, stark abfärbendes Gemenge von erdigem →Hämatit. Mit Wasser, Kalk oder Mörtel vermischt wird es seit der Antike zu Anstrichen und in der Kunstmalerei benutzt. In den Vergoldtechniken dient Rötel als polierfähiges Grundiermittel (Poliment). Es wird auch zur Herstellung von Rotstiften verwendet.

Rote Liste, 1) Biologie: ein Verzeichnis von gefährdeten Pflanzen- und Tierarten in der Bundesrepublik Deutschland. Zu den aufgeführten Arten ist immer angegeben, wie hoch das Ausmaß der Gefährdung ist; dabei gibt es 5 Stufen: von ›möglicher Gefährdung‹ bis ›ausgestorben oder verschollen‹.

2) jährlich erscheinendes Verzeichnis von Fertigarzneimitteln für den Arzt.

Röteln, eine →ansteckende Krankheit, die durch Viren hervorgerufen wird und vorwiegend im Kindesalter auftritt. Sie ist gekennzeichnet durch Hautausschlag, Fieber und Lymphknotenschwellung, verläuft in der Regel ohne Komplikationen und hinterläßt lebenslange →Immunität. Erkrankt eine werdende Mutter in den ersten 3 Monaten der Schwangerschaft an Röteln, können beim Kind schwere Mißbildungen (z. B. Herzmißbildungen, Taubheit, Blindheit) auftreten. Eine rechtzeitige Impfung kann solchen Schäden vorbeugen.

Rotes Kreuz, 1) internationales Schutzzeichen (rotes Kreuz auf weißem Feld) des Sanitätsdienstes. Dem Roten Kreuz entsprechen die Zeichen ›Roter Halbmond‹ (in den islamischen Ländern) und ›Roter Davidstern‹ (in Israel).

2) internationale Organisation zur Betreuung von Hilfsbedürftigen. Das Rote Kreuz wurde 1863 von dem Schweizer Henri →Dunant ins Leben gerufen. Seine Hauptaufgabe liegt in der Betreuung von Kranken und Verwundeten in Kriegs- und Katastrophengebieten.

Rotes Meer, langgestrecktes Nebenmeer des Indischen Ozeans. Das bis zu 355 km breite und rund 2 300 km lange Rote Meer erstreckt sich

Rotes Kreuz

Roter Halbmond

Roter Davidstern

Rotes Kreuz

zwischen Nordost-Afrika und Arabien. Es ist durch eine Meerenge, Bab el-Mandeb, mit dem Indischen Ozean und durch den Suezkanal mit dem Mittelmeer verbunden. Die Sinai-Halbinsel teilt das nördliche Rote Meer in den Golf von Suez und den Golf von Akaba. Die mittlere Tiefe des rund 450 000 km² großen Meeres beträgt 538 m (größte Tiefe 2 604 m). Die Farbe des Wassers ist tiefblau. Der Name Rotes Meer kommt von einer Alge, die mit ihren roten Farbstoffen das Oberflächenwasser gelegentlich rot färbt. Infolge des geringen Süßwasserzuflusses und der hohen Verdunstung liegt der Salzgehalt des Roten Meeres bei etwa 40‰. Die Wassertemperatur ist auf Grund des trockenheißen Klimas sehr hoch, so daß das Rote Meer zu den wärmsten Meeren der Erde zählt. An den Küsten befinden sich zahlreiche Korallenbänke und -riffe, die das Rote Meer zu einem Paradies für Tauchsportler werden ließen. Seit der Eröffnung des Suezkanals ist das Rote Meer eine der wichtigsten Verkehrsadern des Welthandels. Haupthäfen sind: Massaua (Äthiopien), Port-Sudan (Sudan), Suez (Ägypten), Djidda (Saudi-Arabien), Hodeida (Jemen).

Rothenburg ob der Tauber, 11 400 Einwohner, über dem Taubertal gelegener bayerischer Fremdenverkehrsort mit gut erhaltenem, mittelalterlichem Stadtbild. Die Altstadt ist geprägt von gotischen und Renaissance-Giebelhäusern; in der gotischen Stadtkirche befindet sich ein Altar von Tilman Riemenschneider; weiterhin gibt es ein Kriminal- und Foltermuseum. – Rothenburg, das im 12. Jahrh. Stadtrechte erhielt, konnte als Reichsstadt seine Unabhängigkeit wahren und mit dem Erwerb eines großen Landgebiets politischen Einfluß erringen. 1802 kam die Stadt an Bayern.

Rotkehlchen

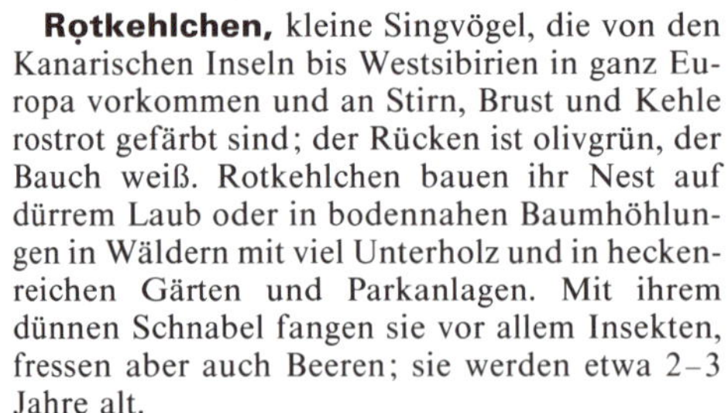

Rotkehlchen, kleine Singvögel, die von den Kanarischen Inseln bis Westsibirien in ganz Europa vorkommen und an Stirn, Brust und Kehle rostrot gefärbt sind; der Rücken ist olivgrün, der Bauch weiß. Rotkehlchen bauen ihr Nest auf dürrem Laub oder in bodennahen Baumhöhlungen in Wäldern mit viel Unterholz und in heckenreichen Gärten und Parkanlagen. Mit ihrem dünnen Schnabel fangen sie vor allem Insekten, fressen aber auch Beeren; sie werden etwa 2–3 Jahre alt.

Jean-Jacques Rousseau

Rotor [von lateinisch rota ›Rad‹], Bezeichnung für verschiedene sich drehende (rotierende) Maschinenteile, vor allem für den Läufer elektrischer Maschinen, für die Spindel bestimmter Spinnmaschinen, für die Schwungscheibe in Automatikuhren. Rotoren heißen auch die Drehflügel des Hubschraubers.

Rotschwänzchen, kleine, etwa sperlingsgroße Singvögel, die an den schüttelnden oder zitternden Bewegungen des rostroten Schwanzes gut zu erkennen sind. In Deutschland nisten an und in Häusern der schwarzgraue **Hausrotschwanz** und in Gärten und Parkanlagen der buntere **Gartenrotschwanz,** dessen Männchen häufig mit dem Rotkehlchen verwechselt wird; es hat aber eine schwarze Kehle. Die Weibchen sind unscheinbarer gefärbt. Rotschwänzchen erhaschen Insekten im Flug oder fangen sie am Boden, sie fressen auch Beeren. Viele überwintern im Mittelmeerraum.

Rotterdam, 576 000, mit Vororten 1,04 Millionen Einwohner, nach Amsterdam die zweitgrößte Stadt der Niederlande und wichtigster Handelsplatz des Landes, liegt an der Nieuwe Maas im Rheindelta. Rotterdam ist, gemessen am Gesamtgüterumschlag, der größte Hafen der Erde und ein europäisches Binnenschiffahrtszentrum mit den Häfen Europoort und Pernis. Bedeutung haben Schiffbau und Erdölraffinerien. Der Hafen Botlek ist Ausgangspunkt der nordwesteuropäischen Rohrleitungen für Erdöl und petrochemische Fertigprodukte.

Rousseau [russoh]. Der französische Maler **Henri Rousseau** (* 1844, † 1910), genannt ›Der Zöllner‹, war Beamter beim Pariser Stadtzoll. In seiner Freizeit begann er in der naiv-realistischen Art der ›Sonntagsmaler‹ (→ Naive Malerei) zu malen, stellte 1885 zum erstenmal aus und ließ sich 1886 pensionieren, um sich ganz der Malerei zu widmen. Seine Bilder zeigen Landschaften in sehr vereinfachten Formen, Porträts und Volksszenen; die liebevolle Wiedergabe aller Einzelheiten mischt sich besonders in den Urwaldbildern mit Vorstellungen aus Märchen und Träumen. Die Gemälde sind von eindringlicher, oft poetischer Wirkung. Rousseau übte mit ihnen einen großen Einfluß auf die moderne Malerei aus.

Rousseau [russoh]. Der französisch-schweizerische Philosoph, Pädagoge, Schriftsteller **Jean-Jacques Rousseau** (* 1712, † 1778) war einer der geistigen Wegbereiter der Französischen Revolution. Nach seiner Ansicht befand sich die Menschheit ursprünglich in einem glücklichen, natürlichen Urzustand, dem ›état naturel‹, aus dem sie durch einen fragwürdigen wissenschaftlichen und sozialen Fortschritt ins Verderben gefallen sei. Rousseau wollte indes nicht ›zurück zur Natur‹, wie ihm fälschlich unterstellt wurde, sondern nur die Besinnung auf die ursprüngliche, wahre Freiheit, Unschuld und Tugend. Die im Verlauf der Entwicklung verlorengegangene natürliche Gleichheit der Menschen wollte Rousseau durch die freie Vereinbarung aller (in einem Gesellschaftsvertrag, französisch ›contrat social‹) und die Übertragung ihres Einzelwillens auf den Gesamtwillen (französisch ›volonté générale‹) ersetzt wissen. Diese als revolutionär empfundene Forderung brachte ihn in Konflikt mit Staat und Kirche. Er wurde wegen seiner Ansichten oft verfolgt und fand vorübergehend Zuflucht bei Friedrich II. von Preußen.

Durch sein 1762 veröffentlichtes Werk ›Émile oder Über die Erziehung‹ wurde Rousseau auch als Pädagoge bekannt. Er vertritt darin die zu seiner Zeit moderne Auffassung, daß die Erziehung den guten, natürlichen Anlagen des Kindes zur Entfaltung verhelfen soll.

Ruanda

Fläche: 26 338 km²
Bevölkerung: 7,6 Mill. E
Hauptstadt: Kigali
Amtssprachen: Ruanda, Französisch
Nationalfeiertag: 1. Juli
Währung: 1 Ruanda-Franc (F.Rw.) = 100 Centimes
Zeitzone: MEZ + 1 Stunde

Ruanda

Staatswappen

Staatsflagge

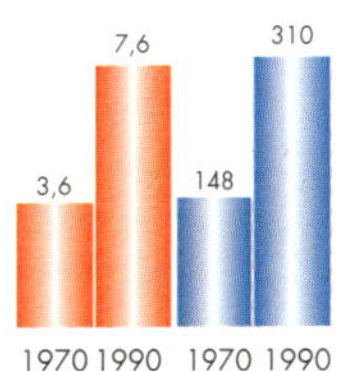

Bevölkerung (in Mill.)
Bruttosozialprodukt je E (in US-$)

Stadt Land
8%
92%

Bevölkerungsverteilung 1990

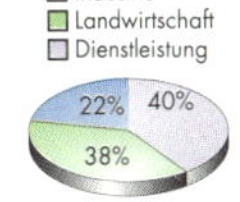

Bruttoinlandsprodukt 1990

Ruanda, Rwanda, Republik im ostafrikanischen Hochland, ein Binnenstaat, etwas kleiner als Belgien. Der Osten des Landes ist Hochland (1 500–1 700 m), das nach Westen über 2 000 m ansteigt und dann steil zum Zentralafrikanischen Graben (Kiwusee) abfällt. Das tropische Klima ist durch die Höhenlage gemäßigt. Ruanda ist eines der am dichtesten besiedelten Länder Afrikas. Die Einwohner, meist Bantu, leben vorwiegend von der Landwirtschaft; angebaut werden Mais, Maniok, Bananen, für die Ausfuhr Kaffee, Tee. Der Bergbau fördert Zinn- und Wolframerz. Die Industrie ist nur schwach entwickelt.

Gegen Ende des 19. Jahrh. wurde Ruanda Teil von Deutsch-Ostafrika und gehörte nach dem Ersten Weltkrieg zunächst zu dem belgischen Treuhandgebiet Ruanda-Urundi. 1961 wurde die Republik ausgerufen, ein Jahr später wurde das Land unabhängig. (KARTE Band 2, Seite 194).

Rubel [zu russisch rubitj ›abschneiden, abhauen‹], die Währung Rußlands und der Gemeinschaft Unabhängiger Staaten; 1 Rubel sind 100 Kopeken. – Vom 13. Jahrh. an wurde der Rubel in Form eines Silberbarrens hergestellt, deren Güte durch Stempelungen garantiert wurde. Im 14.–15. Jahrh. wurde der Rubel auch zur Rechnungsmünze. Erstmals ausgeprägt wurde eine Rubelmünze 1654; sie galt 64 Kopeken. Von Peter dem Großen wurde die dezimale Unterteilung des Rubels in 100 Kopeken festgeschrieben. Von den Mitgliedsstaaten des Rates für gegenseitige Wirtschaftshilfe, der Wirtschaftsgemeinschaft von Ostblockländern, wurde 1963 die Verrechnungseinheit **Transferrubel** geschaffen; er diente nur der Verrechnung gegenseitiger finanzieller Verpflichtungen.

Rüben, Pflanzen, bei denen der unterste Teil der Sproßachse und die Primärwurzel fleischig verdickt sind. Alle Rüben bilden im ersten Jahr neben der Wurzel und Sproßachse nur Blätter, im zweiten Jahr Blüten und Samen. Die wichtigste Rübenpflanze ist die **Zuckerrübe.** Sie bringt von allen Rübenpflanzen die höchsten Erträge. Man gewinnt aus ihr den Rübenzucker. Die **Runkelrübe,** auch Futterrübe, Dickrübe oder Dickwurz genannt, wird als wertvolles Viehfutter verwendet. Diese weißen oder gelben Rüben können ein Gewicht von mehr als 10 kg erreichen. Sie werden vor Eintritt des Frostes geerntet und oft in ›Mieten‹ (abwechselnd mit Erd- oder Laubschichten aufgehäuft und abgedeckt) aufbewahrt. Bei der **Roten Rübe** (Rote Bete) dienen die dunkelroten fleischigen Wurzeln als Gemüse.

Rubens. Der Maler **Peter Paul Rubens** (* 1577, † 1640) gilt als Hauptmeister des flämischen Barock. Entscheidend für seine Kunst war ein langjähriger Aufenthalt in Italien (Mantua, Rom, Genua), wo er die Malerei der Renaissance, des römischen Frühbarock sowie antike Bildwerke kennenlernte und seine ersten Altarwerke schuf. Nach der Rückkehr nach Antwerpen (1608) eröffnete er eine große Werkstatt mit vielen Gehilfen, Schülern (darunter zeitweise Anthonis van Dyck) und Meistern, die Teile seiner Gemälde selbständig ausführen durften, z. B. Tiere oder Stilleben. Aus der Werkstatt gingen etwa 3 000 Gemälde hervor, von denen etwa 600 von Rubens selbst gemalt oder überarbeitet worden sind.

Rubens schuf religiöse, geschichtliche, mythologische und allegorische Bilder, auch Porträts und Landschaften. Als Hofmaler des spanischen Statthalters in Brüssel erhielt er große Aufträge für Kirchen und öffentliche Gebäude in Antwerpen, Brüssel und Mecheln; es entstanden bedeutende Altartafeln. Die freie, festliche Auffassung auch religiöser Themen, wie sie dem Barock entsprach, zeigt etwa die ›Anbetung der Könige‹

(um 1609/10). Zwischendurch war Rubens auch am französischen, englischen und spanischen Hof tätig und ging mehrmals als Diplomat auf Reisen. 1622–25 entstand die monumentale Gemäldefolge ›Geschichte der Maria von Medici‹ (Paris, Louvre), die in 21 Einzelbildern Szenen aus dem Leben der zweiten Gemahlin des französischen Königs Heinrich IV. zeigt. Rubens' Gemälde sind durch Bewegtheit der Darstellung und starke Leuchtkraft der Farben gekennzeichnet, die im Spätwerk zart und durchsichtig werden. Die Bilder vermitteln Lebensfreude und verherrlichen auf kraftvolle Art die natürliche, sinnliche Schönheit (viele Aktbilder), die oft durch prachtvolle Gewänder unterstrichen wird. Hauptwerke seiner Spätzeit sind das ›Venusfest‹ (Wien) und der ›Liebesgarten› (Madrid) sowie festliche Porträts seiner jungen zweiten Frau Hélène.

Der Einfluß seiner Kunst wirkte sich in ganz Europa aus, auch durch graphische Wiedergaben, die von ihm selbst geschulte Kupferstecher (›Rubensstecher‹) und Holzschneider schufen. (BILD Barock)

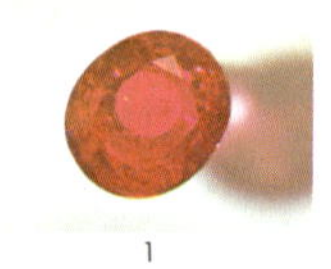

1

2

3

Rubin:
1 Rubin Birma;
2 Rubin Ceylon;
3 Sternrubin

Rübezahl, ein Berggeist, der als Herr des Riesengebirges gilt. In den Sagen erscheint er als Bergmännlein, Geist oder Mönch, auch als Riese oder in Tiergestalt. Er neckt die Wanderer und führt sie vom Wege ab. Wenn man ihn ärgert, sendet er Unwetter. Eifersüchtig hütet er die Bergschätze. Andererseits beschenkt er die Armen. Die ersten gesammelten Rübezahl-Sagen gab Johannes Prätorius 1662 heraus.

Rubidium [zu lateinisch rubidus ›rot‹], Zeichen **Rb,** →chemische Elemente, ÜBERSICHT.

Rubin [aus lateinisch rubinus ›rot‹], sattrote edle Varietät des Korunds, eines Aluminiumoxid-Minerals. Seine Farbe erhält er durch das Metall Chrom. Mit Brillantschliff ist er einer der höchstbewerteten Edelsteine und war bereits im Mittelalter für Schmuck und Insignien (Herrscherabzeichen) begehrt.

Rubin:
Kristallbruchstück
(Kenia, Ost-Afrika)

Rückenmark, gehört zusammen mit dem →Gehirn zum **Zentralnervensystem.** Es verläuft im Wirbelkanal der →Wirbelsäule und ist, wie das Gehirn, von 3 Häuten umgeben, die zum Ende der Wirbelsäule einen Sack bilden und etwas Flüssigkeit enthalten. Im Querschnitt zeigt das Rückenmark im Zentrum eine schmetterlingsförmige Figur, die **graue Substanz.** Diese wird von den Nervenzellen (Schaltstellen) gebildet. Außen liegt die **weiße Substanz,** die aus Nervenfasern (Leitungsbahnen) besteht. Das Rückenmark ist die Verbindung und Umschaltstelle für Reize, die von außen kommend auf Empfindungsbahnen zum Gehirn verlaufen (z. B. Tast- oder Schmerzempfindungen) und über die Bewegungsbahnen zurück zum Muskel gehen. 31 Nervenpaare treten aus dem Rückenmark aus. Für den Ablauf bestimmter Reflexe bedarf es nur einer Umschaltung im Rückenmark.

Rückenschwimmen, Kraulschwimmen in der Rückenlage. Dabei liegt der Körper gestreckt im Wasser. Die Arme werden abwechselnd seitwärts am Kopf nach hinten ins Wasser geführt und dann seitlich am Körper bis zum Becken vorgezogen. Die Beine werden wechselseitig auf- und abgeschlagen. Im Rückenschwimmen werden Wettbewerbe über 100 und 200 m ausgetragen. – Rückenschwimmen gehört seit 1900 für Herren und seit 1924 für Damen zum Olympischen Programm.

Rückgrat, die →Wirbelsäule.

Rückkopplung, allgemein die Beeinflussung eines Geschehens durch die Rückwirkung der Folgen auf seinen weiteren Verlauf. In technischen Systemen bedeutet Rückkopplung die Rückführung des Ausgangssignals (oder eines Teils des Signals) auf seinen Eingang. Je nachdem, wie das rückgekoppelte Ausgangssignal auf das Eingangssignal wirkt, spricht man von Mit- oder von Gegenkopplung. **Mitkopplung** bedeutet, daß das Ausgangssignal verstärkend auf das Eingangssignal wirkt. Diesen Fall nutzt man aus, wenn Schwingungen erzeugt werden sollen, z. B. beim Oszillator zur elektrischen Schwingungserzeugung. Durch unbeabsichtigte Mitkopplung kann es auch zu Störungen kommen, z. B. bei akustischer Rückkopplung (›Pfeifen‹), wenn der vom Lautsprecher auf das Mikrophon zurückwirkende Schall zu stark ist.

Eine **Gegenkopplung** bewirkt eine Abschwächung des Eingangssignals. Sie wird z. B. bei elektronischen Verstärkern verwendet, um unliebsame Verzerrungen zu verringern.

Rückstoß, physikalische Erscheinung, die auf dem Naturgesetz von Aktion – Reaktion beruht. Jede →Kraft (Aktion) löst eine gleich große entgegengesetzt gerichtete Kraft (Reaktion) aus. Wenn also ein Körper eine Masse ab- oder ausstößt, wirkt auf den Körper eine entgegengesetzte Kraft, die man Rückstoß nennt. Der Rückstoß wird zur Fortbewegung genutzt, in der Natur z. B. vom Tintenfisch, in der Technik bei Raketen und Strahltriebwerken, die sich ausdehnende Gase nach hinten ausstoßen und dadurch nach vorn getrieben werden. Rückstoß tritt auch beim Schuß aus Feuerwaffen auf; hier muß er aufgefangen werden durch die Schulter des Schützen oder durch eine Rohrrücklaufbremse, oder man nützt seine Kraft zum selbsttätigen Laden und Abfeuern bei automatischen Waffen.

Rüde, der männliche → Hund.

Rudern, Wassersportart, bei der Boote durch Menschenkraft fortbewegt werden, von Damen und Herren als Wanderfahrten oder als Rennen betrieben. Beim sportlichen Rudern sitzt der Ruderer mit dem Rücken zur Fahrtrichtung auf einem beweglichen Sitz (Rollsitz). Seine Füße ruhen auf dem Stemmbrett, beide Hände fassen (Handrücken nach oben) den 3,6–3,8 m langen **Riemen,** oder jede Hand je einen der 2,8–3 m langen **Skulls.** Riemen und Skulls liegen über dem Bootsrand in einer drehbaren Dolle (Befestigung). Sie werden in Fahrtrichtung ins Wasser getaucht und mit kraftvollem Armzug nach vorn gezogen. Durch das gleichzeitige Abstemmen der Füße vom Stemmbrett wird der Armzug wirkungsvoll unterstützt. Der Ruderer wiederholt diese Bewegungen rhythmisch, um das durch die Wasserverdrängung des Ruderblatts fortbewegte Boot weiter zu beschleunigen. Bei internationalen Wettbewerben rudern Herren über 2 000 m, Damen über 1 000 m. Gerudert wird im **Einer (Skiff), Zweier mit Steuermann, Zweier ohne Steuermann(-frau), Doppelzweier, Vierer mit Steuermann(-frau), Vierer ohne Steuermann** (einziger Wettbewerb nur für Herren), **Doppelvierer** und im **Achter.** Der Einer ist mit etwa 7,5 m das kürzeste, der Achter mit etwa 18 m das längste Boot. Einer, Doppelzweier und Doppelvierer sind Skullboote (pro Ruderer rechts und links ein Skull), die übrigen Boote Riemenboote (je 1 Riemen pro Ruderer). – Rudern ist seit 1896 olympische Disziplin, doch mußten die Regatten 1896 wegen zu starken Seegangs ausfallen. Erste olympische Wettbewerbe wurden dann 1900 durchgeführt. Damen rudern seit 1976 um olympische Medaillen.

Rudolf I. von Habsburg, deutscher König (1273–91), 1218 geboren und Patensohn des Stauferkaisers Friedrich II., 1291 in Speyer gestorben und dort im Dom begraben. Er war nach fast 20 Jahren politisch wirkungsloser Könige (›Interregnum‹ 1254–73) wieder ein starker deutscher König und ein fähiger Feldherr, dabei beim Volk beliebt. Als Landesfürst hat er seine Besitzungen am Oberrhein vermehrt. 1278 besiegte er seinen stärksten Gegner, Ottokar II. von Böhmen. Dessen zuvor angeeignete Gebiete (Österreich, Steiermark, Kärnten und Krain) gewann Rudolf zur Vergrößerung seiner eigenen Hausmacht. Er wahrte den Landfrieden, indem er die Raubritter bekämpfte. Es gelang ihm nicht, vom Papst zum Kaiser gekrönt zu werden. Rudolf von Habsburg ist der Stammvater aller späteren Habsburger.

Rugby [ragbi], Kampfspiel zwischen 2 Mannschaften mit je 15 Spielern, das von der Mannschaft gewonnen wird, die die meisten Punkte erzielt. Dazu muß ein ovaler Ball (›Rugby-Ei‹) ins Malfeld, eine Art Torzone hinter der gegnerischen Mallinie, getragen, das heißt dort niedergelegt werden oder über die Querstange und zwischen die beiden Stangen des torähnlichen Mals getreten werden. Jeder balltragende Spieler darf durch Fassen zu Fall gebracht werden. Er muß dann den Ball (Länge: 27,9–28,6 cm, Breite 61,0–64,1 cm, Gewicht: 382–425 g) sofort zur Seite oder nach hinten abspielen. Ein Weiterspiel in Richtung gegnerisches Malfeld ist verboten. Nach Regelverstößen verhängt der Schiedsrichter Straftritt oder Gedränge. Dabei stellen sich die Stürmer beider Mannschaften in 3 Reihen hintereinander so auf, daß der Ball zwischen sie geworfen werden kann. Die Spieler drängen gegeneinander an und versuchen, den Ball durch Hakeln mit den Füßen in den Besitz ihrer Mannschaft zu bringen. Ein gelungenes Niederlegen des Balls in der Malzone (Versuch) zählt 4 Punkte, ein Versuch mit nachfolgendem Treffer durch Tritt 6 Punkte, ein Treffer von einem Frei- oder Straftritt sowie von einem Sprungtritt 3 Punkte. Die Spielzeit beträgt 2 × 40 Minuten.

Rügen, in der Ostsee gelegene, zu Mecklenburg-Vorpommern gehörende größte deutsche Insel. Auf der 973 km² großen Insel leben 85 200 Einwohner. Hauptstadt ist Bergen. Die Insel ist durch den 2,5 km breiten Strelasund vom Festland getrennt. Straße und Eisenbahn überqueren ihn von Stralsund aus auf dem Rügendamm. Eine Eisenbahnfähre stellt eine Verbindung mit Schweden her. Rügen besteht zum großen Teil aus weichem Kalkstein, der Kreide. Diese wird in Steinbrüchen abgebaut und zu Malerfarbe und Schulkreide verarbeitet. Rügen ist ein beliebtes Urlaubsgebiet an der Ostsee.

Ruhr, rechter Nebenfluß des Rheins. Der 213 km lange Fluß entspringt im Sauerland und mündet bei Duisburg in den Rhein. Stauseen (z. B. Baldeneysee) und zahlreiche Talsperren machen die Ruhr und ihre Nebenflüsse zum wichtigsten Wasserreservoir für das → Ruhrgebiet. 76 km der Ruhr sind durch Ausbau schiffbar.

Ruhrgebiet, Rheinisch-Westfälisches Industriegebiet, bedeutendster deutscher Industriebezirk und eines der am dichtesten besiedelten Gebiete Europas. Es erstreckt sich im Norden bis zur Lippe, im Süden über die Ruhr hinaus und reicht als dichtes Band aneinandergereihter Städte von Moers im Westen bis Hamm im Osten. Das Ruhrgebiet hat damit eine Länge von etwa 120 km und eine Breite von 35 km.

Die wirtschaftliche Bedeutung des Ruhrgebietes beruht neben der günstigen Verkehrslage am Rhein vor allem auf der **Steinkohle.** Die kohleführenden Schichten (Flöze) treten im Süden unmittelbar zutage. Nach Norden sinken diese Flöze, die höchstens 1,50 m mächtig sind (zum Vergleich: in den Appalachen, USA, erreichen sie eine Mächtigkeit bis zu 6 m), bis auf eine Tiefe von 1 400 m (bei Münster) ab. Die Kohle ist von mächtigen Gesteinsschichten überlagert. Die Kohleförderung begann im Süden des Ruhrgebiets bereits im Mittelalter, zunächst nur im Tagebau, später auch im Stollenbau. Erst im 19. Jahrh. konnte durch die Entwicklung des Schachtbaus der Abbau der Kohle erweitert werden. Damit war die Grundlage für eine große Anzahl von Industrien geschaffen, besonders Eisen- und Stahlindustrie sowie chemische Industrie. Die Kohlevorkommen des südlichen Ruhrgebietes waren schnell erschöpft, der Abbau mußte immer weiter nach Norden und in immer größere Tiefen vordringen. Doch durch neue Produktionsverfahren, bei denen weit weniger Kohle benötigt wurde als früher, aber auch durch den Einsatz von Erdöl und Erdgas ging der Bedarf an Steinkohle seit etwa 1957 stark zurück. Zahlreiche Zechen wurden stillgelegt. Da ab Mitte der 1970er Jahre viele Arbeitsplätze in der Eisen- und Stahlindustrie verlorengingen, leidet das Ruhrgebiet unter einer starken Beschäftigungskrise. Deshalb wird versucht, neue Industrien (Fahrzeugbau, Elektrotechnik, Chemie) anzusiedeln. Trotz der gegenwärtigen Krise wird das Ruhrgebiet weiterhin ein wirtschaftlich bedeutender Raum für die Bundesrepublik Deutschland und Europa bleiben, denn von den 65 Milliarden Tonnen Steinkohle des Ruhrgebietes ist bis heute erst etwa $^1/_5$ erschlossen. Damit ist die Kohleversorgung für die Bundesrepublik Deutschland für die nächsten Jahrzehnte gesichert.

Geschichte. Im 19. Jahrh. entwickelte sich das Ruhrgebiet zu einem industriellen Ballungsraum. 1919/20 war es Schauplatz kommunistischer Aufstandsversuche. 1923–25 hielten französische und belgische Truppen das Ruhrgebiet besetzt, um die deutsche Reichsregierung bei der Abwicklung der →Reparationen unter Druck zu setzen. In der Diskussion zwischen den Gegnern Deutschlands spielte das Ruhrgebiet als ›Waffenschmiede‹ eine große Rolle. Der Abbau von Industrieanlagen durch die Siegermächte belastete den Wiederaufbau sehr.

Rumänien

Staatswappen

Staatsflagge

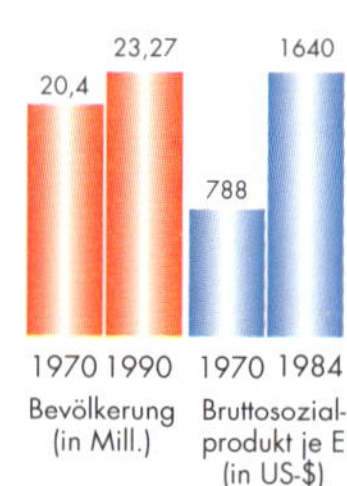

Stadt
Land
53%
47%

Bevölkerungsverteilung 1990

Industrie
Landwirtschaft
Dienstleistung

Bruttoinlandsprodukt 1990

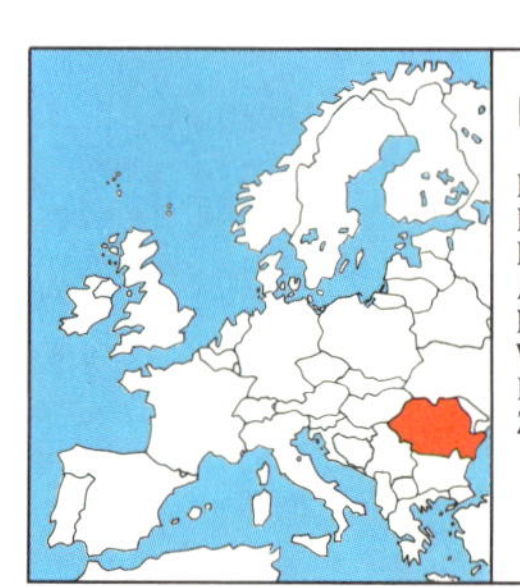

Rumänien

Fläche: 237 500 km²
Bevölkerung: 23,27 Mill. E
Hauptstadt: Bukarest
Amtssprache: Rumänisch
Nationalfeiertag: 1. Dez.
Währung: 1 Leu (l) = 100 Bani
Zeitzone: MEZ + 1 Stunde

Rumänien, Republik in Südosteuropa. Das nördlich der unteren Donau gelegene Land ist fast so groß wie Großbritannien und Nordirland. Rumänien wird in weitem Bogen von den Karpaten durchzogen, die mit dem Westsiebenbürgischen Gebirge das Hochland von Siebenbürgen einschließen. Im Westen hat Rumänien Anteil am Tiefland des Banat. Am Außenrand der Karpaten liegen im Süden das Tiefland der Walachei, im Osten das Hügelland der Moldau; südlich des Deltas der Donau erstreckt sich das Tiefland der Dobrudscha entlang der Küste des Schwarzen Meers. Das Klima ist gemäßigt kontinental; der Küstenstreifen hat milderes Klima.

Die Bevölkerung besteht größtenteils aus Rumänen. Daneben gibt es Ungarn und Deutsche. Die höchste Bevölkerungsdichte verzeichnet der Raum Bukarest. Die meisten Einwohner gehören dem orthodoxen Glauben an.

Die Hauptackergebiete liegen im Banat, im Zentrum Siebenbürgens, in der Moldau und in der Walachai. Außer Getreide (vor allem Mais und Weizen) werden Zuckerrüben, Sonnenblumen, Wein und Obst angebaut.

Grundlage für den industriellen Aufschwung nach 1945 waren die reichen Bodenschätze. Erdöl, Erdgas, Steinkohle und Eisenerz spielen auch als Exportgüter eine Rolle. Eisen-, Stahl- und Aluminiumindustrie, Maschinenbau und Metallverarbeitung sind bedeutend. An der Küste des Schwarzen Meers gibt es Fremdenverkehr.

Im 14. Jahrh. entstanden im Gebiet des heutigen Rumänien die Fürstentümer Moldau und Walachei. Anfang des 15. Jahrh. gerieten sie unter türkische Oberhoheit. 1859 wurden sie zum rumänischen Staat vereinigt, und 1878 erhielt das Königreich die Unabhängigkeit. Nach dem Zweiten Weltkrieg wurde Rumänien eine kommunistische Volksrepublik. Im Zuge der revolutionären Veränderungen im Ostblock gab sich Rumänien 1991 eine neue Verfassung nach den Grundsätzen eines demokratischen Rechtsstaates mit Mehrparteiensystem. (KARTE Band 2, Seite 204).

Rumpf, Teil des Körpers von Mensch und Wirbeltieren, der aus Brust, Bauch und Rücken besteht.

runden, Mathematik: Die Längenangabe 4,72385 cm ist für Gegenstände des täglichen Lebens wenig sinnvoll, da man im Alltag kein Meßverfahren zur Verfügung hat, das ein solch genaues Ergebnis liefert. Deshalb bringt man die Dezimalzahl in eine kürzere Form, man sagt, die Zahl wird **gerundet.** Beim Runden gelten folgende Regeln:

1) Die letzte Ziffer, die beibehalten werden soll, bleibt gleich, wenn die erste weggelassene Ziffer eine 0, 1, 2, 3 oder 4 ist. Man sagt, die Zahl wird **abgerundet.**

2) Die letzte Ziffer, die beibehalten werden soll, wird um 1 erhöht, wenn die erste weggelassene Ziffer eine 6, 7, 8 oder 9 ist. Man sagt, die Zahl wird **aufgerundet.**

Beispiele: 0,1543 wird abgerundet zu 0,154
6,2679 wird aufgerundet zu 6,3

Im ersten Fall wurde auf 3 Stellen hinter dem Komma, im zweiten Fall wurde auf eine Stelle hinter dem Komma gerundet.

3) Ist die erste weggelassene Ziffer eine 5 und folgen weitere von Null verschiedene Ziffern, so wird aufgerundet (0,152 wird aufgerundet zu 0,2). Folgen nach der 5 dagegen nur Nullen, so wird nur dann aufgerundet, wenn die letzte beibehaltene Ziffer gerade wird, sonst wird abgerundet (0,1350 wird aufgerundet zu 0,14, aber 0,1450 wird abgerundet zu 0,14).

Rundfunk, in der Schweiz **Rundspruch,** die Verbreitung von Darbietungen in Ton (Hörfunk) oder in Ton und Bild (→Fernsehen) durch elektromagnetische Wellen. Das für einen großen (grundsätzlich unbegrenzten) Personenkreis bestimmte Programm wird über Funk oder über Kabel übertragen.

Beim **Hörfunk** werden Töne durch ein Mikrophon in elektrische Signale verwandelt. Der Sender erzeugt hochfrequente Schwingungen (Trägerwellen), mit denen die Tonsignale zusammengesetzt, man sagt moduliert, werden. Bei Lang-, Mittel- und Kurzwellen wird durch die Überlagerung die Höhe (Amplitude) der Trägerwelle, bei Ultrakurzwellen die Frequenz der Trägerwelle geändert. Amplitudenmodulierte Wellen sind gegenüber Störungen, z. B. laufenden Elektrogeräten oder Gewittern, sehr empfindlich. Bei der Frequenzmodulation sind diese Störungen erheblich geringer, da die Störungen durch besondere Schaltungen beseitigt werden können. Die modulierten Trägerwellen werden verstärkt, bevor sie über die Sendeantenne abgestrahlt werden.

Die Wellen breiten sich mit Lichtgeschwindigkeit aus und erzeugen in der Empfangsantenne hochfrequente Wechselspannungen, die dem Empfänger über die Antennenleitung zugeführt werden. Der **Rundfunkempfänger** (umgangssprachlich **Radioapparat** oder kurz **Radio** genannt) hat 3 Aufgaben: 1) Trennung des gewünschten Senders von den nicht gewünschten Sendern. Dazu wählt man einen Wellenbereich, z. B. UKW, und stellt hier die Frequenz des gewünschten Senders ein. 2) Verstärkung der schwachen Eingangssignale. Dies geschieht hauptsächlich im Zwischenfrequenzteil. Die Zwischenfrequenz (Abkürzung ZF) wird in der Mischstufe aus der Empfangsfrequenz und einer im Empfänger erzeugten Hilfsfrequenz (Oszillatorfrequenz) gebildet. Die Hilfsfrequenz wird in Abhängigkeit von der Empfangsfrequenz so hinzugefügt, daß eine immer gleiche Zwischenfrequenz entsteht. Die Zwischenfrequenz-Verstärkerstufen sind in allen Rundfunkempfängern schon vom Hersteller auf diese Frequenz (bei UKW z. B. 10,7 MHz) fest eingestellt. Die Funktionsweise der Überlagerung von Empfangs- und Hilfsfrequenz verwendet man heute in fast allen Empfängern, daher auch die Bezeichnung Überlagerungsempfänger, Superheterodynempfänger, Superhet oder kurz Super. 3) Demodulation, das bedeutet die Rückgewinnung der Tonsignale, die der Trägerwelle im Sender aufmoduliert wurden; mit anderen Worten: Im Empfänger werden die Tonsignale von der Trägerwelle, die jetzt nicht mehr benötigt wird, getrennt. Das am Ausgang des Demodulators zur Verfügung stehende Tonsignal muß noch verstärkt werden, damit seine Leistung zum Betrieb von Lautsprechern ausreicht.

Empfangsgeräte gibt es in verschiedensten Bauformen: **Heimempfänger** sind meist außer für den normalen Mono-Empfang auch für den Stereo-Empfang eingerichtet. Sie sind im allgemeinen für den Netzanschluß bestimmt. Sind die Lautsprecher getrennt vom Empfänger, so wird er als **Steuergerät** (englisch Receiver) bezeichnet. Ein **Tuner** ist ein Baustein, der aus einem Steuergerät ohne Endverstärker besteht. **Kofferempfänger** (Reiseempfänger) sind entweder für den Batteriebetrieb oder für den wahlweisen Batterie- oder Netzbetrieb eingerichtet. Der Bau von kleinen **Taschenempfängern** ist erst durch den Einsatz von Transistoren und integrierten Schaltungen möglich geworden.

Moderne Rundfunkempfänger sind mit einer Reihe von zusätzlichen Einrichtungen ausgerüstet, 1) Stationstasten: auf frei wählbare Empfangsfrequenzen fest einstellbare Druck- oder Sensortasten; 2) Abstimmanzeige: Meßinstrument zur Anzeige, auf welcher Frequenz der eingestellte Sender liegt; 3) UKW-Mittenanzeige zur genauen Abstimmung des Empfängers auf besten Empfang; 4) elektronischer Sendersuchlauf: durchläuft automatisch den UKW-Frequenzbereich und bleibt bei genügend stark einfallenden (›empfangswürdigen›) Sendern stehen; 5) Stillabstimmung (englisch muting): Schaltung zur Unterdrückung des Rauschens zwischen den UKW-Stationen beim Abstimmen; 6) automatische Frequenzregelung zur Verminderung von Schwunderscheinungen; 7) Stereoanzeige: Leuchtanzeige zur Kennzeichnung von Stereo-Sendern; 8) Kurzwellenlupe: Schaltung zur Spreizung des Kurzwellenbandes zur leichteren und genaueren manuellen Abstimmung; 9) Fernbedienung mit Infrarot oder Ultraschall.

Geschichtliches. Der Nachweis elektromagnetischer Wellen gelang 1888 dem Physiker Heinrich Hertz. In den folgenden Jahren gab es in kurzen Abständen immer wieder neue Erfindungen, die der Weiterentwicklung der Funktechnik dienten. Mit Einsatz der → Elektronenröhre gelang es Alexander Meißner 1913, einen Sender aufzubauen, der durch Rückkopplung der Verstärkerröhre Schwingungen erzeugte. 1920 fand das erste ›drahtlose‹, das heißt über Funkwellen übertragene Instrumentalkonzert auf Langwelle statt. Seit den 1950er Jahren ermöglichte der → Transistor (an Stelle der Röhre) die Herstellung leichter, tragbarer Empfangsgeräte. Eine wesentliche Verbesserung der Klangleistung im Sinn von ›High Fidelity‹, also großer Klangtreue, erbrachte die → Stereophonie.

Rundfunkanstalten

Erstes Deutsches Fernsehen

Zweites Deutsches Fernsehen

DDR-Fernsehen

Österreichischer Rundfunk

Schweizerische Radio- und Fernsehgesellschaft

Rundfunkanstalten, vom Staat unabhängige Einrichtungen (Anstalten des öffentlichen Rechts), die sich überwiegend aus Fernseh- und Hörfunkgebühren, zum Teil auch aus Werbeeinnahmen finanzieren. Die meisten Länder der Bundesrepublik Deutschland haben durch Gesetz eigene Landesrundfunkanstalten errichtet; Hamburg, Niedersachsen und Schleswig-Holstein sind gemeinsam am **NDR** (**N**ord**d**eutscher **R**undfunk), Rheinland-Pfalz und Baden-Württemberg am **SWF** (**S**üd**w**est**f**unk) beteiligt. Neugründungen sind der **M**ittel**d**eutsche **R**undfunk **(MDR)** und der **O**stdeutsche **R**undfunk **B**randenburg **(ORB)** 1991. Weiterhin gibt es die Bundesrundfunkanstalten Deutschlandradio (ab 1. 1. 1994 mit **RIAS** Berlin (Hörfunk): **R**undfunk **i**m **a**merikanischen **S**ektor, Sitz in Köln) und **DW** (**D**eutsche **W**elle, Sitz in Köln) mit Rias TV.

Die Rundfunkanstalten schlossen sich 1950 zur **ARD** (**A**rbeitsgemeinschaft der öffentlich-rechtlichen **R**undfunkanstalten der Bundesrepublik **D**eutschland) zusammen, vor allem um ein bundesweites Fernsehprogramm zu produzieren. 1961 unterzeichneten alle Bundesländer einen Staatsvertrag über die Errichtung des **ZDF** (**Z**weites **D**eutsches **F**ernsehen).

Eine Rundfunkanstalt wird von einem **Intendanten** geleitet. Er ist für den gesamten Betrieb der Anstalt und die Programmgestaltung verantwortlich. Der **Verwaltungsrat** kontrolliert die Geschäftsführung. Der **Rundfunkrat** (beim ZDF der Fernsehrat) vertritt die Allgemeinheit im Rundfunk; er kontrolliert die Einhaltung der Programmgrundsätze und wählt den Intendanten (mit Ausnahme des **W**est**d**eutschen **R**undfunks, **WDR**).

Der Rundfunk kann auch von privaten Unternehmen betrieben werden, die eine Sendegenehmigungen erhalten und sich aus Werbeeinnahmen finanzieren. Seit Beginn der 80er Jahre strahlen immer mehr private Fernsehanstalten Programme aus.

Der **Ö**sterreichische **R**und**f**unk **(ORF)** ist seit 1974 ähnlich organisiert wie bundesdeutsche Rundfunkanstalten. Eine Besonderheit beim Österreichischen Rundfunk ist die Hörer- und Sehervertretung (35 Mitglieder).

Die **S**chweizerische **R**adio- und Fernseh**g**esellschaft **(SRG)** ist ein privater Verein, dem 3 Regionalgesellschaften der jeweiligen Sprachbereiche angehören. Die SRG sendet auf Grund einer staatlichen Genehmigung.

Die Rundfunkanstalten stellen täglich Fernseh- und/oder Hörfunkprogramme her, die zu festgelegten Zeiten entweder in unmittelbarer Übertragung vom Aufnahmeort (›Live-Sendung‹) oder nachträglich nach der Aufzeichnung gesendet werden. **Rundfunkprogramme** lassen sich unterscheiden nach Sendungsgattungen (Information, Meinung, Unterhaltung, Werbung), nach Sendeformen (z. B. Nachrichten, Spiele), nach Sendegebieten, Hörerschaft (für alle, für bestimmte Gruppen) und nach technischen Gesichtspunkten (beim Hörfunk z. B. Lang-, Mittel-, Kurz-, Ultrakurzwelle, Stereo-Sendung).

Runen [aus althochdeutsch runa ›Geheimnis‹,

RUSSISCHE GESCHICHTE

seit dem 6. Jahrh.	Slawen besiedelten das obere und mittlere Flußgebiet des Dnjepr und der Düna sowie das Gebiet um den Ilmensee.
seit dem 8. Jahrh.	Bewaffnete normannische Fernkaufleute (Waräger) errichteten entlang der Handelsstraßen von der Ostsee nach Konstantinopel (vor allem der Wolga folgend) Stützpunkte (z. B. in Nowgorod).
9. Jahrh.	Unter Führung der Rurikiden (benannt nach Rurik), einem Fürstengeschlecht möglicherweise normannischer Herkunft, entstand das **Kiewer Reich.**
988	**Wladimir der Heilige** (978–1015) begann mit Hilfe griechischer und bulgarischer Geistlicher die Christianisierung des Kiewer Reichs; seitdem prägte das Christentum orthodoxer Richtung die russische Kultur und Geschichte.
12. Jahrh.	Zerfall des Kiewer Reichs in Teilfürstentümer.
1236–40	Unterwerfung der Teilfürstentümer (mit Ausnahme Nowgorods) durch die Mongolen unter Batu Chan.
1240–1480	Rußland unter der Herrschaft der Mongolen.
1240/1242	Alexander Newskij verteidigte als Fürst von Nowgorod die russische Nordwestgrenze gegen Schweden (1240) und gegen den Deutschen Orden (1242).
14. Jahrh.	Aufstieg des Fürstentums, später **Großfürstentums Moskau** unter **Iwan I.** (1325–41).
1326	Moskau wurde Sitz des russisch-orthodoxen Metropoliten. Im Westen eroberte der Großfürst von Litauen einen großen Teil des Kiewer Reichs.
1380	Sieg des Moskauer Großfürsten Dmitrij Donskoj (1359–89) über das aus dem Mongolenreich hervorgegangene Reich der ›Goldenen Horde‹.
1478 1480	**Iwan III.** (1462–1505) führte das von Iwan I. begonnene Programm des ›Sammelns russischen Landes‹ fort: besonders Unterwerfung Nowgorods. Er sagte sich und seine Herrschaft von der Oberhoheit des Reiches der ›Goldenen Horde‹ los. Durch seine Vermählung mit der Nichte des letzten Kaisers des Byzantinischen Reichs strebte er die Nachfolge von Byzanz als Vormacht des orthodoxen Christentums an (Entstehung der Theorie vom ›Dritten Rom‹).
1494	Iwan III. nahm den Titel eines ›Selbstherrschers von ganz Rußland‹ an.
1547 1556 1582	**Iwan IV., der Schreckliche** (1533–84) nahm den Zarentitel an und dehnte die Herrschaft Moskaus bis zum Kaspischen Meer aus: Eroberung Astrachans. Mit Hilfe der Kosaken leitete er die Eroberung Sibiriens ein.
1613	Nach einer Zeit der inneren Wirren kamen die **Romanows** an die Herrschaft.
1649 1670	Die Bindung der Bauern an die Scholle und die damit verbundene Leibeigenschaft führte immer häufiger zu Aufständen, z. B. unter Stepan Rasin.
1703	Mit der Gründung der neuen Hauptstadt Sankt Petersburg verlagerte Zar **Peter der Große** (1682–1725) das Zentrum des Russischen Reichs in den Nordwesten Rußlands. Unter ihm begann die Öffnung Rußlands nach dem Westen.
1700–21 1721	Mit dem Sieg über Schweden im ›Nordischen Krieg‹ gewann das Russische Reich eine Großmachtstellung im Ostseeraum. Im Innern führte Peter der Große, der den Titel eines ›Imperators‹ (Kaiser) annahm, tiefgreifende Reformen durch.
1756–63	Unter Kaiserin Elisabeth (1741–62) nahm Rußland am ›Siebenjährigen Krieg‹ teil.
1762	Unter **Peter III.** gelangte das Haus Holstein-Gottorp auf den Thron. **Katharina II. die Große** (1762–96) begründete die europäische Vormachtstellung der russischen Kaiser.
1772/1793/1795 1774	Durch die →Polnischen Teilungen verleibte sich Rußland große Teile Polens ein. In mehreren Türkenkriegen gewannen Katharina II. und ihre Nachfolger zahlreiche Gebiete des Osmanischen Reichs. Im Frieden von Kütschük Kainardsche erhielt Rußland freie Schiffahrt im Schwarzen Meer und freie Durchfahrt für Handelsschiffe durch die Meerengen (›Drang Rußlands zu den warmen Meeren‹).
1805–15	Unter Führung Kaiser **Alexanders I.** (1801–25) nahm Rußland führend an den Kriegen gegen den französischen Kaiser Napoleon I. teil. Niederlage Napoleons I. auf seinem Feldzug nach Rußland.
1815	Das auf dem Wiener Kongreß geschaffene Königreich Polen wurde in Personalunion mit Rußland vereinigt.
1830	Niederschlagung des polnischen Aufstands. Rußland entwickelte sich unter Nikolaus I. (1825–55) seitdem zur Vormacht der konservativen Staaten Europas.
1853–56	Im Krimkrieg erlitt Rußland eine Niederlage; sie führte unter Kaiser **Alexander II.** (1855–81) zu Reformen im Innern:
1861	Aufhebung der Leibeigenschaft der Bauern, die jedoch in eine dörfliche Zwangsgenossenschaft, das ›Mir‹, eingegliedert wurden. Nach der Niederlage im Krimkrieg wandte Rußland sein Interesse Ostasien zu: Gründung von Wladiwostok (als russischer eisfreier Hafen am Pazifischen Ozean).
seit 1890	Entstehung revolutionärer Gruppen.
1891–1904	Bau der Transsibirischen Eisenbahn (Transsib).
2. Hälfte des 19. Jahrh.	Das Heranrücken Rußlands bis an die Grenzen Afghanistans hatte eine Krise in den Beziehungen zu Großbritannien zur Folge, das sich in seiner Stellung in Indien bedroht sah.
1892/93	Abschluß einer russisch-französischen Allianz.
1904/05 1905	Die russische Ausdehnungspolitik in der Mandschurei und Korea führte zum Russisch-Japanischen Krieg; in seinem Verlauf erlitt Rußland eine schwere Niederlage; sie führte im Innern zu einer Revolution: erstmalig Bildung von ›Räten‹ (russisch ›Sowjets‹).
1907	Im Sankt Petersburger Vertrag grenzten Rußland und Großbritannien ihre Interessensphären ab.
1914	Die Spannungen zwischen Rußland und Österreich-Ungarn auf dem Balkan führten zum Ausbruch des Ersten →Weltkriegs.
Februar 1917	Die Niederlage Rußlands gegen Österreich-Ungarn und Deutschland führte zur Revolution (Februarrevolution).
März 1917	Abdankung Kaiser **Nikolaus' II.** (auf dem Thron seit 1894). Sturz der Monarchie.
1991	Nach dem Zerfall der Sowjetunion wird Rußland als deren Rechtsnachfolger international anerkannt. Boris Jelzin wird Präsident Rußlands.
1992	Neuer Föderationsvertrag Rußlands mit seinen autonomen Gebieten und Republiken.

Zur Geschichte der Sowjetunion →Sowjetunion.

›geheime Beratung‹, ›Geflüster‹], alte germanische Schriftzeichen, die vor allem in Nord- und Mitteleuropa verbreitet waren. Ursprünglich bestand eine Runenreihe aus 24 Zeichen und wurde nach den ersten 6 Zeichen **Futhark** genannt; das 3. Zeichen dieser Reihe, þ, steht dabei für einen dem englischen th vergleichbaren Laut, z. B. in ›thank‹. Später wurde daraus eine einfachere Reihe mit nur 16 Zeichen gebildet. Runen wurden in Holz, Metall und Stein **(Runensteine)** gef u þ a r k g w h n i j p y R s t b e m l ng d o

Runen: Ältere nordische Runenreihe (Futhark), 5. Jahrh.

ritzt. Sie wurden vor allem für Gedenkinschriften für Verstorbene auf Grabsteinen, Besitzinschriften auf Waffen und anderen Gebrauchsgegenständen sowie für Inschriften auf Weihgeschenken verwendet. (BILD Seite 112)

Rurik, Heerführer aus dem Volk der Waräger. Dies waren normannische Kriegerkaufleute, die im 9. Jahrh., von der Ostsee kommend, über die russischen Flüsse Beute- und Eroberungszüge bis zum Schwarzen Meer unternahmen. Eine Chronik erzählt, Rurik habe um 860 ein Reich mit der Hauptstadt Nowgorod begründet. Er gilt als Stammvater des russischen Herrscherhauses der **Rurikiden,** dem nach der Legende auch → Iwan IV., der Schreckliche, entstammte.

Ruß, sehr feines, stark Wasser abstoßendes, schwarzes Pulver aus fast kugelförmigen Rußflocken, die sich kettenförmig anordnen und zu 80–99,5% aus reinem Kohlenstoff bestehen. Der größte Teil des Rußes wird als Füllstoff dem Kautschuk der Autoreifen zugesetzt. Er dient auch als Farbpigment für Druckfarben, Tuschen und Lacke und wird in der Elektroindustrie, z. B. für Trockenbatterien und Elektroden, verwendet.

Rüsselkäfer: Reiskäfer

Rüsselkäfer, artenreichste Käferfamilie (etwa 44000 Arten) mit einer rüsselförmigen Verlängerung des Kopfes. Die oft flügellosen Käfer bohren mit ihrem Rüssel ein Loch in Pflanzen und legen ein Ei hinein. Die fußlose Larve kann sich dort, geschützt vor Feinden und versorgt mit Nahrung, gut entwickeln. Die meisten Rüsselkäfer sind Schädlinge an Vorräten (Korn, Reis) und Pflanzen (Baumwolle, Apfelbäume).

Rußland

Staatsflagge

Russen, ostslawisches Volk, das 1989 rund 147 Millionen Menschen zählte, in Rußland 120 Millionen (81,5% der Bevölkerung Rußlands) sowie 2 Millionen russischstämmige Einwohner Nordamerikas und Westeuropas. Ferner siedeln sie in anderen Republiken der Gemeinschaft Unabhängiger Staaten. Im Gegensatz zu den **Kleinrussen** (→ Ukrainer) und **Weißrussen** stammen sie aus der Verschmelzung ostslawischer Stämme (→ Slawen) mit der finnischen Bevölkerung; sie werden auch **Großrussen** genannt. (ÜBERSICHT Seite 111)

Rußland

Fläche: 17,0754 Mill. km²
Bevölkerung: 148 Mill. E
Hauptstadt: Moskau
Amtssprache: Russisch
Währung: 1 Rubel (Rbl) = 100 Kopeken
Zeitzonen (von W nach O): MEZ + 2 Stunden bis MEZ + 11 Stunden

Rußland, Republik in Osteuropa und Nordasien. Es grenzt im Westen an Polen, die Ukraine und Weißrußland, im Nordwesten an die Ostsee, an Lettland, Estland, Finnland und Norwegen, im Norden an das Nordpolarmeer, im NO an die Beringstraße, im Osten an den Pazifik, im Südosten an das Japanische Meer, an Nord-Korea und China, im Süden an die Mongolei und Kasachstan, im Südwesten an Aserbaidschan und Georgien. Es ist das größte zusammenhängende Staatsgebiet der Erde. Von der Ostsee bis zum Jenissei sind Tiefländer vorherrschend, an der östlichen und südlichen Peripherie Hochgebirge. Der Ural trennt Europa von Asien.

Das Klima ist, nach Sibirien hin, zunehmend kontinental mit kurzen, warmen Sommern und langen, kalten Wintern. Die Niederschläge nehmen von der Ostsee nach Osten und Südosten ab. Die klimatischen Verhältnisse im Norden und Osten des Landes bewirken, daß dort der Boden bis in größere Tiefen ständig gefroren ist; dieser Dauerfrostboden nimmt fast die Hälfte der Landesfläche ein. An Vegetationszonen folgen auf die Tundra (Moose, Flechten, Sträucher) im Norden zum Süden hin die Taiga (Nadelwaldgebiet), die Mischwaldzone, Steppe, Halbwüste und Wüste. Nur $^{1}/_{10}$ des Landes ist ackerbaulich nutzbar.

In Rußland leben etwa 90 verschiedene Nationalitäten mit eigener Sprache und Kultur. Die wichtigsten Völker sind Russen (81,5%), Tataren (3,8%), Ukrainer (3%), Tschuwaschen (1,2%). Staat und Kirche sind in Rußland getrennt. Die russisch-orthodoxe Kirche ist die bedeutendste Religionsgemeinschaft.

Rußland war Kernland der 1991 zerfallenen Sowjetunion, an deren landwirtschaftlicher Produktion mit rund 50% und industriellen Produktion mit 60% beteiligt. Die Wirtschaft wurde durch die Planwirtschaft gehemmt. Die ab 1985 eingeleiteten Reformen konnten den wirtschaftlichen Verfall nicht stoppen. Inflation und Verarmung der Bevölkerung wuchsen. Nach dem Zerfall der Sowjetunion eröffnete sich die Möglichkeit, die Marktwirtschaft einzuführen, jedoch gibt es dagegen viele Widerstände. Die Landwirtschaft war durch ineffektive Kollektivwirtschaft gekennzeichnet, doch werden seit 1992 zögernd private Betriebe zugelassen. Das Land verfügt über fast alle Rohstoffe, die ein Industrieland braucht. Behindert wird der Abbau durch die Weite des Landes und das Klima in Sibirien. Erdöl und Erdgas sowie einige andere Bodenschätze werden exportiert. Riesige Wasser-, Wärme- und Kernkraftwerke sichern die Energieversorgung. Die Industrie wurde während des Zweiten Weltkriegs und in den Jahren danach erheblich ausgeweitet. An erster Stelle steht die Eisen- und Stahlindustrie. Das Wachstum der Konsumgüterindustrie blieb hinter der Herstellung von Produktionsmitteln (z. B. Maschinen) zurück.

Die Größe des Landes erschwert die Verkehrsverbindungen und verteuert die Produkte. Die Eisenbahnlinien der Transsibirischen Eisenbahn und der Baikal-Amur-Magistrale sind wichtige Fernverbindungen zur Erschließung des sibirischen Raums. Nur wenige eisfreie Häfen stellen die Verbindung zu den Weltmeeren her: Sankt Petersburg und Riga an der Ostsee, Wladiwostok am Pazifischen Ozean.

Zur Geschichte Rußlands →russische Geschichte, Übersicht. Zur Geschichte der Sowjetunion →Sowjetunion.

Ruthenium [zu mittellateinisch Ruthenia ›Rußland‹], Zeichen **Ru,** →chemische Elemente, ÜBERSICHT.

Rutherfordium [raser-, nach dem britischen Physiker Ernest Rutherford], Zeichen **Rf,** →chemische Elemente, ÜBERSICHT.

S

S, der neunzehnte Buchstabe des Alphabets, ein Konsonant. S ist das chemische Zeichen für **S**chwefel. In der Geographie steht S für die Himmelsrichtung **S**üden; S ist Einheitenzeichen für die Einheit →Siemens, s für die Einheit →Sekunde. Mit der Abkürzung s. für **s**iehe wird innerhalb von Texten von einer Textstelle auf eine andere verwiesen, S. bezeichnet die **S**eite. S. vor Namen ist die Abkürzung für heilig (italienisch: San, Santa, Santo; portugiesisch: São; z. B. S. Domingo = Santo Domingo). Als Währungseinheit bedeutet S **S**chilling, $ Dollar.

SA, Abkürzung für **S**turm**a**bteilung, die Kampftruppe der NSDAP (→Nationalsozialismus). 1920 gegründet und zunächst als Saalschutz eingesetzt, entwickelte sie sich zu einem festen, bewaffneten Verband, dessen Mitglieder braune Uniformen trugen. Nach dem Hitlerputsch (November 1923, →Hitler) war sie bis 1925 verboten. 1930 übernahm Ernst Röhm die Führung der SA; sie diente in der Endphase der Weimarer Republik den Nationalsozialisten als Mittel zur Terrorisierung des politischen Gegners; sie trat vor allem bei Saal- und Straßenschlachten mit politischen Gegnern, besonders mit Kommunisten, in Erscheinung. Aus der SA ging die →SS hervor. Nach dem Regierungsantritt Adolf Hitlers (1933) ließ dieser 1934 die SA-Führung wegen angeblicher Verschwörungspläne (›Röhmputsch‹ genannt) durch SS- und Gestapo-Angehörige ermorden.

Saalburg, römisches Kastell am obergermanischen Limes im Taunus in der Nähe von Bad Homburg vor der Höhe. Das Kastell wurde Ende des 1. Jahrh. n. Chr. zur Sicherung eines wichtigen Tauunspasses erbaut und um 250 wegen der Germaneneinfälle in die Grenzgebiete an Rhein und Donau aufgegeben. Zwischen 1898 und 1907 baute man das Kastell wieder auf und gab ihm den Namen Saalburg. Das Kastell bietet heute einen anschaulichen Einblick in das Leben römischer Legionäre.

Saale, 1) Fränkische Saale, rechter Nebenfluß des Mains. Der 142 km lange Fluß entspringt in den Haßbergen und mündet bei Gemünden in den Main.

2) Sächsische Saale, Thüringer Saale, linker Nebenfluß der Elbe. Der 427 km lange Fluß entspringt im Fichtelgebirge und mündet südlich von Magdeburg in die Elbe. Der Unterlauf ist ab Halle schiffbar. Mehrere Talsperren (Hohenwartetalsperre, Bleilochtalsperre) dienen der Wasserregulierung für die Schiffahrt.

Saar, französisch **Sarre,** rechter Nebenfluß der Mosel. Der 246 km lange Fluß entsteht durch Vereinigung der Weißen und Roten Saar, die aus den Vogesen kommen. Die Saar mündet bei Konz oberhalb von Trier in die Mosel. Von Saargemünd bis Dillingen ist die Saar schiffbar. Der Saar-Kohlen-Kanal verbindet die Saar mit dem Rhein-Marne-Kanal.

Saarland
Landeswappen

Saarbrücken, 190150 Einwohner, Hauptstadt des Saarlands, liegt im Tal der Saar an der deutsch-französischen Grenze. Herausragender Industriezweig ist die Metallverarbeitung. Die Stadt besitzt einige alte Baudenkmäler, so z. B. die frühgotische Stiftskirche. In der Geschichte gehörte die Stadt mehrmals zu Frankreich (1680–97 und 1806–15). Seit 1919 teilt sie die Geschichte des Saarlands.

Saarland, das kleinste Bundesland der Bundesrepublik Deutschland. Das Saarland grenzt im Süden und Westen an Frankreich, im Norden und Osten an Rheinland-Pfalz. Es ist größtenteils ein Bergland mit Anteil am Hunsrück und Pfälzer Bergland. Im Westen durchfließt die **Saar** das Land in nördlicher Richtung zur Mosel. In dem landschaftlich schönen Saartal wurde die Saar kanalisiert und damit Hauptverkehrsweg für das saarländische Industrierevier. Ähnlich wie im Ruhrgebiet entstand zwischen Dillingen, Saarbrücken und Neunkirchen auf der Grundlage von Steinkohlenbergbau und Eisenverhüttung eine Industrieregion, die in den 90er Jahren durch die Stahl- und Kohlenkrise gekennzeichnet ist. Die Bevölkerungsdichte in diesem Raum ist sehr hoch; dennoch ist Saarbrücken die einzige Großstadt.

Saarland
Fläche: 2571 km²
Einwohner: 1070000
Hauptstadt:
Saarbrücken

Von der bewirtschafteten Fläche ist ⅓ waldbedeckt. Die Landwirtschaft ist neben dem Bergbau und der Metallindustrie bedeutungslos; sie erwirtschaftet nur 1% aller produzierten Werte.

Geschichte. Nach dem Ersten Weltkrieg wurden auf Grund des Versailler Vertrags die südlichen Teile der preußischen Rheinprovinz und die westlichen Teile der bayerischen Pfalz als **Saargebiet** für 15 Jahre dem Völkerbund unterstellt. Das Eigentum an den Kohlengruben ging an Frankreich. 1935 sprachen sich in einer Volksabstimmung 90,8% der Bevölkerung dieses Gebietes für eine Rückgliederung des Saargebiets an Deutschland aus; die Kohlengruben wurden zurückgekauft. Nach dem Zweiten Weltkrieg löste Frankreich das Saargebiet aus der französischen Besatzungszone und versuchte, es sich wirtschaftlich einzugliedern. In dem zwischen Deutschland und Frankreich 1954 abgeschlossenen **Saarstatut** wurde das Saargebiet zu einer Art europäischer Region erklärt. Dieses Statut wurde jedoch in einer Volksbefragung abgelehnt und die Rückgliederung an Deutschland durchgesetzt. So wurde das Gebiet als Saarland am 1. Januar 1957 Bundesland der Bundesrepublik Deutschland.

Säbel

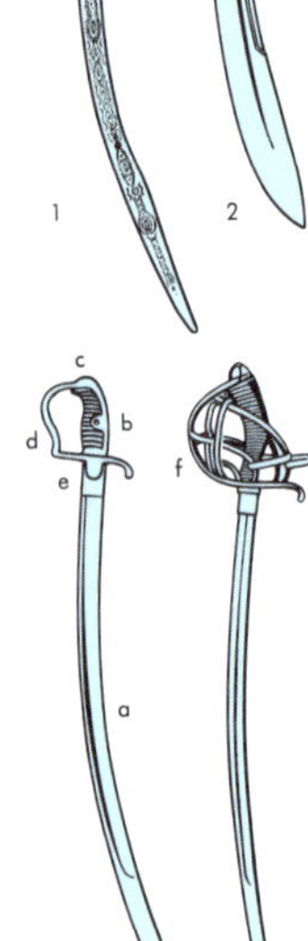

Säbel: 1 Türkischer Säbel, 1594; Griff 18. Jahrh. **2** Dusägge, 16. Jahrh. **3** Husarensäbel, 19. Jahrh., später Offizierssäbel der Wehrmacht; a Klinge, b Griff, c Kappe, d Bügel, e Parierstange. **4** Akademischer Fechtsäbel (Korbsäbel); f Korb

Sabbat [zu hebräisch schabat ›aufhören‹], der siebte Tag der jüdischen Woche; er wird von den Juden als Tag der Arbeitsruhe und geistigen Erneuerung begangen. Er dauert von Freitagabend bis Samstagabend. Seine Einrichtung wird im Alten Testament auf Gottes Ruhetag nach der Schöpfung zurückgeführt, aber auch als Zeichen der Erwählung des Volkes Israel verstanden. Am Sabbat wird im Gottesdienst in der →Synagoge aus der Thora und den prophetischen Büchern des Alten Testaments vorgelesen. Auch die ersten Christen haben den Sabbat als Ruhetag gehalten, doch allmählich wurde er durch den Sonntag, den Auferstehungstag Jesu, ersetzt.

Säbel, aus dem Orient stammende Hiebwaffe mit einschneidiger, gekrümmter und vorne spitz zulaufender Klinge. Der Griff ist zum Schutz der Hand oft mit einem Korbgeflecht versehen. Beim Militär wurde der Säbel in den vergangenen Jahrh. vor allem von Reitertruppen verwendet. Im 20. Jahrh. diente er nur noch Offizieren und Feldwebeln als Zierstück. Als Sportgerät wird der Säbel heute beim →Fechten (BILD) verwendet.

Sachalin, Insel an der Nordostküste Asiens, zu Rußland gehörend. Die 76400 km² große Insel, dies entspricht der Größe Bayerns, ist vom Festland durch den Tatarensund, von der japanischen Insel Hokkaido durch die La-Pérouse-Straße getrennt. Die Hauptstadt der Insel ist Juschno-Sachalinsk. Sachalin wird von 2 Gebirgsketten durchzogen, die Höhen bis zu 1609 m erreichen. Das naßkalte und nebelreiche Klima läßt kaum eine landwirtschaftliche Nutzung zu. Der Hauptteil der Bevölkerung (661000 Einwohner) lebt von der Forstwirtschaft, vom Bergbau (Kohle) und der Erdölförderung. – Sachalin kam 1875 an Rußland, der Süden fiel nach dem Russisch-Japanischen Krieg 1905 an Japan. Nach dem Zweiten Weltkrieg mußte Japan den Süden an die Sowjetunion abtreten.

Sachs. Über 4000 Meisterlieder schrieb der Dichter **Hans Sachs** (* 1494, †1576). Er war Schuhmacher und Mitglied der Nürnberger Meistersingerzunft, einer Vereinigung von Handwerkern, die nach bestimmten Regeln Lieder überwiegend belehrenden Inhalts dichteten und vertonten (→Meistergesang). Außerdem verfaßte er

Spruchgedichte und humorvolle, derb-komische Fastnachtsspiele (z. B. ›Der fahrende Schüler im Paradies‹, ›Das Kälberbrüten‹) und Schwänke. Die Stoffe seiner zahlreichen Dichtungen entnahm er der Bibel, Schriftstellern des Altertums, Erzählsammlungen, Volksbüchern und Sagen. Er verarbeitete aber auch aktuelle politische, religiöse und soziale Ereignisse. Sachs bekannte sich zur Reformation und trat für Luther ein, z. B. in seinem Gedicht ›Die Wittembergisch Nachtigall‹ (1523). In seinen Werken spiegeln sich die Lebensansichten des handwerklichen Stadtbürgertums aus dem 16. Jahrhundert.

Sachsen, germanischer Volksstamm, der um 150 n. Chr. nördlich der Elbe siedelte. Große Teile der Sachsen wanderten im 5. Jahrh. zusammen mit den germanischen Angeln und Jüten nach Britannien aus und gründeten dort die angelsächsischen Reiche (→ Angelsachsen). Die im Stammland zurückgebliebenen Sachsen beherrschten seit etwa 530 große Teile Nordwestdeutschlands und gerieten zwischen dem 6. und 8. Jahrh. in schwere kriegerische Auseinandersetzungen mit den Franken (→ Fränkisches Reich). In den Sachsenkriegen 772–804 wurden sie von den Franken unter Karl dem Großen endgültig besiegt; ihr Siedlungsgebiet wurde Teil des Fränkischen Reichs. Die bis dahin heidnischen Sachsen wurden nun allmählich christianisiert.

Sachsen wurde 1990 als Freistaat Sachsen ein Bundesland der Bundesrepublik Deutschland. Es wurde aus den Bezirken Leipzig, Karl-Marx-Stadt (Chemnitz) und Dresden der ehemaligen Deutschen Demokratischen Republik gebildet. Sachsen liegt im Übergangsbereich vom Flachland im Norden zum Mittelgebirgsland im Süden und wird landwirtschaftlich stark genutzt (Weizen, Zuckerrüben, Roggen im Tiefland, Hafer, Gerste, Kartoffeln im Gebirge). In Sachsen ist eine vielseitige Industrie angesiedelt (Schwerindustrie, Maschinen- und Fahrzeugbau, Feinmechanik, Optik, Textilien, Papier, Spielwaren, Musikinstrumente).

Fläche: 18 338 km²
Einwohner: 4 842 000
Hauptstadt: Dresden

Sachsen
Landeswappen

Das urprünglich von germanischen Stämmen besiedelte Land wurde ab dem 6. Jahrh. von slawischen Stämmen (Sorben) übernommen. Im 10. Jahrh. unterwarfen die Deutschen das Land, dessen Kernland die Mark Meißen wurde. Markgrafen waren seit 1089/1123 die Wettinger. Diese erwarben 1247/64 Thüringen, 1423 das Kurfürstentum Sachsen-Wittenberg. Der Name Sachsen (Kursachsen) ging von dem neuerworbenen Gebiet von nun an auf den meißnischen und thüringischen Besitz der Wettiner über. 1485 kam es unter den Brüdern Ernst und Albrecht zur Teilung. Die Ernestinische Linie beherrschte den Hauptteil Thüringens und die Sächsischen Herzogtümer (Großherzogtum Sachsen-Weimar-Eisenach, die Herzogtümer Sachsen-Altenburg, Sachsen-Coburg und Gotha sowie Sachsen-Meiningen). Die Albertinische Linie besaß Kursachsen, Meißen und Nordthüringen. Diese erwarb 1635 die Lausitz und erreichte unter August dem Starken, der 1697 die polnische Königskrone erlangte, einen Höhepunkt der Entwicklung. Unter ihm und Friedrich August II. wurde die Hauptstadt Dresden zum Kulturzentrum, von dem heute noch zahlreiche barocke Bauten zeugen. Durch die enge Anlehnung an die napoleonische Herrschaft wurde Sachsen 1806 Königreich. 1815 verlor es die nördlichen Landesteile an Preußen. Nach dem Ersten Weltkrieg wurde 1918 in Dresden die Republik ausgerufen. König Friedrich August III. verzichtete auf den Thron. 1945 kam Sachsen unter Vereinigung mit den Restgebieten Schlesiens zur sowjetischen Besatzungszone. Nach der Bildung der Deutschen Demokratischen Republik wurde Sachsen 1952 in Bezirke aufgeteilt.

Sachsen-Anhalt wurde 1990 als Bundesland der Bundesrepublik Deutschland aus den Bezirken Halle und Magdeburg der ehemaligen Deutschen Demokratischen Republik gebildet. Das Land gehört mit seinem östlichen Teil zum Norddeutschen Tiefland, mit seinem westlichen Teil zum Mittelgebirgsland. Das Tiefland wird von der Elbe mit einer breiten Niederung durchzogen. Zum Süden gehört der Ostteil des Harzes mit dem Brocken (1 142 m). Das Klima ist ozeanisch geprägt (Harznordseite als Wetterscheide mit viel Niederschlag; seine Südseite ist das trockenste Gebiet Deutschlands).

Fläche: 20 445 km²
Einwohner: 2 992 000
Hauptstadt: Magdeburg

Sachsen-Anhalt
Landeswappen

Das Bundesland hat umfangreiche industrielle und landwirtschaftliche Produktion. Die Industrie beruht auf Braunkohlevorkommen (Bitterfeld), Stein- und Kalisalzen (Staßfurt, Zielitz), Kupfererzen (Mansfeld). Die Chemieindustrie bei Merseburg (Leuna) hinterließ große Umweltschäden.

Anhalt ist als Fürstentum der Askanier entstanden, 1913–33 war es Freistaat. Das Königreich Sachsen mußte 1815 den nördlichen Landesteil an Preußen abtreten; aus diesem Gebiet

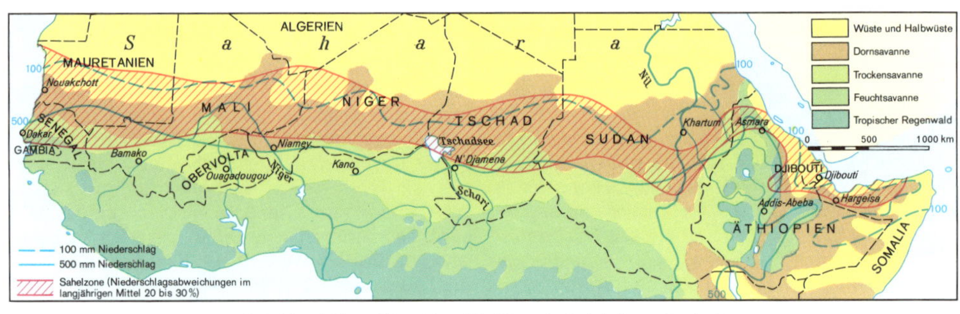

Sahel (nach Horst Mensching: Die Dürre im Sahel, Justus Perthes)

und altpreußischen Gebieten (Altmark, Magdeburg-Halle und Halberstadt) entstand die preußische Provinz Sachsen, die 1944 in die Provinzen Magdeburg und Halle-Merseburg umgewandelt wurde. Aus diesen beiden Provinzen, dem Freistaat Anhalt und kleinen Gebieten des ehemaligen Landes Braunschweig entstand die Provinz Sachsen-Anhalt, die ab 1947 Land Sachsen-Anhalt hieß. 1952 wurde es in die Bezirke Halle und Magdeburg aufgeteilt.

Sachsenspiegel, eines der wichtigsten Rechtsbücher des deutschen Mittelalters. Es wurde zwischen 1220 und 1235 von dem sächsischen Ritter Eike von Repgau niedergeschrieben. Der Sachsenspiegel schuf nicht neues Recht, sondern enthielt eine Sammlung (eine Wiedergabe, einen ›Spiegel‹) von Rechtsgrundsätzen, die seit langem vielerorts angewandt wurden und nur durch Überlieferung weiterlebten. Bald wurde er wie ein Gesetzbuch gelesen und fand weite Verbreitung in Ost- und Norddeutschland, aber auch in Polen und Teilen Rußlands. Einzelteile des Sachsenspiegels hatten bis zum Jahre 1900 (Einführung des → Bürgerlichen Gesetzbuches) Geltung.

Sackpfeife, der → Dudelsack.

Saga [isländisch ›Bericht‹, ›Erzählung‹], in der altnordischen Literatur schriftliche Erzählungen, von denen die frühesten um 1200 auf Island und in Norwegen entstanden sind. Die Sagas gehören zu den frühesten Zeugnissen volkssprachlicher mittelalterlicher Erzählkunst in Europa. Behandelt wird die Geschichte der Ursprungsländer, z. B. in den **Königssagas** (Geschichte der norwegischen Könige bis etwa 1280), den **Isländer-, Ritter-** und **Bischofssagas.**

Sage, Sammelbegriff für sprachlich einfache Erzählungen, die zuerst mündlich weitergegeben und später niedergeschrieben wurden. Sie handeln, wie das Märchen, oft von wunderbaren, übernatürlichen Ereignissen, nehmen jedoch vielfach Bezug auf einen genau beschriebenen Ort und eine bestimmte Zeit. Im Unterschied zum Märchen wird die Hauptfigur der Sage meist ohne eigenes Zutun in ein bedrohliches oder tragisches Geschehen verwickelt; der lehrhaft-gerechte Schluß des Märchens fehlt. Die verschiedenartigen **Volkssagen** lassen sich in **dämonische, historische** oder **Erklärungssagen** einteilen. Zur ersten Gruppe gehören die Sagen über die Auseinandersetzung des Menschen mit der Welt der Geister, Hexen, Zwerge, Riesen und Drachen, zur zweiten Gruppe die Erzählungen von außerordentlichen Ereignissen oder Gestalten vergangener Zeiten, zur dritten Gruppe Sagen über die Entstehung von Dingen, Pflanzen, Tieren und ihren Namen. Zu den Sagen, die von bestimmten Orten überliefert sind **(Lokalsagen),** gehört die Sage von Wilhelm Tell.

Sägefisch, ein → Rochen.

Sahara, auch **Sahara,** arabisch **Es-Sahra** [›die Wüste‹], Wüste in Nordafrika. Mit rund 9 Millionen km² – fast so groß wie Europa – ist sie die größte Wüste der Erde. Die Sahara erstreckt sich vom Atlantischen Ozean im Westen über mehr als 6000 km bis zum Roten Meer im Osten, vom Mittelmeer im Norden über 2000 km bis zur Sudanzone im Süden.

Die Sahara ist weitgehend ein Tafelland von 200–500 m Höhe mit weiten flachen Becken und Senken, im Innern überragt von den Gebirgsmassiven Hoggar (bis 3000 m Höhe) und Tibesti (bis 3400 m). Nach Süden schließen Bergländer mit Höhen bis 1800 m an. Die Libysche Wüste weist Höhen von fast 1900 m auf, östlich des Niltals erreicht das Land 2500 m. Große Senken finden sich besonders im Westen und Norden (Kattara-Senke, 137 m unter dem Meeresspiegel).

Die Oberflächenformen werden von Fels- und Steinwüsten **(Hammada),** Geröll- **(Reg)** und Kieswüsten **(Serir)** geprägt; Sandwüsten, zum Teil mit

Saint Christopher und Nevis

Staatswappen

Staatsflagge

riesigen Dünen **(Erg),** nehmen nur rund $^1/_{10}$ der Fläche ein. Die Sahara gehört zu den heißesten Gebieten der Erde. In den Sommermonaten sind Tagestemperaturen von mehr als 50 °C keine Seltenheit, während die nächtliche Abkühlung erheblich ist. Gefürchtet sind die heißen, oft sandbeladenen Stürme. Einziger Dauerfluß ist der **Nil.** Die Trockenflußbetten **(Wadis)** führen nur nach den seltenen Regengüssen streckenweise Wasser. Der Pflanzenwuchs ist größtenteils sehr spärlich und fehlt in der zentralen Sahara fast ganz. Eine selten gewordene Tierwelt hat sich den extremen klimatischen Bedingungen angepaßt: Wüstenspringmäuse, Wüstenfuchs (Fennek), Wüstenlerchen, bestimmte Vipern, Skink und Wüstenassel. In der Sahara leben außerhalb des Niltals rund 2 Millionen Menschen (Berber, besonders Tuareg, Araber, Schwarze). Sie sind meist Oasenbauern oder Nomaden. Große wirtschaftliche Bedeutung für die einzelnen Staaten haben Erdöl, Erdgas (Algerien, Libyen), Eisenerz (Mauretanien) und Phosphate (Westsahara).

Sahel [arabisch ›Ufer‹], Landschaftsgürtel in Nordafrika am Südrand der Sahara, Übergangsbereich zwischen den Wüstengebieten der Sahara und den Savannengebieten der Sudanzone. Geringe Niederschläge und spärliche Vegetation erlauben fast nur nomadische Viehhaltung. Eine anhaltende Trockenperiode seit den 1970er Jahren führte zu einer Hungerkatastrophe.

Saigon, →Ho-Chi-Minh-Stadt.

Saint Christopher und Nevis [sntkristofer nihwis], Inselstaat in Mittelamerika, zu den Kleinen Antillen gehörend. Saint Christopher, 161 km² groß, ist die Hauptinsel. Hier liegt auch die Hauptstadt des Landes. Auf Saint Christopher wird Zuckerrohr, auf dem trockeneren Nevis Baumwolle angebaut. Die Inseln sind seit 1983 unabhängig und Mitglied des britischen Commonwealth.

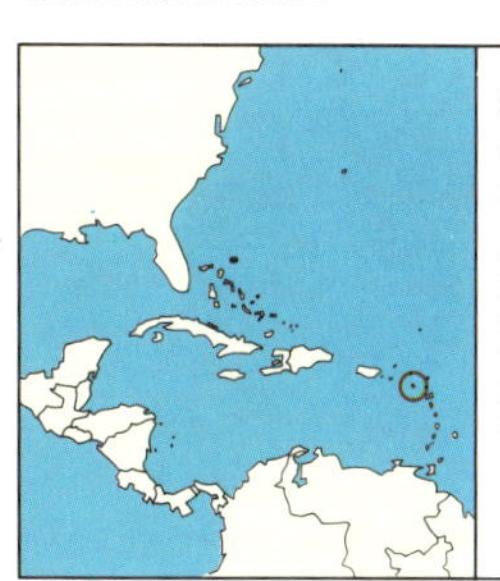

Saint Christopher und Nevis

Fläche: 266,6 km²
Bevölkerung: 40 000 E
Hauptstadt: Basseterre
Amtssprache: Englisch
Nationalfeiertag: 19. Sept.
Währung: 1 Ostkarib. Dollar (EC$) = 100 Cents
Zeitzone: MEZ – 5 h

Saint-Exupéry [sẽteksüperi]. Hauptthema der Romane und Erzählungen des französischen Schriftstellers **Antoine de Saint-Exupéry** (* 1900, † 1944) ist das Abenteuer des Fliegens. Als begeisterter Pilot schildert er in seinem Roman ›Wind, Sand und Sterne‹ (1939) seine Flugerlebnisse. Er begriff Fliegen als Dienst am Menschen. Zu einem großen Erfolg wurde das Märchen ›Der kleine Prinz‹ (1943), in dem Saint-Exupéry die Reise eines Prinzen zu verschiedenen Planeten beschreibt, auf denen er unterschiedlichen Menschentypen begegnet und erfährt, was Freundschaft bedeutet. Saint-Exupéry, der als Aufklärungsflieger am Zweiten Weltkrieg teilnahm, kehrte von einem Fliegereinsatz nicht zurück.

Antoine de Saint-Exupéry

Saint Louis [sntluis], 396 700, mit Vororten 2,4 Millionen Einwohner, Stadt im amerikanischen Bundesstaat Missouri, liegt am rechten Ufer des Mississippi, rund 15 km unterhalb der Mündung des Missouri. Die Stadt, 1764 von Franzosen gegründet, war Ausgangspunkt für die Besiedlung des amerikanischen Westens.

Saint Lucia

Fläche: 616 km²
Bevölkerung: 153 000 E
Hauptstadt: Castries
Amtssprache: Englisch
Nationalfeiertag: 22. Febr.
Währung: 1 Ostkarib. Dollar (EC$) = 100 Cents
Zeitzone: MEZ – 5 Stunden

Saint Lucia [sntluʃe], Inselstaat in Mittelamerika, zu den Kleinen Antillen gehörend. Die Insel ist vulkanischen Ursprungs, gebirgig und stark zerschnitten. Über die Hälfte der Fläche ist bewaldet. Angebaut werden Bananen, Kakao und Kokosnüsse für den Export. Der Fremdenverkehr ist eine wichtige Einnahmequelle. Die Insel war lange Zeit zwischen Großbritannien und Frankreich umstritten. 1814 wurde sie britisch und erhielt 1979 die Unabhängigkeit. Das Land ist Mitglied des britischen Commonwealth.

Saint Lucia

Staatswappen

Staatsflagge

Saint-Pierre-et-Miquelon [sẽpjähremiklõ], ein Überseegebiet Frankreichs in Nordamerika vor der Südküste Neufundlands. Die rund 6 000 Einwohner auf den 8 felsigen und unfruchtbaren Inseln leben vom Kabeljaufang und von der Pelztierzucht. Hauptstadt ist Saint-Pierre auf der gleichnamigen Insel. Die Inseln gehören seit 1536 zu Frankreich.

Saint Vincent und die Grenadinen

Fläche: 389 km²
Bevölkerung: 106 000 E
Hauptstadt: Kingstown
Amtssprache: Englisch
Nationalfeiertag: 27. Okt.
Währung: 1 Ostkarib. Dollar (EC$) = 100 Cents
Zeitzone: MEZ – 5 h

Saint Vincent und die Grenadinen

Staatswappen

Staatsflagge

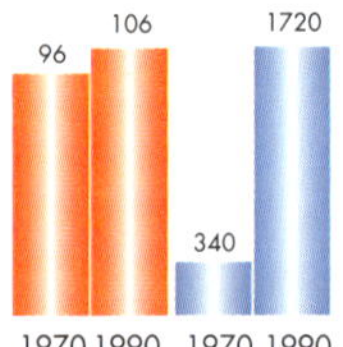

Bevölkerung (in Tausend)
Bruttosozialprodukt je E (in US-$)

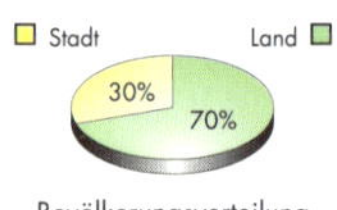

Bevölkerungsverteilung 1988

Industrie
Landwirtschaft
Dienstleistung

24%
17%
59%

Bruttoinlandsprodukt 1989

Saint Vincent und die Grenadinen [sntwinßent-], Staat in Mittelamerika, der die Insel Saint Vincent und den nördlichen Teil der Inselgruppe der Grenadinen umfaßt. Die Inseln gehören zu den Kleinen Antillen. Saint Vincent ist gebirgig; der Vulkan Soufrière (1 234 m hoch) ist zuletzt 1979 ausgebrochen. Die Landwirtschaft erzeugt Bananen, Kokosnüsse und Gewürze.

Saint Vincent, 1493 von Kolumbus entdeckt, war seit 1672 englisch und wurde 1979 unabhängig. Das Land ist Mitglied des britischen Commonwealth.

Saite, der drahtförmige Tonerzeuger der **Saiteninstrumente.** Die Saite wird in Schwingungen versetzt, indem sie mit der Hand oder einem →Plektron gezupft oder geschlagen (Zupfinstrumente wie z. B. Laute, Gitarre und Zither), mit einem Bogen angestrichen (→Streichinstrumente wie z. B. die Geige) oder mit Hämmerchen geschlagen wird (z. B. Klavier). Als Material wird zusammengedrehter Darm, der oft mit Metall umsponnen ist, Seide, reines Metall oder Kunststoff (Nylon) verwendet. Die Saite wird zwischen 2 Punkten straff gespannt. Die Stärke der Spannung bestimmt die Tonhöhe, die auch durch Verkürzung der Saite durch das Greifen der Finger verändert werden kann.

Saiteninstrumente, Musikinstrumente, bei denen eine oder mehrere, zwischen 2 festen Punkten ausgespannte →Saiten als Tonerzeuger wirken. Sie entwickelten sich aus den beiden Urtypen Musikbogen (ein elastischer, gebogener Stab mit meist einer Saite) und Röhrenzither (ein Rohr, aus dem einzelne Fasern als Saiten losgelöst werden). Aus dem Musikbogen gingen Lauten, Geigen, Harfen und Leiern hervor, aus der Röhrenzither unter anderem die verschiedenen Tasteninstrumente, wobei der Ton durch Zupfen (Cembalo) oder Schlagen (Klavier, Clavichord) erzeugt wird.

Sakrament [von lateinisch sacramentum ›Treueid‹]. Nach kirchlicher Glaubenslehre sind Sakramente äußere Zeichen, die Gottes Gnade auf wirksame Weise vermitteln und seinen Bund mit dem betreffenden Menschen besiegeln. Die Sakramente sind in der Person Jesu Christi begründet. Sie machen an Kernpunkten des menschlichen Lebens deutlich, daß der Mensch durch Christus erlöst ist. Die katholische Kirche kennt sieben Sakramente: Taufe, Eucharistie, Buße, Firmung, Ehe, Priesterweihe und Krankensalbung. Sie werden den Glaubenden in bestimmtem Alter oder auf Wunsch in bestimmten Lebenssituationen gespendet. Dazu sind die geweihten Amtsträger (Bischöfe, Priester, Diakone) berechtigt.

Die evangelischen Kirchen erkennen die Taufe und das Abendmahl als Sakramente an. Deren Spendung ist nicht an ein entsprechendes Amt gebunden; vielmehr gilt hier das Priestertum aller Gläubigen.

Säkularisierung, Säkularisation [von lateinisch saeculum ›der weltliche Bereich‹], die Loslösung von einzelnen oder von Gesellschaft und Staat aus den Bindungen an eine Religion oder Kirche. So ist besonders seit der →Aufklärung der politische und moralische Einfluß der Kirchen erheblich gesunken. Säkularisierung bezeichnet auch die Einziehung kirchlicher Güter und Ländereien durch den Staat ohne die Zustimmung der Kirche. Das geschah besonders während der →Reformation, nach Beendigung des →Dreißigjährigen Krieges (1618–1648) und durch den →Reichsdeputationshauptschluß von 1803.

Salamander gehören zu den →Lurchen; im Unterschied zu den eng verwandten →Molchen leben sie meist an Land. Äußerlich ähneln sie den Eidechsen. In Deutschland bewohnen die leuchtend schwarz-gelben oder schwarz-orangeroten **Feuersalamander** feuchte, schattige Wälder des Berg- und Hügellandes. Tagsüber verbergen sie sich unter Baumwurzeln oder Sträuchern. In der Dämmerung und nachts sowie auch bei Regen suchen sie nach Regenwürmern, Insekten und kleinen Nacktschnecken. Die bis zu 70 Larven schlüpfen bereits im Mutterleib aus den Eiern; das Weibchen setzt sie dann in flachen Bächen und Tümpeln ab. Aus Hautdrüsen sondern Salamander eine giftige Flüssigkeit ab, die sie vor Angreifern schützt. Zudem schreckt ihre grelle Färbung ab.

Feuersalamander, die häufig im Terrarium gehalten werden, können bis zu 30 Jahre alt werden. In den Alpen lebt der ganz schwarze **Alpensalamander,** bei dem auch das Larvenstadium im

Mutterleib abläuft. Nach 2–3 Jahren Tragzeit bringt das Weibchen 2 lebende Junge zur Welt. Das Wasser als Lebensraum braucht dieser Lurch nicht mehr.

Salamis, griechische Insel vor dem athenischen Hafen Piräus. Durch eine List des Feldherrn Themistokles gelang der athenischen Flotte hier 480 v. Chr. ein vernichtender Sieg über die Perser: Er verlockte die Perser, in der engen Bucht zwischen Insel und Festland anzugreifen, wo die größeren und weniger wendigen Schiffe der Perser keinen Raum hatten, ihre Stärke zu entfalten.

Salbei [aus lateinisch salvare ›heilen‹], seit alters her bekannte Heilpflanze, die in den Mittelmeerländern heimisch ist. Sie wird in Gärten und auf Feldern angebaut. Aus getrockneten Blättern wird Tee bereitet, der schweißhemmend und krampflösend wirkt. Salbei wird zum Gurgeln bei Halsentzündung sowie bei äußerlichen Entzündungen und schlecht heilenden Wunden verwendet. Er ist auch ein Küchengewürz. Auf Wiesen wächst der ›Wiesensalbei‹. (BILD Heilpflanzen)

Salier, ein fränkisches Adelsgeschlecht, dessen Besitz ursprünglich im Moselgebiet, später vor allem um Worms und Speyer lag. Die Salier waren die nächsten Verwandten der Ottonen. Daher wurde nach deren Aussterben mit Heinrich II. (1024) ein Salier, Konrad II. (1024–39), auf den deutschen Thron gewählt. Ihm folgten Heinrich III. (1039–56), → Heinrich IV. (1056 bis 1106) und Heinrich V. (1106–25), mit dem die Salier ausstarben. Ihr Erbe übernahmen die → Staufer. (→ deutsche Geschichte)

Saline [von lateinisch salinae ›Salzwerk‹], Anlage zur Gewinnung von Kochsalz. In flachen Becken läßt man Meerwasser oder Wasser von kochsalzhaltigen Quellen verdunsten; das → Salz bleibt zurück und wird zusammengekehrt.

salische Kunst, die deutsche Kunst während der Regierungszeit der salischen Kaiser (→ Salier; 1024–1125). Ihre Anfangsphase wird der frühromanischen ottonischen Kunst zugerechnet und heißt daher auch ›spätottonisch‹, ihre Spätphase (seit etwa 1080) bildet die deutsche **Hochromanik** (→ Romanik).

Salmiak, umgangssprachliche Bezeichnung für die Verbindung **Ammoniumchlorid.** Dieses weiße, leicht bitter schmeckende → Salz läßt sich aus → Salzsäure und → Ammoniak herstellen und auch wieder in diese Verbindungen zerlegen. Es kommt z. B. auf brennenden Kohlenhalden und -flözen sowie an Vulkanen vor. Salmiak wird vielfältig angewendet, so in der Keramik, in der Gerberei, als Bestandteil von Fixierbädern in der Photographie, für Kältemischungen, bei der Herstellung von Sprengstoffen, als Bestandteil von Putzpulvern, als Lötstein beim Löten und besonders für Trockenbatterien. Salmiakpastillen dienen als schleimlösendes Hustenmittel.

Salmonellen, stäbchenförmige Bakterien, die, mit Speisen und Getränken aufgenommen, verschiedene Darmerkrankungen hervorrufen und sich auf dem Blutweg im ganzen Körper ausbreiten können. Zu den Salmonellen zählen die Erreger von → Typhus und Paratyphus sowie die Erreger der bakteriellen Lebensmittelvergiftung.

Salomo war von etwa 965 bis 926 v. Chr. König des Juda und Israel umfassenden Reiches. Sein Vater, König → David, hatte das Reich begründet. Unter Salomos Regierung wurde es zu einem mächtigen Staat. Er ließ den Tempel in Jerusalem bauen. In der Überlieferung gilt Salomo als Idealbild eines weisen und mächtigen Herrschers. Das Alte Testament berichtet aus seinem Leben unter anderem folgende Begebenheit: Zwei Frauen stritten sich um ein Kind. Jede von beiden behauptete, die Mutter zu sein. Salomo befahl, das Kind zu teilen und jeder Frau eine Hälfte zu geben. Die falsche Mutter verriet sich, indem sie in den Vorschlag einwilligte. Salomo übergab der wirklichen Mutter ihr Kind. Noch heute spricht man bei einem klugen Urteil deshalb von einem **salomonischen Urteil.** Einige Psalmen und eine Reihe anderer Schriften des Alten Testaments werden Salomo zugeschrieben.

Salamander: OBEN Alpensalamander, UNTEN Feuersalamander (gestreift)

Salomonen

Fläche: 29 785 km²
Bevölkerung: 314 000 E
Hauptstadt: Honiara
Amtssprache: Englisch
Nationalfeiertag: 7. Juli
Währung: 1 Salomonen-Dollar (SI$) = 100 Cents (c)
Zeitzone: MEZ + 10 Stunden

Salomonen, Staat im südwestlichen Pazifischen Ozean auf den **Salomon-Inseln.** Das Land ist Mitglied des britischen Commonwealth. Die vulkanischen, von tropischem Regenwald bedeckten Inseln werden überwiegend von Melanesiern bewohnt. Palmöl, Holz, Kopra und Fisch werden exportiert. Zur Geschichte → Salomon-Inseln. (KARTE Band 2, Seite 198)

Salomonen

Staatswappen

Staatsflagge

Salzburg
Landeswappen

Salomon-Inseln, eine Gruppe von 10 größeren und vielen kleineren Inseln im südwestlichen Pazifischen Ozean. Die zu Melanesien zählenden Inseln erstrecken sich in einer doppelten Kette über 1 450 km in nordwest-südöstlicher Richtung. Sie bilden (ohne Bougainville und Buka) den Staat **Salomonen.** Die Salomon-Inseln wurden im 19. Jahrh. zwischen dem Deutschen Reich und Großbritannien geteilt. Der deutsche Teil kam 1920 unter australische Verwaltung und 1975 zu Papua-Neuguinea. Der britische Teil wurde 1978 unabhängig. (KARTE Band 2, Seite 198)

Salpeter [lateinisch ›Steinsalz‹], historischer Name für einige technisch wichtige, leicht lösliche Nitrate, das heißt Verbindungen der Salpetersäure. Er wurde im Altertum für den indischen und ägyptischen Kalisalpeter benutzt, der sich nach der Regenzeit auf kalireichen Böden in Form kleiner Kristalle absetzte. Bekannt ist vor allem der Chilesalpeter, das Natriumnitrat, das als grauweißes, leichtlösliches Salz aus der Caliche der nahezu regenlosen, nordchilenischen Atacama-Wüste gewonnen wird. Daneben sind bekannt: der Kalisalpeter, das Kaliumnitrat, sowie der Ammonsalpeter, das Ammoniumnitrat, die alle vor allem als Stickstoff-Düngemittel und zur Herstellung von Schieß- und Sprengstoffen Bedeutung haben. Als Düngemittel kommt außerdem der Kalksalpeter, das Calciumnitrat, in Betracht, der auch bei der Fäulnis stickstoffhaltiger organischer Stoffe in Gegenwart von Kalk als Mauersalpeter, z. B. in Viehställen, auftritt. Alle Salpeter werden auch für wäßrige Kältemischungen und in der Metalltechnik zum Abbeizen von Metalloberflächen verwendet.

Salz, umgangssprachlich meist nur Bezeichnung für →Kochsalz, in der Chemie für eine Vielzahl chemischer Verbindungen mit meist hohem Schmelzpunkt.

Diese bestehen aus metallischen →Kationen und nichtmetallischen →Anionen, die sich auf Grund ihrer unterschiedlichen elektrischen Ladung stark anziehen und im festen Zustand Kristalle bilden. Bei der Auflösung in Wasser zerfallen (dissoziieren) die Salze als →Elektrolyte wieder in Kationen und Anionen. Die einfachen Salze entstehen, wenn eine Säure durch nur eine Base (oder umgekehrt) neutralisiert wird.

Bei den neutralen Salzen sind alle Wasserstoff-Ionen der Säure durch andere Kationen oder alle OH-Gruppen der Base durch Säurereste ersetzt, z. B. Kochsalz, NaCl. Bei den sauren Salzen sind nicht alle in wäßriger Lösung ionisierbaren Wasserstoff-Ionen der Säure ersetzt, z. B. Natriumhydrogencarbonat, $NaHCO_3$. Bei den basischen Salzen sind umgekehrt nicht alle in wäßriger Lösung als OH-Ionen abspaltbaren Hydroxidgruppen der salzbildenden Basen durch Säurereste ersetzt, z. B. basisches Zinknitrat, $Zn(OH)NO_3$.

Salzburg, Stadt und österreichisches Bundesland. Das Land umgreift mit dem Flußgebiet der Salzach das deutsche Berchtesgadener Land. Im Süden bilden die Hohen Tauern die Grenze (Großglockner, 3 798 m Höhe), im Nordosten gehört ein Teil des Salzkammerguts mit dem Sankt-Wolfgang-See dazu.

Salzburg
Österreichisches Bundesland
Fläche: 7 154 km²
Einwohner: 483 900
Stadt
Einwohner: 144 000

Industrie hat sich vor allem um die Stadt Salzburg (Elektro-, Metall-, chemische Industrie) und um Hallein (Salzbergwerke) angesiedelt. Bedeutend ist die Papier- und Holzverarbeitung, denn ⅓ der Landesfläche ist mit Wald bedeckt. Neben der Forstwirtschaft spielt die Weidewirtschaft eine Rolle. 90% der Energieerzeugung stammen aus Wasserkraftwerken der Alpenflüsse. Der Fremdenverkehr ist eine wichtige Erwerbsquelle und konzentriert sich auf die Stadt Salzburg sowie auf das **Salzkammergut.**

Das Bundesland Salzburg ist 1920 aus dem ehemaligen Fürstentum Salzburg hervorgegangen, das bis 1803 von einem Fürsterzbischof regiert und 1816 österreichisch wurde.

Die **Stadt Salzburg** ist ein wichtiger Verkehrsknotenpunkt an der Salzach und Eingangspforte in die Ostalpen. Sie ist Hauptstadt des Bundeslandes. Alljährlich ziehen die ›Salzburger Festspiele‹ viele Besucher in die Geburtsstadt von Wolfgang Amadeus Mozart. Die Musikhochschule ›Mozarteum› ist weltbekannt. Die unterhalb der Feste Hohensalzburg und des Mönchsbergs gelegene Altstadt wird durch barocke Plätze, Brunnen, Kirchen und Paläste geprägt. Mittelpunkt ist der Dom, eine der traditionsreichsten Bischofskirchen nördlich der Alpen: Salzburg ist seit 798 Sitz eines Erzbischofs.

Salzgitter, 118 000 Einwohner, Stadt in Niedersachsen im nördlichen Harzvorland; der großflächige Stadtkreis (213 km²) birgt das größte deutsche Eisenerzlager sowie Kali- und Steinsalzvorkommen. Die Fundstätte eines eiszeitlichen Jägerlagers mit Feuersteingeräten der mittleren Altsteinzeit machte den Stadtteil **Salzgitter-Lebenstedt** bekannt.

Salzkammergut, Landschaft im Gebiet der oberen Traun mit dem Zentrum Bad Ischl. Das

Salzkammergut gehört zu den österreichischen Bundesländern Oberösterreich, Steiermark und Salzburg. Die Gebirgsgruppen Dachstein, Höllengebirge und Totes Gebirge prägen eine Landschaft, die von vielen Seen wie Hallstätter, Altausseer, Sankt-Wolfgang-, Mond-, Atter-, Traunsee durchzogen wird. Der Salzbergbau, der schon seit der Frühgeschichte betrieben wird, sowie die auf den Salzquellen beruhenden Heilbäder spielen eine wichtige Rolle.

Salzsäure, Chlorwasserstoffsäure, eine wäßrige Lösung von Chlorwasserstoff, HCl, die im gesättigten Zustand (bei 18 °C 42 % HCl) eine farblose, an der Luft rauchende, sehr sauer reagierende Flüssigkeit ist. Sie läßt sich mit Wasser in jedem Verhältnis verdünnen. Diese nicht giftige, aber in höheren Konzentrationen **stark ätzende** Flüssigkeit findet sich als 0,1%ige Lösung im Magen eines jeden Menschen und vieler Tiere; sie tötet dort z. B. Krankheitserreger ab und fördert die Eiweißverdauung. Übermäßige Magensäureproduktion macht sich durch sogenanntes Sodbrennen in der Speiseröhre und im Rachen bemerkbar.

Salzsäure läßt sich aus gasförmigem Chlorwasserstoff und Wasser herstellen und löst als starke → Säure die meisten Metalle und Metalloxide auf; deshalb sind ihre technischen Anwendungsmöglichkeiten außergewöhnlich vielseitig.

Salzstraßen, alte Verkehrswege, auf denen Salz als Handelsgut in die Verbrauchsgebiete transportiert wurde, so von Hallstatt (Oberösterreich) nach Frankreich, teilweise auch auf Flüssen, z. B. auf der Donau bis zum Schwarzen Meer.

Samarium [nach dem Mineral Samarskit], Zeichen **Sm,** → chemische Elemente, ÜBERSICHT.

Sambesi, mit 2660 km der größte Fluß im südlichen Afrika. Er entspringt auf der Lundaschwelle im Nordwesten von Sambia und fließt zunächst nach Süden bis zum Nordrand der Kalahari. In seinem nach Osten gerichteten Mittellauf bildet er die Grenze zwischen Sambia und Simbabwe. Über die 110 m hohen Viktoriafälle erreicht er das Tiefland von Moçambique, wo er schiffbar wird und bei Chinde in den Indischen Ozean mündet. Die wichtigsten Nebenflüsse sind: Cuando von rechts, Kafue, Luangwa und Shire von links. Als bedeutendster Wasserspender Südost-Afrikas wird der Sambesi durch die riesigen Staudämme von Kariba (Sambia/Simbabwe) und Cabora Bassa (Moçambique) zur Elektrizitätsgewinnung genutzt.

Sambia, Republik im Innern des südlichen Afrika, rund zweimal so groß wie die Bundesrepublik Deutschland. Sambia ist ein Binnenstaat; es umfaßt eine teils bewaldete Hochfläche (1100–1500 m hoch), die von einzelnen Bergen überragt wird. In großen Mulden haben sich Flachseen und Sümpfe gebildet. Das tropische Klima ist, gemildert durch die Höhenlage, mäßig warm und feucht.

Sambia

Fläche: 752614 km²
Bevölkerung: 8,8 Mill. E
Hauptstadt: Lusaka
Amtssprache: Englisch
Nationalfeiertag: 24. Okt.
Währung: 1 Kwacha (K) = 100 Ngwee (N)
Zeitzone: MEZ + 1 Stunde

Die Bevölkerung besteht überwiegend aus Bantuvölkern. Grundlage der Wirtschaft ist der Bergbau, vor allem der Abbau von Kupfer. Außerdem werden Zink, Blei, Tabak ausgeführt. Eisenbahnlinien verbinden das Land nach Süden über Simbabwe mit Südafrika und Moçambique, nach Nordosten mit dem Hafen Daressalam am Indischen Ozean.

Ende des 19. Jahrh. erwarb die Britisch-Südafrikanische Gesellschaft das Gebiet nördlich des Sambesi. Seit 1911 war das Land als ›Nordrhodesien‹ britische Kolonie. 1964 wurde es als Sambia unabhängig. (KARTE Band 2, Seite 194)

Sambia

Staatswappen

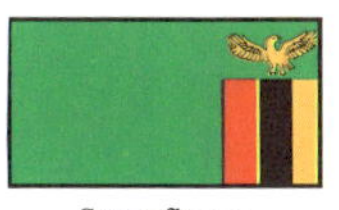
Staatsflagge

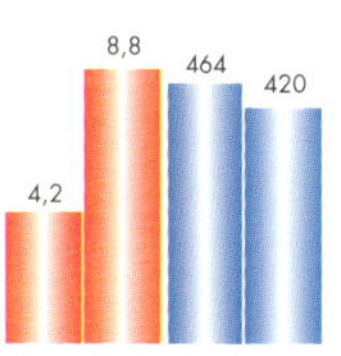

1970 1991 Bevölkerung (in Mill.)
1970 1990 Bruttosozialprodukt je E (in US-$)

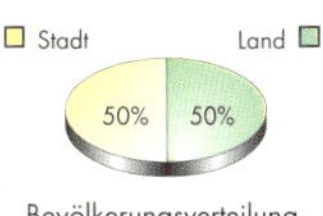

Bevölkerungsverteilung 1990

Bruttoinlandsprodukt 1990

Samen, 1) Botanik: Organ, das von den → Samenpflanzen gebildet wird, um die Art auszubreiten. Es entsteht nach der Befruchtung aus der Samenanlage (→ Blüten) und entwickelt sich unter günstigen Bedingungen durch Keimen zur vollständigen Pflanze. Manche Pflanzen erzeugen nur wenige Samen, die sehr groß und schwer werden können (z. B. die ½ m lange Seychellennuß bis 25 kg), andere (z. B. Orchideen) können in einer Frucht Hunderttausende von staubfeinen und leichten Samen enthalten. Der Samen besteht aus dem **Keim** (auch **Keimling**), der aus der befruchteten Eizelle hervorgeht, meist einem Nährstoffvorrat und der Samenschale als Schutzhülle. Der Keimling enthält die Erbinformation (→ Nucleinsäuren) für die nachfolgende Generation. Samen ohne Nährstoffvorrat (z. B. bei Orchideen) können nur mit Hilfe von Pilzen keimen. Im allgemeinen erlangen Samen ihre Reife mit der Trennung von der Mutterpflanze.

2) Anthropologie und Zoologie: → Sperma.

Samenfäden, Spermien, die im → Sperma

Sanddorn: Zweig mit Früchten

enthaltenen männlichen Keimzellen oder Samenzellen.

Samenleiter, Ausführungsgang der männlichen Keimdrüse (→Geschlechtsorgane).

Samenpflanzen, Blütenpflanzen, Pflanzen, die →Blüten ausbilden, in denen sich die Befruchtung und die Bildung des →Samens vollzieht. Dadurch unterscheiden sich Samenpflanzen von den Sporenpflanzen (→Sporen). Je nach der Lage der Samenanlage unterscheidet man **Nacktsamige** (auch **Nacktsamer**) und **Bedecktsamige** (auch **Decksamer**). Bei den Nacktsamigen liegt die Samenanlage ›nackt‹ auf dem Fruchtblatt; die Samen reifen meist in Zapfen. Dazu gehören z. B. die Nadelhölzer. Bei den Bedecktsamigen ist die Samenanlage stets in ein ›Gehäuse‹, den Fruchtknoten, eingeschlossen. Dieser wandelt sich nach der Samenreife zur →Frucht. Man unterteilt die Bedecktsamigen in →Einkeimblättrige und →Zweikeimblättrige. Alle Samenpflanzen sind (wie auch die Farnpflanzen) deutlich in →Sproß und →Wurzel gegliedert.

Sammellinse, Konvexlinse, Optik: eine →Linse, die in der Mitte dicker ist als am Rand.

Samoa-Inseln, Inselgruppe im Pazifischen Ozean, zu Polynesien zählend. Die Inseln sind vulkanischen Ursprungs und werden von Korallenriffen umgeben. Sie haben insgesamt eine Fläche von 3 039 km². Unter tropischem Klima entstand eine dichte Bewaldung, die für den Anbau von Kokospalmen, Knollenfrüchten, Kakao und Bananen zum Teil gerodet wurde.

Politisch sind die Inseln geteilt in **Amerikanisch-Samoa** oder **Ostsamoa** und den unabhängigen Staat **West-Samoa.** Die Samoa-Inseln waren im 19. Jahrh. zwischen Großbritannien, den USA und Deutschland umstritten; Ende des 19. Jahrh. wurden sie zwischen den USA und Deutschland geteilt. Der deutsche Teil kam nach dem Ersten Weltkrieg unter neuseeländische Verwaltung und wurde 1962 als West-Samoa selbständig. (KARTE Band 2, Seite 198)

Samos, griechische Insel an der Westküste der Türkei. Die 476 km² große gebirgige Insel hat 32 700 Einwohner, die vor allem Landwirtschaft betreiben. Auf der Insel wächst der süße und alkoholreiche **Samoswein.**

Sanduhr

Samurai [japanisch ›Dienender‹], im alten Japan ursprünglich die kaiserlichen Palastwächter, dann das bewaffnete Begleitpersonal des Adels, später die Angehörigen des Kriegerstandes. Vom 13. bis 18. Jahrh. gehörten die mit den europäischen Rittern vergleichbaren Samurai zur obersten Klasse der Sozialordnung, später auch zum Adel. Die Samurai lebten nach einem strengen Ehrenkodex und besaßen viele Vorrechte.

Sand. Der Jenaer Theologiestudent **Karl Ludwig Sand** (* 1795, † 1820) hatte sich den studentischen Burschenschaften angeschlossen, die sich im 19. Jahrh. aktiv für freiheitliche und demokratische Verhältnisse in einem geeinten deutschen Nationalstaat einsetzten. In fanatischer Übersteigerung erdolchte er 1819 den deutschen Theaterschriftsteller Alexander von Kotzebue und löste dadurch die ›Karlsbader Beschlüsse‹ Metternichs aus, die als schärfste Maßnahmen zur Unterdrückung der nationalen und liberalen Bewegung in Deutschland bis 1848 gültig blieben.

Sanddorn, dorniger Strauch mit schmalen graugrünen Blättern, der auf kargen Sandböden wächst. Wegen seiner tiefgreifenden Wurzeln wird er besonders zur Befestigung von Dünen angepflanzt. Die leuchtend gelbroten, saftreichen Früchte sind Scheinbeeren mit einem nußähnlichen Samen. Sie schmecken säuerlich und enthalten sehr viel Vitamin C. Man verarbeitet sie zu Saft, Gelee und Marmelade.

Sandstein, aus kleinen Mineralkörnern (Durchmesser 0,063 bis 2 mm) bestehendes Sedimentgestein, das durch kalkiges, kieseliges oder toniges Bindemittel verfestigt ist. Nach dem Hauptgemengeteil werden Quarz- und Kalksandstein, nach dem Bindemittel kalkiger, kieseliger oder toniger Sandstein unterschieden. Als **Arkose** wird ein grobkörniger, feldspathaltiger Sandstein bezeichnet, als **Grauwacke** ein dunkelgraues, sandsteinartiges Sedimentgestein des Erdaltertums und des Präkambriums, das einen wesentlichen Anteil an Gesteinsbruchstücken enthält. Die vielfältigen Namen der Sandsteine beziehen sich auf seine Färbung, z. B. Grünsandstein, gefleckter Tigersandstein, seine Absonderung, z. B. Plattensandstein, Blasensandstein, auf den Ort seines Vorkommens, z. B. Miltenberger Sandstein, seine erdgeschichtliche Stellung, z. B. Kreidesandstein, oder auf Reste eingebetteter Fossilien, z. B. Schilfsandstein, Korallensandstein. Sandstein ist weit verbreitet und wurde seit dem Altertum (Ägypten) in der Architektur und Plastik verarbeitet; heute wird er vor allem als Bau- und Werkstein verwendet. Dank seiner Durchlässigkeit ist er ein guter Grundwasserleiter und ein wichtiges Erdgas- und Erdölspeichergestein.

Sanduhr, altes Zeitmeßinstrument zur Messung kurzer Zeitabstände. Die Sanduhr besteht aus 2 birnenförmigen, an den Spitzen verbundenen Glasgefäßen, von denen eines mit feinem Sand gefüllt ist. Beim Kippen fließt der Sand vom oberen in das untere Gefäß. Im Haushalt wird die Sanduhr teilweise noch als Eieruhr verwendet, wobei die eingefüllte Sandmenge etwa 5 Minuten benötigt, um von dem einen Gefäß in das andere zu fließen.

Sandwich-Inseln [sạndwitsch-], **1)** früherer Name der Hawaii-Inseln.

2) auch **Süd-Sandwich,** zu Großbritannien gehörende antarktische Inselgruppe.

San Francịsco, 724 600, mit Vororten 6,25 Millionen Einwohner, Hafenstadt im amerikanischen Bundesland Kalifornien auf der Landzunge südlich der Golden Gate, der Meeresstraße, die den Pazifischen Ozean mit der Bucht von San Francisco verbindet; diese ist von der **Golden Gate Bridge,** einer 2,15 km langen Hängebrücke, überspannt. In der Bucht liegt die als Zuchthausfestung bekannt gewordene Felseninsel **Alcatraz.**

Die Stadt wurde nach einer 1776 gegründeten Missionsstation spanischer Franziskanermönche benannt; 1848 trat Spanien San Francisco an die USA ab. 1906 wurde die Stadt durch Erdbeben und Großfeuer zerstört und danach vollständig wiederaufgebaut. Von den 1873 eingerichteten offenen Straßenbahnen, ›Cable Cars‹, die seit 1964 unter Denkmalschutz stehen, verkehren noch 3 Linien.

San José [sangchosẹ], 284 600 Einwohner, Hauptstadt von Costa Rica in Mittelamerika. San José liegt 1 160 m hoch am Fuß der Zentralkordillere. Die modern angelegte Stadt ist durch eine Bahnlinie mit der Karibik- und der Pazifikküste verbunden.

Sankt Bẹrnhard, zwei Alpenpässe, **1) Großer Sankt-Bernhard,** 2 472 m hoher Paß, der das schweizerische Martigny mit dem italienischen Aosta verbindet. Der 5,9 km lange Straßentunnel wurde 1964 fertiggestellt. Auf der Paßhöhe liegt das Sankt-Bernhard-Kloster mit Hospiz (Herberge).

2) Kleiner Sankt-Bernhard, 2 188 m hoher Paß, der das französische Bourg-Saint-Maurice im Isèretal mit dem italienischen Courmayeur im Aostatal verbindet.

Sankt Gạllen, Stadt und Kanton in der Nordschweiz; der Kanton erstreckt sich vom Bodensee bis zum Kamm der Glarner Alpen und umschließt den Kanton Appenzell vollständig. Die Einwohner sind überwiegend deutschsprachig und katholisch. Der Kanton ist ein Zentrum der Textilindustrie. In der Landwirtschaft überwiegt die Milchviehhaltung. Mittelpunkt des bedeutenden Fremdenverkehrs sind der Hauptort Sankt Gallen sowie der Säntis als Wintersportplatz. – Das Kantonsgebiet stand früher unter der Herrschaft des im 8. Jahrh. gegründeten Benediktinerklosters Sankt Gallen, das 1805 aufgelöst wurde. Stadt und Kloster waren seit 1454 mit der Eidgenossenschaft als ›zugewandter Ort‹ verbunden; 1803 entstand der Kanton Sankt Gallen.

Sankt Gallen
Kanton
Fläche: 2 014 km²
Einwohner: 426 300
Stadt
Einwohner: 75 000

Sankt Gọtthard, Gebirgsmassiv in der Zentralschweiz. Das bis zu 3 192 m hohe Massiv ist Quellgebiet von Rhone, Rhein, Reuß, Aare und Tessin. Der über das Massiv führende Sankt-Gotthard-Paß (2 108 m) verbindet das Reuß- mit dem Tessintal. Der Sankt Gotthard wird von der 1882 eröffneten Gotthardbahn durchfahren. 1980 wurde der Sankt-Gotthard-Tunnel, mit 16,3 km längster Straßentunnel der Alpen, eröffnet.

Sankt Hẹlena, 122 km² große Insel im Atlantischen Ozean, rund 1 900 km von der afrikanischen Küste (Angola) entfernt. Von den 5 100 Einwohnern (meist Schwarze und Mischlinge) lebt ein Großteil in der Hauptstadt Jamestown. Die vulkanische, bis zu 824 m hohe Insel gehört zu Großbritannien. – 1815–21 war die Insel Verbannungsort von Napoleon I.

Sankt-Lọrenz-Strom, Strom im östlichen Nordamerika, der den Abfluß der Großen Seen bildet. Vom Ausfluß aus dem Ontariosee bis zur Mündung ist er 1 287 km lang. Er bildet zunächst die Grenze zwischen Kanada und den USA, durchfließt dann eine stromschnellenreiche Strecke, die aber von Kanälen umgangen wird, und mündet, auf 150 km verbreitert, in den Sankt-Lorenz-Golf. Trotz langer Eisbedeckung gehört der Sankt-Lorenz-Strom zu den verkehrsreichsten Binnenwasserstraßen der Erde. Durch den 1959 vollendeten kanalisierten Ausbau (Fahrwassertiefe 8,23 m, Fahrwasserbreite 61 m) zwischen Montréal und den Großen Seen wurde die Einfahrt in die Großen Seen für Schiffe bis 27 000 t ermöglicht. Dieser **Sankt-Lorenz-Seeweg** schafft damit eine Verkehrsverbindung vom Atlantischen Ozean bis zum Westende des Oberen Sees, die insgesamt eine Länge von über 3 770 km umfaßt.

Sankt Petersburg, 1914–24 **Petrograd,** 1924–91 **Leningrad,** 4,6 Millionen, mit Vororten 5 Millionen Einwohner, zweitgrößte Stadt Rußlands, 1712–28 und 1732–1918 Hauptstadt des Russischen Reichs, an der Mündung der Newa in

Sankt Gallen
Kantonswappen

Wörter, die man unter S vermißt, suche man unter Sch oder Z

den Finnischen Meerbusen. Sankt Petersburg ist ein bedeutender Hafen für den russischen Überseehandel. Die Stadt, die sich schon kurz nach ihrer Gründung (1703) durch Peter den Großen zu einem politischen und kulturellen Zentrum des Russischen Reichs entwickelte, hat zahlreiche barocke und klassizistische Bauwerke aus dem 18. und 19. Jahrh.: Peter-und-Pauls-Festung; Peter-und-Pauls-Kathedrale mit dem 122 m hohen Turm, der als Wahrzeichen der Stadt gilt; die Admiralität; das **Winterpalais,** ehemalige Residenz des russischen Zaren, mit der **Eremitage,** die heute eines der umfangreichsten und bedeutendsten Kunstmuseen der Welt beherbergt. Die Stadt war 1917 Ausgangspunkt der Oktoberrevolution und (bis 1918) Sitz der ersten Sowjetregierung.

San Marino

Fläche: 61,19 km²
Bevölkerung: 23 000 E
Hauptstadt: San Marino
Amtssprache: Italienisch
Nationalfeiertag: 3. Sept.
Währung: 1 Italien. Lira (Lit) = 100 Centesimi (Cent.)
Zeitzone: MEZ

San Marino

Staatswappen

Staatsflagge

San Marino, Republik auf der Apenninhalbinsel südwestlich von Rimini. San Marino wird vom Monte Titano (bis 756 m) durchzogen. 3 Türme der alten Befestigungsanlagen überragen die Stadt. Die Wirtschaft beruht auf dem Fremdenverkehr und dem Briefmarkenverkauf. Erstmals in der Pippinschen Schenkung von 754 erwähnt, erlangte San Marino im 13./14. Jahrh. die Selbständigkeit. (KARTE Band 2, Seite 203)

San Salvador, 460 000 Einwohner, seit 1839 Hauptstadt der mittelamerikanischen Republik El Salvador, liegt in einem Hochtal am Fuß des gleichnamigen Vulkans. Die Stadt wurde 1525 von Spaniern gegründet.

Sansibar, Insel vor der Küste Ostafrikas, mit der Insel Pemba zur Vereinigten Republik Tansania gehörend. Die 1 660 km² große Insel hat 571 000 Einwohner, meist Araber und Inder; Hauptstadt ist das gleichnamige Sansibar, mit 119 000 Einwohnern die zweitgrößte Stadt Tansanias. Die Hälfte der zum Teil aus Ödland bestehenden Insel wird landwirtschaftlich genutzt (Gewürznelken, Reis, Bananen, Süßkartoffeln und Kokosnüsse). Ebenholz- und Elfenbeinschnitzereien sowie Juwelierarbeiten sind von Bedeutung.

Im Mittelalter war Sansibar eine wichtige Handelsstation an der von Arabern und Persern beherrschten Ostküste Afrikas. Nachdem es 1500–1650 unter portugiesischer Herrschaft gestanden hatte, wurde es bis ins 19. Jahrh. von den Sultanen von Oman besetzt gehalten. Die Stadt Sansibar war in dieser Zeit einer der größten Sklaven- und Elfenbeinmärkte Afrikas. 1890 kam Sansibar teils an Großbritannien, teils an Deutschland. Deutschland tauschte 1890 mit Großbritannien seinen Anteil an Sansibar gegen Helgoland. 1963 wurde Sansibar unabhängig, vereinigte sich aber 1964 mit Tanganjika zum Staat Tansania.

Sanskrit, alte indische Hoch- und Kunstsprache, bis ins 20. Jahrh. in Indien Sprache der Wissenschaft und Literatur. Sie entstand aus dem Vedischen und wurde etwa 500 v. Chr. von dem Grammatiker Panini in noch heute gültigen Regeln aufgezeichnet. In diesem ›klassischen Sanskrit‹ wurde ein großer Teil der späteren indischen Literatur verfaßt. Obwohl seit etwa 300 v. Chr. nicht mehr gesprochen, ist Sanskrit Quelle für den Wortschatz fast aller modernen indischen Sprachen.

Santiago 1) Santiago de Chile, mit Vororten 4,38 Millionen Einwohner, Hauptstadt von Chile im westlichen Andenvorland, rund 100 km vor der Küste des Pazifischen Ozeans. Die Stadt wurde 1541 von Spaniern gegründet und im Kolonialstil schachbrettartig angelegt. Erdbeben, Brände und Überschwemmungen haben die alten Gebäude beinahe vollständig zerstört.

2) Santiago de Compostela, 104 100 Einwohner, Stadt in Spanien im nordwestlichen Bergland in Galicien. Im Mittelalter war die Stadt der bedeutendste Wallfahrtsort des Abendlandes. Noch heute pilgern Gläubige zum Grab des Apostels Jakobus, das sich in der Krypta der Kathedrale befindet; diese ist trotz barocker Veränderungen ein hervorragendes Denkmal frühromanischer Architektur.

Santo Domingo, 1,32 Millionen, mit Vororten 1,56 Millionen Einwohner, Hauptstadt der Dominikanischen Republik, liegt auf der Südseite der Insel Hispaniola am Karibischen Meer. Sie wurde 1496 von Bartholomäus Kolumbus, einem Bruder des Entdeckers, gegründet und ist die älteste europäische Siedlung auf amerikanischem Boden. In der Kathedrale befindet sich das Grab von Christoph Kolumbus. Die Universität, gegründet 1538, ist die älteste Amerikas.

Santorin, die griechische Insel →Thera.

Saône [sohn], größter Nebenfluß der Rhône. Der 482 km lange Fluß entspringt in den Monts Faucilles (Lothringen) und mündet in Lyon in die Rhône. Die Saône hat zwar Kanalverbindungen zu Mosel, Marne, Loire und zum Rhein, die Schiffahrt ist aber von geringer Bedeutung.

São Paulo, 10,99 Millionen, mit Vororten 17,11 Millionen Einwohner, größte Stadt Brasiliens, liegt am Rio Tietê rund 50 km vom Atlantischen Ozean entfernt; der Hafen von São Paulo ist **Santos.** Die Stadt ist Zentrum des Kaffeehandels und führende Industriestadt in Brasilien. Das alte koloniale Stadtbild wurde durch Hochhäuser und moderne Straßen vollkommen verändert, die Stadt wird auch ›Chicago‹ Südamerikas genannt. São Paulo wurde 1554 von portugiesischen Jesuiten gegründet. 1822 rief hier König Pedro I. die Unabhängigkeit Brasiliens aus.

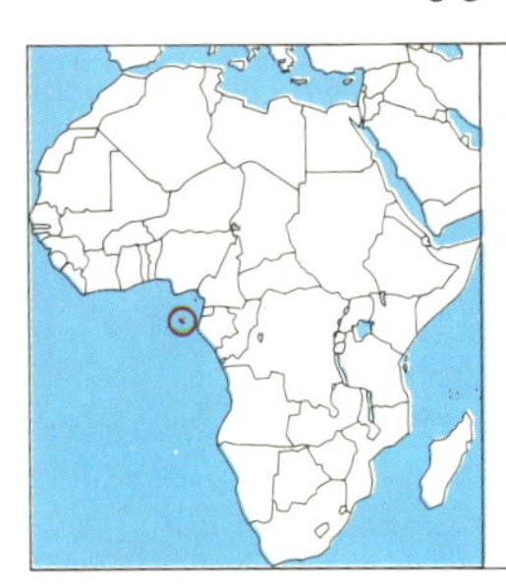

São Tomé und Príncipe

Fläche: 964 km^2
Bevölkerung: 125 000 E
Hauptstadt: São Tomé
Amtssprache: Portugiesisch
Nationalfeiertag: 12. Juli
Währung: 1 Dobra (Db) = 100 Cêntimos
Zeitzone: MEZ

São Tomé und Príncipe, ein Inselstaat in Westafrika im Golf von Guinea, bestehend aus den beiden Inseln São Tomé und Príncipe. Beide Inseln sind vulkanischen Ursprungs. Die Bevölkerung besteht vorwiegend aus Bantu und Mulatten. In den Plantagen werden Kakao, Kaffee, Zuckerrohr, Kokos- und Ölpalmen angebaut. Die Inseln wurden im 15. Jahrh. portugiesische Kolonie. Sie waren jahrhundertelang Zwischenstation im Sklavenhandel nach Amerika. 1975 wurden sie eine unabhängige Republik. (KARTE Band 2, Seite 194; BILDER Seite 126)

Saphir, eine tiefblaue Abart des Minerals Korund (eines Aluminiumoxids), einer der höchstwertigen Edelsteine. Seine Farbtöne reichen von dunkel- bis hellblau, er kommt aber auch gelb, grün, braun und fleischfarben vor. Die Farbtöne sind vor allem durch den Oxidationszustand des enthaltenen Eisens bestimmt. Seit der Antike schrieb man dem Saphir heilende Wirkung zu. Als Edelstein erlangte er erst im spätrömischen Reich Bedeutung. Er gehörte auch zu den Kronjuwelen der deutschen Kaiserkrone. Der größte geschliffene Saphir, der ›Stern von Indien‹, hat 563,35 Karat. Die Saphire für Plattenspieler werden synthetisch hergestellt.

Sarajevo, Sarajewo, 447 700 Einwohner, Hauptstadt der Republik Bosnien-Herzegowina beiderseits der Miljacka. Hier wurde 1914 der österreichisch-ungarische Thronfolger Franz Ferdinand ermordet; dieses Ereignis löste den Ersten Weltkrieg aus. Die Stadt erlitt im Bürgerkrieg 1992/93 schwere Schäden.

Sarazenen, ein arabischer Volksstamm, der auf der Arabischen Halbinsel und auf der Halbinsel Sinai beheimatet war. Die christlichen Schriftsteller des Mittelalters dehnten den Begriff auf alle Araber, dann auf alle Muslime der Mittelmeerwelt aus. Insbesondere die Kreuzfahrer nannten ihre Gegner im Heiligen Land Sarazenen.

Sardelle, mit dem →Hering verwandter Fisch.

Sardine, mit dem →Hering verwandter Fisch.

Sardinien, nach Sizilien die zweitgrößte Insel Italiens. Mit 23 813 km^2 ist die Insel etwas größer als Hessen; Sardinien hat 1,65 Millionen Einwohner. Die Hauptstadt Cagliari liegt im Süden der buchtenreichen und gebirgigen Insel (bis 1 834 m hoch). Unter mittelmeerischem Klima (trockene Sommer, feuchte Winter) werden bis in etwa 500 m Höhe Getreide, Wein, Oliven, Südfrüchte und Tabak angebaut. Oberhalb von 500 m überwiegt die Viehwirtschaft (Schafe, Ziegen, Rinder). Neben dem Abbau von Zink, Blei und Kupfer sind die Herstellung von Papier und Kunstfasern sowie die petrochemische Industrie von Bedeutung. Seit Mitte der 1970er Jahre spielt auch der Fremdenverkehr eine wichtige Rolle. – Bevor Sardinien 238/237 v. Chr. römische Provinz wurde, war es von Iberern, Ligurern, Griechen und Karthagern besiedelt und beherrscht worden. Im 6. Jahrh. n. Chr. kam es zu Byzanz, 1297 zu Aragón (Spanien). 1720 wurde Sardinien von den Herzögen von Savoyen übernommen, die sich seitdem Könige von Sardinien nannten. Seit 1949 ist Sardinien eine mit Selbstverwaltungsrechten ausgestattete Region Italiens.

Sari, Wickelgewand, das zur Nationaltracht indischer Frauen gehört. Er besteht aus einem 6–9 m langen und 1–1,20 m breiten Stoffstück, das um den Körper gewickelt, manchmal auch über den Kopf gelegt wird.

Saphir

1

2

3

4

5

6

Saphir: **1** Saphir Birma, **2** Padparadscha, **3** Saphir Ceylon, **4** Saphir Ceylon gelb, **5** blauer Sternsaphir, **6** schwarzer Sternsaphir

São Tomé und Príncipe

Staatswappen

Staatsflagge

Sarkophag [griechisch ›Fleischfresser‹], ein prunkvoller, großer Sarg aus Stein, Holz oder Metall, in dem die Körper der Toten, meist hochgestellte und reiche Persönlichkeiten, seit dem Altertum beigesetzt wurden. Die alten Ägypter stellten die Sarkophage der Pharaonen in den Pyramiden oder in unterirdischen Grabkammern auf. Bekannt ist der menschengestaltige Sarkophag Tut-ench-Amuns aus massivem Gold. Die Christen übernahmen die reliefgeschmückten steinernen Sarkophage der Römer.

Sarnen, 7400 Einwohner, Hauptstadt des Schweizer Halbkantons Obwalden an der Aa, südwestlich des Vierwaldstätter Sees, rund 20 km von Luzern entfernt.

Sarong, ein Wickelrock, den in Indonesien, Malaysia und Teilen von Hinterindien Frauen, gelegentlich auch Männer tragen.

Sartre. Der französische Philosoph und Schriftsteller **Jean-Paul Sartre** (* 1905, † 1980) ist ein Hauptvertreter des → Existentialismus. Seine philosophische Lehre geht vom Individuum aus. Der einzelne Mensch ist in seinen Augen ›zur Freiheit verdammt‹. Jeder ist das, wozu er sich macht. Die Berufung des Individuums auf Familie, soziale Umwelt oder Gott versteht Sartre als Flucht vor der eigenen Freiheit. Sein philosophisches Hauptwerk ist ›Das Sein und das Nichts‹ (1943). Auch in seinen Romanen (›Der Ekel‹, 1938, ›Die Wege der Freiheit‹, 1945–49), Dramen (›Die Fliegen‹, 1943, ›Die schmutzigen Hände‹, 1948) und Filmdrehbüchern setzte sich Sartre mit den philosophisch-existentialistischen Problemen, vor allem mit der absoluten Freiheit des einzelnen, auseinander. 1964 erhielt er den Nobelpreis für Literatur, den er aber ablehnte.

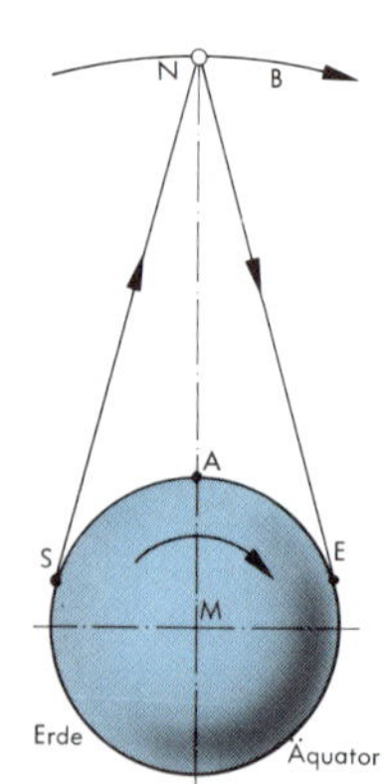

M = Erdmittelpunkt
N = Satellit
A = Geographischer Standort
B = Satellitenbahn
S = Sendestation
E = Empfangsstation

Satellit: geostationärer Satellit

Satellit, der → Mond eines Planeten, dessen Begleiter oder ›Leibwächter‹ er nach dem lateinischen Wort ›satelles‹ ist. Heute verwendet man den Begriff fast ausschließlich für die künstlichen Satelliten, die unbemannten Raumflugkörper, die die Erde (Erdsatellit) oder andere Himmelskörper umkreisen. Mit dem Start des ersten Satelliten überhaupt, des sowjetischen → Sputnik, begann 1957 die → Raumfahrt. 1958 folgte der amerikanische Explorer 1. Seitdem sind Tausende von Satelliten aus vielen Ländern mit Trägerraketen (→ Rakete) und auch vom → Raumtransporter aus gestartet worden. Sie gelangen so in eine → Erdumlaufbahn, auf der sie antriebslos kreisen. Manche → Raumsonden, die zu anderen Planeten geschickt wurden, umkreisen diese nun als Satelliten. Im Lauf der Zeit geraten im Erdumlauf befindliche Satelliten immer mehr unter den Einfluß des Gravitationsfeldes der Erde, ihre Umlaufbahn wird niedriger, und damit berühren sie den äußersten Bereich der Lufthülle, wo sie abgebremst werden und schließlich abstürzen. Infolge der Reibungshitze, die sich beim Eintauchen in die Atmosphäre entwickelt, verglühen die Satelliten meist vollständig, bevor sie die Erdoberfläche erreichen.

Nach den Aufgaben teilt man die Satelliten ein in die wissenschaftlichen und die Anwendungssatelliten sowie die militärischen Satelliten.

Die **wissenschaftlichen Satelliten** erforschen die hohe Atmosphäre und das Magnetfeld der Erde, die kosmische Strahlung. Einen breiten Raum nehmen dabei die **Astronomie-Satelliten** ein, die wie ›Exosat‹ Röntgenstrahlenquellen erforschen.

Zur großen Gruppe der **Anwendungssatelliten** gehören die **Erderkundungssatelliten,** die wie ›Landsat‹ der Kartographie, dem Aufspüren von Bodenschätzen und von Luftverunreinigungen dienen. Es gehören dazu die **Nachrichtensatelliten** wie ›Symphonie‹, ›Oscar‹, ›OTS‹ und vor allem ›Intelsat‹, die **Wettersatelliten** wie ›Nimbus‹ oder ›Meteosat‹ und die **Navigationssatelliten** zur Ortsbestimmung im Schiffs- und Flugverkehr.

Die **militärischen Satelliten** dienen der Erkundung und Überwachung.

Je nach ihren Aufgaben bewegen sich die Satelliten auf Bahnen über dem Äquator oder über Nord- und Südpol. Sie müssen aber auch – wie die meisten Nachrichten-, Wetter- und Navigationssatelliten – über einem Punkt der Erde stehen können; sie befinden sich dann als **Synchronsatelliten** in einer geostationären Umlaufbahn in einer Höhe von rund 36000 km, wo die Umlaufzeit genau 24 Stunden beträgt.

Ihre Beobachtungen und Messungen erfassen die Satelliten mit Kameras oder mit elektrischen Sensoren, und sie übertragen die abgetasteten Informationen sofort oder auf Abruf zu den Bodenstationen. Diese können große Erdefunkstellen sein oder auch – im Fall des künftigen Satellitenfernsehens – private Fernsehantennen. (Weitere BILDER Seite 127 und 128)

Satellit: Vom Beobachtungspunkt B im Erdschatten ist der Satellit sichtbar auf dem Abschnitt AC seiner Bahn

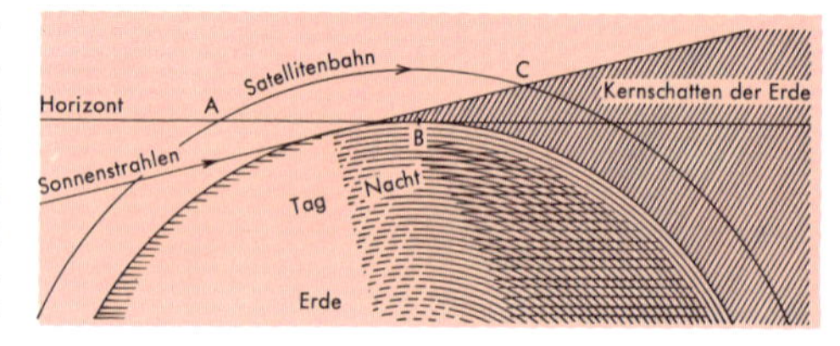

Satire [von lateinisch satura lanx ›bunte Schüssel‹], Darstellung, die in verschiedensten Formen, z. B. als Gedicht, Komödie oder Roman, Gestalt annehmen kann. Mit Ironie, Spott oder Übertreibung werden in der Satire bestimmte Personen, Ereignisse, Anschauungen kritisiert und lächerlich gemacht. Ziel ist dabei oft nicht nur, das Beschriebene als falsch oder schlecht darzustellen; bei vielen lehrhaften Satiren werden Möglichkeiten zur Besserung oder sogar ein erstrebenswerter Zustand, ein Ideal, sichtbar. – Abgesehen von einigen Ansätzen in der griechischen Dichtung ist die Satire römisch-lateinischen Ursprungs. Nach einer Blütezeit im 16. Jahrh. erreichte sie 200 Jahre später in Frankreich durch Voltaire, in England beispielsweise durch Jonathan Swift (›Gullivers Reisen‹) einen neuen Höhepunkt. Im 19. und 20. Jahrh. wurde die politische und soziale Satire wieder belebt, z. B. in Werken von Heinrich Heine, Heinrich Mann, Karl Kraus und in Kabarettexten.

Saturn, 1) alte römische Gottheit der Saaten und der Fruchtbarkeit. Zu seinen Ehren wurden im Dezember jeden Jahres Feste mit Gelagen, die **Saturnalien,** gefeiert. Er wurde dem griechischen Gott Kronos gleichgesetzt. Auf den Namen Saturnus geht das englische Wort für Samstag, ›Saturday‹, zurück.

2) zweitgrößter Planet unseres Sonnensystems mit einem Äquatordurchmesser von 120 870 km. Seine Atmosphäre setzt sich aus Wasserstoff (94 %) und Helium (6 %) zusammen und hat eine Temperatur von − 120 °C. Mindestens 17 Monde umkreisen den Saturn. Er benötigt für einen Umlauf um die Sonne 29,46 Jahre, für eine Drehung um die eigene Achse 10 Stunden 39 Minuten 24 Sekunden. Der Saturn ist von einem System von 6–7 Ringen umgeben (Ringplanet), die ihrerseits aus sehr vielen Einzelringen bestehen. Das Ringsystem wurde bereits 1610 von Galileo Galilei entdeckt. Es besteht aus Staubteilchen, Bruchstücken von Meteoriten und Eispartikeln, die den Saturn in seiner Äquatorebene umkreisen.

Saturn 2): Funkbild vom Ringsystem des Saturn, aufgenommen aus rund 17 Millionen km Entfernung, gesendet am 30. Oktober 1980

Satyrn, in der griechischen Sagenwelt Fruchtbarkeitsdämonen, die zwar menschlich gestaltet waren, aber Pferdeohren, -schweife und -beine hatten. Sie gehörten zum Gefolge des Wein- und Fruchtbarkeitsgottes Dionysos.

Satz, gegliederte Grundeinheit der Rede. Sinnlos aneinandergereihte Wörter bilden keinen Satz und werden nicht verstanden. Erst wenn die Wörter zueinander in eine sinnvolle Beziehung gesetzt werden, entsteht ein Satz, und die Mitteilung wird verständlich.

Eingliedrige Sätze bestehen aus einem Wort (z. B. ›Hilfe!‹), **zweigliedrige Sätze** aus Subjekt und Prädikat (z. B. ›Der Bäcker erzählt‹). Bei **mehrgliedrigen Sätzen** kommt ein Objekt hinzu (z. B. ›Der Bäcker erzählt einen Witz‹).

Es werden 4 **Satzarten** unterschieden: Aussagesatz, Aufforderungssatz, Ausrufesatz und Fragesatz. Bei diesen Satzarten unterscheidet man **Hauptsatz** und **Nebensatz.** Nebensätze können nicht für sich stehen, sie kommen immer in Abhängigkeit von Hauptsätzen vor. Eine **Satzreihe** besteht aus mehreren Hauptsätzen, ein **Satzgefüge** ist aus einem Hauptsatz und untergeordneten Nebensätzen zusammengesetzt.

Die Nebensätze können sein: **Inhaltssätze** (der Hauptsatz bildet die Einleitung, im Nebensatz steht der Inhalt), **Ausbausätze** (der Hauptsatz berichtet die Hauptsache, der Nebensatz erweitert die Aussage) und **Verhältnissätze** (die Aussagen von Haupt- und Nebensätzen sind meist gleichbedeutend, es besteht ein bestimmtes Verhältnis zwischen den Aussagen).

Satzzeichen, Zeichen, die zur → Interpunktion gebraucht werden. Das **Komma (Beistrich)** trennt Gleichartiges, z. B. Aufzählungen, der **Gedankenstrich** hebt Einschübe hervor. Der **Bindestrich** gliedert unübersichtliche Wortzusammensetzungen und zeigt die Silbentrennung an. In **Klammern** setzt man kurze Erläuterungen. Sätze werden durch **Punkte** getrennt, bei engerer Zusammengehörigkeit kann das **Semikolon (Strichpunkt)** verwendet werden. Den Fragesatz kennzeichnet das **Fragezeichen,** einen Aus- oder Anruf das **Ausrufungszeichen.** Vor längeren Aufzählungen und vor der Wiedergabe direkter Rede ist ein **Doppelpunkt** nötig, die direkte Rede steht in **Anführungszeichen.**

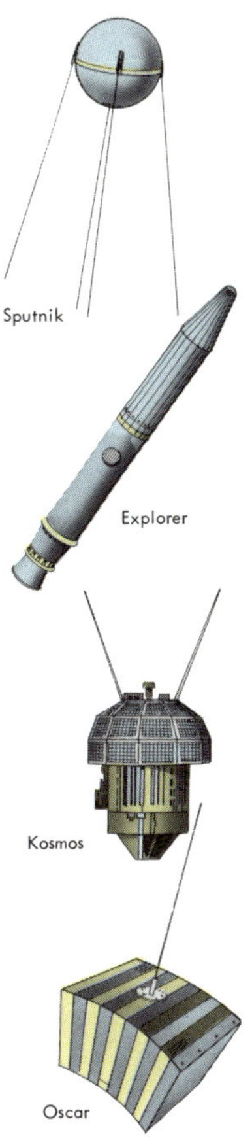

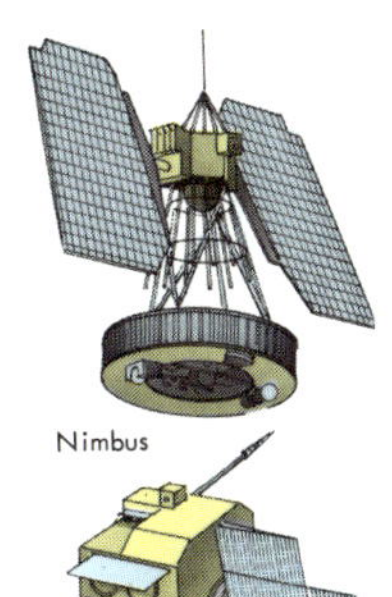

Satellit: verschiedene Satelliten-Typen

Sau, das weibliche Hausschwein; der Jäger bezeichnet mit Sauen die Wildschweine (→ Schweine).

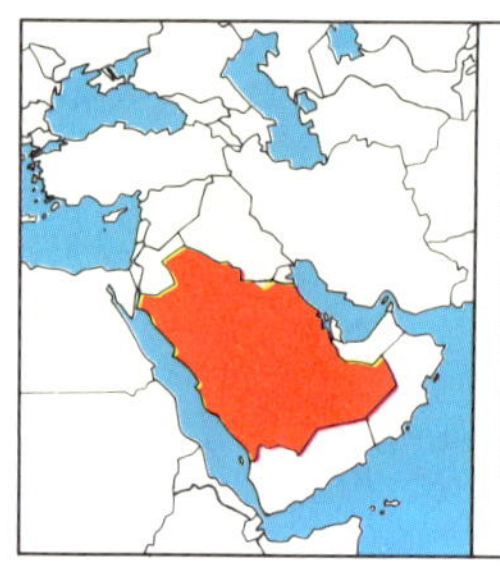

Saudi-Arabien

Fläche: 2,2 Mill. km²
Bevölkerung: 16,7 Mill. E
Hauptstadt: Ar Rijad
Amtssprache: Arabisch
Staatsreligion: Islam
Nationalfeiertag: 23. Sept.
Währung: 1 Saudi Riyal (S.Rl.) = 20 Qirshes = 100 Hallalas
Zeitzone: MEZ +3 h

Saudi-Arabien, Königreich in Vorderasien, viermal so groß wie Frankreich. Das Land umfaßt den größten Teil der Arabischen Halbinsel. Es steigt nach Westen allmählich an und fällt mit gebirgsartigem Rand zum Vorland des Roten Meers ab. Fast die ganze Fläche wird von Wüsten und Wüstensteppen eingenommen. Klimatisch gehört das Land zum Trockengürtel der Erde. Weite Teile im Innern bleiben jahrelang ohne Regen. An den Küsten herrscht schwülheißes Klima. Die höchsten Niederschläge fallen im Nordwesten. Die überwiegend arabische Bevölkerung konzentriert sich in den Städten. Ein Zehntel der Einwohner sind noch Nomaden. Im Land leben mehr als 2 Millionen Gastarbeiter. Die größten Städte sind Riad, Djidda und Mekka.

Das Land besitzt vermutlich die größten Erdölvorräte der Erde. Seit Beginn der Ausbeutung der Ölfelder um 1950 ist Saudi-Arabien zu einem der wohlhabendsten Staaten der Erde geworden. Es ist größter Erdölexporteur der Erde. Durch die Einnahmen können den Bürgern großzügige Sozial- und Bildungsleistungen gewährt werden. Auch die Industrie wird gefördert. Bei Djubail am Persischen Golf und Janbo am Roten Meer werden Industriezentren errichtet. Die auf Oasenanbau konzentrierte Landwirtschaft (Dattelpalmen, Hirse, Weizen, Hülsenfrüchte, Obst, Gemüse) dient der Selbstversorgung.

1926 gründete Ibn Saud ein Königreich, das sich seit 1932 als Saudi-Arabien bezeichnet. Innenpolitisch bemühen sich die Herrscher um Reformen, außenpolitisch (z. B. im Nahostkonflikt) um einen gemäßigten Kurs. (KARTE Band 2, Seite 194; BILD Seite 128)

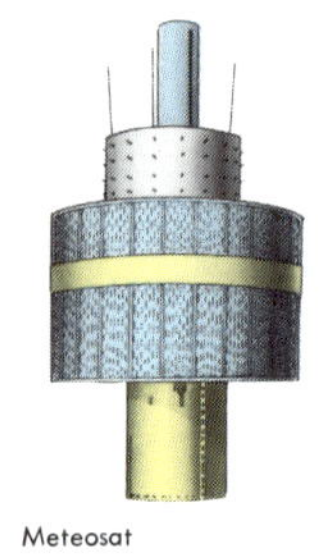

Meteosat

Symphonie

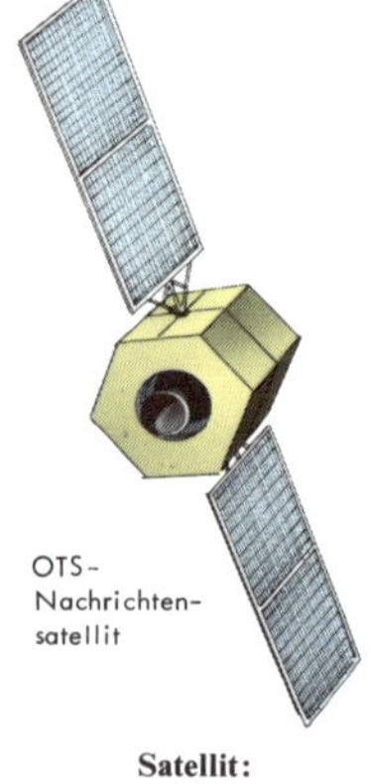

OTS-Nachrichten-satellit

Satellit: verschiedene Satelliten-Typen

Sauerampfer wächst an Wegen, Waldböschungen und vor allem auf feuchten Wiesen. Die Blütchen der langen Ähren verfärben sich leuchtend rostrot. Die pfeilförmigen Blätter des 50–100 cm hohen Sauerampfers (eine kleinere Art ist nur 30 cm hoch) schmecken säuerlich. Sie werden als Salat und Gemüse gegessen. In größeren Mengen können sie wegen der enthaltenen Oxalsäure für Menschen und Weidetiere schädlich werden.

Sauerdorn, der Strauch → Berberitze.

Sauergräser, die → Riedgräser.

Sauerland, Nordostteil des Rheinischen Schiefergebirges, zwischen der Möhne und Ruhr im Norden, dem Hessischen Bergland im Osten und der Sieg im Süden. Im Westen ist der Übergang zum Bergischen Land fließend. Auf Grund seiner reizvollen Landschaft ist das Sauerland das wichtigste Erholungsgebiet (Naturparks, Sommerfrische, Wintersportgebiet) für die Bevölkerung des Ruhrgebietes. Das regenreiche Sauerland besitzt zahlreiche Stauseen und Talsperren (z. B. Möhnetalsperre), die das Ruhrgebiet mit Wasser versorgen. Holzverarbeitung und Kleinindustrie bestimmen die Wirtschaft des Sauerlandes.

Sauerstoff, chemisches Zeichen **O** [von griechisch-lateinisch **o**xygenium], das im Kosmos dritthäufigste, auf der Erde häufigste → chemische Element (ÜBERSICHT). In magmatischen Gesteinen, in denen es in sauerstoffhaltigen Mineralen gebunden ist, nimmt es auf Grund seines großen Atomradius etwa 90% des Gesamtvolumens ein. Dieses farb-, geruch- und geschmacklose Gas ist für die Atmung der meisten Lebewesen nötig. Die Luft besteht etwa zu einem Fünftel aus Sauerstoff.

Sauerstoff ist ein sehr reaktionsfähiges Element, das sich mit vielen Stoffen, zum Teil aber erst bei höheren Temperaturen unter Licht- und Wärmeentwicklung (Oxidation, Verbrennung) verbindet. Ein langsam ablaufender Oxidationsprozeß ist z. B. das Rosten. Die starke Bereitschaft des Sauerstoffs, sich mit Wasserstoff unter starker Wärmeentwicklung zu verbinden, wird im Schneidbrenner genutzt.

Technisch wird das Gas vorwiegend durch Luftverflüssigung gewonnen, im Laboratorium durch Erhitzen von Verbindungen mit hohem Sauerstoffgehalt wie Kaliumpermanganat oder Quecksilberoxid. In der Technik wird Sauerstoff in großen Mengen zur Gewinnung von Stahl und zum Schweißen verwendet, ferner für zahlreiche großtechnische Synthesen. Flüssiger Sauerstoff dient als Bestandteil von Raketentreibstoffen und für spezielle Sprengzwecke.

Die dreiatomige Form des Sauerstoffs ist das →Ozon.

Säugetiere, Klasse der →Wirbeltiere mit über 4 000 Arten. Die neugeborenen Jungen werden mit Milch ernährt (›gesäugt‹), die aus den Milchdrüsen (›Zitzen‹) der Mutter abgesondert wird. Die Arten unterscheiden sich sehr stark in Form und Größe. Dazu gehören die kleine, nur wenige Gramm wiegende Zwergspitzmaus wie auch der Blauwal, das größte Tier der Erde. Säugetiere leben vor allem an Land, auch im Wasser wie die Wale, Seekühe und Robben. Einige können fliegen wie die Fledermaus oder graben in der Erde wie der Maulwurf. Es gehören Raubtiere dazu wie der Tiger und Nagetiere wie die Maus. Am Gebiß kann man die besondere Ernährungsweise erkennen. Auch der Mensch gehört, biologisch gesehen, zu den Säugetieren. Trotz aller Verschiedenheit weisen Säugetiere zahlreiche gemeinsame Merkmale auf. Sie haben ein gleichartig gebautes Skelett (z. B. hat die Giraffe ebenso viele Halswirbel, nämlich 7, wie der Mensch oder die Maus). Die Körpertemperatur ist gleichmäßig warm, bei den meisten zwischen 35 °C und 40 °C (→Warmblüter). Ein isolierendes Haarkleid, bei einigen fast ganz zurückgebildet, z. B. bei den Walen, oder ein Fettpolster bewahren vor Wärmeverlust. Dadurch sind Säugetiere wie auch die Vögel im Unterschied zu den →Wechselwarmen (Fische, Lurche, Kriechtiere) von der Umgebungstemperatur weitgehend unabhängig und besiedeln alle Zonen der Erde. Einige Arten halten einen →Winterschlaf. Alle Säugetiere atmen durch Lungen; daher muß z. B. ein Wal zum Luftholen immer wieder an die Wasseroberfläche. Augen, Ohren und Nase sind bei Säugetieren wesentlich leistungsfähiger als bei den meisten anderen Tierarten. Besonders bei Nachttieren (Mäusen) oder unterirdisch lebenden Tieren (Maulwurf) sind die Tasthaare am Kopf gut ausgebildet, die das Zurechtfinden in der dunklen Umgebung erleichtern. Auch das Gehirn ist leistungsfähiger. Säugetiere bringen lebende Junge zur Welt und versorgen sie, bis sie selbständig werden. Nur die Kloakentiere legen Eier, die durch Körperwärme ausgebrütet werden. Die geschlüpften Jungen werden mit einem Sekret aus ›Milchdrüsenfeldern‹ aufgezogen (→Ameisenigel, →Schnabeltiere). Die →Beuteltiere bringen ihre Jungen in noch unentwickeltem Zustand zur Welt. Säugetiere haben sich stammesgeschichtlich aus säugetierähnlichen, längst ausgestorbenen Kriechtieren entwickelt.

Saul regierte als erster König von Israel um das Jahr 1000 v. Chr. Über sein Leben berichtet das Alte Testament. Demnach bestimmte ihn das Volk zum Anführer, um das Land von der Herrschaft der Philister zu befreien. Seine Feldzüge verliefen zunächst erfolgreich, bis ihn schließlich das Kriegsglück verließ und er sich nach einer verlorenen Schlacht das Leben nahm. Seine letzten Jahre waren geprägt von Schwermut und Verfolgungswahn, der sich besonders auf seinen Schwiegersohn und Nachfolger →David bezog.

Säule, eine senkrechte Stütze von kreisrundem Querschnitt (im Unterschied zum rechteckigen Pfeiler). Sie gliedert sich in Fuß (Basis), Schaft, Hals und Kopf (Kapitell). Säulen sind entweder aus einem Stück gearbeitet (Monolith) oder aus mehreren ›Trommeln‹ zusammengesetzt. Der Schaft ist glatt oder mit senkrechten Rillen versehen (kanneliert), auch gemustert oder spiralförmig gewunden (›gedrehte‹ Säule) oder aus mehreren einzelnen Säulen zusammengesetzt (Bündelsäulen). Die Basis besteht aus einer quadratischen Platte (Plinthe) und einem wulstartigen oberen Teil. Von größter Vielfalt sind die Formen des Kapitells. Einzelstehende Säulen dienen als Träger von Standbildern. Die ägyptischen Säulen wurden nach pflanzlichen Vorbildern (Lotos, Papyrus) gestaltet. Das von den Griechen geschaffene Form- und Proportionssystem von Säulen und Gebälk nennt man **Säulenordnung.** Es werden 3 Hauptordnungen unterschieden: die **dorische,** die **ionische** und die **korinthische Säulenordnung.** Im Mittelalter kamen mannigfache neue Formen auf, in der Renaissance griff man auf antike Säulenformen zurück. (BILD Seite 130)

Säure, chemische Verbindung, die beim Lösen in Wasser Wasserstoffionen abspaltet. Die Lösungen schmecken sauer und verändern die Farbe von Indikatorfarbstoffen. Werden die Wasserstoffionen leicht abgespalten, so ist die Säure stark, z. B. die Salz-, Schwefel- und Salpetersäure. Schwächere Säuren sind die im Haushaltsessig enthaltene Essigsäure, die Zitronensäure und die Kohlensäure. Im weiteren Sinn werden als Säuren alle Verbindungen und Ionen bezeichnet, die →Protonen abgeben können.

Saurer Regen, übersäuerter Niederschlag (Schnee oder Regen); er ist angereichert vor allem mit Schwefeldioxid, das bei Verbrennung schwefelhaltiger Brennstoffe (z. B. Kohle, Heizöl, Benzin) in Kraftwerken, Industrieanlagen, Haushalten und Automotoren entsteht. Auch Stickoxide gelangen so in die Luft. Beide verbinden sich mit Wasser zu schwefliger und zu salpetriger

Saudi-Arabien

Staatswappen

Staatsflagge

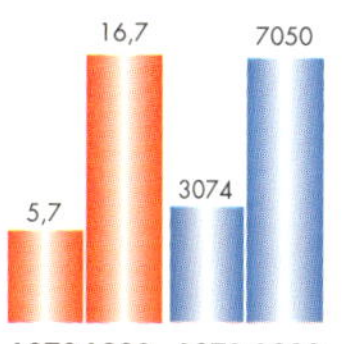

1970 1990 Bevölkerung (in Mill.)
1970 1990 Bruttosozialprodukt je E (in US-$)

Stadt Land
23%
77%

Bevölkerungsverteilung 1990

Industrie
Landwirtschaft
Dienstleistung

Bruttoinlandsprodukt 1990

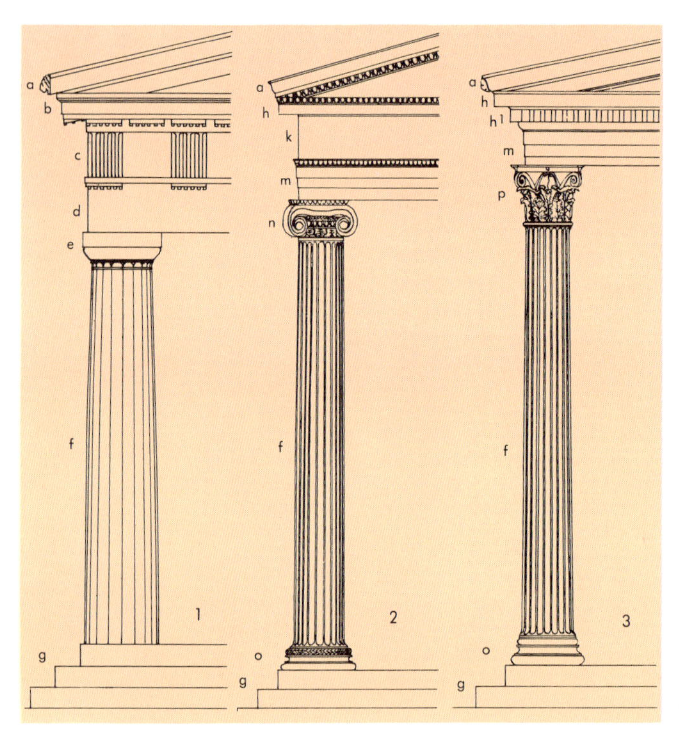

Säule: Säulenordnung: **1** Klassisch-Dorisch: Parthenon in Athen, 447/32 v. Chr.; Säule 10,4 m hoch. **2** Attisch-Ionisch: Nordhalle des Erechtheions in Athen, um 407/06 v. Chr.; Säule 7,64 m hoch. **3** Griechisch-Korinthisch: Rathaus in Milet, um 175 v. Chr.; Säule 6,97 m hoch. a Giebelgesims mit Traufrinne (Sima); b dorisches Geison mit Tropfplatten (Mutuli und Guttae); c dorischer Fries (Triglyphen und Metopen); d dorischer Architrav (Epistyl), oben mit kantigem Gesims (Taenia) und Tropfleisten (Regulae und Guttae); e dorisches Kapitell; f Säulenschaft; g Krepis (Stufenbau; Oberstufe = Stylobat); h ionisches Geison: h[1] Zahnschnitt; k attisch-ionischer Fries; m ionisch-korinthischer Architrav (Epistyl) in drei Schichten (Fascien); n ionisches Kapitell; o attische Basis; p korinthisches Kapitell

Säure, die den Boden und die Gewässer sauer machen und auch unmittelbar die Nadeln und Blätter der Bäume verätzen. Der Saure Regen gilt als Hauptursache des →Waldsterbens und für die beschleunigte Verwitterung von Bauwerken (›Steinfraß‹; →Luftverschmutzung).

Saurier, ausgestorbene, fossile Kriechtiere, die sich vor über 200 Millionen Jahren am Ende des Erdaltertums (→Erdgeschichte) entwickelten und vor etwa 65 Millionen Jahren (in der Oberkreide) ausstarben. Sie waren ursprünglich wechselwarme, später überwiegend warmblütige, ausschließlich durch Lungen atmende Land- und Wassertiere mit nackter, behaarter, befiederter, beschuppter oder mit knöchernen Platten bedeckter Haut. Die überwiegende Zahl der Saurier lebte auf dem Festland (Sumpf bis Wüste). Marine Formen sind die Fischsaurier und die Schlangenhalsechsen. Erstere sind delphinartig, letztere mit schlankem, langem Hals und paddelartigen Flossen versehen. Beide Gruppen sind Fischräuber. Am bemerkenswertesten sind die Flugsaurier mit einer zwischen Körper und stark verlängertem fünftem Finger ausgespannten Flughaut. Das **Pteranodon** hatte dabei eine Flügelspannweite bis zu 15 m. Am bekanntesten sind die **Dinosaurier** mit ihren zum Teil riesigen Vertretern. Bei den auf 4 Beinen stehenden Echsenbecken-Sauriern sind die größten **Brontosaurus** mit 30 m Länge und **Diplodocus** mit über 20 m Länge. Von den meist zweifüßig laufenden Vogelbecken-Sauriern kennen wir vor allem den Raubsaurier **Tyrannosaurus rex.** Ein vierbeinig sich fortbewegender Vertreter dieser Ordnung ist **Triceratops,** ein Horn-Dinosaurier mit einem Nasenhorn und 2 Stirnhörnern. Es gibt einige Theorien über die Ursachen, die zum Aussterben der Saurier führten, z. B. daß extreme Klimaveränderungen, Ernährungsprobleme, atmosphärische Veränderungen, kosmische Strahlung, Meteoriteneinschläge, Mißbildungen der Eier mögliche Ursachen seien. Von den Dinosauriern stammen die Vögel und die heute lebenden Reptilien ab, während die Vorfahren der Säugetiere (auch des Menschen) vermutlich die vor etwa 190 Millionen Jahren ausgestorbenen **Therapsida** sind.

Savanne, Vegetationsgebiet in den wechselfeuchten →Tropen mit geschlossenem Grasbewuchs und einzelnen Sträuchern, Bäumen und Baumgruppen. In der Regenzeit entfaltet sich ein üppiges Pflanzenwachstum, in der Trockenzeit liegt die Landschaft verdorrt und verbrannt da, und die Bäume verlieren ihre Blätter. Nach der Dauer der Trockenmonate unterscheidet man: **Feuchtsavanne,** 2 ½–5 Monate trocken, mit hartem, mehrere Meter hohem Büschel-(Elefanten)-Gras von geringem Futterwert; **Trockensavanne,** 5–7 ½ Monate trocken, mit Schirmakazien und kaktusähnlichen Gewächsen sowie zarten und für die Weide wertvolleren Gräsern; **Dorn-** oder **Dornbuschsavanne,** bis 10 Monate trocken, mit Affenbrotbaum, Dornsträuchern und kniehohen Gräsern. In der Savanne leben unter anderem schnellaufende Tiere wie Antilope, Giraffe, Zebra, Leopard und Löwe.

Save, rechter Nebenfluß der Donau in Slowenien, Kroatien, Bosnien-Herzegowina und Serbien. Der 940 km lange Fluß entsteht durch Vereinigung von Sava Dolinka und Sava Bohinjka, die aus den südlichen Alpen kommen. Die Save durchfließt das kroatische Tiefland und mündet bei Belgrad in die Donau. Auf etwa 580 km ist sie schiffbar. Sie wird zur Gewinnung von Elektrizität genutzt.

Savonarola. Der italienische Mönch **Girolamo Savonarola** (* 1452, † 1498) predigte in Florenz seit 1491 gegen Unglauben und Sittenverfall und prophezeite ein bald über die Stadt hereinbrechendes Strafgericht. Als der Stadtherr Lorenzo de'Medici von den Franzosen vertrieben wurde, sahen Savonarolas Anhänger in diesem den gottgewollten Herrscher, der wieder den demokratischen Stadtstaat errichten könnte. Aber dieser ›Gottesstaat‹, von Savonarola streng religiös und asketisch geleitet, war nur von kurzer Dauer. Auf die rücksichtslose Kritik an Papst Alexander VI., der aus dem Hause Borgia stammte, und an der katholischen Kirche antwortete der Papst mit dem Kirchenbann (Exkommunikation 1497). Der Adel von Florenz nahm Savonarola gefangen, verurteilte ihn als Ketzer und hängte und verbrannte ihn öffentlich.

Savoyen, geschichtliche Landschaft in den französischen Alpen, zwischen Genfer See, Rhône und der Mont-Cenis-Gruppe, heute die beiden Départements Savoie und Haute-Savoie. Im Altertum war die Landschaft von Kelten besiedelt. 121 v. Chr. wurde Savoyen römisch und 443 n. Chr. burgundisch. Nach der Eroberung des Reiches der Burgunder durch die Franken kam Savoyen 532 zum Fränkischen und 1032 zum Deutschen Reich. Die Grafen von Savoyen dehnten im 11. Jahrh. ihren Machtbereich auf die Markgrafschaft Turin aus. 1382 erwarben die Grafen (seit 1416 Herzöge) die Besitzungen des Hauses Anjou in Piemont, das sie zu ihrem Kernland machten. Nach der Besetzung (1536–59) durch Frankreich wurde die Hauptstadt von Chambéry nach Turin verlegt. Hier stellten die Herzöge von Savoyen seit 1720 die Könige von Sardinien, seit 1861 die Könige von Italien. Savoyen wurde 1860 als Preis für die Waffenhilfe Napoleons III. bei der Einigung Italiens an Frankreich abgetreten.

Saxophon, ein nach seinem Erfinder **Antoine-Joseph** (genannt Adolphe) **Sax** aus Brüssel benanntes Holzblasinstrument. Es wird zu dieser Gruppe gezählt, weil es mit einem einfachen → Rohrblatt angeblasen wird, wogegen die Schallröhre aus einer Metallegierung besteht. Die Röhre ist nach unten stark konisch geweitet, die Tonlöcher werden mit einem oboeähnlichen Klappenmechanismus abgedeckt. Zwischen

Saurier: Dinosaurier; Modell eines Triceratops, Mesozoikum

Mundstück und Tonröhre ist ein s-förmiges Rohr eingeschoben. Das Saxophon wird in 8 verschiedenen Größen und Stimmlagen gebaut. Ursprünglich für die Militärmusik geschaffen, ist es heute wegen seiner klanglichen Möglichkeiten besonders im Jazz verbreitet.

Scandium [von Skandinavien], Zeichen **Sc,** → chemische Elemente, ÜBERSICHT.

Schaben, kleine bräunliche Insekten mit lederartigen Deckflügeln und häutigen Unterflügeln; die Weibchen sind oft flügellos. Schaben leben vor allem in feuchtwarmen tropischen Urwaldgebieten. Schädlich werden sie vor allem in Küchen, Vorratsräumen, Bäckereien (**Küchenschabe,** auch **Kakerlak** genannt), einzelne Arten auch in Gewächshäusern sowie durch Übertragung von Krankheits- und Fäulniserregern auf Nahrungsmittel.

Schach [persisch ›König‹], das einzige Brettspiel, das international dem Sport zugeordnet wird. Es ist ein Kombinationsspiel zwischen 2 Spielern. Ausgetragen wird das Spiel auf dem Schachbrett (8 × 8 Felder), gespielt wird mit 16 weißen und 16 schwarzen Schachfiguren. Ziel ist es, den gegnerischen König durch Zusammenwirken aller eigenen Figuren mattzusetzen. Die 16 Figuren eines jeden Spielers gliedern sich in 8 Bauern und 8 Offiziere. Alle Offiziere dürfen im Verlauf des Spiels schlagen wie sie gehen, das heißt, die in der Bahn stehende gegnerische Figur wird entfernt und die eigene an deren Stelle gesetzt. Die Offiziere sind: 2 Türme (ziehen senkrecht oder waagerecht in der Reihe, in der sie stehen), 2 Springer (ziehen 2 Felder vor und 1 Feld zur Seite oder 1 Feld vor und 2 Felder zur Seite), 2 Läufer (ziehen in der Diagonale des Feldes, auf dem sie stehen), Dame (zieht nach allen Richtungen), König (zieht jeweils zum nächsten Feld). Bauern ziehen jeweils ein Feld senkrecht vor; vom Startfeld aus können sie auch 2 Felder vor-

Saxophon: Altsaxophon

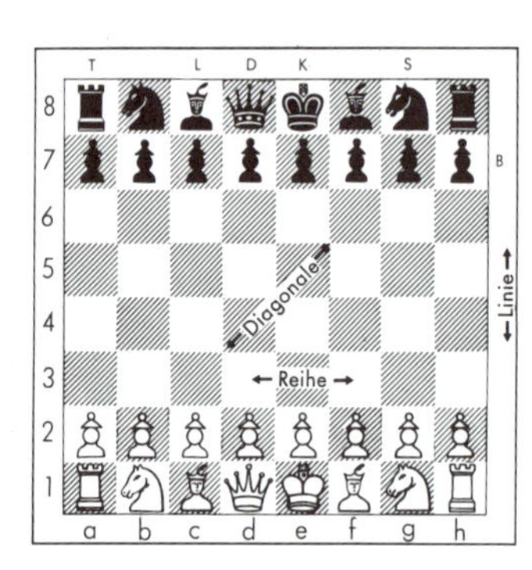

Schach: Aufstellung der Schachfiguren zu Beginn der Partie; B = Bauer, D = Dame, K = König, L = Läufer, S = Springer, T = Turm

rücken; sie dürfen aber nur seitlich nach vorn schlagen. Ein Bauer, der die gegnerische Grundlinie erreicht, wird in einen Offizier nach Wahl umgewandelt. Der König ist dann mattgesetzt, wenn er durch eine gegnerische Figur direkt bedroht ist und alle übrigen Felder, die er erreichen kann, von gegnerischen Figuren beherrscht werden. Kann ein König nicht ziehen, ohne sich einer Bedrohung durch gegnerische Figuren auszusetzen, so ist das Spiel Patt und wird als remis gewertet. Remis endet ein Spiel, wenn es keinem der beiden Spieler gelingt, den gegnerischen König matt zu setzen.

Schachtelhalm: Ackerschachtelhalm

Schachcomputer [-kompjuhter], elektronische Spielgeräte als maschinelle Gegner und Trainingsgeräte für Schachspieler. Das Programm eines Schachcomputers umfaßt die Spielregeln und die Zugmöglichkeiten der Schachfiguren. Nach jedem Zug seines Gegenspielers ermittelt der Schachcomputer aus der Stellung der Figuren nach seinen Möglichkeiten den jeweils günstigsten Zug.

Schachtelhalm, krautige oder in vorgeschichtlicher Zeit baumförmige Pflanze aus der Familie der Farngewächse. Die heutigen Arten wachsen in überwiegend gemäßigten und kälteren Zonen; einige tropische und subtropische südamerikanische Arten werden 6 bis 12 m hoch. Der Sproß (Schaft) der Schachtelhalme ist hohl und deutlich durch Knoten in einzelne Abschnitte gegliedert. Zieht man an einem solchen Abschnitt, so löst er sich aus dem darunter liegenden Knoten und hinterläßt einen schachtelartigen Hohlraum. Die Blätter sind nur als Schuppen ausgebildet.

Am bekanntesten ist der **Ackerschachtelhalm,** der wegen seines Gehalts an Kieselsäure früher

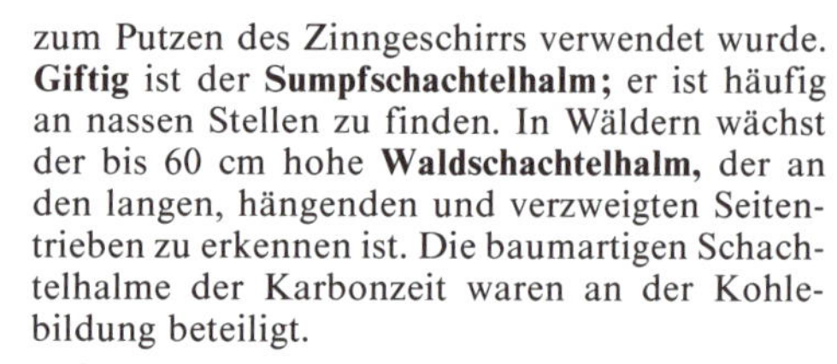
zum Putzen des Zinngeschirrs verwendet wurde. **Giftig** ist der **Sumpfschachtelhalm;** er ist häufig an nassen Stellen zu finden. In Wäldern wächst der bis 60 cm hohe **Waldschachtelhalm,** der an den langen, hängenden und verzweigten Seitentrieben zu erkennen ist. Die baumartigen Schachtelhalme der Karbonzeit waren an der Kohlebildung beteiligt.

Schädel, Knochengerüst des →Kopfes.

Schädelbruch, Knochenbruch im Bereich des Gehirnschädels (als Bruch des Schädeldachs oder der Schädelbasis). Im weiteren Sinn gehören auch die Brüche des Gesichtsschädels, z. B. Nasenbein- oder Kieferbrüche, dazu. Solche Brüche entstehen durch äußere Gewalteinwirkung (Schlag, Sturz). Für einen **Schädelbasisbruch** sind oft Blutungen aus Nase, Mund oder Ohren oder ein Bluterguß um das Auge kennzeichnend. Die Schwere des Krankheitsbildes hängt davon ab, ob das Gehirn mitverletzt ist. Immer besteht die Gefahr, daß lebenswichtige Gehirnzentren und Nervenbahnen geschädigt werden.

Schädlinge, Tiere und Pflanzen, die nach dem Werturteil des Menschen ihm selbst, den Nutzpflanzen und Nutztieren sowie der Natur allgemein Schaden zufügen können, wenn sie in Massen auftreten. Gerade dafür ist aber oft der Eingriff des Menschen in das natürliche Gleichgewicht verantwortlich. **Pflanzliche Schädlinge** sind fast immer Pilze (z. B. der Mehltau bei Rosen). Aber auch Unkräuter (besser ›Wildkräuter‹), deren biologische Bedeutung in einer Lebensgemeinschaft von Tieren und Pflanzen man erst in den letzten Jahren erkannt hat, werden oft zu den pflanzlichen Schädlingen gezählt. **Tierische Schädlinge** sind oft Wirbellose, vor allem Insekten; jedoch stehen jeweils 100 schädlichen Insektenarten etwa 100 000 nützliche gegenüber. Zu den Schädlingen gehören blutsaugende Parasiten (Läuse, Flöhe, Wanzen, Zecken), Insekten, die Schäden an Kleidungsstücken und Nahrungsmitteln anrichten (Motten, Schaben, Mehlwürmer), Tiere, die Krankheiten übertragen können (Fliegen, Mücken). Auch Ratten und Mäuse zählen zu den Haus- und Vorratsschädlingen. Eine weitere Gruppe von Schädlingen bilden die Bakterien und Viren. (→Schädlingsbekämpfung)

Schädlingsbekämpfung. Mittel oder Methoden, durch die →Schädlinge bekämpft werden. Die **chemische Schädlingsbekämpfung** arbeitet mit Giften, die Unkräuter, Insekten, Würmer, Pilze, Bakterien abtöten. Ihr Nachteil ist, daß sie nützlichen Insekten (z. B. Honigbiene) und auch

Wörter, die man unter Sch vermißt, suche man unter Sh

dem Menschen schaden können. Die **physikalische Schädlingsbekämpfung** verwendet z. B. Schreckschußanlagen und Netze gegen Vögel oder Hitze zum Abtöten von Bakterien. Bei der **biologischen** Schädlingsbekämpfung nutzt man z. B. das Wissen über Fraßfeinde des Schädlings. So wurde 1872 erstmals in Kalifornien der Marienkäfer als **natürlicher Fraßfeind** zur Bekämpfung von Schild- und Blattläusen eingesetzt. Bei manchen Insekten (z. B. Borkenkäfer) werden die Sexuallockstoffe der Weibchen in Gift- oder Klebfallen **(Pheromonfallen)** freigesetzt, in denen die angelockten Männchen sterben. Die biologische Schädlingsbekämpfung hat vor allem die beiden Vorteile, daß außer dem bekämpften Schädling kein anderes Lebewesen geschädigt wird und es außerdem nicht zur völligen Ausrottung einer Art kommt.

Schafe, genügsame → Huftiere mit wolligem, zottigem Fell, die gewandt klettern und gut springen können. Wildschafe sind im allgemeinen Gebirgstiere; sie finden auch in Gegenden mit spärlichem Pflanzenbewuchs ausreichend Nahrung. Die kleinste Wildschafart ist der **Mufflon.** Die ursprünglich in SW-Asien beheimateten Mufflons sind in steinigen Bergwäldern nur noch auf den Inseln Sardinien, Korsika und Zypern heimisch. Mufflons wurden aber z. B. im Harz und Taunus angesiedelt. Das Mufflon gilt als Vorfahre aller kurzschwänzigen Landschafe.

Das männliche Schaf, der Widder oder Bock, trägt kräftige, gewundene Hörner. Kastrierte Böcke (→ Kastration) werden als ›Hammel‹ bezeichnet. Die Weibchen sind kleiner und haben kürzere, säbelförmige Hörner, die auch ganz fehlen können. Schafe haben eine Tragzeit von 5 Monaten, nach der 1–2 Lämmer geboren werden. Sie können etwa 12 Jahre alt werden, in Ausnahmen bis zu 16 Jahre. – Das vom Wildschaf abstammende **Hausschaf** ist das wohl älteste Haustier des Menschen; es wurde bereits 9000 v. Chr. in Kurdistan (Vorderasien) gehalten. Das Schaf liefert Fleisch, Fett, Milch (Käse) und wird zweimal im Jahr geschoren, um → Wolle zu gewinnen. Manche Schafe haben wertvolle Felle; der kostbare Persianerpelz stammt von den 1–3 Tage alten Lämmern des in Usbekistan heimischen **Karakulschafs.** Eine bekannte Schafrasse sind die **Heidschnucken** der Lüneburger Heide. Durch die Abnahme des Heidelandes ist ihr Bestand erheblich zurückgegangen. Schafe sind Rudeltiere und werden meist in Herden gehalten.

Schäferhund, eine Rasse der → Hunde.

Schaffhausen, Stadt und Kanton in der Nordschweiz. Der Kanton mit überwiegend deutschsprachigen und protestantischen Einwohnern liegt am Rheinufer (Rheinfall) zwischen Schwarzwald, Schwäbischer Alb und Schweizer Mittelland. Die Landwirtschaft spielt nur im Westen eine Rolle. Die Stadt Schaffhausen ist das Zentrum der Metallindustrie; wichtig sind auch Uhren- und Schuhindustrie. Der Ort Stein am Rhein besitzt eine schöne Altstadt mit bunt bemalten Bürgerhäusern. – Seit 1501 ist Schaffhausen Mitglied der Eidgenossenschaft.

Schaffhausen
Kanton
Fläche: 298 km²
Einwohner: 71 700
Stadt
Einwohner: 34 000

Schaffhausen
Kantonswappen

Schafkälte, in Mitteleuropa häufig Mitte Juni, zur Zeit der Schafschur, auftretende kalte Witterung. Meist handelt es sich um Kaltluft, die aus Nordwesten vordringt; sie bringt unbeständiges,

Schafe:
1 Heidschnucke,
2 Ostfriesisches Milchschaf,
3 Karakulschaf mit Lamm,
4 Mufflon,
5 Kamerunschaf

1

2

3

4

5

regnerisches Wetter, das den frisch geschorenen Schafen schaden kann.

Schah, im Persischen Bezeichnung für den Herrscher. **Schahinschah** (deutsch ›Schah der Schahs‹) ist der Titel des früheren Kaisers von Persien (Iran).

Schakale: Schabrackenschakal

Schakale, etwa fuchsgroße Wildhunde, die einzeln oder in kleinen Gruppen meist in der Dunkelheit Vögel, Hasen, Eidechsen und Insekten jagen, aber auch Aas und Früchte fressen. Charakteristisch ist ihr klagendes Heulen. Sie leben in Südosteuropa, Afrika und Südasien.

Schall. Jedesmal, wenn z. B. ein Motor angelassen, eine Tür zugeschlagen oder in eine Flöte geblasen wird, hat man eine als Schall bezeichnete Wahrnehmung. Den Schall, der durch schwingende Körper, die **Schallquellen,** entsteht, kann man hören, wenn die Körper mit einer →Frequenz zwischen 16 Hz (Hertz) und 20000 Hz schwingen **(Hörschall).** Ist die Frequenz des Schalls kleiner als 16 Hz, so bezeichnet man ihn als **Infraschall,** ist seine Frequenz höher als 20000 Hz, als →Ultraschall.

Schall breitet sich in Luft und in Wasser, in Stahl, aber auch in anderen Gasen, Flüssigkeiten und Festkörpern, nicht aber im Vakuum aus. Alle diese Stoffe bestehen aus kleinsten Teilchen (→Atomen oder →Molekülen). Von der Schallquelle werden die ihr benachbarten Teilchen in kleine Hin- und Herbewegungen versetzt. Diese Anregung überträgt sich auf die umliegenden Teilchen. Es entstehen Verdichtungen und Verdünnungen, die sich in dem Stoff fortpflanzen (**Schallwelle,** →Welle). Die Schallausbreitung ist also nicht mit einem Transport der Teilchen des Stoffes verknüpft, sondern der Schall wird allein durch die Welle übertragen. In jedem Medium hat der Schall eine bestimmte, für den Stoff charakteristische Ausbreitungsgeschwindigkeit. In Luft beträgt die Schallgeschwindigkeit etwa 340 m/s (bei 20 °C), in Wasser etwa 1 500 m/s und in Stahl etwa 5 000 m/s.

Man kann Schall ähnlich wie Licht reflektieren (→Echolot), man kann mit Schall abbilden (Ultraschallaufnahmen von Embryos im Mutterleib), man kann Schallwellen überlagern und die unterschiedlichsten Tonhöhen und Klangfarben erzeugen (Musikinstrumente). Schall kann auf →Schallplatten aufgezeichnet werden, indem die Schallschwingungen als Tonspur auf eine Kunststoffplatte übertragen werden. Man kann Schall auch auf ein Tonband aufnehmen. Hierbei wird ein durchlaufendes Band den Schwingungen entsprechend verschieden stark magnetisiert.

Schallmauer, bildhafte Bezeichnung für die Tatsache, daß der Luftwiderstand von Flugzeugen bei Annäherung ihrer Fluggeschwindigkeit an die Schallgeschwindigkeit (das sind etwa 340 m/s, →Schall) stark zunimmt. Beim Überschreiten der Schallgeschwindigkeit treten sich fortlaufend wiederholende Luftdruckerhöhungen auf, die am Erdboden als Knall wahrgenommen werden. Man spricht dann vom Durchbrechen der Schallmauer. (BILD Seite 134)

Schallplatte, runde Scheibe, die als Träger für Schallaufzeichnungen (Musik, Sprache, Geräusche) dient. Sie wird auf einem →Plattenspieler abgespielt. Bei der Herstellung von Schallplatten beginnt man damit, die Darbietung im Studio auf ein Magnettonband aufzunehmen. Diese Aufzeichnung wird dann vom Bandgerät mit einem Schneidstichel auf eine sich gleichmäßig drehende Lackfolie (Metallplatte mit Kunststoffschicht) überspielt. Vereinzelt wird auch der Direktschnitt unter Umgehung des Bandes angewandt. Die Wände der Rille sind beidseitig unter einem Winkel von etwa 45° gegen die Oberfläche

Schallmauer: Lärmteppich eines Überschallflugzeugs

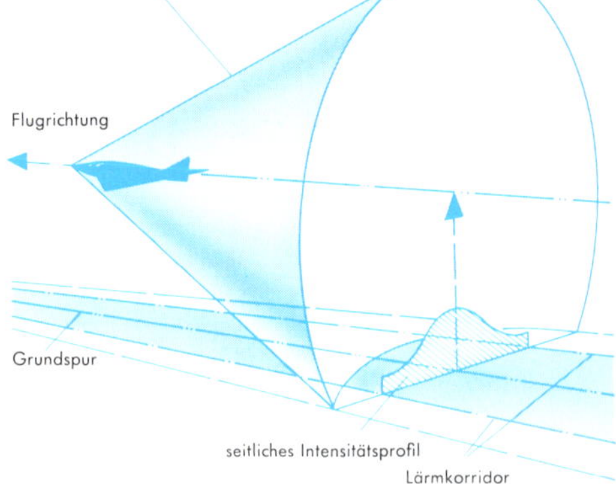

geneigt. Von der Lackfolie gewinnt man in einem Nickelbad als Metallabdruck die erste Matrize mit erhabenen Konturen. Sie dient zur Herstellung einer oder mehrerer Matrizen mit Rille, von denen die eigentlichen Preßmatrizen wieder mit erhabenen Konturen gewonnen werden. Die Preßmatrizen werden auf beide Seiten in die Kunststoffmasse unter Erhitzen mit Wasserdampf eingepreßt. Als Material diente früher Schellack, heute verwendet man Kunststoff auf Vinylgrundlage mit schwarzen Farbstoffen, Füllstoffen und Weichmachern.

Single-Schallplatten haben einen Durchmesser von 17,5 cm und werden mit 45 Umdrehungen pro Minute (U/min) abgespielt. Langspielplatten mit 30 cm Durchmesser werden überwiegend mit 33⅓ U/min abgespielt. Jede Plattenseite besitzt **eine Rille,** die von außen nach innen spiralförmig verläuft. Die Länge der bespielten Rille beträgt bei einer Langspielplatte etwa 540 m, wenn man die Laufzeit einer Plattenseite mit 25 min bei 33⅓ U/min annimmt.

Mono-Schallplatten enthalten die Schallaufzeichnung meist in **Seitenschrift,** nur für besondere Zwecke wie Studioaufnahmen wird **Tiefenschrift** verwendet. Stereo-Schallplatten sind für Zwei-Kanal-Stereophonie (→Stereophonie) mit einer Zweikomponentenschrift versehen, die eine Kombination von Seiten- und Tiefenschrift darstellt. Die eine Komponente der Schrift enthält die Linksanteile, die andere die Rechtsanteile des aufgezeichneten Schalls, wobei die linke Rillenflanke Informationen des linken Kanals und die rechte Flanke Informationen des rechten Kanals erhält. Beim Abspielen erfährt die Abtastnadel Auslenkungen, die sich aus den resultierenden Komponenten beider Kanäle zusammensetzen. Stereoaufnahmen dieses Systems können auch auf einem Mono-Plattenspieler wiedergegeben werden.

Eine völlig andere Methode der Aufzeichnung und Abtastung wird bei der →Compact Disc angewandt, die alle Informationen in digital verschlüsselter Form enthält.

Schalmei [zu griechisch kalamos ›Halm‹, ›Rohr‹], Holzblasinstrument, das seit dem 15. Jahrh. in Europa als Hirteninstrument bekannt ist. Die hölzerne Schallröhre hatte 6–7 Grifflöcher und wurde durch einen in den Mund genommenen, plattgedrückten Grashalm angeblasen. Wegen dieses →Rohrblatts ist die Schalmei ein Vorläufer der →Oboe und der →Klarinette. Ähnliche Instrumente gab es als **Aulos** bei den Griechen, **Tibia** bei den Römern, aber auch schon in früherer Zeit in Ägypten und Asien.

Schalter, elektromechanisches Gerät zum Verbinden oder Trennen von Stromkreisen. Beim Einschalten oder Schließen werden für jeden über den Schalter geführten Stromweg 2 Kontaktstücke in Berührung gebracht, beim Ausschalten oder Öffnen werden diese wieder voneinander getrennt. Es gibt sehr viele verschiedene Bauformen, die sich nach Art und Weise der Betätigung, nach Aufgabe und Einsatzgebiet sowie nach Höhe von Strom und Spannung unterscheiden. **Rastschalter** verbleiben in der jeweiligen Schaltstellung, bis sie erneut betätigt werden, z. B. **Dreh-** oder **Kippschalter. Tastschalter** (Taster) kehren selbsttätig in ihre Ausgangslage zurück, wenn die Betätigungskraft nicht mehr einwirkt, z. B. Klingelschalter. **Bimetallschalter** bestehen aus 2 zusammengewalzten Metallstreifen, die sich bei Erwärmung in ihrer Länge unterschiedlich ausdehnen. Durch die Krümmung des Bimetallstreifens werden die Schaltkontakte geöffnet oder geschlossen. Man findet derartige Schalter z. B. bei Bügeleisen, Heißwasserbereitern und Kühlschränken. Um über weite Entfernungen hinweg zentral mehrere Stromkreise zu schalten (Fernsteuerung), verwendet man elektrische →Relais als Schalter.

Schaltjahr, →Jahr.

Schamane, religiöser Mittler zwischen Mensch und Jenseits bei den Völkern Nord- und Zentralasiens, in Nord- und Südamerika, aber auch in Ozeanien, Indien, Indonesien und Australien. Aufgabe des Schamanen ist es, Kranke zu heilen und mit Geistern und den Seelen Verstorbener Verbindung aufzunehmen. Dazu versetzt er sich durch lang andauernden Tanz und Gesang oder durch Einnahme von Drogen in einen rauschartigen Zustand und teilt dann seinen Zuhörern seine Erlebnisse und Voraussagen, oft in fremder oder unverständlicher Sprache, mit.

Schanghai, 7,33 Millionen, mit Vororten 13,34 Millionen Einwohner, größte Industrie- und Hafenstadt in der Volksrepublik China nahe der Mündung des Jangtsekiang ins Ostchinesische Meer. Seit dem 12. Jahrh. ist Schanghai ein Hafen- und Handelsplatz, der seine internationale Bedeutung erst 1842 mit der Öffnung für den ausländischen Handel bekam. In der Folgezeit entwickelte sich Schanghai zu einer Weltstadt, in der sich viele ausländische Firmen niederließen; davon zeugt noch der europäisch-amerikanische Baustil.

Schäre, kleine, über den Meeresspiegel aufragende Felsinsel, die von einem Gletscher abgeschliffen wurde. Schären gibt es zu Tausenden an

Bewegungsrichtung des Schneidstichels

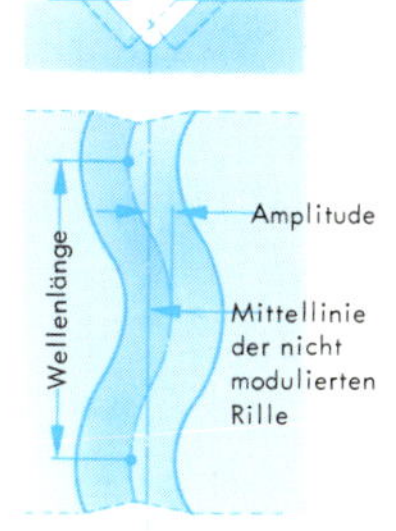

Schallplatte: Seitenschriftrille

Bewegungsrichtung des Schneidstichels

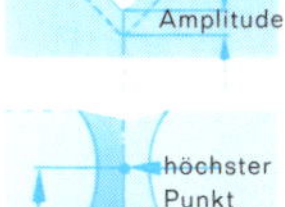

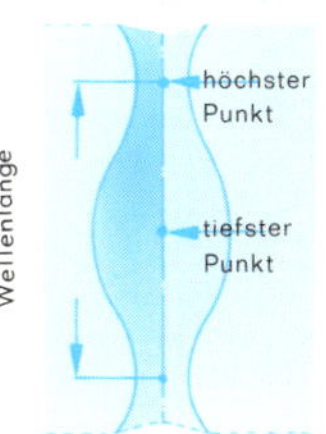

Schallplatte: Tiefenschriftrille

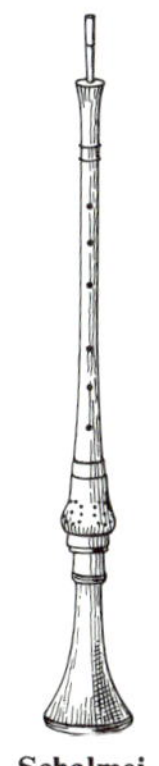

Schalmei

der norwegischen, schwedischen, und finnischen Küste **(Schärenküste).** BILD Küste

Schärfentiefe, Tiefenschärfe, Optik: der Entfernungsbereich vor und hinter dem Aufnahmegegenstand, der sich mit dem Linsensystem des Photoapparats noch genügend scharf abbilden läßt. Die Schärfentiefe hängt von der Wahl des →Objektivs ab; ein Weitwinkelobjektiv hat einen großen Schärfentiefebereich, ein Teleobjektiv hingegen nur einen geringen. Außerdem läßt sich die erreichbare Schärfentiefe durch die Einstellung der Blende beeinflussen. Ein weit geöffnetes Objektiv hat nur einen kleinen Bereich, in dem es scharf abbildet. Je weiter das Objektiv abgeblendet wird, je kleiner also die Blendenöffnung des Objektivs ist, desto größer wird die Schärfentiefe. Wie weit dieser Bereich geht, läßt sich auf der Schärfentiefeskala am Objektiv ablesen.

Scharlach [zu persisch säkirlat ›rote Farbe‹], fieberhafte, mit Hautausschlag einhergehende →ansteckende Krankheit, die vorwiegend im Kindesalter auftritt und durch bestimmte Bakterien (Streptokokken) hervorgerufen wird. Sie wird von Mensch zu Mensch durch Tröpfchen oder Kontakt übertragen. Nach einer →Inkubationszeit von 2–7 Tagen beginnt die Erkrankung plötzlich mit hohem Fieber, Kopfschmerzen, häufig Erbrechen und Halsschmerzen mit einer Mandelentzündung. Etwa am zweiten Krankheitstag zeigt sich ein Hautausschlag in Form von kleinen, dichtstehenden roten Pünktchen, meist am ganzen Körper, wobei die Umgebung des Mundes von der Rötung frei bleibt. Typisch bei dieser Erkrankung ist die hochrote Zunge (›Himbeerzunge‹). Nach 3–4 Tagen sinkt das Fieber allmählich, der Ausschlag blaßt ab, und nach 2 Wochen kommt es zur Abschuppung der Haut, besonders an den Handflächen und Fußsohlen. Es besteht die Gefahr, daß nach einer krankheitsfreien Zeit die Erkrankung erneut aufflackert oder sich Komplikationen in Form von Mittelohr-, Nierenentzündung oder rheumatischem Fieber einstellen.

Scharnhorst. Der preußische General **Gerhard von Scharnhorst** (* 1755, † 1813) hat sich durch seine Heeresreformen im Zusammenhang mit den Reformen des Freiherrn vom →Stein einen Namen gemacht. Er ist der Begründer der 1813 eingeführten allgemeinen Wehrpflicht. Bereits 1809 und 1811 empfahl er die Erhebung Preußens gegen Napoleon. 1813 leitete er dann die Vorbereitungen für die →Freiheitskriege. Als Generalstabschef von Feldmarschall →Blücher wurde Scharnhorst bei Großgörschen schwer verletzt und starb bald darauf.

Scharnier, Gelenk aus 2 Metallplatten, die jeweils an einem Ende zu einer Öse eingerollt sind. Die eine Platte wird z. B. an einem Türrahmen, die andere an der dazugehörigen Tür befestigt. Durch einen Stift, der durch die beiden Ösen gesteckt wird, werden die beiden Scharnierhälften drehbar verbunden.

Als **Scharniergelenk** bezeichnet man eine Form des Gelenks bei Mensch und Tier, das wie ein Türscharnier um eine Achse bewegt werden kann. (→Gelenk)

Schatt el-Arab, der vereinigte Unterlauf von Euphrat und Tigris. Er mündet bei Fao in den Persischen Golf. Am Unterlauf liegen die Häfen Basra (Irak) sowie Chorramschahr und Abadan (Iran). Der Streit zwischen Irak und Iran über den Verlauf ihrer gemeinsamen Grenze im Gebiet des Schatt el-Arab löste 1980 einen Krieg zwischen beiden Ländern aus. 1990 erkannte Irak den 1975 vereinbarten Grenzverlauf in der Flußmitte an.

Schaumstoffe, künstlich hergestellte Werkstoffe mit zelliger Struktur und geringer Dichte. Die Ausgangsbasis für Schaumstoffe können Kunststoffe **(Schaumkunststoffe),** Kautschuk **(Schaumgummi),** aber auch anorganische Stoffe (z. B. Gasbeton oder **Schaumglas**) sein.

Zur Herstellung von Schaumkunststoffen werden z. B. geschmolzene organische Kunststoffe mit Gasen oder Treibmitteln verschäumt. Der Schaumzustand wird anschließend durch Abkühlung oder Vernetzung der organischen Moleküle fixiert. Zum Ausschäumen von Hohlräumen oder Beschichten von Flächen werden die Bestandteile in Gießmaschinen oder Spritzpistolen verarbeitet. Schaumgummi hat als Grundlage Emulsionen von Natur- und Synthesekautschuk. Schaumstoffe finden breite Anwendung zur Wärme- oder Kältedämmung, für stoßfeste Verpackungen, für Transportbehälter und Möbel sowie für Matratzen, Polster und Schwämme.

Schauspiel, im weitesten Sinn das →Drama, in eingeschränkterer Wortbedeutung ein Theaterstück, das im Unterschied zu Oper, Singspiel und Musical auf dem gesprochenen Wort aufgebaut ist. Das Schauspiel unterscheidet sich von der Tragödie durch den glücklichen Ausgang, von der Komödie durch den Ernst von Thema und Stimmung, wie es beispielsweise in Schillers Schauspiel ›Wilhelm Tell‹ und Lessings ›Nathan der Weise‹ der Fall ist.

Scheck, schriftliche Anweisung eines Kontoinhabers auf einem besonderen Scheckformular an seine Bank, dem Überbringer einen bestimmten Geldbetrag in bar auszuzahlen **(Barscheck)** oder auf dessen Konto gutzuschreiben **(Verrechnungsscheck).**

Als Besonderheit muß beim **Eurocheque** (Euroscheck, EC-Scheck) auf der Rückseite die Scheckkartennummer eingetragen werden. Die Eurocheque-Karte ist ein Ausweis mit Namen, Kontonummer und Unterschrift des Kontoinhabers. Beim Eurocheque garantiert das Kreditinstitut dem Empfänger, daß alle ausgestellten Schecks bis zu einem Betrag von 400 DM eingelöst werden. Normalerweise werden Schecks nur dann von einer Bank angenommen, wenn das Girokonto des Ausstellers ein ausreichend hohes Guthaben aufweist (der Scheck ist ›gedeckt‹).

Eurocheques kann man wie Bargeld verwenden und damit z. B. Rechnungen in den meisten europäischen sowie einigen afrikanischen und asiatischen Ländern, auch in deren Landeswährung, begleichen.

Reiseschecks sind Schecks oder scheckähnliche Urkunden im internationalen Reiseverkehr, die meist auf runde Beträge, z. B. 50, 100, 200 US-Dollar, lauten. Sie können bei Banken im In- und Ausland eingelöst werden. In manchen Hotels kann man damit auch direkt seine Rechnung bezahlen.

Schecks sind im allgemeinen sicherer als Bargeld. Verliert man Schecks oder die Scheckkarte, muß man seine Bank benachrichtigen; die Schecks werden dann ›gesperrt‹, der Betrag wird nicht mehr ausgezahlt.

Schecke, ein → Pferd, bei dem das Fell weißgefleckt ist.

Scheich [arabisch ›Alter‹], Ehrentitel im Orient. Bei Beduinen ist der Scheich das frei gewählte Oberhaupt einer Gruppe, in Dörfern ist er der Ortsvorsteher. Im religiösen Bereich wird eine führende Persönlichkeit ebenfalls als Scheich bezeichnet.

Scheide, Vagina, Teil der weiblichen → Geschlechtsorgane.

Scheidung, → Ehescheidung.

Scheitelpunkt, der → Zenit.

Scheitelwert, Physik: die → Amplitude.

Schelde, Hauptfluß des mittleren Belgien. Der 430 km lange Fluß entspringt in Nordwestfrankreich, durchfließt Belgien, wo er sich mit der Leie vereinigt, und mündet in den Niederlanden in die Nordsee. Von den beiden Mündungsarmen ist die Honte oder **Westerschelde** bis Antwerpen internationale Seeschiffahrtsstraße, die **Oosterschelde** ist durch einen Damm (Deltawerk) von der Nordsee abgetrennt. Die Schelde ist durch die Einmündung des Kanals von Saint-Quentin fast bis zum Ursprung schiffbar.

Schelf, Kontinentalsockel, flacher Saum von Kontinenten und größeren Inseln, der vom Schelfmeer bedeckt ist. Er erstreckt sich seewärts bis etwa 200 m Tiefe, wo der Meeresboden mit einem deutlichen Knick in die Tiefseebecken abfällt. Die Oberflächenformen des Schelfs ähneln denen der benachbarten Küstenlandschaft mit Hügeln und Tälern. Sinkt der Meeresspiegel ab, dann sind die auf dem Schelf liegenden Inseln mit dem Festland verbunden. So wären beim Verschwinden des seichten Schelfmeeres die Britischen Inseln dem europäischen Kontinent angegliedert.

Schellfisch, beliebter Speisefisch (etwa 50–90 cm lang und 10–12 kg schwer), der in Schwärmen vor allem den nördlichen Atlantischen Ozean bewohnt. Er hält sich meist in größerer Tiefe auf, wo er seine Nahrung (Krabben, Seeigel, Muscheln, kleine Fische und Fischlaich) findet. Charakteristisch sind ein großer schwarzer Fleck über der Brustflosse und ein sehr kurzer Bartfaden unter dem Kinn. (BILD Fische)

Schenk von Stauffenberg. Oberst **Claus Schenk Graf von Stauffenberg** (* 1907, † 1944), seit dem 1. Juli 1944 Stabschef des Befehlshabers des Ersatzheeres, arbeitete seit 1943 einen Aufstands- und Attentatsplan gegen Adolf Hitler aus. Nachdem dieser Plan jedoch am 20. Juli 1944 gescheitert war (→ Widerstandsbewegung), wurde Schenk von Stauffenberg am gleichen Tag verhaftet, von einem ›Standgericht‹ zum Tod verurteilt und erschossen.

Scherbengericht, eine vermutlich von dem athenischen Staatsmann Kleisthenes eingeführte Maßnahme zur Stärkung der Demokratie, zum erstenmal 487 v. Chr. angewendet. Die Bürger konnten jährlich über die Verbannung eines Politikers, der ihnen zu mächtig erschien, entscheiden, indem sie seinen Namen auf Tonscherben schrieben.

Scherzo [skerzo, italienisch ›Scherz‹], schnelles, heiter-lebhaftes Musikstück, das häufig anstelle eines Menuetts als dritter Satz einer Sonate, Suite, Sinfonie usw. vorkommt.

Schiedsgericht. Im privatrechtlichen Bereich können die Beteiligten vereinbaren, ihren Streitfall durch ein privates Schiedsgericht anstelle eines staatlichen Gerichts entscheiden zu lassen. Auf diese Möglichkeit greifen häufig Kaufleute zurück, die an einer schnellen Streitentscheidung interessiert sind. Richter eines Schiedsgerichts kann jedermann sein. Er muß aber fair und unparteiisch handeln und den Sachverhalt sorgfältig prüfen. Der Schiedsspruch wirkt wie ein gerichtliches Urteil. Der friedlichen Streitschlichtung zwischen Staaten dient der **Ständige Schiedshof** in Den Haag (Niederlande).

schiefe Ebene, genauer **geneigte Ebene,** Mechanik: eine Ebene, die um den Winkel α **(Neigungswinkel)** gegen die Horizontale geneigt ist (BILD). Die geneigte Ebene ist eine einfache Maschine zum Heben schwerer Lasten und gestattet es (bei gegenüber dem senkrechten Hub unveränderter →Arbeit), Kraft zu sparen. Zum Beispiel rollt ein Bierkutscher schwere Bierfässer über eine als geneigte Ebene benutzte Leiter. Um einen Personenwagen auf einen Güterwagen zu laden, hebt man ihn nicht senkrecht hoch und muß dabei seine Gewichtskraft F_G überwinden, sondern man fährt ihn auf einer Schrägauffahrt bis auf die Höhe der Ladefläche. Die Schrägauffahrt ist eine geneigte Ebene. Längs ihrer Richtung wirkt nur die Kraft F_H, die man als Hangabtrieb bezeichnet. Sie ist immer nur ein Bruchteil der Gewichtskraft F_G. Dieser Bruchteil F_H/F_G ist gleich der Neigung h/l der geneigten Ebene, $F_H/F_G = h/l$, das heißt, je flacher eine geneigte Ebene ist, desto mehr spart man an Kraft. Gebirgsstraßen werden daher oft in langen Windungen (Serpentinen) die Höhe hinauf geführt. Der Weg zum höchsten Punkt ist dann zwar länger, aber man spart viel Kraft. Dagegen ist die Arbeit, die man verrichten muß, um auf verschieden langen Wegen zum Gipfel zu kommen, stets die gleiche. Es gilt der Satz von der **Erhaltung der Arbeit,** der von Galileo Galilei wie folgt ausgesprochen wurde: **Was an Kraft gespart wird, muß an Weg zugesetzt werden (Goldene Regel der Mechanik).**

Die **Neigung** N, der Quotient aus dem überbrückten Höhenunterschied h und der Länge l der geneigten Ebene ($N = h/l$), ist von der **Steigung** $S = h/b$ zu unterscheiden (b = Basislänge; BILD). Die im Schwerpunkt eines auf der geneigten Ebene befindlichen Körpers angreifende, vertikal nach unten gerichtete Gewichtskraft $F_G = mg$ (m = Masse des Körpers, g = Fallbeschleunigung) läßt sich zerlegen in die senkrecht zur geneigten Ebene gerichtete **Normalkraft** F_N (die den Körper gegen die geneigte Ebene drückt) und die parallel zur geneigten Ebene gerichtete **Hangabtriebskraft (Hangabtrieb)** F_H (die die Abwärtsbewegung des Körpers verursacht).

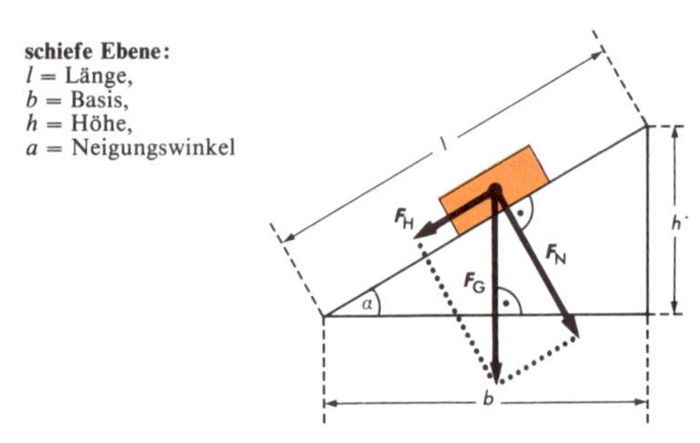

schiefe Ebene:
l = Länge,
b = Basis,
h = Höhe,
a = Neigungswinkel

Schiefer, ursprünglich Bezeichnung für alle Gesteine, die in dünne, ebene Platten brechen, z. B. Schiefertone oder Öl- und Kupferschiefer. Heute versteht man darunter Gesteine, die durch Gebirgsdruck (tektonisch) in dünne Platten zerlegt wurden (z. B. Dachschiefer) oder solche, deren blättrige Minerale, z. B. Glimmer, parallel zur Richtung des Gebirgsdrucks angeordnet wurden oder dem Druck entsprechend ausgerichtet gewachsen sind, z. B. Glimmerschiefer. Manchmal werden Gesteine von mehreren Schieferungsvorgängen betroffen und zerfallen dann, wie die Griffelschiefer, in mehr oder weniger dicke, stabförmige Elemente.

Schielen, Stellungsfehler der Augen, wobei die Augenachsen nicht mehr parallel laufen und die Stellung eines oder beider Augäpfel von der Normalstellung abweicht. Das räumliche Sehen ist dadurch stark beeinträchtigt. Meist handelt es sich um ein Einwärtsschielen, seltener um ein Auswärtsschielen. Neben der selteneren Augenmuskellähmung gibt es verschiedene andere Ursachen, die zum Schielen führen können, z. B. Kurz- oder Weitsichtigkeit, Fehlbildungen des Auges oder Störung des Muskelgleichgewichts. Wegen der Einschränkung des räumlichen Sehens muß man beim Kind frühzeitig mit einer Schielbehandlung beginnen. Das geschieht mit Schielbrillen, mit dem Abdecken des besser sehenden Auges und mit Sehübungen in einer ›Sehschule‹. Manchmal ist eine Schieloperation angezeigt.

Schienbein, einer der beiden Unterschenkelknochen, dessen oberes Ende einen Teil der Gelenkflächen des →Kniegelenkes und dessen unteres Ende einen Teil des Fußgelenkes (→Fuß) bildet. Er ist nach innen gelegen und stärker als das Wadenbein. Seine scharfe Vorderkante liegt direkt unter der Haut. (→Beine)

Schierling, eine 1,5–2,5 m hohe krautartige Pflanze mit weißen Doldenblüten, die zu den **gif-**

tigsten in Deutschland heimischen Pflanzen gehört. Sie wächst an Zäunen und Hecken, in Gärten (›Hundspetersilie‹) und als Sumpfpflanze (Wasserschierling). Vergiftungen, z. B. durch Verwechslung der Blätter mit Petersilie oder der Wurzel mit Sellerie, bewirken zum Gehirn aufsteigende Lähmungen. Der griechische Philosoph Sokrates wurde z. B. zum Tod durch den ›Schierlingsbecher‹ gezwungen. (BILD Gift)

Schießen, Schießsport, Sammelbezeichnung für das Wettkampfschießen mit Waffen auf feste oder bewegliche Ziele. Beim Schießen ist außer dem In-Anschlag-Gehen keine weitere Bewegung des Schützen erforderlich. Die eigentliche Ausübung dieser Sportart konzentriert sich auf das Zielen (Visieren). Bedingt durch die Waffenentwicklung, wechselt das schießsportliche Programm häufig. Heute werden die Wettbewerbe meist mit Kleinkaliber- und mit Luftdruckwaffen ausgetragen. Die Schießdistanzen betragen für Kleinkalibergewehr 50 m, Kleinkaliberpistole 25 m, für Luftgewehr und -pistole 10 m. Über 300 m wird mit dem Großkalibergewehr geschossen. Wurftaubenschießen wird mit dem Schrotgewehr ausgetragen. Daneben gibt es noch Wettbewerbe für Vorderladerwaffen. Diese werden von vorn durch den Lauf geladen. Das Schießen mit der Armbrust und mit dem Bogen schließt das schießsportliche Wettkampfprogramm ab. Einen Teilwettbewerb stellt das Schießen beim Modernen Fünfkampf (Pistole) und beim Biathlon (Kleinkaliber) dar. – Seit 1896 zählt das Schießen zum olympischen Programm.

Schießpulver, Explosivstoff zum Sprengen oder Verfeuern von Geschossen. Schießpulver diente schon im 8./9. Jahrh. in China für Feuerwerkskörper, in Europa wurde es um 1300 bekannt, vor allem das von dem deutschen Mönch Berthold Schwarz erfundene **Schwarzpulver** aus Holzkohle (15 %), Schwefel (10 %) und Kalisalpeter (75 %), das bis in die 2. Hälfte des 19. Jahrh. in Gebrauch war. Heute wird nur noch ein rauchschwaches Schießpulver verwendet.

Schiff, größeres Wasserfahrzeug, das dem Transport von Menschen und Gütern sowie militärischen Zwecken dient. Kleinere Schiffe werden →Boot genannt. Ein Schiff oder Boot hat als schwimmender Körper einen →Auftrieb, der gleich der von ihm verdrängten Wassermenge ist. Wird ein Schiff durch Zuladung schwerer, so taucht es entsprechend tiefer ins Wasser ein. Zur Schwimmfähigkeit eines Schiffes gehört auch eine stabile Schwimmlage; dies ist der Fall, wenn Gewichts- und Auftriebsschwerpunkt senkrecht übereinanderliegen; andernfalls hat das Schiff Schlagseite, oder es kann sogar kentern.

Die linke Schiffsseite heißt **Backbord,** die rechte **Steuerbord.** Vorn befindet sich der **Bug,** hinten das **Heck.** Den inneren Aufbau des Schiffes bildet ein Kastenträger aus Längs- und Querverbänden, die mit einer Außenhaut beplankt sind. Der **Kiel** ist das Rückgrat der Spantkonstruktion und der unterste, in Längsrichtung mitschiffs verlaufende Träger.

Im Schiffbau wird heute vorherrschend Stahl verwendet; Stahlsektionen (Schiffsabschnitte) können in der Werkhalle fertiggestellt werden, bevor sie auf der Helling (dem Schiffsbauplatz) nach dem Baukastensystem zusammengeschweißt werden. Neben Stahl dient auch Leichtmetall als Baumaterial, stark zunehmend faserverstärkter Kunststoff, vor allem für Sportboote, militärische Bei- und Landungsboote. Das früher ausschließlich verwendete Baumaterial Holz ist in der lamellierten Leimbauweise wegen seiner nichtmagnetischen Eigenschaften im Kriegsschiffbau (Minensuch- und -räumboote, Schnellboote) wieder stark verbreitet. Die Komposit-Bauweise bedient sich verschiedener Baustoffe in zweckentsprechender Mischung.

Der **Schiffsantrieb** ist möglich durch Menschen-, Wind- oder Maschinenkraft. Durch Ruder (›Riemen‹) fortbewegte Schiffe gab es schon im Altertum (siehe Abschnitt Geschichtliches), heute sind Riemen auf Sportboote beschränkt (→Rudern). Ähnliches gilt für die von der Kraft des Windes fortbewegten **Segelschiffe,** die als Boote für den Segelsport (→Segeln) diese Tradition fortsetzen. Allerdings gibt es noch einige wenige Segelschulschiffe, an denen sich die Typen früherer hochseetüchtiger Segelschiffe studieren lassen. Der Typ eines Segelschiffes wird durch die Zahl der Masten und die Form und Anordnung der Segel bestimmt. Rahsegel sind quer zu den Masten an Rahen, Schratsegel mit der Vorkante am Mast befestigt. Ein Segelschiff mit voll getakelten Masten heißt Vollschiff. Zu den Schiffen mit Rahsegeln zählen die (Fünf-, Vier- und Dreimast-) Vollschiffe und die Briggen (Zweimast-Vollschiffe). Barken sind Dreimaster, deren hinterer Mast keine Rahen hat. Schoner dagegen haben nur Schratsegel. Es gibt jedoch auch viele Segelschiffe, die eine aus Rah- und Schratsegeln gemischte Takelage haben.

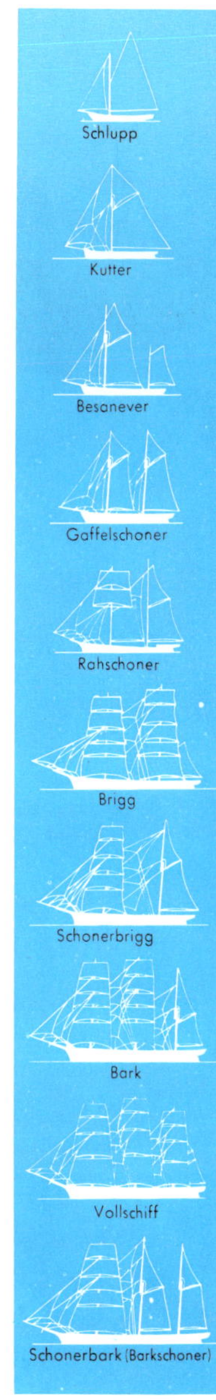

Schiff: Segelschiff

Auch die **Dampfer,** die ersten durch Maschinenkraft angetriebenen Schiffe, sind selten geworden, vor allem die mit Dampfmaschinen ausgerüsteten Raddampfer mit ihren Schaufelrädern am Heck oder an beiden Schiffsseiten. Die

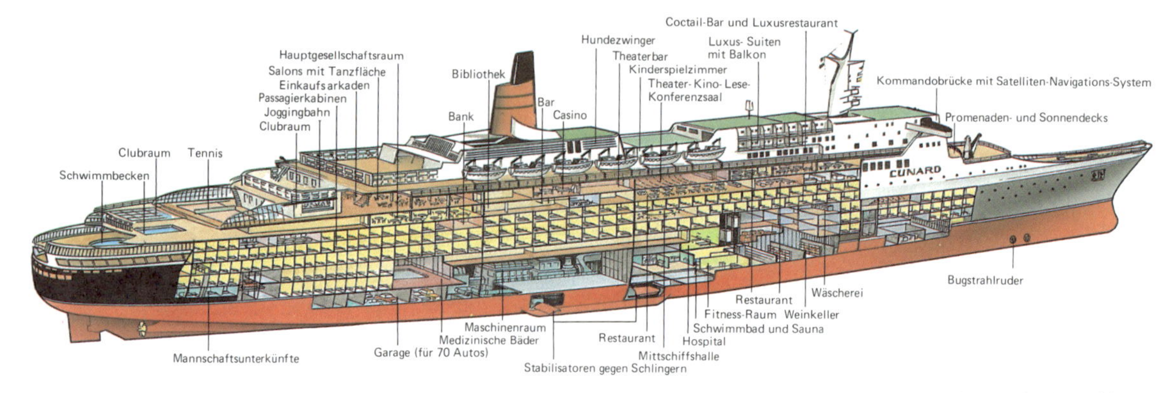

Schiff: Schnitt durch das britische Fahrgastschiff ›Queen Elizabeth‹, Stapellauf 1967, nach Renovierung seit 1984 neben Kreuzfahrten Liniendienst zwischen Europa (Southampton) und den USA. 67 100 BRT, über 300 m Länge, Dampfturbinenantrieb, 28 kn, Besatzung 1 000 Mann, bis zu 1 800 Passagiere

Schaufelräder sind längst durch den → Propeller (Schiffsschraube) abgelöst, die Dampfmaschine durch die Dampfturbine, vor allem aber durch den Dieselmotor, vereinzelt auch durch die Gasturbine. Dampfturbinenantrieb findet sich auf den größten Kriegsschiffen, den Flugzeugträgern, deren Dampferzeuger durch Kernreaktoren beheizt werden. Gasturbinen wurden in schnelle Frachtschiffe eingebaut; die Vorteile des Dieselmotors, Wirtschaftlichkeit und Langlebigkeit, sind aber derzeit unübertreffbar. So spielt das Motorschiff als Binnen-, Küsten- und Seeschiff, als Handels- und als Kriegsschiff eine beherrschende Rolle.

Schiff: Segelschiff;
Takelriß eines Vollschiffs
(**1–6** Masten und Rahen mit gleichnamigen Segeln):

Ziffer	Fockmast	Großmast	Kreuz-(Besan)Mast	Bezeichnung
1	Fock-	Groß-	Bagien-(Besan-)	Rahe
2	Vor-	Groß-	Kreuz-(Besan-)	Untermars-Rahe
3	Vor-	Groß-	Kreuz-(Besan-)	Obermars-Rahe
4	Vor-	Groß-	Kreuz-(Besan-)	Unterbram-Rahe
5	Vor-	Groß-	Kreuz-(Besan-)	Oberbram-Rahe
6	Vor-	Groß-	Kreuz-(Besan-)	Royal-(Reuel-)Rahe

7 Klüverleiter, **8** Bugspriet, **9** Klüverbaum, **10** Stampfstock, **11** Kreuz-(Besan-)Gaffel, **12** Kreuz-(Besan-)Baum, **11, 12** mit Segel T = Topnanten, S = Stagen, B = Brassen

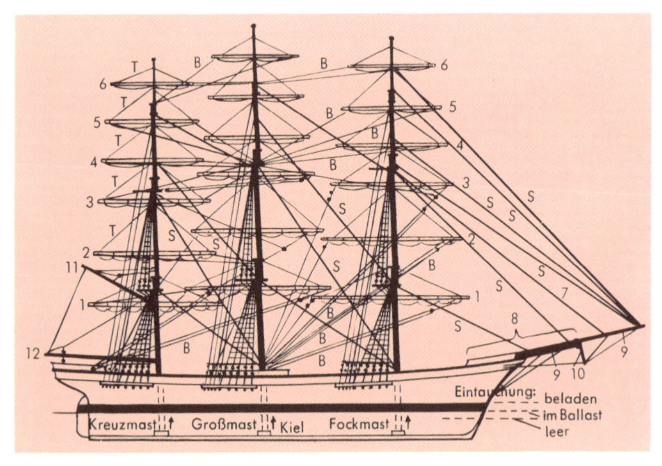

Gesteuert werden Schiffe in der Regel durch **Ruder** am Hinterschiff. Diese werden durch eine elektrische Rudermaschine bedient. Die Wirksamkeit der Ruder wird erhöht, wenn sie im Schraubenstrom oder in einer düsenartigen Ummantelung angebracht sind. Fährschiffe und ähnliche Schiffe, die wegen häufigen Anlegens höchst manövrierbar sein müssen, besitzen ein Bugstrahlruder. Das ist ein weit vorn unter Wasser angeordneter Querschiffkanal, in dem ein Propeller oder eine Pumpe Wasser nach Backbord oder Steuerbord beschleunigt.

Die **Geschwindigkeit** eines Schiffes wird mit der Fahrtmeßanlage relativ zum umgebenden Wasser bestimmt. Dazu dient ein Drucklog, der die Differenz von 2 hydrodynamischen Drücken mißt, oder ein Meßpropeller, dessen Drehzahl von der Schiffsgeschwindigkeit abhängt. Früher diente die im Wasser nachgeschleppte Logleine als Fahrtmesser; in sie waren Knoten in bestimmten Abständen eingeknüpft, deren Durchlauf durch eine Trommel zeitlich gemessen wurde.

Die **Größe** eines Schiffes bemißt sich nach Länge, Breite und Tiefgang, nach dem Rauminhalt des Schiffskörpers (Einheiten sind Bruttoraumzahl und Registertonne) und nach der Tragfähigkeit in Tonnen. Bei Kriegsschiffen ist stets die Wasserverdrängung die ausschlaggebende Größe, ausgedrückt in Tonnen.

GESCHICHTLICHES

Wasserfahrzeuge gibt es schon seit vielen tausend Jahren. Aus den Urformen des Schiffes, dem Floß und dem Einbaum, entwickelten sich die aus Planken zusammengesetzten Schiffe. Im Altertum wurden sie meist durch die Muskelkraft von vielen Ruderern bewegt. Große **Ruderschiffe,** die **Galeeren,** gab es bis zum Ende des Mittelalters. Daneben nutzten die Menschen aber auch die Kraft des Windes, um ihre Schiffe vorwärts zu bewegen. **Segelschiffe** hatten z. B. die Ägypter schon seit 4000 v. Chr. In Nordeuropa gab es Segelschiffe seit den Zeiten der Wikinger. Sie hatten auf ihren Drachenbooten zunächst ein, später 2 Masten mit Rahsegeln. Im 12. Jahrh. entstand als Hochseeschiff die **Hansekogge** (→ Kogge). Aus diesem Schiff entwickelte sich im 15. Jahrh. die **Karavelle,** der für die Entdeckungsreisen typische Dreimaster, der durch die Mischtakelung aus Rah- und Lateinsegeln (dreieckige Segel) Winde aus allen Richtungen nutzen konnte. Im 19. Jahrh. kamen die **Klipper** auf; sie waren die schnellsten Segelschiffe mit großen Segelflächen und dienten als **Handelsschiffe.** Gegen Ende des 19. Jahrh. wurden die ersten eisernen Viermast-Vollschiffe gebaut. Gleichzeitig begannen die **Dampfschiffe** die großen Segelschiffe zu verdrängen. 1807 machte ein Raddampfer seine erste Fahrt auf dem Hudson. 1819 überquerte ein mit Segeln kombiniertes Dampfschiff, die ›Savannah‹, in 18 Tagen den Atlantischen Ozean. Die Dampfschiffahrt auf den deutschen Flüssen begann 1816. Als erstes eisernes transatlantisches Schrauben-Dampfschiff wurde 1843 die ›Great Britain‹ erbaut. Die Kolbendampfmaschine wurde seit der Jahrhundertwende durch die Dampfturbine, seit etwa 1910 durch den Dieselmotor abgelöst, der heute allgemein vorherrscht. Die 1920er und 1930er Jahre waren die Zeit der großen Schnelldampfer, nach der deutschen ›Europa‹ und ›Bremen‹ die französische ›Normandie‹, die englische ›Queen Mary‹ und ›Queen Elizabeth‹. Das Blaue Band, die Auszeichnung für die schnellste Überquerung des Atlantischen Ozeans, errang 1952 der amerikanische Vierschraubendampfer ›United States‹ mit der Geschwindigkeit von 35 Knoten. Schon wenige Jahre danach aber wurde das große Luxus-Passagierschiff im Überseedienst vom Flugzeug verdrängt, es überlebte als Ferien-Kreuzfahrtenschiff.

Bei den Frachtschiffen nahmen nach dem Zweiten Weltkrieg Zahl und Größe der **Tanker** besonders zu infolge der sprunghaften Entwicklung des Erdölbedarfs. Als neuer Schiffstyp entwickelte sich das **Containerschiff** im Zug des kombinierten Verkehrs. Ein Containerschiff war 1966 das erste Handelsschiff mit Gasturbinenantrieb. Das erste mit Kernenergie angetriebene Handelsschiff war 1959 die amerikanische ›Savannah‹, in der Bundesrepublik Deutschland 1968 die ›Otto Hahn›.

Kriegsschiffe waren im Altertum ebenfalls Ruderschiffe wie die Triere oder um 1000 n. Chr. die Galeere, das Wikingerschiff, das auch Segel besaß, und Ende des Mittelalters die Galeasse. Unter den Segelschiffen wurden Kogge und Galeone auch als Kriegsschiffe berühmt. Die Entwicklung der Schiffsartillerie ließ seit dem 17. Jahrh.

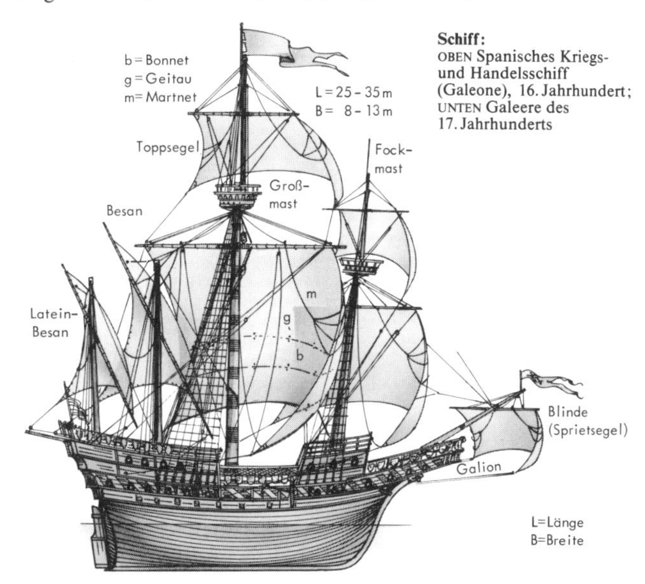

Schiff:
OBEN Spanisches Kriegs- und Handelsschiff (Galeone), 16. Jahrhundert; UNTEN Galeere des 17. Jahrhunderts

HISTORISCHE SCHIFFE

Bark	Dreimastsegler, Fock- und Großmast mit Rah-, Besanmast mit Gaffelsegeln.
Brigg	Segelschiff mit Fock- und Großmast, die mit Rahen getakelt sind.
Galeasse	aus der Galeere Ende des Mittelalters entwickeltes kampfkräftigeres Ruderkriegsschiff.
Galeere	Ruderkriegsschiff vom 11.–18. Jahrh. im Mittelmeer, mit rund 50 Riemen, die mit je 1–3 Mann, meist Galeerensklaven, besetzt waren. Rammsporn, Wurfmaschinen, später Geschütze.
Galeone	spanisches und portugiesisches Segelschiff, hochbordiges Kriegs- und Handelsschiff des 16.–18. Jahrh. 3–5 Masten, Hauptkampfschiff der Armada.
Karavelle	Segelschiff des 15. und 16. Jahrh. mit hohem Heckaufbau, besonders zu Entdeckungsfahrten verwendet.
Klipper	schlanker Schnellsegler des 19. Jahrh., meist als Vollschiff getakelt; Wettfahrten der Tee-Klipper von China nach England.
Kogge	gedrungenes Handels- oder Kriegsschiff mit 2–3 Masten und Rahsegeln; seit dem 13. Jahrh. von Kaufleuten der Hanse verwendet.
Linienschiff	Kriegsschiff, früher Segel-, später Dampfschiff mit wenigstens 40 Kanonen. Linienschiffe fuhren in Kiellinie und feuerten Breitseiten ab.
Schoner	Zwei- oder Dreimastsegler, der statt der Rahen längsschiffs stehende Gaffelsegel führt (Gaffelschoner) oder nur zusätzliche Rahsegel (Rahschoner).
Triere	Dreiruderer des griechischen Altertums, hatte auf jeder Seite 3 Reihen Riemen übereinander, 144 Ruderer, etwa 50 Soldaten.
Vollschiff	Segelschiff mit mindestens 3 Masten, die voll mit Rahsegeln getakelt sind. Bei mehr als 3 Masten: Viermastvollschiff, Fünfmastvollschiff.
Wikingerschiff	offenes Kielboot der Normannen des 7.–11. Jahrh., hatte einen Mast und breites Rahsegel, als Kriegsschiff meist gerudert, Vor- und Achtersteven stark hochgezogen.

HANDELSSCHIFFE

Containerschiff	Spezialfrachtschiff zum Behältertransport in Laderäumen und auf Deck. Der Umschlag geschieht in besonderen Hafenanlagen (Containerterminal).
Fahrgastschiff	Passagierschiff, befördert Personen und ihr Gepäck, hat mehrere Decks mit hohen Aufbauten, bietet meist Komfort (›schwimmendes Hotel‹). Die größten Fahrgastschiffe der 1930er Jahre hatten über 80 000 Bruttoregistertonnen (BRT) und fuhren bis 40 Knoten, die heutigen Kreuzfahrtschiffe haben um 20 000 BRT.
Fischereischiff	dem Fischfang und der Fischverarbeitung dienendes Schiff (→Fischerei).
Frachtschiff	Frachter, Oberbegriff für Handelsschiff zum Transport von Stückgut, Schüttgut, Containern usw., meist verstanden als Trockenfrachter, der im Unterschied zum Tanker feste Ladung befördert.
Fruchtschiff	Spezialfrachtschiff, meist ein Kühlschiff.
Kühlschiff	schnelles (26 kn) Spezialfrachtschiff für leichtverderbliche Güter wie Fisch, Fleisch, Obst. Die Laderäume haben Kühlanlagen, z. B. für Bananen +12 °C, für Fleisch −22 °C. Tragfähigkeit bis 7 500 t.
Lash	Abkürzung für englisch **L**ighter **a**board **sh**ip (›Leichter-an-Bord-Schiff‹), Containerschiff zum Transport von Schwimmbehältern (Leichtern), die auf Binnenwasserstraßen im Schubverband fahren.
Massengutfrachter	Frachter bis 100 000 t Tragfähigkeit für den Transport von unverpackten Gütern wie Erz, Kohle, Zement, Düngemittel, Getreide, Zucker (Schüttgut) oder von Ladungen in Säcken oder Fässern.
Roll-on/ Roll-off-Schiff	Containerschiff für rollende Einheitsbehälter, die unmittelbar an und von Bord gefahren werden.
Tanker	Spezialschiff bis 500 000 t Tragfähigkeit zum Transport flüssiger Ladung. Öltanker befördern Roh-, Heiz-, Dieselöle, Benzin, Gastanker verflüssigte Gase, Spezialtanker Chemikalien, pflanzliche und tierische Öle, Wein. Erz-Öl-Tanker transportieren auf einer Reise Schüttgut (Erz, Getreide), auf der anderen Öl.
Trailerschiff	ein spezielles Roll-on/Roll-off-Schiff zum Transport von Sattelschlepperanhängern (englisch Trailer).

KRIEGSSCHIFFE

Flugzeugträger	seit dem Zweiten Weltkrieg größter Kriegsschifftyp. Auf dem durchgehenden Deck von →Flugzeugträgern können Kampf- und Aufklärungsflugzeuge (Trägerflugzeuge) starten und landen.
Fregatte	ursprünglich ein Segelschiffstyp des 17. Jahrh. Heute ein ungepanzertes kleineres, schnelles (30 kn) Schiff bis 4 500 t, bewaffnet mit Raketen, Torpedos, Abwehrwaffen.
Korvette	ursprünglich ein Segelkriegsschiff ähnlich der Fregatte. Heute ein kleineres Kriegsschiff bis 1 000 t. Geleitschutz, Luftabwehr usw.
Kreuzer	kampfstarkes, schnelles (30 kn), größeres Schiff, 8 000–14 000 t, zum Teil mit Kernenergieantrieb, bewaffnet je nach Aufgabe, z. B. Lenkwaffenkreuzer, U-Jagd-Kreuzer.
Landungsfahrzeug	Schiffstyp zur amphibischen Kriegführung, dient zum Anlanden von Soldaten, Panzern, Kraftfahrzeugen, Nachschub usw.
Minenleger	schnelles, schwachbewaffnetes Schiff zum Verlegen von Seeminen.
Minensuch- und Minenräumboot	weitgehend unmagnetisch gemachtes wendiges Schiff, sucht Seegebiete nach Minen ab und beseitigt sie durch Sprengung.
Schlachtschiff	am schwersten bewaffnetes und gepanzertes Großkampfschiff des Zweiten Weltkriegs, bis 60 000 t, nach Umrüstung auf Fernlenkwaffen vereinzelt noch im Dienst.
Schnellboot	kleines, schnelles (40–45 kn) Kampfschiff für Überraschungsangriffe, bis 400 t, bewaffnet mit Flugkörpern, Torpedos, leichter Artillerie.
Torpedoboot	kleines, schnelles Kriegsschiff bis zum Zweiten Weltkrieg, dessen Aufgaben vom kleineren und schnelleren Schnellboot und vom größeren Zerstörer übernommen wurden.
U-Boot	zur Unterwasserfahrt geeignetes Schiff, bewaffnet mit Torpedos und Flugkörpern. Größere →Unterseeboote heißen auch U-Schiff oder U-Kreuzer.
Zerstörer	schnelles (bis 40 kn) Kriegsschiff, heute bis 6 000 t, bewaffnet mit Flugkörpern, ähnlich der Fregatte.

spezielle Segelkriegsschiffe entstehen, z.B. Linienschiff, Fregatte, Korvette, deren Namen auf spätere Typen übertragen wurden, als im 19. Jahrh. der Dampfantrieb mit Schiffsschraube und die Panzerung der Schiffswände und der Decks üblich wurden. Zu den Schlachtschiffen, Kreuzern, Zerstörern, Fregatten, Unterseebooten, Minenlegern, Minensuch- und -räumfahrzeugen kamen im Zweiten Weltkrieg Flugzeugträger, Schnellboote und Landungsfahrzeuge. Größere Kriegsschiffe werden zum Teil mit Kernenergie angetrieben. Der Torpedo ergänzte die Artillerie seit dem Ende des 19. Jahrh., heute ersetzen Flugkörper (Schiffsraketen) die schweren Geschütze.

Schifferklavier, volkstümliche Bezeichnung für das →Akkordeon.

Schiffsschraube, →Propeller.

Schiiten [von arabisch Schi'at Ali ›Partei Alis‹], Anhänger einer der beiden Hauptkonfessionen (→Sunniten) des Islam (etwa 7,5% der Gläubigen), die nur Ali, den Schwiegersohn Mohammeds, und seine Nachkommenschaft aus der Ehe mit Fatima als allein berechtigte Führer aller Moslems anerkennt und die Rechtmäßigkeit der sunnitischen →Kalifen bestreitet. Schiitische Moslems gibt es vor allem in Iran, Irak, Pakistan und Syrien. Die Schiiten sind vielfach gespalten, die Hauptgruppe bilden die **Imamiten** (auch ›Zwölferschiiten‹, nach der Zahl ihrer Imame, der von Gott inspirierten erblichen Leiter der gesamten islamischen Gemeinde).

Schildbürger, ursprünglich wohl ein Spottname für ›mit Schild bewaffnete Bürger‹; als Schildbürger erscheinen dann die Helden eines Volksbuches (›Die Schiltbürger‹, 1598), das in der Stadt Schilda spielt. Sie begehen Torheiten und Narrenstreiche; so versuchen sie z.B., in ihr fensterloses Rathaus Sonnenlicht in Säcken hineinzutragen. Das Volksbuch geht auf die 1597 erschienene Schwanksammlung ›Das Lalebuch‹ zurück, das über die Narrenstreiche der Lalen (das sind einfältige Menschen) in dem erfundenen Ort Laleburg berichtet. Die eigentlich weisen Lalen verhalten sich wie Narren, um ungestört leben zu können, bis sie dadurch wirklich töricht werden. Das beliebte Buch wurde bis ins 20. Jahrh. immer wieder neu bearbeitet.

Schilddrüse, ein Organ, das am Hals vor der Luftröhre und unterhalb des →Kehlkopfs liegt. In den Schilddrüsenzellen werden →Hormone produziert, die direkt in die Blutbahn abgegeben werden. Die Schilddrüsenhormone, zu deren Aufbau Jod erforderlich ist, regen alle Stoffwech-

Schildkröten

selvorgänge und das Körperwachstum an und sind für eine normale Entwicklung unerläßlich. Die Tätigkeit der Schilddrüse wird durch die Hirnanhangdrüse geregelt. Wird zu viel Schilddrüsenhormon gebildet, sind alle Lebensvorgänge gesteigert, was sich in vermehrtem Schwitzen, Herzjagen und Gewichtsverlust zeigen kann, wird zu wenig produziert, kommt es zu körperlicher und geistiger Trägheit. Eine Schilddrüsenvergrößerung nennt man →Kropf.

Schildkröten, urtümliche →Kriechtiere mit etwa 220 Arten in wärmeren Ländern und Meeren. Sie lebten schon vor 200 Millionen Jahren in fast unveränderter Gestalt. Charakteristisch ist der am Rücken gewölbte und am Bauch flache Panzer; er besteht aus Knochenplatten, die von Hornschilden bedeckt sind. Die meisten Arten können Kopf und Gliedmaßen bei Gefahr darin einziehen. Es gibt Land- und Wasserbewohner; die einen ernähren sich vor allem von Pflanzen,

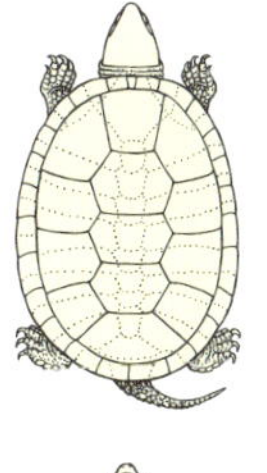

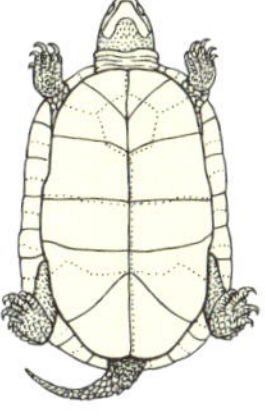
Schildkröten

Schildkröten: OBEN Rücken-, UNTEN Bauchpanzer einer europäischen Sumpfschildkröte (Hornschilde sind im Strich gezeichnet, die darunterliegenden Knochenplatten sind punktiert)

die anderen von Kleintieren und Fischen. Bei den Wasserschildkröten sind die Gliedmaßen flossenartig umgebildet. Alle Schildkröten legen ihre Eier an Land in selbstgegrabene Höhlen oder Sandgruben, wo sie von der Sonne und der Bodenwärme ausgebrütet werden. Der Panzer der geschlüpften Jungen ist zunächst noch weich. Die nur 25 cm lange **Europäische Sumpfschildkröte** ist die einzige in Deutschland heimische Art; sie lebt noch vereinzelt an einsamen, pflanzenreichen Gewässern, wo sie nach Würmern, Insekten, Lurchen und kleinen Fischen taucht. Sie kann etwa 70 Jahre alt werden. Als Heimtier wird oft die etwas größere **Griechische Landschildkröte** gehalten, die bis zu 30 Jahre alt werden kann, wenn sie richtig gepflegt wird. Ihre Einfuhr ist inzwischen verboten, weil sie in ihrer südlichen Heimat selten geworden ist. Dafür kann man Landschildkröten aus Rußland erwerben. Die größte aller Landschildkröten ist die **Riesenschildkröte,** die noch auf einigen kleinen Inseln des Indischen Ozeans lebt. Sie kann 1 m Panzerlänge und 250 kg Gewicht erreichen und über 150 Jahre alt werden. Genauso groß, aber doppelt so schwer wird die **Suppenschildkröte,** eine Seeschildkröte, die nur Seegras frißt. Wegen ihres schmackhaften Fleisches, aus dem man Suppe herstellt, wird sie stark verfolgt und ist vom Aussterben bedroht. Etwa alle 3 Jahre schwimmen Suppenschildkröten über Hunderte von Kilometern zu seit Jahrhunderten gleichgebliebenen Plätzen an den Inselküsten tropischer Meere, um ihre etwa 100 Eier in den Sand zu vergraben; dabei werden sie zu Zehntausenden von Menschen getötet. Von den Jungen erreichen nur wenige das Meer, viele werden von natürlichen Feinden (Möwen, Waranen, Waschbären) gefressen. Bedroht ist auch eine andere Seeschildkröte, die **Karettschildkröte.** Aus ihrem Panzer gewinnt man Schildpatt, aus dem z. B. teure Kämme gefertigt werden.

Friedrich von Schiller

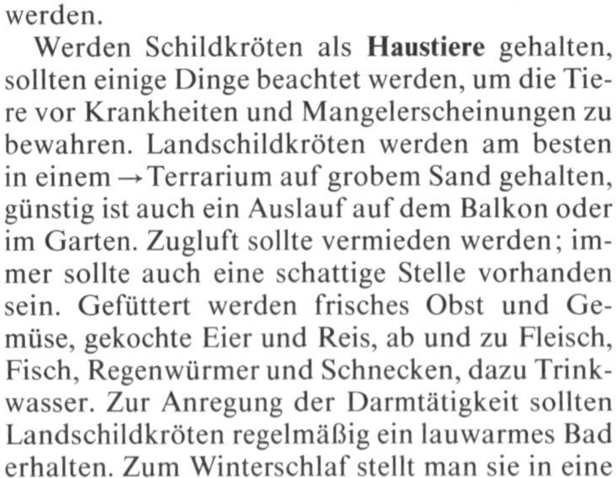

Werden Schildkröten als **Haustiere** gehalten, sollten einige Dinge beachtet werden, um die Tiere vor Krankheiten und Mangelerscheinungen zu bewahren. Landschildkröten werden am besten in einem →Terrarium auf grobem Sand gehalten, günstig ist auch ein Auslauf auf dem Balkon oder im Garten. Zugluft sollte vermieden werden; immer sollte auch eine schattige Stelle vorhanden sein. Gefüttert werden frisches Obst und Gemüse, gekochte Eier und Reis, ab und zu Fleisch, Fisch, Regenwürmer und Schnecken, dazu Trinkwasser. Zur Anregung der Darmtätigkeit sollten Landschildkröten regelmäßig ein lauwarmes Bad erhalten. Zum Winterschlaf stellt man sie in eine

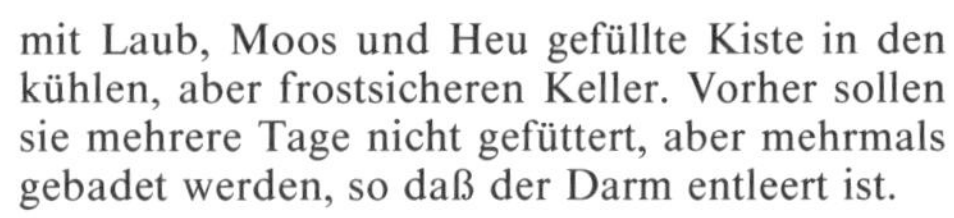

mit Laub, Moos und Heu gefüllte Kiste in den kühlen, aber frostsicheren Keller. Vorher sollen sie mehrere Tage nicht gefüttert, aber mehrmals gebadet werden, so daß der Darm entleert ist.

Schildläuse, sehr kleine Insekten, die Pflanzensäfte saugen und in Massen sehr schädlich werden können. Mit ihrem Wachsschild heften sie sich an Pflanzen fest und sind dann bewegungsunfähig. Ihre Fortpflanzung verläuft ähnlich wie bei den →Blattläusen.

Schilfgras, Schilfrohr wächst in der Uferregion von ruhigen Seen und Teichen. Meist bedeckt es eine große Fläche, denn mit seinen kräftig wachsenden, unterirdischen Sprossen breitet es sich schnell aus. Die Pflanze steht mit dem ›Fuß‹ im Wasser. Ein dichtes Wurzelgeflecht verankert den Wurzelstock im schlammigen Grund. Mit bis 4 m Höhe ist Schilfgras das größte heimische Gras. Auch durch starken Wind werden die festen, aber sehr biegsamen Halme nicht geknickt und die schmalen Blätter nicht zerrissen. Schon in vorgeschichtlicher Zeit wurde Schilfgras zum Decken von Dächern verwendet. Es eignet sich auch zum Flechten von Matten. Von Juli bis September entwickeln sich 20–30 cm lange Rispen mit vielen kleinen Blütenährchen. Vor allem mit Rohrkolben bildet das Schilfgras oft einen dichten Stengelwald, das **Röhricht** (→Wasserpflanzen).

Schiller. Auf Grund der großen Resonanz, die seine Dramen fanden, galt **Friedrich von Schiller** (* 1759, † 1805; geadelt 1802) im 19. Jahrh. als deutscher Nationaldichter schlechthin. Er wurde in Marbach am Neckar geboren, wo sich heute außer seinem Geburtshaus auch das Schiller-Nationalmuseum befindet. Auf Befehl des Herzogs Karl Eugen von Württemberg besuchte Schiller die Militärakademie, wo ihn ein streng geregeltes Kasernenleben erwartete. Er studierte die Rechtswissenschaften, später Medizin und beschäftigte sich trotz aller Verbote heimlich mit schöngeistiger Literatur. 1780 wurde Schiller Regimentsarzt in Stuttgart. 1781 erschien anonym sein Drama ›Die Räuber‹, ein Werk des rebellischen Aufbegehrens gegen (wirkliche oder vermeintliche) Ungerechtigkeit; der den Unterdrückten helfende Karl Moor wird jedoch aus Weltverbesserungswillen zum Verbrecher und stellt sich schließlich der irdischen Justiz. Das Stück wurde in Mannheim 1782 mit überwältigendem Erfolg aufgeführt. Im gleichen Jahr floh der Dichter aus Stuttgart, da ihm der Herzog jede weitere poetische Betätigung verboten hatte. 1783/84 war er Theaterdichter am

Mannheimer Theater, wo auch sein Drama ›Die Verschwörung des Fiesko zu Genua‹ (1783) und das bürgerliche Trauerspiel (mit Szenen sozialer Anklage) ›Kabale und Liebe‹ (1784) gespielt wurden.

Zwischen 1785 und 1787 lebte Schiller als freier Schriftsteller in Leipzig, Dresden und Weimar und hatte näheren Kontakt mit Herder und Wieland. Sein Drama ›Don Carlos‹ (1787; →Carlos) bedeutet den Übergang von Schillers revolutionären, dem →Sturm und Drang nahestehenden Jugendwerken zur klassischen Schaffensperiode (→Klassik). Statt der Prosaform seiner frühen Theaterstücke verwendete er von nun an den Vers, im wesentlichen den Blankvers. Er griff Stoffe aus der Geschichte auf, um am Schicksal der Helden die Idee von Freiheit und höherem Menschentum, das Problem von Schuld und Läuterung deutlich zu machen. 1789 wurde Schiller zum (unbesoldeten) Professor der Geschichte und Philosophie in Jena ernannt; schon vorher hatte er historische Schriften verfaßt (so über den Dreißigjährigen Krieg). 1790 heiratete er Charlotte von Lengefeld. 1794 bahnte sich seine Freundschaft mit Goethe an; damit begann die klassische Periode der deutschen Literatur. In vielen Briefen tauschten Schiller und Goethe ihre Gedanken aus und spornten sich gegenseitig an. Gemeinsam verfaßten sie die ›Xenien‹ (1796), satirische Gedichte auf ihre schreibenden Zeitgenossen, und schufen 1797 im Wettstreit zahlreiche Balladen (z. B. von Schiller ›Der Ring des Polykrates‹, ›Der Taucher‹, ›Die Kraniche des Ibykus‹, außerdem ›Die Bürgschaft‹, 1798 und ›Das Lied von der Glocke‹, 1799).

1799 zog Schiller nach Weimar und vollendete dort bis zu seinem Tod nahezu Jahr für Jahr ein neues Drama: die ›Wallenstein‹-Trilogie, die als bedeutendste deutsche Geschichtstragödie gilt (abgeschlossen 1799), ›Maria Stuart‹ (1800), ›Die Jungfrau von Orleans‹ (1801), ›Die Braut von Messina‹ (1803), ›Wilhelm Tell‹ (1804; →Tell). Schillers Gesamtwerk umfaßt auch historische Arbeiten, philosophische Abhandlungen (in Auseinandersetzung mit der Ethik von Kant sowie zu ästhetischen Fragen) und meist als ›Gedankenlyrik‹ bezeichnete, nach dem Idealen suchende Gedichte. Er übersetzte Werke ausländischer Dichter und gab zwischen 1795 und 1797 die ›Horen‹ heraus, die bedeutendste Zeitschrift der Klassikerzeit. Schiller starb 1805 in Weimar während der Arbeit an dem Drama ›Demetrius‹.

Schilling, Währungseinheit und Münzbezeichnung. Im karolingischen Münzsystem wurde der Schilling nicht als Münze geprägt. Er diente zunächst nur als Rechengröße, als Karl der Große um 790 das Karolingische Pfund einführte (1 Pfund = 20 Schillinge = 240 Pfennige). Schillingmünzen wurden erstmals 1266 unter Ludwig IX. in Frankreich geprägt, später auch in Norddeutschland, Franken, Schwaben, Polen, Skandinavien, den Niederlanden und Westfalen.

Großbritannien hatte den **Shilling** seit dem 14. Jahrh. als 12-Penny-Stück. Bis 1971 galt dort noch das karolingische Münzsystem (1 Pfund Sterling = 20 Shilling = 240 Pence). Einige ehemalige britische Kolonien in Afrika (z. B. Kenia) haben die Währungsbezeichnung Schilling übernommen. – Auch die Währungseinheit in Österreich heißt seit 1924 (mit Unterbrechung von 1938–45) Schilling (1 Schilling = 100 Groschen).

Schimmel, **1)** ein weißes →Pferd. **2)** →Schimmelpilze.

Schimmelpilze, Sammelbezeichnung für Pilze, die auf Pflanzen, Tieren, Lebensmitteln und anderen organischen Stoffen staub- oder watteähnliche, weißliche oder farbige Überzüge, den **Schimmel,** bilden. In der großen Gruppe der Pilze gehören sie den verschiedensten Klassen an. Schimmelpilze können bei Mensch und Tier zu Vergiftungen führen, z. B. durch den Genuß verschimmelter Nahrung, sowie (auch bei Pflanzen) Krankheiten verursachen. Sie können aber auch sehr nützlich sein, so durch die Produktion von →Antibiotika oder Enzymen oder in der Lebensmittelherstellung, z. B. bei der Reifung von Edelschimmelkäse und Camembert.

Schimpansen, in Afrika lebende →Menschenaffen. Sie erreichen aufgerichtet eine Körpergröße von 130–170 cm, bei 50–70 kg Gewicht. Das Fell ist dunkelbraun bis schwarz, wobei Gesicht, Hand- und Fußflächen sowie After- und Geschlechtsregion nackt sind. Die Arme sind länger als die Beine. Schimpansen leben in den tropischen Urwäldern und Baumsavannen in Großfamilien, die eine strenge →Rangordnung aufweisen. Sie fressen vor allem Früchte, Knospen und Blätter, aber auch Vogeleier, Ameisen, Termiten und gelegentlich auch Säugetiere bis Gazellengröße. Hauptlebensraum sind Bäume, z. B. bauen sie dort ihre Schlafnester. Sie bewegen sich häufig am Boden fort, meist auf allen Vieren, kurze Strecken gelegentlich aufrecht gehend.

Von den Menschenaffen sind Schimpansen in ihrer geistigen Entwicklung dem Menschen am nächsten. Zu ihren besonderen Leistungen gehört z. B. der ›Werkzeuggebrauch‹. So fangen sie mit kleinen Stöckchen wie mit einer Angel Termiten, die sie dann ablecken. Sie zerknüllen Blätter, um wie mit einem Schwamm Wasser zum Trinken aus Astlöchern aufzusaugen. In Gefangenschaft werden Schimpansen über 40 Jahre alt. (BILD Affen)

Schinderhannes. Der deutsche Räuberhauptmann mit dem bürgerlichen Namen **Johann Bückler** (* 1783, † 1803) war Anführer einer Bande, die zur Zeit der Französischen Revolution in Hunsrück und Taunus reisende Kaufleute überfiel und ausraubte. Er wurde 1803 in Mainz hingerichtet.

Ob er tatsächlich zu Lebzeiten als rheinischer Volksheld, Freund der Armen und patriotischer Kämpfer gegen die französische Besatzung die Sympathie der Bevölkerung genoß, läßt sich nicht mit Sicherheit sagen. Der Schriftsteller Carl Zuckmayer hat mit seinem Schauspiel ›Schinderhannes‹ diese (verklärte) Sichtweise unterstützt. Im Mittelpunkt steht der ›edle Räuber‹, der lediglich aus Protest gegen die Obrigkeit für das Wohl der Armen die Reichen ausraubt und eine gerechtere Gesellschaftsordnung anstrebt.

Schinkel. Der Baumeister und Maler **Karl Friedrich Schinkel** (* 1781, † 1841) lebte und arbeitete vor allem in Berlin. Hier entwarf er anfangs Bühnenbilder für Opern und Schauspiele, malte und zeichnete romantisch empfundene Landschaften, oft mit gotischen Kirchen (BILD Romantik), und beschäftigte sich mit architektonischen Entwürfen in klassisch-antiken und gotischen Formen. Große Bauaufträge ermöglichten es ihm, seinen aus der Antike entwickelten reifen Stil zu finden. In seinen Bauwerken verband er Zweckmäßigkeit mit harmonischer Klarheit der Form; sie sind ein Höhepunkt des europäischen → Klassizismus in der Baukunst. Zu seinen Hauptwerken gehören in Berlin (heute sämtlich in Berlin-Ost) die Neue Wache (1817/18), das Schauspielhaus (1818–21) und das Alte Museum (1822–30), in Potsdam die Nikolaikirche (1830–37). In gotischen Stilformen baute er in Berlin die Werdersche Kirche (1825–28). Vieles wurde im Zweiten Weltkrieg zerstört oder beschädigt. Schinkels Wirken in der Oberbaudeputation in Berlin war von maßgebendem Einfluß im ganzen preußischen Gebiet, wo nach seinen Plänen und Richtlinien gebaut wurde (›Schinkel-Schule‹).

Schirokko, warmer, zum Teil stürmischer Wind im Mittelmeergebiet aus südlichen Richtungen. Er tritt vor allem im Frühjahr auf der Vorderseite von wandernden Tiefdruckgebieten auf. Der Schirokko ist in Spanien, Nordafrika und Vorderasien heiß und trocken; von der Sahara her führt er häufig Sand und Staub mit. Beim Überqueren des Mittelmeeres nimmt er jedoch sehr viel Feuchtigkeit auf, so daß er nach Südeuropa starke Niederschläge bringt. Wie der Föhn kann der Schirokko beim Menschen Reizbarkeit und Ermüdungserscheinungen bewirken.

Schisma [griechisch ›Spaltung‹], Bruch der kirchlichen Einheit. Einen Bruch wegen der Glaubenslehre nennt man → Häresie. In den anderen Fällen sind es Schismen. So kam es aus vorwiegend kirchenpolitischen Gründen im **Morgenländischen Schisma** von 1054 zwischen der → orthodoxen Kirche und der → katholischen Kirche zu der Trennung, die noch heute besteht. Im **Abendländischen Schisma** (1378–1417) war die Einheit der Glaubensgemeinschaft zerrissen durch das gleichzeitige Auftreten von 2, später sogar von 3 Päpsten.

Schlaf, lebensnotwendiger Ruhezustand des Körpers, der der Erholung des Organismus dient. Dieser ist einem Tag-Nacht-Rhythmus unterworfen, wobei sich Schlaf- und Wachphasen abwechseln. Die Regelung dieser Vorgänge erfolgt durch das ›Schlaf-Wach-Zentrum‹ des Gehirns. Während des Schlafes ist das Bewußtsein weitgehend ausgeschaltet, Muskelspannung und Stoffwechseltätigkeit sind herabgesetzt. Der Schlaf beginnt mit der Einschlafphase. Er weist im Verlauf der Nacht verschiedene Stadien der Schlaftiefe sowie unterschiedliche Phasen auf, die zum Teil von Träumen begleitet sind. Das Bedürfnis nach Schlaf ist individuell sehr verschieden und von Lebensalter, Geschlecht und Persönlichkeit des einzelnen abhängig. Während die Schlafdauer beim Säugling 14–16 Stunden täglich beträgt, sind es bei Kindern und Jugendlichen 8–12 Stunden und beim Erwachsenen 6–8 Stunden. Vermeidung von Aufregung, Lärm und Licht fördern den Schlaf.

Schlafwandeln, Nachtwandeln, ein Dämmerzustand, in dessen Verlauf ein Mensch, ohne aufzuwachen, im Schlaf aufsteht und schwierige Handlungsabläufe ausführt (Ankleiden, etwas aus dem Eisschrank nehmen), an die er sich nach dem Erwachen nicht erinnern kann.

Schlafwandler sollte man nicht jäh wecken, da die Gefahr besteht, daß sie verunglücken (z. B. Hinstürzen, besonders auf Treppen). Schlafwandeln kommt vor allem bei Kindern und Jugendlichen vor.

Schlagadern, die Arterien (→ Adern).

Schlaganfall, Gehirnschlag, plötzlich (›schlagartig‹) einsetzende Funktionsstörungen

(z. B. Lähmungen) auf Grund einer Beeinträchtigung bestimmter Hirnregionen, meist als Folge einer Minderdurchblutung des Gehirns, einer Blutung im Gehirn oder einer → Embolie. Dabei kommt es zu unterschiedlich lang anhaltender Bewußtlosigkeit und vorwiegend halbseitigen Lähmungen sowie häufig zu Sprachstörungen. Der Schlaganfall kann, wenn lebenswichtige Gehirnzentren betroffen sind, sofort zum Tod führen oder dauernde Lähmungen zur Folge haben. Die Ausfallerscheinungen können sich aber auch teilweise oder völlig zurückbilden. Wichtig ist in diesem Stadium eine frühzeitige krankengymnastische Behandlung (→ Rehabilitation).

Schlager, volkstümliches Unterhaltungs-, Stimmungs- oder Tanzlied. Schlager haben meist einen gleichbleibenden, eingängigen und tänzerischen Rhythmus, eine empfindsame, gefühlsbetonte oder beschwingte Melodik, einen leicht faßlichen Refrain und beschränken sich auf wenige Grundharmonien. Die einfach gehaltenen Texte passen sich den wechselnden Wunschvorstellungen der Hörer an und behandeln meist die Grundthemen Liebe, Heim- und Fernweh und Glücksverlangen. Schlager sind sehr kurzlebig. Nur einige überleben als **Evergreens.** Erfolgreiche Schlager werden **Hits,** besonders erfolgreiche **Tophits** genannt.

Schlagwetter, schlagende Wetter, im Bergwerk ein Gemisch aus Grubenluft mit dem Grubengas Methan. Das Gas wird bei der Gewinnung von Steinkohle frei und ist bei einer Konzentration von 5–14% zündfähig. Durch ei-

Schlangen: **1** Netzpython, bis über 9 m lang. **2** Barrenringelnatter, bis etwa 1,50 m lang. **3** Südamerikanische Klapperschlange, bis 2 m lang. **4** Korallenotter, bis etwa 70 cm lang. **5** Schmuckbaumnatter, bis etwa 1,30 m lang. **6** Kreuzotter, bis 70 cm lang. **7** Baumschnüffler, bis etwa 1,50 m lang. **8** Korallenrollschlange, bis etwa 1 m lang. **9** Afrikanische Eierschlange, bis etwa 1 m lang. **10** Puffotter, bis etwa 1,50 m lang. **11** Schlingnatter, bis 75 cm lang. **12** Abgottschlange (Boa constrictor), bis etwa 4 m lang. (3, 4, 6, 10 für den Menschen gefährliche Giftschlangen)

nen Funken kann es zur Explosion, einer **Schlagwetterexplosion,** gebracht werden. Gute Belüftung (›Bewetterung‹) der Gruben sind das sicherste Mittel gegen Schlagwetter.

Schlagzeug, eine Gruppe von Schlag- und Geräuschinstrumenten, die neben den →Streichinstrumenten und den →Blasinstrumenten die dritte Gruppe im →Orchester bilden. Man zählt dazu die →Pauken, ferner die →Trommeln, die →Becken, das →Triangel, die →Celesta, das →Xylophon, den →Gong, aber auch →Bongos, →Vibraphon und →Marimbaphon.

Viele dieser Instrumente sind erst durch die türkische Militärmusik zu Orchesterinstrumenten geworden. Im Jazz, in der Beat- und Popmusik bilden Klavier und Schlagzeug die Rhythmusgruppe der →Band.

Schlammbeißer, ein zu den →Schmerlen gehörender Fisch.

Schlammspringer, ein zu den →Schmerlen gehörender Fisch.

Schlangen gehören zu den →Kriechtieren. Ihre langen, schmalen Körper sind ungegliedert, der Kopf kann etwas verbreitert sein. Der Schädel ist locker, gelenkig und dehnbar, die Unterkieferhälften sind nur durch Sehnen miteinander verbunden. So können Schlangen auch Beutetiere in einem Stück verschlingen, die mehrfach so groß wie ihr Kopf sind. Alle Schlangen sind Fleischfresser: Sie vertilgen vor allem Mäuse und Ratten, wodurch sie sehr nützlich sind, sowie Vögel, Fische und Frösche; größere Schlangenarten wie der Netzpython erbeuten auch kleine Antilopen. Die sehr scharfen Magensäfte lösen die Beute rasch auf. Die Schlangenkörper sind von regelmäßig angeordneten hornigen Schuppen bedeckt, die auf dem Kopf meist zu großen Schildern und am Bauch zu breiten Schienen umgestaltet sind, durch die das Schlängeln oder langsame Kriechen unterstützt wird. In Ruhestellung rollen sich viele Schlangen wie eine Spirale zusammen. Ihre gesamte Oberhaut, die nicht wachsen kann, streifen sie von Zeit zu Zeit ab, wozu sie sich z. B. zwischen kleinen Ästen bewegen. Dieses ›Natternhemd‹ bleibt als Ganzes zurück. Aus der Haut vieler Schlangen wird kostbares Leder hergestellt.

Der starre Blick kommt daher, daß Schlangen ihre Augen nicht schließen können, weil die Lider vor dem Auge zu einer durchsichtigen Haut verwachsen sind. Durch ›Züngeln‹ mit ihrer vorn gespaltenen Zunge können sie ›riechen‹, das heißt Duftstoffe aufnehmen, die sie zu einem Geruchsorgan im Maul weiterleiten. Die Weibchen der meisten Schlangen legen Eier, z. B. in ein Erdloch. Mit einem Eizahn schlitzen die Jungen die Schale auf; die leeren Eihüllen bleiben zurück. Nach ein paar Tagen suchen die Jungen ihr Futter (Eidechsen, Frösche) selbst. Bei manchen Arten, z. B. der Kreuzotter, schlüpfen die Jungen schon im Mutterleib aus ihren Eiern und werden lebend geboren.

Schlangen kommen in allen Erdteilen vor, am zahlreichsten sind sie in den Tropen und Subtropen, da sie als →Wechselwarme viel Wärme brauchen. Sie sind meist sehr scheu und verbergen sich tagsüber unter Baumstämmen, Wurzeln und Steinen.

Manche Schlangen haben eine Giftdrüse, die mit 2 gebogenen, besonders spitzen Zähnen im Oberkiefer verbunden ist. Ein Biß dieser Schlangen lähmt oder tötet die Beutetiere; er kann auch für Menschen gefährlich werden (→Schlangengift). Von den rund 3 000 Schlangenarten sind ungefähr 17 % (etwa 500) Schlangen giftig. Dazu gehören die Giftnattern, z. B. die bis zu 2 m lange afrikanische **Mamba,** die auf Bäumen lebt und sich blitzschnell bewegen kann, und die südasiatischen und afrikanischen →Kobras. Giftig sind auch die →Seeschlangen, die →Vipern, zu denen die in Deutschland heimische →Kreuzotter gehört, und die →Grubenottern, von denen die →Klapperschlange die bekannteste ist. Die artenreichste Familie der Schlangen sind die ungiftigen →Nattern mit der →Ringelnatter. Nattern jagen ihre Beute durch schnellen Überraschungsangriff, manche töten sie durch Umschlingen (z. B. die Schlingnattern). Ebenfalls nicht giftig sind auch die Riesenschlangen der wärmeren Länder, die sich an ihren Beutetieren festbeißen und sie durch Umschlingen und Erdrosseln töten. Dazu gehören die **Boaschlangen,** die vollentwickelte Junge zur Welt bringen. Die bis 11 m lange **Anakonda** z. B. lebt im Wasser und kann gut schwimmen. Die höchstens 4 m lange, besonders schön gezeichnete **Boa constrictor** (auch **Abgottschlange**) kann gut klettern; sie kann sich mit dem Schwanz an Ästen festhalten. Beide leben in Südamerika. Riesenschlangen sind auch die **Pythonschlangen** aus Afrika und Südasien. Sie werden über 9 m lang, z. B. der Netzpython, der etwa 50 Jahre alt werden kann. Diese Schlangen legen Eier, die sie zum Teil sogar bebrüten.

Schlangen gehören zu den am meisten verfolgten Tieren. Häufig werden sie als böse, falsch und giftig, als unheimlich und bedrohlich angesehen. Wahrscheinlich begründet sich diese Abneigung in der Fähigkeit der Schlangen, sich ohne Beine fortzubewegen, in ihrem starren Blick und vielfach giftigen Biß. In zahlreichen Verbreitungsgebieten sowie in Sagen und Mythen gelten sie als mit höheren Kräften begabt, vor allem in Indien; dort werden Schlangenfeste mit →Schlangenbeschwörungen gefeiert. – Eine Schlange ringelt sich auch um den Äskulapstab, das Symbol der Heilkunde und Ärzte. (BILD Seite 147)

Schlangenbeschwörungen werden vor allem in Indien häufig zu besonderen Schlangenfesten vorgeführt. Dabei veranlassen Schlangenbeschwörer die gefährlichen →Kobras, die sie in Körben halten, zu ›tanzen‹, wobei die Schlangen ihren aufgerichteten Vorderkörper hin- und herpendeln. Diese Wirkung wird nicht vom begleitenden Flötenspiel (Schlangen sind taub), sondern durch die schwingenden Körperbewegungen des Schlangenbeschwörers ausgelöst, die die Schlangen veranlassen, eine Angriffshaltung einzunehmen.

Schlangengift, geruch- und geschmacklose, wasserhelle bis goldgelbe Flüssigkeit, die die giftigen Schlangen beim Biß aus ihren Giftdrüsen absondern. Diese Gifte schädigen die Nerven oder das Blut; bei den Giftnattern, deren Gift sich besonders schnell im Körper ausbreitet, überwiegt die erstere Wirkung, bei den Vipern die letztere. Folgen des Schlangenbisses sind Schwindelgefühl, Bewußtseinsstörungen, Lähmung des Atemzentrums und Herzens. In wenigen Minuten kann der Tod eintreten. Hilfe bringt nur das Einspritzen eines spezifischen Gegenmittels, des Schlangenserums, das in Schlangenfarmen aus Pferdeblut gewonnen wird. Man läßt Schlangen dazu das Gift in Schwämme entleeren und spritzt es in steigenden Dosen Pferden ein, die dann Antikörper bilden. Aus dem Gift einiger Schlangen werden auch Heilmittel hergestellt (z. B. zur Blutstillung).

Schlangenmoose, →Bärlappe.

Schlegel, Schlagwerkzeuge, mit denen das →Schlagzeug gespielt wird. Es sind hölzerne Stäbe mit abgerundetem Kopf. Schlegel für →Trommeln bestehen ganz aus Holz, bei Schlegeln für →Pauken ist der Kopf mit weichem Material überzogen.

Schleien, karpfenähnliche Speisefische mit sehr kleinen Schuppen und 2 kurzen Bartfäden. Diese etwa 60 cm langen Fische kommen in allen Gewässern mit schlammigem Boden vor und werden oft gemeinsam mit Karpfen in Teichen gezüchtet. (BILD Fische)

Schleimhaut, mehrschichtiger Zellverband, der die inneren Oberflächen der Hohlorgane des Körpers auskleidet (z. B. den Magen-Darm-Kanal, die Atmungsorgane) und von unterschiedlichem Aufbau ist; z. B. ist die Schleimhaut der Atemwege mit Flimmerhaaren versehen, die des Dünndarms mit Zotten. Die Schleimhaut enthält meist →Drüsen, die durch die Abgabe von Schleim dafür sorgen, daß die Oberfläche immer glatt und feucht bleibt; so kann z. B. ein Bissen leichter durch die Speiseröhre gleiten. Manche Schleimhäute haben Spezialaufgaben; so bilden bestimmte Zellen der Magenschleimhaut den Magensaft, und die Schleimhaut des Darms hat die Aufgabe, →Enzyme abzugeben und Nahrungsstoffe aufzunehmen.

Schlesien, historisches Gebiet im östlichen Mitteleuropa, beiderseits der oberen und mittleren Oder. Schlesien umfaßt die Nordostabdachung der Sudeten, die Schlesische Tieflandsbucht sowie die flachwelligen Hügelländer des **Schlesisch-Polnischen Landrückens** und der **Oberschlesisch-Polnischen Platte.** Die fast waldfreien Flußebenen und Hügellandschaften werden landwirtschaftlich stark genutzt. Auf den Sandböden des nördlichen Teils werden Roggen, Hafer, Gerste, Kartoffeln, auf den fruchtbaren Böden des südlichen Landesteils Weizen, Futter- und Zuckerrüben angebaut. Daneben ist die Viehwirtschaft von Bedeutung. In den Sudeten hatte die Forstwirtschaft eine führende Rolle. Im südlichen Teil Oberschlesiens entstand auf der Grundlage des Steinkohle- und Erzbergbaus das Oberschlesische Industrierevier, das heute zu Polen und zur Tschechischen Republik gehört.

Geschichte. Der Name Schlesien geht wahrscheinlich auf die Silingen zurück, einen Stamm der Wandalen. Seit dem 10. Jahrh. herrschten in Schlesien die polnischen Piasten. Kaiser Friedrich I. Barbarossa machte Schlesien zu 2 selbständigen Herzogtümern: Niederschlesien mit Breslau und Oberschlesien mit Ratibor, Beuthen und Oppeln. Durch deutsche Kolonisten wurde die wirtschaftliche Entwicklung der beiden Herzogtümer vorangetrieben. 1327/29 kam Schlesien unter böhmischen Einfluß und 1526 zusammen mit Böhmen an die österreichischen Habsburger. Nach den Schlesischen Kriegen fiel 1742 fast ganz Schlesien an Preußen. 1815 kam noch der Hauptteil der bisher sächsischen Oberlausitz hinzu. 1919 wurden die preußischen Provinzen **Niederschlesien** (Hauptstadt: Breslau) und **Oberschlesien** (Hauptstadt: Oppeln) gebildet. Nach der Volksabstimmung von 1921 fiel ein Teil Oberschlesiens an Polen. Die ehemaligen österreichischen Besitzungen in Schlesien wurden unter Polen und die Tschechoslowakei aufgeteilt.

Unter der Herrschaft der Nationalsozialisten wurden Ober- und Niederschlesien 1938 zusammengefaßt. Nach dem Zweiten Weltkrieg kamen die Gebiete östlich der Oder-Neiße-Linie unter polnische Verwaltung. Durch den deutsch-polnischen Grenzvertrag (1990) wurde die Eingliederung Schlesiens nach Polen anerkannt. Der Landstrich westlich der Neiße wurde dem Land Sachsen angegliedert.

Schlesische Kriege, die 3 Kriege zwischen Preußen und Österreich um den Besitz von Schlesien. Die beiden ersten Schlesischen Kriege sind Teil des →Österreichischen Erbfolgekriegs. 1740–42 besetzte Friedrich II. Schlesien, Bayern, Spanien und Sachsen und schloß den Sonderfrieden von Berlin und Breslau mit Kaiserin Maria Theresia von Österreich. 1744 nahm Friedrich II. den Krieg im Bündnis mit Bayern wieder auf. Großbritannien vermittelte den Frieden von Dresden 1745, der Preußen den Besitz Schlesiens sicherte. Der dritte Schlesische Krieg (1756–63) ist Teil des →Siebenjährigen Krieges.

Schleswig, 29400 Einwohner, Stadt in Schleswig-Holstein am inneren Ende der Schlei, einer flußartig verengten Förde an der Ostküste. Schleswig wurde im 11. Jahrh. als Ersatz für das um 1050 zerstörte **Haithabu** gegründet. Diese 3 km südlich gelegene Wikingersiedlung war seit dem 9. Jahrh. bedeutendster Handelsplatz in Nordeuropa. Seit 1900 werden hier Ausgrabungen vorgenommen.

Schleswig-Holstein, das nördlichste Land der Bundesrepublik Deutschland. Es nimmt den südlichen Teil der Halbinsel Jütland zwischen Nordsee und Ostsee ein; hinzu kommen Helgoland, die Nordfriesischen Inseln und Halligen und in der Ostsee die Insel Fehmarn. Im Norden grenzt das Land an Dänemark, im Süden mit der Unterelbe an Niedersachsen und den Stadtstaat Hamburg, im Südosten an Mecklenburg-Vorpommern. Durch diese Lage bedingt ist Schleswig-Holstein mit dem **Nord-Ostsee-Kanal** (Schiffahrt) und der von Fehmarn-Puttgarden nach Hamburg führenden **Vogelfluglinie** (Straße und Eisenbahn) ein Durchgangsland des Verkehrs zwischen Skandinavien und Mitteleuropa.

Schleswig-Holstein
Fläche: 15730 km²
Einwohner: 2590000
Hauptstadt: Kiel

Schleswig-Holstein gliedert sich in 3 Landschaftszonen. Im Osten liegt das von Gletschern der Eiszeit geformte Hügelland mit zahlreichen Seen und tief in das Land reichenden Buchten, den Förden. In der Mitte erstreckt sich die sandige und recht unfruchtbare Geest; sie fällt teilweise steil zum Marschland im Westen ab. Die fruchtbare Marsch liegt stellenweise unter dem Meeresspiegel und muß durch Deiche geschützt werden. Vor den Deichen erstreckt sich das Wattenmeer, das seit 1985 als Nationalpark besonderen Schutz genießt.

Schleswig-Holstein
Landeswappen

Schleswig-Holstein ist relativ wenig industrialisiert. Schwerpunkte liegen um die beiden einzigen Großstädte Kiel (Werftindustrie) und Lübeck sowie im Hamburger Umland. Eine große Rolle spielt die Landwirtschaft; zwar ist Schleswig-Holstein das waldärmste deutsche Bundesland, aber fast ¾ der Landfläche werden agrarisch genutzt. In Nordfriesland herrscht Viehzucht vor, in Dithmarschen der Anbau von Kohl und Zuckerrüben, im östlichen Hügelland der Anbau von Weizen und Raps. Durch die zahlreichen Badeorte an Nord- und Ostsee, z. B. **Westerland** auf Sylt sowie **Grömitz** und **Travemünde** an der Lübecker Bucht, gewinnt der Fremdenverkehr seine große Bedeutung für das Land. Auch die **Holsteinische Schweiz** mit Plöner See und Bungsberg (168 m über dem Meer, höchste Erhebung des Landes) ist ein traditionelles Fremdenverkehrsgebiet.

Geschichte. Als letztes sächsisches Stammesgebiet wurde Holstein 804 von Karl dem Großen unterworfen. 1386 wurden Holstein und das nördlich der Eider gelegene Schleswig unter den Schauenburger Grafen vereinigt und blieben seither staatsrechtlich eine Einheit. Nachdem 1460 der Dänenkönig Christian I. aus dem Haus Oldenburg Landesherr geworden war, wurde das Land immer wieder bis in kleinste Gebiete zwischen dänischem Königshaus und späteren Oldenburger Fürsten geteilt. 1559 wurde der Bauernfreistaat **Dithmarschen** an der Westküste besiegt und eingegliedert. Versuche, das ganze Land endgültig zu einem Teil Dänemarks zu machen, gipfelten in den →Deutsch-dänischen Kriegen 1848–50 und 1864. Schleswig-Holstein wurde danach von den Siegermächten Preußen und Österreich verwaltet, zwischen denen es darüber 1866 zum Deutschen Krieg kam. Danach verlor das Land seine Sonderstellung und wurde zur preußischen Provinz; ihr wurde 1876 das **Herzogtum Lauenburg** angegliedert. Nach dem Ersten Weltkrieg wurde 1920 durch Volksabstimmung das nördliche Schleswig an Dänemark abgetreten.

Schleuse, Schiffsschleuse, ein Bauwerk in Flüssen und Kanälen, mit dessen Hilfe Schiffe Höhenunterschiede über eine Gewässerstufe hinweg überwinden können. Schleusen ermöglichen

Wörter, die man unter Sch vermißt, suche man unter Sh

Schiffen den Übergang von einem Wasserstraßenabschnitt mit höherem Wasserspiegel (Oberwasser) zu einem solchen mit niedrigerem Wasserspiegel (Unterwasser), auch in umgekehrter Richtung. Am häufigsten ist die **Kammerschleuse,** die am oberen und unteren Ende durch Tore (Oberhaupt und Unterhaupt) geschlossen werden kann. Gelangt ein Schiff vom Oberwasser in

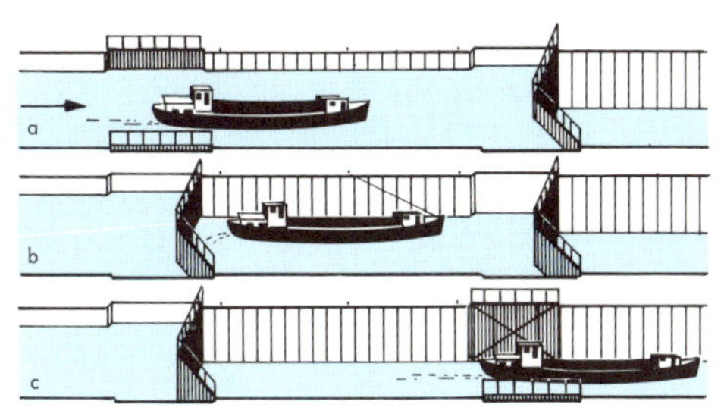

Schleuse: a–c Vorgang beim Schleusen: **a** Kammer gefüllt, oberes Tor offen, Einfahrt, **b** beide Tore geschlossen, Schützen des unteren Tores geöffnet, Schleusung, **c** unteres Tor geöffnet, Ausfahrt

die Schleusenkammer, wird diese oben verschlossen und ins Unterwasser entleert, bis der Wasserspiegel der Kammer dem des Unterwassers entspricht. Nach Öffnen des unteren Tores kann das Schiff seine Fahrt fortsetzen. Bei einer Bergfahrt wird die Schleusenkammer vom Oberwasser her gefüllt.

Größere Höhenunterschiede im Wasserweg werden durch **Schachtschleusen,** hintereinanderliegende **Schleusentreppen** oder **Koppelschleusen** überwunden. **Sparschleusen** schränken den Wasserverbrauch ein, indem der größte Teil des Entleerungswassers in seitlich angeordnete Sparbecken fließt und zur nächsten Füllung wieder verwendet wird.

Übliche Stufenhöhen von Schleusen betragen zwischen 6 und 20 m. Größere Höhenunterschiede lassen sich besser mit **Schiffshebewerken** bewältigen, bei denen das Schiff in einen wassergefüllten Trog einfährt, der mit Gegengewichten oder Schwimmern auf die höhere Stufe gehoben oder auf die niedrigere Stufe gesenkt wird.

Schliemann. Der Kaufmann und Altertumsforscher **Heinrich Schliemann** (* 1822, † 1890) erwarb in Amsterdam und Sankt Petersburg ein stattliches Vermögen; er bereiste Europa und den Orient. Der ihn leidenschaftlich bewegende Wunsch, die Stätten des griechischen Mythos wiederzufinden, bestimmte ihn, sich 1868 in Athen niederzulassen. 1870–90 unternahm er Ausgrabungen in Hissarlik (Westtürkei), das er als die Stelle des antiken Troja bestimmte, 1874–76 in Mykene, 1880–86 in Orchomenos, 1884–85 in Tiryns. Von dem Glauben an die geschichtliche Wahrheit der Dichtungen Homers erfüllt, entdeckte Schliemann die vorhomerische Welt des 2. Jahrtausends v. Chr. und erschloß damit ein neues Forschungsgebiet. Seinem Finderglück verdankt man die Hebung der Goldschätze von Troja (die er dem Berliner Museum für Vor- und Frühgeschichte schenkte) und des reichen Goldschmucks der Königsgräber von Mykene (Athen, National-Museum).

Schlittenhundesport, Wettbewerbsrennen, bei dem Schlittenhunde einen bootsförmigen Schlitten **(Pulka)** aus Holz oder Kunststoff von 10–20 kg Gewicht ziehen. Der Schlittenführer **(Musher)** begleitet laufend oder auf Skiern den Schlitten, der von einem Hund gezogen wird, oder steht auf den verlängerten Kufen, wenn 2 oder mehr Hunde den Schlitten ziehen. Der Musher lenkt durch Zuruf. Für den Schlittenhundesport werden Sibirian Husky, Samojede, Alaskan Malamude und Grönlandhund eingesetzt. Es gibt 3 Anspannarten: **Tandemgespann** mit den Hunden hintereinander zwischen 2 Zugleinen, **Fächergespann** mit einer eigenen Zugleine für jeden Hund und **Doppelgespann** mit einem Leithund an der Spitze und den paarweise an einer Zentralleine durch Zugstrang und Halsleine verbundenen Hunden.

Schlittensport, Rennrodeln, aus dem Rodeln hervorgegangene Wintersportart auf Spezialschlitten. Der Schlittensport ist ein Geschwindigkeitswettbewerb auf kurvenreichen, vereisten und ausgehöhlten Gefällstrecken. Die meisten heutigen Bahnen sind künstlich angelegt. Ihre Kurven sind wegen der gefahrenen hohen Geschwindigkeiten so überhöht, daß die Schlitten nicht aus der Bahn getragen werden. Der Rennschlitten ist niedrig gebaut (etwa 15 cm hoch, höchstens 55 cm breit, 1,24 bis 1,35 m lang) und hat schräggestellte, vorn hornförmig aufgebogene Stahlkufen. Die Sitzfläche besteht meist aus Kunststoff. Der Fahrer fährt den Schlitten auf dem Rücken liegend. Er steuert durch Zug an einem Gurt, der an den beiden vorderen Kufenenden befestigt ist, und durch Gewichtsverlagerung. – Seit 1964 ist Schlittensport Olympische Disziplin.

Heinrich Schliemann

Schluchsee, See im südlichen Schwarzwald, südöstlich vom Feldberg. Der Wasserspiegel liegt 900 m hoch. Der See ist über 7 km lang und bis 1,5 km breit; die größte Tiefe beträgt 33 m. Der Schluchsee wurde seit 1929 zu seiner heutigen

Größe aufgestaut. An seinem Nordostufer liegt die Gemeinde **Schluchsee,** ein heilklimatischer Kurort.

Schluckauf, Schluckser, unwillkürliche, tönende Einatmung bei gleichzeitiger krampfartiger Zusammenziehung des Zwerchfells; sie wird unter anderem durch einen Reiz vom Magen ausgelöst, z. B. bei zu hastigem Essen. Das ist meist harmlos und oft schon durch kurzes Luftanhalten oder einen Schluck Wasser zu beheben. Der Schluckauf kann aber auch Zeichen einer Entzündung im Bauch oder einer Erkrankung des Gehirns sein.

Schluckimpfung, eine →Impfung, z. B. gegen →Kinderlähmung, bei der der aus abgeschwächten lebenden Erregern bestehende Impfstoff durch den Mund aufgenommen, also geschluckt wird.

Schlüsselbein, s-förmiger Knochen, Teil des Schultergürtels, der eine gelenkige Verbindung mit dem Schulterblatt und dem Brustbein hat, das den vorderen Abschluß des →Brustkorbes bildet.

Schlüsselblume: Frühlingsschlüsselblume

Schlüsselblumen öffnen bald nach der Schneeschmelze ihre goldgelben Blüten. Sie blühen bis in den Mai auf Wiesen und in lichten Laubgehölzen. Ihren Namen, im Volksmund auch ›Himmelsschlüsselchen‹, haben sie nach einer altertümlichen Schlüsselform erhalten, der ihre Blütendolde ähnelt. Man nennt sie auch **Primel** (von lateinisch prima ›die Erste‹) wegen der frühen Blüte. Schlüsselblumen stehen unter Naturschutz. Nur, wo sie häufig sind, darf man sie pflücken, aber nicht ausgraben.

Schmalkaldischer Bund. In der thüringischen Stadt Schmalkalden schlossen sich 1531 mehrere protestantische Reichsstände zu einem Verteidigungsbündnis gegen die kaiserliche Religionspolitik zusammen. Das Kurfürstentum Sachsen und die Landgrafschaft Hessen hatten die Führung in diesem Bündnis, das auch mit England, Frankreich und anderen Staaten Verbindung aufnahm, aber zunehmend durch innere Schwierigkeiten geschwächt wurde. Im **Schmalkaldischen Krieg,** den Kaiser Karl V. 1546–47 gegen den Bund führte, siegte der Kaiser.

Schmarotzer, die →Parasiten.

Schmelzpunkt, die Temperatur, bei der ein Stoff vom festen in den flüssigen →Aggregatzustand übergeht (→chemische Elemente, ÜBERSICHT).

Schmerlen, Grundeln, karpfenähnliche, kleine bis mittelgroße Süßwasserfische mit kleinen Schuppen. Die meisten Arten haben an den wulstigen Lippen 6–12 Bartfäden, mit denen sie ihre Nahrung (Insektenlarven, Würmer, Algen) am Gewässergrund ertasten. Viele Schmerlen sind beliebte Aquarienfische. Die auch in Europa heimische, bis 16 cm lange **Bachschmerle** ist sehr empfindlich gegen Wasserverschmutzung. Der bis 12 cm lange **Steinbeißer,** der sich tagsüber im Sand eingräbt, hat eine sehr ausgeprägte **Darmatmung,** das heißt, er schluckt Luft an der Wasseroberfläche und der Sauerstoff wird in die Blutgefäße der Darmschleimhaut aufgenommen. Das gleiche gilt für den bis 30 cm langen **Schlammbeißer** oder **Wetterfisch.** Er kommt bei Luftdruckschwankungen, z. B. vor Gewittern, die er mit der umgebildeten, in einer Knochenkapsel liegenden Schwimmblase wahrnimmt, unruhig an die Oberfläche. Sonst liegt er im Schlamm eingewühlt. Trocknet sein Gewässer aus, überdauert er im Schlamm.

Verwandt ist der bis 15 cm lange **Schlammspringer,** der auch außerhalb des Wassers in den Mangrovensümpfen Südostasiens lebt. Mit den armartigen Brustflossen läuft er rasch über den Schlamm und klettert sogar auf Baumstämme und Wasserpflanzen, um Insekten und kleine Krebse zu jagen. Über den Kiemen hat er eine labyrinthartige Höhlung, in die feinste Blutgefäße einmünden, mit denen er den Sauerstoff direkt aus der Luft entnehmen kann. Außerdem atmet er, ähnlich wie Frösche, durch die Haut.

Schmerz, unangenehme bis peinigende Empfindung, die durch verschiedene äußere und innere Reize des Körpers ausgelöst werden kann. Die Schmerzempfindung wird über Nerven zum Gehirn und damit zum Bewußtsein gebracht. Manche Körpergewebe sind besonders schmerzempfindlich, z. B. die Knochenhaut; das wird beim Stoß gegen das Schienbein deutlich. Andere Gewebe sind schmerzunempfindlich, z. B. das Knochenmark, weil sich dort wenig oder keine Nervenendigungen befinden, die den Schmerzreiz aufnehmen können. Die Hälfte aller Nervenfasern der Haut dienen der Schmerzleitung. Schmerzen sind ein Warnsignal des Körpers auf Reize, die ihm von außen, z. B. durch Verletzungen, Kälte, oder an den inneren Organen, z. B. durch Entzündungen, Schaden zufügen. Besonders starke Schmerzen, z. B. bei einer →Kolik, können begleitet sein von Schweißausbruch, Übelkeit sowie einer Beeinflussung des Kreislaufs.

Schmerzensgeld, Entschädigung, die derjenige verlangen kann, dessen Körper, Gesundheit

Wörter, die man unter Sch vermißt, suche man unter Sh

oder Freiheit unrechtmäßig verletzt worden ist, z. B. ein Unfallopfer, wobei neben dem materiellen auch der immaterielle Schaden zählt.

Schmetterlinge, Insekten mit 4 großen häutigen Flügeln, die netzartig verstärkt und mit vielen winzig kleinen, oft sehr bunten Schuppen bedeckt sind. Die Schuppen, die aus Chitin bestehen, liegen dachziegelartig übereinander und sind so zart, daß sie bei der kleinsten Berührung am Finger haften bleiben. Mit ihrem langen Saugrüssel, der vorher wie eine Uhrfeder zusammengerollt war, holen Schmetterlinge Nektar aus Blüten heraus, die sie dabei bestäuben (→ Bestäubung), und saugen Obst- und Baumsäfte auf. Manche Falter zehren nur von dem Fett, das sie als Raupe gespeichert haben.

Schmetterlinge durchlaufen eine Entwicklung vom **Ei** über **Larve** (›Raupe‹) und **Puppe** bis zum fertigen **Falter,** der in der Regel nur einige Wochen lebt. Wenige Arten (Zitronenfalter, Kleiner Fuchs, Tagpfauenauge) überdauern einen Winter in einem Versteck. Meist überwintern die Raupen oder Puppen. Die Raupen sind einfarbig oder bunt, glatt oder behaart und durch ihr Aussehen gut getarnt. Eine grüne Raupe z. B. ist von ihren Feinden auf einem grünen Blatt nur schwer zu erkennen; eine bräunliche Raupe gleicht einem Ästchen. Die Raupen fressen meist die Blätter bestimmter Pflanzen. Wenn sie in Massen auftreten, können sie schädlich werden, z. B. die Raupen des **Kohlweißlings** an den Kohlpflanzen. Die meisten Raupen erzeugen Spinnfäden, mit denen die Puppe an Pflanzen befestigt wird, manche stellen → Kokons her. Die Puppen ruhen oft in der Erde, auch in zusammengerollten Blättern. Platzt die Puppe auf, kommt der fertige Falter zum Vorschein. Er pumpt Luft in die Flügel, wartet bis diese erhärtet sind und kann nach einigen Stunden davonfliegen.

Männchen und Weibchen, die sich unter anderem mit Hilfe von Duftschuppen finden, verbinden bei der Paarung ihre Hinterleiber. Das Weibchen legt zwischen 50 und 2 000 Eier meist an den Futterpflanzen der Raupen ab, die es mit Hilfe der Fühler am Geruch erkennt.

Schmetterlinge leben in allen Erdteilen außer der Antarktis. Viele fliegen am Tag **(Tagschmetterlinge),** andere vor allem in der Nacht. Diese **Nachtschmetterlinge** haben meist durch Fiederung stark vergrößerte Fühler. Zwergmotten haben nur eine Flügelspannweite von 3–4 mm. Die größten Schmetterlinge, die in den Tropen leben, spannen ihre Flügel über 30 cm. Vor ihren Feinden (Spinnen, Vögeln, Fledermäusen) schützen sich Schmetterlinge ähnlich wie ihre Raupen z. B. durch abschreckend grellbunte Färbung; diese Arten sind meist giftig oder riechen schlecht. Ihre Färbung kann auch dem Untergrund angepaßt sein, z. B. beim Spanner. Manche tragen große

Schmetterlinge: **1** Admiral. **2** Bläuling (Männchen). **3** Großer Fuchs. **4** Trauermantel. **5** Apollofalter. **6** Tagpfauenauge. **7** Schwalbenschwanz. **8** Wolfsmilchschwärmer. **9** Abendpfauenauge. **10** Totenkopf. **11** Zitronenfalter (Männchen). **12** Hornissenschwärmer

›Augen‹ auf den Flügeln, die ein größeres Tier vortäuschen sollen, z. B. das Tagpfauenauge. Bei anderen sind die Schuppen zurückgebildet (›Glasflügler‹); sie ahmen z. B. stechende Wespen nach (→ Mimikry). Wenn Tagfalter sich ausruhen, klappen sie meistens ihre Flügel zusammen und sind dann, da die Färbung der Unterseiten unauffälliger ist, gut getarnt. Nachtfalter, deren Körper oft als Schutz vor Kälte stark behaart ist, sind meist dunkler gefärbt. Farbenprächtige Nachtschmetterlinge sind unter anderem das Blaue und das Gelbe Ordensband.

Viele Schmetterlinge, z. B. der Kohlweißling, die Kleidermotte oder manche Spinner, die Obst- und Waldbäume schädigen, werden vom Menschen vernichtet. Dagegen wird der Maulbeerspinner, der den Rohstoff für → Seide liefert, gezüchtet. Die bekanntesten in Deutschland heimischen Schmetterlinge gehören zu den Tagfaltern, z. B. der gelbe Zitronenfalter, der Schwalbenschwanz mit langen ›Spießen‹ an den hinteren Flügeln, der Bläuling, der Aurorafalter, der orangeschwarz gemusterte Fuchs, der dunkel gefleckte Kaisermantel, das Tagpfauenauge und der orangerote Feuerfalter. Bekannte Nachtfalter sind die Spinner, Spanner, Eulen und Schwärmer.

In Mitteleuropa gibt es rund 3 200 Arten von Schmetterlingen. Die Hälfte der etwa 200 in Deutschland heimischen Schmetterlingsarten ist vom Aussterben bedroht. Verantwortlich sind dafür vor allem die chemischen Schädlingsbekämpfungsmittel in der Landwirtschaft.

Schmetterlingsblüter, artenreiche Pflanzenfamilie (Kräuter, Stauden, Sträucher) mit Blüten, die in der Form an einen Schmetterling erinnern. Die 5 verschieden geformten Kronblätter bezeichnet man als ›Fahne‹, ›Flügel‹ (an beiden Seiten) und ›Schiffchen‹ (meist 2 verwachsene Blätter). Von den 10 Staubblättern sind alle bis auf eins zu einer Röhre verwachsen. Die → Frucht ist meist eine Hülse, deren eiweiß- und stärkereiche Samen viele wichtige Nahrungsmittel liefern (z. B. Erbse, Linse, Bohne, Sojabohne, Erdnuß). Zu den Schmetterlingsblütern gehören auch Futterpflanzen wie Lupine, Luzerne und Klee, die als Luftstickstoffsammler auch auf stickstoffarmen Böden gut gedeihen und untergepflügt zur Gründüngung verwendet werden können. Diese Pflanzen leben in Symbiose mit Bakterien, die sich in knöllchenartigen Verdikkungen ihrer Wurzeln befinden (›Knöllchenbakterien‹). Diese Bakterien sind in der Lage, den Stickstoff, der in der Luft enthalten ist, zu binden. Stickstoff ist für das Wachstum der Pflanze unentbehrlich. Gleichzeitig wird durch den Anbau solcher Pflanzen ein karger Boden verbessert. So wird von Lupinen in einem 1 Hektar großen Feld im Lauf einer Vegetationsperiode etwa 200 kg Stickstoff aus der Luft gewonnen. Schmetterlingsblüter sind auch Ginster, Goldregen und Seidelbast. (BILD Blüte)

Schmetterlingsschwimmen, Butterfly-Schwimmen [batterflai-, englisch], früher **Delphinschwimmen,** Schwimmart, bei der Beine und Rumpf eine dem Schlag des Delphins ähnliche Bewegung ausführen; die Arme werden gleichzeitig über dem Wasser nach vorn geschwungen und unter Wasser nach unten gezogen. Schmetterlingsschwimmen ist der jüngste Schwimmstil, der sich erst 1953 aus dem Brustschwimmen zu einer eigenen Disziplin entwickelte. Da die Beinbewegungen nicht mehr an die Brustschwimmregeln gebunden waren, entwickelte sich der spezifische Beinschlag des Schmetterlingsschwimmens. Bei Olympischen Spielen wird das Schmetterlingsschwimmen jeweils über 100 und 200 m für Damen und Herren ausgetragen. Außerdem ist es Bestandteil der Lagenstaffel über 4 × 100 m bei Damen und Herren, und zwar als zweite Lage, sowie der Einzeldisziplinen 200- und 400-m-Lagenschwimmen, jeweils als erste Lage.

Schmidt-Rottluff. Der Maler und Graphiker **Karl Schmidt-Rottluff** (* 1884, † 1976), eigentlich Karl **Schmidt,** gehört als Mitbegründer der Künstlervereinigung ›Brücke‹ zu den Hauptmeistern des → Expressionismus. Seit 1911 lebte er in Berlin; 1941–45 erhielt er von den Nationalsozialisten Malverbot. Sein reifer Stil (seit etwa 1910) zeigt sich in wuchtig wirkenden Kompositionen mit starken, klaren Farbkontrasten und kantig betonten Umrissen. Bildthemen sind Landschaften, Stilleben, Aktdarstellungen, Porträts und Selbstporträts. Einflüsse der schwarzafrikanischen Kunst zeigen sich besonders in den knappen, kraftvoll-elementaren Formen seiner Figuren, die oft wie holzgeschnitzt wirken. Als Bildschnitzer schuf er afrikanisch geprägte Köpfe von ausdrucksstarker Einfachheit. Als Graphiker bevorzugte Schmidt-Rottluff den Holzschnitt; sein Holzschnitt-Zyklus über das Leben Christi (1919) gehört zu den Hauptwerken religiöser Kunst im 20. Jahrhundert.

Schmuggel, strafbare Handlung, die begeht, wer Waren außer Landes bringt oder einführt, ohne sie ordnungsgemäß beim Zoll anzumelden.

Schnabeligel, der → Ameisenigel.

Schnabeltiere, urtümliche Säugetiere mit breitem, plattem Hornschnabel. Sie leben an

Schnabeltier

Flüssen und Seen in Australien und auf der Insel Tasmanien. Wie die Ameisenigel legen sie Eier und haben eine →Kloake. Mit ihrem walzenförmigen Körper, der von dichtem, braunem Fell bedeckt ist, können sie gut tauchen und schwimmen, wobei sie mit dem abgeplatteten Schwanz wie ein Biber steuern; die kurzen Füße tragen Schwimmhäute. Wie Enten gründeln Schnabeltiere mit ihrem zahnlosen Schnabel nach Würmern, Muscheln, Krebsen und Schnecken. Mit den Krallen der Vorderfüße graben sie im Ufer Höhlen, in denen das Weibchen 2 Eier ausbrütet. Nach etwa 10 Tagen schlüpfen die 17 mm langen Jungen; da keine Zitzen vorhanden sind, lecken sie die Milch von ›Milchdrüsenfeldern‹ an der Bauchseite der Mutter auf. Die männlichen Schnabeltiere haben einen Giftsporn am Hinterfuß, was bei Säugetieren selten ist.

Schnạken, eine Familie der →Mücken.

Schnạrchen, Geräusch, das im Schlaf beim Atmen mit offenem Mund auftritt. Es entsteht durch das Schwingen des erschlafften Gaumensegels und durch die beim Schlaf zurückgesunkene Zunge. Das Schnarchen wird durch eine behinderte Nasenatmung oder vergrößerte →Mandeln begünstigt.

Schnauzer, eine Rasse der →Hunde.

Schnẹcke, Teil des →Ohrs und Sitz der Hörsinneszellen.

Schnẹcken, Weichtiere, die einen Kopf mit 1 oder 2 Paar einziehbaren Fühlern haben, an deren Ende meist die einfachen, kleinen Augen sitzen. Schnecken ertasten Hindernisse mit den Fühlern. An der Unterseite des Vorderkörpers befindet sich die Mundöffnung mit der vorstreckbaren Reibzunge zum Benagen und Raspeln von Pflanzen. Unter dem Bauch liegt der breite, muskulöse Fuß, mit dem die Schnecke langsam vorwärts kriechen, graben oder schwimmen kann. Sie gleitet wie auf einer Rutschbahn auf einer glänzenden Schleimspur, die von Drüsen abgesondert wird, und kann ohne Verletzung sogar über Glasscherben kriechen. Das Hauptmerkmal der meisten Schnecken ist das spiralig gewundene, oft farbige Gehäuse. Manche Schnecken können sich bei Gefahr ganz in ihr Schneckenhaus zurückziehen. Bei den Nacktschnecken (z. B. der **Roten Wegschnecke**) ist das Gehäuse zurückgebildet. Diese langgestreckten Tiere mit stark runzeliger Haut verbergen sich tagsüber meist im feuchten Erdreich. Als Pflanzenfresser sind sie in Garten und Feld nicht gern gesehen. Man fängt sie in mit Bier gefüllten Fallen. Die meisten der etwa 85 000 Schneckenarten leben im Wasser. Nach ihrem Lebensraum unterscheidet man Kiemenschnecken, die im Meer oder Süßwasser leben, und Lungenschnecken wie die **Weinbergschnecke,** mit etwa 4 cm Durchmesser des Gehäuses die größte in Deutschland heimische Schnecke. Sie gilt als Delikatesse und wird deshalb in Schneckenfarmen gezüchtet. Besonders nach Regen kann man Weinbergschnekken nicht nur in Weinbergen sondern in Gärten, Parkanlagen, auf Wiesen und an Waldrändern häufig sehen. Sie fressen Kräuter. Im Winter vergraben sie sich im Boden. Sie verschließen in dieser Zeit ihr Gehäuse mit einem Kalkdeckel, der von Hautdrüsen abgesondert wird. Weinbergschnecken können bis zu 6 Jahre alt werden, während die meisten Schnecken nur ein Alter von 2–3 Jahren erreichen.

Meist sind Schnecken getrenntgeschlechtlich, 2 Tiere befruchten sich wechselseitig; Lungenschnecken sind oft →Zwitter. Der Paarung geht ein langes Liebesspiel voraus, bei dem sich z. B. Nacktschnecken gegenseitig umwinden und belecken und Weinbergschnecken dem Partner bis 1 cm lange Kalkpfeile in den Fuß bohren. Die 20–60 weißen Eier, die etwa 3 mm lang sind, werden in Erdgruben abgelegt, die die Schnecke mit dem Fuß gräbt. Ein Larvenstadium gibt es nur bei den im Meer lebenden Schnecken.

Schnecken sind Nahrung für viele Vögel (z. B. Drosseln), Füchse und verschiedene Käfer.

Schnee, die verbreitetste, aus Eiskristallen bestehende Form des festen Niederschlags. Die Beschaffenheit des Schnees hängt in erster Linie von den Temperaturen ab, bei denen er fällt. Herrscht starker Frost, so bilden sich trockene, körnige Eiskristalle in Plättchenform **(Pulverschnee).** Bei Temperaturen nahe dem Gefrierpunkt werden die Schneekristalle feucht und beginnen zusammenzukleben; auf diese Weise ent-

Schnecken: **1** Weinbergschnecke, **2** Hainschnirkelschnecke, **3** Rote Wegschnecke

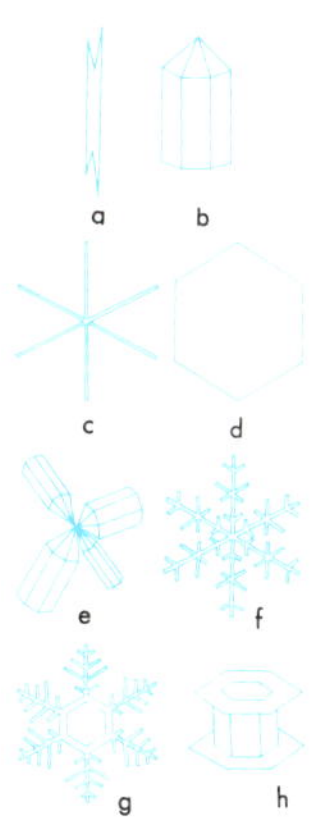

Schnee

Schnee: typische Schneekristallformen; **a–d** einfache Formen: **a** Nadeln, **b** Prismen, **c** Stern, **d** Plättchen; **e–h** zusammengesetzte Formen: **e** Prismenaggregat, **f** dendritischer Stern, **g** dendritisches Plättchen, **h** Prisma mit Plättchen

Schneeball: OBEN blühend, UNTEN Fruchtstand

stehen **Schneeflocken,** die am Boden den **Pappschnee** bilden. Eine festgefahrene Schneedecke am Boden verursacht **Schneeglätte.** Oberflächliches Anschmelzen und Wiedergefrieren von abgelagertem Schnee führt zu **Verharschung.** Werden allerdings bei diesem Vorgang die Schneekristalle zerstört, entsteht **Firn.** Geschlossene dichte Schneedecken besitzen ein sehr geringes Wärmeleitvermögen und schützen auf diese Weise die darunterliegenden Pflanzen.

Schneeball, ein Strauch mit auffallend weißen Blüten, die schirmartig in kleinen Dolden zusammenstehen oder, bei einer Zierform, eine Kugel bilden. Die erst grünen, dann roten und schließlich schwarzen Beeren sind **schwach giftig.** Diesen Strauch findet man in feuchten Gehölzen, eine andere Art mit dicht filzig behaarten Blättern, Zweigen und Knospen nur auf trockenem Boden; beide kommen auch als Zierstrauch vor.

Schneebeere, bis 2 m hoher Strauch, der in Gärten und Parkanlagen wächst. Seine schneeweißen, kugeligen Beeren, die den ganzen Winter über an den Zweigen bleiben, platzen mit einem lauten Knacken, wenn man sie zerdrückt (›Knallerbsen‹). Ihr Saft ist **schwach giftig** und führt zu Übelkeit und Erbrechen. Die glockigen, rosaroten Blüten bilden kleine Ähren.

Schneeberg, mit 1 053 m der höchste Berg des Fichtelgebirges in Nordostbayern.

Schnepfen: Waldschnepfe

Schneeglöckchen öffnen ihre weißen, glokkenförmigen Blütchen oft schon im Vorfrühling, wenn häufig noch Schnee liegt. Ihre inneren kürzeren Blütenblätter sind an den Spitzen grün gefleckt. Wild wachsen diese Frühlingsblumen in Deutschland nur noch selten. Die Gartenblume, die aus Kleinasien stammt, hat größere Blüten. Verwandt ist der etwas größere **Märzenbecher,** auch **Frühlingsknotenblume,** mit gelbgrün-knotigen Tupfen an der Spitze der Blütenblätter, der in feuchten Wäldern, auf Sumpf- und Bergwiesen wächst und häufig in Gärten und Parks gepflanzt wird.

Schneegrenze, die Grenze zwischen schneebedecktem und schneefreiem Gebiet. Sie unterliegt jahreszeitlichen Änderungen und steigt im Sommer an, während sie im Winter absinkt **(temporäre Schneegrenze).** Die mittlere höchste Lage der temporären Schneegrenze wird als **klimatische Schneegrenze** bezeichnet. Die höchsten Werte erreicht die klimatische Schneegrenze in den Trockengebieten der Erde; dort liegt sie zum Teil über 6 000 m (Tibet, Anden). In den Alpen schwankt sie zwischen 2 500 und 3 000 m, während sie zu den Polen hin absinkt (Spitzbergen 300–600 m).

Schneekoppe, mit 1 603 m der höchste Berg des Riesengebirges. Über dem Gipfel verläuft die Staatsgrenze zwischen Polen und der Tschechischen Republik.

Schneller Brüter, Schneller Brutreaktor, ein Kernreaktor, bei dem die →Kernspaltung durch **schnelle,** das heißt nicht abgebremste Neutronen in einer Plutonium-Spaltzone erfolgt. Ein Teil der dabei entstehenden Neutronen erzeugt aus nicht spaltbarem Uran 238 in einer Brutzone spaltbares Plutonium 239. Dieser Vorgang wird als **Brüten** bezeichnet. Der Vorteil des Schnellen Brüters liegt darin, daß pro gespaltenem Plutoniumkern 1,1 bis 1,16 neue Plutoniumkerne aus nicht spaltbarem Uran 238 entstehen, was theoretisch eine erheblich bessere Nutzung des Energierohstoffes Uran ermöglicht. Wegen der mit der Plutoniumtechnologie verknüpften Sicherheitsrisiken, vor allem bei der →Wiederaufarbeitung des ›abgebrannten‹ plutoniumhaltigen Brennstoffs, sowie der angezweifelten Wirtschaftlichkeit ist dieser Reaktortyp besonders umstritten.

Schnepfen, Familie hochbeiniger Vögel, die vor allem auf der nördlichen Erdhalbkugel leben. Sie überwintern meist im Mittelmeerraum. Tagsüber sind die am Boden brütenden Schnepfen kaum zu sehen. Aufgeschreckt fliegen sie in steil reißendem Flug kürzere Strecken. Mit ihrem sehr langen Schnabel, der an der biegsamen Spitze empfindliche Tastorgane hat, stochern sie im weichen Boden nach Insekten, Larven und Würmern. In Deutschland lebt in feuchten Misch- und Laubwäldern die etwa taubengroße **Waldschnepfe.** Früher wegen ihres wohlschmeckenden Fleisches häufig gejagt, ist sie heute vom Aussterben bedroht. Auffallend sind die Flugspiele der Männchen zur Balzzeit. In sumpfigen Gebieten brütet die kleinere **Sumpfschnepfe** oder **Bekassine.** Sie ist am ›meckernden‹ Fluggeräusch der stark gespreizten, schwingenden Schwanzfedern zu erkennen (daher auch ›Himmelsziege‹). Nur noch selten sieht man im Norddeutschen Tiefland die in ihrem Bestand stark gefährdete **Uferschnepfe.** Häufiger ist in diesem Gebiet der verwandte **Große Brachvogel** anzutreffen, der einen besonders langen, abwärts gebogenen Schnabel hat.

Schnorchel, ein Rohr, das eine Luftverbindung von oberhalb der Wasserfläche zu einem unter Wasser schwimmenden Taucher oder zu einem getauchten U-Boot herstellt. Beim Sporttauchen darf das Rohr, das zum Mund des Tauchers führt, nicht länger als etwa 40 cm lang sein; ist das Rohr länger, atmet der Schwimmer seine eben ausgeatmete Luft wieder ein. Der U-Boot-Schnorchel ist wesentlich länger. Er führt den Dieselmotoren über ein Ventil die zur Verbrennung nötige Luft zu; außerdem gibt es eine Schnorchelabgasleitung.

Schnupfen, Entzündung der Nasenschleimhaut, meist verursacht durch ein Virus, das von Mensch zu Mensch durch Husten und Niesen übertragen wird. Der Schnupfen ist häufig begleitet von Kratzen im Nasen-Rachen-Raum, Niesen, Kopfdruck und Augentränen. Die Nasenschleimhaut ist geschwollen und sondert ein wäßrig-schleimiges, manchmal auch eitriges Sekret ab, was die Nasenatmung behindert. Der akute Schnupfen heilt in der Regel in einigen Tagen ab. Es kann jedoch auch zu Komplikationen kommen, z. B. zu Entzündungen der Nasennebenhöhlen oder des Mittelohres oder zur Ausbreitung in die tieferen Atemwege. – Eine besondere Form des Schnupfens, der **Heuschnupfen,** ist eine allergische Erkrankung.

Schock, akutes Kreislaufversagen, wobei es zu mangelhafter Blutversorgung von Geweben und Organen kommt. Diese Minderdurchblutung, besonders der kleinsten Blutgefäße, führt zu Sauerstoffmangel und Übersäuerung der Gewebe, was Zerstörung von Zellen und Versagen lebenswichtiger Organe wie Niere und Lunge zur Folge hat. Ein Patient im Schock ist unruhig und ängstlich, seine Haut ist blaß, kalt und feucht. Die Atmung ist beschleunigt, der Puls ist schnell und kaum tastbar, der Blutdruck fällt ab. Das Bewußtsein ist zunächst meist erhalten. Für die Behandlung ist es wichtig, die verschiedenen Ursachen eines Schocks zu unterscheiden. Er kann nach starken Blutverlusten, Verbrennungen oder Herzinfarkt auftreten oder als Folge allergischer Reaktionen, schwerer Schmerzzustände oder bakterieller Infektionen (Sepsis). Der Schock ist ein lebensbedrohlicher Zustand, dessen Behandlung so schnell wie möglich in die Hand eines Arztes gehört. Als →Erste Hilfe sollte man die Beine des Kranken hochlagern, ihn zudecken, für frische Luft sorgen und ihm beruhigend zureden. Als Schock bezeichnet man auch die heftige seelische Reaktion (z. B. Erstarrung, Erregung) auf ein plötzliches, überwältigendes Ereignis.

Schöffen, ehrenamtliche Richter (Laienrichter), die gemeinsam und gleichberechtigt mit den Berufsrichtern (→Richter) in Strafsachen beim Amtsgericht (dort als Schöffengericht und Jugendschöffengericht) oder Landgericht (dort als Kleine oder Große Strafkammer, →Schwurgericht, Jugendkammer) zu Gericht sitzen. Sie haben keine juristische Ausbildung und werden von den Gemeinden vorgeschlagen und für 4 Jahre durch den Schöffenwahlausschuß beim Amtsgericht gewählt. Für ihre Tätigkeit erhalten sie eine Entschädigung. Schöffen genießen die gleiche richterliche Unabhängigkeit wie Berufsrichter.

Scholastik [von lateinisch schola ›Schule‹], mittelalterliche Schulphilosophie, die mit logischen Mitteln und unter Berufung auf theologische und philosophische Autoritäten (z. B. Augustinus und Aristoteles) die Gültigkeit christlicher Glaubensinhalte zu beweisen suchte. Bedeutende Scholastiker waren **Albertus Magnus** (* 1193, † 1280) und dessen Schüler **Thomas von Aquin** (* 1225, † 1274).

Scholl. Die Geschwister **Hans Scholl** (* 1918, † 1943) und **Sophie Scholl** (* 1921, † 1943) studierten an der Universität München. Sie waren Mitglieder der →Weißen Rose, einer Widerstandsorganisation, die gegen die nationalsozialistische Gewaltherrschaft in Deutschland kämpfte. Bei der Verteilung von Flugblättern in der Münchener Universität wurden sie verhaftet; später wurden sie zum Tode verurteilt und hingerichtet.

Schollen, →Plattfische.

Schönberg. Der österreichische Komponist **Arnold Schönberg** (* 1874, † 1951) ist der bedeutendste Vertreter des musikalischen Expressionismus. Er war überwiegend als Kompositionslehrer in Berlin tätig. Nach der nationalsozialistischen Machtergreifung emigrierte er 1933 in die USA. – Schönberg knüpfte in seinen ersten Werken (1897–1907) noch an den Spätstil Richard Wagners und Gustav Mahlers an (›Gurrelieder‹), um dann zwischen 1908 und 1921 eine eigene, atonale Klangsprache zu entwickeln (›George-Lieder‹, ›Drei Klavierstücke‹). Zur Grundlage seines Spätwerks wurde die um 1900 entwickelte →Zwölftonmusik (›Fünf Klavierstücke‹, ›Variationen für Orchester‹).

Schopenhauer. Der Philosoph **Arthur Schopenhauer** (* 1788, † 1860) war als Universitätslehrer erfolglos und gab daher seine Lehrtätigkeit auf, um bis zu seinem Tod als freier Schriftsteller zu leben. Schopenhauer ging von Immanuel →Kant aus, bekämpfte die Philosophie seines Zeitgenossen Georg →Hegel und wurde vom →Buddhismus beeinflußt. Er lehrte bereits in seinem früh entstandenen Hauptwerk ›Die Welt als Wille und Vorstellung‹ (1819) eine pessimistische Weltanschauung: Im Leben des Menschen überwiege Schmerz und Leid. Trost gewähre die Kunst. Einen Ausweg sieht Schopenhauer auch in einem Leben der Entsagung und des Mitleidens mit Menschen und Tieren. Seine Philosophie beeinflußte den Opernkomponisten Richard →Wagner, den Philosophen Friedrich →Nietzsche, den Arzt Sigmund →Freud und den Schriftsteller Thomas →Mann.

Schote, eine →Frucht.

Schottland, der nördliche Teil der britischen Hauptinsel (→Großbritannien und Nordirland).

Schreckensherrschaft, ein Zeitabschnitt der →Französischen Revolution, von Juli 1793 bis Juli 1794, in der eine kleine Gruppe radikaler →Jakobiner unter Führung von →Robespierre im Wohlfahrtsausschuß (eine Art Ministerrat) ihre Terrorherrschaft an die Stelle der angestrebten parlamentarischen Demokratie setzten. Eine Ursache war die Krise des Jahres 1793: Im Innern hatte die Hinrichtung Ludwigs XVI. Aufstände ausgelöst, und im Krieg mit den auswärtigen Gegnern erlitt Frankreich Niederlagen. Um diese Krise zu meistern, ließ der Wohlfahrtsausschuß, in dem Robespierre die gemäßigten Kräfte ausgeschaltet hatte, die echten und angeblichen Gegner der Revolution rigoros verfolgen. Sie wurden als ›Feinde des Volkes‹ und ›Gegner der Freiheit‹ von einem Revolutionstribunal abgeurteilt und hingerichtet. Während der Schreckensherrschaft starben in Frankreich etwa 40000 Menschen unter der →Guillotine. Schließlich wurden Robespierre und seine politischen Freunde gestürzt und selbst hingerichtet.

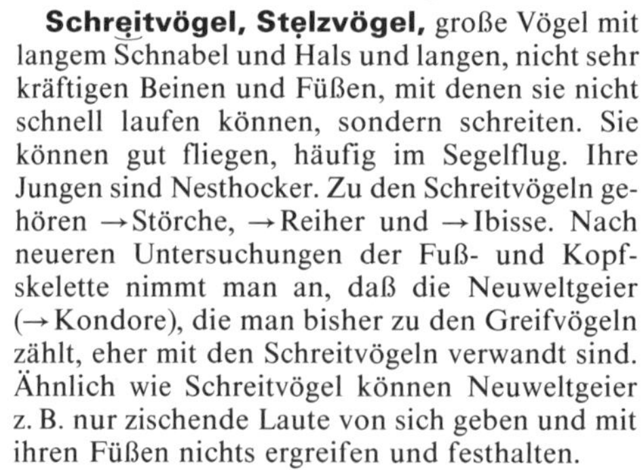

Schreitvögel, Stelzvögel, große Vögel mit langem Schnabel und Hals und langen, nicht sehr kräftigen Beinen und Füßen, mit denen sie nicht schnell laufen können, sondern schreiten. Sie können gut fliegen, häufig im Segelflug. Ihre Jungen sind Nesthocker. Zu den Schreitvögeln gehören →Störche, →Reiher und →Ibisse. Nach neueren Untersuchungen der Fuß- und Kopfskelette nimmt man an, daß die Neuweltgeier (→Kondore), die man bisher zu den Greifvögeln zählt, eher mit den Schreitvögeln verwandt sind. Ähnlich wie Schreitvögel können Neuweltgeier z. B. nur zischende Laute von sich geben und mit ihren Füßen nichts ergreifen und festhalten.

Franz Schubert

Schrift, Zeichensystem, mit dem die Sprache sichtbar gemacht, das heißt schriftlich festgehalten wird. Die heutigen Schriften entwickelten sich ursprünglich aus →Bilderschriften; die bekanntesten sind die altägyptischen →Hieroglyphen, die babylonische →Keilschrift und die noch heute als Bilderschrift bestehende chinesische Schrift, bei der die Bilder im Lauf der Jahrhunderte allerdings so stark abgewandelt wurden, daß man die abgebildeten Dinge nicht mehr erkennen kann. Allmählich entstand aus der Bilderschrift die **Silbenschrift,** in der jede Silbe ein Zeichen hat. Eine heute noch geschriebene Silbenschrift ist z. B. die japanische Schrift.

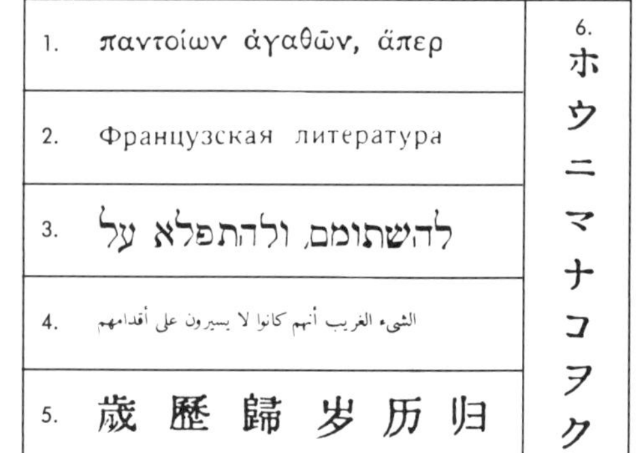

1. παντοίων ἀγαθῶν, ἅπερ
2. Французская литература
3. להשתומם, ולהתפלא על
4. الشيء الغريب أنهم كانوا لا يسيرون على أقدامهم
5. 歳 歷 歸 岁 历 归
6. ホウニマナコヲク

Schrift: 1 Übliche griechische Druckschrift. **2** Russische Druckschrift seit Peter dem Großen. **3** Hebräische Quadratschrift. **4** Arabische Druckschrift. **5** Chinesische Schrift; Vereinfachung von Schriftzeichen nach der Schriftreform; links bisherige Form, rechts neue Form. **6** Japanisch (Katakana)

Um 1500 v. Chr. fing man in Vorderasien an, Wörter und Silben in wenige, immer wiederkehrende →Laute zu zerlegen und für diese Laute Buchstaben zu setzen; darin lag die Voraussetzung für die Entstehung des →Alphabets. **Buchstabenschriften** sind die griechische, die lateinische, die kyrillische, die hebräische und die arabische Schrift. Eine Sonderschrift ist die →Blindenschrift.

Unter den Druckschriften unterscheidet man der Form nach hauptsächlich 2 Schriftarten: ›Antiqua‹ und ›Fraktur‹. Die schräggestellte Druckschrift heißt ›*Kursivschrift*‹. Beispiele für die unterschiedlichen Schriftstärken sind mager, **halbfett** und **fett.**

Schrot, kleine Kügelchen, die bei der Jagd aus der Flinte verschossen werden. Beim Schuß wird jeweils eine Schrotladung (mehrere Schrotkugeln) verfeuert.

Schubert. Der österreichische Komponist **Franz Schubert** (* 1797, † 1828) gehört zu den großen Komponisten zwischen Wiener Klassik und Romantik. Bereits mit 5 Jahren erhielt er seine erste musikalische Ausbildung durch den Vater; mit 11 Jahren wurde er Hofsängerknabe und Schüler des Stadtkonvikts, 1814–17 half er dem Vater als Schulgehilfe. Seitdem lebte er als freischaffender Komponist und Mittelpunkt eines

Wörter, die man unter Sch vermißt, suche man unter Sh

Künstlerkreises, dem der Schriftsteller Franz Grillparzer und der Maler Moritz von Schwind angehörten. Schubert starb in ärmlichen Verhältnissen in Wien. Unter seinen Werken sind besonders hervorzuheben: 8 Sinfonien (darunter die ›Unvollendete‹ h-Moll), die Kammermusik (darunter 14 Streichquartette sowie das ›Forellenquintett‹) und mehr als 600 Lieder (Zyklen ›Schöne Müllerin‹, ›Winterreise‹).

Schülermitverwaltung, Schülermitverantwortung, Beteiligung und Mitwirkung der Schüler an der Verwaltung und Gestaltung des Schullebens. Den Schülern wird dadurch die Möglichkeit gegeben, sich einzuüben in gemeinschaftsbezogenes und verantwortliches Denken und Handeln. Sie lernen, ihre eigenen Interessen und Probleme auf demokratischem Weg zur Geltung zu bringen. Betätigungsfelder sind: die geheime Wahl von Klassen- und Schulsprechern, die Wahrnehmung einzelner Ordnungsfunktionen durch Schülervertreter sowie die Förderung von Freizeitaktivitäten der Schüler, z. B. bei der Gestaltung der Schulferien oder bei der Herausgabe einer Schülerzeitschrift.

Schulter, beim Menschen die seitliche, obere Begrenzung des Rumpfes zu beiden Seiten des Halses. Sie besteht aus Schultergelenk und Schultermuskeln.

Schulterblatt, dreieckiger, flacher Knochen, der der Rückseite des Brustkorbs verschiebbar aufliegt und von Muskeln gehalten wird.

Schultergelenk, gut bewegliches, aus 2 Knochen zusammengesetztes Kugelgelenk, über das der Arm mit dem →Rumpf verbunden ist. Die Gelenkpfanne, in der sich der Oberarmkopf bewegt, wird vom →Schulterblatt gebildet. Als **Schultergürtel** bezeichnet man die Schulterblätter sowie die mit ihnen und dem Brustkorb gelenkig verbundenen Schlüsselbeine. Das Gelenk wird von einer Gelenkkapsel eingehüllt. Große Muskelmassen, besonders der Deltamuskel, umgeben das Gelenk und verleihen ihm Festigkeit bei gleichzeitiger großer Beweglichkeit. Gelenk und Muskelmasse bilden die Schulter.

Schumann. Der Komponist **Robert Schumann** (* 1810, † 1856) hat vor allem durch seine bald schwärmerischen, bald temperamentvollen Klavierwerke und stimmungsvollen Lieder die musikalische Romantik entscheidend geprägt. Nach anfänglichem Jurastudium widmete er sich seit 1830 in Leipzig der Musik. Daneben war er schriftstellerisch tätig und gründete 1834 die ›Neue Zeitschrift für Musik‹. 1840 heiratete er die Pianistin **Clara Wieck** (* 1819, † 1896), eine der großen Künstlerinnen ihres Fachs im 19. Jahrh., die auch selbst komponierte. 1844 übersiedelte er nach Dresden und ging 1850 als Musikdirektor nach Düsseldorf. Unter dem Einfluß eines beginnenden Gehirnleidens unternahm er 1854 einen Selbstmordversuch. Er starb in einer Heilanstalt. Neben seinen Klavierwerken, darunter ›Kinderszenen‹ (1838), ›Album für die Jugend‹ (1848), und den Liedern (Zyklen ›Dichterliebe‹ und ›Liederkreis‹) sind die 4 Sinfonien hervorzuheben.

Schuppen, 1) dachziegelartige Plättchen auf der Haut mancher Tiere. Sie bestehen bei Fischen aus Knochen, bei den Kriechtieren aus Horn und dienen als Schutz vor Verletzungen (Fische) und vor dem Austrocknen (Kriechtiere). Schmetterlinge haben auf den Flügeln Schuppen aus Chitin, die oft in vielen Farben schillern. Der Körper der Schuppen- und Gürteltiere ist von dicken Hornschuppenplatten bedeckt, die sie vor ihren Feinden schützen. Aus den Schuppen der Kriechtiere haben sich im Verlauf der Stammesgeschichte die Haare der Säugetiere und die Federn der Vögel entwickelt.

2) abkratzbare oder sich von selbst lösende Teilchen der obersten Hautschicht **(Hornschicht)** des Menschen, die sich in Größe, Dicke und Farbe unterscheiden. Ihr Auftreten ist entweder ein Zeichen der natürlichen ständigen Zellerneuerung der Haut, oder er kann Ausdruck einer Hauterkrankung sein. Am bekanntesten sind die Kopfschuppen, die meist mit vermehrter Talgabsonderung einhergehen.

Schüttelfrost, starkes Kältegefühl mit heftigem Muskelzittern (besonders der Arme und Beine), eventuell auch Zähneklappern, das häufig zu Beginn von schnell ansteigendem →Fieber auftritt. Dem Schüttelfrost folgt ein starkes Hitzegefühl, da durch das Muskelzittern Wärme entsteht. Später kommt es zu Schweißausbruch mit Temperaturabfall.

Robert Schumann

Schutzanpassungen, Anpassungen von Tieren in Aussehen und Färbung (→Mimikry, →Tarntracht), Verhaltensweisen (z. B. Fluchtverhalten) oder auch durch Ausbildung besonderer Organe (→Elektrische Fische) oder Körperteile (→Geweih). Sie dienen dem Tier als Schutz vor schädigenden Einwirkungen durch andere Organismen. Auch die →Immunität ist eine Form der Schutzanpassung.

Schwaben, die schwäbisch sprechenden Bewohner Württembergs und der Gegend um Augsburg bis zum Lech. Stammesmäßig lassen sie sich auf die →Alemannen zurückführen, einen Teilstamm der germanischen **Sueben,** deren Stammesgebiet in Südwestdeutschland im frühen Mittelalter das Herzogtum Schwaben bildete.

Als **Donauschwaben** bezeichnet man die deutschen Siedler, auch wenn sie nicht schwäbischer Herkunft waren, die sich seit Beginn der Neuzeit an der mittleren Donau in Ungarn, Slowenien, Kroatien und Rumänien niederließen.

Schwäbische Alb, früher auch **Schwäbischer Jura,** Mittelgebirge in Südwestdeutschland. Der 220 km lange und 40 km breite Gebirgszug erstreckt sich vom Hochrhein nach Nordosten bis zum Nördlinger Ries. Die Alb ist im Durchschnitt 500–900 m hoch; höchste Erhebung ist mit 1015 m der Lemberg im Südwesten. Die Alb besteht aus flach geneigten Juraschichten, deren oberste als mächtige weiße Kalkmauer **(Albtrauf)** das Vorland bis zu 200 m überragt. Die **Albhochfläche** fällt zur Donau hin allmählich ab. Für den wasserdurchlässigen Untergrund sind Karsterscheinungen (→Karst) wie Trockentäler, Dolinen, Quellen und Höhlen kennzeichnend.

Schwachstrom, Schwachstromtechnik, ungenauer Begriff, der früher innerhalb des Gebiets der Elektrotechnik zur Abgrenzung von der Starkstromtechnik benutzt wurde. Gemeint war damit der Bereich der Nachrichtentechnik.

Umgangssprachlich wird der Begriff auch für Stromstärken verwendet, die dem Menschen noch nicht gefährlich werden. Um Unfälle an elektrischen Anlagen zu vermeiden, gibt es viele Schutzmaßnahmen. Dazu gehört, daß an Anlagen- oder Geräteteilen (z. B. Metallgehäuse), die von Menschen berührt werden können, auch bei einem Defekt keine Spannung anliegen darf, die höher als 65 Volt ist. Höhere Spannungen haben bei Berührung bereits einen gefährlichen Strom durch den menschlichen Körper zur Folge; schon ein Strom von 0,1 Ampere kann unter ungünstigen Umständen tödlich wirken. Für einige Bereiche sind besondere Schutzkleinspannungen vorgeschrieben, z. B. darf Spielzeug nur mit höchstens 24 Volt Wechselspannung betrieben werden.

Schwalben

Schwalben galten schon im Altertum als Boten des Frühlings; mit Frühlingsbeginn kehren sie aus ihrem afrikanischen Winterquartier nach Europa zurück. Mit ihren langen, schmalen und spitzen Flügeln fliegen Schwalben sehr schnell. Ihre Beute fangen sie im Flug, wozu ihr kurzer, breiter Schnabel, den sie weit aufsperren können, sehr geeignet ist. Tieffliegenden Schwalben sagt man nach, daß sie Regen ankündigen. Daß diese ›Wetterprophezeiung‹ oft zutrifft, liegt daran, daß Schwalben ihrer Beute, kleinen Fluginsekten, folgen und diese bei aufkommendem Wind und zunehmender Luftfeuchtigkeit (die erste Vorboten von Regenwetter sein können) in Bodennähe ausweichen.

Schwalben sind auf der ganzen Erde verbreitet. In Deutschland nisten die oben metallisch blau glänzende **Rauchschwalbe** mit rostroter Kehle, deren tief gegabelter Schwanz lange ›Federspieße‹ hat, und die kleinere unten mehlweiße **Mehlschwalbe.** Beide bauen ihre Nester aus lehmiger, feuchter Erde, die sie meist mit Gras, Strohhalmen und Federn vermengen und mit ihrem klebrigen Speichel zusammenkitten. Die Rauchschwalbe errichtet ihr napfförmiges Nest mit Vorliebe in Scheunen und Ställen, die Mehlschwalbe klebt ihr kugelförmiges Nest nur an Außenwände. Im Volksglauben soll ihr Nisten Glück bringen und Feuer und Blitz fernhalten. Die kleine, braunweiße **Uferschwalbe** gräbt lange Gänge in sandige und lehmige Böschungen und Uferhänge und erweitert sie am Ende zum Nest; man sieht stets viele Nesthöhlen nebeneinander. Die Seeschwalben gehören zu den →Möwen.

Schwalbenschwanz, ein →Schmetterling.

Schwämme. Die Badeschwämme sind künstlich hergestellte Schaumstoffe oder das elastisch-weiche Hornfaserskelett von einfach gebauten, vielzelligen Tieren, den **Schwämmen,** die vor allem im Meer leben. Sie siedeln meist festsitzend auf Steinen und Felsen, vor allem im Mittelmeergebiet und in Westindien. Aus bis zu 200 m Tiefe werden sie mit gabelartigen Geräten, Schleppnetzen oder von Tauchern heraufgeholt. Man knetet und wäscht die Weichteile heraus, läßt sie trocknen und bleicht sie.

Alle Schwämme sind durch ein Innenskelett verfestigt; bei den **Kalkschwämmen** besteht es aus Kalknadeln, die **Strahlschwämme** besitzen Nadeln aus Kieselsäure, und die **Hornkieselschwämme,** zu denen auch die Badeschwämme gehören, haben ein Hornfaserskelett, das mit Kieselsäurenadeln verstärkt sein kann. Schwämme haben keine Organe, keine Muskeln und keine Nerven. Das Einzeltier hat in der einfachsten Form die Gestalt eines Bechers, der mit seinem geschlossenen Ende festsitzt. Er besteht aus 2 gallertartigen Schichten, in die einfach gebaute Zellen, die zu lockeren Verbänden zusammengeschlossen sind, und das Stützskelett eingebettet sind. Die innere Schicht wird von Geißelzellen gebildet. Durch Flimmern mit den haarähnlichen Geißeln wird Wasser durch die Poren der äußeren Schicht in den Hohlraum eingesaugt und durch die große Öffnung wieder ausgestoßen. Der Sauerstoff und die winzigen Nahrungsteilchen (Kleinstorganismen und organische Teilchen), die im Wasser enthalten sind, werden von zum Teil beweglichen Zellen, ähnlich wie bei den Amöben, aufgenommen und verdaut. Die Körpergröße der Schwämme schwankt zwischen 1 cm und 2 m.

Schwämme bilden Ei- und Samenzellen. Aus dem befruchteten Ei entwickelt sich eine bewimperte Larve, die zunächst umherschwimmt und sich dann festsetzt und ein neues Einzelwesen bildet. Dieses vermehrt sich durch fortgesetzte Knospung (→Generationswechsel). Die Nachkommen, die alle zusammenbleiben, bilden, ähnlich wie bei Korallen, einen großen Tierstock von sehr unterschiedlicher Form. Schwämme kommen in zahlreichen Arten von den Küsten bis in 5 000 m Tiefe vor.

Schwäne: Höckerschwan

Schwäne, große, meist weiße Wasservögel, die mit Gänsen und Enten eng verwandt sind. Sie leben an flachen Gewässern, wo sie im Schilf aus Zweigen und Binsen ihr großes Nest wie ein Floß verankern. Während das Weibchen brütet, hält das Männchen Wache. Man sollte ihm nicht zu nahe kommen, denn es greift auch Menschen an. Mit über den Rücken hochgezogenen Flügeln und S-förmig zurückgebogenem Hals nimmt es eine Drohhaltung ein. Ein Schwanenpaar bleibt lebenslang beisammen. Im Mai schlüpfen die anfangs unscheinbar graubraun gefärbten Jungen, die erst im zweiten Jahr weiß werden.

Schwäne fliegen ausdauernd. An Land bewegen sie sich wegen ihrer kurzen Beine und breiten Schwimmfüße schwerfällig watschelnd. Ihre vorwiegend pflanzliche Nahrung suchen sie sich meist durch Gründeln im Wasser.

Schwäne leben auch in Mitteleuropa noch wild, z.B. vereinzelt an Flüssen und einigen norddeutschen Seen. Auf den Parkteichen leben meist die halbzahmen schneeweißen **Höckerschwäne** mit orangerotem Schnabel und schwarzem Höcker über der Schnabelwurzel. Die ausgebreiteten Flügel spannen sich über 2,6 m. Der **Schwarze Schwan** mit rotem Schnabel, den man ebenfalls auf Parkteichen sehen kann, ist ursprünglich in Australien zu Hause. Der **Singschwan,** der im hohen Norden brütet und in Deutschland als Wintergast erscheint, ähnelt dem Höckerschwan, hat aber einen gelben Schnabel ohne Höcker.

Schwangerschaft, Gravidität, Zeitspanne, in der eine befruchtete Eizelle im Körper einer Frau bis zur →Geburt eines Kindes heranwächst. Voraussetzung einer Schwangerschaft ist die →Befruchtung einer Eizelle (→Geschlechtsverkehr). Die Schwangerschaft ist mit erheblichen körperlichen Veränderungen bei der Frau verbunden und dauert durchschnittlich 280 Tage (40 Wochen oder 9 Kalendermonate). Erste Anzeichen einer Schwangerschaft sind das Ausbleiben der →Menstruation sowie häufig morgendliche Übelkeit oder Brechreiz. Sichere Zeichen sind erst die Feststellung der kindlichen Herztöne, das Tasten von kindlichen Körperteilen oder Bewegungen oder der Nachweis der Frucht in der Gebärmutter mit Hilfe von Ultraschall. Es gibt auch verschiedene Testmethoden, in denen durch Untersuchung des Urins der Frau festgestellt werden kann, ob eine Schwangerschaft vorliegt.

Etwa am sechsten Tag nach der Befruchtung nistet sich der Keim in der Schleimhaut der Gebärmutter ein. Die befruchtete Eizelle hat sich auf ihrem Weg hierher schon mehrfach geteilt. An der Einnistungsstelle entsteht der Mutterkuchen (Plazenta), der dem Stoffaustausch zwischen mütterlichem und kindlichem Blut dient. Das Kind erhält über den Mutterkuchen von der Mutter Sauerstoff und Nährstoffe und gibt dafür Kohlendioxid und Schlackenstoffe an die Mutter ab. Außerdem werden im Mutterkuchen Hormone gebildet, die den Schwangerschaftsablauf beeinflussen. Die Verbindung zwischen Mutterkuchen und Kind ist die Nabelschnur. Nach der Geburt wird sie durchtrennt, und ihre Ansatzstelle bleibt als →Nabel sichtbar.

Die ersten 3 Schwangerschaftsmonate, in denen der Keimling →Embryo genannt wird, sind entscheidend für die Ausbildung der Organe (Kopf, Rumpf und Gliedmaßen, Gehirn, Herz, Lunge und Sinnesorgane). Die Herztöne sind mit

Schwämme

Schwämme: OBEN Kalkschwamm (Kalknetz), 2–20 cm²; MITTE Strahlschwamm (Aderschwamm), bis 145 cm²; UNTEN Hornkieselschwamm (Höhlenwächter), 2–5 cm

Hilfe des Ultraschall-Echoverfahrens ab der 8. Woche zu hören. Am Ende der 12. Woche sind sämtliche Organe angelegt, und der Embryo (von nun an **Foetus** genannt) ist etwa 9 cm lang. In den folgenden Monaten nehmen vor allem Größe und Gewicht des Kindes zu.

Während der Schwangerschaft schwimmt der Keimling im Fruchtwasser in der Fruchtblase. Er wird dadurch vor Stoß und Druck geschützt und kann sich bewegen. Im fünften Monat der Schwangerschaft kann die Frau die Bewegungen des Foetus deutlich spüren.

Dem Wachstum des Kindes entsprechend vergrößert sich auch die Gebärmutter der Schwangeren und verdrängt andere Organe (besonders Darm, Blase). Am Ende des neunten Monats wird in der Regel das Kind geboren. Ein gesundes Neugeborenes wiegt etwa 3 200 g und ist etwa 50 cm lang.

Schwangerschaftsabbruch, vorzeitige, künstlich herbeigeführte Beendigung einer →Schwangerschaft. Der Schwangerschaftsabbruch steht grundsätzlich unter Strafe. Davon gibt es Ausnahmen: Er wird nicht bestraft, wenn schwerwiegende Gefahren für Leben und Gesundheit der Mutter bestehen. Der Schwangerschaftsabbruch wird ferner nicht bestraft, wenn er in den ersten 12 Wochen erfolgt, weil die Schwangerschaft durch eine Vergewaltigung entstanden ist oder sich die Mutter in einer schweren Notlage befindet. Innerhalb von 22 Wochen kann außerdem der Schwangerschaftsabbruch erfolgen, wenn zu erwarten ist, daß das Kind unter einer bleibenden Krankheit leiden wird. Bevor aus diesen genannten Gründen (Indikationen) ein Schwangerschaftsabbruch vorgenommen werden darf, muß die Frau in einer anerkannten Beratungsstelle oder von einem Arzt eingehend beraten werden.

Schwank, 1) Theaterstück, das eine harmlose Fröhlichkeit ausstrahlt, gelegentlich mit derbkomischen Elementen. Gesellschaftskritik wird gewöhnlich vermieden.

2) eine knappe, auf einen Schlußeffekt hin aufgebaute oder eine novellistisch breitere Erzählung (→Novelle) einer komischen Begebenheit. Die ersten Schwänke lassen sich für das 9./10. Jahrh. in Deutschland und Frankreich nachweisen. Im 15. und 16. Jahrh. entstanden Schwankfiguren wie Eulenspiegel und die Schildbürger; auch Hans Sachs schrieb seine Versschwänke im 16. Jahrh. Aus späterer Zeit stammen die Schwankerzählungen des Karl Freiherr von Münchhausen und die Werke Johann Peter Hebels.

Schwärmer, große und kräftige Schmetterlinge, die in der Nacht fliegen. Sie sind die schnellsten Falter.

Schwarzer Freitag, Tag, an dem die Wertpapierkurse (z. B. Aktienkurse) überdurchschnittlich sinken. Der Name verbindet sich besonders mit dem 13. Mai 1927 und dem 25. Oktober 1929, als, ausgehend von der New Yorker Börse, die Aktienkurse in die Tiefe stürzten. Mit diesem ›Börsenkrach‹ wurde auch die **Weltwirtschaftskrise** (1929–33) eingeleitet.

Ursache für den Schwarzen Freitag war vor allem die Überproduktion an Gütern; die Absatzchancen wurden überschätzt. Damit verbunden war die Tatsache, daß die Aktienkurse von Spekulanten in die Höhe getrieben wurden. Als nun bei den Produzenten und Händlern große Lagervorräte entstanden, weil der Absatz zurückging, kam es zu Produktionseinschränkungen und Entlassungen von Arbeitnehmern. An der Börse entstand daraufhin Panik. Viele Aktienbesitzer wollten ihre Wertpapiere noch schnell zu einem hohen Kurs verkaufen. Aber sie fanden für Aktien von Unternehmen, die Absatzschwierigkeiten hatten, kaum Käufer. Dieses sehr große Angebot an Aktien führte bei einer geringen Nachfrage zu den ungeheueren Kurssenkungen.

Schwarzer Markt. In wirtschaftlich schlechten Zeiten, z. B. während oder nach einem Krieg, versucht der Staat oft, durch Ausgabe von Bezugsscheinen die wenigen vorhandenen Güter, z. B. Lebensmittel, auf die Bevölkerung zu verteilen. Auch kann der Staat beabsichtigen, daß reichlich vorhandene Güter nicht oder nur in geringen Mengen auf den Markt gebracht werden. Der Schwarze Markt umgeht diese staatliche Bewirtschaftung **(Rationierung).** Dort werden die bewirtschafteten Güter zu stark überhöhten Preisen oder im Tausch gegen andere Gegenstände, z. B. Brot gegen Schmuck, gehandelt. Häufig stammen diese Güter aus dem Ausland oder aus Quellen, die nicht jedem zugänglich sind.

Schwarzer Panther, eine Art des →Leoparden.

Schwarzes Meer, nordöstliches Nebenmeer des Europäischen Mittelmeers. Durch den Bosporus, das Marmarameer und die Dardanellen ist es mit dem Ägäischen Meer (Mittelmeer) verbunden; ein Seitenmeer des Schwarzen Meers, abgetrennt durch die Krim, ist das **Asowsche Meer.** Das rund 423 000 km² große Schwarze Meer hat eine mittlere Tiefe von 1 270 m (größte Tiefe: 2 245 m). Angrenzende Staaten sind die Türkei im Süden, Bulgarien und Rumänien im Westen, die

Ukraine im Norden, Rußland und Georgien im Osten. Der Nord- und der Westteil sind flach und haben viele Sandstrände, die die Grundlage für den starken Fremdenverkehr bilden (Bulgarien, Rumänien). Donau, Dnjestr, Dnjepr und Don münden in das Schwarze Meer. Für den Seeverkehr, besonders für den Handel Rußlands und der Ukraine, ist das Schwarze Meer von großer Bedeutung. Große Häfen sind Warna (Bulgarien), Constanța (Rumänien), Odessa, Sewastopol (Ukraine), Batumi und Samsun (Türkei).

Nach dem noch heute gültigen Abkommen von Montreux (1936) übt die Türkei die Hoheitsrechte über die Meerengen (Bosporus und Dardanellen) aus; das Abkommen regelt zugleich die Durchfahrtsrechte. Ist die Türkei selbst in einen Krieg verwickelt oder fühlt sie sich von einer Kriegsgefahr bedroht, ist die Durchfahrt von Kriegsschiffen in ihr Ermessen gestellt.

Schwarzfußindianer, Gruppe eng verwandter nordamerikanischer Indianerstämme im Norden der Great Plains, der Hochebenen auf der Ostseite der Rocky Mountains.

Schwarzwald, Mittelgebirge in Südwestdeutschland. Es erstreckt sich über rund 160 km zwischen dem Hochrhein im Süden und dem Kraichgau im Norden; im Süden ist es rund 60, im Norden 22 km breit. Der Schwarzwald steigt steil aus der Oberrheinischen Tiefebene auf und fällt nach Osten hin langsam ab. Die höchsten Erhebungen liegen mit Feldberg (1 493 m), Herzogenhorn (1 415 m) und Belchen (1 414 m) im **Südschwarzwald.** Durch das Tal der Kinzig ist der weniger hohe **Nordschwarzwald** (Hornisgrinde 1 164 m) vom südlichen Teil getrennt. Die höchsten Teile zeigen Spuren einer eiszeitlichen Vergletscherung. Der Holzreichtum ermöglicht eine bedeutende Holzindustrie (Sägewerke, Möbel- und Papierindustrie); allerdings gehört der Schwarzwald zu den vom Waldsterben besonders bedrohten Regionen. Aus der Uhrmacherei (seit dem 18. Jahrh.) entwickelte sich eine vielfältige Industrie. Der Schwarzwald ist ein wichtiges Fremdenverkehrsgebiet (Sommerfrische, Skilauf).

Schwarzwild, das Wildschwein (→Schweine).

Schweden, Königreich im Osten der Skandinavischen Halbinsel, zehnmal so groß wie Dänemark. Das Land erstreckt sich über rund 1 600 km Länge von Süden nach Norden und ist bis 400 km breit. Das südschwedische fruchtbare Tiefland **Schonen** geht über in bis zu 400 m hohes Hügelland, dem sich nach Norden die **Mittelschwedische Senke** mit zahlreichen Seen anschließt. Das **Skandinavische Gebirge,** auf dem die Grenze zu Norwegen verläuft, ist nur dünn besiedelt und fällt von Nordwesten nach Südosten sanft ab. In dieser Richtung verlaufen auch die meisten Flüsse, die aber wegen zahlreicher Stromschnellen kaum schiffbar sind.

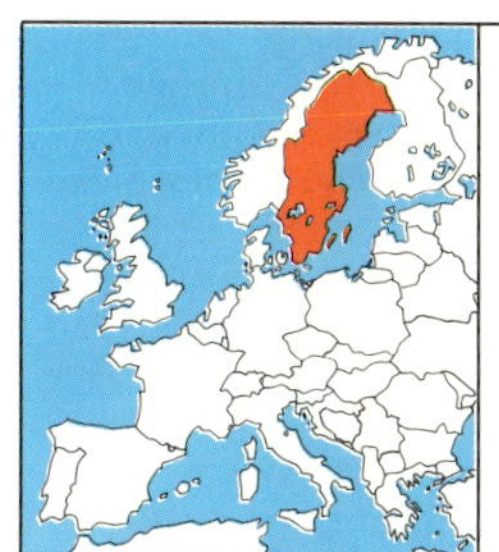

Schweden

Fläche: 449 964 km²
Bevölkerung: 8,53 Mill. E
Hauptstadt: Stockholm
Amtssprache: Schwedisch
Nationalfeiertage: 30. April, 6. Juni
Währung: 1 Schwed. Krone (skr) = 100 Öre
Zeitzone: MEZ

Das Klima Schwedens zeigt große Unterschiede zwischen dem Norden mit trockenen, warmen Sommern und schneereichen, sehr kalten Wintern und dem Süden, wo die Temperaturen gemäßigt sind. Ein Teil Schwedens liegt nördlich des Polarkreises; hier erscheint die Mitternachtssonne, und im Winter ist es 2 Monate lang dunkel.

Vier Fünftel der Bevölkerung, die fast ausschließlich der evangelisch-lutherischen Kirche angehört, leben im südlichen Drittel des Landes. In Südschweden hat sich eine hochentwickelte Land- und Viehwirtschaft entwickelt, die vornehmlich der Eigenversorgung der Bevölkerung dient. Im Norden tragen noch Fischerei und Rentierzucht zum Lebensunterhalt der Bewohner bei. Doch herrschen hier Wald- und Forstwirtschaft vor, die Grundlage einer bedeutenden Holz-, Cellulose- und Papierindustrie.

Ein traditionell wichtiger Wirtschaftszweig ist der Bergbau. Schweden verfügt über reiche Vorkommen an Erzen, besonders Eisenerz (vor allem in Kiruna im Norden des Landes). Aber auch Blei, Kupfer und Zink werden abgebaut. Auf der Eisenerzförderung beruht vor allem in Mittelschweden eine hochentwickelte Eisen- und Stahlindustrie. Das für die Ausfuhr bestimmte Erz wird mit der ›Lapplandbahn‹ transportiert, die von der Ostsee über Kiruna zum nordnorwegischen Nordseehafen Narvik verläuft. Von Bedeutung für den Handel mit dem Ausland ist besonders die Schiffahrt. Die größten Häfen liegen im Süden Schwedens: Göteborg, Helsingborg, Malmö, Stockholm.

Geschichte. Von germanischen Stämmen besiedelt, entstand um 800 unter Führung des

Schweden

Staatswappen

Staatsflagge

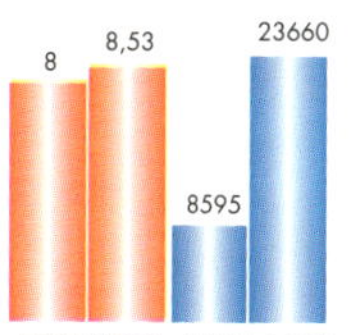

1970 1990 1970 1990
Bevölkerung (in Mill.) Bruttosozialprodukt je E (in US-$)

Bevölkerungsverteilung 1990

Bruttoinlandsprodukt 1990

Stammes der Svear ein schwedisches Königreich, dessen Königsgräber nördlich von Uppsala noch zu sehen sind. Das Christentum konnte sich nur langsam, oft unter Kämpfen, durchsetzen. Schon früh beschränkte der Adel die Macht des Königs, der durch Wahl bestimmt wurde. Seit 1389 standen Schweden und das dazugehörige Finnland zusammen mit Norwegen unter dänischer Herrschaft (›Kalmarer Union‹), aus der sich Schweden 1523 löste. Von nun an entwickelte sich das Land zur führenden Macht im Ostseegebiet und wurde durch Gustav II. Adolf aus dem Haus Wasa zur europäischen Großmacht. Diese Stellung verlor Schweden im Nordischen Krieg (1700 bis 1721), als die Kriegszüge des jungen Königs Karl XII. die Kräfte des Landes überforderten. Schweden verlor Teile seines Herrschaftsgebiets, 1809 schließlich auch Finnland an Rußland. 1814 gewann es Norwegen, das bis 1905 eine Union mit Schweden bildete. 1865/66 gab sich Schweden eine neuzeitliche Parlamentsverfassung, die nach dem Ersten Weltkrieg ein demokratisches Gepräge erhielt. Seitdem waren die Sozialdemokraten meist (ununterbrochen 1932–76) regierungsbildende Partei. Viele Reformen auf sozialem, rechtlichem und kulturellem Gebiet gaben Schweden den Ruf, eines der fortschrittlichsten Länder Europas zu sein. (KARTE Band 2, Seite 205)

Albert Schweitzer

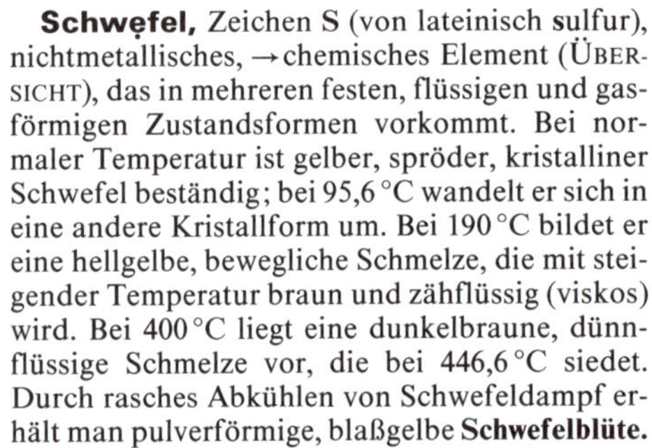

Schwefel, Zeichen S (von lateinisch **s**ulfur), nichtmetallisches, → chemisches Element (ÜBERSICHT), das in mehreren festen, flüssigen und gasförmigen Zustandsformen vorkommt. Bei normaler Temperatur ist gelber, spröder, kristalliner Schwefel beständig; bei 95,6 °C wandelt er sich in eine andere Kristallform um. Bei 190 °C bildet er eine hellgelbe, bewegliche Schmelze, die mit steigender Temperatur braun und zähflüssig (viskos) wird. Bei 400 °C liegt eine dunkelbraune, dünnflüssige Schmelze vor, die bei 446,6 °C siedet. Durch rasches Abkühlen von Schwefeldampf erhält man pulverförmige, blaßgelbe **Schwefelblüte.**

Schwefel kommt in der Natur in gebundener und freier Form vor. Gediegener Schwefel entsteht in geringen Mengen aus vulkanischen Gasen. Wirtschaftlich bedeutend ist der in Sedimentgesteinen vorkommende chemisch gebundene Schwefel, z. B. in Sulfaten wie Gips, Bittersalz und Schwerspat, und in Sulfiden wie Pyrit, Galenit und vielen anderen Erzen. In zahlreichen Eiweißstoffen tritt organischer Schwefel bei Pflanzen und Tieren auf. Der Geruch fauler Eier rührt von Schwefelverbindungen her. Steinkohle und Erdöl enthalten Schwefel, der bei der Verbrennung wesentlich zur Bildung des **sauren Regens** beiträgt.

Schwefel dient zur Herstellung der technisch (z. B. zur Düngemittelerzeugung) viel verwendeten Schwefelsäure und anderer Sauerstoffsäuren des Schwefels, von Zündhölzern, Schwarzpulver, Malerfarben, zum Vulkanisieren von Naturkautschuk und als Pflanzenschutzmittel. Biologisch ist Schwefel ein für alle Lebewesen unentbehrliches Element. Er ist in allen Eiweißkörpern, vielen Enzymen sowie in einigen Vitaminen enthalten. Medizinisch wird Schwefel bei Erkrankungen der Haut verwendet.

Schweine unterscheiden sich von anderen Paarhufern (→ Huftiere) dadurch, daß sie kein Gehörn haben und nicht wiederkäuen. Sie leben wild in Europa, Asien und Afrika. In Deutschland lebt in feuchten Wäldern in kleinen Gruppen (›Rotten‹) das **Wildschwein,** das den Tag im Unterholz verbringt und erst in der Abenddämmerung auf Nahrungssuche geht. Mit der spitzen, rüsselartigen Schnauze wühlen Wildschweine hauptsächlich Wurzeln und Knollen aus der Erde; gern suhlen sie sich im Schlamm. Der Körper ist mit schwarzbraunen Borsten bedeckt. Der Jäger nennt Wildschweine Schwarzwild oder Sauen. Das männliche Wildschwein heißt Keiler; seine im Unterkiefer besonders großen, ständig wachsenden Eckzähne (›Hauer‹) setzt er als gefährliche Waffe ein. Ein ausgewachsener Keiler wiegt etwa 130 kg bei einer Schulterhöhe von ungefähr 1 m. Das Weibchen, die Bache, bringt pro

Schweine: Rassen des Schweins; LINKS Deutsches Landschwein, MITTE Pietrain, RECHTS Wildschwein

Wurf etwa 5–7 Frischlinge mit hell längsgestreiftem Fell zur Welt. Wildschweine können in Tiergärten bis zu 30 Jahre alt werden. Da freilebende Wildschweine in der Landwirtschaft großen Schaden anrichten können, darf ihr Bestand nicht zu groß werden.

Das **Hausschwein,** das vom Menschen seit Jahrtausenden als Haustier gehalten wird, stammt vom Wildschwein ab, ist jedoch heller und weniger behaart, kurzbeiniger und dicker. Das männliche Hausschwein ist der Eber, das weibliche die Sau, die etwa 10 Ferkel wirft. Spanferkel nennt man ein 2–8 Wochen altes Ferkel, das noch am ›Span‹, der Zitze am Gesäuge des Hausschweins, saugt. Hausschweine werden vor allem zur Gewinnung von Fleisch gehalten; heute werden Rassen mit viel Fleisch und wenig Fett gezüchtet. Aus der Haut gewinnt man das kräftige, hellgelbe Schweinsleder. – Mit den Schweinen verwandt sind die →Flußpferde.

Strenggläubige Juden und Moslems essen kein Schweinefleisch, da sie das Schwein als unrein ansehen. Dies geht zurück auf die Hebräer, die bei ihrer ursprünglich halbnomadischen Lebensweise keine Schweine halten konnten und diese verachteten; Moses bezeichnete sie dann in seiner Speiseordnung als unrein.

Schweiß, Absonderung (Sekret) der Schweißdrüsen der →Haut, die besonders zahlreich an Stirn, Handballen und Fußsohlen sitzen. Bei Hitze, Fieber und körperlicher Anstrengung ist die Schweißabgabe am stärksten, aber auch Angst, Aufregung oder der Genuß von scharfen Speisen können sie steigern. Der Schweiß enthält Wasser, Salz und einige Stoffwechselprodukte. Er dient dazu, dem Körper durch Verdunstung an der Hautoberfläche Wärme zu entziehen und damit eine gleichbleibende Körpertemperatur aufrechtzuerhalten.

Schweitzer. Der evangelische Theologe, Arzt und Musiker **Albert Schweitzer** (* 1875, † 1965) gründete 1913 in Lambarene (Gabun) als Missionsarzt ein Tropenkrankenhaus zur medizinischen Versorgung von Eingeborenen, besonders von Leprakranken. Im Mittelpunkt seiner von tätiger Liebe geprägten Anschauungen stand die ›Ehrfurcht vor dem Leben‹ als verbindendes Prinzip von ärztlicher und seelsorgerischer Praxis. – Schweitzers Bedeutung als Musiker liegt in der stilgetreuen Aufführung von Johann Sebastian Bachs Werken und in einer Reform des Orgelbaus. 1951 erhielt er den Friedenspreis des Deutschen Buchhandels, 1952 den Friedensnobelpreis.

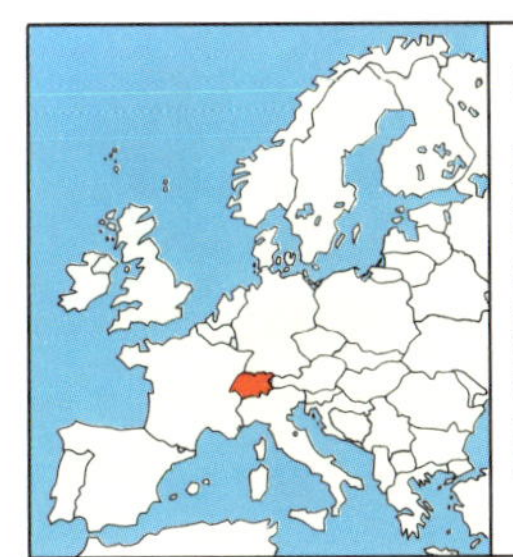

Schweiz

Fläche: 41 293 km²
Bevölkerung: 6,67 Mill. E
Hauptstadt: Bern
Amtssprachen: Deutsch, Französisch, Italienisch; Rätoromanisch
Nationalfeiertag: 1. Aug.
Währung: 1 Schweizer Franken (sfr) = 100 Rappen (Rp)

Schweiz, Bundesstaat im Südwesten Mitteleuropas, ungefähr doppelt so groß wie Hessen. Das Land grenzt im Norden an die Bundesrepublik Deutschland, im Westen an Frankreich, im Süden und Südosten an Italien und im Osten an Österreich. Dazwischen liegt Liechtenstein, das wirtschaftlich mit der Schweiz verbunden ist. Die Schweiz ist in 26 Kantone und Halbkantone gegliedert.

Die Hälfte des gebirgigen Landes liegt höher als 1 000 m. Der im Nordosten liegende **Schweizer Jura** umfaßt $^1/_{10}$ der Fläche und erreicht seine größte Höhe mit 1 679 m im Mont Tendre. Das zwischen Jura und Alpen gelegene **Schweizer Mittelland** ist bei Genf ungefähr 20 km, in der Ostschweiz 70 km breit. Es ist ein von Flußtälern stark zerschnittenes, 400–1 000 m hohes Hügelland. Die **Schweizer Alpen** nehmen $^3/_5$ der Landesfläche ein. Sie sind durch die großen Talzüge von Rhone und Rhein sowie zahlreiche Quertäler stark zergliedert. Höchster Berg ist die Dufourspitze (Monte Rosa) in den Walliser Alpen mit 4 634 m. Mit dem Tessin hat die Schweiz Anteil an der Südabdachung der Alpen. Das Sankt-Gotthard-Massiv ist Quellgebiet zahlreicher Flüsse, die strahlenförmig nach allen Richtungen ausgehen: Rhein, Reuß, Aare, Rhone, Tessin. Sehr reich ist die Schweiz an Seen; die wichtigsten sind Zürichsee, Vierwaldstätter, Neuenburger und Bieler See, außerdem hat das Land Anteil am Genfer See und am Bodensee.

Das Klima ist überwiegend feuchtgemäßigt mit hohen Niederschlägen. Nur die inneren Alpentäler und die im Windschatten liegenden Teile der Mittelgebirge erhalten geringere Niederschläge. Im Südteil der Alpen herrscht Übergang zum Mittelmeerklima. Unter den zahlreichen Gletschern erreicht der Große Aletschgletscher mit 24,5 km die größte Länge. Alle Gletscher bedecken eine Fläche von der halben Größe des Saarlandes.

Die Bevölkerung der Schweiz setzt sich zusammen aus Angehörigen von 4 Sprach- und

Schweiz

Staatswappen

Staatsflagge

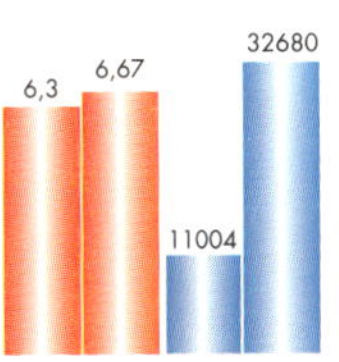

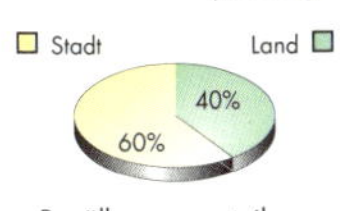

Bevölkerungsverteilung 1990

Bruttoinlandsprodukt 1985

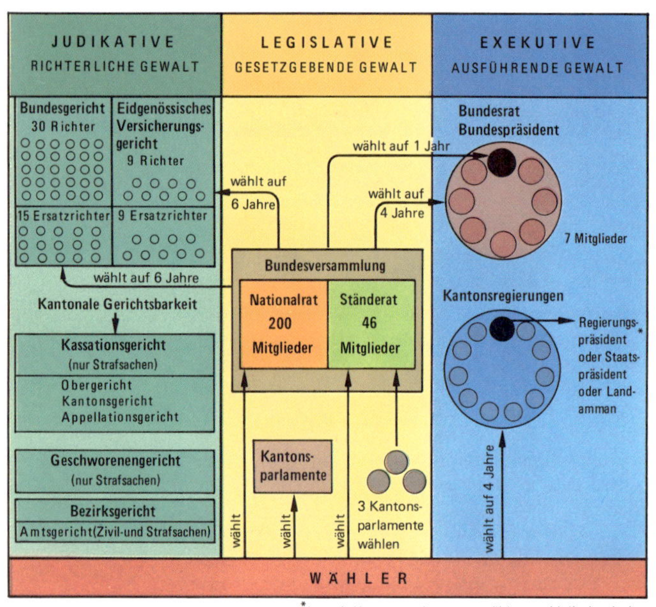

*je nach Kantonsverfassung gewählt vom Volk durch das Kantonsparlament oder aus der Mitte des Kollegiums

Schweiz: Gewaltenteilung

Schweiz
Kantone
Aargau
Appenzell (Außerrhoden, Innerrhoden)
Basel (Basel-Stadt, Basel-Landschaft)
Bern
Freiburg
Genf
Glarus
Graubünden
Jura
Luzern
Neuenburg
Sankt Gallen
Schaffhausen
Schwyz
Solothurn
Tessin
Thurgau
Unterwalden (Obwalden, Nidwalden)
Uri
Waadt
Wallis
Zug
Zürich

Kulturgemeinschaften. Deutschsprachig ist der größte Teil des Mittellands und der Alpen bis ins Monte-Rosa-Gebiet. Im größten Teil des Juras, im südwestlichen Mittelland und im unteren Wallis wird Französisch, im Tessin und in den Randtälern Graubündens Italienisch gesprochen. In Graubünden ist das Rätoromanische verbreitet. Am dichtesten besiedelt ist das Mittelland. Im Gebirge ist die Bevölkerungsdichte gering.

Wirtschaft. Trotz des gebirgigen Charakters des Landes und des Mangels an Rohstoffen hat sich, begünstigt durch die politische Neutralität, eine sehr stabile Wirtschaft entwickelt. Die Schweiz ist heute in erster Linie Industrieland. Die landwirtschaftliche Anbaufläche verringert sich ständig. In den fruchtbaren Lagen werden Getreide, Hackfrüchte, Gemüse und Obst angebaut. Hoch entwickelt ist die Viehzucht, besonders die Milchwirtschaft. Wein wird vor allem im Süden angebaut.

Die Elektrizitätsgewinnung beruht hauptsächlich auf den reichen Wasserkräften (über 400 Wasserkraftwerke).

Qualitätvolle Arbeit hat die Schweizer Industrie weltberühmt gemacht. Zwar überwiegen Klein- und Mittelbetriebe, doch sind einige Schweizer Firmen zu internationalen Konzernen geworden. Am wichtigsten ist die Herstellung von Maschinen, Apparaten und Fahrzeugen, von Nahrungsmitteln und Getränken, weiterhin chemische, Uhren-, Schmuck- und Textilindustrie. Schwerpunkt der Uhrenindustrie ist der Jura; die Textilindustrie ist in Sankt Gallen, die chemische Industrie in Basel angesiedelt. Die meisten Betriebe liegen im Mittelland. Für die Wirtschaft des Landes spielt auch der Fremdenverkehr eine große Rolle. Wichtigste Gebiete sind Graubünden, das Mittelland, Genfer See, Zentralschweiz, Wallis, Berner Oberland und Tessin.

Die Schweiz hat als Durchgangsland zwischen West- und Südeuropa große Bedeutung. Simplon, Sankt Gotthard und Lötschberg sind wichtige Alpentunnel. Bedeutendster Schiffahrtsweg ist der Rhein. Seit 1941 besitzt die Schweiz eine Hochseeflotte. Der internationale Flugverkehr fliegt Zürich, Genf, Basel und Bern an.

Geschichte. Das Besondere an der Geschichte der Schweiz ist, daß sich hier aus einem losen Bund freier Bauerngemeinschaften und Städte ohne Mitwirkung von Fürstengeschlechtern eine Nation und ein Staat entwickelt haben. Der Zusammenschluß begann mit der **›Eidgenossenschaft‹** der **3 Urkantone Uri, Schwyz** und **Unterwalden,** die Anfang August 1291 (daher ist der 1. August Nationalfeiertag) den **›Ewigen Bund‹** schlossen. Durch den Beitritt Luzerns (1332), Zürichs (1351), von Glarus und Zug (1352) sowie von Bern (1553) bildete sich die ›Eidgenossenschaft der 8 Alten Orte‹ (als Ort galt jedes vollberechtigte Mitglied der Eidgenossenschaft, gleichgültig ob Stadt oder Landschaft). Der Name des damals bedeutendsten Ortes, Schwyz, wurde später die Bezeichnung für die gesamte Eidgenossenschaft.

Die Eidgenossen verteidigten ihr Bündnis erfolgreich gegen Karl den Kühnen in den ›Burgunderkriegen‹ (1474–77) und lösten es im ›Schwabenkrieg‹ (1499) aus dem Verband des deutschen Reichs. Nach der Aufnahme von Freiburg und Solothurn (1481), von Basel und Schaffhausen (1501) und von Appenzell (1513) in die Eidgenossenschaft bestand diese aus 13 ausschließlich deutschsprachigen Orten (›Eidgenossenschaft der 13 Alten Orte‹). Dies blieb so bis 1799. Neben diesen 13 Orten gab es ›Zugewandte Orte‹, z. B. Biel, Neuenburg, Graubünden oder – außerhalb der heutigen Schweiz – Mühlhausen im Elsaß und Rottweil, die ein Vertragsverhältnis mit einem der Orte eingegangen waren. Außerdem vergrößerte sich das Gebiet der Eidgenossenschaft durch die Zugewinnung von ›Untertanenländern‹, die von einem oder mehreren Orten gemeinsam verwaltet wurden. So waren die heutigen Kantone Sankt Gallen, Aargau, Thurgau, Tessin, Waadt und Wallis ehemals ganz oder teilweise Untertanenländer. 1515 wandten sich die Eidgenossen von einer Ausdehnungspolitik ab und betreiben bis heute eine Politik der strikten Neutralität. Im 16. Jahrh. setzte sich die Reformation in vielen Gebieten durch und brachte eine dauernde konfessionelle Spaltung.

1798 brach die alte Eidgenossenschaft unter dem Heer Napoleon Bonapartes zusammen. Frankreich gab der Schweiz, die nun **Helvetische Republik** hieß, zunächst die Verfassung eines Einheitsstaats, in dem die Kantone nur Verwaltungsbezirke waren, mußte aber schon 1803 (›Mediationsakte‹) wieder einen Staatenbund errichten, diesmal mit 19 teilweise aus Zugewandten Orten und Untertanenländern neugebildeten Kantonen. Mit dem Zusammenbruch des napoleonischen Systems wurde 1813 die vor 1798 gültige Verfassung wieder eingeführt. Doch blieb das Untertanenverhältnis aufgehoben und der Bestand der 19 Kantone gewährleistet. 1815 schlossen die nunmehr 22 Kantone (neue Kantone waren Genf, Neuenburg und Wallis) den Bundesvertrag. Liberale Strömungen setzten sich seit 1830 in vielen Kantonen durch, die ihre Verfassung nach demokratischen Gesichtspunkten veränderten. Gegen diese liberalen Strömungen wandte sich der →Sonderbund im Sonderbundkrieg, in dem die Eidgenossenschaft siegte. 1848 nahmen die Gesandten der Kantone die ›Tagsatzung‹, eine liberale Verfassung, an, die die Schweiz zu einem Bundesstaat im Gegensatz zum früheren Staatenbund machte. Bern wurde Bundeshauptstadt.

Im Ersten und Zweiten Weltkrieg bewahrte vor allem die Neutralitätspolitik das Land vor einem Angriff. Durch ihre Neutralität entwickelte sich die Schweiz (besonders Genf) zu einem Mittelpunkt der internationalen Diplomatie. 1960 war sie maßgeblich an der Gründung der EFTA beteiligt, 1972 schloß sie einen Handelsvertrag mit der EWG. Im Innern wurde nach dem Zweiten Weltkrieg (bis 1990) in allen Kantonen das Frauenstimmrecht eingeführt. 1979 löste sich der französischsprachige Jura als 26. Kanton vom Kanton Bern. (KARTE Band 2, Seite 200)

Schwerelosigkeit. An Bord antriebslos fliegender Raumstationen befinden sich die Raumfahrer im Zustand der Schwerelosigkeit, das heißt, sie schweben gewichtslos im Raum, weil die Gewichtskraft der Raumfahrer durch die →Fliehkraft aufgehoben wird; für die Astronauten gibt es kein Oben oder Unten. Schwerelosigkeit kann kurzzeitig auch während bestimmter Flugphasen in Flugzeugen auftreten.

Schwergewicht, →Gewichtsklassen.

Schwerin, 123 400 Einwohner, Hauptstadt von Mecklenburg-Vorpommern, am Schweriner See gelegen. Die Stadt entwickelte sich aus einer Kaufmannssiedlung um den gotischen Dom und die bereits 1018 erwähnte Wendenburg.

Schwerkraft, Gewichtskraft, die Kraft G, mit der ein Körper der Masse m an der Oberfläche oder im Innern eines Himmelskörpers (z. B. der Erde) angezogen wird, $G = m \cdot g$ (g = Fallbeschleunigung). Die Schwerkraft ist die resultierende →Kraft aus der Gravitationskraft (→Gravitation) und der von der Rotation des Himmelskörpers herrührenden Zentrifugalkraft.

Schwermetalle, Metalle und Legierungen mit einer Dichte über 4,5 g/cm³ (→chemische Elemente, ÜBERSICHT). Da viele Schwermetalle, z. B. Blei, Quecksilber, Kupfer, Chrom oder Cadmium, in elementarer Form, vor allem aber in Form ihrer löslichen Salze stark **giftig** sind, wird ihrer Anreicherung in der Luft, in Gewässern, in Böden und durch die Nahrungskette auch in Pflanzen und Tieren heute erhöhte Aufmerksamkeit geschenkt. So wurden von der Weltgesundheitsorganisation Grenzwerte für bestimmte Schwermetalle in Trinkwasser empfohlen, und von der Deutschen Forschungsgemeinschaft werden jährlich die **M**aximalen **A**rbeitsplatz-**K**onzentrations-Werte (MAK-Werte) bestimmter Stoffe, darunter auch vieler Schwermetalle, erstellt, die verbindliche Richtwerte darstellen, um die Belastung auf ein vertretbares Maß einzuschränken.

Schwerpunkt. Hängt man einen Körper nacheinander an verschiedenen Stellen seines Randes auf und fällt von den Aufhängepunkten aus das Lot, so schneiden sich die (auf den Körper gezeichneten) Lotgeraden in einem Punkt, dem Schwerpunkt (BILD 1). Bei regelmäßig geformten Körpern aus einheitlichem Material, z. B. einem Lineal, Bierdeckel oder Bild, liegt der Schwerpunkt im geometrischen Mittelpunkt des Körpers (BILD 2). Ein in seinem Schwerpunkt unterstützter Körper ist in jeder Lage im Gleichgewicht, z. B. kann ein Buch auf einem Finger balanciert werden, wenn es im Schwerpunkt unterstützt wird.

Bei unregelmäßig geformten Körpern kann der Schwerpunkt außerhalb des Körpers liegen. So befindet er sich z. B. bei Töpfen und Flaschen in deren Hohlraum.

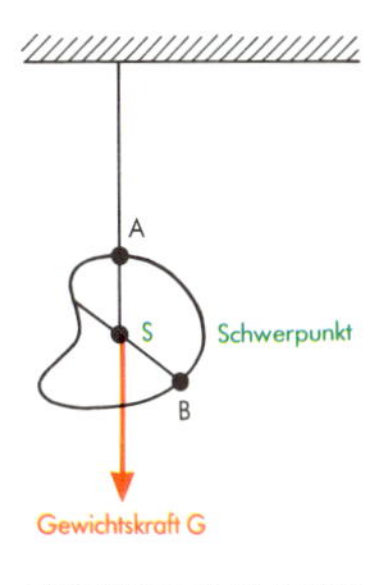

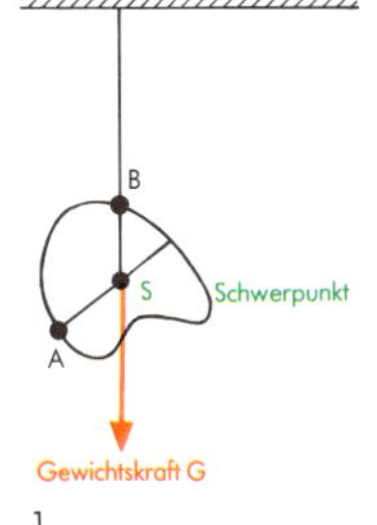

1

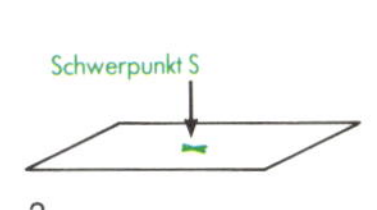

2

Schwerpunkt

Schwertlilie:
Deutsche Schwertlilie

Schwert, Handwaffe zum Hauen und Stechen, die aus dem Griff und der ein- oder zweischneidigen, meist geraden und vorn spitz zulaufenden Klinge besteht. Seit Bronze- und Eisenzeit bekannt, war das Schwert im Altertum bei Griechen, Römern und Germanen eine Hauptwaffe der Fußtruppen. Im Mittelalter waren die Ritter mit Schwert und Lanze ausgerüstet. Nach der Erfindung der Feuerwaffen im 14. Jahrh. verlor das Schwert allmählich seine Bedeutung. Im 17. Jahrh. wurden nur noch Säbel und Degen als Nahkampfwaffen verwendet.

Schwertlilien, Iris, Pflanzen mit langen, schmalen Blättern, die an Schwerter erinnern. In Deutschland wächst die **Gelbe Schwertlilie** in Sümpfen, an Teichen und Gräben. Sie wird bis 1 m hoch und hat bis 3 cm breite, scharfrandige Blätter. An einem Stengel sitzen 2–3 leuchtendgelbe große Blüten, die nacheinander blühen. Seltener findet man auf Moorwiesen die kleinere **Blaue Schwertlilie.** Blauviolett oder gelb blüht die **Deutsche Schwertlilie** der Gärten. Alle wildwachsenden Schwertlilien stehen unter Naturschutz. (BILD Seite 167)

Schwetzingen, 19700 Einwohner, Stadt in Baden-Württemberg im Rheintal, etwa 10 km südwestlich von Heidelberg. Der Sandboden in der Umgebung Schwetzingens erlaubt Spargelanbau. – Seit 1952 finden im Rokokotheater des Schlosses (heutiger Bau 1700–17 errichtet) die **Schwetzinger Festspiele** statt.

Schwimmblase, ein Organ vieler →Fische.

Schwimmen, 1) Taucht man einen Körper in eine Flüssigkeit, z. B. Wasser, dann sinkt er so weit in diese ein, bis das Gewicht der von ihm verdrängten Wassermenge seinem eigenen Gewicht entspricht. Ist das spezifische Gewicht (→Wichte) des Körpers geringer, als das des Wassers, so schwimmt der Körper durch den statischen →Auftrieb an der Oberfläche; hat der Körper die gleiche Wichte wie Wasser, so schwebt er im Wasser. Unter Schwimmen versteht man sowohl das Schwimmen an der Oberfläche als auch das Schweben in der Flüssigkeit.

Im allgemeinen ist bei **Tieren** das spezifische Gewicht der Körperbestandteile höher als das des Wassers, sie können nur mit Hilfe besonderer Einrichtungen oder durch aktive Fortbewegung schwimmen. Eine Ausnahme bilden die Organismen des →Planktons, deren spezifisches Gewicht gleich dem des Wassers ist; sie schweben frei im Wasser. Bei vielen Tieren findet man spezielle Einrichtungen (›Schwebeorgane‹), die das zuviel an Körpergewicht ausgleichen helfen, so z. B. bei den Quallen voluminöse, wasserhaltige Gallertmassen; bei Kleinkrebsen, aber auch bei Walen helfen große Fettreserven das spezifische Gewicht zu verringern, da Fett leichter ist als Wasser. Bei Fischen wird dies durch Gasblasen (›Schwimmblasen‹) erreicht, die bei Füllung das spezifische Gewicht des Fisches verringern. Aktive Fortbewegung **(aktives Schwimmen)** erzeugt einen dynamischen Auftrieb, der den Körper im Wasser tragen hilft. So ziehen Medusen (Quallen) zur aktiven Schwimmbewegung die Muskelschicht ihres Schirmes zusammen, wodurch ein Rückstoß entsteht. Fische schwimmen meist durch seitliche Wellenbewegung des Körpers. Bei Walen wirkt der Schwanz wie eine Schiffschraube. Bei anderen Wassersäugetieren (z. B. Robben) sind die vorderen Gliedmaßen und zum Teil auch die Hinterbeine zu flossenartigen Gebilden umgestaltet.

Der **Mensch** übt beim Schwimmen mit Händen und Füßen einen Stoß oder Druck auf das Wasser aus. Die dadurch erzielte Fortbewegung bewirkt einen dynamischen Auftrieb. Gleichzeitig wird (bei richtiger Atemtechnik) durch die Füllung des Brustkorbes mit Luft ein statischer Auftrieb erzielt. Lediglich im Toten Meer, dessen Wasser durch seinen hohen Salzgehalt ein höheres spezifisches Gewicht als der menschliche Körper hat, sind keine aktiven Schimmbewegungen notwendig. Hier genügt allein der statische Auftrieb, um den Körper an der Wasseroberfläche zu tragen.

2) Schwimmsport, Sammelbezeichnung für Wassersportarten, die bis auf wenige Ausnahmen ohne technische Hilfsmittel ausgeübt werden. Neben dem Sportschwimmen mit seinen 4 Stilarten (→Brustschwimmen, →Kraulschwimmen, →Rückenschwimmen, →Schmetterlingsschwimmen) zählen nach der internationalen Festlegung zu den schwimmsportlichen Fachbereichen noch: Synchronschwimmen, Rettungsschwimmen, Tauchen und Wasserspringen. Daneben ist Schwimmen eine Disziplin des Modernen Fünfkampfs.

Schwingkreis, Resonanzkreis, Zusammenschaltung einer Spule und eines Kondensators zu einer elektrischen Schaltungsanordnung, die durch Wechselspannung oder Wechselstrom zu elektromagnetischen Schwingungen angeregt

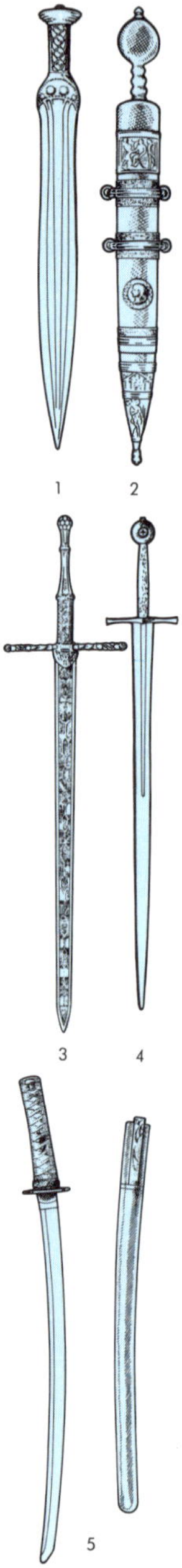

1 2 3 4 5

Schwert: 1 Germanisches Schwert, Griff mit Einlage, Bronzezeit (Mainz, Römisch-Germanisches Zentralmuseum). **2** Römischer Gladius (London, Britisches Museum, Nachbildung in Mainz, Römisch-Germanisches Zentralmuseum). **3** Lehensschwert Kaiser Maximilians, datiert 1496 (Wien, Hofburg, Weltliche Schatzkammer). **4** Ritterschwert, 2. Hälfte des 13. Jahrh. (Nürnberg, Germanisches Nationalmuseum). **5** Japanisches Langschwert (Berlin, Museum für Völkerkunde)

wird. Dabei schwingt die elektrische Energie im Schwingkreis zwischen der magnetischen Energieform in der Spule und der elektrischen Energieform im Kondensator hin und her.

Es gibt 2 Formen der Zusammenschaltung: Der **Parallelschwingkreis** ist als Parallelschaltung von Spule und Kondensator aufgebaut. Er eignet sich z. B. für eine schwingungserzeugende Schaltung (Oszillator) als frequenzbestimmender Teil oder beim Rundfunkempfänger zum Einstellen auf eine bestimmte Senderfrequenz. Der **Reihenschwingkreis** besteht aus einer Reihenschaltung von Spule und Kondensator. Er wird wegen seiner Kurzschlußwirkung z. B. zur Unterdrückung störender Frequenzen eingesetzt.

Ein Schwingkreis kann auch mit einem **Schwingquarz** aufgebaut werden, wodurch eine sehr genaue Einhaltung der Schwingfrequenz gewährleistet ist. Diese Schaltung findet man z. B. in einer elektronisch gesteuerten Digitaluhr zur Erzeugung gleichmäßiger Zeitabstände.

Schwingung. Spannt man einen elastischen Streifen aus Federstahlband an einem Ende ein und biegt das andere Ende zur Seite, so führt er beim Loslassen eine hin- und hergehende periodische Bewegung aus (BILD 1), die man Schwingung nennt.

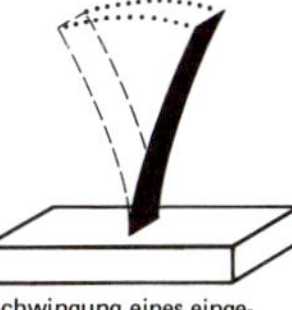

Schwingung eines eingespannten Federstahlstreifens
1

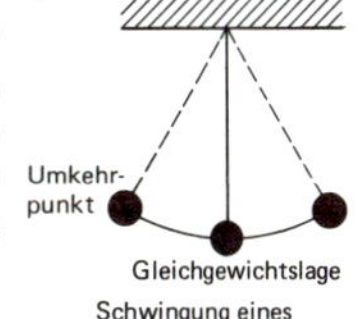

Schwingung eines Fadenpendels
2

Schwingung

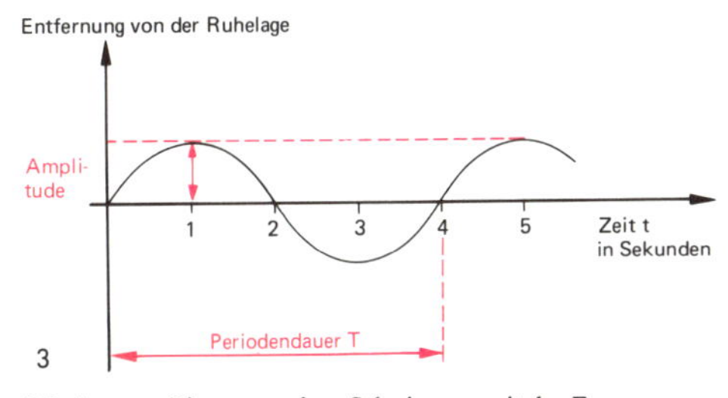

Schwingung: Diagramm einer Schwingung mit der Frequenz $f = \frac{1}{T} = \frac{1}{4s} = 0{,}25$ Hz (→Hertz).

Auch ein einmal angestoßenes Fadenpendel schwingt auf der gleichen Bahn immer hin und her (BILD 2). Die Auslenkung des schwingenden Körpers von der Gleichgewichtslage bis zum Umkehrpunkt nennt man **Amplitude (Schwingungsweite).** Bei einer gedämpften Schwingung wird sie auf Grund der Reibung immer kleiner. Die für einen Hin- und Hergang erforderliche Zeit heißt Periodendauer T der Schwingung (BILD 3). Die Anzahl der in der Zeit t ausgeführten Schwingungen dividiert durch die Zeit t bezeichnet man als →Frequenz. Da während der Periodendauer T genau eine Schwingung stattfindet, gilt: $f = 1/T$.

Führt eine Schallquelle (z. B. eine Stimmgabel) regelmäßige Schwingungen aus, so entsteht ein Ton.

Schwurgericht, Teil des Landgerichts, das schwere Straftaten, vor allem Tötungsdelikte, aburteilt. Bis 1924 bestand ein Schwurgericht aus 3 Berufsrichtern und 12 aus dem Volk gewählten und vereidigten Personen, den **Geschworenen,** die auf der **Geschworenenbank** die Gerichtsverhandlung verfolgten. Die Geschworenen entschieden, ob ein Angeklagter schuldig gesprochen wurde oder nicht. Die Höhe der Strafe bestimmten die Berufsrichter. Heute ist das Schwurgericht mit 3 Berufsrichtern und 2 gleichberechtigt entscheidenden →Schöffen besetzt. In Österreich entspricht dem Schwurgericht das **Geschworenengericht,** besetzt mit 3 Berufsrichtern und 8 ausschließlich die Schuldfrage entscheidenden Geschworenen. Auch einige Kantone der Schweiz kennen Schwurgerichte.

Schwyz, Stadt und Kanton in der deutschsprachigen Schweiz, einer der 3 Urkantone. Er erstreckt sich im Alpenvorland vom Vierwaldstätter See bis zum Zürichsee. Den südlichen Bereich rechnet man zu den Kalkalpen; er erreicht im Drusberg 2 138 m Höhe. – Viehhaltung herrscht vor. Maschinenbau, Textil- und Möbelindustrie haben sich am Zürichsee angesiedelt. Der Fremdenverkehr ist ein wichtiger Erwerbszweig. Der Kantonsname wurde auf die gesamte Eidgenossenschaft übertragen.

Schwyz
Kanton
Fläche: 908 km²
Einwohner: 113 300
Stadt
Einwohner: 13 200

Schwyz
Kantonswappen

Science Fiction [ßaienß fikschen, englisch ›Wissenschaftsdichtung‹], Bereich der Literatur, in dem eine Verbindung von erzählender (Zukunfts-)Dichtung und (Natur-)Wissenschaft angestrebt wird. Im Unterschied zur →Utopie, die den gegenwärtigen gesellschaftlichen Verhältnissen Wunschbilder entgegenstellt, wird in der Science Fiction eine Welt entworfen, wie sie auf Grund neuer wissenschaftlicher Erkenntnisse in der Zukunft möglich wäre. Technische Entwicklungen (Reisen in den Weltraum, Einsatz von Robotern und neuartigen Waffen) und biologische Probleme (Veränderungen der menschlichen Erbmasse, Vorhandensein außerirdischen Lebens) stehen dabei oft im Vordergrund. – Abgesehen von den Vorläufern der literarischen Utopie kann man den Beginn der Science Fiction bei Werken von Jules Verne und Herbert George Wells, in Deutschland bei Kurd Laßwitz und Hans Dominik ansetzen.

Im 20. Jahrh. entwickelte sich die Science Fiction, besonders in den USA, zu einer Literatur, die massenhaft hergestellt und gelesen wird. Zu ihren Autoren gehören Isaac Asimov, Ray Bradbury, Kurt Vonnegut und Stanisław Lem. Hauptfiguren sind z. B. Superman, Batman, Iron Man. (→ Phantastische Literatur)

Scientology-Kirche [ßaientọlodschi, englisch, von lateinisch scientia ›Wissen‹ und griechisch lógos ›Wort‹], eine von dem Amerikaner Lafayette Ronald Hubbard (* 1911, † 1986) gegründete und geleitete weltanschauliche Bewegung, die zu den → Jugendreligionen zählt. Sie ist seit 1970 auch in der Bundesrepublik Deutschland vertreten. Nach ihrer ›Dianetics‹ (englisch ›Lehre vom menschlichen Sinn‹) genannten Lehre könne das menschliche Geistwesen (›Thetan‹) durch Beratung in vielen Kursen (besonders mit Hilfe des Hubbard-Elektrometers) von seinen vielfältigen Behinderungen befreit werden. Die Mitglieder der Scientology-Kirche müssen sich unbedingtem Gehorsam und einem strengen Verhaltenskodex unterwerfen. Kritiker werfen dieser Sekte vor, sie beute ihre Mitglieder aus und sei weniger eine Kirche als vielmehr ein riesiges Wirtschaftsunternehmen. Ihre Methoden sind umstritten.

Scịpio, Name einer römischen Patrizierfamilie. Ihr bedeutendster Vertreter, **Publius Cornelius Scipio** (der Ältere; * 235 v. Chr., † 183 v. Chr.), war zweimal Konsul. Unter seinem Oberbefehl eroberten die römischen Legionen 209 v. Chr. Spanien von den Karthagern. Danach setzte er nach Afrika über und besiegte 202 v. Chr. → Hannibal. Dafür erhielt er später den Beinamen **Africanus maior.** Sein Enkel durch Adoption, **Publius Cornelius Scipio** (der Jüngere; * 185 v. Chr., † 129 v. Chr.), eroberte 146 v. Chr. Karthago und zerstörte es. Von den Römern erhielt er den Beinamen **Africanus minor.**

Scotland Yard [skọttlend jahd], Hauptgebäude der Polizei in London, das 1890 an die Stelle eines älteren Gebäudes trat, in dem früher die Könige von Schottland (englisch ›Scotland‹) ihren Hof (englisch ›Yard‹) hatten. Die Bezeichnung übertrug sich auf die gesamte Londoner Kriminalpolizei und wurde auch beibehalten, als

Natürliche Seen (Auswahl)

Name	Fläche[1]) in km²	Höhenlage in m	größte Tiefe in m	Abfluß
Mitteleuropa				
Bodensee	538,5	395	252	Rhein
Neusiedler See	320	115	2	Einser Kanal
Neuenburger See	217,9	429	153	Zihl
Müritz	116,8	62	33	Elde
Spirdingsee	113,8	116	23	Pissek
Vierwaldstätter See	113,6	434	214	Reuß
Mauersee	104,5	117	44	Angerapp
Zürichsee	90,1	406	143	Limmat
Chiemsee	80,1	518	69	Alz
Lebasee	71,4	0,3	6	Leba
Schweriner See	63,4	38	54	Stör
Starnberger See	57,2	584	127	Würm
Dammscher See	56,0	0,1	4	Oder
Ammersee	47,6	531	83	Amper
Attersee	45,9	467	171	Ager
Plauer See	38,7	62	28	Elde
Großer Plöner See	30	20	60	Schwentine
Steinhuder Meer	29,1	38	3	Meerbach
Übriges Europa				
Ladogasee	17 700	4	230	Newa
Onegasee	9 700	33	120	Swir
Vänersee	5 585	44	100	Götaälv
Peipussee	3 550	31	15	Narwa
Ilmensee	610–2 100	18	10	Wolchow
Vättersee	1 912	88	119	Motalaström
Saimaa	1 460	76	58	Vuoksi
Mälarsee	1 140	0,3–0,6	64	Saltsjön
Inari	1 085	114	95	Paatsjoki
Plattensee	591	106	11	Sió
Genfer See	581	372	310	Rhone
Gardasee	370	65	346	Mincio
Lago Maggiore	212	193	372	Tessin

Name	Fläche[1]) in km²	Höhenlage in m	größte Tiefe in m	Abfluß
Asien				
Kaspisches Meer	371 000	−28	1 025	ohne Abfluß
Aralsee	64 500	54	68	ohne Abfluß
Baikalsee	31 500	456	1 620	Angara
Balchaschsee	17 000–22 000	340	26	ohne Abfluß
Tonle-Sap	3 000–10 500		14	Tonle-Sap
Issyk-kul	6 236	1 608	702	ohne Abfluß
Resajehsee	5 200–6 000	rd. 1 300	16	ohne Abfluß
Kuku-nor	5 000	3 205	38	ohne Abfluß
Taimyrsee	4 560	6	26	Taimyra
Totes Meer	max. 1 020	−396	398	ohne Abfluß
Afrika				
Victoriasee	68 000	1 134	85	Victoria-Nil
Tanganjikasee	34 000	773	1 435	Lukuga
Malawisee	30 800	472	706	Schire
Tschadsee	12 000–26 000	240	4–7	ohne Abfluß
Turkanasee	8 000–8 600	427	73	ohne Abfluß
Albertsee	5 340	620	48	Albert-Nil
Amerika				
Oberer See	82 103	183	405	Saint Marys River
Huronsee	61 797	177	228	Saint Clair River
Michigansee	57 757	177	282	Mackinac-Strom
Großer Bärensee	31 329	156	413	Großer Bärenfluß
Großer Sklavensee	28 570	156	600	Mackenzie
Eriesee	25 719	170	64	Niagara
Winnipegsee	24 390	217	21	Nelson
Ontariosee	19 011	75	244	Sankt-Lorenz-Strom
Titicacasee	8 300	3 812	281	Desaguadero
Nicaraguasee	8 262	29	70	Río San Juan
Athabascasee	8 081	213	124	Großer Sklavenfluß

[1]) Mittelwert.

die Polizei 1966 an anderer Stelle Londons ein neues Hochhaus bezog (New Scotland Yard).

Scott. Der schottische Dichter **Sir Walter Scott** (* 1771, † 1832) begründete den europäischen Geschichtsroman und übte damit einen großen Einfluß auf andere Schriftsteller aus. Schon in seinen frühen Werken (Balladen, Versromanzen) zeigt sich sein Interesse für die Vergangenheit seines Landes. Seit 1814 schrieb Scott in rascher Folge 27 Romane, die meist im Schottland des 17. und 18. Jahrh. spielen. Scott unterrichtete sich genau über die geschichtlichen Vorgänge, die er seinen Büchern zugrunde legte, schmückte die Tatsachen aber mit romantischen Zusätzen aus. So entstanden lebendige und farbige Bilder früherer Zeitepochen. Besonders populär wurden ›Waverley‹ (1814), ›Die Braut von Lammermoor‹ (1819), ›Ivanhoe‹ (1829; aus der Zeit der Kreuzzüge, → Ivanhoe), ›Kenilworth‹ (1821; England zur Zeit von Königin Elisabeth I.), ›Quentin Durward‹ (1823; Frankreich im 15. Jahrh.) und ›Redgauntlet‹ (1824).

sec, nicht mehr zulässiges Einheitenzeichen für → Sekunde.

SECAM, Abkürzung für französisch **séquentiel à mémoire** [›aufeinanderfolgend mit Zwischenspeicherung‹], ein Farbfernsehsystem (→ Fernsehen).

Sedimente [von lateinisch sedimentum ›Bodensatz‹], Sedimentgesteine (→ Gesteine).

See, Wasseransammlung in natürlichen Hohlformen (Senken) des Festlandes, die keine direkte Verbindung zum Meer haben. Seen erhalten ihr Wasser durch die Niederschläge sowie durch ober- und unterirdische Zuflüsse und geben es durch Verdunstung und Abflüsse wieder ab. Die Seen sind nicht gleichmäßig über die Landoberfläche verteilt. In ehemals vergletscherten Gebieten bildeten sich **Glazialseen,** wobei Schmelzwasser in die vom Gletscher ausgeschürften Hohlformen floß. Hangnischen im Gebirge, vom Gletscher geschaffen und mit Wasser gefüllt, wurden zu **Karseen.** Stürzen in Kalksteingebieten unterirdische Höhlen ein, da der Untergrund ausgelaugt und fortgeschwemmt worden ist, entstehen **Karstseen.** Die Seen vulkanischer Gebiete erscheinen als **Kraterseen** und **Maare. Stau-** oder **Dammseen** sind durch Moränen, Bergstürze, Gletscher, aber auch durch Lavaströme aufgestaut. Seen verlanden allmählich durch die von den Zuflüssen mitgebrachten Ablagerungen. Die Vegetation kann vom Ufer her immer weiter in den See hineinwachsen, hemmt dabei die Bewegungen des Wassers und verwandelt den See in ein Moor. Die Farbe des Seewassers hängt von den gelösten Beimengungen ab. So sind Moorseen bräunlich bis schwarz. Grün ist das Wasser, wenn in ihm Humusstoffe, Eisensalze und Kalk gelöst sind. Reinstes Wasser erscheint blau.

Seebeben, → Erdbeben.

See-Elefanten, Seehunde, Seelöwen, zu den → Robben gehörende Wasserraubtiere.

Seegang, vom Wind erzeugte Wellenbewegung an der Meeresoberfläche. Solange der Seegang unter dem direkten Einfluß des erzeugenden Windes steht, wird er **Windsee** genannt. Nach dem Abflauen des Windes bleibt er als → Dünung weiter bestehen. Die Höhe und Länge der Wellen und ihre zeitliche Aufeinanderfolge sind abhängig von der Stärke und Dauer des Windes über dem Meer. Dabei erreichen die Wellenberge Höhen von etwa 30 m.

Seeigel, Meerestiere, die zu den → Stachelhäutern gehören. Ihr meist kugeliger Körper ist – ähnlich wie beim Igel – mit beweglichen Stacheln besetzt, die vielfach mit Giftdrüsen verbunden sind. Seeigel leben vor allem in den Küstenregionen der Weltmeere, auch in der Nord- und Ostsee. Mit Hilfe ihrer Stacheln und Saugfüßchen bewegen sie sich fort und kriechen sogar an senkrechten Felswänden hoch. Sie graben damit im Schlick nach kleinen, auch toten Tieren, vor allem Muscheln, die sie in dem kompliziert gebauten Kauapparat ihres an der Unterseite liegenden Mundes zerkleinern. Manche Seeigel grasen auch Pflanzen ab. Tritt man beim Baden auf einen Seeigel, so können schmerzhafte Wunden entstehen. Besonders in Mittelmeerländern ißt man das Innere der Seeigel roh oder gekocht wie ein Ei aus der Schale. (BILD Stachelhäuter)

Seekühe, etwa 3 m lange, träge Säugetiere, die im Wasser leben und sich nur von Pflanzen ernähren. Äußerlich gleichen sie den nicht näher verwandten Robben. Ihren walzenförmigen Körper mit den 2 Paddelflossen treiben sie wie die Wale mit der waagrechten Schwanzflosse vorwärts. Seekühe leben gesellig an flachen Küsten und in Flußmündungen in Südamerika, Westafrika und Südasien bis Australien.

Seemeile, kurz für **internationale Seemeile,** Einheitenzeichen **sm,** in der Luft- und Seefahrt gebräuchliche Längeneinheit, 1 sm = 1,852 km.

Seepferdchen, Gattung der Knochenfische, deren Kopf einem Pferdekopf ähnelt. Sie schwimmen in senkrechter Haltung, wobei sie

Walter Scott

Seepferdchen: Geflecktes Seepferdchen

Seerosen 1): Weiße Seerose

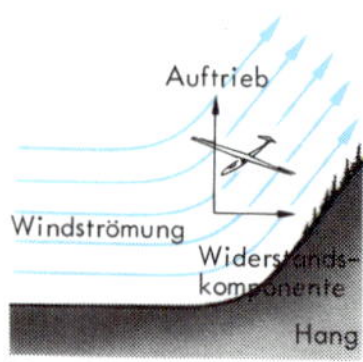

Hang-Segelflug

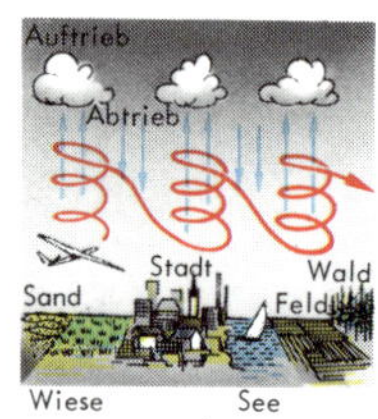

Thermik-Segelflug

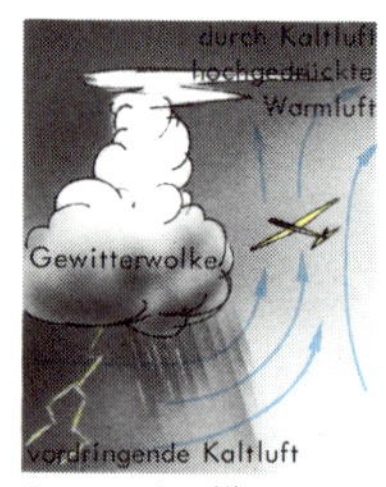

Gewitter-Segelflug (Fronten-Segelflug)

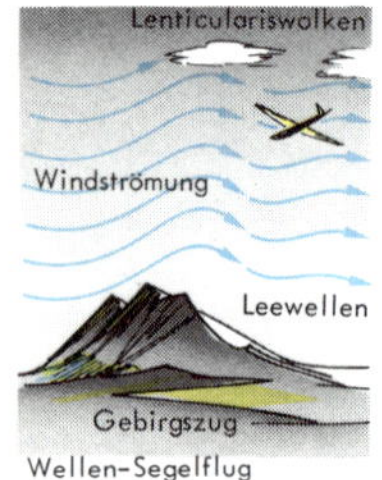

Wellen-Segelflug

Segelflugsport: Segelflug

durch schlagende Bewegung der Rückenflossen wie von einem Propeller angetrieben werden. Mit ihrem flossenlosen Schwanz können sie sich an Pflanzen festklammern. Der Körper ist größtenteils von Knochenplatten bedeckt. Die Eier werden vom Männchen in einer Bauchtasche ausgebrütet. Durch ihre lange, röhrenförmige Schnauze saugen Seepferdchen Wasser ein; die darin enthaltenen Tierchen sind ihre Nahrung. Seepferdchen kommen vor allem in den Tangwäldern der tropischen Meere vor. Im Mittelmeer und in der Nordsee lebt das **Gefleckte Seepferdchen,** das 10–18 cm lang wird.

Seerosen, 1) →Wasserpflanzen mit weißen, rosenähnlichen Blüten, die in sumpfig-flachen Seen, Teichen und Bächen wachsen oder als Zierpflanze in Gartenteichen gezogen werden. Ihre Blüten, die sie im Sommer entfalten, sind nachts und bei schlechtem Wetter geschlossen. Die Wurzeln verankern sich im schlammigen Grund. Die fast tellergroßen, ledrigen Schwimmblätter wachsen wie die Blüten an sehr langen, dünnen und biegsamen Stengeln bis zur Wasseroberfläche empor. In Südamerika gibt es eine Seerose, deren am Rand hochgebogene Blätter einen Durchmesser von 2 m haben. In Deutschland heimisch sind die **Weiße Seerose** und die **Gelbe Teichrose.** Mit den Seerosen verwandt sind die →Lotosblumen. (BILD Seite 171)

2) auch **Seeanemonen, Seenelken,** farbenfrohe polypenartige →Nesseltiere, die mit geöffneten Fangarmen wie blühende Blumen aussehen. Die Fangarme können über 10 cm lang oder sehr kurz, dicht und zahlreich (über 1 000) sein. Diese ziemlich großen →Polypen, die keinen Stock und kein Skelett bilden wie z. B. die nah verwandten Korallen, besiedeln einzelne Felsen oder Wasserpflanzen in den Küstenregionen der Meere oder heften sich mit ihrer breiten Fußscheibe auf anderen Tieren fest und leben mit ihnen in →Symbiose, z. B. mit dem Einsiedlerkrebs oder mit Fischen. Seerosen fressen Tiere bis zu ihrer eigenen Körpergröße (Fische, Krebse, Würmer), die durch die Nesselzellen der Fangarme gelähmt oder getötet und dann von den Fangarmen in die Mundöffnung gezogen werden. Die Mundscheibe kann z. B. bei Ebbe vollständig nach innen eingestülpt werden. Die **Dickhörnige Seerose,** die **Seenelke** und die **Purpurrose** sind auch an deutschen Küsten sehr häufig. Sie werden gern im Aquarium gehalten.

Seeschlangen leben meist in Küstennähe im tropischen Indischen und Pazifischen Ozean; mit ihrem seitlich abgeplatteten Ruderschwanz können sie gut schwimmen. Bei Gefahr und um Fische zu jagen, tauchen sie unter. Die meisten Arten bringen lebende Junge zur Welt, einige legen ihre Eier an Land ab. Die bis 2 m langen Seeschlangen sind meistens auffallend gefärbt und quergebändert; sie gehören zu den **giftigsten Schlangen.**

Seeschwalben, mit den →Möwen verwandte Vögel.

Seesterne, im Meer lebende →Stachelhäuter mit sternförmigem Körper. An der Unterseite der meist 5 beweglichen ›Arme‹ haben sie 100–200 Saugfüßchen, mit denen sie in beliebiger Richtung langsam vorwärtskriechen, an senkrechten Felswänden emporklettern und sich auch im Schlick eingraben. Mit ihren Füßen heften sie sich auch an Muscheln, ihrer Hauptnahrung, fest und öffnen diese langsam durch ständigen Zug. Dabei müssen sie soviel Kraft aufbringen, daß sie einen Sack Kartoffeln ziehen könnten, denn Muscheln verschließen ihre Schalenhälften sehr fest. Durch seinen an der Unterseite liegenden Mund stülpt der Seestern dann den sehr dehnbaren Magen über das Muschelfleisch, zersetzt es mit den Verdauungssäften und saugt es ein.

Seesterne besitzen ein großes Regenerationsvermögen. Manche Arten können nicht nur einen abgebrochenen Arm ersetzen, sondern auch aus einem solchen Arm einen vollständigen Seestern entwickeln. Die meisten Seesterne sind rot oder gelblich gefärbt, es gibt aber auch grüne, blaue und bräunliche Arten. Die kleinsten Seesterne haben einen Durchmesser von etwa 1 cm, der größte von etwa 1 m. Kleinere Arten leben auch in der Nord- und Ostsee. (BILD Stachelhäuter)

Seezunge, ein →Plattfisch.

Segelflugsport, das Fliegen mit motorlosen Flugzeugen. Der Flug eines Segelflugzeugs ist ein ständiger Gleitflug, bei dem der Höhenverlust dadurch ausgeglichen oder gar übertroffen wird, daß der Segelflieger Gebiete mit →Aufwind aufsucht. Entsprechend gibt es den Hang-, den Thermik-, den Gewitter- oder Fronten- und den Wellensegelflug.
Sportliche Wettbewerbe werden in der offenen Klasse (ohne Baubeschränkungen), in der Fünfzehn-Meter-Rennklasse (Flügelspannweite höchstens 15 m) und in der Standardklasse (Flügelspannweite bis 15 m, bauliche Beschränkungen) geflogen. Seit den Anfängen der Segelfliegerei haben sich die Wettbewerbsarten ständig geändert. Heute werden folgende Konkurrenzen ausgetragen: freier Streckenflug, Zielstreckenflug, Zielflug mit Rückkehr zum Startort, Höhenflüge,

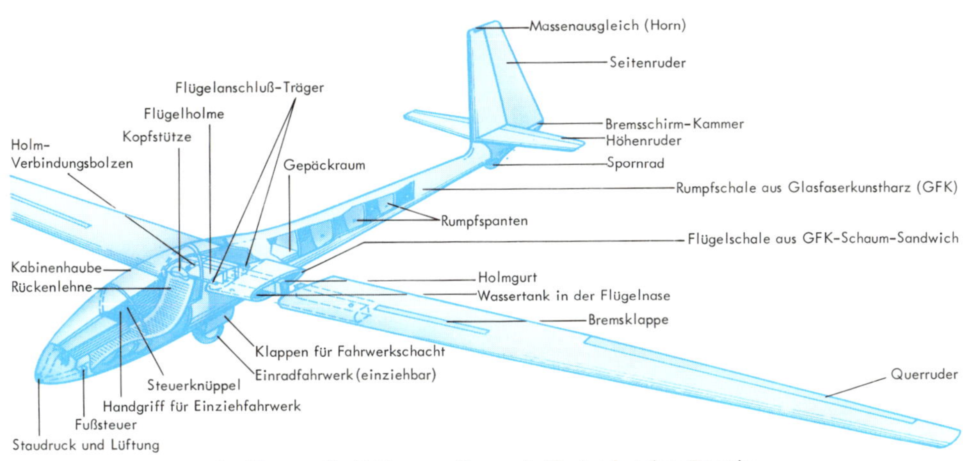

Segelflugzeug: Hochleistungssegelflugzeug in Glasfaserkunstharz-Bauweise

Dreiecks-Geschwindigkeitsflüge verschiedener Länge, Streckenflüge im geschlossenen Dreieck. Beim **freien Streckenflug** kann der Pilot in beliebiger Richtung starten und landen, wo er will. Der **Zielstreckenflug** geht vom Startort zu einem vorher bestimmten Ziel. Der **Zielflug** mit Rückkehr zum Startort verlangt, daß ein vorher bestimmter Wendepunkt erreicht wird und das Flugzeug zum Startflughafen zurückkehrt. Bei **Höhenflügen** wird der tatsächliche Höhengewinn (absolute Höhe minus Starthöhe) gemessen. Die **Dreiecksflüge** führen über 2 vorher bestimmte, zu photographierende Wendepunkte mit Rückkehr zum Standort. Zum Fliegen eines Segelflugzeugs ist ein Segelflugschein erforderlich.

Segelflugzeug, motorloses, leicht gebautes und aerodynamisch hochwertig geformtes Flugzeug mit meist langen, gestreckten Tragflügeln. Segelflugzeuge sind meist Einsitzer, seltener Doppelsitzer. Gestartet werden sie entweder am Schleppseil einer am Boden befindlichen Motorwinde oder im Schlepp eines Motorflugzeugs. In einer bestimmten Höhe klinkt der Segelflieger das Seil aus. Bei **Motorseglern** mit eingebautem Hilfsmotor ist ein Eigenstart möglich. Segelflugzeuge bestehen heute überwiegend aus faserverstärkten Kunstharzen, die die bisherigen Holzkonstruktionen fast vollständig abgelöst haben. Die seit Otto Lilienthals Hängegleitern außerordentlich verbesserten Flugzeuge und ihre Beherrschung sowie die vertieften Wetterkenntnisse haben die Leistungen im Segelfliegen stark gesteigert. Bei Geschwindigkeiten von 200 km/h werden Entfernungen von mehr als 1 000 km überwunden, im Höhenflug Flughöhen von über 14 000 m erreicht (→ Luftfahrt).

Segeln, die Fortbewegung von Booten oder Schiffen durch Wind und Segel. Zur richtigen Ausnutzung des Windes müssen die Segelflächen möglichst günstig gestellt (getrimmt) werden. Die Windkraft löst um die Segel Strömungen ähnlich denen an den Tragflächen eines Flugzeugs aus. Für die Segelstellung ist nicht der wahre, sondern der scheinbare (gefühlte) Wind maßgebend, der sich aus dem wahren und dem Fahrtwind zusammensetzt und am Windstander (Verklicker) oben am Mast zu erkennen ist.

Die **Segelboote** haben sich aus einfachen Booten zu komplizierten Sportgeräten entwickelt. Es gibt eine Vielzahl von Bootsklassen, die nach verschiedenen Gesichtspunkten eingeteilt werden:

1) **Olympische Klassen,** internationale Klassen, in denen bei Olympischen Spielen gesegelt wird. Seit 1900 gab es bei fast allen Olympischen Spielen Veränderungen der Klassen. 1984 waren Olympische Klassen: Soling, Tornado-Katamaran, Star, Flying Dutchmann, 470er, Finndingi, Windglider.

2) **Internationale Klassen,** vom Weltsegelverband anerkannte oder von nationalen Verbänden für internationale Regatten neben den Olympiaklassen eingeführte Klassen.

3) **Nationale Klassen,** von den einzelnen Ländern anerkannte Klassen.

Segeln

Segeln: Rennjolle (505er); **1** Windrichtungsanzeiger (Verklicker); **2** flexibler Mast; **3** Baum mit Niederholer; **4** Großsegel mit Klassenzeichen, Registriernummer und Steuerfenster; **5** Vorsegel (Rollfock); **6** Vorstag; **7** Want; **8** Schwert im Schwertkasten; **9** Querducht; **10** Traveller; **11** Großschott; **12** Ausreitgurte; **13** Ruder, Pinne, Pinnenausleger; **14** Seitentank (Auftriebskörper); **15** Spiegel mit Lenzventilen

4) **Ausländische Klassen,** vom Deutschen Seglerverband anerkannte Boote, die nicht zu den Nationalen Klassen zählen.
5) **Einheitsklassen** werden alle nach demselben Bauplan und sehr enggefaßten Vorschriften gebaut, z. B. die Olympischen Klassen.
6) **Konstruktionsklassen** dürfen innerhalb von Grenzbestimmungen für Abmessungen und Formen konstruiert werden.

An Regatten teilnehmende Segelboote haben in ihrem Großsegel ihre Registriernummer neben dem Bootstypzeichen (auch Segelzeichen: Figur, Buchstabe oder Zahl) und, bei internationalen Regatten, dem Nationalitätenzeichen.

Im **Sportsegeln** unterscheidet man die Dreiecksregatten in Serien von 3–7 Wettfahrten auf Binnenrevieren oder an den Küsten sowie die Hochseerennen. Zu ersteren zählen seit 1900 auch die olympischen Segelwettkämpfe, die zweite Kategorie reicht vom Rennen ›Rund um Helgoland‹ bis zum ›Round the World‹-Rennen. Auf den Langstrecken (Seetörns) wird vor allem gegen die natürlichen Hindernisse (schweres Wetter, Seegang) gekämpft. Bei den Regatten segeln Boote derselben Klasse gegeneinander oder werden bei Seewettfahrten wegen ihres unterschiedlichen Rennwerts mit Hilfe einer (Handikap-)Formel eingeordnet. (BILD Seite 174)

Segelschiff, →Schiff.

Segelsurfen [-ßörfen], Freizeit- und Wettkampfsport auf Flüssen, Seen und Meeren mit einem aus Kunststoff bestehenden Brett **(Surfbrett, Surfboard)** mit steuerbarem Segel. Das Allroundbrett (auch Windsurfer genannt) ist in der Regel 27 kg schwer, besitzt einen 3,70 m langen, 65 cm breiten Rumpf aus ausgeschäumtem Polyäthylen und ein Steckschwert oder ein versenkbares Schwert. Der 4,20 m hohe Mast aus Glasfiber, der um 360° drehbar ist und auf einem freibeweglichen Kreuzgelenk im Rumpf steckt, trägt das zwischen 3,6 und 10,0 m² große Segel. Der Segelsurfer steht auf dem durch das Wasser gleitende Brett und richtet mit Hilfe des Gabelbaums das Segel je nach Fahrtrichtung aus. Beim Segelsurfen können bis zu 70 km/h Geschwindigkeit erreicht werden. Wettfahrten werden nach den Regeln der Segelregatten ausgetragen. – Seit 1984 ist Segelsurfen olympische Disziplin.

Seghers. In Erzählungen und Romanen behandelte die Schriftstellerin **Anna Seghers** (eigentlich Netty Radvanyi, * 1900, † 1983) Themen

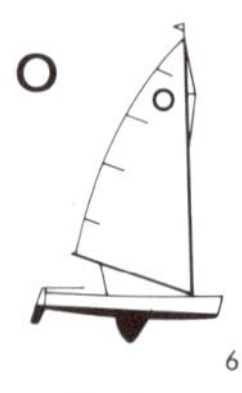

Segeln

Segeln: Bootsklassen; **1** Soling, **2** Drachen, **3** Star, **4** Flying Dutchman, **5** Finndingi, **6** Olympiajolle

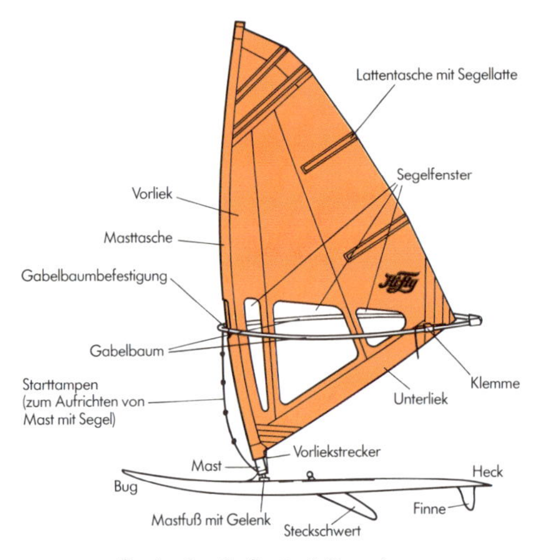

Segelsurfen: Surfbrett mit Besegelung

aus dem politischen und sozialen Geschehen der Gegenwart, so den mißglückten ›Aufstand der Fischer von Sankt Barbara‹ (1928) gegen ihre Ausbeuter. 1933 ging Anna Seghers ins Ausland. Im Exil in Mexiko schrieb sie den Roman ›Das siebte Kreuz‹ (1941) über die Flucht von 7 Gefangenen aus einem Konzentrationslager und den Terror zur Zeit des Nationalsozialismus. Das Schicksal deutscher Emigranten in Frankreich ist Thema von ›Transit‹ (zuerst 1944). Ab 1947 lebte die Schriftstellerin in Berlin (Ost), wo der Roman ›Die Toten bleiben jung‹ (1949) entstand, der die gesellschaftlich-politische Entwicklung seit Ausgang des Ersten Weltkrieges beschreibt. Für ihre Werke erhielt Anna Seghers viele Auszeichnungen. 1952–78 war sie Präsidentin des Schriftstellerverbandes der Deutschen Demokratischen Republik.

Sehne, 1) bei Mensch und Wirbeltieren aus festem Gewebe bestehende Verbindung zwischen Muskel und Knochen. Verlaufen Sehnen über längere Strecken direkt auf dem Knochen (z. B. am Handgelenk), so gleiten sie in einer bindegewebigen Hülle, der **Sehnenscheide.**

2) Geometrie: Verbindungsstrecke zweier Punkte auf einem →Kreis oder einer →Kurve.

Seide, der Faden, den die Raupe eines unscheinbaren Schmetterlings, des Maulbeerspinners, spinnt. Dieser hat seinen Namen nach dem Maulbeerbaum, von dessen Blättern sich die Raupe ernährt. Wenn sich die Seidenraupe verpuppt, scheidet sie einen zähflüssigen Saft und

Leim aus und spinnt daraus in 70–80 Stunden einen etwa 3 000–4 000 m langen Faden, den sie als Hülle (›Kokon‹) um sich legt. Um den Seidenfaden zu gewinnen, legt man die Kokons in heißes Wasser oder heißen Dampf, wodurch die Raupe abgetötet wird und die leimartige Hülle aufgeweicht wird; dann kann der Faden abgewickelt (›abgehaspelt‹) werden; meist sind nur 700–1 000 m des Fadens als Seidenfaden zu verwenden. Das bedeutet, daß für 1 kg Rohseide etwa 7–9 kg Kokons benötigt werden. In einer Seifenlösung wird die Rohseide ›entbastet‹ und verliert etwa 25–30 % ihres Gewichts. Die einzelnen Fäden werden nach den üblichen Spinnverfahren versponnen. Aus Seide stellt man kostbare, mattglänzende Stoffe her. Außer dem Maulbeerspinner liefern auch andere Schmetterlinge Seide.

Das Ursprungsland der Seidengewinnung ist China, wo schon seit 4000 Jahren Seidenraupen gezüchtet werden. Chinesische Seide wurde weit exportiert, nach Westen vor allem über die → Seidenstraße. Die Ausfuhr von Seidenspinnern war jedoch bei Todesstrafe verboten. Der Sage nach brachten 2 Mönche um 550 die ersten Eier in ihren Wanderstäben versteckt nach Konstantinopel. Zentren europäischer Seidenraupenzucht sind heute Süditalien und Südfrankreich.

Seidelbast, Strauch mit leuchtend roten Beeren, die für Menschen, nicht aber für Vögel **sehr giftig** sind; schon wenige Beeren können beim Menschen zum Tod führen. Auch die Rinde kann starke Hautreizungen hervorrufen. Seidelbast wächst in Laubwäldern und wird in Gärten als Zierstrauch angepflanzt, da seine stark duftenden rosa- bis violettfarbenen Blüten bereits im Vorfrühling blühen. Seidelbast steht unter Naturschutz. (BILD Gift)

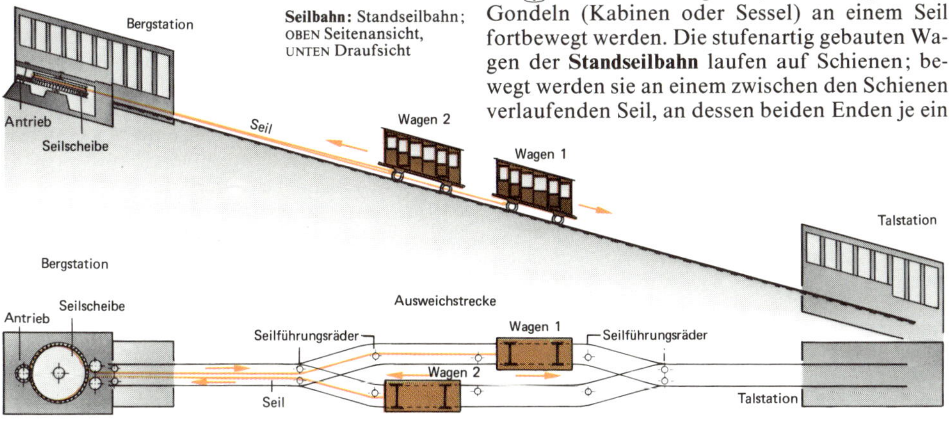

Seilbahn: Standseilbahn; OBEN Seitenansicht, UNTEN Draufsicht

Seidenstraße, alte Karawanenstraße in Asien, auf der die Chinesen seit dem 2. Jahrh. v. Chr. die Seide, das wichtigste Fernhandelsgut und eine im Altertum hochgeschätzte Ware, auf Pferden und Dromedaren nach Westen brachten. Die Straße führte südlich der Großen Mauer nach Westen, in einem nördlichen und einem südlichen Zweig um das Tarimbecken, über die Pässe des Pamir-Gebirges und erreichte schließlich das Mittelmeer; auch Indien war ein Ziel. Der größte Abnehmer des kostbaren Handelsgutes war das kaiserliche Rom. Eine Karawane brauchte von China zum Mittelmeer und zurück 6–8 Jahre. Als in Europa seit dem 6. Jahrh. die Seidenraupenzucht eingeführt wurde, ging der chinesische Seidenhandel zwar zurück, die Handelsstraßen behielten aber ihre Bedeutung.

Seifen, 1) Gemische fester oder halbfester, in Wasser löslicher Alkalisalze höherer Fettsäuren, die heute vor allem zur Körperreinigung verwendet werden. Zur Herstellung von einfachen Seifen werden Fette (Ester des Glyzerins mit Fettsäuren) mit Natronlauge verseift. Allerdings ist der im Prinzip seit mehr als 4 000 Jahren bekannte Siedeprozeß in offenen Kesseln (Seifensiederei) weitgehend durch moderne technische Verfahren abgelöst worden. Zur Herstellung von Feinseife oder Toilettenseife wird helle, geruchsneutrale Seife mit Parfümölen, Farbstoffen oder Deodorantien versetzt.

2) Geologie: Sand- und Geröllmassen mit einem abbauwürdigen Gehalt an Gold, Platin, Zinnstein, Titaneisen, Magneteisenerz, Monazit oder Edelsteinen. Sie entstehen durch Fortschwemmung **(eluviale Seifen)** oder Ausblasen **(äolische Seifen)** tauben Gesteinsmaterials.

Seilbahn, eine Bergbahn, deren Wagen oder Gondeln (Kabinen oder Sessel) an einem Seil fortbewegt werden. Die stufenartig gebauten Wagen der **Standseilbahn** laufen auf Schienen; bewegt werden sie an einem zwischen den Schienen verlaufenden Seil, an dessen beiden Enden je ein

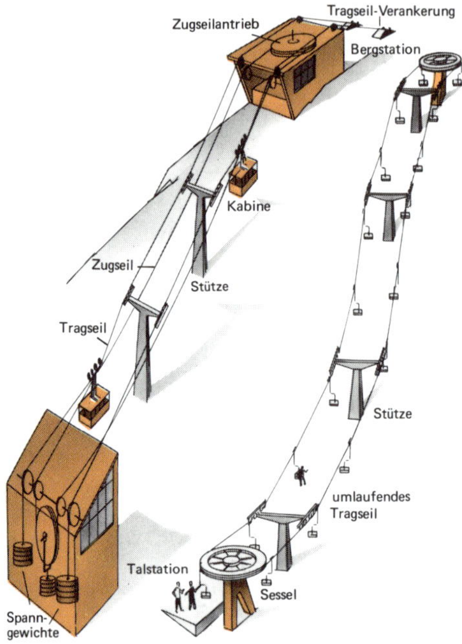

Seilbahn: Seilschwebebahn; LINKS Zweiseilbahn für Kabinenbetrieb, RECHTS Einseilbahn als Sessellift

Fahrzeug bergwärts gezogen und talwärts abgelassen wird. Das Seil wird elektrisch angetrieben. In der Hälfte der geraden, meist nicht sehr langen Strecke befindet sich eine Ausweichanlage, wo sich die beiden Wagen begegnen.

Bei sehr steilem oder unregelmäßigem Gelände werden **Seilschwebebahnen** oder **Drahtseilbahnen** angelegt, deren Gondeln an einem Seil hängen, das zwischen Berg- und Talstation und meist noch über Zwischenstützen gespannt ist. Es gibt Seilschwebebahnen mit Stützhöhen bis 70 m und mit freien Spannweiten (Abstand zwischen 2 Stützen) bis 1 700 m. Große Kabinenbahnen laufen mit ihrem Laufwerk auf einem festen Tragseil und werden vom Zugseil, das in der Berg- und Talstation umläuft, gezogen. Diese Bauart nennt man **Zweiseilbahn.** Als Sicherung besitzen Zweiseilbahnen Fangvorrichtungen, die die Kabinen am Tragseil oder an einem Hilfsseil festklemmen, wenn das Zugseil reißen sollte. Bei der **Einseilbahn** ist das verstärkte Zugseil zugleich das Tragseil, an dem die Gondel festgeklemmt ist. Diese Anordnung wird für kleine Kabinenbahnen, für Sesselbahnen und Skilifte benützt.

Seine [ßän], Fluß in Nordfrankreich, 776 km lang. Die Seine entspringt auf dem Plateau von Langres südöstlich von Paris, durchfließt das Pariser Becken und mündet in einem Trichter bei Le Havre in den Kanal. Sie ist größtenteils schiffbar und hat durch Kanäle mit allen französischen Flußsystemen große Verkehrsbedeutung.

Seismograph [griechisch ›Erdbebenschreiber‹], Gerät zur Aufzeichnung von →Erdbeben. Erdbeben machen sich als Bodenbewegungen bemerkbar, die z. B. in Häusern die Möbel wakkeln lassen; diese Bewegungen werden durch eine Masse über Pendel- oder Federschwingungen sichtbar gemacht und ihr zeitlicher Verlauf aufgezeichnet. Mit dem Seismographen können auch Sprengungen oder unterirdische Atombombenversuche registriert werden.

Seitenstechen, stechender Schmerz unter dem Rippenbogen, meist auf der linken Seite. Betroffen sind vorwiegend Jugendliche bei körperlicher Anstrengung wie schnellem Laufen. Man vermutet, daß die Schmerzen dadurch entstehen, daß sich die →Milz zusammenzieht, um den größeren Blutbedarf zu decken.

Sekante [zu lateinisch secare ›schneiden‹], Geometrie: Verbindungsgerade zweier Punkte auf einem →Kreis oder einer →Kurve.

Sekret [zu lateinisch secernere ›absondern‹], Wirkstoff, der von den verschiedenen →Drüsen des Körpers gebildet und abgegeben wird.

Sekte [von lateinisch sequi ›folgen‹], ursprünglich eine politische, philosophische oder religiöse Einzelgruppe oder Richtung. Heute versteht man darunter abwertend eine Sondergruppe, die sich von einer größeren religiösen Gemeinschaft gelöst hat und in Lehre, Kult und Brauch von ihr abweicht. Christliche Sekten stützen sich oft auf einzelne Ausschnitte der biblischen Botschaft und erwarten das baldige Weltende und das →Jüngste Gericht. Sie bilden eine straffe, überschaubare Lebensgemeinschaft und zeichnen sich durch Berufungsbewußtsein und Missionseifer aus.

Zu den bekanntesten Sekten gehören die Adventisten, die →Mormonen und die →Zeugen Jehovas. Von diesen Gruppen sind die →Jugendreligionen zu unterscheiden.

Sekunde [von lateinisch secunda ›die zweite‹], **1)** Einheitenzeichen ″, gesetzliche SI-fremde Einheit des ebenen Winkels, 60. Teil einer Winkelminute, die wiederum als 60. Teil eines Winkelgrades (→Grad) definiert ist: $1'' = 1'/60 = 1°/3\,600 = (\pi/648\,000)$ rad (→Radiant).

2) Einheitenzeichen **s** (früher auch **sec**), SI-Basiseinheit (→Einheiten) der Zeit, ursprünglich definiert als der 86 400ste Teil des mittleren Son-

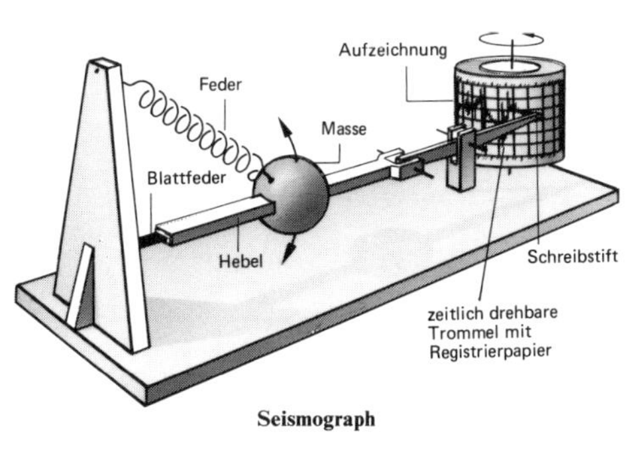

Seismograph

nentages; seit der 13. Generalkonferenz für Maß und Gewicht (1967) atomar definiert als das 9192631770fache der Periodendauer einer bestimmten Strahlung des Atoms Caesium 133. Diese Definition wird für Zeitmessungen höchster Präzision benötigt. Sie wurde so gewählt, daß sich mit ihrer Einführung an den Zeitmessungen des Alltags nichts änderte.

3) Musik: ein →Intervall im Abstand von 2 Notenstufen.

Sekundogenitur, →Primogenitur.

Selbstlaut, Vokal, →Laut.

Selektion [lateinisch ›Auswahl‹], die natürliche →Auslese.

Selen [zu griechisch selene ›Mond‹], →chemische Elemente, ÜBERSICHT.

Selene, in der griechischen Sage die Mondgöttin, die der römischen **Luna** entspricht.

Seleukiden, Herrscherfamilie, die nach dem Tod →Alexanders des Großen in Vorderasien ein hellenistisches Reich schuf. Das **Seleukidenreich,** 312 v. Chr. von Seleukos I. gegründet, erstreckte sich von Syrien über Kleinasien und Persien bis zum Indus. Im 2. Jahrh. v. Chr. zerfiel das Reich in mehrere selbständige Gebiete. Dem Rumpfstaat wandelte Pompejus 64 v. Chr. in die römische Provinz Syria um.

Semiten [nach ihrem Stammvater Sem, dem ältesten Sohn Noahs im Alten Testament], Völkergruppe in Vorderasien und Nordafrika, die eine sprachliche Gemeinschaft bildet und ursprünglich wohl auf der Arabischen Halbinsel beheimatet war. Semiten sind z. B. die Araber, Juden und Äthiopier, auch die alten Völker der Babylonier, Assyrer, Phöniker und Karthager.

Die Semiten hatten eine große Wirkung auf die Weltgeschichte. Aus der babylonischen Astrologie entwickelten sich Astronomie und Mathematik des Vorderen Orients und des Abendlands, von den nordsemitischen Kulturen stammt die alphabetische Schrift, von den Arabern die islamische Kultur; die Juden leisteten bedeutende Beiträge zur abendländischen Geistesgeschichte.

Senat [zu lateinisch senex ›Greis‹], in der Römischen Republik der Rat der Alten. Er bestand zunächst aus 300 **Senatoren;** Sulla verdoppelte um 80 v. Chr. die Mitgliederzahl auf 600 ehemalige hohe Beamte. Seit 312 v. Chr. wurden die Senatoren von den Konsuln und Zensoren nach Würdigkeit auf Lebenszeit ernannt. Man erkannte den Senator an einem breiten Purpurstreifen am Untergewand und an den roten Schuhen. Der Senat war eigentlich nur ein Beratungsorgan. Doch wurden seine ›Ratschläge‹ von den römischen Beamten meist befolgt, so daß er vor allem im 3. und 2. Jahrh. v. Chr. großen Einfluß besaß. So hatte er die Aufsicht über die Gesetzgebung, die Reichsverwaltung und die Finanzen und leitete die Außenpolitik. Seit dem 1. Jahrh. v. Chr. brachte die Formel SPQR (→**S**enatus **P**opulus**q**ue **R**omanus) das Zusammenwirken von Senat und Volk zum Ausdruck. In der Kaiserzeit verlor der Senat an Bedeutung.

In den USA ist der Senat die erste Kammer des Parlaments, die Vertretung der Einzelstaaten. Jeder Bundesstaat entsendet 2 auf 6 Jahre gewählte Senatoren in den Senat. Alle 2 Jahre wird dieser zu einem Drittel neu gewählt. Zusammen mit dem Repräsentantenhaus bildet der Senat den Kongreß (→Vereinigte Staaten von Amerika).

In den Stadtstaaten Bremen, Hamburg und Berlin wird die ausübende Gewalt, die Exekutive, von einem Senat ausgeübt. – Auch Richterkollegien an höheren Gerichten, so beim Bundesverfassungsgericht, heißen Senat. – Die Selbstverwaltung einer Universität wird von einem Rektor und dem Senat wahrgenommen.

Senatus Populusque Romanus [lateinisch ›Senat und Volk von Rom‹], Abkürzung **SPQR,** seit dem 1. Jahrh. v. Chr. Bezeichnung des römischen Staatswesens, seit Augustus beschränkt auf die Stadt Rom. Die Bezeichnung findet sich noch häufig auf Gebäuden aus der Römerzeit. Sie betonte das Zusammenwirken des →Senats und des Volkes bei den politischen Entscheidungen.

Sender, Gerät oder Anlage zur Aussendung von Schallwellen, elektrischen Strömen oder elektromagnetischen Wellen zur Nachrichtenübertragung oder Richtungsbestimmung (→Radar). In der Funktechnik (→Rundfunk, →Fernsehen) werden Sender mit Elektronenröhren oder für kleinere Leistungen mit Transistoren betrieben, die Sendungen werden im allgemeinen über →Antennen ausgestrahlt.

Seneca. Der römische Philosoph und Dichter **Lucius Annaeus Seneca** (*4 v. Chr., †65 n. Chr.) war Erzieher Neros und nach dessen Regierungsantritt (54 n. Chr.) einer der engsten Berater des Kaisers. 65 n. Chr. wurde er von Nero wegen angeblicher Beteiligung an einer Verschwörung zum Selbstmord gezwungen.

Seneca lehrte in seinen ethischen Schriften ›De brevitate vitae‹ (Von der Kürze des Lebens), ›Epistulae morales‹ (Briefe über die Moral) und ›De beneficiis‹ (Von den Wohltaten), daß der Weise im Einklang mit den Gesetzen der Natur leben solle, ohne sich vor den Wechselfällen des Schicksals zu fürchten. Er billigte auch den Selbstmord als Ausweg und letztes Mittel, einem unerträglichen Leben zu entgehen, um so seine Würde und Freiheit zu bewahren.

Senegal

Staatswappen

Staatsflagge

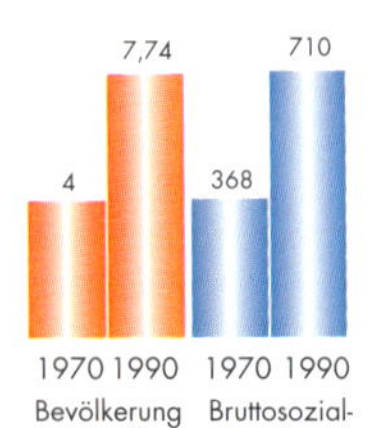

Stadt Land

38% 62%

Bevölkerungsverteilung 1990

Bruttoinlandsprodukt 1990

Senegal

Fläche: 196 192 km²
Bevölkerung: 7,74 Mill. E
Hauptstadt: Dakar
Amtssprache: Französisch
Nationalfeiertag: 4. April
Währung: 1 CFA-Franc (F.C.F.A.) = 100 Centimes (c)
Zeitzone: MEZ – 1 Stunde

Senegal, Republik in Westafrika am Atlantischen Ozean, etwa halb so groß wie Norwegen. Das Land südlich des Senegalflusses wird von weiten Flachländern beherrscht, die weniger als 100 m hoch sind. Der Südwesten ist feucht, der Südosten ziemlich trocken. Die Bevölkerung setzt sich aus Angehörigen mehrerer afrikanischer Völker (Wolof, Fulbe, Serer, Tukulor) zusammen. Am dichtesten besiedelt ist die Halbinsel Kap Verde mit der Hauptstadt Dakar; die meisten Bewohner sind Muslime. Etwas mehr als $^1/_{10}$ des Landes ist ackerbaulich nutzbar. Für den Export ist der Anbau von Erdnüssen wichtig. In den Dorn- und Trockensavannengebieten wird Viehzucht betrieben. Die fischreichen Gewässer vor der Küste werden intensiv genutzt. Calcium- und Aluminiumphosphat werden abgebaut. Das verkehrsmäßig günstig gelegene Land besitzt mit Dakar den größten Hafen Westafrikas. – 1895 wurde das Gebiet französische Kolonie, seit 1960 ist Senegal unabhängig. 1982 schlossen sich Senegal und Gambia zur Konföderation **Senegambia** zusammen. (KARTE Band 2, Seite 194)

Senegal, Fluß in Westafrika. Er entsteht durch Vereinigung der Quellflüsse Bafing (aus Guinea) und Bakoy (aus Mali) und ist (mit Bafing) bis zur Mündung in den Atlantischen Ozean 1 430 km lang. Im Unterlauf bildet der Senegal die Grenze zwischen Mauretanien und dem Staat Senegal. Auf Grund der schwankenden Wasserführung, des Ausbaus des Hafens von Dakar und der Bahnlinie Dakar–Niger nimmt die Bedeutung des Flusses für die Schiffahrt ab.

senkrecht, Geometrie: Zwei Geraden *g* und *h* stehen senkrecht oder **orthogonal** aufeinander, wenn die Winkel, die von beiden Geraden gebildet werden, rechte Winkel sind (BILD 1, Seite 179). Man schreibt: $g \perp h$, und liest: *g* senkrecht zu *h*. Das Senkrechtstehen findet man häufig in geometrischen Figuren; z. B. steht die Kreistangente senkrecht auf ihrem Berührradius, oder die aneinanderliegenden Kanten eines Quaders stehen senkrecht aufeinander.

Will man den Abstand eines Punktes *P* von einer Geraden *g* bestimmen, so zeichnet man eine Gerade *h*, die im Punkt *Q* senkrecht auf der Geraden *g* steht und durch den Punkt *P* verläuft. Die Streckenlänge $|PQ|$ ist dann der Abstand des Punktes *P* von der Geraden *g* (BILD 2, Seite 179).

Senkrechtstarter, Vertikalstarter, VTOL-Flugzeug, Abkürzung für englisch **V**ertical **T**ake-**O**ff and **L**anding (›Senkrechtstart und -landung‹), ein Flugzeug, das infolge seiner besonderen Bauart senkrecht starten und landen kann. Dies vermögen die Drehflügelflugzeuge, von denen der →Hubschrauber am wichtigsten ist. Bei ihm werden Auftrieb und Vortrieb durch Rotoren erzeugt. Die andere Art von Senkrechtstartern bilden Flugzeuge mit starren Tragflächen (Starrflügelflugzeuge), die im Horizontalflug den Auftrieb liefern, bei Senkrechtstart und -landung aber auf den Vertikalschub ihrer Triebwerke angewiesen sind. Sie können auf ihrem von großen Propellern oder Schubdüsen erzeugten ›Strahl stehen‹. Beim Übergang von der Aufwärts- in die Vorwärtsbewegung und umgekehrt werden die Schubdüsen geschwenkt oder die Propeller oder die ganze Tragfläche gekippt, oder es sind getrennte Triebwerke (Hub- und Schubtriebwerke) vorhanden. (BILD Seite 179)

Senkung, die unbetonte Silbe eines →Verses, im Unterschied zur **Hebung.**

Seoul [seu̯l], 10,9 Millionen Einwohner, Hauptstadt von Südkorea, liegt nahe der Westküste der Halbinsel Korea am Hangang und besitzt einen Binnenhafen. Die Stadt ist von kahlen Bergen umgeben, auf denen die im 14. Jahrh. errichtete, 23 km lange Stadtmauer verläuft.

Sepsis [griechisch ›Fäulnis‹], → Blutvergiftung.

Septime [von lateinisch septima ›die siebente‹], Musik: ein → Intervall im Abstand von 7 Notenstufen.

Serbien, größte Teil-Republik des ehemaligen Jugoslawien, bildet nach dem Zerfall Jugoslawiens mit Montenegro das heutige (1993) Rest-Jugoslawien, rund 9 Millionen Einwohner, mit der Hauptstadt Belgrad. Mit den zum Teil selbständigen Gebieten Kosovo und Wojwodina hat Serbien eine Fläche von 88 361 km² (dies entspricht der Fläche der beiden Bundesländer Nordrhein-Westfalen und Niedersachsen). Die Landschaft am Zusammenfluß von Donau, Theiß, Save und Morava bildet den fruchtbaren, dicht besiedelten Kernraum. Der Süden ist gebirgig.

Seit dem 7. Jahrh. besiedelte der slawische Stamm der Serben das Land. Sie lösten sich im 12. Jahrh. aus der Abhängigkeit vom Byzantinischen Reich. Nach der Schlacht auf dem Amselfeld (1389) geriet das Gebiet unter türkische Oberherrschaft; 1459 wurde es türkische Provinz. Erst 1804–16 erkämpfte sich Serbien die Selbständigkeit. 1882 wurde Serbien Königreich. In den Balkankriegen (1912/13) erwarb es große Teile Makedoniens. Die gegen das mächtige Österreich-Ungarn gerichteten großserbischen Bestrebungen führten 1914 nach der Ermordung des österreichischen Thronfolgers Franz Ferdinand in Sarajevo zum Ersten Weltkrieg. 1918 wurde Serbien Teilgebiet des späteren → Jugoslawien.

Serenade [zu italienisch sereno ›heiter‹], ursprünglich eine Abendmusik oder ein Abendständchen, das in den südlichen Ländern meist gesungen, in Deutschland dagegen von Instrumenten gespielt wurde. Diese Form der Serenade erlebte ihre Blütezeit im 18. Jahrh. Da die Serenade im Freien aufgeführt wurde, verwendete man oft Blasinstrumente, so Mozart in seinen berühmten Bläserserenaden. Später, als Serenaden auch in Innenräumen und im Konzertsaal gespielt wurden, kamen Streichinstrumente hinzu.

Serengeti, Hochfläche im Norden des ostafrikanischen Staats Tansania, rund 1 200 bis 1 500 m hoch. Sie ist überwiegend mit Grassavanne bedeckt und beherbergt den **Serengeti-Nationalpark,** eines der wildreichsten Gebiete Afrikas (Löwen, Elefanten, Gnus, Zebras, Gazellen usw.). Der Park wurde unter Beteiligung von Bernhard Grzimek und dessen Sohn Michael, der dort tödlich verunglückte, geschaffen.

Serum [lateinisch ›Molke‹], **Blutserum,** der wäßrige Bestandteil des Blutes, der nach Entfernung der Blutkörperchen und nach Gerinnung des Blutplasmas als klare, gelbliche Flüssigkeit übrigbleibt. Er besteht vor allem aus Wasser, Eiweißstoffen, Salzen und vielen Stoffwechselprodukten. Nach einer Krankheit oder einer → Impfung befinden sich im Serum Schutzstoffe gegen diese Krankheit (Antikörper), die eine → Immunität bewirken. Will man bestimmte Schutzstoffe auf einen anderen Menschen übertragen, so bedient man sich eines **Heilserums,** das die gewünschten Antikörper enthält.

Serval, gefleckte, sehr hochbeinige, schlanke, mittelgroße → Katze mit kurzem Schwanz und großen Ohren, die als Einzelgänger in Savannen und lichten Wäldern Afrikas lebt. Der Serval jagt Mäuse und kleine Antilopen. Er ist oft im Zoo zu sehen. (BILD Katzen)

Servo... [zu lateinisch servus ›Diener‹], in Wortzusammensetzungen Bezeichnung für ein Hilfsgerät zur Kraftverstärkung, zur Unterstützung der menschlichen Kraft, z. B. im Kraftwagen die **Servolenkung** (→ Lenkung) oder die **Servobremse,** bei der der Druck im Bremszylinder (→ Bremse) verstärkt wird. **Servoventile** dienen zur feinfühligen Steuerung großer Leistungen, z. B. in Werkzeugmaschinen. Solche **Servomechanismen** können mechanisch, elektrisch, magnetisch, pneumatisch oder hydraulisch wirken.

Sesam, krautartige Pflanze mit fingerhutähnlichen Blüten, aus deren Samen in vielen Tropengebieten Öl gewonnen wird, besonders in Indien und China. Das Öl dient als Speiseöl und als Rohstoff für Margarine und Feinseife. Aus gemahlenen Samen wird Brot gebacken. (BILD Seite 180)

Setter, eine Rasse der → Hunde.

Seuchen, ansteckende Krankheiten, die sich in einem bestimmten Gebiet schnell ausbreiten (→ Epidemie).

Sevilla [sewilja], 700 000 Einwohner, Stadt in Südspanien am Guadalquivir, rund 100 km vor seiner Mündung in den Atlantischen Ozean, kultureller und wirtschaftlicher Mittelpunkt Andalusiens. – Sevilla war unter arabischer Herrschaft (712–1248) Zentrum des maurischen Spanien. Das aus dieser Zeit erhaltene Minarett der ehemaligen Moschee, die **›Giralda‹,** ist Wahrzeichen der Stadt. Nach der Entdeckung Amerikas wurde Sevilla (neben Cádiz) durch den Überseehandel zur bedeutendsten Hafenstadt Spaniens. Diese Bedeutung verlor es mit der Versandung des

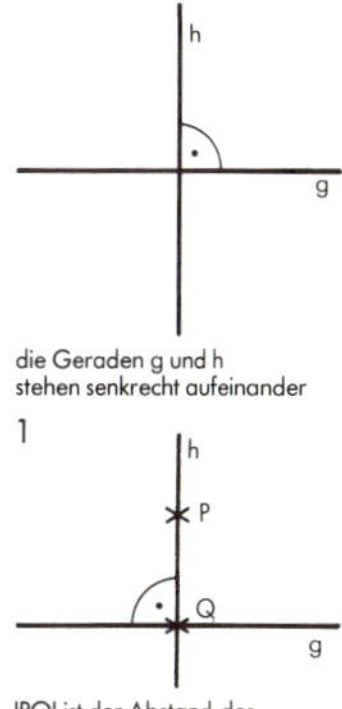

die Geraden g und h stehen senkrecht aufeinander
1

IPQI ist der Abstand des Punktes P von der Geraden g
2

senkrecht

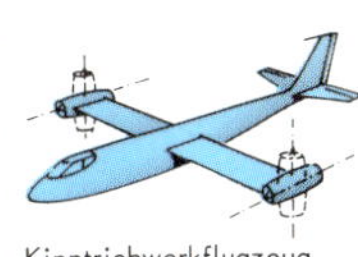
Kipptriebwerkflugzeug

Schwenkdüsenflugzeug

Hubstrahltriebwerk-Flugzeug

Senkrechtstarter

Serbien

Staatsflagge

Guadalquivir im 18. Jahrh.. Heute können Seeschiffe nur bei Flut in den Hafen einfahren.

Sextant, Winkelmeßgerät zur Standortbestimmung auf dem Meer, seltener an Land. Dabei wird der Winkel zwischen Horizont und Sonne oder zwischen Horizont und bekannten Sternen gemessen. Mit der genauen Zeit, dem Datum und dem gemessenen Winkel α läßt sich der Standort rechnerisch oder mit Hilfe von Tabellen ermitteln. Das ›Schießen‹ der Sonne, das heißt das Messen des Winkels α, ist bei Seegang schwierig und wird zur Kontrolle meist mehrmals vorgenommen.

Sesam: Indischer Sesam

Der Navigator hält den Sextanten am Handgriff b und blickt durch das Fernrohr h auf den Horizontspiegel, dabei sieht er gleichzeitig durch die nicht verspiegelte Hälfte des Horizontspiegels f auf die Kimm (Horizontlinie). Den Indexspiegel c richtet er am Meßarm c so ein, daß er über den verspiegelten Teil des Horizontspiegels den unteren Rand der Sonnenscheibe auf der Kimm zum Aufliegen bringt, die Feineinstellung erfolgt an der Trommel d. Der Winkel α kann jetzt vom Gradbogen a abgelesen werden. Die Sonnenblenden e, g schützen das Auge vor Schädigung durch das Sonnenlicht.

Der Name Sextant (von lateinisch sextans ›Sechstel‹) hat seinen Ursprung in der Tatsache, daß man mit ihm nur $^1/_6$ des Vollkreises (360°), das heißt Winkel bis 60°, messen kann.

Sexte [zu lateinisch sexta ›die sechste‹], ein →Intervall im Abstand von 6 Notenstufen.

Sexualität [von lateinisch sexus ›Geschlecht‹], geschlechtliches Verhalten bei Mensch und Tier, das auf die Befriedigung der sexuellen Bedürfnisse und die geschlechtliche Vereinigung (→Geschlechtsverkehr) gerichtet ist.

Sextant: Spiegelsextant (Trommelsextant)

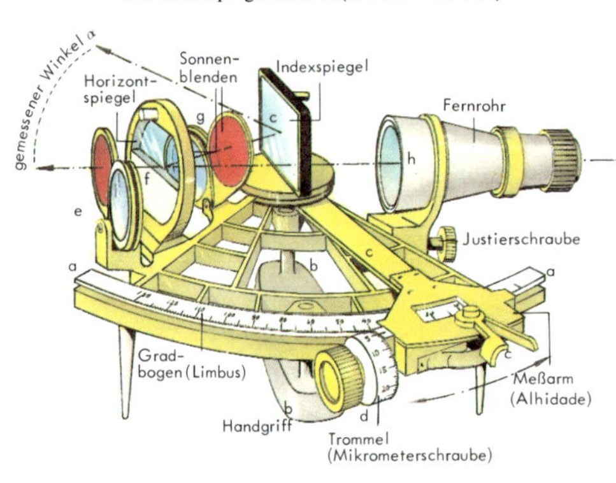

Während bei den Tieren die Sexualität dem Zweck der Fortpflanzung dient und oft an bestimmte Zeiten (→Brunst) gebunden ist, ist sie beim Menschen wesentlicher Bestandteil seiner Gesamtpersönlichkeit und von deren Entwicklung. In unterschiedlichem Maß verfügt der Mensch über die Fähigkeit zur Kontrolle seines sexuellen Verhaltens, das bis zum Triebverzicht (→Zölibat) reichen, aber auch – in Form der **Erotik** – eine geistige Steigerung erfahren kann, wobei nicht die unmittelbare Bedürfnisbefriedigung im Vordergrund steht, sondern die gefühlsmäßige, Begehren, Leidenschaft und Versagung umfassende Bindung an den anderen.

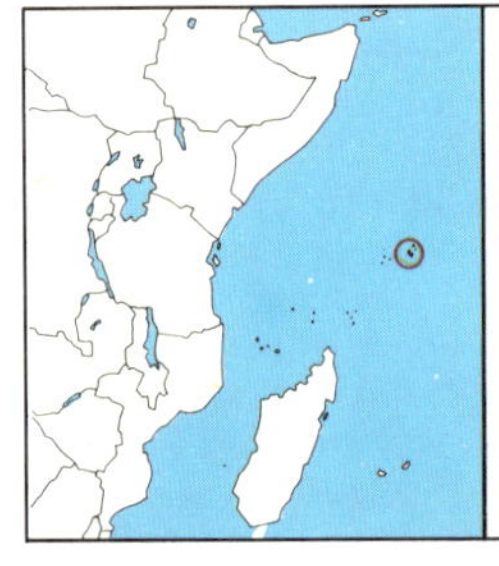

Seychellen

Fläche: 453 km²
Bevölkerung: 71 000 E
Hauptstadt: Victoria (auf Mahé)
Amtssprachen: Englisch, Französisch, Kreolisch
Nationalfeiertag: 5. Juni
Währung: 1 Seychellen-Rupie (SR) = 100 Cents (c)

Seychellen, Inselgruppe und Republik im Indischen Ozean nördlich von Madagaskar. Die Seychellen bestehen aus über 80 zum Teil gebirgigen Inseln. Die größte ist **Mahè.** Es handelt sich meist um Koralleninseln oder Atolle. In dem tropischen Klima werden in Plantagen Kokospalmen, Zimt, Vanille und Tee angebaut. Die überwiegend kreolischen Einwohner sind Nachkommen ehemaliger schwarzer Sklaven. Der Fremdenverkehr spielt eine große Rolle. Die von den Portugiesen entdeckten Inseln wurden 1743 französisch (benannt nach Jean Moreau de Séchelles), 1794 britisch und erhielten 1976 die Unabhängigkeit. (KARTE Band 2, Seite 194)

Sezession [lateinisch ›Trennung‹], im Völkerrecht die Abtrennung eines Gebietsteils eines Staats gegen dessen Willen durch die dort ansässige Bevölkerung mit dem Ziel, einen neuen Staat zu bilden oder sich einem bestehenden anderen Staat anzuschließen.

In der Kunst spricht man von Sezession, wenn sich Künstlergruppen von älteren Künstlervereinigungen abspalten oder sich mit neuen Zielen zusammenschließen. Sezessionsbewegungen entwickelten sich besonders in Deutschland und Österreich seit dem Ende des 19. Jahrh.; sie richteten sich gegen die an den Kunstakademien vorherrschende Malerei. Die 1897 gegründete

›Wiener Sezession‹ gab der österreichischen Abart des →Jugendstils den Namen **Sezessionsstil.**

Sezessionskrieg, 1861–65, der amerikanische Bürgerkrieg. 1860 traten 11 Südstaaten der USA aus dem nordamerikanischen Staatenbund, der **›Union‹**, aus. Einer der Gründe war die Wahl des Republikaners Abraham Lincoln, eines entschiedenen Gegners der →Sklaverei, zum Präsidenten, während die Südstaaten in der Sklavenhaltung die Grundlage ihres Wirtschaftssystems sahen. Die Südstaaten gründeten im Februar 1861 einen eigenen Staatenbund, die **›Konföderation‹**, und eröffneten die Kriegshandlungen gegen die in der Union verbliebenen Nordstaaten, die den Krieg um die Einheit der Nation führten. Während im ersten Kriegsjahr die Nordstaaten militärische Rückschläge gegen die Generäle der Südstaaten (Robert E. Lee, Thomas J. Jackson) erlitten, kam es um die Jahreswende 1862/63 und besonders, nachdem Präsident Lincoln die Aufhebung der Sklaverei verkündet hatte, zum Vormarsch der Unionstruppen und schließlich zu ihrem Sieg (April 1865). Der Krieg forderte viele Todesopfer (insgesamt etwa 600 000). In den Südstaaten waren ganze Landstriche verwüstet (bekannt ist die Einäscherung der Stadt Atlanta), ihre Wirtschaft war vernichtet. Lincoln betrieb den Südstaaten gegenüber eine Politik der Versöhnung und Wiedereingliederung, die jedoch scheiterte, so daß bis heute Feindseligkeiten zwischen Weißen und Schwarzen und Rivalitäten zwischen Nord- und Südstaaten nicht völlig überwunden sind.

Sforza, italienische Adelsfamilie, der die Herzöge entstammten, die 1450–1535 in Mailand regierten. In dieser Zeit, in der es keine übergreifende staatliche Ordnung gab, erlangten die italienischen Stadtstaaten große Bedeutung. **Francesco Sforza** (* 1401, † 1466) war als Condottiere (Reiterführer) vom letzten mailändischen Herzog aus dem Geschlecht der Visconti in Sold genommen worden. Verheiratet mit dessen Tochter Bianca Maria, riß Francesco 1450 die Macht an sich und erklärte sich zum Herzog. Der bekannteste Herzog aus dem Haus Sforza, **Ludovico il Moro** (* 1452, † 1508; il Moro bedeutet ›der Schwarze‹), regierte seit 1494 in Mailand, wo er Kunst und Wissenschaften großzügig förderte. 1499 vertrieben ihn die Franzosen aus seinem Herzogtum und hielten ihn bis zu seinem Tod gefangen.

Shakespeare [schehkßpihr]. Der englische Dramatiker **William Shakespeare** (* 1564, † 1616), dessen Theaterstücke noch heute zu den international meistgespielten gehören, entstammte einer begüterten Bürgerfamilie in Stratford-upon-Avon. Dort besuchte er wahrscheinlich die Lateinschule. Einer der wenigen Quellen zufolge, die zu seinem Leben überliefert sind, heiratete er mit 18 Jahren und ging 4 Jahre später, möglicherweise mit einer reisenden Schauspieltruppe, nach London. Als der erfolgreichste Bühnenautor seiner Zeit und Teilhaber am Globe Theatre kam er rasch zu Wohlstand. Obwohl seine Stücke für das breite Publikum der Londoner Theater gedacht waren, wurden sie gelegentlich auch bei Hofe aufgeführt. Um 1611 kam Shakespeare nach Stratford zurück, wo er 1616 starb. Noch heute erinnern dort zahlreiche Gedenkstätten und ein Theater an ihn. Die hier aufgeführten Stücke werden ihm zugeschrieben, obwohl es seit dem 19. Jahrh. immer wieder Versuche gab, die Verfasserschaft anderer Autoren (z. B. Francis Bacon, Christopher Marlowe) zu belegen.

Die erste Gesamtausgabe von 1623 enthielt 36 Stücke: Komödien **(›Ein Sommernachtstraum‹, ›Wie es Euch gefällt‹, ›Was Ihr wollt‹),** Geschichtsdramen (**›Julius Caesar‹**, englische Königsdramen wie **›Richard III.‹**) und Tragödien **(›Romeo und Julia‹, ›Hamlet‹, ›Othello‹, ›König Lear‹, ›Macbeth‹).** Manche Werke Shakespeares entsprechen allerdings nicht dieser schematischen Zuordnung, so Komödien mit tragischen Elementen wie **›Maß für Maß‹** und die Spätwerke mit märchenhaften Zügen wie **›Der Sturm‹.**

Gegen Ende des 16. Jahrh. kamen seine Stücke bereits auf deutsche Bühnen; der große Einfluß Shakespeares auf die deutsche Literatur – so auf den →Sturm und Drang – begann aber erst, nachdem Lessing Shakespeares offenere dramatische Form (gegenüber der strengen Regelmäßigkeit französischer Tragödien) gerechtfertigt hatte. Man erkannte nun vor allem in Shakespeare den Meister der Menschendarstellung, der alle seine Figuren als stark ausgeprägte Individualitäten gestaltete. Der tragische Konflikt ist nicht nur durch äußeres Schicksal bedingt, sondern in den Menschen selbst angelegt; eine Spannung von Tragik und Komik zieht sich durch das gesamte Werk. In viele Dramen Shakespeares sind Elemente der geistigen und sozialen Struktur seiner Zeit eingegangen. Ihr eigentlicher Gehalt wurde bald als zeitüberdauernd empfunden und hat in der Gegenwart neue Aktualität gewonnen, die durch Neubearbeitungen moderner Dramatiker und Regisseure noch betont wird. Besonders in Deutschland haben die Dramen seit dem 18. Jahrh. eine große Zahl von Übersetzungen und Interpretationen angeregt. – Außer Dramen schrieb Shakespeare in seiner frühen Schaffens-

Seychellen

Staatswappen

Staatsflagge

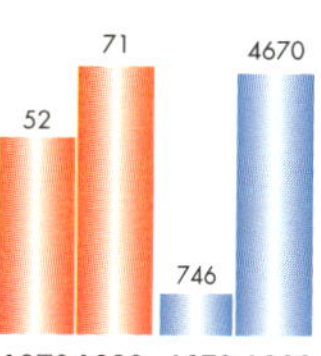

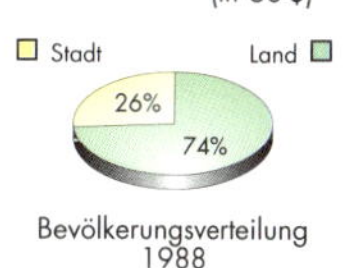

Bevölkerungsverteilung 1988

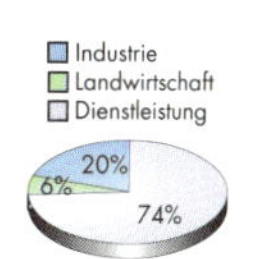

Bruttoinlandsprodukt 1988

William Shakespeare

zeit 2 Verserzählungen und 154 Sonette über Themen der Liebe und Freundschaft.

Shannon [schạnnen], längster Fluß Irlands, 370 km lang, entspringt im Cuilcagh-Gebirge und durchfließt in der Tiefebene zahlreiche Seen und Moore. Bei seiner Mündung in den Atlantischen Ozean bildet er einen über 100 km langen und bis 15 km breiten Trichter. Das Großkraftwerk bei Ardnacrusha liefert Elektrizität für viele irische Städte.

Shaw [schoh]. Der anglo-irische Schriftsteller **George Bernard Shaw** (* 1856, † 1950) schuf mit rund 70 Schauspielen ein umfangreiches Lebenswerk. In seinen frühen Dramen deckte Shaw, der einer sozialistischen Vereinigung angehörte, soziale Mißstände und Ungerechtigkeiten auf. Mit Bosheit, Spott und Ironie kritisierte er in den nachfolgenden Lustspielen Moral und Verhaltensregeln der Gesellschaft, Heuchelei und religiöse Unduldsamkeit. Shaw wollte die Menschen mit seinen Theaterstücken und den ausführlichen Vorreden dazu belehren. Diese Absicht verbarg sich jedoch hinter geistvoll-witzigen Dialogen und paradoxen Gedankengängen seiner unterhaltsamen Schauspiele. ›Pygmalion‹ (1913), das später als Vorlage für das Musical ›My fair Lady‹ diente, und ›Die heilige Johanna‹ (1923) sind seine bekanntesten Werke. 1925 erhielt Shaw den Nobelpreis für Literatur.

Sheriff [schẹrif], in den USA der oberste Polizeibeamte in einem Verwaltungsbezirk. In bestimmten Fällen entscheidet er wie ein Richter. Er wird in sein Amt gewählt. Dem Sheriff entspricht der **Marshall** für einen Gerichtsbezirk. Auch in Großbritannien gibt es Sheriffs, die jedoch geringere Befugnisse haben.

Sherlock Holmes [schọ̈rlok houms], Meisterdetektiv in den Kriminalgeschichten des englischen Schriftstellers Sir Arthur Conan → Doyle.

Shetland-Inseln [schạ̈tlend-], Inselgruppe, 200 km nördlich der Nordküste Schottlands, zu Großbritannien gehörend. Die 1 426 km² große Inselgruppe umfaßt 117 Inseln; die größten sind Mainland mit der Hauptstadt Lerwick, Yell und Unst. 90 % der Fläche sind von Ödland und Naturweiden bedeckt, so daß der Viehzucht (Schafe, Shetlandponys) neben der Fischerei die wichtigste Rolle zukommt. Nordöstlich der Shetland-Inseln wird in der Nordsee Erdöl gefördert.

Shinto [schịnto, japanisch ›Weg der Götter‹], die japanische Nationalreligion. Sie ist gekennzeichnet durch die Verehrung von Naturerscheinungen, Nahrungsspendern, der Zeugungskraft sowie der Ahnen. Ihnen allen kann göttlicher Charakter zuerkannt werden, so daß es im Shinto eine unermeßliche Zahl von Göttern gibt. Ihr offizieller Kult wird in zahlreichen Tempeln (›Schreinen‹) gepflegt. Die gottesdienstlichen Handlungen bestehen aus rituellen Waschungen, Opfern, Gebeten und Tänzen. An der Spitze der Götter steht die Sonnengöttin Amaterasu, von der sich auch das bis heute regierende Herrscherhaus und der jeweilige Kaiser (Tenno) ableiten. Daher war der **Shintoismus** bis zur Niederlage Japans am Ende des Zweiten Weltkriegs (1945) der nationale Staatskult. Seither hat diese Religion viel von ihrem Einfluß eingebüßt.

Shiva [schịwa, altindisch ›der Gütige‹], einer der 3 Hauptgötter im → Hinduismus. Er gilt einerseits als Zerstörer, andererseits als Schöpfer und Heilbringer; oft wird er als göttlicher Tänzer in einem Flammenbogen dargestellt.

Sibịrien, der größte Teil des asiatischen Staatsgebietes Rußlands. Mit 10,5 Millionen km² ist Sibirien so groß wie Europa. Es erstreckt sich über rund 7 000 km in West-Ost-Richtung vom Uralgebirge zum Beringmeer und zu den die Wasserscheide zum Pazifischen Ozean bildenden Gebirgszügen. In Nord-Süd-Richtung erstreckt es sich 3 500 km von der Küste des Nördlichen Eismeers bis Kasachstan und zu den Hängen der südsibirischen Gebirge. Das Gesamtgebiet gliedert sich in 3 Großlandschaften: das **Westsibirische Tiefland** zwischen Uralgebirge und Jenissej, von Ob und Irtysch entwässert; das **Mittelsibirische Bergland** mit einem wasserreichen Flußnetz; das **Nordostsibirische Gebirgsland,** eine Vereinigung von 2 500–3 500 m hohen Gebirgsketten, die im Norden von Tiefländern unterbrochen werden. Als weitere Einheit schließen sich die **Gebirge Südsibiriens** an (Altai, Sajan, Baikal, Transbaikalien, Stanowoj), die Nordsibirien von Zentralasien trennen.

Das Klima Sibiriens ist extrem kontinental: Auf sehr kalte (durchschnittlich zwischen −30° und −40 °C), trockene und langandauernde Winter folgen kurze, verhältnismäßig warme Sommer. Der größte Teil des sibirischen Bodens ist ständig gefroren und taut im Sommer nur oberflächlich auf. Daher beschränkt sich die landwirtschaftliche Nutzung auf die südlichen Teile des Gebiets. Im Bereich des Dauerfrostbodens herrschen Tundra (Flechten, Moose, Sträucher, kleine Bäume) und Taiga (Nadelwälder) vor.

Die Bevölkerung (etwa 30 Millionen) ist sehr ungleich verteilt: Während der Norden und

Nordosten fast menschenleer sind, lebt der größte Teil der Bevölkerung im südlichen Steppengebiet, dem Kusnezker Becken und in den Städten entlang der Transsibirischen Eisenbahn.

Sibirien ist äußerst reich an Bodenschätzen (70% der sowjetischen Rohstoffvorkommen): Erdöl und Erdgas, Steinkohle, Braunkohle, Eisenerze, Stahlveredler- und Buntmetallerze, Bauxit, Gold, Platin, Quecksilber, Diamanten. Große Wasserkraftwerke an Ob, Jenissej und der Angara liefern die Elektrizität für eine sich schnell entwickelnde Industrie vor allem im südwestlichen Sibirien. Die **Transsibirische Eisenbahn (Transsib)** und ihre Nebenstrecken sowie die weiter nördlich verlaufende **Baikal-Amur-Magistrale (BAM)** erschließen das verkehrsfeindliche Sibirien und schaffen die Verbindung zum europäischen Teil Rußlands sowie zur Küste des Pazifischen Ozeans.

Bis zum 15. Jahrh. wurde Sibirien von Mongolenstämmen beherrscht. Erst 1495 bildete sich ein selbständiger Herrschaftsbereich, der sich **Sibir** nannte. Im 16./17. Jahrh. eroberten die Kosaken im Auftrag der Familie Stroganow weite Teile Sibiriens. Auf der Suche nach Jagdgründen für Pelztiere drangen sie sogar bis in das Baikalgebiet und bis zum Pazifischen Ozean vor. Mit dem Bau der Transsibirischen Eisenbahn (seit 1891) begann eine schnelle Aufwärtsentwicklung. Nach der Russischen Revolution von 1917 bestand für kurze Zeit unter dem Schutz der Japaner in Ostsibirien eine ›Fernöstliche Republik‹, die aber bis Jahresende 1922 von den Bolschewiken erobert wurde.

Sicherung, wie ein Schalter wirkendes Schutzgerät, das einen Stromkreis bei Überlastung oder Kurzschluß, das heißt bei zu hoher Stromstärke, unterbricht. Die **Schmelzsicherung** besteht im wesentlichen aus einem kurzen Leitungsstück eines Materials mit niedriger Schmelztemperatur, dessen elektrischer Widerstand größer ist als der der Zuleitungen aus Kupfer von gleicher Länge. Dieses Leiterstück erhitzt sich viel stärker als die übrigen Leitungen im Stromkreis und schmilzt schließlich, wenn die Stromstärke im Stromkreis über einen bestimmten Betrag hinaus anwächst. Dabei wird der Stromkreis unterbrochen. Die gleiche Aufgabe wie eine Schmelzsicherung erfüllt ein **Sicherungsautomat (Leitungsschutzschalter)** mit elektromagnetischer Auslösung, der durch Einschalten immer wieder funktionsfähig gemacht werden kann.

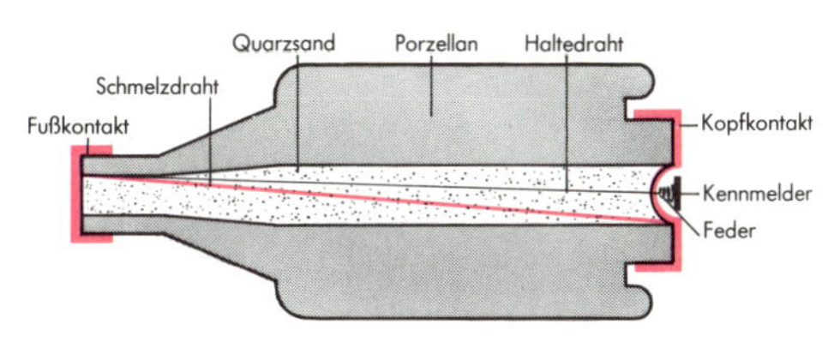

Sicherung: Aufbau einer Schmelzsicherung

Sickingen. Der Reichsritter **Franz von Sickingen** (* 1481, † 1523) lebte in einer Zeit, als die Ritter keine militärischen Aufgaben in fürstlichen Diensten mehr hatten. So strebte Sickingen selbst eine fürstengleiche Stellung an. Durch viele Fehden hatte er schon sein Gebiet um seinen Sitz, die Ebernburg an der Nahe, ausgedehnt. Er war Feldhauptmann unter Kaiser Maximilian I. und unter dessen Enkel, Kaiser Karl V., den er mit eigenen Soldaten gegen den Herzog von Württemberg unterstützte (1519). Sein Feldzug im Dienst des Kaisers 1521 gegen Frankreich scheiterte jedoch. Er wurde für die Lehre Martin Luthers gewonnen und bot dessen Anhängern Zuflucht auf seiner Burg. Im Ritterkrieg 1522–23 zog er gegen den Erzbischof von Trier, wahrscheinlich um dessen Fürstentum für sich zu gewinnen. Aber die Stadt Trier stand hinter ihrem Erzbischof, der sich mit den Fürsten von Hessen und der Pfalz verbunden und Sickingen in seiner Burg Landstuhl bei Kaiserslautern eingeschlossen hatte. Ohne Hoffnung auf Entsatz kapitulierte Sickingen schwer verwundet am 7. Mai 1523 und starb noch am gleichen Tag.

Siebdruck, ein → Druckverfahren.

Siebenbürgen, geschichtliche Landschaft in Rumänien, ein von den Ost- und Südkarpaten sowie dem Westsiebenbürgischen Gebirge umschlossenes Hochland in 300–800 m Höhe. Von den 3,5 Millionen Einwohnern sind mehr als $^2/_3$ Rumänen. Der Rest sind Ungarn und Siebenbürger Sachsen, eine deutsche Volksgruppe, die seit dem 12. Jahrh. hier siedelt. Neben der Wald- und Landwirtschaft (Weizen-, Mais-, Weinbau, Viehzucht) spielt die Industrie eine große Rolle. Siebenbürgen ist reich an Erdgasvorkommen.

Im 10./11. Jahrh. wurde das Land von Ungarn unterworfen, dessen Könige die Siebenbürger Sachsen ins Land riefen. Unter ungarischen Fürsten war Siebenbürgen seit 1541 selbständig (allerdings unter türkischer Oberherrschaft). 1691 kam es mit Ungarn an die Habsburger. 1920 wurde es mit Rumänien vereinigt.

Siebengebirge, kleines Vulkangebiet südöstlich von Bonn. Das tief zertalte Gebirge zwischen Kölner Bucht und Westerwald weist zahlreiche bewaldete Kuppen und Kegel auf. Der bekannteste Teil ist der 324 m hohe Drachenfels, dessen Gestein (Trachyt) für den Bau des Kölner Domes verwendet wurde. Das Siebengebirge trägt meist Mischwald; an den unteren Hängen wird Wein angebaut.

Siebenjähriger Krieg, 1756–63, der Krieg, den Preußen und Großbritannien gegen Frankreich, Österreich, Sachsen und Rußland (letzteres bis 1762) führten. Er wurde häufig auch als **3. Schlesischer Krieg** bezeichnet, weil Friedrich der Große ihn eröffnete, um den Besitz Schlesiens zu sichern und die österreichischen Pläne einer Aufteilung Preußens zunichtezumachen; jedoch umfaßte er auch einen britisch-französischen Krieg in Übersee.

Friedrich der Große besetzte 1756 ohne Kriegserklärung Sachsen, um von hier aus den Krieg gegen das österreichische Böhmen vorzutragen. Nach den großen preußischen Siegen des Jahres 1757 (Prag, Kolin, Roßbach und Leuthen) unterlag Preußen 1758 bei Hochkirch den Österreichern und 1759 entscheidend bei Kunersdorf den verbündeten Russen und Österreichern. Diese besetzten Berlin.

Der Tod der russischen Kaiserin Elisabeth 1762 bedeutete für Friedrich den Großen das ›Wunder des Hauses Brandenburg‹. Der russische Kaiser Peter III., ein großer Bewunderer Friedrichs, schloß mit diesem einen Friedens- und Bündnisvertrag. Im **Frieden von Hubertusburg** (1763) zwischen Österreich, Sachsen und Preußen wurde der preußische Besitzstand anerkannt. Preußen war zum Rang einer europäischen Großmacht aufgestiegen.

Gleichzeitig mit den Kriegshandlungen auf dem europäischen Kontinent kämpften die Verbündeten und Gegner Preußens, besonders Frankreich und Großbritannien, um die Vorherrschaft auf den Weltmeeren und um kolonialen Besitz. Die Franzosen mußten die meisten ihrer Stützpunkte in Indien den Briten überlassen, die auch die französischen Kolonien in Kanada eroberten. Als 1761 Spanien an der Seite Frankreichs in den Krieg eintrat, besetzte Großbritannien unter anderem Kuba. Im **Frieden von Paris** (1763) erhielt Großbritannien von Frankreich Kanada, das gesamte Gebiet östlich des Mississippi, in Afrika Senegambien (heute Senegal und Gambia) und von Spanien Florida im Austausch gegen Kuba. In Indien dehnte sich nun die britische Herrschaft vom Himalaja bis Ceylon, dem heutigen Sri Lanka, aus. Großbritannien war der eigentliche Sieger dieses Krieges und von nun an eine koloniale Weltmacht, während Frankreichs Großmachtstellung entscheidend geschwächt war.

Siebenkampf, leichtathletischer Mehrkampfwettbewerb der Damen, der an 2 Tagen ausgetragen wird. Die Disziplinen am ersten Tag sind: 100-m-Hürdenlauf, Hochsprung, Kugelstoßen, 200-m-Lauf; am zweiten Tag folgen: Weitsprung, Speerwerfen und 800-m-Lauf. Die erzielten Leistungen in jeder Disziplin werden in Punkte umgerechnet und zusammengezählt. Siegerin ist die Athletin mit der höchsten Gesamtpunktzahl. – Seit 1984 ist Siebenkampf olympische Disziplin.

Siebenschläfer, zu den →Bilchen gehörende Nagetiere, die einen 7–9 Monate dauernden Winterschlaf halten. Sie leben in Laubwäldern und Obstgärten Europas und Kleinasiens, wo sie oft in verlassenen Vogelnisthöhlen ihr Kugelnest bauen. Die hellgrauen Siebenschläfer ähneln durch ihren langen, buschigen Schwanz einem jungen Eichhörnchen. (BILD Nagetiere)

Siebenschläfertag. Eine alte Heiligenlegende erzählt von 7 Brüdern, die bei einer Christenverfolgung im 3. Jahrh. in eine Höhle bei Ephesos flüchteten und dort eingemauert wurden; sie schliefen fast 200 Jahre, bis die Höhle wiederentdeckt und geöffnet wurde. Ihr Gedenktag war früher in der katholischen Kirche der 27. Juni. Wenn es am Siebenschläfertag regnet, so dauert nach einer alten Bauernregel der Regen noch 7 Wochen an. Ihr liegt die Erfahrung zugrunde, daß Ende Juni aus Westen einbrechende Kaltluft sehr oft in Mitteleuropa eine längere Schlechtwetterperiode einleitet.

Sieben Weltwunder, eine Reihe von Bauten und Kunstwerken der Antike, die wegen ihrer Größe und Pracht bereits im Altertum besonders berühmt waren. Die geläufigste Aufzählung umfaßt die ägyptischen **Pyramiden von Giseh,** die **Hängenden Gärten der Semiramis** in Babylon, den **Tempel der Göttin Artemis** in Ephesos, das goldelfenbeinerne **Kultbild des Zeus** im Zeustempel von Olympia (ein Werk des Bildhauers Phidias), den **Grabbau des Königs Mausolos** (Mausoleum) in der kleinasiatischen Stadt Halikarnassos (heute Bodrum, Türkei), den **Koloß von Rhodos** (eine Bronzestatue des Sonnengottes Helios) und den **Leuchtturm auf der Insel Pharos** bei Alexandria.

Siegel

1

2

3

4

Siegel: **1** Sekretsiegel König Rudolfs von Habsburg, 1277. **2** Bleibulle Papst Alexanders IV. (1492–1503). **3** Zunftsiegel; Tuchknappen der Neustadt Brandenburg, 18. Jahrh. **4** Modernes Dienstsiegel; Deutsche Bundesbank, seit 1957. (Alle Bilder ½ der Originalgröße)

Von diesen Werken sind nur die ägyptischen Pyramiden erhalten.

Siedepunkt, die Temperatur, bei der ein Stoff vom flüssigen in den gasförmigen → Aggregatzustand übergeht (→ chemische Elemente, ÜBERSICHT).

Siegel, Abdruck eines Stempels in weichem Siegellack (früher auch Wachs oder Ton), der später erhärtet. Es dient zur Beglaubigung von Urkunden oder dem Verschließen eines Briefes.

Im Mittelalter hängte man oftmals mehrere Metallsiegel (›Bullen‹ aus Gold, Silber oder Blei) mit Schnüren an Schriftstücke an, wobei die Siegel von einer länglichen Hülse aus Holz oder Leichtmetall umschlossen waren.

Siegfried, germanischer Sagenheld, eine der wichtigsten Gestalten im → Nibelungenlied. Dort wird der niederrheinische Königssohn als tapferer Held dargestellt, der durch ein Bad im Blut eines getöteten Drachen unverwundbar geworden ist. Nur an einer Stelle zwischen den Schulterblättern, auf die während des Bades ein Lindenblatt gefallen war, kann Siegfried tödlich verletzt werden. Der Sage zufolge unterwirft Siegfried die Nibelungen, das Volk des dämonischen Herrschers Nibelung, und gewinnt so eine Tarnkappe, die ihn im folgenden Kampf mit der Königin Brunhild unsichtbar macht. Ohne sich zu erkennen zu geben, besiegt er Brunhild für den Burgunderkönig Gunther, der Brunhilds Ehemann wird. Siegfried selbst heiratet Gunthers Schwester Kriemhild. Die betrogene Brunhild stiftet einen Gefolgsmann Gunthers, Hagen von Tronje, zum Mord an Siegfried an, und Hagen tötet Siegfried hinterrücks auf einer Jagd. – Zu den zahlreichen Bearbeitungen des Nibelungenstoffes gehört Richard Wagners vierteiliges Bühnenfestspiel ›Der Ring des Nibelungen‹ (1869–76).

Siegmund, Sigismund, * 1368, † 1437, Sohn Kaiser Karls IV. Durch seine Heirat mit der ungarischen Erbtochter wurde er 1387 König von Ungarn. Nur ein Teil der Kurfürsten wählte Siegmund 1410 zum deutschen König, doch bestätigten ihn alle 1411 in einer Nachwahl nach dem Tod des Gegenkönigs. Siegmund berief ein Konzil zu Konstanz ein (1414–18), auf dem die kirchliche Spaltung (Schisma) überwunden wurde.

SI-Einheiten, die im **Internationalen Einheitensystem,** französisch **Système International d'Unités,** Abkürzung **SI,** erfaßten → Einheiten.

Siel, eine Öffnung (mit Verschlußvorrichtung) in See- oder Flußdeichen, die bei niedrigem Außenwasserstand eine Entwässerung des eingedeichten Gebiets ermöglicht. Meist ist es ein einfacher Durchlaß, dessen Verschluß sich bei Flut durch den Druck des auflaufenden Wassers schließt und bei Ebbe wieder öffnet.

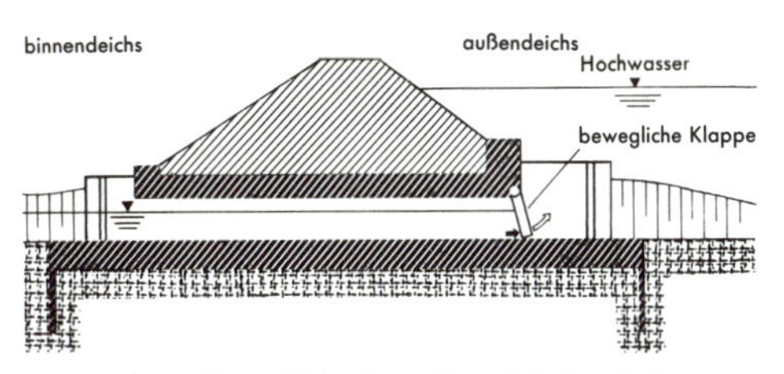

Siel: gebräuchliche Form eines einfachen Siels

Siemens. Als der Begründer der Elektrotechnik gilt **Werner von Siemens** (* 1816, † 1892). Er stammt aus einer bedeutenden Erfinder- und Industriellenfamilie. 1888 wurde er geadelt.

Schon früh hatte er Erfolge mit Erfindungen: dem Zeigertelegraphen und mit nahtlos isolierten Kabeln. 1847 gründete er zusammen mit dem Mechaniker **Georg Halske** (* 1814, † 1890) eine Telegraphenbauanstalt, die später auch an der Verlegung von Tiefseekabeln beteiligt war. Seine bedeutendste Erfindung gelang Siemens 1866 mit der Entwicklung einer Dynamomaschine, die der Firma Siemens & Halske (später Siemens AG) den Einstieg in die Starkstromtechnik eröffnete. 1879 führte Siemens die erste brauchbare elektrische Lokomotive auf der Berliner Gewerbeausstellung vor. 1880 baute er den ersten elektrischen Aufzug und 1881 die erste elektrische Straßenbahn (in Berlin-Lichterfelde). Siemens war auch maßgeblich daran beteiligt, ein wirkungsvolles Patentgesetz zu schaffen.

Siemens [nach Werner von Siemens], Einheitenzeichen **S,** SI-Einheit des elektrischen Leitwerts, das heißt des Kehrwerts des elektrischen → Widerstandes, $1\ S = 1\ A/V = 1\ \Omega^{-1}$.

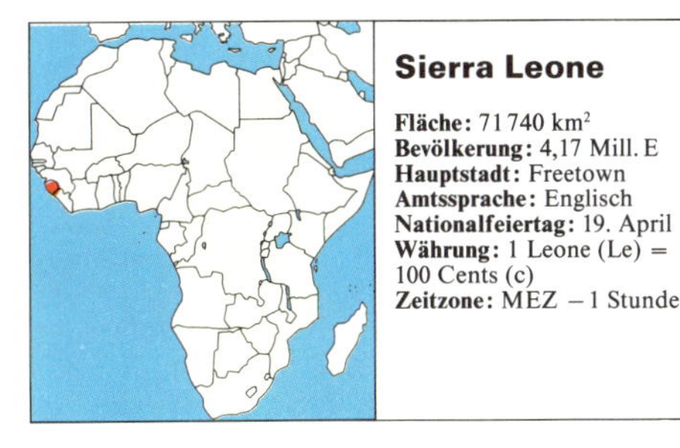

Sierra Leone

Fläche: 71 740 km²
Bevölkerung: 4,17 Mill. E
Hauptstadt: Freetown
Amtssprache: Englisch
Nationalfeiertag: 19. April
Währung: 1 Leone (Le) = 100 Cents (c)
Zeitzone: MEZ – 1 Stunde

Sierra Leone, Republik in Westafrika am Atlantischen Ozean, etwas größer als Bayern. Das

Sierra Leone

Staatswappen

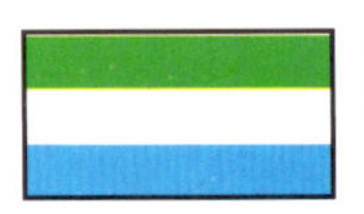
Staatsflagge

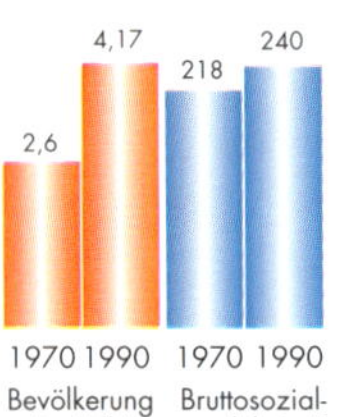

Bevölkerung (in Mill.) Bruttosozialprodukt je E (in US-$)

Stadt Land
32% 68%
Bevölkerungsverteilung 1990

Industrie
Landwirtschaft
Dienstleistung

Bruttoinlandsprodukt 1990

Land steigt von der Küstenebene nach Norden und Osten zum Hochland von Guinea an. Das Klima ist tropisch mit Sommerregen. Die Landwirtschaft erzeugt für den Eigenbedarf Reis, Maniok, Mais, Hirse, Erdnüsse, für die Ausfuhr Palmkerne, Kaffee, Kakao. Diamanten, Eisenerz und Bauxit sind die wichtigsten Bodenschätze.

1787 gründeten Engländer die Kolonie Freetown für befreite schwarze Sklaven. 1896 wurde das Hinterland britisches Schutzgebiet, 1961 erhielt Sierra Leone die Unabhängigkeit. (KARTE Band 2, Seite 194)

Sierra Nevada [spanisch ›beschneites Gebirge‹], **1)** Hauptzug des Andalusischen Berglandes in Südspanien. Mit 3 481 m (Cerro de Mulhacén) ist die Sierra Nevada das höchste Gebirge der Iberischen Halbinsel; durch die von Oktober bis Juni anhaltende Schneebedeckung wurde es zu einem bedeutenden Wintersportgebiet.

2) Hochgebirge in Kalifornien (USA), Teil der Nordamerikanischen Kordilleren. Das Gebirge weist im Süden zahlreiche Gipfel über 4 000 m auf. Landschaftliche Schönheit und Schneereichtum im Winter ziehen bedeutenden Fremdenverkehr an.

3) Sierra Nevada de Mérida, auch **Cordillera de Mérida,** Teil der südamerikanischen Kordilleren in Venezuela. Im Pico Bolívar erreicht das Gebirge eine Höhe von 5 002 m.

Sikh [von altindisch sisya ›Schüler‹], Anhänger einer indischen religiösen Reformbewegung. Sie wurde Ende des 15. Jahrh. in Nordindien von Nanak gegründet, der Hindus und Moslems auf der Grundlage des Glaubens an einen einzigen Gott zu einigen suchte. Unter seinen Nachfolgern, den **Gurus** (›Meistern‹), breitete sich der **Sikhismus** in Nordindien aus und schuf sich eine heilige Schrift (Adi Granth). Hauptheiligtum ist der ›Goldene Tempel‹ in Amritsar im Nordwesten Indiens.

Der letzte Guru Gobind Singh († 1708) gab den Sikhs eine straffe militärische Organisation und ließ ihrem Namen das Wort **Singh** (indisch ›Löwe‹) hinzufügen; sie sollten sich als Glieder einer Gemeinschaft fühlen, in der die Kaste keine Bedeutung haben sollte. Seitdem tragen alle männlichen Sikhs ein Schwert und ungeschnittenes Haar unter dem Turban. Die Sikhs leben heute in dem zu Indien gehörenden Teil der Landschaft Pandschab (Nordwestindien) und in anderen vorderindischen Gebieten unter den Hindus. In neuerer Zeit erhoben viele Sikhs immer stärker die Forderung nach staatlicher Eigenständigkeit; dabei kam es zu schweren Unruhen zwischen ihnen und den Hindus, die sich von diesen Bestrebungen bedroht fühlen. Der Versuch der indischen Regierung 1984, mit der Erstürmung des ›Goldenen Tempels‹, in dem sich radikale Sikhs festgesetzt hatten, die Unruhen zu beenden, führte zu schweren Konflikten zwischen der indischen Regierung und den Sikhs, auch zur Ermordung der Premierministerin Indira Gandhi.

Silber, Zeichen **Ag** (von lateinisch **argentum**), weißglänzendes, dehnbares Edelmetall, das weicher als Kupfer und härter als Gold ist (→ chemische Elemente, ÜBERSICHT). Von allen Metallen leitet es Elektrizität und Wärme am besten. Reines Silber ist an der Luft beständig, Schwefelverbindungen des Silbers bilden dagegen braunschwarze Überzüge von Silbersulfid, die z. B. bei Bestecken vom Schwefelgehalt der Eiweiße herrühren können. Eine glatte Silberoberfläche ist der beste Reflektor für sichtbares und infrarotes Licht. Das Metall ist mit vielen Metallen legierbar.

Häufig fällt Silber als Beiprodukt bei der Gewinnung von Gold, Blei, Zink, Kupfer oder Nikkel an. Gediegenes Silber kommt in verschiedenen Formen in der Natur vor, spielt aber als Erz nur eine geringe Rolle. Das wichtigste Silbererz ist der Bleiglanz.

Wirtschaft. Silber wird zu über 90% als industrieller Rohstoff verwendet, vor allem in der Photo-, Elektro- und Elektronikindustrie. Der Rest dient zur Prägung von Münzen und zur Herstellung von Schmuck. Das Weltangebot an Silber stammt zum einen aus der Bergwerksproduktion (Haupterzeugerländer sind Peru, die Sowjetunion, Mexiko, Kanada und die USA), zum anderen aus der Aufarbeitung und Rückgewinnung (Recycling) von verarbeitetem Silber.

Der Silberpreis ist auf Grund von Spekulationen, das heißt dem An- und Verkauf von Silber, um Wertsteigerungen auszunutzen, großen Schwankungen unterworfen.

Geschichte. Silber, das schon in der Antike ein begehrtes Münz- und Schmuckmetall war, wurde seit dem 8. Jahrh. im Elsaß, seit dem 10. Jahrh. in Sachsen und im Harz, später auch in Böhmen gewonnen. Nach der Entdeckung Amerikas verlagerte sich die Silberproduktion zunehmend in die spanischen Kolonien (Mexiko, Peru, Bolivien). Im 19. Jahrh. traten auch die nordamerikanischen Staaten als bedeutende Erzeugerländer auf.

Durch die großen Fördermengen in Nord- und Südamerika fiel der Wert des Silbers im Verhältnis zum Gold seit dem 16. Jahrh. ständig. Bis zum Zweiten Weltkrieg blieb Silber aber noch das wichtigste Münzmetall. Silbermünzen wurden nie rein, sondern immer in einer Legierung mit Kupfer geprägt. Münzen mit einem hohen Silbergehalt sind heute nur noch selten in Umlauf; sie werden meist von Sammlern gekauft.

Silberlöwe, der → Puma.

Silicium [von lateinisch silex ›Kiesel‹], **Silizium,** Zeichen **Si,** nichtmetallisches → chemisches Element (ÜBERSICHT), das dunkelgraue, metallisch glänzende, harte und spröde Kristalle bildet. In feinverteilter, unreiner Form ist es ein graubraunes Pulver. Von den Säuren vermag nur die Flußsäure (Fluorwasserstoffsäure) Silicium zu lösen; dagegen löst es sich in Laugen unter Bildung von → Silikaten.

Silicium ist mit 27,5% nach Sauerstoff das zweithäufigste Element in der Erdrinde; es kommt aber nur als Dioxid, ›Kieselsäure‹ (z. B. als Quarz) oder in den Silikaten vor. In Pflanzen und Tieren hat es Stützfunktion; bei Tieren ist es auch in Haut, Blut, Milch und Eiern vorhanden.

Silicium hat sich in den beiden letzten Jahrzehnten zum wichtigsten Material der gesamten Halbleitertechnik (→ Halbleiter) und Mikroelektronik entwickelt. Aus Silicium lassen sich große Kristalle mit außerordentlich hoher Reinheit züchten; das gilt als Voraussetzung für eine wirtschaftliche Nutzung im großtechnischen Maßstab. Außerdem kann die elektrische Leitfähigkeit des Materials durch gezielten Einbau von Fremdatomen in das Kristallgitter (›Dotierung‹) genau eingestellt werden. Auf diese Weise lassen sich Siliciumschichten mit unterschiedlicher Leitfähigkeit erzeugen, die für die Herstellung von Halbleiterbauelementen (z. B. Dioden, Transistoren, integrierten Schaltungen) nötig sind.

Silicone, Silikone, flüssige und feste organische Verbindungen, die sich aus mehr oder weniger langen Silicium-Sauerstoff-Ketten aufbauen. **Siliconöle** zeichnen sich durch geringe Temperaturabhängigkeit der Zähigkeit (Viskosität) und niedrige Oberflächenspannung aus. Sie dienen unter anderem als Antischaummittel, Hydraulikflüssigkeiten, Kühlflüssigkeiten sowie Autopolituren und werden auch zum Hautschutz, zur Hautpflege und in der plastischen Chirurgie verwendet. **Siliconharze** haben eine hohe Wärme- und Wetterbeständigkeit; sie werden für Lacke und Isolierharze in der Elektrotechnik verwendet.

Silikate, Salze der Orthokieselsäure $Si(OH)_4$, die in Wasser unlöslich sind, mit Ausnahme des als Wasserglas bekannten Natrium- und Kaliumsilikats. Zu den Silikaten werden auch Kunstprodukte und keramische Massen wie Glas und Porzellan gezählt. Anorganische Silikatminerale sind die wichtigsten Bestandteile der Erdkruste (mit mehr als 27,5% ist → Silicium nach Sauerstoff das zweithäufigste Element der Erdkruste) sowie der Steinmeteorite.

Grundbaustein aller Silikatstrukturen ist das $[SiO_4]^{4-}$-Tetraeder, das als selbständige Einheit in Zweier- und Dreierkombination, aneinandergereiht zu einer einfachen oder doppelten Kette (Faser- und Kettensilikate), flächig (Schichtsilikate) oder dreidimensional (Gerüstsilikate) vernetzt die große Anzahl der Silikatminerale in der Natur ergibt. Beispiele für diese Vielfalt sind der Granat für das einfache Tetraeder, der Beryll für die ringförmige Anordnung von 6 Tetraedern, die Glimmer für die Schichtsilikate sowie Quarz und Feldspat für die Gerüstsilikate.

Silur [nach dem keltischen Stamm der Silurer in Wales], → Erdgeschichte, ÜBERSICHT.

Silvester, Heiliger der katholischen Kirche. In seine Amtszeit als Papst (314–35) fällt die Hinwendung des Römischen Reiches zum Christentum. Auf seinen Antrag hin ließ Kaiser → Konstantin der Große die erste Peterskirche in Rom erbauen. Die Legende berichtet (fälschlicherweise), er habe Kaiser Konstantin vom Aussatz geheilt und getauft. Sein Gedenktag, der 31. Dezember heißt nach ihm ›Silvester‹.

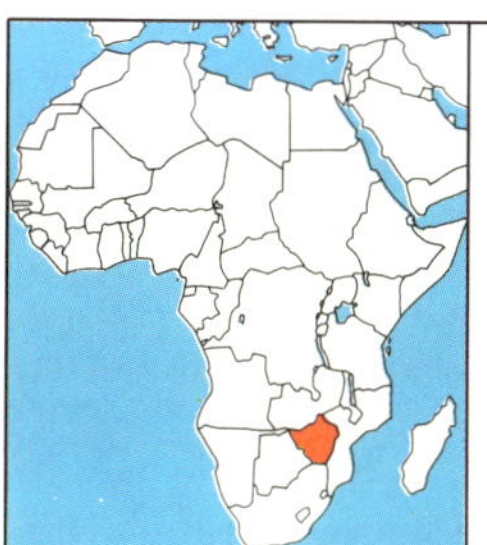

Simbabwe

Fläche: 390 580 km²
Bevölkerung: 10,21 Mill. E
Hauptstadt: Harare
Amtssprache: Englisch
Währung: 1 Simbabwe-Dollar (Z.$) = 100 Cents (c)
Zeitzone: MEZ + 1 Stunde

Simbabwe, Republik im südlichen Afrika, ein Binnenstaat, etwas größer als die Bundesrepublik Deutschland. Den größten Teil des Landes nimmt ein Hochland ein, das im zentralen Teil Höhen über 1 200 m erreicht. Nach Westen senkt es sich allmählich bis auf 500 m zum Kalaharibecken, im Norden fällt es in Stufen zum Sambesi, im Süden zum Limpopo ab. Der Osten wird beherrscht durch ein über 2 000 m hohes Randgebirge (höchste Erhebung ist der Inyangani, 2 596 m). Von der Bevölkerung sind rund 95% Afrikaner (Bantu), weniger als 5% sind Europä-

Simbabwe

Staatswappen

Staatsflagge

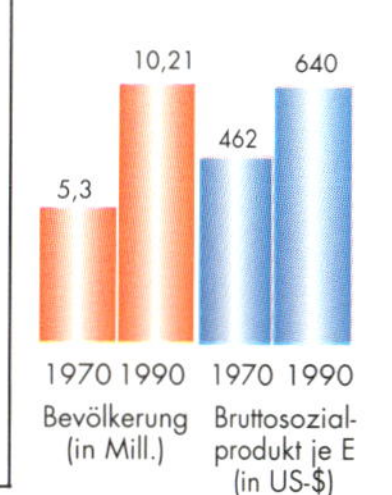

Stadt
Land
28%
72%

Bevölkerungsverteilung 1990

Industrie
Landwirtschaft
Dienstleistung

Bruttoinlandsprodukt 1990

er. Von größter wirtschaftlicher Bedeutung ist der Bergbau; gefördert werden vor allem Chrom, Asbest und Gold, außerdem Kupfer, Nickel, Wolfram, Steinkohle. Simbabwe gehört zu den am stärksten industrialisierten Ländern Afrikas. Es verfügt über Metall-, Nahrungsmittel-, Tabak-, Textil- und chemische Industrie. Die landwirtschaftlich genutzte Fläche gehörte früher fast nur weißen Farmern, die auf den Anbau von Tabak und Tee spezialisiert waren. Heute werden vorwiegend Tabak, Mais, Erdnüsse, Weizen, Baumwolle, Zuckerrohr und Citrusfrüchte angebaut. Die Viehwirtschaft ist bedeutend.

Simbabwe, das ehemalige **Südrhodesien,** war seit 1923 britische Kolonie. 1965–80 bildete es den von Weißen geführten Staat **Rhodesien,** dessen Unabhängigkeit aber von kaum einem anderen Land anerkannt war. Seit 1967 bildeten sich afrikanische Nationalbewegungen mit dem Ziel, die Herrschaft der weißen Minderheit zu beenden. In den 1970er Jahren kam es zum Guerillakrieg gegen die weiße Regierung, bis 1980 nach allgemeinen Wahlen das Land unter einer von Schwarzen geführten Regierung unabhängige Republik wurde. (KARTE Band 2, Seite 194)

Simenon [ßimenõ]. Der französisch-belgische Schriftsteller **Georges Simenon** (* 1903, † 1989) schrieb eine Fülle von Unterhaltungsromanen und Kurzgeschichten, bevor er die erste Kriminalgeschichte über ›**Kommissar Maigret**‹ veröffentlichte. Die 1930 begonnene Serie um diese Zentralfigur umfaßt heute mehr als 80 Bücher, die in viele Sprachen übersetzt wurden. Auch Verfilmungen haben den Kommissar bekannt gemacht, der die Täter mehr durch sein psychologisches Einfühlungsvermögen als durch Indizien, wie etwa Sherlock Holmes (→Doyle), entlarvt. Simenon verfaßte außerdem Zeitromane, die das jeweilige Milieu und die Charaktere genau skizzieren.

Simplicissimus. In dem bekanntesten Roman von Hans Jacob Christoph von →Grimmelshausen ›Der Abentheuerliche Simplicissimus Teutsch‹ wird die Lebensgeschichte eines Bauernjungen erzählt, der mit 10 Jahren nach einem Überfall auf den Bauernhof seiner Pflegeeltern in die Wirren des Dreißigjährigen Krieges verstrickt wird. Simplicissimus erlebt die schlimmen Plünderungen und Verwüstungen von Dörfern und Städten und muß die Grausamkeiten der Soldaten und die Leiden der Bevölkerung mit ansehen. Er lernt die Welt kennen, gerät in viele gefährliche Situationen und hat verschiedene Liebesabenteuer. Aus dem einfältigen und ungebildeten Jungen wird ein gewitzter und kluger Mann. Von den Menschen und ihrer Verlogenheit zieht er sich zuletzt in eine Einsiedelei zurück.

Simplon, Paßlandschaft in der Südschweiz. Die **Simplonstraße** verbindet das Rhonetal mit dem Val d'Ossola über einen Paß in 2005 m Höhe. Der 19,8 km lange **Simplontunnel** (Eisenbahn) unter dem Monte Leone verbindet das schweizerische Brig mit dem italienischen Domodossola.

Simulator, Gerät zur Vortäuschung bestimmter Zustände. So dient z. B. der **Flugsimulator,** die originalgetreue Nachbildung des Arbeitsraumes der Flugzeugbesatzung, der Schulung von Piloten.

Sinai, Halbinsel im Norden des Roten Meeres zwischen dem Golf von Suez und Akaba. Das wüstenhafte Gebiet ist im Norden ein bis zu 1600 m hohes Tafelland, im Süden ein Gebirge, das im Djebel Katherin eine Höhe von 2637 m erreicht. Besiedelt sind außer den Küstenabschnitten nur einzelne Gebirgsoasen. Am Fuß des Djebel Musa (2285 m) liegt das **Katharinenkloster;** es wurde vom byzantinischen Kaiser Justinian I. zum Schutz von Mönchen und christlichen Pilgern errichtet, die die Stätten des Alten Testamentes aufsuchten. Das sich noch im ursprünglichen Zustand befindliche Kloster ist die Fundstätte des Codex Sinaiticus, einer der wichtigsten Handschriften der griechischen Bibel des Alten und Neuen Testamentes.

In der Bibel ist Sinai der Name des auch **Horeb** genannten Gebirges, wo Moses das Gesetz für Israel empfing. Sinai gehört zu Ägypten; israelische Truppen hielten die Halbinsel 1956–57 und 1967–82 besetzt.

Sindbad. 1) Sindbad der Seefahrer ist der Held eines der bekanntesten Märchen der arabischen Märchensammlung →Tausendundeine Nacht. Schon in der ersten Hälfte des 10. Jahrh. steht Sindbad im Mittelpunkt einer Sammlung weitverbreiteter Seefahrtsgeschichten, die im 11. oder 12. Jahrh. unter Benutzung verwandter Stoffe zu einem Seefahrerroman umgestaltet wurden.

2) Sindbad heißt auch der Held der Erzählung von den ›Sieben (Wesiren oder) weisen Meistern‹, die in orientalischen und abendländischen Fassungen vorliegt. Er ist der Weiseste der Ratgeber eines Königs und Erzieher des Prinzen. Sindbad rettet seinen Schützling vor den Nachstellungen einer Haremsdame und dem Zorn seines Vaters durch Geschichten, die jeder der 7 Meister während 7 Tagen erzählt.

Sinfonie, Symphonie [von griechisch symphonia ›Zusammenklang‹], Komposition für großes Orchester ohne Soloinstrumente, neben Sonate und Streichquartett eine Hauptgattung der Instrumentalmusik. Die klassische Sinfonie, die sich Ende des 18. Jahrh. vor allem durch Joseph Haydn herausbildete, hat gewöhnlich 4 Sätze. Der erste Satz hat meist Sonatensatzform (→ Sonate). Die Satzfolge ist in der Regel: Allegro, Andante oder Adagio, Scherzo (früher: Menuett mit Trio), Allegro. Bedeutende Sinfonien stammen von Joseph Haydn, Wolfgang Amadeus Mozart, Ludwig van Beethoven, Franz Schubert, Robert Schumann, Johannes Brahms, Anton Bruckner, Gustav Mahler, Anton Dvořák.

Singapur

Fläche: 625,6 km²
Bevölkerung: 2,7 Mill. E
Hauptstadt: Singapur
Amtssprachen: Englisch, Malaiisch, Chinesisch (Mandarin), Tamil
Nationalfeiertag: 9. Aug.
Währung: 1 Singapur-Dollar (S$) = 100 Cents (c)

Singapur, Stadtstaat in Südostasien am Südende der Malaiischen Halbinsel, eine Inselrepublik, bestehend aus der Hauptinsel Singapur und mehreren kleineren Inseln. Drei Viertel der Einwohner sind Chinesen, außerdem gibt es Malaien, Inder und Europäer. Die Landwirtschaft beschränkt sich auf intensiven Gartenbau. Eine wesentlich größere Rolle spielt die Industrie, an erster Stelle die Erdölverarbeitung. Daneben gibt es Metallverarbeitung, Textil- und chemische Industrie, auch elektrotechnische und elektronische Industrie. Kautschuk, Eisenerz, Zinn und Kopra aus Malaysia werden über Singapur ausgeführt, dessen Hafen zu den größten der Erde gehört. Der Fremdenverkehr spielt eine immer größere Rolle. – Singapur wurde 1819 britisch und war neben Hongkong der wichtigste britische Stützpunkt im Fernosthandel. 1963 erhielt Singapur die Unabhängigkeit und war bis 1965 Mitglied der Föderation Malaysia. (KARTE Band 2, Seite 195)

Singspiel, ein meist heiteres Bühnenwerk mit gesprochenem Dialog, der von Liedern und kleinen Arien unterbrochen wird. Diese Gattung war vor allem in Deutschland und England während des 18. Jahrh. sehr beliebt. Auf dem Boden des Singspiels stehen auch Mozarts Meisteropern ›Die Entführung aus dem Serail‹ und ›Die Zauberflöte‹.

Singular [zu lateinisch singularis ›vereinzelt‹], die Einzahl (→ Numerus).

Singvögel, artenreiche, weltweit verbreitete Gruppe meist kleiner Vögel, die zu den → Sperlingsvögeln gehören. Fast die Hälfte (4 000) aller lebenden Vogelarten, die in zahlreiche Familien eingeteilt werden, sind Singvögel. Ihr gemeinsames Merkmal ist vor allem der besonders ausgebildete untere Kehlkopf (›Syrinx‹), der viele dieser Vögel befähigt, wohltönend zu ›singen‹. Der obere Kehlkopf, mit dem Säugetiere und Menschen die Laute erzeugen, die dann im Mundraum ausgeformt werden, ist bei Vögeln verkümmert. Die Syrinx liegt im Bereich der Luftröhrengabelung. Zwischen Knorpelringe sind dünne Membranen gespannt, die von mindestens 7 Muskelpaaren bewegt werden. Beim Ausatmen der Luft vibrieren diese Membranen und lassen dabei je nach Anspannung eine Vielfalt von Lauten entstehen.

Die einzelnen Singvogelarten haben einen jeweils typischen Gesang. Zu den besten in Deutschland heimischen Sängern gehören **Nachtigall, Amsel, Singdrossel, Lerchen** und **Rotkehlchen,** weiterhin die **Grasmücken** und **Finkenvögel.** Manche Vögel (Eichelhäher, Star, Raben) ›spotten‹, das heißt, sie ahmen die Stimmen anderer Vögel nach und können in Gefangenschaft auch mechanische Geräusche (Türknarren, Telefonklingel) und menschliche Worte hervorbringen (→ Rabenvögel).

Vorwiegend singen die Männchen, zumindest singen sie kunstvoller, lauter und häufiger als die Weibchen. Mit dem Gesang markieren sie ihr Revier. Sie wollen andere Männchen vertreiben und Weibchen anlocken. Die Gesangstätigkeit hat ihren Höhepunkt vor und zu Beginn der Brutzeit. Bereits an warmen Februartagen beginnen einige Vögel zu singen (Amsel, Rotkehlchen, Zaunkönig, Lerche); die meisten singen zwischen Mitte März und Ende Juni. Außerdem gibt es einen Tagesrhythmus: In den Morgen- und Abendstunden wird am stärksten gesungen. Nach Sonnenuntergang singen nur wenige (Nachtigall, Amsel, Singdrossel, Rotkehlchen). Im Hochsommer verstummt der Gesang. Manche → Zugvögel beginnen vor ihrem Abflug ins Winterquartier noch einmal zu singen.

Singvögel leben meist auf Bäumen und Sträuchern und bauen oft kunstvolle Nester. Es gibt unter ihnen Höhlenbrüter, die man durch Aufhängen von Nistkästen zum Einwandern bewegen kann (z. B. die Meisen), und Freibrüter, die ihre Nester in Ästen bauen (Drosseln, Finken). Die Jungen sind hilflose → Nesthocker. Die mei-

Singapur

Staatswappen

Staatsflagge

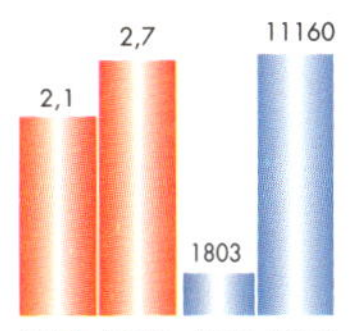

Bevölkerungsverteilung 1990

Bruttoinlandsprodukt 1990

sten Singvögel können gut fliegen; auf dem Boden bewegen sie sich vor allem hüpfend fort.

Unter den Singvögeln gibt es Körnerfresser mit kurzem, breitem und kegelförmigem Schnabel (z. B. die Finkenvögel) und Insektenfresser mit schlankerem, spitzem Schnabel (z. B. die Meisen). Sie vertilgen zahlreiche schädliche Insekten und den Samen unerwünschter Wildkräuter (Unkräuter) und sind daher auch in der biologischen Schädlingsbekämpfung von entscheidender Bedeutung. Durch die veränderten Umweltbedingungen sind viele Singvögel sehr gefährdet und müssen geschützt werden.

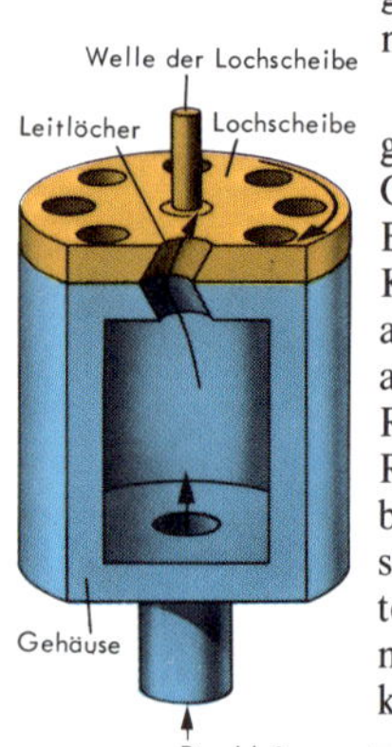

Sirene: Lochsirene

Sinnesorgane, aus Sinneszellen zusammengesetzte besondere Einrichtungen (z. B. Auge, Ohr) bei Mensch und Tier, die der Aufnahme von Eindrücken (Reizen) aus der Umwelt und dem Körperinneren dienen. Jedes Sinnesorgan spricht auf einen bestimmten Reiz an, z. B. das → Auge auf Licht, das → Ohr auf Schall (physikalische Reize), die Nasenschleimhaut auf chemische Reize, und leitet die Empfindungen auf Nervenbahnen zu den Sinneszentren im → Gehirn. Verschiedene Sinnesempfänger in der Haut vermitteln die Empfindung für Schmerz. Zu den Sinnesorganen gehören weiterhin die Geschmacksknospen der Zunge und die Riechzellen der → Nase. Auch der Sinn für Körperstellung und -bewegung sowie für Kraft, der durch in Muskeln, Sehnen und Gelenken liegende Rezeptoren (Empfänger) vermittelt wird, ist wichtig. Eine Störung der Sinnesorgane wie Taubheit oder Blindheit bedeutet eine starke Beeinträchtigung des Betroffenen, weil sie seinen Kontakt mit der Umwelt behindert.

Die Sinnesorgane der Tiere können im Aufbau ähnlich denen des Menschen sein (z. B. bei den Säugetieren), sie können aber auch erheblich anders aufgebaut sein oder auch an völlig anderen Stellen liegen. So gibt es verschiedene Bautypen des Auges; Geschmackssinnesorgane können, z. B. bei Fischen, über die ganze Körperoberfläche verstreut sein; viele Insekten haben ›Riechborsten‹ auf den Antennen, Fliegen tragen ›Schmeckborsten‹ auf der Unterseite der Füße. Viele Tiere haben durch besondere Sinnesorgane die Fähigkeit, Reize aufzunehmen, die der Mensch nicht wahrnehmen kann; z. B. haben bestimmte → Elektrische Fische Sinnesorgane, mit denen sie kleinste Änderungen in dem sie umgebenden elektrischen Feld und damit Hindernisse, Beutetiere oder Feinde wahrnehmen. Viele Spinnen können mit ihrem ›Vibrationssinn‹ die im Netz zappelnde Beute genau orten.

Auch bei Pflanzen gibt es besondere Einrichtungen zur Aufnahme von Reizen, so z. B. ›Fühlborsten‹ bei Mimosen. Jedoch kann die Reizaufnahme bei Pflanzen auch ohne solche ›Sinnesorgane‹ erfolgen.

Sirene: Alarmsirene

Im Frieden

1

2

3

Im Verteidigungsfall

4

5

6

Sirene: Alarmsignale. **1** Feueralarm; 1 Minute Dauerton, zweimal unterbrochen. **2** Katastrophenalarm; 1 Minute Dauerton, zweimal unterbrochen, anschließend 1 Minute Dauerton. **3** Hinweis auf Gefahren; ›Rundfunkgerät einschalten – auf Durchsagen achten‹; 1 Minute Heulton. **4** Luftalarm; 1 Minute Heulton. **5** ABC-Alarm; 1 Minute Heulton, zweimal unterbrochen. **6** Entwarnung; 1 Minute Dauerton

Sintflut [von althochdeutsch sinvluot ›große Flut‹]. In den Sagen vieler Völker wird von einer großen urzeitlichen Wasserflut erzählt, die die Erde verwüstete und alles Leben vernichtete. Auch das Alte Testament berichtet von einer Sintflut, mit der Gott wegen der Bosheit der Menschen die Erde bedeckte. Lediglich der gottesfürchtige und fromme Noah sei samt seiner Familie und je einem Paar von jedem Tier in einem Schiff (→ Arche) diesem Strafgericht entgangen.

Sinti, → Roma.

Sioux [ßuh], die → Dakota.

Sippe, 1) Völkerkunde: nicht eindeutig festgelegte Bezeichnung für eine Verwandtschaftsgruppe, die z. B. aus mehreren Großfamilien meist gemeinsamer Abstammung bestehen kann.

2) Biologie: eine Abstammungsgemeinschaft von Einzelwesen einer → Art, die in bestimmten Erbanlagen übereinstimmen.

Sirene [nach den Sirenen], Gerät, mit dem ein kräftiger, durchdringender Schall erzeugt werden kann. Es dient vor allem als öffentliche Alarmsirene, z. B. bei Feuer- oder Luftalarm. Bei der üblichen **Lochsirene** rotiert auf einem zylindrischen Gehäuse eine Lochscheibe, deren Löcher die Gehäuseöffnungen periodisch öffnen und schließen. Wird dem Gehäuse Druckluft zugeführt, entstehen Luftstöße, die einen lauten Klang hervorrufen. Die Tonhöhe ist von der Umdrehungszahl der Lochscheibe und der Zahl der Löcher abhängig.

Sirenen, in der griechischen Sagenwelt halb vogel-, halb menschenähnliche Wesen, die auf einer Insel lebten und mit ihrem betörenden Gesang die Vorüberfahrenden anlockten, um sie zu töten. Das Schiff des → Odysseus entkam ihnen nur, weil Odysseus seinen Gefährten die Ohren verstopfte und sich selbst an den Schiffsmast binden ließ.

Sisal, die Blattfasern mancher → Agaven.

Sisyphos, lateinisch **Sisyphus,** in der griechischen Sagenwelt ein für seine Findigkeit und Gewitztheit bekannter König. Weil Zeus erzürnt über ihn war, verdammte er Sisyphus dazu, im Totenreich einen Felsblock immer wieder von neuem auf den Gipfel eines Berges zu wälzen. Jedesmal rollte das Felsstück im letzten Moment hinunter. Noch heute bezeichnet man eine mühevolle, vergebliche Tätigkeit als **Sisyphusarbeit.**

Sitar [persisch ›Dreisaiter‹], in Persien, Afghanistan und Indien verbreitetes lautenartiges Zupfinstrument. Der hölzerne Korpus ist klein, stark gewölbt, oval oder dreieckig und hat mehrere kleine Schallöcher in der Decke. Der verhältnismäßig lange Hals ist durch 18 Bünde unterteilt, über die 3 Stahlsaiten laufen. Die Gesamtlänge des Instruments mißt meist 1,10 m. Gezupft wird mit dem Nagel des Zeigefingers; der Ton ist durchdringend und metallisch.

Sitten, französisch **Sion,** 25 100 Einwohner, Hauptstadt des Schweizer Kantons Wallis im mittleren Rhonetal. Das ursprünglich keltisch-römische **Sedunum** ist heute ein beliebter Fremdenverkehrsort.

Sitting Bull [englisch ›sitzender Stier‹], * 1831, † 1890, Häuptling des Teton-Dakota-Indianerstamms. Sein indianischer Name war **Tatanka Yotanka.** Er trug 1876 als Anführer der vereinigten Sioux-Stämme zur vernichtenden Niederlage des Generals George Armstrong Custer am Little Bighorn bei und wurde später zum Helden vieler Indianererzählungen.

Sizilien, die größte Insel des Mittelmeers, zu Italien gehörend. Mit 25 426 km² ist Sizilien etwas größer als das Bundesland Hessen. Die Insel hat rund 5 Millionen Einwohner. Hauptstadt ist das an der Nordküste gelegene Palermo. Sizilien ist durch die nur 3 km breite **Straße von Messina** vom Festland getrennt. Die Insel ist vorwiegend gebirgig mit schmalen Küstenebenen. An der Ostseite erhebt sich der höchste Berg Siziliens, der noch immer tätige Vulkan **Ätna** (3 369 m). Das Klima ist mittelmeerisch; trockene und heiße Sommer wechseln mit milden und relativ feuchten Wintern. Die Landwirtschaft ist der beherrschende Wirtschaftszweig. Weizen, Oliven, Wein und besonders Citrusfrüchte werden zum Teil auf Bewässerungsland angebaut. Im Gebirge ist die Schafzucht von Bedeutung. Die Häfen Marsala und Palermo sind Zentren der Küsten- und Hochseefischerei. Wirtschaftlich bedeutend ist die Gewinnung von Schwefel, Kali- und Steinsalz. Auf der Basis von Erdgas- und Erdölvorkommen sind Raffinerien und eine erdölverarbeitende Industrie entstanden. Historische Sehenswürdigkeiten sowie die landschaftliche Schönheit haben Sizilien zu einem wichtigen Fremdenverkehrsgebiet werden lassen.

Geschichte. Eine erste Blütezeit erlebte Sizilien nach der Einwanderung der Griechen im 8. Jahrh. v. Chr. Diese gründeten viele Städte im Osten der Insel, unter anderem Agrigent und Syrakus. Der Westen Siziliens war im Besitz der Karthager. Unter römischer Herrschaft (seit 241 v. Chr., Syrakus erst seit 212 v. Chr.) war die Insel ein Jahrhundert lang die Kornkammer Italiens. Sizilien stand im Mittelalter unter der Herrschaft Ostroms, dann der Araber. 1061–91 eroberten die Normannen die Insel und gründeten hier ein Königreich, das auch Teile des italienischen Festlandes umfaßte. Sie schufen auf arabischer Grundlage ein modern verwaltetes Staatswesen, das von den Staufern, die Sizilien 1186 erbten, übernommen wurde. Sizilien erlebte besonders unter Kaiser Friedrich II., dessen Residenz Palermo war, eine neue Blüte. Nach der vorübergehenden Herrschaft des französischen Herzogs Karl von Anjou, gegen die sich die Bevölkerung Palermos in der **Sizilianischen Vesper** am Ostermontag (30. März) 1282 erhob, gelangte Sizilien in den Besitz der spanischen Könige von Aragón und wurde 1442 wieder mit dem Festland zum Königreich Neapel-Sizilien vereinigt. Im 18. Jahrh. wechselte Sizilien in rascher Folge den Besitzer: 1713 kam es an Piemont, 1720 an die österreichischen Habsburger und 1735 wurde es wieder spanisch. Seit 1816 hieß der Staat ›Königreich beider Sizilien‹. 1861 wurde es Teil des Königreichs Italien.

Die vor allem wirtschaftliche Rückständigkeit Siziliens gegenüber dem Norden Italiens, die bis heute nicht ausgeglichen werden konnte, begünstigte die Bildung der → Mafia.

Sizilische Expedition, 415 v. Chr., von → Alkibiades angeführter Kriegszug der Athener gegen die Stadt Syrakus auf Sizilien.

Skala, Skale [von italienisch scala ›Treppe‹], gleichmäßige (lineare) oder ungleichmäßige (nichtlineare) Folge von Strichen **(Strichskala)** oder Ziffern **(Ziffernskala)** für Meß- oder Einstellzwecke. In den DIN-Normen wird die Schreibung ›Skale‹ verwendet.

Skalden, altnordische Dichter in Island und Norwegen zur Zeit der Wikinger (8.–11. Jahrh.), die ihre nach bestimmten Regeln aufgebauten Dichtungen in Strophenform meist an Fürstenhöfen vortrugen. Viele Skalden sind namentlich bekannt; von einigen sind Biographien in Form einer → Saga überliefert.

Sitar
(Münchner Stadtmuseum)

Skalp, ein Stück behaarter Kopfhaut, das Indianer besiegten lebenden oder toten Feinden abnahmen, um es als Zeichen für ihre Tapferkeit an der Lanze oder am Zelt anzubringen. Das **Skalpieren** war ursprünglich bei den Indianern im Osten Nordamerikas verbreitet. Ihre weißen Gegner setzten Prämien auf Indianerskalps aus.

Skandinavien, Teil Nordeuropas. Im engeren Sinn versteht man darunter die **Skandinavische Halbinsel** mit →Norwegen und →Schweden, im weiteren Sinn werden auch Dänemark und Finnland und, wegen der gemeinsamen geschichtlichen und kulturellen Entwicklung, Island und die Färöer zu Skandinavien gezählt. Die Halbinsel erstreckt sich rund 1800 km in Nord-Süd-Richtung, hat eine Breite von 300 bis 700 km und ist mit rund 750000 km² mehr als doppelt so groß wie die Bundesrepublik Deutschland. Das Skandinavische Gebirge (im Glittertind 2470 m hoch) durchzieht die Halbinsel in Nord-Süd-Richtung. Zur norwegischen Fjordküste fällt das Gebirge steil ab, zur schwedischen Ostseeküste senkt es sich langsam. Die Eismassen der letzten Eiszeit bedeckten Skandinavien vollständig und ließen beim Abschmelzen zahlreiche Seen zurück. Den Küsten Skandinaviens sind viele, meist kleine Inseln (Schären) vorgelagert. Die Westküste weist durch den warmen Golfstrom niederschlagsreiches und wintermildes Klima auf, der Osten dagegen ist trocken und winterkalt. Der Norden der Halbinsel steht unter dem Einfluß von Polartag und Polarnacht. Skandinavien ist zum größten Teil waldbedeckt (Nadel- und Birkenwald). Die Gebirgszone ist meist waldlos und trägt die Pflanzen der Tundra. Die Rentierzucht ist in Lappland, dem nördlichen Teil der Halbinsel, weit verbreitet.

Skarabäus, ein Käfer (→Pillendreher).

Skateboard [skehtbohd, englisch ›Rollschuhbrett‹], ein 75–120 cm langes Brett aus Fiberglas, Holz oder Metall, an dessen Unterseite in Kugellagern laufende Räder befestigt sind. Der Läufer steht auf dem Deck des Skateboards und steuert es durch Verlagern des Körpergewichts. Trickfahren (Freestyle), Slalom, Parallelslalom, Riesenslalom, Abfahrt, Weitsprung (teils über Hindernisse), Hochsprung und Steilwandfahren werden entweder auf Straßen mit 4–6% Gefälle oder in Hallen mit entsprechenden Startrampen ausgetragen. Für Steilwandfahren, zumeist mit Holzbrettern, gibt es eigene Vorrichtungen, wie die ›Schüssel‹ oder die ›Halfpipe‹, eine halbrunde Metallrampe mit einer überhöhten Seite.

Skelett (des Menschen): **1** Stirnbein, **2** Schläfenbein, **3** Nasenbein, **4** Jochbein, **5** Oberkieferbein, **6** Unterkiefer, **7** Halswirbel, **8** Schlüsselbein, **9** Schulterblatt, **10** Brustbein, **11** Oberarmknochen, **12** Rippen, **13** Schwertfortsatz, **14** Brustwirbel, **15** Lendenwirbel, **16** Speiche, **17** Elle, **18** Handwurzelknochen, **19** Mittelhandknochen, **20** Fingerknochen, **21** Darmbein, **22** Kreuzbein, **23** Hüftgelenkkopf, **24** Schenkelhals, **25** Hüftbeinloch, **26** Sitzbein, **27** Schambeinfuge, **28** Oberschenkelknochen, **29** Kniescheibe, **30** Schienbein, **31** Wadenbein, **32** Sprungbein, **33** Fußwurzelknochen, **34** Mittelfußknochen, **35** Zehenknochen

Skelett [aus griechisch skeletos ›ausgetrocknet‹], Knochengerüst, das sich beim Menschen aus 245 Einzelknochen zusammensetzt, die über Gelenke miteinander verbunden sind. Sie lassen sich mit Hilfe der →Muskeln, die am Skelett ansetzen, bewegen. Das Skelett dient dem Körper als Stütze und bietet den inneren Organen Schutz. Man teilt es ein in Schädel (→Kopf), Rumpf mit Wirbelsäule, →Brustkorb und →Becken sowie Gliedmaßenskelett mit →Armen und →Beinen. (→Knochen)

Skisport, eine Wintersportart, die auf Ski ausgeübt wird. Es wird unterschieden zwischen Alpinem und Nordischem Skisport sowie →Biathlon. Der **Alpine Skisport** gliedert sich in die Disziplinen Abfahrtslauf, Slalom, Riesenslalom, Super-Riesenslalom, der **Nordische Skisport** in Langlauf und Skispringen. Die Grundtechnik des Skilaufs umfaßt das Gehen in ebenem Gelände, das Aufsteigen, das Wenden im Stand und das Umtreten während der Fahrt, das Fahren in der Fallinie, die Schrägfahrt und das Verlangsamen und Stoppen der Fahrt. Die Bogen- und Schwungtechnik führt über den Pflugbogen und den Stemmbogen zum Parallelschwung des alpinen Rennläufers. Die Grundtechnik für den Langlauf sind der Diagonalschritt und der Doppelstockschub sowie der Schlittschuhschritt und der Halbschlittschuhschritt (Siitonenschritt), für das Skispringen die aerodynamische Haltung während des Fluges und die Ausfallstellung bei der Landung.

Skispringen, Skisprung, Sprunglauf, Disziplin des Nordischen Skisports. Das Skispringen ist ein Wettbewerb, bei dem Haltung und Weite bewertet werden. Er wird hauptsächlich von Herren ausgetragen. Der Skispringer startet auf Ski aus Metall oder Kunststoff; Bindung und Skischuh sind Spezialanfertigungen. Die Springer tragen besonders windschlüpfrige, hautenge Kleidung; der Grad der Luftdurchlässigkeit zur Erhöhung des Auftriebs ist festgelegt. Das Tragen eines Schutzhelms ist vorgeschrieben. Voraussetzung für das Skispringen ist die Sprunganlage, die Schanze. Bei Olympischen Spielen und Weltmeisterschaften werden Wettbewerbe (2 Sprünge pro Springer) auf 2 Schanzen ausgetragen, auf der **Normalschanze** (Sprünge um 70 m) und der **Großschanze** (Sprünge um 95 m). Vor jedem Wettkampf sind Trainingssprünge erlaubt. Die Sprungtechnik setzt sich aus Anlauf, Absprung, Flug und Landung (Aufsprung) zusammen. Während des Anlaufs geht der Springer nach einigen Schritten in die Hocke und legt die Arme an den Körper. Der Absprung wird durch Vorschnellen des Körpers aus der Hocke eingeleitet. Während des ganzen Fluges sollen der vornübergebeugte Körper und die horizontal liegenden, geschlossen und schmal geführten Ski möglichst ruhig in der Luft liegen. Bei der Landung muß die Skiführung geschlossen sein (Abstand weniger als eine Skibreite). Ein Sprung gilt als ›gestanden‹, wenn der Springer mit vollem Gleichgewicht von der Aufsprungbahn in den Auslauf gelangt. Fünf Sprungrichter bewerten den Sprung nach Haltung und Weite. Die Gesamtnote errechnet sich aus Haltungs- und Weitennote. Die Totalnote, die über die Wettbewerbsplacierung entscheidet, ist die Addition der Gesamtnoten beider Durchgänge.

Skifliegen, ein Wettbewerb, bei dem Weiten von meist über 120 m gesprungen werden. Seit 1972 werden Skiflug-Weltmeisterschaften auf speziellen Flugschanzen ausgetragen. Der Skiflug-Weltrekord liegt (1984) bei 185 m.

Skizze [von italienisch schizzo ›Spritzer (mit der Feder)‹], vorläufiger Entwurf, der in groben Umrissen, ohne nähere Einzelheiten, festhält, was der Maler oder auch der Schriftsteller später zu einem größeren Werk ausgestalten will.

Sklaverei, die Verwendung unfreier Menschen (Sklaven) zur Verrichtung von Arbeiten. Im Altertum waren sie meist Kriegsgefangene oder Nachkommen von Kriegsgefangenen. Sie konnten wie eine Ware verkauft und gekauft werden, mußten für ihren Herrn arbeiten und wurden von ihm auch mißhandelt, im allgemeinen aber nicht getötet. Für die Wirtschaft des Altertums spielte die Sklaverei eine wichtige Rolle. Ein Herr konnte seine Sklaven in die Freiheit entlassen. Die Freilassung war häufig Belohnung von Verdienst und Treue, doch konnte sich ein Sklave auch loskaufen. Diese Freigelassenen erhielten in Rom den Namen ihres ehemaligen Herrn und blieben oft auch wirtschaftlich von ihm abhängig. Sie waren aber römische Bürger und spielten im Römischen Reich der Kaiserzeit eine bedeutende Rolle.

Eine besonders schlechte Behandlung mußten die Sklaven erdulden, die als Landarbeiter auf den Gütern der römischen Großgrundbesitzer arbeiteten. Von diesen gingen die großen Sklavenaufstände aus, der bekannteste unter Führung des → Spartacus (73–71 v. Chr.). Seit dem Untergang des Römischen Reichs hatte die Sklaverei in Europa keine Bedeutung mehr.
Das Zeitalter der Entdeckungen ließ die Sklaverei in den überseeischen Gebieten, vor allem in Amerika, sprunghaft anwachsen. Dort waren die europäischen Plantagenbesitzer für den Anbau von Baumwolle, Tabak und Zuckerrohr auf Arbeitskräfte angewiesen, die an tropisches Klima gewöhnt waren. Im 16.–18. Jahrh. brachten Sklavenhändler Tausende schwarze Sklaven aus Afrika auf Schiffen nach Amerika. Man schätzt die Zahl der zwischen 1520 und 1850 nach Amerika gebrachten Schwarzen auf 8–10 Millionen. Erst die Gedanken der Französischen Revolution von 1789 bewirkten einen Wandel, und während des 19. Jahrh. wurde die Sklaverei überall aufgehoben. In den USA kam es darüber zum → Sezessionskrieg (1861–65), in dem die sklavenhaltenden Südstaaten den Nordstaaten unterlagen. Von den früheren Sklaven stammt die schwarze Bevölkerung in Nord-, Mittel- und Südamerika ab.

Auch in anderen Kulturen gab es Sklaverei, so in Arabien, woher berüchtigte Sklavenjäger stammten, und in China, das die Sklaverei 1911 abschaffte.

Skonto [italienisch ›Abzug‹], ein Preisnachlaß in Prozent des Kaufpreises von Waren oder Dienstleistungen bei sofortiger oder schneller Zahlung (z. B. innerhalb von 14 Tagen 3 % Skonto). Eine andere Form des Preisnachlasses ist der → Rabatt.

Skorbut, Erkrankung, die bei ausgeprägtem Vitamin-C-Mangel (→ Vitamine) auftritt. Dabei kommt es zu allgemeinen Blutungen, Entzündungen und Blutungen am Zahnfleisch, Ausfallen der Zähne, schlechter Wundheilung, körperlicher Schwäche und Neigung zu Infektionen. Skorbut, der heute nur noch selten vorkommt, war früher eine gefürchtete Seefahrerkrankheit, die als Folge wochenlanger Schiffsfahrten ohne ausreichende Versorgung mit frischem Obst und Gemüse auftrat.

Skorpione: Feldskorpion

Skorpione, mit den → Spinnen verwandte Tiere, die manchen Krebsen ähnlich sehen. Ihr ungegliedertes breites Kopfbruststück trägt gewaltige Scheren. Hiermit ergreifen sie ihre Beute (Heuschrecken, Käfer, Termiten, Spinnen) und töten oder lähmen sie mit dem Giftstachel am Schwanzende. Dazu biegen sie ihren schmalen beweglichen Hinterleib über den Rücken nach vorn. Skorpione leben vor allem in trockenen und heißen Wüsten- und Steppengebieten. Am Tag verbergen sie sich unter Steinen, nachts gehen sie auf Jagd. Manche tropische Arten werden bis zu 15 cm lang. **Ihr Stich kann auch für Menschen tödlich sein.** Der Stich der viel kleineren Skorpione Südeuropas, z. B. des **Feldskorpions,** schmerzt nur wie ein Wespenstich. Skorpione bringen lebende Junge zur Welt.

Skoten, keltischer Volksstamm in Irland (→Kelten), der vom 3.–5. Jahrh. den Norden Britanniens, das spätere Schottland, eroberte und besiedelte.

Skulptur, ein Werk der →Bildhauerkunst.

Skunk, →Stinktiere.

Skylightfilter [skailait-, englisch ›Oberlicht‹], leicht rötlich gefärbtes photographisches →Lichtfilter zur Absorption des ultravioletten und Abschwächung des blauen Lichtanteils.

Skylla, in der →Odyssee ein Ungeheuer mit 6 Wolfsköpfen, das in einer Felsenhöhle – vermutlich an der Straße von Messina – hauste und Schiffer verschlang, die sich durch die Meerenge wagten. An der gegenüberliegenden Küste Siziliens lauerte eine andere Gefahr auf die Reisenden, die versuchten, der Skylla zu entgehen: das Seeungeheuer **Charybdis,** das dreimal am Tag das Meerwasser mit furchtbarer Gewalt einsog und dann wieder ausspie.

Slowakische Republik

Staatswappen

Staatsflagge

Skythen, Nomadenvölker der Steppen Osteuropas und Westasiens im 1. Jahrtausend v. Chr., von denen einige Stämme um 700 v. Chr. nach Südrußland in das Gebiet nördlich des Schwarzen Meers einwanderten. Diese Skythen trieben Handel mit den Griechen, die an der Schwarzmeerküste Kolonien besaßen. Ihre größte Macht erreichten sie im 5. und 4. Jahrh. v. Chr.; danach wurden sie von anderen Nomadenvölkern, die von Osten vorstießen, verdrängt.

Die Kunst der Skythen ist aus Funden in Hügelgräbern (Kurgane) bekannt; überwiegend wurden technisch vollendete Goldschmiedearbeiten hinterlassen, die stark griechisch beeinflußt sind, aber auch iranische und chinesische Vorbilder erkennen lassen. Hauptthema der skythischen Kunst war das Tier (Hirsche, Steinböcke, katzenartige Raubtiere). Diese Darstellungen, die meist Waffen und Rüstungen verzierten, wurden entweder aus der goldenen Fläche herausgearbeitet oder als Einzelstücke hergestellt und auf ein anderes Material aufgesetzt.

Slalom, Torlauf, Disziplin des Alpinen Skisports. Der Slalom ist ein Rennen für Damen und Herren, bei dem eine durch Tore festgelegte Strecke in kürzester Zeit zu durchfahren ist. Ein Slalom wird in 2 Läufen und auf 2 verschiedenen Pisten entschieden. Den Teilnehmern eines Wettbewerbes ist es erlaubt, die Strecke vor dem Start auf Ski aufzusteigen. Der Läufer muß alle Tore einwandfrei passieren, das heißt, er muß die Linie zwischen den Torstangen mit beiden Füßen überqueren. Das Auslassen von Toren (Torfehler) führt zur Disqualifikation. Das Rennen ist für den Fahrer beendet, wenn er auf beiden Beinen die Ziellinie durchfahren hat. Sieger ist der Läufer, der für beide Durchgänge die geringste Zeit, die in $^1/_{100}$ Sekunden gemessen wird, benötigt. Die Tore sind in Richtung Start-Ziel numeriert. Aufeinanderfolgende Tore werden, um Verwechslungen auszuschließen, in der Reihenfolge blau und rot gesetzt. Beim 2. Durchgang starten die 15 Zeitbesten in umgekehrter Reihenfolge: zuerst der 15. des 1. Durchgangs.

Slawen. Die Völkergruppe der Slawen war ursprünglich nördlich des Karpatengebirges zwischen den Flüssen Weichsel und Dnjepr beheimatet. Über ihre frühe Geschichte ist, abgesehen von Überlieferungen einiger Götternamen, sehr wenig bekannt; in römischen Geschichtsquellen erscheint im 1./2. Jahrh. n. Chr. der Name **Venedi,** der der deutschen Bezeichnung für Slawen, **Wenden,** entspricht. Im 5. und 6. Jahrh. wanderten die Slawen nach Südosteuropa sowie nach Westen, etwa bis an die Elbe **(Elbslawen).** Durch diese Wanderungen und den Einbruch der Magyaren, der Ende des 9. Jahrh. ihren Zusammenhalt sprengte, wurden sie in **Ostslawen** (Russen, Ukrainer, Weißrussen), **Westslawen** (vor allem Polen, Tschechen, Slowaken, Sorben) und **Südslawen** (vor allem Slowenen, Kroaten, Serben, Bulgaren) getrennt. In dieser Zeit begannen sie, sich entweder dem weströmisch-katholischen oder dem oströmisch-byzantinischen Christentum anzuschließen.

Die Gemeinsamkeit der slawischen Völker besteht weniger in einem einheitlichen kulturellen Erbe (wie bei Romanen) oder in allgemein anerkannten Rechtsvorstellungen (wie bei den Germanen), sondern ist in der Verwandtschaft ihrer Sprachen begründet. Die **slawischen Sprachen** (vor allem Russisch, Polnisch, Tschechisch, Serbokroatisch, Bulgarisch) bilden neben den germanischen und romanischen Sprachfamilien einen der 3 großen europäischen Sprachkreise. Einige (vor allem Russisch, Bulgarisch, Serbisch) verwenden die kyrillische Schrift.

Entscheidend für das nationale Bewußtsein der Slawen war, daß nur Russen, Polen, Tschechen, Bulgaren, Serben und Kroaten eigene Staaten mit Herrscherhäusern bildeten und davon lediglich die Russen ihren Staat auf Dauer behielten, während alle anderen sich in nichtslawischen Staaten miteinbeziehen ließen oder lange Zeiten der Unfreiheit erlebten. Seit dem Ende des 19. Jahrh. jedoch entwickelten sich unabhängige Staaten (Bulgarien, Jugoslawien, Polen, Tschechoslowakei). Im Zuge der Auflösung der UdSSR und des Ostblocks in den 1990er Jahren bildeten sich neue Staaten (u. a. Ukraine, Weißrußland, Tschechische und Slowakische Republik, Slowenien und Kroatien).

Slẹvogt. Der Maler und Graphiker **Max Slevogt** (* 1868, † 1932) gehört zu den Hauptmeistern des deutschen → Impressionismus, ist jedoch mit seinem vielseitigen Werk nicht nur dieser Stilrichtung zuzuordnen. In seiner Frühzeit schuf er in dunklen, schweren Farben und realistischer Malweise Bilder mit vorwiegend mythologischem Inhalt. In Chiemseelandschaften und Studien aus dem Frankfurter Zoo (1901) fand er zu einem eigenen Stil, in dem helles, oft überwältigendes Licht und leuchtkräftige Farben vorherrschen. Außer Porträts, Landschaften, meist aus der Pfalz, aber auch aus Ägypten und Italien, und Stilleben schuf er figürliche Bilder, vorwiegend aus der Welt des Theaters und der Geschichte. Eines der berühmtesten Gemälde Slevogts zeigt den Sänger Francisco d'Andrade, mit dem der sehr musikalische Künstler befreundet war, in der Rolle des Don Giovanni von Mozart. Slevogt schuf auch Graphiken und Buchillustrationen.

Slowakische Republik

Fläche: 49 035 km²
Bevölkerung: 5,29 Mill. E
Hauptstadt: Preßburg
Amtssprache: Slowakisch
Währung: 1 Slowak. Krone (KS) = 100 Heller (Hálěrů; h)
Zeitzone: MEZ

Slowakische Republik, Slowakei, Land in Osteuropa, etwas größer als die Schweiz. Zu ihr gehören große Teile der Westkarpaten und das fruchtbare Vorland am Unterlauf der Donauzuflüsse Waag, Gran, Eipel im Süden, ebenso ein Teil des von der Theiß durchflossenen Tieflands im Osten. Die Bevölkerung besteht zu 87 % aus Slowaken, weiter aus Tschechen, Ukrainern und Russen. Größte Minderheit sind die Ungarn an der Südgrenze. Die Industrie ist gekennzeichnet durch Braunkohlenabbau; Bedeutung hat die petrochemische Industrie und die Eisenverhüttung. Die Landwirtschaft baut u. a. Weizen, Mais, Zukkerrüben an.

Vom 10. Jahrh. bis 1918 gehörte die Slowakei zu Ungarn, bis 1938 zur Tschechoslowakei. Nach dem Münchner Abkommen zwischen Deutschland, Italien, England und Frankreich erhielt die Slowakei 1938 Selbstverwaltungsrechte; 1939 wurde sie ein unabhängiger Staat, geriet jedoch in die Abhängigkeit vom Deutschen Reich. Nach der Besetzung durch sowjetische Truppen kam die Slowakei 1944/45 wieder zur Tschechoslowakei.

Die Slowakei trennte sich von der Tschechischen Republik und bildet seit 1. 1. 1993 einen eigenen Staat.

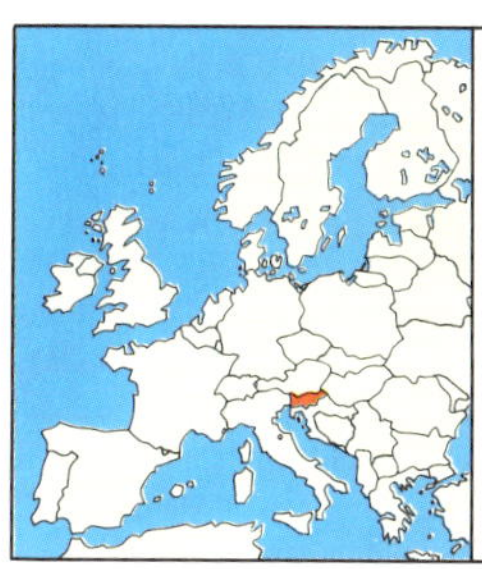

Slowenien

Fläche: 20 251 km²
Bevölkerung: 1,95 Mill. E
Hauptstadt: Ljubljana
Amtssprache: Slowenisch
Nationalfeiertage: 27. April, 25. Juni, 26. Dez.
Währung: 1 Slowen. Tolar (SIT) = 100 Stotin
Zeitzone: MEZ

Slowenien

Staatswappen

Staatsflagge

Slowenien, Republik in Südosteuropa, flächenmäßig von der Größe Sachsen-Anhalts. Als Gebirgsland hat es Anteil an den Alpen (im Triglav 2 863 m) und am Karstgebiet. An der Adriaküste herrscht mediterranes Klima, sonst bestimmt kontinentales Klima das Wetter. 91 % der Bevölkerung sind katholische Slowenen, daneben gibt es Kroaten, Serben und Italiener. In der Landwirtschaft überwiegt Rinderzucht und Ackerbau. Reiche Bodenschätze (Quecksilber, Uran, Eisen, Blei, Zink, Kupfer) begünstigen die industrielle Entwicklung.

Die Slowenen wanderten im 6. Jahrh. in ihr heutiges Siedlungsgebiet ein. Von 1282 bis nach dem Ersten Weltkrieg gehörte das Land zu Österreich. Dann schlossen sich die Slowenen mit Serben und Kroaten zum Königreich der Serben, Kroaten und Slowenen (seit 1929 Jugoslawien genannt) zusammen. Seit 1989 verfolgte Slowenien mit Kroatien einen Reformkurs zur Abkehr vom kommunistischen System. Die 1991 erklärte Unabhängigkeit wurde 1992 anerkannt, doch mußte sich die slowenische Bürgerwehr gegen die jugoslawische Bundesarmee durchsetzen.

Smaragd [von griechisch smaragdos ›grüner Edelstein‹], dunkel- bis grasgrüner → Beryll, der

Smaragd in Glimmerschiefer (Ural, Sowjetunion)

Smaragd (geschliffen)

durch Chromoxid gefärbt ist. Smaragde werden besonders in Kolumbien, Brasilien, Südafrika und im Ural (Rußland) gewonnen. – In hellenistischer Zeit wurde der Smaragd sehr geschätzt und gehörte im Spätmittelalter und in der Renaissance zu den bevorzugten Edelsteinen.

Smog, Kunstwort aus englisch **sm**oke [›Rauch‹] und **fog** [›Nebel‹], eine Art der →Luftverschmutzung, besonders über Ballungsgebieten, wenn Abgase, Ruß und Asche bei bestimmten Wetterlagen nicht abziehen können. Normalerweise nimmt die Lufttemperatur mit zunehmender Höhe ab. Die wärmere Luft am Boden, die leichter ist als die darüber lagernde Kaltluft, hat die Tendenz aufzusteigen; sie wird durch andere Luftmassen ersetzt, so daß ständig eine Durchmischung der unteren Luftschichten stattfindet. Bei einer Smogwetterlage jedoch nimmt die Temperatur mit der Höhe zu. Warmluftmassen liegen über bodennaher Kaltluft. Diese Luftschichtung bleibt häufig über mehrere Tage bestehen, da die schwerere Kaltluft nicht von der leichteren Warmluft verdrängt werden kann, und ist meist mit Windstille verbunden. Zwischen den Luftschichten findet kaum ein Austausch statt, so daß sich die Schadstoffe aus Heizungen, Kraftfahrzeugen, Fabriken usw. unter der Warmluft wie unter einer Glocke anreichern. Smog reizt vor allem die Atemwege; er kann bei starker Konzentration gesundheitsschädigend wirken, besonders bei Menschen mit Herz-, Asthma- und Bronchialleiden, bei Kleinkindern und alten Menschen. Daher gibt es in der Bundesrepublik Deutschland einen amtlichen **Smogwarndienst,** der im gegebenen Fall **Smogalarm** auslöst. In bestimmten Gebieten können die Landesregierungen dann Gegenmaßnahmen wie Verkehrsbeschränkungen (Fahrverbote) und die Umstellung auf schwefelarmes Heizöl beschließen.

Smog (Verkehrsschild)

Snowdon [snọụden, englisch ›Schneeberg‹], mit 1085 m die höchste Erhebung von England und Wales im Nordwesten von Wales.

Sọda, Nạtriumcarbonat, kọhlensaures Nạtrium, weißes, in Wasser leicht lösliches Salz, eine der wichtigsten Natriumverbindungen. In der Natur findet es sich gelöst in Natronseen, z. B. in Ägypten, als Bodenausblühungen, Krusten und mehlige Überzüge. Bis zur Mitte des 19. Jahrh. war die Asche salzhaltiger Meerespflanzen die wichtigste Sodaquelle. Heute wird Soda überwiegend großtechnisch aus Kochsalz hergestellt. Soda wird in großem Umfang zur Herstellung von Glas, zur Bereitung von Seife, zur Wasserenthärtung, in der Zellstoffindustrie sowie als Bestandteil von Wasch- und Reinigungsmitteln verwendet.

Sojabohne: OBEN Pflanze mit Blüten und Hülsen, UNTEN Hülse mit Samen

Sọdbrennen, brennendes Gefühl in der Speiseröhre, das, besonders bei empfindlichen Menschen, meist nach zu süßen, sauren oder fetten Mahlzeiten auftritt. Als Ursache nimmt man Gärungsvorgänge im Magen, Aufstoßen oder Zurückfließen von saurem Mageninhalt an. Sodbrennen kann auch Begleiterscheinung bei Erkrankungen des Magens und der Speiseröhre sein sowie in der Schwangerschaft auftreten.

Sọdom und Gomọrrha, nach einer Erzählung des Alten Testaments 2 Städte am Toten Meer, die wegen der sittlichen Verkommenheit ihrer Bewohner von Gott zerstört wurden. Ihre Namen wurden schon in biblischer Zeit als Sinnbild der Lasterhaftigkeit gebraucht.

Sọfia, 1,14 Millionen Einwohner, Hauptstadt von Bulgarien (seit 1879) in einem Hochbecken im bergigen Westteil des Landes. Die Stadt war in römischer Zeit Hauptstadt der Provinz Thrakien. 809 wurde sie von Bulgaren, 1382 von Türken erobert und blieb bis ins 19. Jahrh. unter türkischer Herrschaft. Zu den wenigen historischen Bauwerken gehören die Georgskirche, die Sophienkirche und einige Moscheen aus der Türkenzeit. Vorherrschend im Stadtbild sind Bauten des 19. und 20. Jahrh., darunter die Alexander-Newskij-Kathedrale.

Sofọrtbildkamera, ein → Photoapparat, der entwickelte und fixierte Papierphotos liefert.

Software [sọftwehr, englisch ›weiche Ware‹], Sammelbegriff für alle Programme und Daten, die einem Computer eingegeben werden oder die in seinem Langzeitspeicher enthalten sind; im Unterschied zur → Hardware.

Sog, Saugwirkung eines durchwirbelten Mediums, z. B. zurückflutende Tiefenströmung des Meerwassers bei der Küstenbrandung oder die mitlaufende Strömung im Bereich des Hinterschiffs.

Sọjabohne, Hülsenfrüchter (→ Frucht) aus der Familie der Schmetterlingsblüter. Sie gehört zu den ältesten Kulturpflanzen und wird heute besonders in China angebaut. Als Gemüse werden die Bohnen und vor allem die Keimlinge verwendet. Besonders wertvoll sind die eiweißreichen und fetthaltigen Samen, aus denen ein vitamin- und lecithinreiches Speiseöl gewonnen wird; die Rückstände dienen als Viehfutter.

Sọkrates, * 470, † 399 v. Chr., griechischer Philosoph, der auf den Straßen und Plätzen Athens seine Lehre verbreitete. Sein Wirken wurde hauptsächlich durch seinen Schüler → Platon überliefert. Sokrates ging so vor, daß er zuerst seine Schüler nach scheinbar selbstverständlichen Dingen fragte, was in der Regel zu falschen Antworten führte. Durch weiteres Fragen wollte er dann seinen Gesprächspartner über den Zweifel zur richtigen Erkenntnis gelangen lassen. Nicht mehr die Natur wie bei früheren Philosophen steht im Mittelpunkt seiner Lehre, sondern der Mensch, der aus einsichtigem Denken heraus und in eigener Verantwortung tugendhaft handeln soll. Wegen angeblicher Gottlosigkeit wurde Sokrates zum Tod durch den Giftbecher verurteilt; eine mögliche Flucht aus dem Gefängnis schlug er aus. Verheiratet war Sokrates mit Xanthippe, die später – wohl zu Unrecht – zum Inbegriff der zänkischen Frau wurde.

Solarzelle [zu lateinisch sol ›Sonne‹], **Sonnenzelle,** großflächige Ausführungsform des Photoelements, bei der die einfallende Strahlungsleistung des Sonnenlichts direkt in elektrische Leistung umgewandelt wird. Sie stellt also einen Energiewandler zwischen Licht- und elektrischer Energie dar. Solarzellen sind Halbleiterbauelemente, deren Wirkungsweise auf dem inneren Photoeffekt beruht. Das Licht erzeugt demnach eine elektrische Spannung (Photospannung) im Kristall. Die Spannung bewirkt in einem an die Zelle angeschlossenen Verbraucher (z. B. Lampe) einen elektrischen Stromfluß. Solarzellen können in großer Zahl zu Sonnenbatterien (Solargeneratoren) zusammengeschaltet werden, um die Leistung zu erhöhen. Auch zum Aufbau von Sonnenkraftwerken sind sie geeignet.

Söldner, Krieger, der nicht für sein Land, sondern gegen Bezahlung (Sold) für die Interessen eines Geldgebers (Staat oder Privatperson) kämpft. Als im Spätmittelalter die Feuerwaffen erfunden wurden, veränderte sich das Kriegswesen grundlegend. Die Ritter verloren ihre militärische Bedeutung, und an ihre Stelle traten Kriegsknechte, die von den Fürsten bei Bedarf in größerer Zahl angeworben wurden. Nach Beendigung ihrer Aufgabe schieden sie aus dem Dienst aus und suchten sich einen neuen Kriegsherrn. Die bekanntesten Söldner waren die deutschen Landsknechte (15./16. Jahrh.).

Die stehenden Heere im Zeitalter des Absolutismus (17./18. Jahrh.) bestanden aus Söldnern, die sich freiwillig meldeten oder zum Dienst gezwungen wurden.

Seit der Französischen Revolution (1789) ging man in den meisten Ländern dazu über, auf Grund der **Wehrpflicht** die jungen Staatsbürger für eine bestimmte Zeit in die Streitkräfte einzustellen. Heute gibt es deshalb nur noch wenige Söldnertruppen, so z. B. die französische Fremdenlegion.

Solingen, 165 000 Einwohner, Stadt in Nordrhein-Westfalen im Bergischen Land. Solingen war schon im Mittelalter für die Herstellung von Klingen bekannt **(Deutsches Klingenmuseum).** Die Eisenerzvorkommen im nahegelegenen Siegerland begünstigten die Entwicklung der Metallindustrie. Heute werden Messer, Scheren und andere Schneidwaren in alle Welt exportiert.

Solon, * etwa 640, † nach 561 v. Chr., athenischer Staatsmann, der 594 v. Chr. Athen eine Verfassung gab. Er schlichtete den Streit zwischen dem Adel und den Bauern, die fast alle durch Verschuldung vom Adel abhängig geworden waren. Für alle Zeiten wurde verfügt, daß ein Bauer nicht mehr durch Verschuldung in Knechtschaft geraten durfte. Die Verfassung Solons beteiligte alle an der Regierung, jedoch wurde das Volk je nach Besitz in 4 Klassen eingeteilt. Die 9 höchsten Beamten (Archonten) gingen z. B. nur aus der ersten Klasse hervor. Trotz dieser Einschränkung legte Solon damit den Grund für die athenische Demokratie.

Solothurn. Der nordschweizerische Kanton mit dem gleichnamigen Hauptort ist deutschsprachig, überwiegend katholisch und gehört mit seiner Nordhälfte zum Schweizer Jura; der Süden greift über das Aaretal ins Mittelland hinein. Die Bedeutung der Landwirtschaft ist verhältnismäßig gering. Wichtig ist dagegen die Uhrenindustrie mit ihrem Zentrum in der Stadt Grenchen im Südwesten des Kantons. In Gösgen ging 1979 das bisher größte schweizerische Kernkraftwerk in Betrieb. – Solothurn wurde 1481 in die Eidgenossenschaft aufgenommen.

Solothurn
Kanton
Fläche: 791 km²
Einwohner: 233 000
Stadt
Einwohner: 16 000

Somalia, Staat in Ostafrika. Das Land ist größer als die Iberische Halbinsel und erstreckt sich als 160–500 km breiter Streifen entlang den Küsten des Indischen Ozeans und des Golfs von Aden. Im Norden erreicht es Höhen über 2 000 m und fällt steil zur Küste ab; zum Indischen Ozean geht es allmählich in ein Küstentiefland über. Hohe Temperaturen und Regenarmut prägen das

Sokrates

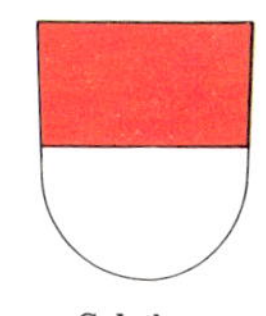
Solothurn
Kantonswappen

Solarzelle
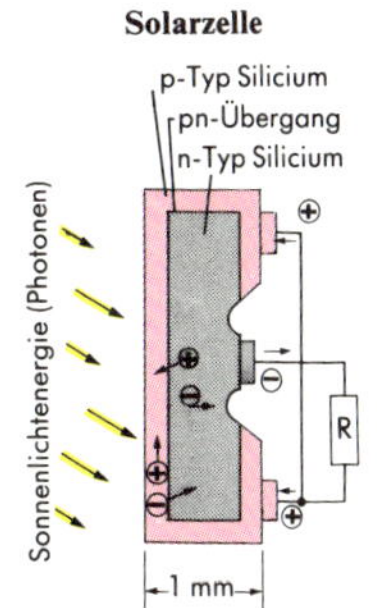

Solarzelle: Solarzellen bestehen aus zwei verschieden dotierten Halbleiterschichten, z. B. aus Silicium. Verbindet man diese höchstens 0,25–0,3 Millimeter dünnen Siliciumplättchen mit einem Verbraucher (Lastwiderstand R), so beginnt bei Einfall des Sonnenlichts ein Photostrom zu fließen

Somalia

Fläche: 637 657 km²
Bevölkerung: 8,4 Mill. E
Hauptstadt: Mogadischu
Amtssprachen: Somali, Arabisch
Nationalfeiertag: 26. Juni
Währung: 1 Somalia-Schilling (So.Sh.) = 100 Centesimi (Cnt.)
Zeitzone: MEZ +2 h

Somalia

Staatswappen

Staatsflagge

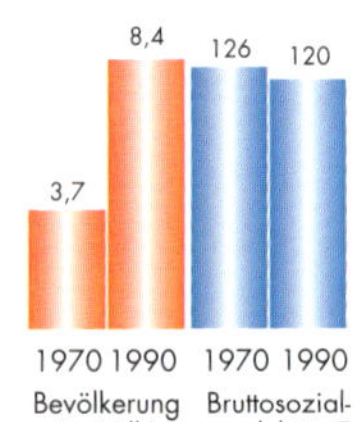

Stadt Land
36% 64%

Bevölkerungsverteilung 1990

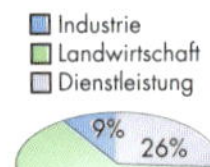

Industrie
Landwirtschaft
Dienstleistung

Bruttoinlandsprodukt 1990

Klima. Zwei Drittel der Einwohner sind Nomaden oder Halbnomaden. Die Viehwirtschaft ist wichtigster Wirtschaftszweig. Mehr als ⅔ des Exports bestehen aus Vieh, Häuten und Fellen. Auch Bananen, Baumwolle und Gemüse werden für den Export angebaut. Das frühere Britisch- und Italienisch-Somaliland wurde 1960 als Somalia unabhängig. Seit 1988 entwickelten sich verschiedene Aufstandsbewegungen, die zu politischen und militärischen Handlungsträgern wurden. (KARTE Band 2, Seite 194)

Sommer, die warme Jahreszeit, auf der Nordhalbkugel astronomisch vom 21. Juni bis zum 23. September, auf der Südhalbkugel vom 21. Dezember bis 21. März. Für die gemäßigten und polaren Gebiete ist der Sommer die Zeit des Wachsens und Reifens der Vegetation.

Sonar, Abkürzung für englisch **So**und **na**vigation and **r**anging [›akustische Navigation und Ortung‹], **Sonargerät,** Navigations- und Entfernungsmeßgerät, mit dem durch Ultraschallwellen vor allem Unterwasserobjekte (U-Boote, Eisberge) akustisch geortet werden können.

Sonate [zu lateinisch sonare ›klingen‹] bedeutete ursprünglich ›Klangstück‹, also jede Form von Musik, die nicht gesungen, sondern auf Instrumenten gespielt wurde. Heute versteht man darunter eine Komposition für Instrumente, häufig für Klavier allein oder für Klavier und ein anderes Instrument (z. B. Violine und Klavier). Die klassische Sonate, wie sie sich im 18. Jahrh. herausbildete, besteht aus 3 oder 4 Sätzen. Der erste Satz ist gewöhnlich mit ›Allegro‹ (schnell) überschrieben. Der zweite ist meist ein langsamer Satz, ›Andante‹ (ruhig, gehend) oder ›Adagio‹ (langsam) genannt. Ihm folgt in vielen Sonaten der tänzerische dritte Satz, häufig ein Menuett oder das schnelle Scherzo. Der letzte Satz wird wieder schnell (›Allegro‹) gespielt.

Die Sätze einer Sonate sind nach bestimmten Gesetzen aufgebaut. Meist wird der erste Satz als der eigentliche **Sonatensatz** bezeichnet. Er besteht aus 3 Teilen. Im ersten Teil (der Exposition) erscheinen 2 gegensätzliche musikalische Gedanken, die ›Themen‹. Im Mittelteil (der Durchführung) verarbeitet und vertieft der Komponist diese Themen, und im Schlußteil (der Reprise) nimmt er die Themen des ersten Teils nur wenig verändert wieder auf.

Sonde, Abtast-, Prüf- oder Untersuchungsgerät, das überall dort eingesetzt wird, wo schwer zugängliche Stellen untersucht werden sollen. Entsprechend sind Sonden stab- oder röhrenförmig, biegsam oder starr ausgeführt. Es gibt z. B. Hochofensonden, Abgasmeßsonden (→Katalysator) oder Lawinensonden. In der Medizin benutzt man Sonden zur Einführung in Körperhöhlen oder zur Untersuchung tieferer Wunden. Sonden für besonders weitreichende Untersuchungen und Erkundungen sind die →Radiosonde und die →Raumsonde.

Sonderbund, 1845, der Zusammenschluß der 7 katholischen Kantone Luzern, Schwyz, Uri, Unterwalden, Zug, Freiburg und Wallis. Er richtete sich gegen den seit 1830 angestrebten Abbau der kantonalen Eigenständigkeit. Anlaß war die Auflösung katholischer Klöster im Aargau. Österreich unterstützte den Sonderbund, Frankreich und Großbritannien die bei der Eidgenossenschaft verbliebenen Kantone. Noch ehe diese Mächte eingreifen konnten, kam es zum **Sonderbundkrieg (1847),** in dem der Sonderbund unterlag. Diese Auseinandersetzung führte 1848 zu einer Verfassungsänderung. Die Schweiz wurde von einem Staatenbund selbständiger Kantone in einen Bundesstaat umgestaltet.

Sonett [von italienisch sonetto ›Klinggedicht‹], Gedichtform aus 2 vierzeiligen und 2 dreizeiligen Strophen. In den vierzeiligen Strophen reimt sich jeweils die 1. auf die 4. und die 2. auf die 3. Zeile (abba, abba). In den dreizeiligen Strophen mit 2 oder 3 Reimen sind mehrere Reimstellungen erlaubt (cdc, dcd oder cde, cde). Entsprechend seiner straffen Form verlangt das Sonett, das im Italien des 13. Jahrh. entstand, einen klaren, zielgerichteten Aufbau.

Sonne, Zentralgestirn unseres →Sonnensystems, dessen Planeten und deren Monde sowie zahllose Kleinkörper von der Sonne Licht und Wärme erhalten. Die scheinbare tägliche Bewegung der Sonne am Himmel wird durch die Rotation der Erde verursacht, die scheinbare jährliche Bewegung durch den Umlauf der Erde um die Sonne. Die Sonne, die von der Erde aus gesehen als runde, scharf begrenzte Scheibe erscheint, hat von dieser eine mittlere Entfernung von 149,6

Millionen km. Die kugelförmige Sonne hat einen Durchmesser von 1,392 Millionen km, das ist etwa das 109fache des mittleren Erddurchmessers oder das 3,6fache des mittleren Abstandes Erde-Mond. Die Masse beträgt $1{,}989 \cdot 10^{33}$ g, das sind 333 000 Erdmassen. Bezogen auf die Fixsterne dreht sich die Sonne in etwa 25 Tagen um ihre eigene Achse. Sie ist einer von mehr als 100 Milliarden Fixsternen des →Milchstraßensystems und bewegt sich mit einer Geschwindigkeit von 230 km/s in 250 Millionen Jahren einmal um das Zentrum des Milchstraßensystems.

Die Sonne besteht in ihren äußeren Schichten zu etwa 75% aus Wasserstoff, 23% Helium und 2% schwereren Elementen. Im Inneren werden durch →Kernfusion Wasserstoffatome in Heliumatome umgewandelt, wobei Energie frei wird. Dieser Prozeß vollzieht sich bei einer Temperatur von etwa 15 Millionen Kelvin (K) und einem Druck von etwa 100 Milliarden Bar. Die in einer Sekunde von der Sonne vor allem in Form von Licht und Wärme abgestrahlte Energie (→Sonnenenergie) bewirkt einen Masseverlust von 4,3 Milliarden Tonnen pro Sekunde. Dennoch reicht der ›Brennstoffvorrat‹ der Sonne noch für etwa 5 Milliarden Jahre; seit 4,6 Milliarden Jahren vollziehen sich bereits diese Kernprozesse.

Die unterste Schicht der Sonnenatmosphäre bezeichnet man als **Photosphäre** (›Lichthülle‹). Da aus ihr der weitaus größte Teil des Sonnenlichts in den Weltraum abgestrahlt wird, ist sie der Teil der Sonne, den man sieht. Die Photosphäre ist nur etwa 300 km dick. Am unteren Rand beläuft sich ihre Temperatur auf etwa 7 000 K, am oberen Rand, der den optischen Sonnenrand bildet, auf etwa 4 500 K. In der Photosphäre treten dunkle Gebiete auf, die **Sonnenflecken.** Sie erreichen mehrere 1 000 km Durchmesser (Maximum bis 200 000 km), haben eine um etwa 1 000 K geringere Temperatur als die Umgebung und eine Lebensdauer zwischen einem Tag und mehreren Monaten. Man hat festgestellt, daß sie in regelmäßigen Abständen von etwa 11 Jahren vermehrt auftreten. Sie bewirken manche periodisch wiederkehrenden meteorologischen, magnetischen und elektrischen Erscheinungen auf der Erde. Über der Photosphäre lagert bis in eine Höhe von etwa 10 000 km die **Chromosphäre** (›Farbhülle‹). Der Name kommt daher, daß sie bei totalen →Sonnenfinsternissen als farbiger Lichtsaum um den dunklen Mondrand zu sehen ist. Dann folgt ein heller, nach außen dunkler werdender Ring, die **Korona** (BILD 1), die einen stetigen Übergang zum interplanetaren Gas bildet. Weit über die Chromosphäre hinausschießende, gewaltige Flammenbildungen heißen **Protuberanzen** (BILD 2, Seite 199). Sie bestehen aus glühenden Gasmassen und können bis 2 Millionen km über die Sonnenoberfläche aufsteigen.

Sonne 1: Korona (2. Oktober 1959)

Sonne 2: Protuberanz am Sonnenrand; zum Größenvergleich ist die Erde als helle Scheibe eingezeichnet

Sonnenblumen gehören zu den größten einjährigen Pflanzen. Aus einem nur etwa 1 cm langen Samen wächst in einem halben Jahr eine 2–3 m hohe Blume heran. An der Spitze des 2–7 cm dicken Stengels sitzt ein tellergroßer, überhängender Blütenkopf, der sich der Sonne zuwendet. Leuchtendgelbe, fingerlange Blätter umgeben eine braune Scheibe, in der sich zahlreiche Blütchen befinden. Aus ihnen entwickeln sich nach der Bestäubung die schwarzen, weißen oder gestreiften Früchte, in denen die Samen sitzen. Sonnenblumen werden auf Feldern angebaut; aus ihren Samen wird das hochwertige **Sonnenblumenöl** gewonnen.

Sonnenblumen: Sonnenrose

Sonnenenergie, die durch →Kernfusion im

Inneren der →Sonne freigesetzte Energie, die durch Strahlungstransport an die Sonnenoberfläche gelangt und in den Weltraum abgestrahlt wird (Strahlungsleistung: $3,9 \times 10^{20}$ MW). Die jährlich auf die Erdoberfläche eingestrahlte Sonnenenergie von rund $1,5 \times 10^{18}$ kWh entspricht etwa dem 20000fachen des jährlichen Weltprimärenergieverbrauchs. Diese Energiequelle hat bis heute fast den gesamten Energiebedarf der Menschheit gedeckt (die chemische Energie in den fossilen Brennstoffen ist umgewandelte Sonnenenergie). Da die fossilen Brennstoffvorräte beschränkt sind, ist es eine der Aufgaben der Energieforschung, neue direkte und indirekte Verfahren zur Nutzung der Sonnenenergie zu erschließen (ÜBERSICHT).

Möglichkeiten zur Nutzung der Sonnenenergie

direkt	Solarzelle Sonnenkollektor oder Sonnenofen	Direktumwandlung in elektrische Energie Direktumwandlung in Wärme
indirekt	Wärmepumpe Meereswärmekraftwerk	Gewinnung der durch Aufheizung der Erdoberfläche, Meere und Atmosphäre als thermische Energie gespeicherten Sonnenstrahlung
	fossile Brennstoffe (Erdöl, Erdgas, Kohle) organische Abfälle, Müllkraftwerk, Biokonversion, Biogasanlagen	Gewinnung der in den fossilen Brennstoffen und der Biomasse durch Photosynthese als chemische Energie gespeicherten Sonnenstrahlung
	Wasserkraftwerk Windenergie Wellen Meeresströmungen	Gewinnung der in mechanische (kinetische oder potentielle) Energie umgewandelten Sonnenenergie

Sonnenfinsternis entsteht, wenn sich der Mond auf seiner Erdumlaufbahn zwischen Erde und Sonne schiebt und so die Sonne verdunkelt. Dies ist grundsätzlich nur bei Neumond möglich (aber nicht bei jedem). Wird die ganze Sonnenscheibe vom Mond bedeckt, herrscht **totale Sonnenfinsternis.** Der Beobachtungsort befindet sich dann im Kernschatten des Mondes (BILD), der auf der Erdoberfläche einen Durchmesser von 200–300 km hat und sich mit einer Geschwindigkeit von 35 km in der Minute von Westen nach Osten über die Erde bewegt. Dadurch kann diese Form der Finsternis höchstens 8 Minuten dauern. Bei der **partiellen** (teilweisen) **Sonnenfinsternis** wird nur ein Teil der Sonnenscheibe bedeckt. Der Beobachter befindet sich dann im Halbschatten des Mondes. Da sich die Abstände Erde–Sonne und Erde–Mond ändern, kommt es immer wieder zu unterschiedlichen Stellungen von Erde, Sonne und Mond zueinander. Wenn

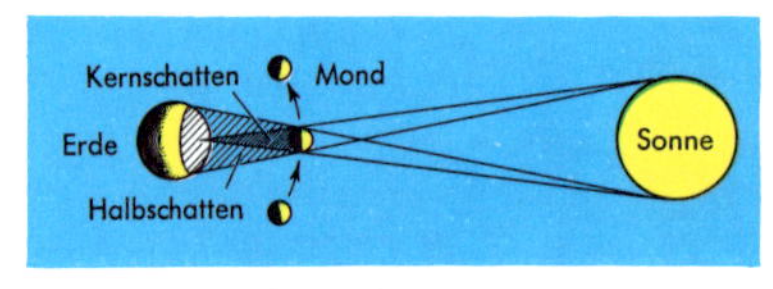

Sonnenfinsternis

die Spitze des Kernschattens gerade die Erdoberfläche nicht mehr erreicht, tritt eine **ringförmige Sonnenfinsternis** ein; es bleibt dann ein ringförmiger Teil der Sonnenscheibe unverdeckt. Die nächste totale Sonnenfinsternis, die von Deutschland aus gesehen werden kann, wird am 11. August 1999 in Süddeutschland zu beobachten sein. Sonnenfinsternisse bieten auch heute noch eine günstige Gelegenheit, die Sonnenatmosphäre zu erforschen, da alle lichtschwächeren Erscheinungen sonst ständig vom grellen Sonnenlicht überstrahlt werden.

Sonnensystem, die →Sonne und sämtliche Himmelskörper, die ständig der Anziehungskraft der Sonne unterliegen. Dazu zählen die 9 →Planeten, die die Sonne auf elliptischen Bahnen umkreisen, die mindestens 44 →Monde, die sich um die Planeten bewegen, die →Planetoiden, →Kometen und →Meteoriten sowie die gas- und staubförmige interplanetare Materie. Alle diese Körper umkreisen gemäß den Kepler-Gesetzen die Sonne, die die Hauptmasse des Systems darstellt (750 mal die Masse aller anderen Himmelskörper unseres Sonnensystems zusammen) und durch ihre Anziehungskraft verhindert, daß sich die Körper zu weit von ihr entfernen. Die durch die Bewegung dieser Himmelskörper auftretenden Zentrifugalkräfte wirken der Massenanziehung (→Gravitation) entgegen und verhindern, daß diese Körper in die Sonne stürzen. Die Sonne ist die einzige Lichtquelle des Systems. Andere Himmelskörper können wir nur deshalb sehen, weil diese das Sonnenlicht reflektieren.

Unser Sonnensystem entstand vor 4,6 Milliarden Jahren, wie Untersuchungen an vom Himmel auf die Erde gefallenen Meteoriten bestätigt haben. Die Kenntnis der radioaktiven Zerfallszeiten der in ihnen enthaltenen chemischen Elemente ermöglicht diese Altersangabe. Die Entstehung der Sonne und ihrer Planeten ist im einzelnen noch nicht geklärt, jedoch ist anzunehmen, daß die Sonne und die anderen Mitglieder des Sonnensystems im wesentlichen gleichzeitig aus einer Wolke interstellaren (zwischen den Sternen befindlichen) Gases entstanden sind.

Sonnentau, eine →tierfangende Pflanze.

Sonnenuhr, Zeitmesser, der aus der Lage des

Schattens eines von der Sonne beschienenen Stabes die Ortszeit auf einer markierten Fläche erkennen läßt.

Der schattenerzeugende Stab als Zeiger an einer Wand oder in Gestellen wird so angebracht, daß seine Richtung parallel zur Erdachse verläuft. Der Neigungswinkel des Stabes zur Erdoberfläche ist gleich der geographischen Breite des Aufstellungsortes (z.B. Wiesbaden: 50° 06′ Nord). Die Skala der Stundeneinteilung eines Tages in 24 gleichlange Abschnitte erfolgte im 14. Jahrh., als die ersten Räderuhren gebaut wurden.

In der Zeit davor waren die Stunden ungleich lang, da man den hellen Tag und die dunkle Nacht in je 12 Teile unterteilte, denn diese sind von der geographischen Breite und der Jahreszeit abhängig. Die gleichmäßige, immer wiederkehrende Bewegung der Erde um die Sonne ist Ursache für diese schon zu früher Zeit genutzte Anwendungsmöglichkeit.

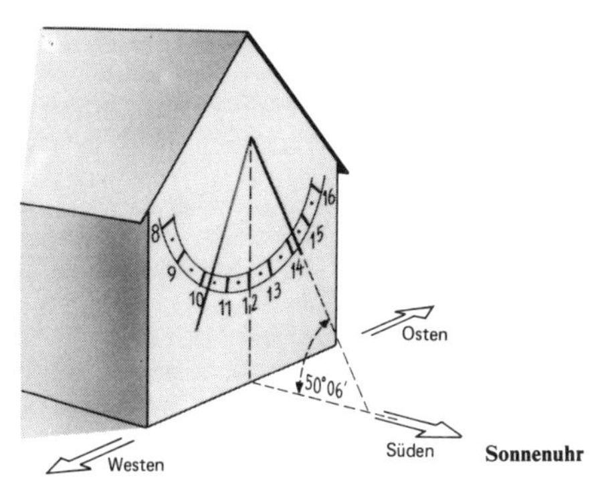

Sonnenuhr

Sonnenwende, Zeitpunkt, an dem die Sonne auf ihrer scheinbaren jährlichen Bahn den höchsten oder tiefsten Stand hat. Auf der Nordhalbkugel fällt der höchste Sonnenstand auf den 21./22. Juni **(Sommersonnenwende).** An diesem Tag, an dem die Sonne am längsten scheint, beginnt der Sommer. Die Sonne steht zu diesem Zeitpunkt senkrecht über dem nördlichen →Wendekreis. Ein halbes Jahr später, am 21./22. Dezember, hat die Sonne ihren tiefsten Stand **(Wintersonnenwende).** An diesem Tag mit der geringsten Sonnenscheindauer beginnt auf der Nordhalbkugel der Winter. Die Sonne steht dann senkrecht über dem südlichen Wendekreis.

Sophisten [griechisch ›Weisheitslehrer‹], Gelehrte im Griechenland des Perikles (5. Jahrh. v. Chr.), die als Wanderlehrer gegen Bezahlung Bildung vermittelten und besonders durch ihre Rednergabe wirkten. In ihrem Denken stand nicht mehr die göttliche Ordnung im Mittelpunkt, sondern die menschliche Welt. So lehrten sie, daß der Mensch selbst durch sein Denken bestimme, was Recht und Unrecht sei.

Sophokles

Sophokles, griechischer Dichter (* um 497, 496, † 407/06 v. Chr.), der zur Zeit des Perikles in Athen lebte. Von seinen über 100 Dramen sind 7 erhalten, darunter →Antigone, König →Ödipus und →Elektra. Sophokles rückte die einzelne Persönlichkeit in den Vordergrund und zeigte an ihrem Schicksal die furchtbare Macht der Götter, die wichtiger erscheint als die Frage nach der göttlichen Gerechtigkeit. Seine Personen erleben ihre Erfüllung in der Annahme ihres Geschicks.

Sopran [von italienisch soprano ›der obere‹], →Stimmlagen.

SOS, Abkürzung für englisch Save our souls [›Rettet unsere Seelen‹], international festgelegtes Notsignal, das durch die Morsezeichen ...– – –... optisch, akustisch oder per Funk ausgesendet werden kann.

SOS-Kinderdörfer, →Kinderdörfer.

Sousaphon [susafon], Blechblasinstrument in Form einer Baßtuba mit einem Rohr, das kreisförmig gebogen ist, so daß der Spieler es um den Oberkörper tragen kann. Es wird oft in Blaskapellen verwendet. Sein Bau wurde von dem amerikanischen Komponisten John Philip Sousa (* 1854, † 1932) angeregt.

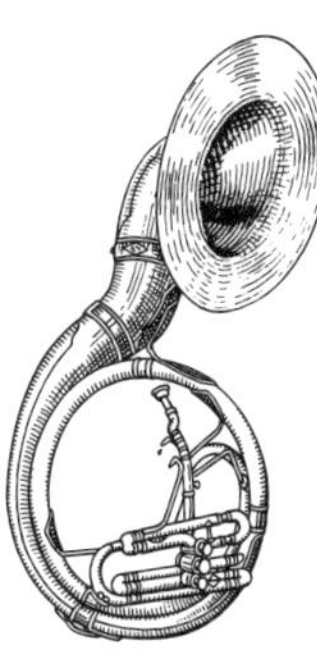
Sousaphon

Sowchose →Kolchose.

Sowjet [russisch ›Rat‹]. Bei den Revolutionen von 1905 und 1917 in Rußland wählten revolutionäre Gruppen aus ihren Reihen ›Sowjets‹ als Organe ihres Aufstands. Zwischen Februar- und Oktoberrevolution 1917 gab Lenin die Parole aus: ›Alle Macht den Sowjets!‹. Aus dem ›Sowjet‹ als Kampforgan einer Revolution entwikkelte sich das Rätesystem (→Räterepublik) als Modell einer Verfassung. In Verbindung mit der Alleinherrschaft der ›Kommunistischen Partei‹ wurde das Rätesystem die Grundlage der Verfassung der →Sowjetunion.

Sowjetunion, Union der Sozialistischen Sowjetrepubliken, Abkürzung UdSSR, ehemaliger Bundesstaat in Osteuropa und Nordasien. Er gliederte sich verwaltungsmäßig in 15 Sozialistische Sowjetrepubliken (Abkürzung SSR), die teilweise wiederum in Autonome Sozialistische Sowjetrepubliken (Abkürzung ASSR) und kleinere Verwaltungseinheiten aufgeteilt waren.

Die Geschichte der Sowjetunion ist zugleich die Geschichte der Kommunistischen Partei des

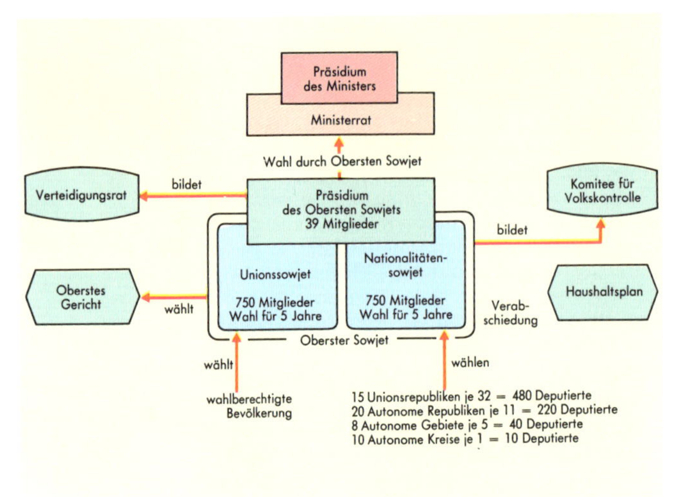

Sowjetunion: Das von der KPdSU getragene, auf der Verfassung von 1977 beruhende politische System

Landes (KPdSU), der Trägerin der herrschenden Ideologie, des Marxismus-Leninismus (→ Marxismus). Der Staat war nach dem Muster des Rätesystems (→ Räterepublik) aufgebaut, in dem die KPdSU die alleinbestimmende Kraft war.

Nach der Abdankung des Kaisers Nikolaus II. im März 1917 verkündete Lenin: ›Alle Macht den Sowjets‹ (→ Sowjet), ›Alles Land den Bauern‹, ›Frieden um jeden Preis‹. Am 7. November 1917 stürmten die Anhänger Lenins, die Bolschewiki (russisch ›Mehrheitler‹), den Regierungssitz und übernahmen die Macht. Weil nach dem damals in Rußland gültigen Julianischen Kalender dieses Ereignis am 25. Oktober 1917 stattfand, heißt es bis heute ›Oktoberrevolution‹.

Sowjetunion: Das von Gorbatschow seit 1989 eingeführte politische System; gültig bis zum Putsch vom 19. 8. 1991

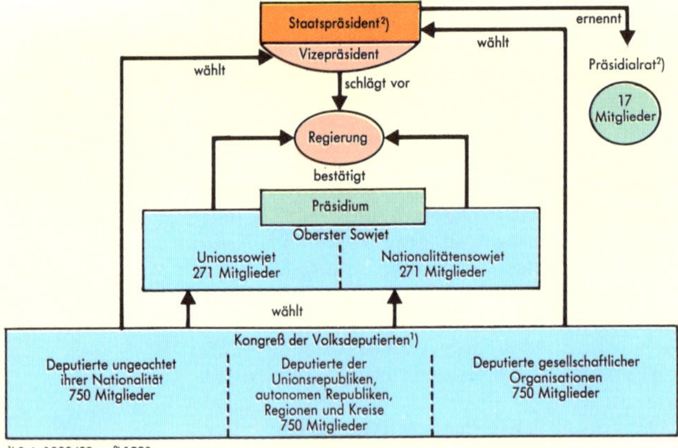

¹) Seit 1988/89. – ²) 1990.

Nach dem Tod Lenins (1924) setzte sich Stalin als Nachfolger durch. Er förderte die Schwer- und Rüstungsindustrie und setzte die Kollektivierung von rund 27 Millionen Bauernhöfen durch, das heißt ihre Überführung in den gemeinschaftlichen Besitz der Gesellschaft. Dies gelang unter großen Entbehrungen und Hungersnöten. Seine Gegner ließ Stalin durch Geheimpolizei verfolgen und in den ›Säuberungen‹ der Jahre 1935–39 vernichten.

Außenpolitisch erreichte Stalin im Hitler-Stalin-Pakt (1939) eine starke Erweiterung der Sowjetunion besonders nach Westen. Am Ende des Zweiten Weltkriegs war die Sowjetunion eine der Weltmächte. Ihren Einflußbereich hatte sie bis zur Elbe nach Westen ausgedehnt und war eine der Besatzungsmächte in Deutschland. Den sowjetischen Machtbereich schirmte Stalin hermetisch vom Westen ab (›Eiserner Vorhang‹). 1955 wurde der Warschauer Pakt gegründet, der unter sowjetischer Führung das Gegenstück zur NATO bildet. Eine diplomatische Niederlage gegen die USA erlitt Chruschtschow in der Kubakrise 1962. Nach Chruschtschow wurde Leonid Breschnew Parteichef. Er bemühte sich um eine Entspannungspolitik gegenüber dem Westen, betonte jedoch gleichzeitig die Vorherrschaft der Sowjetunion im Ostblock. 1970 kam es zum Abschluß eines Gewaltverzichtsvertrages mit der Bundesrepublik Deutschland. 1984 nahm mit Michail Gorbatschow (* 1931) ein jüngerer Politiker die Geschicke des Landes in die Hand. Er leitete innen- und außenpolitische Reformen ein: der politische Willensbildungsprozeß in Partei und Staat sollte durchsichtig gemacht werden (Glasnost) und der Bevölkerung bei der Umgestaltung die Mitwirkung ermöglicht werden (Perestroika). Er setzte den Verzicht auf den Führungsanspruch der KPdSU durch. Die Nationalitätenkonflikte in Aserbaidschan, Armenien und Georgien brachen sich Bahn, Unabhängigkeitsbestrebungen in den baltischen Staaten führten im September 1991 zu deren Abspaltung, in Gefolge zur Auflösung der Sowjetunion Ende 1991. Die Unionsrepubliken wurden selbständige Staaten (siehe die einzelnen Länderartikel) und gründeten, ausgenommen die baltischen Staaten und Georgien, als Gemeinschaft Unabhängiger Staaten (GUS) einen losen Staatenbund. Rußland wird als Rechtsnachfolger der Sowjetunion international anerkannt. (→ russische Geschichte)

Die ehemaligen Unionsrepubliken der Sowjetunion			
Sozialistische Sowjetrepublik (SSR)	Hauptstadt	Fläche in 1000 km²	Einwohner in 1000
Russische SFSR*)	Moskau	17075	141000
Ukrainische SSR	Kiew	604	50500
Weißrussische SSR	Minsk	208	9800
Usbekische SSR	Taschkent	447	17000
Kasachische SSR	Alma-Ata	2717	15470
Georgische SSR	Tiflis	70	5140
Aserbaidschanische SSR	Baku	87	6400
Litauische SSR	Wilna	65	3500
Moldauische SSR	Kischinjow	34	4050
Lettische SSR	Riga	64	2570
Kirgisische SSR	Frunse	199	3800
Tadschikische SSR	Duschanbe	143	4240
Armenische SSR	Eriwan	30	3200
Turkmenische SSR	Aschchabad	488	3090
Estnische SSR	Reval	45	1500

*) Sozialistische Föderierte Sowjetrepublik

sozialdemokratisch, politische Richtung mit dem Ziel, die Grundsätze des Sozialismus (→sozialistisch) mit denen der Demokratie zu verbinden. In vielen, oft sehr starken Parteien findet die Sozialdemokratie vor allem in Europa heute ihren Ausdruck; international sind die sozialdemokratisch orientierten Parteien in der ›Sozialistischen Internationale‹ zusammengeschlossen.

Historisch gesehen, war die Sozialdemokratie zunächst stark vom →Marxismus geprägt. Die gegen Ende des 19. Jahrh. einsetzende Diskussion in der deutschen Sozialdemokratie über die Deutung der Lehren von Karl Marx und ihre Anwendung in der praktischen Politik beeinflußte auch die anderen sozialdemokratisch gesinnten Parteien. Es fanden allmählich jene Kräfte innerparteilich eine Mehrheit, die die Reform der Gesellschaft an die Stelle des gewaltsamen Umsturzes der bestehenden Gesellschaftsordnung (Revolution) setzen wollten. Im Bündnis mit anderen demokratischen Kräften bemühten sich die sozialdemokratischen Parteien um eine aktive Verfassungs- und Gesellschaftspolitik. Heute bekennt sich die Sozialdemokratie zur parlamentarischen Demokratie.

Sozialdemokratische Parteien. In Deutschland schlossen sich 1875 der ›Allgemeine Deutsche Arbeiterverein‹ (ADAV; gegründet 1863 unter Führung von Ferdinand Lassalle) und die ›Sozialdemokratische Arbeiterpartei‹ (SDAP; gegründet 1869 von Wilhelm Liebknecht und August Bebel) zur ›Sozialistischen Arbeiterpartei‹ (SAP) zusammen, in der sich der Marxismus als politische Leitlinie durchsetzte. Mit Hilfe des →Sozialistengesetzes (1878–90 in Kraft) suchte die deutsche Reichsregierung unter Otto von Bismarck die Partei als revolutionäre Kraft auszuschalten. 1890 organisierte sich die deutsche Sozialdemokratie in der noch heute bestehenden ›Sozialdemokratischen Partei Deutschlands‹ (SPD). Mit dem von Karl Kautsky entworfenen Erfurter Programm bekannte sie sich auch zum Marxismus. Auf Initiative von Eduard Bernstein setzte in der Partei jedoch eine Diskussion über die Revision, das heißt, über die Ablösung revolutionärer Ziele (im Sinne des Marxismus) durch sozialreformerische Programme ein. Bis zum Ersten Weltkrieg setzten sich dabei die reformorientierten (revisionistischen) gegen die revolutionär gesinnten Kräfte durch. Zu Beginn des Ersten Weltkriegs (1914) stimmte die Mehrheit der Reichstagsfraktion der SPD für die Gewährung von Kriegskrediten an die Reichsregierung.

Nach dem Ende des Kriegs (1918) übernahm die SPD die Führung in Deutschland und zählte in der Weimarer Republik – auch in der Opposition – zu den staatstragenden Parteien. Mit Friedrich Ebert stellte sie 1919–25 den Reichspräsidenten. Nach dem Regierungsantritt Adolf Hitlers (1933) stimmte ihre Reichstagsfraktion unter Otto Wels als einzige gegen das Ermächtigungsgesetz. Mit anderen Parteien wurde die SPD verboten; ihre Mitglieder waren Verfolgungen ausgesetzt.

Nach dem Zusammenbruch der nationalsozialistischen Diktatur 1945 entstand die SPD neu. In der späteren Deutschen Demokratischen Republik vereinigte sie sich unter starkem Druck der sowjetischen Besatzungsmacht mit der ›Kommunistischen Partei Deutschlands‹ (KPD) zur ›Sozialistischen Einheitspartei Deutschlands‹ (SED), die seit 1990 als Partei des Demokratischen Sozialismus (PDS) in Deutschland weiterbesteht. In der Bundesrepublik Deutschland hingegen entwickelte sie sich zu einer starken politischen Kraft und stellte 1969–82 den Bundeskanzler.

In Frankreich schlossen sich 1905 zwei sozialistische Parteien unter dem Namen ›Section Française de l'Internationale Ouvrière‹ (SFIO, deutsch: Französische Sektion der Arbeiter-Internationale) zusammen. Im Rahmen einer Volksfrontregierung wurden die Sozialisten 1936 stärkste Partei und stellten mit Léon Blum den Ministerpräsidenten. Nach dem militärischen Zusammenbruch Frankreichs (1940) im Zweiten Weltkrieg schlossen sich viele Mitglieder der SFIO der Widerstandsbewegung an. In der IV. Republik (1946–58) war sie eine der tragenden politischen Kräfte. In der V. Republik (seit 1958) standen die Sozialisten zunächst in der Opposition: Sie organisierten sich 1969 im ›Parti Socialiste‹ (PS; deutsch: Sozialistische Partei) neu; 1972 schlossen sie mit den Kommunisten und anderen ein Volksfrontbündnis. Seit 1981 stellen sie mit François Mitterrand den Staatspräsidenten.

In Österreich entstand 1889 unter Führung von Viktor Adler die ›Sozialdemokratische Arbeiterpartei Österreichs‹ (SDAP); in ihrem Programm entwickelte sie eine eigene Linie des Marxismus. Im Hinblick auf die zahlreichen Völker Österreich-Ungarns trat sie für eine Umwandlung dieses Staats in einen Bundesstaat ein, in dem die einzelnen Völkerschaften Eigenständigkeit besitzen sollten. Nach dem Zusammenbruch Österreich-Ungarns (1918) spielte die Sozialdemokratie in der Republik Österreich zunächst eine führende Rolle, ging dann aber (1920) in die Opposition. Im Februar 1934 erhob sich die Partei gegen die autoritäre Regierung von Engelbert Dollfuß und wurde nach Niederschlagung des Aufstands verboten. Als Österreich 1945 seine (1938 verlorene) Selbständigkeit wiedergewann, organisierte sich auch die österreichische Sozialdemokratie neu, und zwar in der ›Sozialistischen Partei Österreichs‹ (SPÖ). 1945–66 war sie an der Regierung beteiligt; seit 1970 ist sie führende Regierungspartei.

In Schweden gelangte die ›Sozialdemokratische Arbeiterpartei‹ (gegründet 1889) mit Ministerpräsident Hjalmar Branting 1920 zum ersten Mal an die Macht. 1932–76 stellte sie ununterbrochen den Regierungschef und führte in ihrem Land tiefgreifende Reformen durch. 1982–91 übernahmen erneut die Sozialdemokraten die Führung der schwedischen Regierung.

In der Schweiz entsandte die ›Sozialdemokratische Partei der Schweiz‹ (SPS; gegründet 1870) 1942–54 einen Vertreter in den Bundesrat; seit 1960 ist sie in ihm mit 2 Vertretern im Rahmen einer Viererkoalition vertreten.

Soziale Marktwirtschaft, →Marktwirtschaft.

Sozialhilfe, die organisierte Hilfe des Staates oder staatlicher Einrichtungen zur Beseitigung bestehender oder drohender Notlagen des einzelnen. Die Sozialhilfe füllt diejenigen Lücken aus, die die Systeme der →Sozialversicherung bestehen lassen, weil sie bestimmte Personenkreise nicht erfassen oder weil ihre Leistungen nicht ausreichend gewährt werden.

Die Sozialhilfe wird dem einzelnen als Hilfe zur Selbsthilfe gewährt, wenn er sich nicht selbst helfen kann oder die erforderliche Hilfe nicht von Angehörigen oder den Trägern der Sozialversicherung erhält.

Die Sozialhilfe umfaßt **Hilfe zum Lebensunterhalt** (z. B. bei langandauernder Arbeitslosigkeit) und **Hilfe in besonderen Lebenslagen** (z. B. Eingliederungshilfe für Behinderte, Altenhilfe). Die Hilfen können als einmalige oder laufende persönliche Geldleistungen (z. B. Heizkostenzuschuß) oder Sachleistungen (z. B. Möbel) gewährt werden.

Diese öffentliche Sozialhilfe wird durch die **freie Wohlfahrtspflege** ergänzt, die von den Kirchen (z. B. Diakonisches Werk, Deutscher Caritasverband) oder anderen Organisationen (z. B. Arbeiterwohlfahrt, Deutsches Rotes Kreuz) getragen wird.

Sozialistengesetz, von Reichskanzler Otto von Bismarck im Reichstag 1878 durchgesetztes Gesetz, das alle sozialdemokratischen, sozialistischen und kommunistischen Vereinigungen, Versammlungen und Druckschriften verbot. Bismarck nahm 2 Attentate auf Kaiser Wilhelm I. zum Anlaß, um mit dem Sozialistengesetz die Sozialdemokratie als revolutionäre politische Kraft zu unterdrücken. Das auf 2½ Jahre befristete Gesetz wurde bis 1890 mehrfach verlängert.

sozialistisch [zu lateinisch socius ›gemeinsam‹, verbunden], eine politische Haltung, die besonders der auf dem Privateigentum an den Produktionsmitteln beruhenden Wirtschaftsweise des →Kapitalismus ablehnend gegenübersteht. Der **Sozialismus** als politische Weltanschauung will durch eine Umgestaltung dieser Eigentumsverhältnisse die Industriegesellschaft im Sinn von mehr Gleichheit und Solidarität verändern und damit zugleich eine gerechtere Güterverteilung unter den Mitgliedern der Gesellschaft erreichen. Ideell sucht er die gewinnorientierte durch eine bedarfsdeckende Wirtschaftsweise zu ersetzen. Bei der Verfolgung dieses Ziels bildeten sich unter den Anhängern des Sozialismus, den **Sozialisten,** 2 Wegrichtungen heraus: Die einen beschritten den Weg der Reform **(Reformsozialismus),** die anderen den des gewaltsamen Umsturzes **(revolutionärer Sozialismus).** Zwischen beiden Grundrichtungen gibt es Übergänge.

Im Hinblick auf die inhaltlichen Ziele fordern die radikaleren Sozialisten die Abschaffung des Privateigentums an den Produktionsmitteln und seine Überführung in das Gemeineigentum aller Mitglieder der Gesellschaft. Sie setzen an die Stelle privatwirtschaftlicher Produktionsstätten z. B. Genossenschaften. Sie treten ein für die ausschließliche oder vorwiegende Planung und Lenkung der Gütererzeugung und Güterverteilung durch den Staat (→ Planwirtschaft). Die gemäßigteren Vertreter des Sozialismus lassen im Prinzip das Privateigentum an den Produktionsmitteln bestehen, streben aber durch Gewinnbeteiligung, Mitbestimmung und Miteigentum der Arbeitnehmer gesellschaftliche Reformen an. Darüber hinaus möchten sie z. B. mit planerischen Eingriffen des Staates die marktwirtschaftliche Ordnung steuern.

Geschichtliches. Beeinflußt von den Ideen der Aufklärung, besonders von ihren Gedanken zu einer allgemeinen Weltverbesserung, traten in Frankreich nach der Revolution von 1789 die ersten Sozialisten (François Babeuf, Étienne Cabet) auf **(Frühsozialisten)**; ihr Denken trug oft utopische Züge **(utopische Sozialisten)**. Aus sittlichen (ethischen) Überlegungen heraus forderten unter anderem Henri de Saint-Simon, Louis Blanc und Pierre-Joseph Proudhon **(ethische Sozialisten)** die Verbesserung der sozialen Lage der notleidenden Bevölkerungsschichten, besonders der kleinen Handwerker und Proletarier. Bei Robert Owen, einem Engländer, trat der Gedanke in den Vordergrund, daß die Gesellschaft der Zukunft durch genossenschaftliche Organisationsformen der Arbeiter bestimmt werden müsse **(Genossenschaftssozialismus)**. Vorstellungen, die über den Einsatz staatlicher Macht gesellschaftliche Mißstände beseitigen möchten, werden oft als **Staatssozialismus** bezeichnet (z. B. bei dem Deutschen Ferdinand Lassalle). Die Deutschen Karl Marx und Friedrich Engels suchten eine neue Gesellschaftsordnung auf wissenschaftlichem Wege zu finden **(wissenschaftlicher Sozialismus)**. Die von ihnen entwickelte Lehre, der → Marxismus, erlangte weltgeschichtliche Bedeutung, besonders in der von Lenin entwickelten Gestalt des Marxismus-Leninismus. Die Abkehr reformorientierter Gruppen vom revolutionären Sozialismus fand seit 1890 zunehmend in der Sozialdemokratie ein Sprachrohr (→ sozialdemokratisch). Im Auseinanderklaffen von Ideologie und Praxis geriet der Sozialismus marxistisch-leninistischer Prägung besonders in Europa in eine Krise, in deren Folge die kommunistischen Herrschaftssysteme und die Sowjetunion selbst zusammenbrachen. Viele Staaten der Dritten Welt bemühten sich darum, die in den Industriestaaten Europas formulierten Grundziele des Sozialismus mit gesellschaftlichen Zielen zu verbinden, die in der eigenen, historisch gewachsenen Gesellschaft wurzeln (z. B. **Afrikanischer Sozialismus, Arabischer Sozialismus**).

Sozialplan. Ist die Schließung oder die Ortsveränderung eines Betriebes geplant oder stehen größere Personalentlassungen aus anderen Gründen an, so muß der Arbeitgeber in Zusammenarbeit mit den Arbeitnehmervertretern (Betriebsrat) einen Sozialplan für die betroffenen Mitarbeiter aufstellen. Nach diesem Plan soll den (vorübergehend) arbeitslos gewordenen Arbeitnehmern eine Abfindung für erworbene Rechte, z. B. die Betriebsrente, geleistet werden. Entweder bekommen sie Geld ausgezahlt, oder es werden den Betroffenen nichtgeldliche Leistungen, z. B. in Form von Umschulungen in einen anderen Beruf, Weiterbenutzung von betriebseigenen Wohnungen mit Mietfreiheit als Überbrückung bis zum Antritt einer neuen Arbeitsstelle, angeboten.

Sozialprodukt, Maß für die wirtschaftliche Leistung eines Wirtschaftsgebietes (z. B. Bundesland oder Staat) in einem bestimmten Zeitraum (meist ein Jahr). Ausgangspunkt der Sozialproduktrechnung ist das **Bruttosozialprodukt** (Abkürzung **BSP**), das den Geldwert aller in einem Zeitraum erstellten Güter und Dienstleistungen umfaßt. Werden hiervon die Kosten für die Abnutzung der Produktionsanlagen (Abschreibungen) abgezogen, erhält man das **Nettosozialprodukt** (Abkürzung **NSP**).

Das Sozialprodukt wird entweder mit den aktuellen Preisen bewertet **(nominales Sozialprodukt)**, oder man nimmt die Preise eines bestimmten Jahres als Grundlage und bewertet damit die Menge an Gütern und Diensten in allen folgenden Jahren. Dieses **reale Sozialprodukt** läßt genauer erkennen, wie stark sich die Gesamtleistung einer Volkswirtschaft verändert.

Das Sozialprodukt kann aus 3 Blickwinkeln betrachtet werden. Von der **Entstehungsseite** her werden die Güter und Dienste einzelnen Wirtschaftsbereichen zugeordnet (Landwirtschaft, Industrie und Handwerk, Handel und Verkehr, Dienstleistungsgewerbe, Staat). Nach der **Verteilung** der Einkommen, die für die Erstellung des Sozialprodukts gezahlt werden, ergeben sich die beiden Gruppen Löhne und Gehälter (Einkommen aus abhängiger Beschäftigung) sowie Gewinne und Vermögenserträge (Einkommen aus Unternehmertätigkeit und Vermögen). Eine dritte Berechnungsmöglichkeit des Sozialprodukts ergibt sich aus der Betrachtung der **Verwendung** des gesamtwirtschaftlichen Güterbergs, der entweder von Staat und Privatleuten verbraucht werden kann oder erneut in Produktionsanlagen und Vorräte der Unternehmen oder in den Handel mit dem Ausland eingehen kann.

Das Sozialprodukt und das Sozialprodukt pro Kopf der Bevölkerung dienen als Grundlagen für Aussagen über wirtschaftlichen Wohlstand und

Wachstum eines Landes, besonders auch für den Vergleich mit dem Ausland. Die statistische Erfassung des Sozialprodukts ist zum Teil schwierig, da manche Leistungen (z. B. unbezahlte Arbeiten im Haushalt) unberücksichtigt bleiben oder unzureichend einbezogen werden (z. B. erhöhen die staatlichen Ausgaben zur Beseitigung von Umweltschäden das Sozialprodukt).

Sozialversicherung. Alle Arbeitnehmer sowie bestimmte Selbständige sind in der Bundesrepublik Deutschland verpflichtet, der Sozialversicherung anzugehören. Diese besteht aus der gesetzlichen Rentenversicherung (→Rente), die nach dem Ausscheiden aus dem Arbeitsleben aus Altersgründen gezahlt wird, der →Krankenversicherung, der Unfallversicherung im Fall von Arbeitsunfähigkeit durch einen Unfall sowie der Arbeitslosenversicherung bei Verlust des Arbeitsplatzes durch Kündigung (vor allem Arbeitslosengeld und Arbeitslosenhilfe, →Arbeitslose). Die Leistungen der Sozialversicherung erstrekken sich auf fast die gesamte Bevölkerung Deutschlands, da auch die nicht verdienenden Familienmitglieder der Versicherten mitversichert sind. Die Leistungen werden zum größten Teil aus den Beiträgen der Versicherten und deren Arbeitgebern gedeckt; bei der Rentenversicherung treten hohe Zuschüsse des Staates aus Steuereinnahmen hinzu. Die Sozialversicherung wird durch die →Sozialhilfe ergänzt. – Die Sozialversicherung wurde in Deutschland ab 1883 durch Otto von Bismarck eingeführt.

Soziologie [lateinisch-griechisch ›Gesellschaftslehre‹], Wissenschaft, die sich mit den unterschiedlichen Formen des menschlichen Zusammenlebens beschäftigt. Anfangs war die Soziologie rein naturwissenschaftlich ausgerichtet. Sie sah in der Gesellschaft eine komplizierte Maschine, deren Bewegung und Aufbau man studieren wollte. Heute gibt es eine Vielzahl unterschiedlicher Forschungsrichtungen. Die Soziologen beschäftigen sich beispielsweise mit Fragen des Bevölkerungswachstums, untersuchen das Verhalten von Arbeitern, Angestellten und Unternehmern oder erforschen, inwieweit Kultur, Politik und Wirtschaft das Handeln der Menschen beeinflussen.

Spacelab [spehßläb], abgekürzt aus englisch **space laboratory** [›Raumlaboratorium‹], das in Europa entwickelte und gebaute Weltraumlaboratorium, das mit dem amerikanischen Space Shuttle (→Raumtransporter) in eine Erdumlaufbahn gebracht wird. Spacelab hat eine Länge von etwa 18 m und einen Durchmesser von etwa 4 m. Es dient den Wissenschaftsastronauten für Forschungs- und technische Entwicklungsarbeiten. Spacelab befand sich erstmals 1983 im All (→Raumfahrt, ÜBERSICHT).

Space Shuttle [spehß schatl, englisch ›Weltraum-Pendelverkehr‹], der amerikanische →Raumtransporter, der 1981 erstmals gestartet ist (→Raumfahrt, ÜBERSICHT).

Spanferkel, junge →Schweine, die noch gesäugt werden.

Spaniel, eine Rasse der →Hunde.

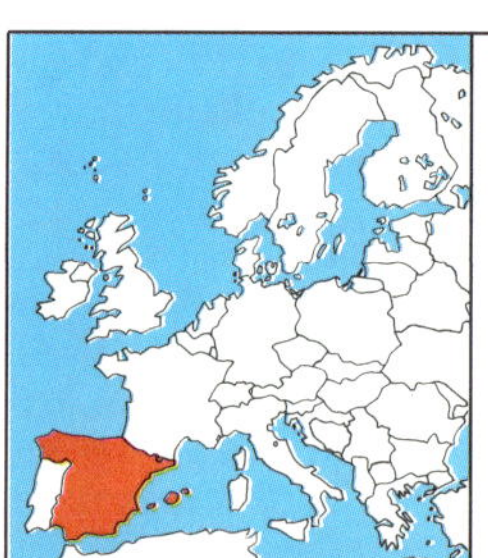

Spanien

Fläche: 504 750 km²
Bevölkerung: 39,6 Mill. E
Hauptstadt: Madrid
Amtssprache: Spanisch
Nationalfeiertag: 12. Okt.
Währung: 1 Peseta (Pta) = 100 Céntimos (cts)
Zeitzone: MEZ

Spanien, Republik in Südwesteuropa, die 4/5 der Iberischen Halbinsel einnimmt. Zum Staat gehören die Inselgruppen **Balearen** und **Kanarische Inseln.** Spanien ist etwa doppelt so groß wie Großbritannien und Nordirland. Das Innere des Landes besteht aus dem **Hochland von Kastilien,** das von Gebirgen durchzogen wird: dem Kantabrischen Gebirge im Norden, dem Kastilischen Scheidegebirge im Landesinnern, dem Andalusischen Gebirge mit der Sierra Nevada im Süden. Im Nordosten trennt der Gebirgszug der **Pyrenäen** Spanien von Frankreich.

Hauptflüsse sind Duero, Tajo, Guadiana und Guadalquivir zum Atlantischen Ozean, Ebro und Júcar zum Mittelmeer. Das Klima ist vorwiegend trocken, weist jedoch starke Gegensätze auf: An der Nordwestküste liegt eines der regenreichsten Gebiete Europas, die Südostküste gehört zu den trockensten Bereichen Europas. Auf dem Hochland ist das Klima kontinental mit großen jahreszeitlichen Temperaturunterschieden.

Drei Viertel der Einwohner, die größtenteils der Katholischen Kirche angehören, sind **Spanier,** zweitgrößte Gruppe sind die **Katalanen.** Die **Basken** im Norden erheben Selbstverwaltungsanspruch. Die größten Städte sind Madrid, Barcelona, Valencia, Sevilla, Saragossa und Málaga. Die Hochflächen (Meseta) sind das Hauptgebiet des Getreide- und Weinbaus, im Süden auch der Olivenkulturen. Im Nordwesten werden auch

Spanien

Staatswappen

Staatsflagge

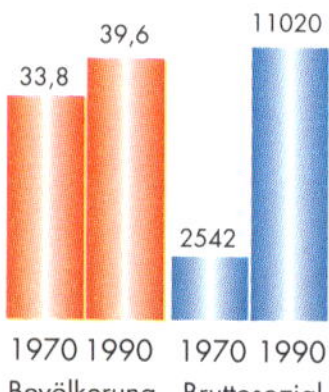

Bevölkerung (in Mill.)

Bruttosozialprodukt je E (in US-$)

Stadt
Land
22%
78%

Bevölkerungsverteilung 1990

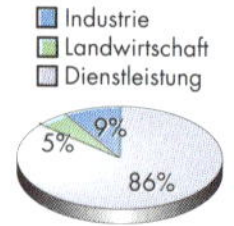

Bruttoinlandsprodukt 1989

Wörter, die man unter S vermißt, suche man unter Sch oder Z

Kartoffeln und Mais angebaut, im Osten und Südosten mit künstlicher Bewässerung Obst, Gemüse, Reis, Tabak und Baumwolle. Auf dem Hochland ist Schafzucht bedeutend, an den Küsten Fischerei (Sardinen, Thunfisch).

Der Bergbau fördert Steinkohle, Eisenerz, Kalisalz, Zink, Blei, Schwefel und Quecksilber. Die Rohstoffe dienen auch als Grundlage für die breitgefächerte verarbeitende Industrie. Maschinen und Fahrzeuge machen ⅓ des Exports aus. Der Fremdenverkehr ist einer der wichtigsten Wirtschaftszweige. Haupthäfen sind Barcelona, Valencia, Bilbao, Málaga, Cádiz.

Geschichte. Im Altertum römische Provinzen, dann Teil des Reichs der →Westgoten, standen weite Teile der Iberischen Halbinsel seit dem 8. Jahrh. unter arabischer Herrschaft. Nur im Norden bildeten sich christliche Staaten: zunächst Asturien und Navarra, dann León, Galicien, Kastilien und Aragón, die sich zeitweise zu größeren Reichen zusammenschlossen. Seit dem 11. Jahrh. kam es zu Erfolgen in der →Reconquista (Zurückdrängung der arabischen Herrschaft auf der Iberischen Halbinsel), die 1492 mit der Eroberung Granadas abgeschlossen war. Zugleich bildeten sich als mächtigste spanische Teilreiche **Kastilien** und **Aragón** heraus, die durch die Heirat des Königs Ferdinand von Aragón mit Königin Isabella von Kastilien (1469) vereinigt wurden. Dadurch erhielt Spanien weitgehend seine heutige Gestalt. Im Dienst der ›Katholischen Könige‹, so der 1496 vom Papst dem Herrscherpaar verliehene Titel, entdeckte Kolumbus Amerika. Nach ihm schufen die Konquistadoren das spanische Kolonialreich in Amerika.

Im 16. Jahrh. erlebte Spanien den Höhepunkt seiner Macht unter den Habsburgern Karl I., der als Karl V. auch deutscher Kaiser war, und Philipp II., der Portugal mit Spanien vereinigte. In dessen Regierungszeit fiel jedoch auch der Untergang der spanischen Seestreitmacht, der ›Armada‹ (1588), der das Ende der Weltmachtrolle Spaniens markierte. Spanien verlor vor allem die →Niederlande. 1700 starb die spanische Linie der Habsburger aus. Es kam zum →Spanischen Erbfolgekrieg. Seitdem hat ein Zweig der →Bourbonen den Thron inne, mit Ausnahme der Zeit von 1808 bis 1813, als Napoleon I. seinem Bruder Joseph den spanischen Thron gab.

Zwischen 1810 und 1824 fielen fast alle Kolonien in Lateinamerika vom Mutterland ab. Seine letzten Kolonien Kuba, Puerto Rico und die Philippinen, verlor es 1898 an die USA. Im Innern war das 19. Jahrh. durch Bürgerkriege gekennzeichnet. 1873/74 und seit 1931 war Spanien Republik. Gegen die gewählte sozialistische Regierung erhoben sich die konservativen Kräfte, die, geführt von General →Franco und mit Hilfe des faschistischen Italien sowie des nationalsozialistischen Deutschland, im Spanischen Bürgerkrieg (1936–39) den Sieg davontrugen. Franco errichtete eine Diktatur und bestimmte 1947, daß Spanien nach seinem Tod wieder Monarchie würde. Seit 1975 führten König Juan Carlos und der von ihm ernannte Ministerpräsident das Land zur Demokratie (1978 Verabschiedung einer Verfassung). Radikale Kräfte, vor allem die baskische Untergrundbewegung ETA, versuchen, mit Terror eine Krise herbeizuführen. Über →Gibraltar, das von Spanien beansprucht wird, kam es zu keiner Verständigung mit Großbritannien, doch wurden 1985 anläßlich des Beginns von Verhandlungen die seit 1969 geschlossenen Grenzen zu dieser britischen Kronkolonie wieder geöffnet. 1982 trat Spanien der NATO bei, 1981 den Europäischen Gemeinschaften. (KARTE Band 2, Seite 202)

Spanischer Erbfolgekrieg, 1701–14, europäischer Krieg um die Erbfolge in Spanien. Anlaß war die Erhebung des Enkels Ludwigs XIV. von Frankreich zum König von Spanien als Philipp V. Dagegen verlangte der deutsche Kaiser Leopold I. Spanien für seinen Sohn, den späteren Kaiser Karl VI. Außer dem Reich unterstützten den Kaiser Großbritannien, Preußen, Portugal und Savoyen, deren Heere unter dem Herzog von Marlborough und dem Prinzen Eugen in mehreren Schlachten siegten. Dieses Bündnis zerfiel 1711, als Karl VI. Kaiser wurde und Großbritannien ein neues spanisch-deutsches Weltreich befürchtete, wie es zur Zeit Kaiser Karls V. (1519–56) bestanden hatte. Ohne den deutschen Kaiser und das Reich schloß man 1713 den **Frieden von Utrecht.** Der Enkel Ludwigs XIV., Philipp V., wurde als spanischer König anerkannt. Die spanischen Nebenländer, die Niederlande, Mailand, Neapel und Sardinien, sollten an Österreich fallen. Savoyen erhielt Sizilien als Königreich. Großbritannien bekam von Frankreich in Nordamerika Neufundland, Neuschottland und die Hudsonbailänder und von Spanien Gibraltar und die Insel Menorca. Ein Jahr später, 1714, mußten der Kaiser und das deutsche Reich in den **Friedensschlüssen von Rastatt** und **Baden** diese Abmachungen anerkennen.

Spannbeton, →Beton.

Spanner, unscheinbar gefärbte →Schmetterlinge.

Spannung. In einer Stromquelle werden Elektronen von neutralen Atomen unter Arbeitsaufwand getrennt und auf den negativen Pol gebracht. So befinden sich in einer Zink-Kohle-Zelle (→Batterie), bei der die Ladungstrennung durch einen chemischen Vorgang erfolgt, an dem Minuspol, dem Zinkbecher, mehr Elektronen, als die Atome benötigen: Es herrscht Elektronenüberschuß. Am Pluspol, dem Kohlestift, werden Elektronen abgesaugt, den Atomen fehlen Elektronen: Es herrscht Elektronenmangel.

Da sich ungleichnamige →Ladungen anziehen, haben sie das Bestreben, sich wieder zu vereinigen. Man sagt, zwischen Minus- und Pluspol herrscht eine **elektrische Spannung** *U*, die bei der leitenden Verbindung der Pole Ursache dafür ist, daß ein Strom fließt. Die Spannung ist ein Maß für die Größe von Elektronenmangel und Elektronenüberschuß an den Polen, vergleichbar dem Druckunterschied zwischen dem Saug- und dem Druckstutzen einer Wasserpumpe. Die Einheit der Spannung ist das →Volt (V).

Einige Spannungswerte:	
Voltaelement (Zink-Kupfer)	1 V
Kohle-Zink-Element	1,5 V
Bleiakkumulator (1 Zelle)	2 V
Taschenlampenbatterie (3 Zellen)	4,5 V
Autobatterie	6 V oder 12 V
Lichtnetz (Drehstrom)	220 V (380 V)
Straßenbahn	550 V
Elektrische Eisenbahn	15 000 V
Hochspannungsleitungen	3 000 V bis 380 000 V
Gewitter	bis 1 000 000 000 V

Galvanische Elemente (Akkumulatoren, Batterien) liefern **Gleichspannung** und somit einen immer in die gleiche Richtung fließenden Strom. Für die elektrische Energieversorgung (z. B. von Haushaltsgeräten) verwendet man **Wechselspannung,** die einen in seiner Richtung ständig wechselnden Strom zur Folge hat. Vorteilhaft an der Wechselspannung ist, daß sie sich leicht mit einem Transformator erhöhen oder erniedrigen läßt. Mit Hilfe eines Gleichrichters kann man aus der Wechselspannung wieder eine Gleichspannung machen.

Spannungen zwischen 0 und 24 V bezeichnet man als **Kleinspannungen.** Der Umgang mit ihnen ist ungefährlich. Sie sind für Spielzeuge und Schülerversuche erlaubt.

Für **Niederspannungen** zwischen 24 V und 1 000 V gelten bestimmte Sicherheitsvorschriften. Sie sind für Schülerversuche streng verboten. Die Spannungen der Versorgungsnetze gehören in diese Gruppe.

Spannungen über 1 000 V sind **Hochspannungen.** Das Berühren der Leitungen ist meistens tödlich. Eine gute Isolation ist daher sehr wichtig, z. B. in Form von Hänge- oder Stützisolatoren aus Porzellan an Hochspannungsmasten.

Auf Glühlampen, Bügeleisen und anderen Elektrogeräten ist die für den Betrieb notwendige Spannung in Volt angegeben. Die Netzspannung in der Bundesrepublik Deutschland beträgt 220 V Wechselspannung. Daher müssen Geräte, die wahlweise mit verschiedenen Spannungen (110 V, 220 V) betrieben werden können, auf 220 V eingestellt werden.

Spannungsteiler, eine Reihenschaltung zweier elektrischer Bauelemente oder ein Bauteil mit einem Abgriff zur Abnahme einer Teilspannung aus einem Stromkreis, z. B. ein **Potentiometer** (veränderbarer Widerstand).

Sparbuch, Urkunde, die von einer Bank auf den Namen des Inhabers ausgestellt wird. Im Sparbuch werden übereinstimmend mit dem Sparkonto (→Konto) alle Ein- und Auszahlungen, der jeweilige Kontostand (Guthaben) sowie die Zinsgutschriften eingetragen und quittiert. Das Sparbuch dient der Geld- oder Vermögensanlage, nicht dem laufenden Zahlungsverkehr.

Von einem **Postsparbuch** kann man Geld nur mit einer besonderen Ausweiskarte abheben.

Sparen. Wer nicht sein ganzes Einkommen z. B. für Nahrung, Kleidung und Wohnung benötigt, kann einen Teil davon zurücklegen, also: sparen. Ersparnis heißen diejenigen Einkommensteile, die man nicht sofort verbraucht. Wer spart, erwartet, daß er das Geld später besser gebrauchen kann als heute, z. B. zum Kauf eines Autos oder zur Vorsorge für ›schlechte Zeiten‹.

Sparen kann man, indem man sein Spargeld auf sein →Sparbuch einzahlt, Wertpapiere oder wertbeständige Sachwerte (z. B. Gold, Schmuck) kauft, sich an Unternehmen beteiligt oder Sparverträge abschließt. Das gesparte Geld bleibt allerdings nicht bei den Banken liegen, sondern ist die Grundlage für Kredite, z. B. an Unternehmen, die das Geld benötigen, um Rohstoffe und Maschinen zu kaufen, mit denen wieder Konsumgüter hergestellt werden können.

Für seine gesparten Geldbeträge erhält man →Zinsen. Nur wer seine Ersparnisse zu Hause im ›Sparstrumpf‹ aufbewahrt (hortet), erhält keine Zinsen.

Bestimmte Sparformen werden bis zu bestimmten Einkommensgrenzen durch staatliche Sparzulagen gefördert, z. B. das **Bausparen,** das zum Erwerb eines Grundstücks, zum Bau, Kauf oder zur Modernisierung eines Hauses dient, und

Wörter, die man unter S vermißt, suche man unter Sch oder Z

das **vermögenswirksame Sparen,** bei dem man jährlich Geld z. B. durch Kauf von Beteiligungsanteilen an Unternehmen anlegt.

Beim **Prämiensparen** oder **Ratensparen** schließt man mit einer Bank einen Sparvertrag ab, auf den man monatlich bestimmte Teilbeträge (Raten) einzahlt. Neben den jährlichen Zinsen zahlen die Banken dem Sparer am Ende der Laufzeit des Vertrages noch eine Prämie.

Spargel wird auf leichtem, gut durchlüftetem, humusreichem Sandboden in zu einem Wall aufgeschütteten Beeten angebaut. Am Wurzelstock der Spargelpflanze entwickeln sich aus Seitenknospen Sprosse, die gebleicht (unter dem Erdwall) oder ungebleicht (Grünspargel) als Spargelstangen geerntet (gestochen) werden. Man setzt die jungen Pflanzen möglichst tief, häufelt darüber noch lockere Erde, so daß die unterirdischen Triebe lang werden. Sobald sie an die Oberfläche kommen, schneidet man sie recht tief ab. Die jungen unterirdischen Triebe werden nur wenige Wochen im Frühsommer (Mai–Juni) geerntet. Aus den Trieben, die nicht gestochen werden, wächst ein grüner, verzweigter baumartiger Halbstrauch heran, der bis zu 2 m hoch wird. Dieser sorgt für die Ernährung des in der Erde verbleibenden Erdsprosses.

Sparkasse, ein →Kreditinstitut.

Sparta, 15 900 Einwohner, griechische Kleinstadt in der südlichen Peloponnes in der fruchtbaren Ebene des Flusses Eurotas. In der Antike war Sparta Mittelpunkt der Landschaft Lakonien und neben Athen stärkste Macht unter den griechischen Städten. Hier lebten die **Spartiaten,** etwa 8 000 Krieger mit ihren Familien. Sie bildeten die Herrenschicht und hatten volles Bürgerrecht. Die Spartiaten stammten aus dem Volk der Dorer und waren um 1000 v. Chr. in das Land eingewandert. Die dort ansässige Bevölkerung hatten sie unterworfen und zu rechtlosen Sklaven, **Heloten,** gemacht. Diese etwa 150 000 Heloten mußten als Staatssklaven die Felder der Spartiaten bewirtschaften. Die rund 60 000 dorischen Bewohner des Landes um Sparta hießen **Periöken** (›Umwohnende‹). Sie waren freie Bürger, hatten aber keine politischen Rechte. Ehen von Spartiaten, Periöken und Heloten untereinander waren bei Todesstrafe verboten. Die Spartiaten bereiteten sich nur für den Krieg vor. Sie kannten kein Familienleben. In Gemeinschaftsunterkünften nahmen sie gemeinsam ihre Mahlzeiten ein. Frauen und Kinder sahen sie nur selten. Schwächliche oder mißgebildete Neugeborene wurden auf Weisung des Staates hin sofort getötet. Wenn die Knaben 7 Jahre alt waren, verließen sie die Familie und wurden gemeinsam zu Kriegstüchtigkeit und Gehorsam erzogen. Bei jeder Witterung mußten sie barfuß laufen und in kaltem Wasser baden. Es galt als besondere Mutprobe, den Stärksten der Heloten aufzulauern und zu töten. Auch Mädchen mußten sich im Ringen, im Laufen, im Diskus- und Pfeilwurf üben. Die Volksversammlung der waffenfähigen Spartiaten wählte den Rat der Alten, die **Gerusia.** Sie bestand aus 28 über 60 Jahre alten **Geronten.** Die Spartiaten wählten auch 5 **Ephoren,** die für ein Jahr die Staatsaufsicht ausübten. Die Gerusia beriet 2 Könige, die an der Spitze des Staates standen. Das Königtum war erblich.

660–640 v. Chr. unterwarfen die Spartaner die westlich von ihnen gelegene Landschaft Messenien und machten ihre Einwohner zu Heloten. In den →Perserkriegen (500–479 v. Chr.) bekämpften sie zusammen mit den Athenern die persischen Eindringlinge. Nach der Gründung des →Attischen Seebundes (477 v. Chr.) entstand eine Rivalität zwischen Sparta und Athen. Diese führte zum →Peloponnesischen Krieg (431–404 v. Chr.). Sparta siegte; es war aber so geschwächt, daß es seine Vormachtstellung in Griechenland nicht behaupten konnte. Doch blieb es bis in die Römerzeit (seit 146 v. Chr.) ein selbständiges Staatswesen.

Spartacus, römischer Sklave, der als Anführer eines langen und für die römische Republik gefährlichen Aufstands bekannt wurde. Der Aufstand begann im süditalienischen Capua, unweit von Neapel. In der dortigen Gladiatorenschule wurden Spartacus und viele andere Sklaven zu →Gladiatoren ausgebildet. 73 v. Chr. befreiten sich 70 junge Gladiatoren aus ihrer Gefangenschaft. Spartacus war ihr Anführer. Der Truppe schlossen sich überall weitere Sklaven an; sie wuchs schnell zu einem 40 000 Mann starken Heer, das zeitweilig ganz Süditalien beherrschte und 72 v. Chr. zweimal römische Heere besiegte. Erst 71 v. Chr. konnte Crassus, der reichste Mann Roms, mit seinen Söldnertruppen den Aufstand niederschlagen. In der Entscheidungsschlacht fanden Spartacus und der größte Teil seines Heeres den Tod.

Später ist Spartacus zum Sinnbild für die gewaltsame Befreiung aus Abhängigkeit und Unterdrückung geworden. So wurde er im 20. Jahrh. namengebend für einige politische Vereinigungen, die eine →Revolution anstreben. Nach ihm heißen Sportveranstaltungen in sozialistischen und kommunistischen Ländern **Spartakiaden,** z. B. in der Deutschen Demokratischen Republik.

Spargel: Gemüsespargel, OBEN Zweig mit Früchten; UNTEN Wurzelstock mit Spargelstangen

Spechte:
1 Dreizehenspecht,
2 Grünspecht,
3 Buntspecht,
4 Schwarzspecht

Spat, Parallelepiped, ein spezieller geometrischer Körper (→Prisma).

Spatz, ein volkstümlicher Name für den Haussperling (→Sperlinge).

SPD, Abkürzung für Sozialdemokratische Partei Deutschlands (→sozialdemokratisch).

Spechte, weitverbreitete, kleine bis mittelgroße Vögel mit meist buntem Gefieder, die auf Bäumen leben. Sie haben besonders ausgebildete, starke Kletterfüße mit scharfen Krallen. Wenn sie am Stamm senkrecht nach oben hüpfen, stützen sie sich zusätzlich auf die langen, steifen Schwanzfedern. Mit ihrem harten und spitzen Schnabel stochern sie in der Baumrinde nach Insekten und deren Larven, die sie dann mit ihrer meist klebrigen Zunge aus Spalten und Ritzen herausziehen. Spechte vertilgen viele Holzschädlinge (Borkenkäfer). Im Winter fressen sie mit Vorliebe die Samen der Tannenzapfen und Nüsse, die sie zum besseren Halt in Rindenspalten oder selbstgezimmerten Löchern festklemmen. Überreste am Boden verraten eine solche ›Spechtschmiede‹.

Wie mit einem Meißel ›zimmern‹ Spechte mit ihrem Schnabel gewöhnlich jedes Jahr eine neue Nisthöhle in meist morsche Baumstämme. Dieses etwa 20 cm tiefe und 15 cm breite Nest ist in 15–20 Tagen fertig. Beide Eltern bebrüten die 3–8 Eier und füttern die geschlüpften Jungen, die Nesthocker sind. Mit ihrem Schnabel trommeln die Männchen zur Paarungszeit auf trockenen Ästen, um ihr Revier abzugrenzen und Weibchen anzulocken. Dieses blitzschnelle Hämmern (10 Schläge pro Sekunde) ist in ruhiger Umgebung weithin zu hören. Mitunter hacken Spechte ringförmig um einen Stamm Löcher in die Rinde (›ringeln‹), die bei alten Bäumen zu Wülsten auswachsen können. Der ausquellende Baumsaft wird auch von anderen Vögeln aufgeleckt.

Die in Deutschland heimischen Spechte unterscheidet man nach der Farbe ihres Gefieders. Sie haben meist eine rote Federkappe auf dem Kopf. Der häufige, amselgroße **Buntspecht** bewohnt auch Gärten und Parkanlagen. Er wird etwa 8 Jahre alt. Der etwas größere **Grünspecht** holt mit seiner Zunge auch Ameisen aus ihren Bauten heraus. Er trommelt nur selten; sein Ruf klingt wie ein lautes Lachen. Der noch größere **Schwarzspecht** bewohnt vor allem einsame Nadelwälder. Selten in Gebirgswäldern (Alpen, Böhmerwald) ist der **Dreizehenspecht.** Mit den Spechten verwandt ist der →Wendehals.

Speedwayrennen [spihdweh-, englisch ›Motorradrennbahn‹], Motorradrennen auf 400 m langen Aschen- und Eisbahnen (Eisspeedway). Die Speedwaymaschinen mit hochverdichtetem Motor haben keine Bremsanlage und kein Getriebe. Die Kraft wird direkt auf das Hinterrad übertragen. Die Fahrer tragen am linken Fuß einen Stahlschuh, den sie zum Bremsen auf den Boden halten. Das linke Knie, das in den Kurven häufig den Boden berührt, steckt in einem Knieschoner. Es werden Geschwindigkeiten bis zu 100 km/h erreicht. Die Reifen von Eisspeedwaymaschinen sind mit 100–150 Nägeln versehen, damit sie gut greifen. Gewertet wird nach einem von den erreichten Plätzen abhängigen Punktsystem; Sieger ist der Fahrer mit den meisten Punkten.

Speerwerfen, leichtathletischer Wurfwettbewerb, bei dem ein Speer aus einem Anlauf heraus geworfen wird. Der Speer ist aus Holz oder Metall gefertigt. Holzspeere sind mit einem scharfen Metallkopf von 25–33 cm Länge versehen. Das Gerät für Herren soll mindestens 2,60 m lang und 800 g schwer, das für Damen 2,20 m lang und 600 g schwer sein. Der Speer muß etwa an seinem Mittelpunkt mit einer Schnur umwickelt werden (Griffstelle). Die Länge des Anlaufs darf nicht mehr als 36,50 m und nicht weniger als 30 m betragen. Die Anlaufstrecke muß 4 m breit sein. Der Wurf wird hinter einem Kreisbogen aus Holz oder Metall von 8 m Radius ausgeführt. Berührt der Speer den Boden nicht mit der Spitze zuerst, ist der Wurf ungültig. Berührt oder überschreitet der Wettkämpfer beim Abwurf mit einem Teil des Körpers den Abwurfbogen oder dessen Verlängerungen zu den parallelen Anlauflinien, ist der Wurf ebenfalls ungültig. Ein Abwurf aus einer Drehbewegung ist nicht gestattet. Die Würfe müssen innerhalb des auf dem Feld aufgetragenen Wurfsektors niedergehen. – Seit 1908 ist Speerwerfen olympische Disziplin für Herren, seit 1932 für Damen.

Speichel, flüssige Absonderung der Speicheldrüsen (→Drüsen) in der Mundhöhle. Der Speichel hat die Aufgabe, die Schleimhaut feucht zu halten und die Nahrung gleitfähig zu machen; außerdem dient er der Abwehr von Krankheitskeimen und leitet mit Hilfe eines →Enzyms (Ptyalin) die Verdauung von Kohlenhydraten ein. In der Hauptsache besteht der Speichel aus Wasser. Menge und Zusammensetzung des Speichels ist von der aufgenommenen Nahrung abhängig. Die Absonderung von Speichel wird durch das autonome (nicht dem Willen unterworfene) Nervensystem gesteuert, aber auch reflektorisch ausgelöst, z. B. durch Kauen oder beim Anblick verlockender Speisen (›das Wasser läuft im Mund zusammen‹).

Speicher, Teil eines Computers, der Informationen aufnehmen, aufbewahren und auf Anforderung wieder abgeben kann. Er stellt gewissermaßen das Gedächtnis des Computers dar.

Man unterscheidet: **magnetische Speicher** (Magnetschichtspeicher), bei denen ein magnetisierbarer Werkstoff als Speichermedium dient, **Halbleiterspeicher,** die als integrierte Schaltungen hergestellt werden, und **optische Speicher,** die mit einem Lichtstrahl ausgelesen werden.

Die wichtigsten magnetischen Speicher sind der **Magnetplatten-** und der **Magnetbandspeicher.** Sie besitzen eine magnetisierbare Schicht, in die über einen Schreib-Lese-Kopf Daten eingeschrieben werden. Mit demselben Kopf können die Daten auch wieder ausgelesen werden. Magnetschichtspeicher werden als externe Speicher für große Datenmengen verwendet. Bei kleineren Computeranlagen benutzt man meist →Disketten (Floppy Disks), deren Laufwerk fest in die Anlage eingebaut sein kann oder als eigenes Gerät über Kabel mit dem Computer verbunden ist. Die Magnetschichtspeicher sind nichtflüchtig, das heißt, die eingespeicherten Daten gehen nicht verloren, wenn die Versorgungsspannung abgeschaltet wird oder ein unvorhergesehener Stromausfall auftritt.

Bei den Halbleiterspeichern gibt es verschiedene Typen. Das **ROM** (Abkürzung für englisch **R**ead **O**nly **M**emory) ist ein **Festwertspeicher.** Der Computer kann die Informationen aus diesem Speicher zwar auslesen, aber nicht verändern oder selbst dort abspeichern. Er enthält z. B. die Rechenregeln, nach denen der Computer arbeitet. Das ROM ist der Langzeitspeicher des Computers, sein Inhalt kann auch beim Ausschalten des Geräts nicht gelöscht werden. Beim **PROM** (Abkürzung für englisch **P**rogrammable **R**ead **O**nly **M**emory) kann der Anwender (Benutzer einer Computeranlage) mit Hilfe eines besonderen Programmiergeräts die Daten eingeben, die dann auf Dauer erhalten bleiben. Das **EPROM** (Abkürzung für englisch **E**rasable **P**rogrammable **R**ead **O**nly **M**emory) und das **EAROM** (Abkürzung für englisch **E**lectrically **A**lterable **R**ead **O**nly **M**emory) erlauben ein Löschen und Neueinschreiben der Informationen. Bei dem erstgenannten erfolgt das Löschen durch Bestrahlung mit ultraviolettem Licht, beim letzteren geht das Löschen durch elektrische Signale vor sich. Als Sammelbezeichnung wird auch der Begriff **REPROM** (Abkürzung für englisch **Rep**rogrammable **R**ead **O**nly **M**emory) verwendet. Für **Halbleiter-Schreib-Lese-Speicher** ist die Bezeich-

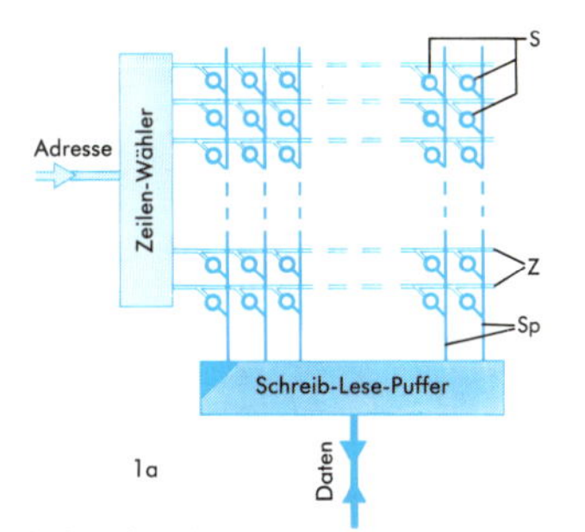

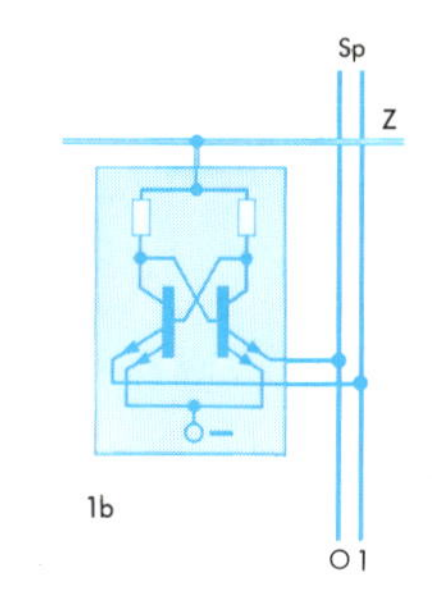

Speicher 1: Grundsätzlicher Aufbau der häufigsten Ausführungsformen digitaler Speicher. **1 a** Matrixspeicher mit Zeilenansteuerung; **1 b** Flipflop mit Doppelemitter-Transistoren, 0 und 1 = Spaltenleitungen für die Binärwerte 0 und 1, S = Speicherelemente, Z = Zeilenleitung, Sp = Spaltenleitung

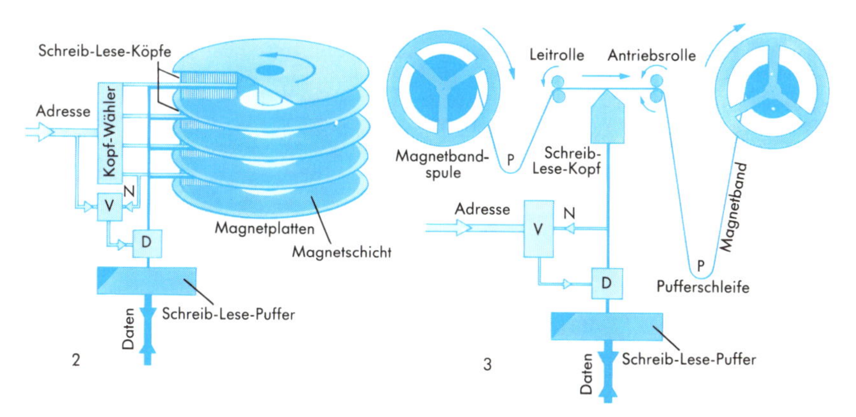

Speicher 2 und 3: 2 Magnetplattenspeicher; Aufzeichnung auf den inneren Plattenflächen, Schreib-Lese-Köpfe zwischen den Platten. **3** Magnetbandspeicher; N = Nummer des am Kopf vorbeilaufenden Speicherplatzsegments, V = Vergleicher für gesuchte und gelesene Speicherplatznummer, D = Durchschalter bei Übereinstimmung

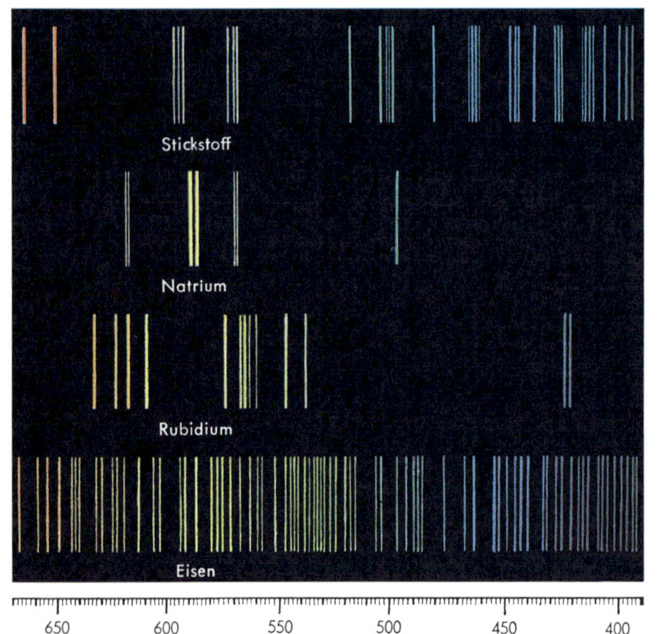

Spektrum 1: einige charakteristische Linienspektren. Die Zahlen der Skala bedeuten Wellenlängen in nm (Nanometer)

nung **RAM** (Abkürzung für englisch **R**andom **A**ccess **M**emory) gebräuchlich. Bei diesem Speichertyp kann jeder Speicherplatz beliebig oft gelesen, gelöscht und neu beschrieben werden. Hier hält der Computer alle Eingabedaten und Rechenergebnisse fest. Das RAM ist der Kurzzeitspeicher des Computers. Meist wird sein Inhalt gelöscht, sobald der Rechner abgeschaltet wird.

Speicher verfügen je nach Bauart und Umfang über eine große Anzahl von **Speicherzellen (Speicherplätzen).** Um beim Auslesen oder Einschreiben der Informationen gezielt auf bestimmte Speicherzellen zugreifen zu können, verfügt ein Speicher über Adreßeingänge. Jedem Speicherplatz ist fest eine Adresse zugeordnet (quasi dessen Hausnummer), beim Anlegen der Adresse wird der zugehörige Speicherplatz aktiviert. Je nach Aufbau (Organisation) des Speichers kann ein Speicherplatz z. B. 1 Byte (= 8 Bit) aufnehmen. Die Kapazität (das Aufnahmevermögen) eines Speichers wird im allgemeinen in Byte, beziehungsweise in den Vielfachen KByte (Abkürzung für Kilobyte) = 1 024 Byte oder MByte (Abkürzung für Megabyte) = 1 048 576 Byte angegeben.

Speiseröhre, Teil des Verdauungskanals, der vom Rachen bis zum Magen verläuft. Die Speiseröhre liegt hinter der Luftröhre und ist ein etwa 25 cm langer, 1–2 cm breiter Muskelschlauch, der innen mit Schleimhaut ausgekleidet ist. Durch Muskelbewegungen, die dem Willen nicht unterliegen, wird der heruntergeschluckte Bissen in den Magen befördert.

Spektralanalyse, Verfahren zum Nachweis anorganischer und organischer Stoffe und zur Konzentrations- und Mengenbestimmung chemischer Elemente und Verbindungen in einer Probe aus ihrem →Spektrum.

Spektrum [lateinisch ›Erscheinung‹], die Intensitätsverteilung einer elektromagnetischen Strahlung in Abhängigkeit von der Wellenlänge oder Frequenz; ursprünglich Bezeichnung für das Lichtband, das entsteht, wenn man einen beleuchteten Spalt auf einem Schirm abbildet und in den Strahlengang eine Vorrichtung (z. B. ein Prisma) bringt, die das Licht entsprechend seinen verschiedenen Wellenlängen verschieden stark

Spektrum 2: kontinuierliche Spektren. Die Zahlen der Skala bedeuten Wellenlängen in nm (Nanometer)

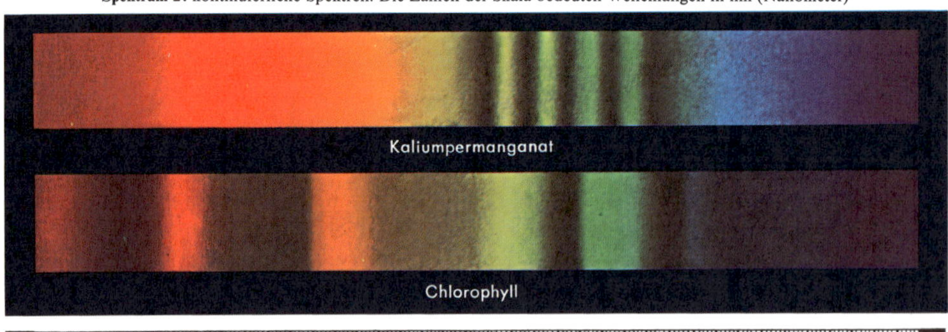

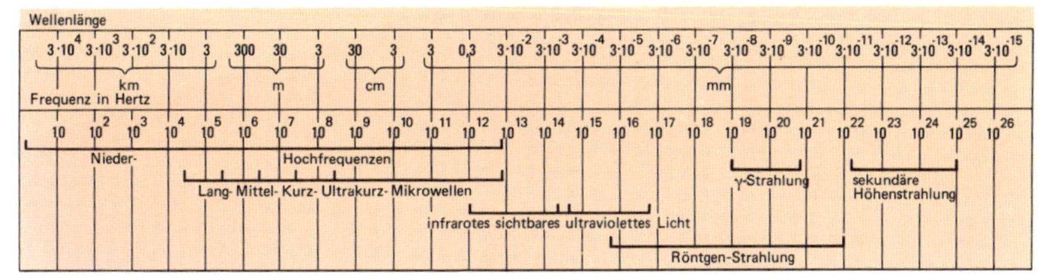

Spektrum 3: elektromagnetisches Spektrum

seitlich ablenkt. Es entstehen, abhängig von dem zur Spaltbeleuchtung verwendeten Licht, einzelne diskrete Spaltbilder **(Spektrallinien, ein Linien-Spektrum;** BILD 1, Seite 212) oder eine kontinuierliche Verteilung **(kontinuierliches Spektrum;** BILD 2, Seite 212). Jedes Spaltbild hat dabei eine kennzeichnende →Farbe **(Spektralfarbe),** deren Farbvalenz der Wellenlänge entspricht, mit der das Bild entworfen ist. Beim kontinuierlichen Spektrum gehen die Farben stetig ineinander über, beginnend bei Violett über Blau, Grün, Gelb, Orange bis Rot.

Das sichtbare Licht ist ein Teil des **elektromagnetischen Spektrums,** das von den Radiowellen über die Mikrowellen, das infrarote Licht, das sichtbare Licht, das ultraviolette Licht, die Röntgen- und Gammastrahlung bis zur sekundären kosmischen Höhenstrahlung reicht (BILD 3).

Sperber, ein mit dem →Habicht verwandter Greifvogel.

Sperlinge sind die häufigsten Vögel in unmittelbarer Nähe des Menschen. Sie gehören zur Singvogelfamilie der →Webervögel, doch können sie nur zwitschern. Am bekanntesten ist der zutrauliche und kecke **Haussperling** oder **Spatz** mit bräunlichem Gefieder. Spatzen trifft man meist in kleinen Schwärmen auf Straßen, Plätzen, in Gärten und Parks. Sie nisten in Mauerlöchern, unter Dachbalken und in anderen Höhlungen. Ihr mit Stroh, Gras, Papier und anderem gestopftes Nest nutzen sie außerhalb der Brutzeit auch zum Schlafen. Am liebsten fressen Spatzen Körner, aber auch Insekten und allerlei Abfälle. Im Winter erscheinen sie in großer Zahl am Futterhaus. Am Boden hüpft ein Spatz. Er plustert sich gern auf und badet in Wasser und Staub. Häufig ist auch der kleinere **Feldsperling** mit schokoladenbrauner Kopfkappe und schwarzem Fleck auf der weißen Wange. Nach der Brutzeit leben Feld- und Haussperlinge oft gemeinsam in größeren Schwärmen und können auf Getreidefeldern Schaden anrichten. (BILD Seite 214)

Sperlingsvögel, formenreiche, weltweit verbreitete Ordnung der Vögel mit etwa 5000 Arten, das sind etwa 60% aller Vögel. Ihr einziges gemeinsames Merkmal ist das ›Sperren‹ der jungen Vögel, das heißt das Aufreißen des Schnabels. Diese Reaktion wird z. B. dann ausgelöst, wenn die Altvögel beim Landen auf dem Nestrand das Nest erschüttern. Die jungen Vögel schnappen also nicht selbst nach Futter, sondern lassen sich die Nahrung von den Eltern tief in den weitgeöffneten Schnabel stecken. Zu den Sperlingsvögeln gehören die meisten bekannten Vogelarten, z. B. alle →Singvögel. Die Jungen sind meist Nesthocker.

Sperma, Samen, weißliche, zähklebrige Flüssigkeit (Samenflüssigkeit), die bei der →Ejakulation durch die männliche Harn-Samen-Röhre ausgestoßen wird. Sie besteht aus den Absonderungen (z. B. Wasser, Schleim, Eiweiß) der männlichen Geschlechtsdrüsen (→Geschlechtsorgane) sowie den **Samenfäden (Spermien)** und anderen Zellen. Die in der Samenflüssigkeit enthaltenen Kohlenhydrate (Fruktose) dienen als Energiequelle für die Samenfäden und sind für ihre Beweglichkeit wichtig.

Der reife Samenfaden setzt sich aus dem Kopfteil, dem Mittelstück und dem Schwanz zusammen. Im plasmaarmen Kopfteil (→Plasma) befindet sich der Zellkern mit dem Erbgut. Mit dem Schwanz kann sich der Samenfaden schlängelnd fortbewegen. Bei der →Befruchtung dringt der Kopf in die →Eizelle ein, und beide Zellkerne verschmelzen miteinander. Die Reifung und Speicherung der Samenzellen erfolgt außerhalb der Bauchhöhle im Hodensack, da sie wärmeempfindlich sind.

Spessart, deutsches Mittelgebirge zwischen Rhön und Odenwald, von dem es durch das Durchbruchstal des Mains (›Mainviereck‹) getrennt ist. Das waldreiche Gebirge ist dünn besiedelt und erreicht im Geiersberg 586 m Höhe.

Speyer, 47200 Einwohner, Stadt in Rheinland-Pfalz, südlich von Ludwigshafen in der

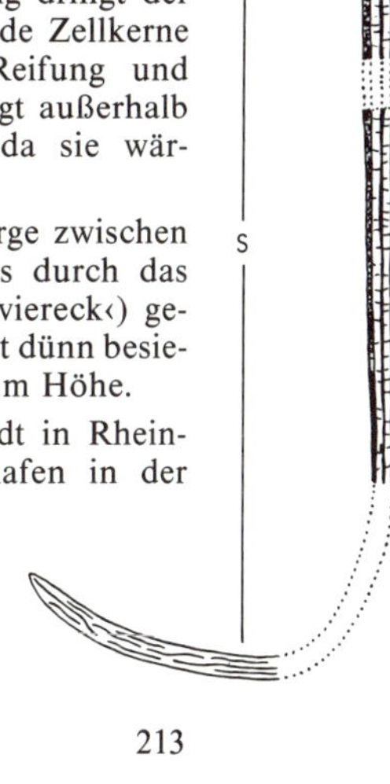

Sperma: Sperma des Menschen; K = Kopfteil, Mi = Mittelstück, S = Schwanz; etwa 10000fach vergrößert

Sperlinge: Haussperling

Oberrheinebene. Speyer ist seit dem 6. Jahrh. Bischofssitz. Der **Speyerer Dom,** erbaut zur Zeit der salischen Kaiser, die in ihm beigesetzt sind, gehört zu den bedeutendsten romanischen Dombauten aus dem 11./12. Jahrh. in Europa.

Spẹzies, Biologie: die →Art.

spezịfisches Gewịcht, veraltet für →Wichte.

Sphinx, eine Sagenfigur mit Löwenkörper und Menschenkopf. Solche Figuren sind vor allem aus der altägyptischen Kunst bekannt. Sie waren das Sinnbild des Herrschers und tragen meist den Kopf eines Königs, seltener einer Königin. Eine große Sphinxdarstellung ist noch heute bei den Pyramiden von Giseh zu sehen; sie hat eine Höhe von 20 m und eine Länge von über 73 m.

Von den Ägyptern haben andere Kulturen wie Phöniker, Hethiter und Griechen Sphinxdarstellungen übernommen. Nach der griechischen Sage hauste auf einem Berg bei der altgriechischen Stadt Theben eine Sphinx, die jedem Vorüberkommenden folgendes Rätsel aufgab: Es gibt auf der Erde ein zwei-, drei- und vierfüßiges Lebewesen, das als einziges seine Gestalt ändert und am langsamsten ist, wenn es sich auf 4 Füßen bewegt. Die Sphinx tötete jeden, der das Rätsel nicht lösen konnte. Ödipus erriet es. Er sagte, das sei der Mensch, der als Kleinkind auf Händen und Füßen krieche, dann auf 2 Beinen und schließlich als Greis mit einem Stock gehe. Die Sphinx stürzte sich daraufhin vom Felsen.

Spiegel, glatte Fläche, die einen wesentlichen Teil des auffallenden Lichts nach dem Reflexionsgesetz (→Reflexion) zurückwirft. Spiegel, die man täglich verwendet, sind meist aus Glas hergestellt, das auf der Rückseite versilbert und mit einer Schutzschicht überzogen ist. Während andere Flächen wie zerknittertes Papier oder eine weiße Wand Licht in alle Richtungen streuen,

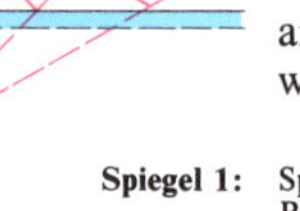

Spiegel 1: Spiegelbild A' eines leuchtenden Punktes A durch Reflexion am ebenen Spiegel.

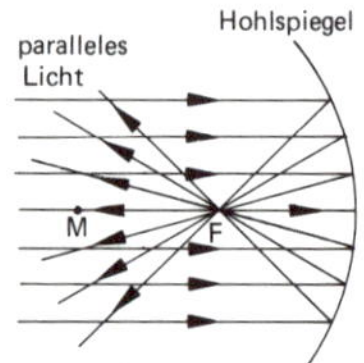

Spiegel 2: Sphärischer Hohlspiegel; M = Krümmungsmittelpunkt, F = Brennpunkt

wird es von einem Spiegel in eine bestimmte Richtung reflektiert. Betrachtet man sich in einem **ebenen Spiegel (Planspiegel),** so sieht man das eigene Bild seitenvertauscht. Es ist ein scheinbares (virtuelles) Bild, das sich so weit hinter dem Spiegel befindet wie man selbst vor dem Spiegel (BILD 1). Dieses Spiegelbild ist kein wirkliches (reelles) Bild, das man hinter dem Spiegel mit einer Mattscheibe auffangen könnte, sondern es kommt durch das Zusammenwirken von Spiegel und Auge zustande. Auch ruhig stehende Wasserflächen, glatte polierte Glasscheiben oder blanke Metallflächen können als ebene Spiegel wirken. Ebenso können gekrümmte Flächen als Spiegel wirken, z. B. liefern manchmal auf Jahrmärkten spiegelnde Flächen mit stark unregelmäßiger Krümmung stark verzerrte Bilder, die kaum Ähnlichkeiten mit den davor stehenden Personen zeigen.

In der technischen Anwendung sind hauptsächlich 2 Arten von gekrümmten Spiegeln wichtig: Ein **sphärischer Spiegel (Kugelspiegel)** ist ein spiegelnd gemachter Teil einer Kugelfläche, ein **parabolischer Spiegel (Parabolspiegel)** ist eine spiegelnd gemachte Fläche, die bei der Drehung einer Parabel um ihre Symmetrieachse entsteht, die zur optischen Achse des Spiegels wird. Der Spiegel im Scheinwerfer der Fahrradbeleuchtung, der Rasierspiegel und der kleine Spiegel (BILD 2), mit dem der Zahnarzt die Zähne betrachtet, sind so gekrümmt, daß die hohle verspiegelte Seite zum Betrachter zeigt. Daher heißen diese Spiegel **Hohlspiegel** oder **Konkavspiegel.** Da sphärische (BILD 2) und parabolische Hohlspiegel paralleles Licht so zurückwerfen, daß die reflektierten Strahlen alle durch den Brennpunkt F des Spiegels laufen, werden große Hohlspiegel in Laboratorien als ›Sonnenschmelzöfen‹ verwendet. Im Brennpunkt des Hohlspiegels befindet sich das Schmelzgut. Solche Sonnenschmelzöfen erzielen in ihrem Brennpunkt eine Temperatur von mehreren tausend Grad Celsius.

Der Fahrradscheinwerfer nutzt das Prinzip in umgekehrter Weise aus. Hier befindet sich der gewickelte Glühdraht der Birne im Brennpunkt des Hohlspiegels. Alle Lichtstrahlen, die nach hinten auf den Hohlspiegel fallen, werden dort so reflektiert, daß sie den Scheinwerfer parallel verlassen.

In der versilberten Weihnachtskugel sieht man verkleinert das ganze Zimmer. In der spiegelnden Radkappe und in dem Rückspiegel eines Autos erblickt man mehr von der Umgebung als mit einem gleichgroßen ebenen Spiegel. Diese Spiegel sind nach vorn gewölbt, man nennt sie deshalb **Wölbspiegel** oder **Konvexspiegel.** Wölbspiegel liefern nur virtuelle, aufrechte und verkleinerte Bilder, Hohlspiegel dagegen je nach Entfernung des Gegenstandes vom Spiegel entweder virtuelle, aufrechte und vergrößerte Bilder oder reelle (wirkliche), umgekehrte und vergrößerte oder verkleinerte Bilder. Reelle Bilder unterscheiden sich von virtuellen Bildern dadurch, daß sie auf einer Mattscheibe aufgefangen werden können.

Parabolische Hohlspiegel haben gegenüber sphärischen den Vorteil, daß nicht nur achsennahe Parallelstrahlen, sondern alle achsenparallelen Strahlen durch den Brennpunkt reflektiert werden; sie werden vor allem bei Scheinwerfern und →Spiegelteleskopen benutzt.

Zur Bildkonstruktion verwendet man die **ausgezeichneten** oder **Hauptstrahlen,** wozu bei sphärischen Spiegeln die **Parallelstrahlen, Brennstrahlen** und **Mittelpunktsstrahlen** zählen (BILD 3). Bei parabolischen Spiegeln entfallen die Mittelpunktsstrahlen, da bei einem Parabolspiegel kein Krümmungsmittelpunkt (wie der Kugelmittelpunkt beim Kugelspiegel) vorhanden ist.

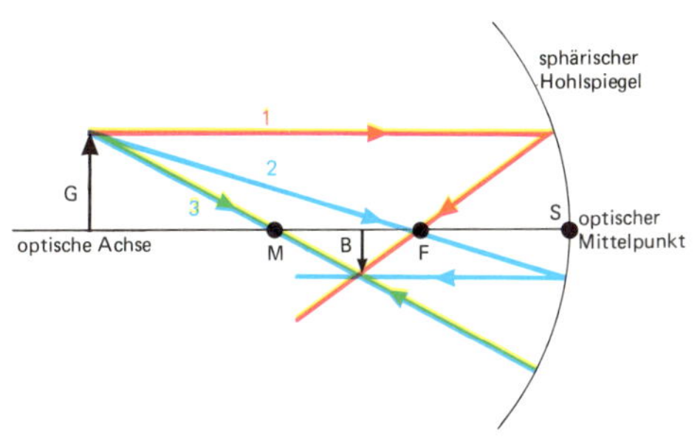

Spiegel 3: Entstehung des Bildes am sphärischen Hohlspiegel: Bei einem sphärischen Hohlspiegel liegt der Brennpunkt *F* in der Mitte zwischen dem Krümmungsmittelpunkt *M* und dem optischen Mittelpunkt *S*. **1** Ein achsenparallel einfallender Strahl **(Parallelstrahl)** geht nach der Reflexion durch den Brennpunkt *F*. **2** Ein Strahl durch den Brennpunkt *F* **(Brennstrahl)** wird achsenparallel. **3** Ein Strahl durch den Krümmungsmittelpunkt *M* **(Mittelpunktsstrahl)** wird in sich reflektiert. – *G* Gegenstandsgröße, *B* Bildgröße

Spiegelreflexkamera, ein →Photoapparat.

Spiegelteleskop, Spiegelfernrohr, Reflektor, ein →Fernrohr, bei dem ein meist parabolisch geschliffener →Spiegel als Objektiv das Bild des Gegenstandes erzeugt, das nach Herausführung aus dem Tubus mit einem Okular betrachtet oder photographiert werden kann. Ein Spiegelteleskop unterscheidet sich also von einem Linsenfernrohr dadurch, daß die Objektivlinse durch einen Hohlspiegel ersetzt ist. Spiegelteleskope mit Spiegeldurchmessern von mehreren Metern werden in der Astronomie verwendet. Mit diesen läßt sich, verglichen mit Linsenfernrohren, eine wesentliche Steigerung der Bildhelligkeit erzielen, weil diese vom Objektivdurchmesser abhängt und die Herstellung solch großer Linsen technisch nicht möglich ist.

Am gebräuchlichsten sind die Spiegelteleskope nach Isaac Newton **(Newton-Spiegel,** BILD 1) und N. Cassegrain **(Cassegrain-Reflektor)** mit durchbohrtem Hauptspiegel (BILD 2), was beim **Coudé-System** durch Verwendung von Hilfsspiegeln vermieden wird, sowie der **Schmidt-Spiegel.**

Eines der größten Spiegelteleskope der Welt mit einem Spiegeldurchmesser von 5 m wurde 1948 auf dem Mount Palomar in Kalifornien aufgestellt. Das Gewicht des ganzen Teleskops beträgt 500 t. Durch stundenlange Belichtung von Photoplatten können Sterne erfaßt werden, deren Helligkeit etwa dem Leuchten eines Glühwürmchens entspricht, das man aus einer Entfernung von 100 bis 180 km betrachtet.

spinale Kinderlähmung, →Kinderlähmung.

Spinett [von lateinisch spina ›Dorn‹, dem Kiel beim Cembalo], Vorläufer des →Cembalos, bei dem die Saiten noch quer zur Tastatur lagen. Die Tastenhebel mußten entsprechend der Entfernung der Saiten verschieden lang sein. Für die einzelnen Töne war daher unterschiedlicher Druck des Anschlags erforderlich, was die Spielbarkeit erschwerte.

Spinnen gehören zu den →Gliederfüßern. Die meisten der etwa 20 000 Arten sind für Menschen harmlos und als Insektenvertilger sehr nützlich. Sie haben 4 Paar (also 8) Beine, die am kleinen Kopfbruststück sitzen, das deutlich vom größeren Hinterleib abgesetzt ist. Spinnen haben keine Facettenaugen wie die meisten Insekten, sondern 1–4 Paar einfach gebaute Augen. Sie haben auch keine eigentlichen Fühler, dafür je 2 scheren- oder klauenförmige Kieferfühler und Kiefertaster. Sie pflanzen sich durch Eier fort. In die Taster saugt das Männchen seinen Samen und führt diese dann in die Geschlechtsöffnung des Weibchens ein. Manche Spinnen zeigen interessante Paarungsspiele. Sie führen eine Art Tanz auf, bei dem sie mit den Fühlern winken, oder das Männchen dem Weibchen ein eingesponnenes Insekt überreicht. Die Weibchen einiger Arten fressen die Männchen nach der Paarung auf, z. B. die ›Schwarze Witwe‹ Nordamerikas.

Die meisten Spinnen leben von Insekten, z. B. Blattläusen, Fliegen, Mücken. Viele sind mit Giftorganen ausgerüstet, die in den Fühlern liegen. Da Spinnen ihre Beute nicht zerkauen und zerbeißen können und ihre kleine Mundöffnung nicht dehnbar ist, müssen sie ihre Nahrung außerhalb des Körpers verdauen. Dazu schlagen sie mit der Giftklaue eine Wunde, speien Verdauungssaft hinein und saugen den gelösten Nahrungsbrei auf.

Zum Fang der meist kleinen Insekten nutzen viele Arten die Fähigkeit des ›Spinnens‹, die ihnen ihren Namen gegeben hat. Aus Drüsen am

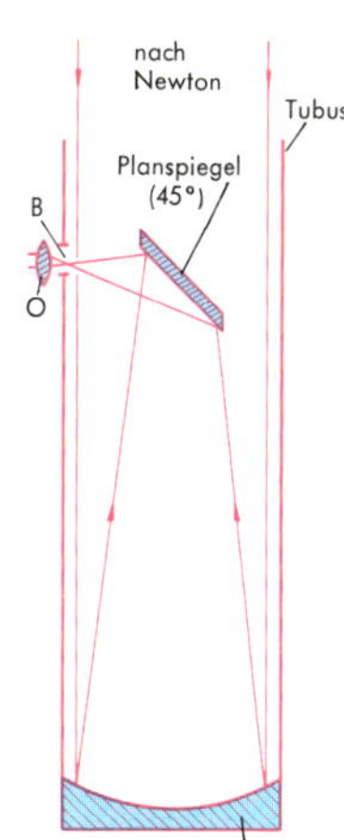

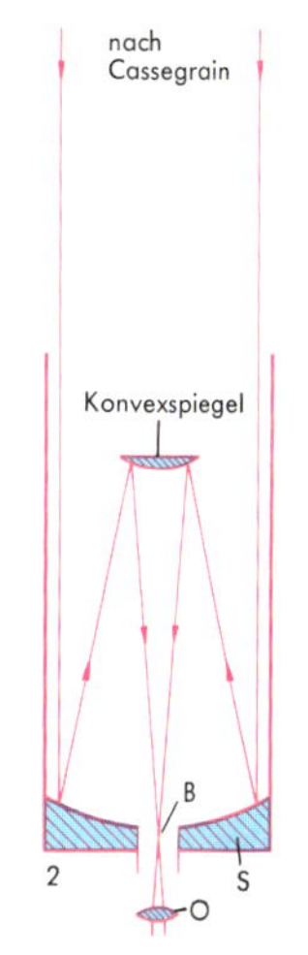

Spiegelteleskop: *S* Spiegel, *B* Brennpunkt, *O* Okular

Hinterleib pressen sie dabei ein Sekret aus, das an der Luft sofort erhärtet und die äußerst feinen geschmeidigen Fädchen bildet. Einige nutzen das Spinnvermögen nur zum Austapezieren einer Höhle oder sichern sich mit einem Faden, wenn sie jagen, oder bauen ›Fußangeln‹, indem sie Fäden hin- und herziehen. Andere spinnen Fangnetze, die auch mit einem Wohnnetz verbunden sein können. Besonders kunstvoll sind die radförmigen Netze der →Kreuzspinne und ihrer Verwandten. Manche Spinnen bauen eine Art

Spinnen: LINKS Zebraspinne; MITTE Kreuzspinne; RECHTS Schwarze Witwe (Unterseite); UNTEN Grüne Jagdspinne

Hängematte, über der viele ›Stolperfäden‹ ausgespannt sind, durch die das Beuteinsekt zu Fall gebracht wird (Baldachinspinnen). Einige spritzen klebrige Fäden auf ihr Opfer, um es zu fesseln (Speispinnen). Die tropische Falltürspinne baut eine Fallgrube mit beweglichem Deckel, unter dem sie lauert. Spinnfäden werden ferner zum Umhüllen der Eier gebraucht. Diesen ›Kokon‹ tragen die Spinnen mit sich umher oder legen ihn in Schlupfwinkeln ab, wo ihn manche auch bewachen. Junge Spinnen lassen sich im Herbst an frei in die Luft geschossenen Fäden vom Wind tragen (→Altweibersommer). Manche Spinnen weben keine Netze, sondern wandern umher und ergreifen ihre Beute im Sprung, so die größten Spinnen, die Wolfsspinnen, zu denen auch die →Tarantel und →Vogelspinne gehören. Andere lauern den Insekten (auch Bienen) auf Blüten und Blättern auf (Krabbenspinnen).

Spinnen sind ausgesprochene Landtiere bis auf die **Wasserspinne,** die in einer Gespinstglocke unter Wasser lebt. Im dichten Gewirr der Wasserpflanzen von Teichen und Gräben baut sie ihre etwa walnußgroße Behausung und füllt sie mit Luft, die sie unter ihrem dichten Haarflaum nach unten transportiert. Den Hinterleib, an dem die Atmungsorgane sitzen, in der Glocke haltend und den Vorderkörper ins Wasser gestreckt, lauert sie auf Beute.

Die meisten Spinnen leben etwa 1–2 Jahre, tropische Arten bis zu 15 Jahre. Mit den Spinnen verwandt sind die →Milben, →Skorpione und →Weberknechte.

Spionage [schpionasche, zu italienisch spia ›Späher‹], das Auskundschaften von (z. B. militärischen oder politischen) Geheimnissen eines Staates, um sie an einen anderen Staat weiterzugeben. Spionage wird entweder durch Agenten oder sonstige Einzelpersonen, meist zur Beschaffung wichtiger Einzelinformationen, oder durch hochmoderne technische Einrichtungen (z. B. durch Satelliten zur Überwachung großräumiger Truppenbewegungen) betrieben. Hiervon ist die **Werksspionage** zu unterscheiden, die oft konkurrierende Unternehmen betreiben, um Betriebsgeheimnisse des anderen zu erfahren.

Spiritual [spiritjuel], **Negro Spiritual** [nigrou-, englisch], der geistliche Gesang der von Afrikanern abstammenden Amerikaner; in den USA die religiöse Folklore der schwarzen Bevölkerung. Das Spiritual ging als ein Hauptelement in den Jazz ein.

Spiritus [lateinisch ›Atem‹, ›Geist‹], **1)** umgangssprachliche Bezeichnung für **Brennspiritus,** das ist Alkohol, der durch Vergällungsmittel für den menschlichen Genuß unbrauchbar gemacht worden ist.

2) Pharmazie: 90%iges Äthanol (→Alkohol), das in Arzneimitteln verwendet wird.

Spitzbergen, Inselgruppe im Nordpolarmeer, die mit der Bäreninsel die norwegische Außenbesitzung Svalbard bildet. Mit 62 050 km² ist die Inselgruppe fast so groß wie das Bundesland Bayern, mit rund 3 500 Einwohnern jedoch sehr dünn besiedelt. Spitzbergen besteht aus Westspitzbergen, Nordostland, Edge-Insel, Barentsinsel, Prinz-Karl-Vorland und vielen kleineren Inseln. Hauptstadt ist Longyearbyen. Spitzbergen ist gebirgig und hat arktisches, vom warmen Golfstrom etwas gemildertes Klima. 4/5 des Landes sind eisbedeckt. Wirtschaftliche Bedeutung haben die Steinkohlenlager.

Spitzbergen wurde 1596 von Willem Barents neu entdeckt, nachdem es im Mittelalter schon bekannt war. Im 17. Jahrh. führte der Reichtum an Walen und Robben die Holländer und Engländer nach Spitzbergen. 1920 sprach der Völkerbund die Inselgruppe Norwegen zu; alle Länder erhielten das Recht des Kohleabbaus, der Jagd und Fischerei, von dem nur die Sowjetunion auch heute noch Gebrauch macht.

Spitzhörnchen, eine Familie der →Halbaffen.

Spitzmäuse, lebhafte kleine Säugetiere mit einer rüsselartigen, spitzen Schnauze. Mit diesem äußerst feinen Riech- und Tastorgan suchen sie – meist in der Nacht – vor allem nach Insekten, die sie mit ihren sägeähnlichen, spitzen Zähnen zerkleinern. Spitzmäuse fressen täglich mehr als ihr doppeltes Körpergewicht. In Wäldern, Gärten und Parkanlagen graben sie ihre Gänge. Die **Wasserspitzmaus** kann gut tauchen und schwimmen. Mit höchstens 5 g Gewicht ist die **Zwergspitzmaus** das kleinste in Deutschland heimische Säugetier.

Spitzmäuse: LINKS Wasserspitzmaus, RECHTS Gartenspitzmaus

Spitzweg. Der Maler und Zeichner **Carl Spitzweg** (* 1808, † 1885), der fast sein gesamtes Leben in München verbrachte, war zunächst Apotheker und bildete sich später selbst zum Maler aus. Liebevoll und mit Humor schilderte er in kleinformatigen Bildern Szenen aus dem Leben von Kleinbürgern und Sonderlingen der Biedermeierzeit (→Biedermeier). Seine Bilder tragen Titel wie ›Der arme Poet‹, ›Der Liebesbrief‹, ›Der Meister treibt seinen Lehrling aus dem Bett‹, ›Der Witwer‹ oder ›Das Ständchen‹. Der Betrachter wird über die dargestellten Szenen unwillkürlich schmunzeln müssen, z. B. über den armen Poeten, der mit Zipfelmütze im Bett liegt, unter dem aufgespannten Regenschirm, weil es durch die Decke tropft, oder über den Kakteenfreund, der voller Stolz die Blüte an seinem geliebten Kaktus bewundert. Als Zeichner arbeitete Spitzweg für die satirische Zeitschrift ›Fliegende Blätter‹.

Sporen, einzellige Vermehrungs- oder Verbreitungseinheiten, die sich – im Unterschied zu den Keimzellen (Gameten) – ohne Befruchtung weiterentwickeln können. Sie können durch Geißeln beweglich sein (z. B. bei Algen) oder unbeweglich und dickwandig (landlebende Pflanzen). Sporen kommen vor bei Algen, Pilzen, Moosen und Farnen. Auch die Dauerformen von Bakterien werden als Sporen bezeichnet; hier dient die Bildung verdickter Zellwände oder von Schleimhüllen vor allem der Überdauerung ungünstiger Bedingungen (Nährstoffmangel, Trockenheit).

Sporenpflanzen, blütenlose Pflanzen, die sich, im Gegensatz zu den →Samenpflanzen, durch →Sporen vermehren, z. B. Algen, Pilze, Moose und Farne.

Sporn, 1) Botanik: der spitze Behälter an Kelch- und Kronenblättern der Blüten, z. B. beim Rittersporn, in dem sich Nektar befindet.

2) Zoologie: der spitze Hornfortsatz am Lauf der männlichen Hühnervögel; bei Insekten starke, an den Beinen befindliche Chitinborsten, die dem Abstemmen vom Boden, aber auch dem Putzen (›Putzsporn‹) dienen.

Sportfischen, Angelsport, Angeln, Wettbewerbe mit Angeln für Herren und Damen. Das Sportfischen gliedert sich in 2 Disziplinen: **Wettfischen** (sportliches Angeln) und **Castingsport** (Turniersport). Beim Wettfischen werden an Gewässern (Flüsse, stehende Gewässer, Meer) nach einem Punktsystem die in einer bestimmten Zeit mit unterschiedlichen Angeln gefangenen Fische gewertet. Beim Castingsport an Land werden Wettbewerbe in 3 Geräteklassen ausgetragen: Für Herren und Damen die **Gebrauchsgeräteklasse** und die **Multiplikatorklasse** (Angel mit besonderen Rollen), nur für Herren die **Turniergeräteklasse.** Dabei werden Wettbewerbe mit der Fliege, Kunststoff- oder Aluminiumgewichten als Ziel- oder Weitwurf durchgeführt.

SPQR, Abkürzung von →Senatus **P**opulus**q**ue **R**omanus.

Sprache, Zeichen, Laute oder Wörter als Mittel der Verständigung. Solche Zeichen sind bei Tieren z. B. Bewegungen (Schwanzwedeln der Hunde), Geräusche (Trommeln der Spechte) oder Stimmzeichen (Heulen der Wölfe).

Die für den Menschen kennzeichnende Sprache besteht aus Wörtern, die sich aus Lauten zusammensetzen und zu Sätzen verbunden werden können. Die Sprache, die ein Mensch zuerst lernt, heißt **Muttersprache.** Mitunter können sich jedoch auch Menschen mit gemeinsamer Muttersprache nur schlecht verständigen, da in den verschiedenen Gebieten eines Landes oft unterschiedliche →Mundarten (Dialekte) gesprochen werden. Die **Hochsprache (Standardsprache)** ist die allgemein gültige Sprache, die in Aussprache, Grammatik und Wortschatz als vorbildlich gilt. Mündliche oder schriftliche Mitteilungen in der Hochsprache werden von allen Sprechern der jeweiligen Sprache verstanden. In der alltäglichen Unterhaltung wird meist **Umgangssprache** gesprochen; sie ist eine Sprachebene zwischen der Hochsprache und den Mundarten. Neben der Umgangssprache gibt es noch zahlreiche **Berufs-** oder **Fachsprachen.**

›**Lebende Sprachen**‹ nennt man Sprachen, die noch gesprochen werden und sich im Lauf der Zeit noch verändern; dabei werden z. B. neue Wörter gebildet. ›**Tote Sprachen**‹ heißen Sprachen, die nicht mehr als Muttersprache gesprochen werden, z. B. Lateinisch. Die Sprachen, die nach der Muttersprache erlernt werden, sind **Fremdsprachen,** für einen Türken z. B. die deutsche Sprache ebenso wie die türkische Sprache für einen Deutschen.

In der Wissenschaft werden viele **Sprachstämme** unterschieden, die sich in einzelne Sprachfamilien untergliedern. Eine **Sprachfamilie** bilden z. B. die indogermanischen Sprachen. Innerhalb der Sprachfamilien gibt es **Sprachgruppen,** z. B. die germanische, romanische und slawische.

Auch für die Steuerung technischer Vorgänge entwickelte Systeme werden häufig Sprachen genannt, z. B. Programmier- oder Maschinensprachen oder die Code (→Codierung) genannten Verschlüsselungsvorschriften.

Sprachlehre, →Grammatik.

Sprechfunkgerät, das →Funksprechgerät.

Spree, mit 382 km der bedeutendste Nebenfluß der Havel in Sachsen, Brandenburg und Berlin. Sie entspringt im Lausitzer Bergland. Im **Spreewald** bildet sie durch ein Netz von Wasserarmen eine Sumpflandschaft mit Wiesen und Laubwald, die heute zur landwirtschaftlichen Nutzung entwässert ist. Auf dem Weg bis zur Mündung in die Havel in Berlin-Spandau durchfließt die Spree den Prahm-, den Schwielochund den Müggelsee und das Berliner Stadtgebiet von Ost nach West. Der Unterlauf ist auf 147 km schiffbar und Teil des Oder-Spree-Kanals. Durch Talsperren wird Energie gewonnen.

Spreizfuß, eine Fehlhaltung des →Fußes.

Sprengstoffe, feste, flüssige oder gelatinöse Stoffe, die durch Erwärmen, Schlag oder Reibung zu einer chemischen Umsetzung gebracht werden, bei der hochgespannte Gase in so kurzer Zeit entstehen, daß eine plötzliche Druckwirkung, eine Explosion, hervorgerufen wird.

Verwendet werden Sprengstoffe im gewerblichen Bereich bei Arbeiten im Straßen- und Bergbau oder in Steinbrüchen und militärisch in Form von Minen und Granaten. Für den Untertageeinsatz im Kohlebergbau werden zur Vermeidung von Schlagwettern sogenannte Wettersprengstoffe verwendet. Sprengstoffe können einzelne Explosivstoffe sein, z. B. Nitroglyzerin, oder explosionsfähige Gemenge verschiedener Substanzen wie Schwarzpulver oder →Dynamit.

Der älteste Explosivstoff besteht aus einem Gemenge aus 64–80% Kaliumnitrat, 5–30% Schwefel und 5–25% Holzkohle. Er wird heute zur Herstellung von Zündschnüren in der Feuerwerkerei und für Sprengungen in Steinbrüchen verwendet. Seine Sprengwirkung ist allerdings geringer als die von Nitroglyzerin.

Springflut, besonders großes Gezeitenhochwasser (→Gezeiten). Es entsteht, wenn bei Vollmond und Neumond die Anziehungskräfte von Sonne und Mond auf die Erde sich verstärken. Verheerend können Springfluten werden, wenn sie bei stürmischem Wetter mit einer Sturmflut zusammentreffen.

Springreiten, ein Reiterwettbewerb, bei dem die startenden Pferde auf einem vorgeschriebenen Kurs im Parcours je nach Schwierigkeitsklasse eine bestimmte Anzahl verschieden hoher und breiter Hindernisse wie z. B. Oxer, Mauer, zwei- oder dreifache Kombination innerhalb einer festgesetzten Zeit zu überspringen haben. Springprüfungen finden im Freien und in der Halle statt und werden in Einzel- und Mannschaftswertung von Damen und Herren, meist in Konkurrenz zueinander, geritten, wobei Springvermögen und Wendigkeit der Pferde und das Können der Reiter geprüft werden. Sieger ist der Reiter oder die Nationenmannschaft mit den wenigsten Fehlerpunkten nach Springfehlern und Zeitüberschreitung. Erfolgreiche Pferde sind meist zwischen 9 und 13 Jahre alt. – Springreiten ist olympische Disziplin seit 1912.

Sprint, der →Kurzstreckenlauf.

Sproß, Trieb einer Pflanze, im engeren Sinn der oberirdische Teil der **Sproßpflanzen.** Das sind alle in Sproß und Wurzel gegliederte Pflanzen, die →Samenpflanzen und die Farnpflanzen (→Farne), im Unterschied zu den Algen, Pilzen, Flechten und Moosen. Der Sproß besteht aus der Sproßachse, die als Stengel oder Stamm ausgebildet ist und Seitensprosse bildet, den Blättern und den Blüten. Häufig unterirdisch wachsende Sproßteile mit besonderen Aufgaben sind Ausläufer, Wurzelstöcke und Sproßknollen (→Wurzel) sowie →Zwiebeln.

Sprotte, ein dem →Hering verwandter Fisch.

Spur, 1) bei Tieren →Fährte.

2) Fahrzeuge: als **Spurweite** der Abstand zwi-

Wörter, die man unter S vermißt, suche man unter Sch oder Z

schen den beiden Schienen eines Gleises (→Eisenbahn) oder bei Kraftfahrzeugen zwischen den Reifenmitten von 2 an einer Achse angebrachten Rädern.

Spurenelemente, chemische Elemente, die im menschlichen, tierischen und pflanzlichen Organismus in äußerst geringen Mengen (›Spuren‹) vorkommen. Man unterscheidet solche, die lebensnotwendig sind, und andere, deren Funktion unklar ist oder die sich als entbehrlich erwiesen haben. Eine dritte Gruppe, z. B. Antimon, Arsen, Blei, Cadmium, deren biologische Bedeutung unbekannt ist, gilt als schädlich. Zu den lebensnotwendigen (essentiellen) Spurenelementen, die mit der Nahrung aufgenommen werden müssen, gehören **Eisen,** das bei der Blutbildung wichtig ist, **Kobalt,** das Bestandteil des Vitamins B_{12} ist, **Jod,** das zur Bildung der Schilddrüsenhormone notwendig ist, sowie **Chrom, Kupfer, Mangan** und andere, die in Zellenzymen enthalten sind. Mangel und Übermaß an Spurenelementen sind gleichermaßen schädlich.

Sputnik [russisch ›Weggefährte‹], der erste künstliche Satellit, gestartet am 4. Oktober 1957 in der Sowjetunion. Ihm folgten einige weitere Satelliten gleichen Namens. (→Raumfahrt, ÜBERSICHT)

Squash [skwosch, englisch, zu to squash ›zerquetschen‹], Rückschlagspiel für 2 Spieler gegen eine Wand mit einer Art von Tennisschlägern. Dabei wird ein Weichgummiball (24 g Gewicht, 4 cm Durchmesser) aus dem Angaberaum (1,60 m × 1,60 m) des 9,75 m × 6,40 m großen Platzes (Squashcourt) an die Vorderwand gespielt, wo er oberhalb der 1,83 m vom Boden entfernten Aufschlaglinie aufkommen und in das gegnerische Aufschlagfeld zurückfliegen muß. Die Aufschlagfelder sind von der Endlinie und einer 5,50 m vor der Vorderwand befindlichen Linie begrenzt und in der Mitte geteilt. Beim Rückschlag darf der Ball direkt oder nach einmaliger Bodenberührung angenommen werden. Im Spiel darf der Ball alle Wände berühren, außer dem mit Blech zur akustischen Fehleranzeige verkleideten 48,3 cm hohen Brett (Tin oder Playboard) der Vorderwand und der 2,13 m vom Boden entfernten Fehlerlinie auf der Rückwand. Der Ball darf nur einmal den Boden berühren. Gewertet wird nach Sätzen zu 9 Punkten; bei Gleichstand von 8 : 8 kann der Rückspieler bestimmen, ob bis zu 9 oder 10 Gewinnpunkten gespielt wird. Gespielt wird auf 3 Gewinnsätze, wobei nur der Aufschläger Punkte machen kann.

sr, Einheitenzeichen für →**Steradiant.**

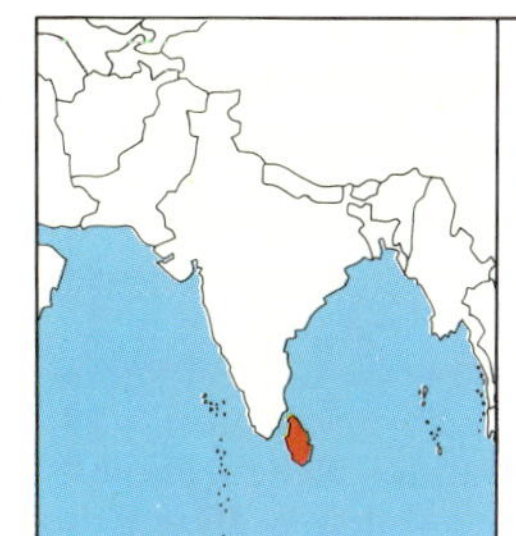

Sri Lanka

Fläche: 65 610 km²
Bevölkerung: 17,4 Mill. E
Hauptstadt: Colombo
Amtssprachen: Singhalisisch, Tamil
Nationalfeiertag: 4. Febr.
Währung: 1 Sri-Lanka-Rupie (S.L.Re) = 100 Sri-Lanka-Cents (S.L.Cts)

Sri Lanka, früher **Ceylon,** ein Indien im Süden vorgelagerter Inselstaat im Indischen Ozean, etwas kleiner als Bayern. Zum größten Teil besteht die Insel aus Flachland; im südlichen Teil erhebt sich ein Gebirge mit höchsten Höhen über 2 500 m. Das Klima ist tropisch und von den Monsunen beeinflußt. Die meisten Niederschläge bringt der Südwestmonsun von Mai bis September, etwas geringere der Nordostmonsun im Winter.

Tee, Kautschuk, Kokospalmen werden in großen Plantagen angebaut. Reisanbau dient der Versorgung der eigenen Bevölkerung. Das Handwerk spielt eine wichtige Rolle, die Industrie ist im Aufbau. Seit einigen Jahren hat Sri Lanka erheblichen Fremdenverkehr. – Seit dem 16. Jahrh. zunächst portugiesisch, dann holländisch, kam die Insel zu Beginn des 19. Jahrh. in britischen Besitz. 1948 wurde das Land unabhängige Republik und führt seit 1972 den Namen Sri Lanka. (KARTE Band 2, Seite 195)

SS, Abkürzung für **Schutzstaffel,** im nationalsozialistischen Deutschland ein militärähnlicher Kampfverband der NSDAP, der 1925 zum persönlichen Schutz Adolf Hitlers gegründet wurde. Unter Führung Heinrich Himmlers erhob die SS den Anspruch, eine Elite zu sein und suchte sich daher von der Masse der NSDAP-Mitglieder abzuheben. Sie gab sich besonders intensiv dem Germanenkult hin und vertrat einen extremen Judenhaß (Antisemitismus).

Durch ihre enge Verbindung mit der Gestapo (→Geheime Staatspolizei) war die SS Hauptträger des politischen Terrors in Deutschland, nach Ausbruch des Zweiten Weltkriegs auch im besetzten Ausland. Der von der SS geschaffene **Sicherheitsdienst (SD)** durchsetzte als politisches Überwachungsorgan den gesamten Partei- und Staatsapparat sowie sämtliche Lebensbereiche der Menschen mit einem Spitzelsystem. Bei der SS lag die Organisation und Verwaltung der →Konzentrationslager. Während des Zweiten Weltkriegs ermordeten in den besetzten Ostge-

Sri Lanka

Staatswappen

Staatsflagge

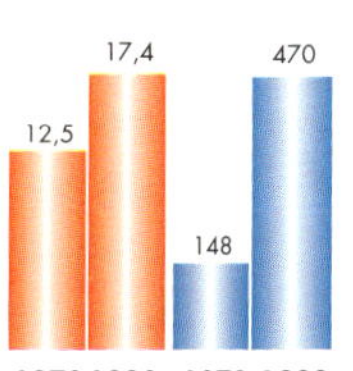

Bevölkerung (in Mill.)
Bruttosozialprodukt je E (in US-$)

Stadt Land
21%
79%

Bevölkerungsverteilung 1990

Industrie
Landwirtschaft
Dienstleistung

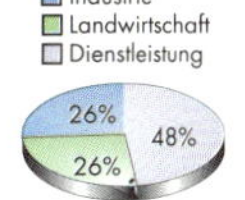

Bruttoinlandsprodukt 1990

bieten Einsatzgruppen der SS in Massenaktionen Juden, Zigeuner und Angehörige der sowjetischen Führungsschicht. Die SS organisierte seit 1942 zugleich die systematische Ausrottung der Juden in den Vernichtungslagern; sie stellte auch den ›Generalplan Ost‹ zur Vertreibung der slawischen Völker aus ihren Siedlungsgebieten in das westliche Sibirien auf. 1946 erklärte das Internationale Militärtribunal in Nürnberg die SS zur verbrecherischen Organisation. Neben der Allgemeinen SS entstand im Zweiten Weltkrieg die →Waffen-SS.

Staat [aus lateinisch status ›Stand‹, ›Zustand‹], Vereinigung einer Vielzahl von Menschen (Staatsvolk) innerhalb eines abgegrenzten geographischen Raums (Staatsgebiet) unter einem mit Amtsgewalt ausgestatteten Souverän (Staatsgewalt).

Das **Staatsvolk** bildet die Gesamtheit der durch dieselbe →Staatsangehörigkeit verbundenen Mitglieder eines Staates. Das **Staatsgebiet** ist der geographische Raum einschließlich des Luftraums darüber und der Binnen- und Küstengewässer. Im →Bundesstaat muß der Gesamtstaat die Staatsgewalt mit Teil- oder Gliedstaaten teilen. Die **Staatsgewalt** ist jene Kraft im Staatsgebiet, die die Fähigkeit (Macht) besitzt, gegenüber den Staatsbürgern mit Befehl und Zwang ihren Willen durchzusetzen. Die Staatsgewalt kann dabei durch Verfassung legitimiert sein (z. B. in der Demokratie) oder durch Machtanwendung oder Machtmißbrauch angeeignet sein (vor allem in der Diktatur). – **Staatsorgane** sind alle vom Staat bevollmächtigten Personen, Körperschaften und Behörden, die im Namen des Staates und in einem bestimmten Zuständigkeitsbereich Staatsgewalt ausüben.

Staatsformen sind verschiedene Systeme, in denen staatliche Herrschaft ausgeübt wird: Von der Staatsspitze z. B. her gesehen, werden heute →Monarchie und →Republik unterschieden, von der Staatstätigkeit und dem inneren Zustand aus betrachtet →Demokratie und →Diktatur; in Geschichte und Gegenwart gibt es dabei im einzelnen sehr vielfältige und untereinander vermischte Staatsformen.

Staatenbund, →Bundesstaat.

Staatsangehörigkeit, die mit Rechten (z. B. Aufenthaltsrecht) und Pflichten (z. B. Wehrpflicht, Steuerpflicht) verbundene Mitgliedschaft einer Einzelperson **(Staatsbürger)** in einem →Staat. Welchem Staat der einzelne angehört, wird von seinem Geburtsort oder, von diesem unabhängig, von seiner Abstammung (maßgebend ist die Staatsangehörigkeit des Vaters, bei nichtehelichen Kindern die der Mutter) bestimmt. In der Bundesrepublik Deutschland entscheidet grundsätzlich die Abstammung. Daneben begründen die Annahme als Kind (→Adoption) oder die Einbürgerung die deutsche Staatsangehörigkeit. Die deutsche Staatsangehörigkeit darf nicht entzogen werden; möglich ist jedoch ein Verzicht auf sie, z. B., wenn jemand neben der deutschen eine zweite Staatsangehörigkeit besitzt. Ähnliche Regeln kennen Österreich und die Schweiz.

Staatsanwalt, Justizbeamter, der mit Hilfe der Polizei Straftaten untersucht und den Täter ermittelt. Er ist verpflichtet, den Sachverhalt sorgfältig zu prüfen und auch solchen Umständen nachzugehen, die einen Verdächtigen entlasten. Bei hinreichendem Tatverdacht erhebt er →Anklage, die er vor Gericht vertritt. Ein Staatsanwalt hat die gleiche Ausbildung wie ein Rechtsanwalt oder Richter.

Staatsstreich, ein gegen die Verfassung gerichteter Umsturz, der vom Inhaber der Regierungsgewalt oder einem anderen Träger staatlicher Funktionen ausgeht.

Stabhochsprung, leichtathletische Sprungdisziplin für Herren, die mit einem Sprungstab ausgeführt wird. Es gilt, nach einem Anlauf mittels des Sprungstabs über eine zwischen 2 Ständern liegende Sprunglatte zu springen. Von entscheidender Bedeutung für die Sprunghöhe in dieser technisch schwierigen Disziplin ist ein möglichst weites und hohes Greifen am Stab bei einer entsprechend hohen Anlaufgeschwindigkeit. Das eine Knie des Springers schwingt hoch und nach vorn, sein Körper hängt wie ein gespannter Bogen am Sprungstab. Im Aufschwung steigen die Hüften über die Höhe der Schultern. Während ein Armzug und eine Drehung einsetzen, wird der Körper zum Handstand durchgedrückt und mittels der Katapultwirkung des aufgerichteten Sprungstabes in die Höhe geschleudert. Der Sprungstab darf beliebig lang und dick sein. Hinsichtlich des Materials bestehen keine Vorschriften; heute bestehen die Stäbe, dünnwandige Rohre, aus glasfaserverstärktem Polyesterharz (Epoxidharz); das flexible Material ermöglicht durch seine Zähigkeit und Bruchfestigkeit auch bei starker Durchbiegung noch eine katapultierende Federwirkung. – Stabhochsprung ist seit 1896 olympische Disziplin.

Stabreim, Wiederkehr gleicher Anfangslaute, z. B. in →Versen.

Stachel, 1) Botanik: ein spitzer, harter Pflanzenteil, der im Unterschied zum →Dorn aus Rindengewebe gebildet wird und leicht abzulösen

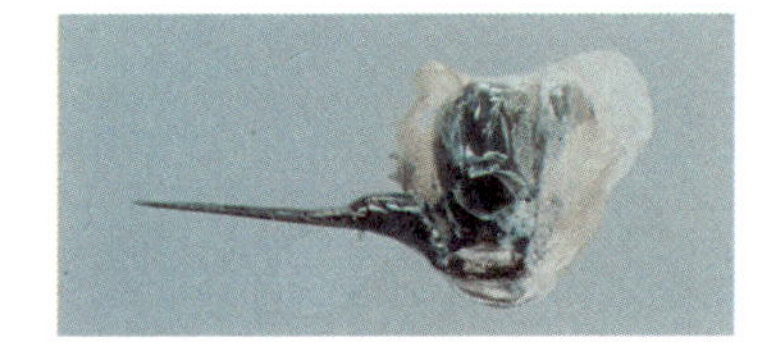

Stachel 2): Bienenstachel (stark vergrößert), der nach einem Stich in der menschlichen Haut steckenblieb. Mit dem Stachel herausgerissen wurden die Giftdrüse und Gewebeteile des Hinterleibs. Die bei der Biene verursachten Verletzungen beim Herausreißen des Stachels sind in der Regel so stark, daß sie stirbt

ist, z. B. bei Rosen. Stacheln schützen die Pflanze gegen Tierfraß und helfen einigen, z. B. Kletterrosen, im Geäst von Büschen und Bäumen sowie an Mauern und Felsen Halt zu finden.

2) Zoologie: bei Tieren ein spitzes, scharfes Gebilde, das zum Beuteerwerb und zur Verteidigung dient. Es können besonders stark entwickelte Haare von Säugetieren sein (Igel, Stachelschwein), umgebildete Schuppen (viele Fische), Hautzähne (Rochen) oder bewegliche Anhänge des Hautskeletts (viele Stachelhäuter). Bei vielen Hautflüglern ist der Legestachel zum Giftstachel umgebildet, der bei den Bienen mit Widerhaken versehen ist und daher nach einem Stich in der elastischen Haut der Wirbeltiere steckenbleibt.

Stachelbeere, dicht verzweigter, stacheliger Strauch mit kleinen, rötlich-grünen Blüten, deren Fruchtknoten sich zu derbschaligen, meist behaarten Beeren entwickeln. Die ovalen Früchte sind grün, goldgelb oder rot.

Stachelhäuter, ein Stamm der →Wirbellosen, die im Meer leben. Sie haben in der Unterhaut ein Kalkskelett, dessen Anhänge meist als harte Stacheln herausragen. Die Leibeshöhle des meist sternförmigen oder kugeligen Körpers ist zu einem komplizierten, im Tierreich einmaligen System von wasserführenden Gefäßen ausgebildet. Dieses System, das über eine Siebplatte mit dem Meerwasser in Verbindung steht, pumpt Wasser in die zahlreichen schlauchförmigen Saugfüßchen, die sich dann von der Unterlage lösen und verkürzen. Wird das Wasser aus den Füßchen wieder herausgedrückt, saugen sie sich fest. So bewegen sich diese Tiere fort. Die meist getrenntgeschlechtlichen Stachelhäuter vermehren sich durch Eier, die im Wasser befruchtet werden und sich zu freischwimmenden Larven entwickeln. Zu den Stachelhäutern gehören →Seesterne, →Seeigel, Seelilien (Haarsterne), Seewalzen (Seegurken) und Schlangensterne.

Stachelschweine, gedrungene →Nagetiere mit borstiger Nackenmähne und bis zu 40 cm langen Stacheln. Bei Gefahr stellen sie die Stacheln auf, wodurch sie sehr viel größer wirken, als sie tatsächlich sind, und rasseln mit den besonders kräftigen, hohlen Schwanzstacheln. Bei ernsthafter Bedrohung können sie dem Angreifer mit einem kräftigen Muskeldruck die spitzen, lose sitzenden Rückenstacheln entgegenschleudern und ihm damit schmerzhafte Wunden zufügen. Stachelschweine bewohnen in den Tropenzonen

1

2

Stachelhäuter:
1 und **2** Seesterne:
1 Mittelmeer-Kammstern.
2 Fünfeckstern.
3 Seelilien: Mittelmeer-Haarstern.
4 Schlangensterne: Großer Schlangenstern.
5 Seeigel: Eßbarer Seeigel

3

4

5

Afrikas und Asiens lichte Wälder und Steppen; sie kommen auch in Süditalien und auf Sizilien vor. Ihre selbstgegrabenen Erdhöhlen verlassen sie nur in der Dämmerung und Nacht, um nach Wurzeln und Feldfrüchten zu suchen. Sie können in Pflanzungen Schäden anrichten. Stachelschweine werden höchstens 18 Jahre alt; sie sind häufig im Zoo zu sehen.

Stadt, eine größere, geschlossene Siedlung, die im Unterschied zum Dorf in **Stadtviertel** (z. B. Geschäfts-, Industrie-, Wohnviertel) gegliedert ist und das wirtschaftliche, kulturelle und verwaltungsmäßige Zentrum eines größeren Gebiets darstellt. Die Bewohner einer Stadt sind überwiegend in Berufen außerhalb der Landwirtschaft tätig.

Jossif Stalin

Eine allgemein anerkannte Definition des Stadtbegriffs gibt es nicht. Die deutsche Statistik unterscheidet nach der Einwohnerzahl zwischen **Landstädten** (2 000–5 000 Einwohner), **Kleinstädten** (5 000–20 000 Einwohner), **Mittelstädten** (20 000–100 000 Einwohner) und **Großstädten** (über 100 000 Einwohner). Für die Entwicklung einer Stadt spielten seit jeher die Markt- und Verkehrslage eine bedeutende Rolle. Im Lauf der Jahrhunderte hat sich das Bild der Stadt den jeweiligen Bedürfnissen angepaßt und geändert. Heute entstehen durch die Ansiedlung von Industrien und die von weither kommenden Arbeitnehmer ausgedehnte **Vorstädte,** in die zunehmend auch die Stadtbewohner ziehen, so daß der Stadtkern **(City)** kaum noch zum Wohnen benutzt wird. Durch die dichte Bebauung, die fehlende Vegetation, die Erzeugung von Wärme in Heizungen und durch Abgase aus Autos und Schornsteinen entsteht gegenüber der ländlichen Umgebung ein **Stadtklima;** dieses ist durch geringere jährliche Temperaturunterschiede und stärkere Niederschläge, Nebelbildung, Bewölkung und in den Großstädten teilweise durch Smogbildung gekennzeichnet.

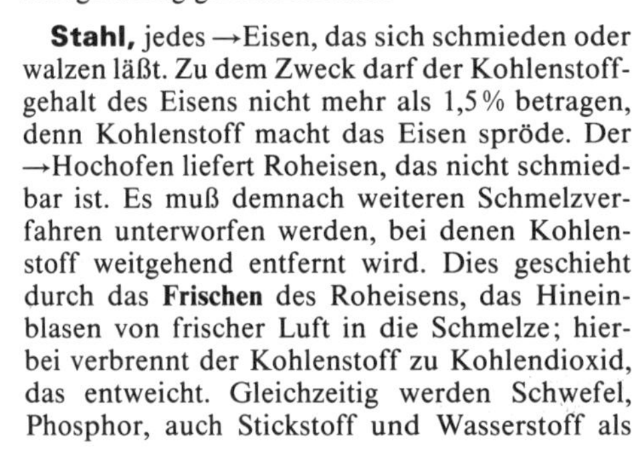

Stahl, jedes →Eisen, das sich schmieden oder walzen läßt. Zu dem Zweck darf der Kohlenstoffgehalt des Eisens nicht mehr als 1,5% betragen, denn Kohlenstoff macht das Eisen spröde. Der →Hochofen liefert Roheisen, das nicht schmiedbar ist. Es muß demnach weiteren Schmelzverfahren unterworfen werden, bei denen Kohlenstoff weitgehend entfernt wird. Dies geschieht durch das **Frischen** des Roheisens, das Hineinblasen von frischer Luft in die Schmelze; hierbei verbrennt der Kohlenstoff zu Kohlendioxid, das entweicht. Gleichzeitig werden Schwefel, Phosphor, auch Stickstoff und Wasserstoff als

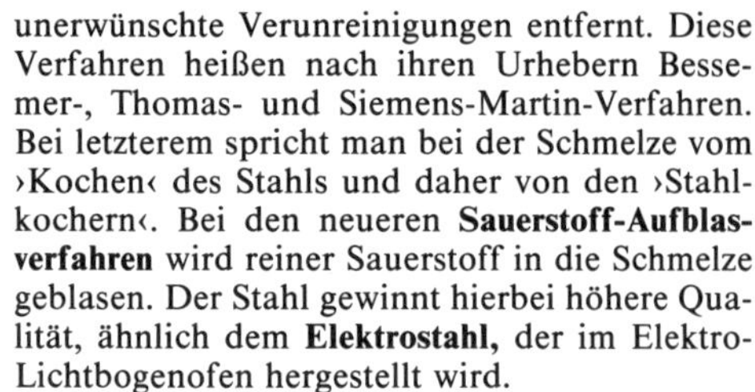

unerwünschte Verunreinigungen entfernt. Diese Verfahren heißen nach ihren Urhebern Bessemer-, Thomas- und Siemens-Martin-Verfahren. Bei letzterem spricht man bei der Schmelze vom ›Kochen‹ des Stahls und daher von den ›Stahlkochern‹. Bei den neueren **Sauerstoff-Aufblasverfahren** wird reiner Sauerstoff in die Schmelze geblasen. Der Stahl gewinnt hierbei höhere Qualität, ähnlich dem **Elektrostahl,** der im Elektro-Lichtbogenofen hergestellt wird.

Stahl ist der wichtigste industrielle Werkstoff. Er hat äußerst vielseitige Eigenschaften: hart, zugfest, zäh und chemisch beständig. Diese Eigenschaften lassen sich vor allem durch Legieren und durch nachträgliche Wärmebehandlungen vielfältig abwandeln. Mangan, Nickel, Chrom, Molybdän, Wolfram, Silicium, Vanadium sind die häufigsten Legierungselemente. Bei der Wärmebehandlung wird Stahl, der dafür keinen höheren Kohlenstoffgehalt als 0,86% haben darf, in speziellen Wärmeöfen auf höhere Temperaturen gebracht und dann in geregelter Zeit abgekühlt. So lassen sich z. B. das innere Gefüge, die Oberflächenhärte, die spätere Bearbeitbarkeit beeinflussen. **Edelstahl,** legiert oder unlegiert, fast stets wärmebehandelt, besitzt die höchste Reinheit von unerwünschten Begleitelementen und genügt besonderen Ansprüchen, z. B. als Werkzeugstahl, für vorgeschriebene magnetische und elektrische Eigenschaften, für Kernreaktoren.

Stahlstich, um 1820 in England erfundenes →Druckverfahren; die Technik entspricht der des →Kupferstichs, doch wird statt der Kupferplatte eine Stahlplatte verwendet, die wegen ihrer größeren Härte eine höhere Auflage erlaubt.

Stalagmit [von griechisch stalagma ›Tropfen‹] und **Stalaktit,** →Tropfsteinhöhle.

Stalin. Der georgische Revolutionär und spätere sowjetische Politiker **Jossif Wissarionowitsch Dschugaschwili** (* 1879, † 1953), genannt **Stalin** (›der Stählerne‹), absolvierte zunächst ein orthodoxes Priesterseminar, wurde jedoch später wegen revolutionärer Tätigkeit von dort verwiesen. 1903 schloß er sich den →Bolschewiken an. Zwischen 1907 und 1917 lebte er meist in der Verbannung.

Nach der Oktoberrevolution von 1917 gewann Stalin in der Partei der ›Bolschewiki‹ (seit 1918 ›Kommunistische Partei‹) und in dem von ihr organisierten Staat großen Einfluß. Seit 1917 war er Mitglied des Politbüros der Kommunistischen Partei (KP). Als er 1922 in das neugeschaffene Amt des Generalsekretärs der KP berufen wurde, baute er dieses Amt zum Führungsorgan der Partei und zu einem persönlichen Machtinstrument aus. Nach dem Tod Lenins (1924) errang Stalin in ständigem Kampf mit innerparteilichen Gegnern, besonders Leo Trotzkij, Grigorij Sinowjew und Nikolaj Bucharin, bis 1929 die Alleinherrschaft über Partei und Staat. Unter Anwendung auch von Mitteln der Gewalt leitete er eine wirtschaftliche und soziale Umwälzung ein: Er überführte die gesamte Landwirtschaft in Gemeineigentum und baute vor allem die Schwer- und Rüstungsindustrie aus (Entwicklung der Sowjetunion zur wirtschaftlichen Großmacht). In einer großen Säuberungsaktion (1935–39) vernichtete er in Partei, Staatsverwaltung, Armee und anderen Teilen der Gesellschaft vermeintliche und tatsächliche Gegner; zahllose Menschen wurden inhaftiert, ehemals führende Politiker wurden in Schauprozessen zum Tod verurteilt und hingerichtet.

Ideologisch vertrat Stalin folgende Grundsätze **(Stalinismus):** Der Aufbau einer kommunistischen Gesellschaft könne in der Sowjetunion in Angriff genommen werden, ohne den Erfolg kommunistischer Revolutionen in anderen Ländern, besonders den weiterentwickelten Industrieländern des westlichen Europa (z. B. Großbritanniens oder Deutschlands), abzuwarten. Beim Aufbau der Gesellschaft nach kommunistischem Muster dürfe sich der Klassenkampf (→Marxismus) nicht mildern, sondern müsse sich verschärfen, um den besiegten ›Klassenfeind‹ daran zu hindern, wieder gesellschaftliche Machtpositionen zu erringen. Um den kommunistischen Staat wirtschaftlich zu sichern, müsse die Schwerindustrie immer den Vorrang haben vor der Gebrauchsgüterindustrie.

In seiner Außenpolitik gelang es Stalin, die kommunistische Weltbewegung weitgehend seinen Zielen dienstbar zu machen. Im Mai 1941 wurde er auch ›Vorsitzender des Rates der Volkskommissare‹ (Ministerpräsident). Nach dem deutschen Angriff auf die Sowjetunion (Juni 1941) übernahm er die Führung des ›Staatskomitees für Verteidigung‹. 1943 erhielt er den Rang eines Marschalls, 1945 den eines Generalissimus. Im Bündnis und mit Hilfe der westlichen Kriegsgegner Deutschlands führte Stalin im Rahmen der ›Anti-Hitler-Koalition‹ die sowjetischen Truppen bis nach Deutschland hinein. Auf den großen Konferenzen von Teheran, Jalta und Potsdam konnte er die sowjetische Macht- und Einflußsphäre stark erweitern. Im westlichen Vorfeld der Sowjetunion schuf er einen Gürtel abhängiger, durch den →Eisernen Vorhang nach Westen abgeschirmter Staaten.

Nach seinem Tod kritisierten seine Nachfolger, vor allem Nikita Chruschtschow, seine Herrschaftsmethoden und suchten sie im Rahmen der ›Entstalinisierung‹ abzubauen.

Stalingrad, bis 1961 Name von →Wolgograd.

Stamm, Botanik: verholzende Hauptachse der Bäume. Das Holz, das den inneren Teil des Stammes bildet, verleiht dem Stamm Festigkeit und leitet Wasser und Mineralstoffe von den Wurzeln aufwärts in die Blätter. Den äußeren Teil des Stammes bildet die **Rinde.** Sie besteht aus **Borke** und **Bast.** Die Borke, die aus abgestorbenen Zellen und aus Korkzellen gebildet wird, ist fest und wasserundurchlässig. Sie schützt den

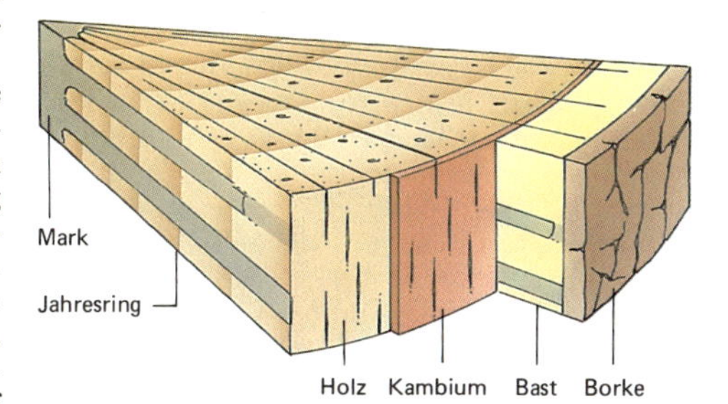

Stamm: Ausschnitt aus einem fünfjährigen Kiefernstamm

Stamm vor Verletzungen, Infektionen und zu starker Verdunstung. Wird der Stamm mit zunehmendem Alter dicker, entstehen in der Borke Risse, die von innen her wieder aufgefüllt werden. Im Bastteil der Rinde werden die bei der →Photosynthese in den Blättern aufgebauten organischen Nährstoffe gespeichert und bis zu den Wurzeln geleitet. Die Rinde der Korkeiche liefert →Kork, die Rinde mancher Bäume Gewürze (Zimt) und Arzneimittel (Chinin). Zwischen Rinde und Holzteil liegt die dünne Wachstumsschicht (›Kambium‹), in der neue Zellen für Holz und Rinde gebildet werden. Unterschiedliches Zellwachstum zu verschiedenen Jahreszeiten bewirkt die Ausbildung von →Jahresringen.

Stammesgeschichte, Phylogenetik, Wissenschaftszweig der Biologie, der die verwandtschaftlichen Beziehungen innerhalb des Pflanzen- und des Tierreiches untersucht. Dazu werden die Lebewesen nach Ähnlichkeiten, z. B. des Körperbaus (bei den Tieren) oder des Blütenbaus (bei den Pflanzen), geordnet. Diese Ordnung führt zur Systematik der Organismen (→biologisches System). Die Erforschung des

Alters der Tier- und Pflanzengruppen an Hand von Fossilien hilft, die Entwicklungsgeschichte der Organismen aufzuklären. Für manche Gruppen, z. B. für die Samenpflanzen und die Wirbeltiere, kann man ganze Ahnenreihen aufstellen. Die Entwicklungsgeschichte der meisten Organismen ist jedoch noch ungeklärt.

Stände, die Gruppen innerhalb der Gesellschaft eines Staates oder eines Volkes. Je nach Herkunft, Beruf oder Besitz wird eine Person einem bestimmten Stand zugeordnet. Manche Gesellschaften waren nach Ständen hierarchisch, das heißt in einer festgelegten Rangordnung, gegliedert. Im Zeitalter des Feudalismus bildeten nur →Adel und Geistlichkeit politisch einflußreiche Stände. Erst mit der →Französischen Revolution sprach man vom Bürgertum als dem ›Dritten Stand‹. Seit Mitte des 19. Jahrh. spricht man von der Arbeiterschaft als dem ›Vierten Stand‹.

Ständerat, die zweite Kammer der →Bundesversammlung in der Schweiz. Sie besteht aus 46 von den Kantonen der Schweiz entsandten Mitgliedern. Die 20 (Voll-)Kantone entsenden je 2, die 6 Halbkantone je 1 Mitglied. Die Mitglieder des Ständerats werden in 23 Kantonen vom Volk direkt und in 3 Kantonen durch die Kantonsparlamente gewählt (→Gewaltenteilung). – Dem Ständerat entspricht in der Bundesrepublik Deutschland der Bundesrat.

Standesamt, eine in jeder Gemeinde bestehende Behörde, die die gesetzliche Eheschließung vornimmt (→Ehe) und über bestimmte persönliche Verhältnisse (früher ›Stand‹ genannt) Buch (Register) führt. So gibt es beim Standesamt ein Geburtenbuch, ein Heiratsbuch, ein Familienbuch und ein Sterbebuch. In diesen Büchern steht also, wann und wo der einzelne geboren wurde, wann und wen er geheiratet hat, welche Kinder er hat und wann und wo er gestorben ist.

Standseilbahn, →Seilbahn.

Stans, 5700 Einwohner, Hauptort des schweizerischen Halbkantons Nidwalden, liegt südlich des Vierwaldstätter Sees.

Star

Stare, artenreiche Familie lebhafter, mittelgroßer Singvögel, die alle Erdteile bewohnen. Der häufige europäische Star wird oft mit der Amsel verwechselt, ist aber deutlich kleiner und hat einen kürzeren Schwanz. Seine schwarzen Federn tragen nach der Mauser im Herbst weiße Spitzen (›Perlstar‹), die sich bis zum Frühjahr abnutzen. Dann schimmert das Gefieder metallisch grün und purpurfarben. Stare fliegen rasch und schwirrend. Vor allem am Boden, wo sie ruckartig laufen, suchen sie nach Insekten, Schnecken 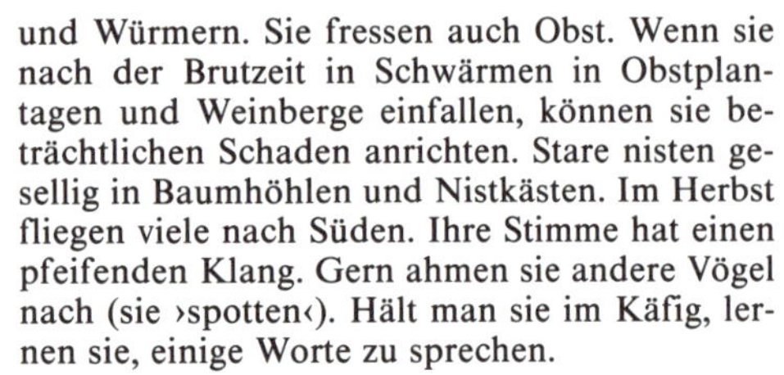
und Würmern. Sie fressen auch Obst. Wenn sie nach der Brutzeit in Schwärmen in Obstplantagen und Weinberge einfallen, können sie beträchtlichen Schaden anrichten. Stare nisten gesellig in Baumhöhlen und Nistkästen. Im Herbst fliegen viele nach Süden. Ihre Stimme hat einen pfeifenden Klang. Gern ahmen sie andere Vögel nach (sie ›spotten‹). Hält man sie im Käfig, lernen sie, einige Worte zu sprechen.

Stärke, das Endprodukt der →Photosynthese, das in Knollen und Wurzeln, Samen und Früchten in Form von Stärkekörnern gespeichert wird. Die Pflanzen stellen die zu den →Kohlenhydraten gehörende, verdauliche Stärke mit Hilfe ihres grünen Blattfarbstoffs aus Kohlendioxid und Wasser her, wobei als Zwischenstoff →Traubenzucker auftritt.

Stärke ist mengenmäßig das wichtigste Nahrungsmittel des Menschen und ist z. B. in Kartoffeln, Mehl und Brot enthalten. Bei der Verdauung wird sie wieder in Traubenzucker zerlegt, wodurch ein großer Teil des menschlichen Energiebedarfs gedeckt wird. Stärke hat aber auch Bedeutung bei der Papierherstellung und im Textilbereich, weiterhin dient sie z. B. zur Herstellung von Klebstoffen, Farben, Kartonagen und Bier.

Starkstromtechnik, früher verwendeter Begriff für den Teil der →Elektrotechnik, der sich mit der elektrischen Energietechnik befaßt.

Starnberger See, Würmsee, 57 km² großer See im bayrischen Alpenvorland südwestlich von München. Der bis zu 127 m tiefe See entwässert über die Würm.

Starrkrampf, →Wundstarrkrampf.

Starter, früher **Anlasser,** Vorrichtung, um Verbrennungsmotoren oder Gasturbinen auf eine bestimmte Drehzahl zu bringen, so daß sie durch eigenen Antrieb weiterlaufen.

Man unterscheidet verschiedene Arten von Startern: 1) Der Antrieb erfolgt durch Muskelkraft, dies geschieht bei Kleinmotoren mittels Handstarteinrichtung oder durch Fußhebel (Kickstarter) bei kleineren Motorrädern.

Die Handstarteinrichtung (z. B. bei Außenbordmotoren) besteht aus einer Schnur, die auf einer selbstaufrollenden Scheibe aufgewickelt ist. Zum Starten wird an der Schnur mit einem Armzug gezogen, dabei wird die Kurbelwelle des Motors gedreht und gleichzeitig über eine magnetische Zündung der Verbrennungsvorgang ausgelöst. Der Kickstarter ist im Prinzip der Handstarteinrichtung gleich, nur wird hier der Fuß zum Anwerfen des Motors benutzt.

2) Der elektrische Starter besteht aus einem

batteriegespeisten Elektromotor, er findet bei größeren Motoren (Pkw, Lkw) Verwendung.

Statistik [zu italienisch statista ›Staatsmann‹], zahlenmäßige Erfassung von wirtschaftlichen, technischen und sozialen Daten aller Art, deren Ordnung unter bestimmten vorgegebenen Gesichtspunkten und Zielen sowie deren Aufbereitung, Untersuchung und Erklärung. Aus den Zahlenreihen, den **Statistiken,** können mit Hilfe bestimmter statistischer Methoden Schlußfolgerungen gezogen (z.B. bei einem naturwissenschaftlichen Experiment) oder Vorhersagen (Prognosen) über zukünftige Entwicklungen gebildet werden. Eine Statistik ist z.B. die Aufreihung von Geburts-, Heirats- und Sterbezahlen aus der Bevölkerung eines Landes über viele Jahre. Aus den vorhandenen Zahlen können Werte für die Bevölkerungsentwicklung der Zukunft errechnet werden. Außerdem werden Statistiken dazu verwendet, die Grundlagen für technische, wirtschaftliche oder politische Entscheidungen zu verbessern und Meinungen mit gesichertem Zahlenmaterial zu untermauern.

In der Bundesrepublik Deutschland werden Statistiken in regelmäßigen Abständen und über zahlreiche verschiedene Gebiete vor allem vom **Statistischen Bundesamt** und den **statistischen Landesämtern** erstellt und ausgewertet (amtliche Statistik). Daneben gibt es eine Reihe von internationalen Organisationen, die sich mit Zahlenmaterial aller Staaten der Erde befassen (z.B. Statistisches Amt der Europäischen Gemeinschaften). Auch zahlreiche Behörden, Verbände, Unternehmen und Forschungseinrichtungen veröffentlichen regelmäßig statistisches Material (nichtamtliche Statistik).

Statistische Methoden werden heute in fast allen Wissenschaften angewendet, besonders in den Wirtschafts- und Sozialwissenschaften, der Medizin, Biologie und Psychologie.

Statue, Standbild, in der →Bildhauerkunst die vollplastisch gestaltete, frei im Raum stehende Einzelfigur. Die kleine Statue heißt **Statuette.**

Staubblatt, ein Teil der →Blüte.

Staude, mehrjährige krautige Blütenpflanze, deren oberirdische Sprosse alljährlich im Herbst absterben. Im folgenden Jahr bilden sich neue Sprosse aus den dicht über dem oder im Boden liegenden, überdauernden Pflanzenteilen, z.B. in Form einer Zwiebel wie beim Schneeglöckchen, eines Wurzelstocks wie beim Maiglöckchen, einer Knolle wie beim Aronstab, einer Rosette wie beim Löwenzahn oder eines Ausläufers wie bei der Erdbeere.

Staufer. Bei Göppingen, südöstlich von Stuttgart, liegt der 684m hohe **Hohenstaufen.** Von diesem Vorberg der Schwäbischen Alb hat das Adelsgeschlecht der Staufer seinen Namen. Hier erhob sich einst die Stammburg. Die Staufer waren Herzöge von Schwaben. Sie waren Verwandte der →Salier und erbten deren Güter. Seit 1138, mit der Wahl Konrads III. (1138–52) zum deutschen König, stellten sie bis 1254 die deutschen Könige und Kaiser. Ein Neffe Konrads III. war →Friedrich I. mit dem Beinamen ›Barbarossa‹. Unter →Heinrich VI. dehnte sich die Macht der Staufer nach Süditalien und Sizilien aus. Nach dessen frühem Tod (1197) konnten seine Nachfolger den Niedergang nicht aufhalten, trotz der glanzvollen Regierung Kaiser →Friedrichs II. 1250 wurde zum letzten Mal ein Staufer zum deutschen König gewählt: Konrad IV. († 1254). Nach seinem Tod gab der Papst Süditalien und Sizilien dem französischen Herzog Karl von Anjou zu Lehen. Der 16jährige Sohn Konrads IV., Konradin, versuchte, sein sizilianisches Erbe zurückzuerobern, wurde aber von Karl von Anjou besiegt. Der grausame Sieger ließ – entgegen dem damaligen Recht – Konradin 1268 auf dem Marktplatz von Neapel öffentlich hinrichten.

Stauffenberg, →Schenk von Stauffenberg.

staufische Kunst, die Kunst während der Regierungszeit und im Herrschaftsbereich der staufischen Könige und Kaiser (→Staufer; 1138–1254). Der Begriff wurde in Entsprechung zu dem der karolingischen, ottonischen und salischen Kunst geprägt und bezeichnet sowohl Werke der späten →Romanik als auch die ersten gotischen Kunstwerke in Deutschland und Italien.

Stausee, ein durch eine →Talsperre zu einem See aufgestauter Wasserlauf. Er dient der Gewinnung von elektrischem Strom, der Trinkwasserversorgung, der künstlichen Bewässerung, dem Hochwasserschutz und teilweise der Wasserregulierung für die Schiffahrt.

Stearin [zu griechisch stear ›Talg‹, ›Fett‹], weißes bis gelbliches, wasserunlösliches Gemisch gesättigter Fettsäuren, das bei der technischen Fettspaltung gewonnen wird. Stearin wird vor allem zur Kerzenfabrikation verwendet, daneben auch in der Seifen-, Gummi- und Textilindustrie.

Stechapfel, bis 1m hohe **giftige** Pflanze, die ursprünglich aus Amerika stammt. Sie ist nach ihren grünen, stachligen Früchten benannt, die wie die großen Blätter Gift enthalten; dieses wirkt lähmend auf das Nervensystem, dient aber auch als Heilmittel. (BILD Heilpflanzen)

Stechpalmen: OBEN Zweig mit Früchten, MITTE männliche Blüten, UNTEN Zwitterblüten

Stechmücken, →Mücken.

Stechpalmen wachsen in Laub- und Mischwäldern, in Deutschland jedoch nur selten, und werden als Ziersträucher angepflanzt. Sie können mehrere hundert Jahre alt werden. Wegen ihrer immergrünen, derb-ledrigen Blätter, die am Rand dornig gezähnt sind, werden sie häufig zu Kränzen verarbeitet und dienen als Zimmerschmuck. Die korallenroten Früchte werden gern von Vögeln gefressen. Eine südamerikanische Art liefert den Matetee.

Stechuhr, Gerät zur Anzeige und Aufzeichnung von Zeitpunkten und Zeitdauer für die Arbeitszeitkontrolle in Betrieben. Diese Kontrolluhr besteht aus einem Uhrwerk, das früher mit einer Typendruckeinrichtung verbunden war, die die Registrierung direkt auf einer Kontrollkarte (Stechkarte) vornahm. Heute geschieht die Registrierung meist mit elektronischen Speichern, die Arbeitszeitbeginn und -ende festhalten. Arbeitnehmer besitzen eine Kontrollkarte, die sie in einen Schlitz im Gerät schieben; dabei wird die Karte optisch oder magnetisch abgetastet und gleichzeitig der Zeitpunkt, der Person zugeordnet, gespeichert. Aus diesem mit der Stechuhr verbundenen Speicher wird am Monatsende die Stundensumme für den jeweiligen Arbeitnehmer zur Lohnabrechnung abgerufen.

Wächterkontrolluhren dienen der Überwachung von Gebäuden durch einen Wächter, der die Uhren in bestimmten Zeitabständen bedienen muß, da sonst ein Alarm ausgelöst wird.

Steckbrief, öffentliche Aufforderung, nach einem flüchtigen Beschuldigten, gegen den ein Haftbefehl vorliegt, zu fahnden. Der Steckbrief enthält den Namen des Gesuchten, seine Personenbeschreibung mit Bild und den Grund, warum er gesucht wird.

Steckling, in der Pflanzenzucht ein Zweig oder anderer Pflanzenteil, der anders als der →Ableger, nach Abtrennung von der Mutterpflanze zur Bewurzelung eingepflanzt wird und zur selbständigen Pflanze werden kann. Nach der Bewurzelung werden die Stecklinge eingetopft oder ausgepflanzt. Nicht alle Pflanzen können durch Stecklinge vermehrt werden.

Steiermark Landeswappen

Steiermark, österreichisches Bundesland mit der Hauptstadt Graz; es umfaßt einen großen Teil der Ostalpen und das nach Süden vorgelagerte Steirische Hügelland bis an die slowenische Grenze. Im Norden grenzt das Land mit **Dachstein** (mit 2995 m der höchste Berg des Landes) und **Totem Gebirge** an das Salzkammergut. Im Zentrum liegen die west-östlich verlaufenden Längstäler der Enns und der Mur, die durch die **Niederen Tauern** voneinander getrennt sind.

Steiermark
Fläche: 16388 km²
Einwohner: 1186500

Die Steiermark ist das waldreichste Land Österreichs (gut die Hälfte der Gesamtfläche ist waldbedeckt) und hat die größten Obstbauflächen. In der Landwirtschaft sind außerdem die Vieh- und Pferdezucht (Lippizaner) von besonderer Bedeutung.

Wichtigste Industrieregionen sind neben dem Raum Graz das Enns- und das Mur-Mürz-Tal mit Holzverarbeitung, Eisen- und Stahlindustrie und Maschinenbau. Diese Täler sind zugleich auch Leitlinien des Verkehrs (vor allem von Wien nach Italien und Jugoslawien) und Räume der dichtesten Besiedlung; dies gilt auch für das im Hügelland gelegene, von der Mur nach Süden durchflossene Grazer Becken. In den **Eisenerzer Alpen** wird Magnesit abgebaut und am Erzberg im Tagebau fast die gesamte österreichische Eisenförderung gewonnen. Verglichen mit Bergbau und Industrie hat der Fremdenverkehr bei weitem nicht die Bedeutung wie in anderen Gebieten Österreichs.

Geschichte. Seit der Zeit Karls des Großen waren im südöstlichen Neusiedlungsraum des Deutschen Reichs 3 Marken entstanden, aus denen das Land Steiermark (nach der damaligen Hauptburg Steyr benannt) hervorging. 1180 wurde das Land zum Herzogtum. Es war im 15. und 16. Jahrh. Angriffen der Türken ausgesetzt, schloß sich der Reformation an und wurde Anfang des 17. Jahrh. wieder gewaltsam dem katholischen Glauben zugeführt. Nach dem Ersten Weltkrieg wurde die südliche Steiermark, die einen hohen Bevölkerungsanteil von Slowenen hatte, an Jugoslawien abgetreten.

Steigerung, →Komparation.

Steigerwald, bis 498 m hohes Mittelgebirge in Franken. Der steil über die unterfränkische Ebene aufsteigende Steigerwald erstreckt sich zwischen Main und Aisch. An seinen Westhängen wird zum Teil Wein angebaut, die Höhen sind bewaldet.

Stein, natürlicher oder künstlicher, fester, harter, anorganischer oder organischer Körper, der aus einem Mineral oder Mineralgemenge besteht. **Natursteine** (→Gesteine) waren jahrtausendelang der vor allem in Steinbrüchen gewonnene wichtigste Baustoff neben Holz und Lehm, so für die ägyptischen Pyramiden, die antiken Tempel oder die Dome des Mittelalters. Auch heute sind

z. B. Granit, Sandstein und Kalkstein unentbehrlich; man bricht die Brocken zu Schotter, Splitt oder Brechsand für den Straßenbau und zur Betonherstellung, oder die Steine werden bearbeitet zu Mauer- oder Pflastersteinen.

Neben diesen Natursteinen gibt es die **Kunststeine,** künstlich hergestellte Steine, die mit einem Bindemittel gebunden sind. So bestehen **Betonsteine** aus → Beton. **Kalksandsteine** werden aus Quarzsand und Kalk geformt und unter Druck und Hitze gehärtet. **Ziegel** werden aus Ton mit Zusatz von Sand zu Mauer- oder Dachziegeln geformt und nach dem Trocknen gebrannt.

Stein. Der Staatsmann **Heinrich Friedrich Karl Reichsfreiherr vom und zum Stein** (* 1757, † 1831) trat als Reformer der preußischen Verwaltung hervor. Nach 25jähriger Verwaltungstätigkeit wurde er 1804 Finanz-, Wirtschafts- und Handelsminister. Seine finanz- und wirtschaftspolitischen Maßnahmen dienten der Vorbereitung des Kampfes gegen Napoleon. Forderungen nach einer modernen Ministerialregierung konnte er nicht durchsetzen. Nach der preußischen Niederlage 1806 lehnte er die Aufforderung ab, Außenminister zu werden, und wurde daraufhin entlassen. In seiner ›Nassauer Denkschrift‹ (1807) legte er Erkenntnisse aus seiner bisherigen Tätigkeit nieder. Provinzen, Kreise und Gemeinden sollten eine Selbstverwaltung bekommen, um damit allen Bürgern die Mitgestaltung des Staatslebens zu ermöglichen. Nach dem Frieden von Tilsit (1807) wurde vom Stein erneut als Staatsminister berufen; er begann sofort mit der Durchführung der Reformen. Die bäuerliche Erbuntertänigkeit (→ Leibeigenschaft) wurde aufgehoben, die Selbstverwaltung für die Städte eingeführt und ein modernes Staatsministerium mit Fachgebieten geschaffen. Nachdem ein Brief, in dem vom Stein Pläne eines Aufstandes gegen Frankreich andeutete, in französische Hände gefallen war, bat er um Entlassung aus dem Staatsdienst. Von Napoleon geächtet, lebte er als Flüchtling, bis ihn Kaiser Alexander I. 1812 als Berater nach Rußland rief. Hier vermittelte vom Stein das preußisch-russische Bündnis gegen Napoleon. 1813/14 leitete er die Verwaltung der von französischer Herrschaft befreiten Gebiete. Beim Wiener Kongreß war er als Vertrauensmann des russischen Kaisers anwesend. Er versuchte, den Gedanken eines deutschen Bundesstaates zu verwirklichen und kämpfte gegen die Wiederherstellung der alten politischen Verhältnisse. 1819 regte vom Stein die Gründung der ›Gesellschaft für Deutschlands ältere Geschichtskunde‹ an.

Steinbeck. Mit Vorliebe erzählt der amerikanische Schriftsteller **John Ernst Steinbeck** (* 1902, † 1968) von Besitzlosen, etwa von den armen Mexikanern in seinem humorvollen Kurzroman ›Die Schelme von Tortilla Flat‹ (1935), und von Umhergetriebenen, die durch Naturkatastrophen oder durch die Gesellschaft um das eigene Stück Land gebracht werden (z. B. ›Die Früchte des Zorns‹, 1939). Seine Romanfiguren sind einfache, urwüchsige Menschen, die mehr ihren menschlichen Trieben als der Vernunft folgen. Die soziale Anklage in seinen Werken, verbunden mit dem Glauben an das Gute in diesen Menschen, machte Steinbeck zum Anwalt der Armen. 1962 erhielt er den Nobelpreis für Literatur. Durch Verfilmungen von Romanen wie ›Jenseits von Eden‹ (1952) lernte ein breites Publikum Steinbecks Werke kennen.

Steinbeißer, ein Fisch (→ Schmerlen).

Steinbock, eine wilde Art der → Ziegen.

Steindruck, die → Lithographie.

Steingut, → Keramik.

Steinheim an der Murr, 10 600 Einwohner, Stadt in Baden-Württemberg, nordöstlich von Stuttgart; hier wurde 1933 ein fast vollständig erhaltener menschlicher Schädel aus der Altsteinzeit gefunden. Dieser ›Homo sapiens steinheimensis‹ ist jünger als der → Neandertaler und gilt vielfach schon als ein direkter Vorläufer des heutigen Menschen.

Steinhuder Meer, flacher, nur bis zu 3 m tiefer See in Niedersachsen, nordwestlich von Hannover. Der 29 km² große See entwässert durch den Meersbach zur Weser. Das Steinhuder Meer ist ein bedeutendes Naherholungsgebiet (Wassersport) für die Bevölkerung Hannovers.

Steinkohle, harte, schwarze, oft glänzende → Kohle mit einem Kohlenstoffgehalt von mehr als 80%. Steinkohle ist erdgeschichtlich älter als → Braunkohle und wird meist im Untertagebergbau (→ Bergbau) gewonnen. Nach dem Gehalt an flüchtigen Bestandteilen (Gasen, Ölen) unterscheidet man Flammkohle, Gaskohle, Fettkohle, Eßkohle, Magerkohle und Anthrazit. Den höchsten Heizwert hat Anthrazit. Die Steinkohlevorkommen in Europa verlaufen vor allem in einem breiten Gürtel von England über Nordfrankreich, Belgien, die Niederlande bis ins Ruhrgebiet. Daneben gibt es das Saarrevier von der Pfalz bis Lothringen, weitere Reviere in Schlesien, Frankreich, in den Nachfolgestaaten der Sowjetunion, in China und in den USA. Die Vorkommen in Indien, Südafrika und Australien sind ebenfalls sehr ergiebig.

Steinkohleneinheit, Einheitenzeichen **SKE,** nicht gesetzliche Energieeinheit zur statistischen Erfassung des Energieinhalts verschiedener Brennstoffe. Eine Steinkohleneinheit (1 kg SKE) repräsentiert den Wärmeinhalt von 1 kg Steinkohle mit einem Heizwert von 7 000 kcal/kg: 1 SKE = 1 kg SKE = $7 \cdot 10^6$ cal = 29,3076 MJ (Megajoule); entsprechend 1 t SKE = $7 \cdot 10^9$ cal = 29,3076 GJ (Gigajoule) = 8,141 MW·h.

Für andere Brennstoffe gilt:

1 t Steinkohlenkoks	≙ 0,97 t SKE	1 t Erdöl	≙ 1,44 t SKE
1 t Rohbraunkohle	≙ 0,26 t SKE	1 t Benzol	≙ 1,49 t SKE
1 t Hartbraunkohle	≙ 0,50 t SKE	1 t schweres Heizöl	≙ 1,40 t SKE
1 t Brenntorf	≙ 0,43 t SKE	1 000 m³ Stadtgas	≙ 1,57 t SKE
1 t Brennholz	≙ 0,50 t SKE	1 000 m³ Erdgas	≙ 1,10 t SKE

Steinpilz, ein →Pilz.

Steinzeit, Abschnitt der →Vorgeschichte, in dem Metalle noch unbekannt waren und Waffen und Werkzeuge meist aus Knochen, Holz und Stein gefertigt wurden. Die Steinzeit wird in →Altsteinzeit, Mittelsteinzeit und →Jungsteinzeit unterteilt.

Steinzeug, →Keramik.

Steiß, Steißbein, der unterste Teil der →Wirbelsäule; er besteht aus 3–5 zusammengewachsenen, verkümmerten Wirbeln.

Stellenwertsystem, Mathematik: ein System zur Darstellung von Zahlen. Dabei wird jede Zahl durch eine Anzahl von →Ziffern dargestellt. Die Bedeutung jeder Ziffer hängt außer von ihrem Ziffernwert auch von der Stelle ab, an der die Ziffer innerhalb der Zahl geschrieben ist. Beispiele für Stellenwertsysteme sind das allgemein gebräuchliche →Dezimalsystem und das für das Rechnen mit Computern verwendete →Dualsystem.

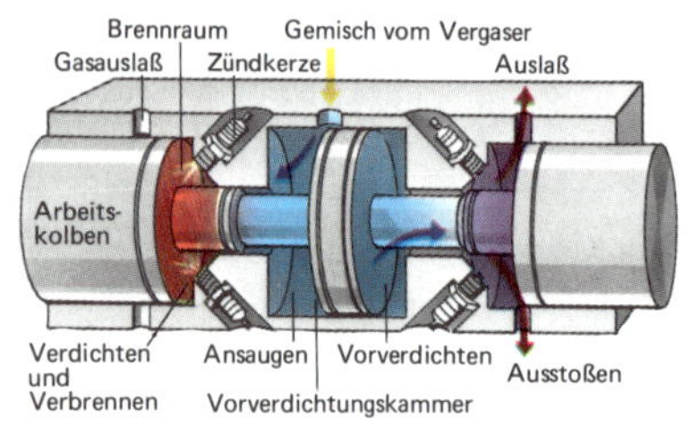

Stelzermotor: prinzipieller Aufbau und Funktionsschema

Stelzermotor, ein neuartiger Verbrennungsmotor, der von dem Ingenieur Frank Stelzer (* 1934) entwickelt und 1983 vorgestellt wurde. Der Stelzermotor ist ein sogenannter **Freikolbenmotor,** bei dem 2 gegenläufige Kolben in einem Zylinder arbeiten (Gegenkolbenmotor), und zwar ohne Pleuel und Kurbelwelle. Die Kolben schwingen 10 000–20 000mal in der Minute in einem Gaspolster hin und her. Der Stelzermotor könnte für die Verwendung als Pumpe, Verdichter oder Generator geeignet sein.

Stempel, Teil einer →Blüte.

Stenographie [griechisch ›Engschrift‹], **Kurzschrift,** Schrift, die entwickelt wurde, um gesprochene Texte schnell mitschreiben zu können. Sie besteht aus einfachen Schriftzeichen, den ›Kürzeln‹, mit denen Silben, ganze Wörter und Wortgruppen zusammengefaßt werden können. Bereits in der griechischen und römischen Antike gab es eine Kurzschrift, die allerdings nach dem 12. Jahrh. für lange Zeit verlorenging. Der Name ›Stenographie‹ tauchte zum ersten Mal 1602 in England auf. 1834 wurde von Franz Xaver Gabelsberger die erste deutsche Kurzschrift eingeführt.

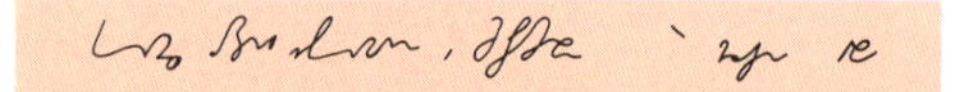

Stenographie: In Deutschland und Österreich gebräuchliche Stenographie. Beispiel: Brockhaus-Lexika informieren die Deutschsprechenden der ganzen Erde.

Steppe, Landschaftsgürtel mit einer Pflanzengesellschaft aus Gräsern, Kräutern und Sträuchern, die der Trockenheit angepaßt sind. Steppen treten in den sommertrockenen, winterkalten Gebieten der gemäßigten Zonen auf; sie sind vom kontinentalen Eurasien (von Ungarn bis zur Mongolei), im mittleren Westen Nordamerikas (Prärie), in Südamerika (Pampa) und im Südosten Australiens verbreitet. Die Pflanzen der Steppe wachsen vorwiegend im Frühling und im Herbst, während der Sommer durch Trockenheit und austrocknende Staubstürme, der Winter durch Kälte und Schneestürme ein Wachstum nicht zulassen. Man unterscheidet **Grassteppen,** die wegen ihrer fruchtbaren, tiefgründigen Böden vielfach zu Ackerland umgewandelt wurden, und **Busch-** oder **Strauchsteppen,** die bei zunehmender Trockenheit die Grasflächen ablösen und in Halbwüsten **(Wüstensteppen)** übergehen.

Ster, Einheitenzeichen **st,** auch **Raummeter,** Einheitenzeichen **Rm,** nicht gesetzlicher Name für 1 m³ (Kubikmeter) geschichtetes Holz einschließlich der Zwischenräume.

Steradiant, Einheitenzeichen **sr,** SI-Einheit des räumlichen Winkels. 1 sr ist gleich dem Raumwinkel, der als gerader Kreiskegel mit der Spitze im Mittelpunkt einer Kugel vom Radius

1 m aus der Kugeloberfläche eine Kalotte der Fläche 1 m² ausschneidet: $1\,sr = 1\,m^2/m^2$.

Sterbehilfe, →Euthanasie.

Stereometrie [griechisch ›Raummessung‹], Teilgebiet der →Geometrie.

Stereophonie [zu griechisch stereos ›räumlich‹ und phone ›Stimme‹]. Nimmt man Töne nicht nur aus einer, sondern gleichzeitig aus mehreren Schallquellen wahr, so spricht man von räumlichem Hören oder von Stereophonie. Bei Tonaufzeichnungen wird der räumliche Eindruck dadurch hervorgerufen, daß die Töne über 2 Mikrophone aufgenommen werden. So entstehen 2 getrennte Signale, die über 2 Übertragungskanäle an 2 Lautsprecher weitergeleitet werden. Der durch die Stereophonie erzeugte räumliche Eindruck ist dann besonders effektvoll, wenn es sich um viele Schallquellen handelt, z. B. um die Instrumente eines Orchesters.

Der Wirklichkeit am nächsten kommen Aufnahmen, die mit 2 Mikrophonen in einer Kopfnachbildung gemacht wurden und über Kopfhörer wiedergegeben werden; man spricht von kopfbezogener oder **Kunstkopfstereophonie.** Bei der raumbezogenen Stereophonie versucht man, das Schallfeld des Aufnahmeraumes wiederzugeben. In der Rundfunktechnik muß die Stereophonie kompatibel sein, das heißt, es muß auch die einkanalige Wiedergabe mit Monogeräten möglich sein. Deshalb ordnet man nicht jedem Mikrophon einen Kanal und einen Lautsprecher zu, sondern überträgt die gesamte Information für die Monowiedergabe über den Hauptkanal und die zusätzliche Information für die stereophone Wiedergabe über den Nebenkanal.

Eine Erweiterung der zweikanaligen Stereophonie ist die als **Quadrophonie** bezeichnete vierkanalige Stereophonie.

Sterilisation [zu lateinisch sterilis ›unfruchtbar‹], **1)** die Abtötung aller Mikroorganismen einschließlich ihrer Dauerformen (Sporen). Bei der **Hitzesterilisation** versucht man, dieses Ziel durch trockene Hitze (180 °C) oder besonders durch feuchte Hitze (120 °C), z. B. durch Auskochen oder heißen Wasserdampf, zu erreichen. Zur Sterilisation von Räumen oder für die Behandlung besonders hitzeempfindlicher Stoffe sind die Methoden der **Kaltsterilisation** besser geeignet. Diese wird entweder mit chemischen Mitteln (Jod, Alkohol, Formalin) durchgeführt, oder sie erfolgt auf physikalischem Weg, z. B. durch das Ultraviolettlicht in den Operationsräumen.

2) operative Maßnahme zur →Empfängnisverhütung.

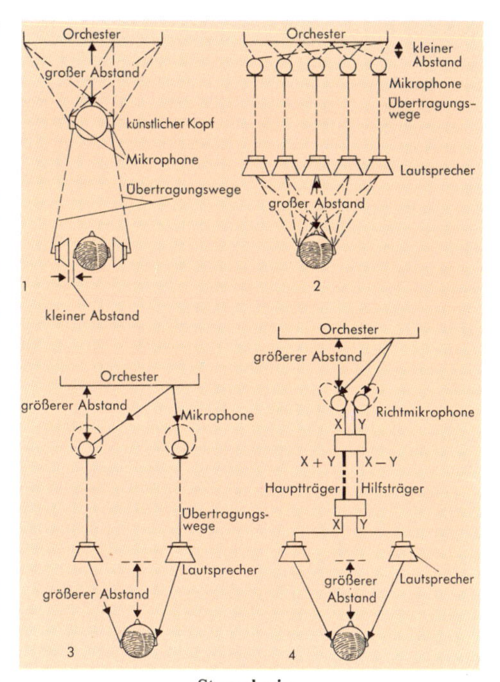

Stereophonie:
1 Kopfhörerübertragung. **2** Lautsprecherübertragung.
3 AB-Stereophonie (Laufzeitstereophonie).
4 Rundfunkstereophonie (Intensitätsstereophonie)

Sterling [störling], altenglische Silbermünze; der Name hat sich in der britischen Währung als **Pfund Sterling** erhalten (→Pfund). Als **Sterling-Silber** bezeichnet man Silberlegierungen mit nur geringen Beimengungen anderer Metalle: Der Feingehalt dieses Silbers muß mindestens 925 von 1 000 Teilen betragen.

Sternbilder. Seit frühester Zeit hat der Mensch die Sterne am nächtlichen Himmel beobachtet und über ihre Stellung zueinander (Konstellation) nachgedacht. Den Nomaden und Seefahrern waren die Sterne Wegweiser, da diese sich am scheinbar kreisenden Himmelsgewölbe immer an derselben Stelle befanden und sich nach planvollen Mustern am Firmament gruppierten. So wurden Sterne zu Gruppen zusammengefaßt, die ein Bild ergeben, wie etwa der Große Wagen (der von den hellsten Sternen des Großen Bären gebildet wird; Ursa maior, BILD 1, Seite 230) oder das Kreuz des Südens (Crux, BILD 2, Seite 231). Ihre Namen stammen meist aus dem Altertum. Die 12 Sternbilder, die in der →Ekliptik liegen, werden als Tierkreissternbilder (→Tierkreis) bezeichnet.

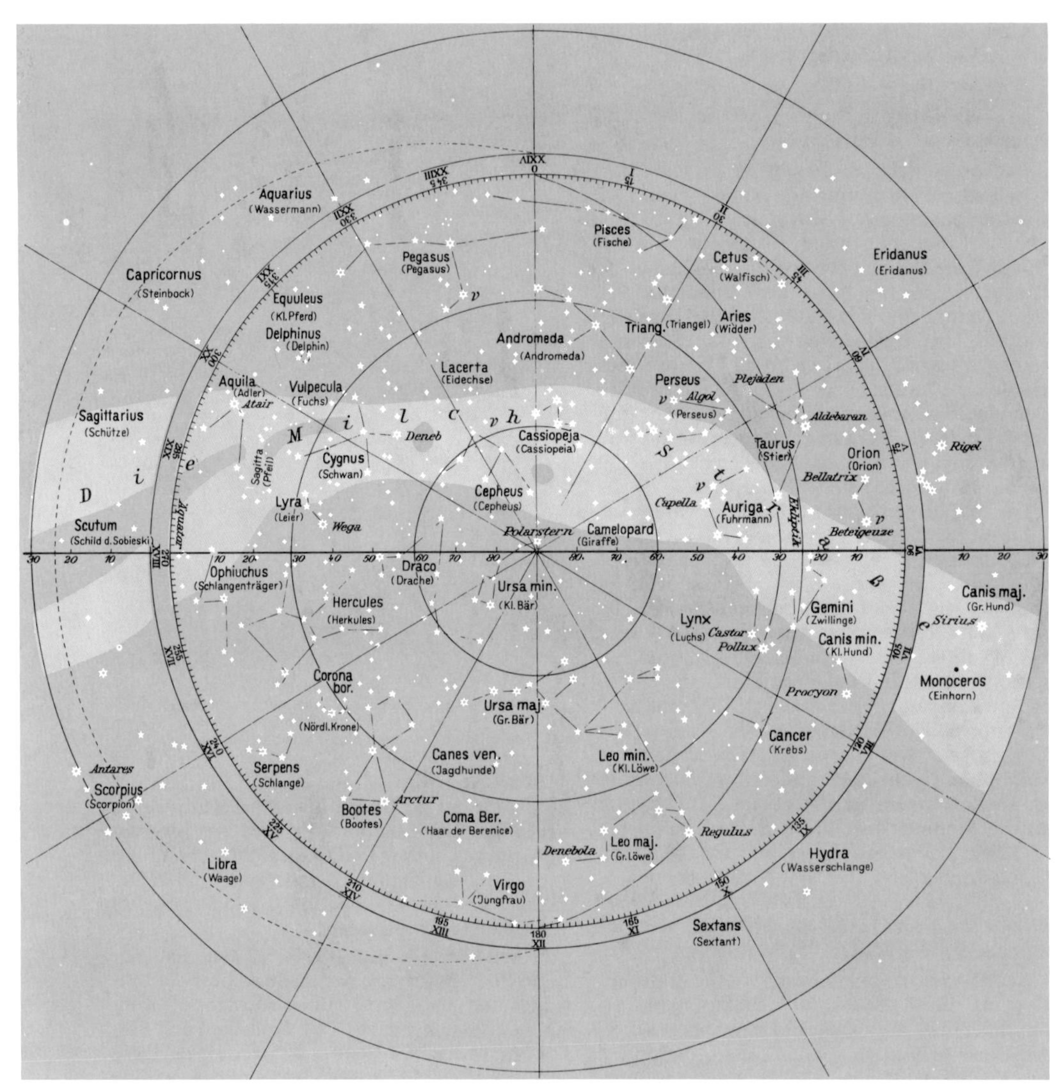

Sternbilder 1: Nördlicher Sternhimmel

Sterndeutung, die →Astrologie.

Sterne, im astronomischen Sinn selbständig leuchtende Gaskugeln im Weltall. Im Gegensatz zu den ebenfalls als helle Lichtpunkte am nächtlichen Himmel erscheinenden, nicht selbst leuchtenden →Planeten **(Wandelsternen)** ändern sie ihre Position am Himmel scheinbar nicht (abgesehen von der täglichen Bewegung des gesamten Himmels vom Ost- zum Westhorizont infolge der Erdrotation). Daher spricht man auch von **Fixsternen.** Umgangssprachlich werden häufig jedoch auch die Planeten als Sterne bezeichnet.

Alle Sterne, die wir am Himmel erblicken, gehören zu unserem →Milchstraßensystem. Sie bewegen sich mit unterschiedlicher Geschwindigkeit um dessen Zentrum, so z. B. unsere Sonne mit 230 km/s, während die Sterne am äußersten Rand des Milchstraßensystems das Zentrum mit

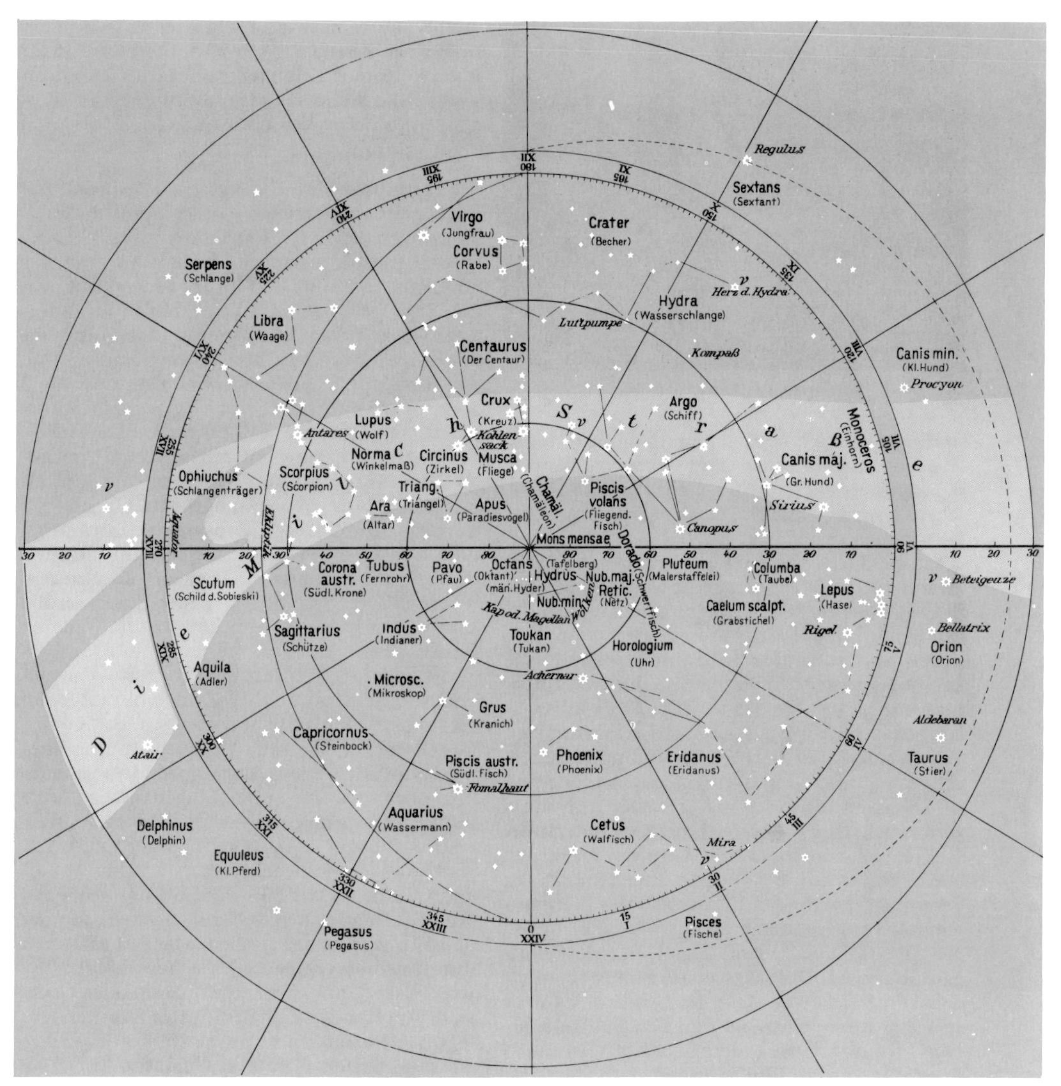

Sternbilder 2: Südlicher Sternhimmel

einer Geschwindigkeit von höchstens 150 km/s umlaufen. Zum Zentrum hin erhöhen sich die Sterngeschwindigkeiten. Die von der Erde aus erkennbare Helligkeit der Sterne besagt nichts über ihre tatsächliche Leuchtkraft, die erst in Verbindung mit der Entfernung berechnet werden kann. Es gibt Sterne, die 100 000 bis 1 Million mal stärker leuchten als unsere Sonne, aber auch solche, die 100 000 mal schwächer leuchten. Die Oberflächentemperatur der Sterne liegt zwischen etwa 2 500 und 100 000 Kelvin, was mit steigender Temperatur zu verschiedenen Farben der Sterne führt: von Rot, Gelb über Weißgelb nach Weiß und Blauweiß. Ihre Massen liegen zwischen etwa 0,06 und 50 Sonnenmassen, ihre Radien zwischen etwa $^{1}/_{100}$ und dem 3 000fachen des Sonnenradius. Eine große Zahl von Sternen besteht aus 2 nahe beieinander befindlichen Sternen **(Doppel-**

Sternsysteme 1: Andromedanebel

sternen), die nach bestimmten Methoden besonders gut zu erforschen sind. Manche Doppelsternpartner sind so dicht benachbart, daß es zwischen ihnen sogar zu einem Austausch von Materie kommen kann.

Sterne, die in bestimmten Abständen ihr Licht verändern, heißen **Veränderliche (Veränderliche Sterne),** solche, die aus einem bereits vorhandenen Stern durch einen Ausbruch (Eruption) entstehen und scheinbar neu aufleuchten, **Novae** und **Supernovae.** Die Sterne sind durch Verdichtung infolge der Massenanziehung aus interstellarer Materie, also aus gas- und staubförmigen Teilchen, vor allem aus Wasserstoff und Helium, entstanden. Bei den sonnenähnlichen Sternen wird Wasserstoff durch →Kernfusion in Helium verwandelt. Der Wasserstoffvorrat im Inneren erschöpft sich allmählich, der Kern verdichtet sich und heizt sich auf. Bei den entstehenden höheren Temperaturen können im Bereich des Sternmittelpunkts aus Heliumkernen schwerere Elemente wie Stickstoff, Sauerstoff und Kohlenstoff aufgebaut werden. Die Wasserstoff-Brennzone wandert allmählich von innen nach außen. Es wird sehr viel Energie erzeugt und der Gasdruck erhöht, so daß sich die äußeren Schichten zu einem roten Riesenstern **(Roter Riese)** aufblähen. Im Sterninneren bilden sich immer schwerere Elemente bis hin zum Eisen. Wenn durch Kernfusion keine Energie mehr freigesetzt werden kann, weil der Kernbrennstoff verbraucht ist, fällt der Kern des Sternes in sich zusammen (Gravitationskollaps). Beim Aufprall dieser Massen auf das Zentrum wird die freiwerdende Energie nach außen gekehrt, der Stern explodiert als Supernova. Übrig bleibt, nachdem die Hülle abgestoßen wurde, ein sehr dichtes Sternenpaket, das je nach der Masse unterschiedlich beschaffen sein kann.

Sternsysteme 2: Spiralnebel (schematisch)

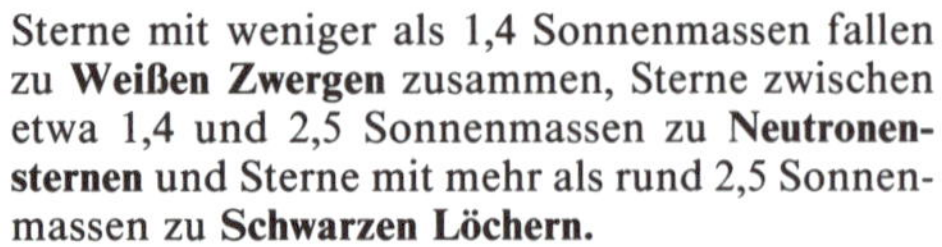

Sterne mit weniger als 1,4 Sonnenmassen fallen zu **Weißen Zwergen** zusammen, Sterne zwischen etwa 1,4 und 2,5 Sonnenmassen zu **Neutronensternen** und Sterne mit mehr als rund 2,5 Sonnenmassen zu **Schwarzen Löchern.**

Sternschnuppe, →Meteore.

Sternsysteme. Die meist als **Galaxien** bezeichneten Sternsysteme sind größere Ansammlungen von vielen Millionen bis einigen 100 Milliarden Einzelsternen. Die Erde gehört mit der Sonne zu unserem →Milchstraßensystem. Zu den nähergelegenen Galaxien zählt der **Andromedanebel** (BILD 1) in etwa 2 Millionen Lichtjahren Entfernung. Viele Sternsysteme besitzen eine Spiralstruktur **(Spiralnebel, Spiralsystem)** mit 2 oder mehreren Armen, wobei im einzelnen zwischen **normalen** und **Balkenspiralen** unterschieden wird (BILD 2) und unter diesen solche, bei denen die Kerne stärker gegenüber den Spiralarmen hervortreten oder umgekehrt. Obwohl die meisten auffindbaren Sternsysteme Spiralnebel sind, dürften die **elliptischen Nebel** und unregelmäßigen **(irregulären) Galaxien** überwiegen. Während die Spiralnebel wegen ihrer Größe leichter entdeckt werden, können die anderen Sternsysteme zum Teil selbst in der Nachbarschaft unseres Milchstraßensystems nur mit Mühe ausgemacht werden. Zu den bekanntesten irregulären Sternsystemen gehören die beiden **Magellanschen Wolken,** die auch als Begleiter unseres Milchstraßensystems gelten (wobei manche Astronomen die Große Magellansche Wolke den Balkenspiralen zuordnen).

Die näheren Galaxien können noch zum Teil mit Hilfe von →Spiegelteleskopen in Sterne aufgelöst werden. Etwa 50% der Galaxien schließen sich zu **Nebelhaufen (Galaxienhaufen)** zusammen, die mit den dazwischenliegenden einzelnen Sternsystemen **(Feldnebel)** die **Superhaufen** bilden. Unser Sternsystem gehört zur **lokalen Gruppe,** die im Randbereich des **lokalen Superhaufens** liegt. Viele Galaxien zeigen aktive Kerne **(Radiogalaxien, Seyfert-Galaxien, Quasare).** Mit Hilfe der Spektren der Galaxien kann die Expansion (räumliche Ausdehnung) des Weltalls nachgewiesen werden.

Sternwarte, astronomisches Observatorium oder Beobachtungsstätte. Eine Sternwarte wird meist außerhalb von Städten und Industrieanlagen, in freier Lage und möglichst staubfreier Luft, z. B. auf Berggipfeln, angelegt. Die Fernrohre (Linsenfernrohre oder →Spiegelteleskope) müssen auf jeden Punkt des Himmels einstellbar sein. Deshalb ist das Dach der Sternwarte kuppelförmig gebaut und mit einem Spalt versehen, der beliebig geöffnet und geschlossen werden kann. Die Sternwarte ist ausgerüstet mit astrometrischen Instrumenten, die der Beobachtung und Messung an Himmelskörpern dienen. Neben dem Fernrohr ist das Spektroskop das wichtigste Gerät, das ein von den Planeten kommendes Spektrum des Lichtes herstellt. Das Licht wird dabei in einzelne Farben zerlegt, aus deren Anordnung die Zusammensetzung, Bewegung und Entfernung der Sterne erkannt werden können. Mit anderen Instrumenten werden Temperatur und Helligkeit gemessen. Mit langbelichteten Filmen, die erheblich lichtempfindlicher als das menschliche Auge sind, stellt man Bilder von den Himmelskörpern her. Auch die ultravioletten oder infraroten Strahlen, auf die das Auge nicht mehr reagiert, können so photographisch dargestellt werden.

Stethoskop [zu griechisch stethos ›Brust‹ und skopein ›sehen‹], Instrument, mit dem man die im Körper entstehenden Geräusche abhören kann (→Abhorchen).

Stettin, polnisch **Szczecin,** 412 000 Einwohner, Stadt in Polen an der Oder vor ihrer Mündung ins Stettiner Haff; vor 1945 Hauptstadt der damaligen deutschen Provinz Pommern. Stettin ist der größte Seehafen Polens. Im Mittelalter war die Stadt Mitglied der Hanse. Mit dem Bau des Schlosses (um 1500) wurde sie Residenz der Herzöge von Pommern. Stettin war früher neben Danzig der größte deutsche Ostseehafen.

Stettiner Haff, Pommersches Haff, Oderhaff, die größte Meeresbucht der Ostsee, an der Grenze von Mecklenburg-Vorpommern und Polen gelegen. Das 903 km² große und rund 4 m tiefe Haff ist durch die Inseln Wollin und Usedom von der Ostsee abgeschnitten. Die 3 Odermündungsarme Peene, Swine und Dievenow halten Verbindungen mit der Ostsee offen, die von der Schiffahrt über die Swine genutzt werden. Das Stettiner Haff besteht aus dem Kleinen Haff im Westen und dem Großen Haff im Osten.

Steuer, einmalige oder laufende Geldzahlung des Bürgers an den Staat ohne Anspruch auf eine unmittelbare staatliche Gegenleistung.

Durch die Besteuerung sollen nicht nur Einnahmen für den Staat erzielt, sondern auch die Einkommensverteilung verändert werden. So orientiert sich die **Lohn- und Einkommensteuer** an der Leistungsfähigkeit der Bürger: Wer viel Geld verdient, muß einen prozentual höheren Teil seines Einkommens als Steuer abgeben als die Bezieher kleinerer Einkünfte. Durch eine entsprechende Ausgestaltung kann der Staat mit Hilfe von Steuern außerdem den Wirtschaftsablauf (→Konjunktur) beeinflussen.

Die über 50 verschiedenen Steuern können nach verschiedenen Merkmalen eingeteilt werden. Nach dem Gegenstand der Besteuerung werden Besitzsteuern, Verkehr- und Verbrauchsteuern sowie →Zölle unterschieden. **Besitzsteuern** knüpfen an das Einkommen, das Vermögen oder die Vermögenserträge an. Werden dabei die persönlichen Verhältnisse berücksichtigt, spricht man von Personensteuern (z. B. Lohn- und Einkommensteuer, Vermögen- und Erbschaftsteuer). Davon sind die Realsteuern (z. B. Grundsteuer, Gewerbesteuer) zu unterscheiden, die einzelne Vermögensgegenstände der Bürger (z. B. Grundstück, Gebäude) ohne Rücksicht auf die persönliche Leistungsfähigkeit belasten.

Verkehrsteuern erfassen Vorgänge des Rechts- und Wirtschaftsverkehrs. Sie fallen beim Kauf von Grundstücken (Grunderwerbsteuer) oder im Geldverkehr an (z. B. Börsenumsatzsteuer, Kapitalverkehrsteuer). Zu den Verkehrsteuern zählen auch die Kraftfahrzeugsteuer, die der Halter eines Kraftfahrzeugs entrichten muß, und die Umsatzsteuer.

Da die Umsatzsteuer, die in der Bundesrepublik Deutschland als →Mehrwertsteuer erhoben wird, beim Kauf oder Verbrauch von Gütern und Dienstleistungen anfällt, wird sie auch als allgemeine Verbrauchsteuer bezeichnet. Davon sind die speziellen **Verbrauchsteuern** auf Lebensmittel (z. B. Zucker- und Salzsteuer), Genußmittel (z. B. Biersteuer, Tabaksteuer) oder andere Verbrauchsgüter (z. B. Mineralölsteuer) zu unterscheiden.

Je nach Art der Steuererhebung spricht man von direkten und indirekten Steuern. Die **direkten Steuern** (z. B. Steuern auf das Einkommen und Vermögen) zahlt der Bürger (Steuerschuldner) direkt an das Finanzamt. **Indirekte Steuern** sind auf die Ausgaben der Bürger für Güter und Dienstleistungen gerichtet. Der Bürger zahlt die im Kaufpreis enthaltene Steuer zunächst an die Unternehmen, die sie dann an das Finanzamt abführen. Die Unternehmen als Steuerzahler wälzen die Steuer über den Kaufpreis auf die Verbraucher ab.

Die gesamten Steuereinnahmen stehen entweder dem Bund, den Bundesländern oder den Gemeinden zu. An den Steuern mit dem höchsten Aufkommen (Lohn- und Einkommensteuer, Mehrwertsteuer, Körperschaft- und Gewerbesteuer) sind alle 3 staatlichen Ebenen mit unterschiedlichen Anteilen beteiligt (Gemeinschaftsteuern).

Stich, Kurzbezeichnung für ein druckgraphisches Blatt wie **Kupferstich** und **Stahlstich.**

Stichlinge, kleine, langgestreckte Fische, die auf dem Rücken und am Bauch bewegliche Stacheln tragen. Sie leben in Binnen- und Küstengewässern Europas; vor allem der **Dreistachlige Stichling** ist ein beliebter Aquarienfisch. Das Männchen, das zur Laichzeit prächtig gefärbt ist, baut auf dem Gewässergrund aus Pflanzenstengeln und Wurzeln ein kugeliges Nest, das es mit einem zu Fäden erhärteten Nierensekret verklebt. Dann lockt es ein oder mehrere Weibchen zur Laichablage herbei. Die Eier und die Jungen bewacht es allein und fächelt ihnen mit den Brustflossen frisches Wasser zu.

Stickhusten, →Keuchhusten.

Stickoxide, eine Reihe von Stickstoffverbindungen. Als **Lachgas** bekannt ist Distickstoffmonoxid, N_2O, das als Narkosemittel eingesetzt wird. **Nitrosegas** heißt das giftige Gemisch von Stickstoffmonoxid, NO, und Stickstoffdioxid,

Männchen | Weibchen
erscheint
Zickzacktanz
weist ihren dicken Bauch
führt zu Nest
folgt
zeigt den Nesteingang
schwimmt ins Nest
Schnauzentremolo
laicht ab
entleert Sperma

Stichlinge: Das Paarungsverhalten des Dreichstachligen Stichlings. UNTEN schematische Darstellung der einander auslösenden Handlungen des Stichlingmännchens und -weibchens

NO_2, das in bedeutenden Mengen bei der Herstellung von Schwefel- und Salpetersäure anfällt und als unerwünschte gelb-braune Schornsteinfahne in Chemiewerken zur Luftverunreinigung beiträgt. Die schädlichen Gase treten auch als Flugzeug- und Autoabgase, beim Schweißen und im Zigarettenrauch auf. Sie sind an der Entstehung des →Smog beteiligt.

Stickstoff, Zeichen **N** [von lateinisch nitrogenium], →chemisches Element (ÜBERSICHT), ein farb- und geruchloses Gas, das chemisch sehr reaktionsträge ist. In der Luft sind 78 % Stickstoff enthalten, während er in gebundener Form in Nitratmineralen, in Pflanzen und Tieren als Bestandteil der Eiweiße, Nucleinsäuren und vieler niedermolekularer Enzyme (Coenzyme) vorkommt. Er ist daher in der Natur ein unentbehrlicher und in großen Mengen benötigter Nährstoff. Während Pflanzen anorganisch gebundenen Stickstoff, z. B. Stickstoffdünger, in organischen überführen können, sind nur wenige Mikroorganismen in der Lage, den Luftstickstoff zu binden. Bekannt sind vor allem die in den Wurzeln von Lupinen lebenden Knöllchenbakterien und Strahlenpilze. Eine Umwandlung des Luftstickstoffs in wasserlösliche Verbindungen kann auch durch elektrische Entladungen erfolgen, wie sie z. B. bei Gewittern oder in extrem trockener Luft auftreten. Die Entstehung der Caliche, des Rohmaterials zur Gewinnung des Chilesalpeters in der fast regenlosen nordchilenischen Atacama-Wüste, wird auf diese Weise erklärt.

Stickstoff wird vor allem als Schutzgas, z. B. beim Schweißen, um die Explosionsgefahr eines Gasgemischs zu verringern, und in der Glühlampenindustrie verwendet. Bedeutung besitzt er auch zur Herstellung von Stickstoffdünger.

Stieglitz, lebhafter, schlanker →Finkenvogel mit auffallend buntem Gefieder. Männchen und Weibchen haben ein rotes Gesicht und eine gelbe Binde auf den schwarzen Flügeln. Stieglitze nisten in lichten Wäldern und großen Gärten, wo sie hoch auf Bäumen in Astgabeln ihr kunstvolles Nest bauen. Sie fressen mit Vorliebe Distelsamen (daher auch **Distelfink**). Wegen ihres lebhaften Gesangs werden Stieglitze oft im Käfig gehalten.

Stier, Bulle, das männliche →Rind.

Stifter. Der österreichische Dichter **Adalbert Stifter** (* 1805, † 1868), der längere Zeit als Inspektor der Volksschulen in Oberösterreich arbeitete, hat Erzählwerke geschrieben, in denen die Ideale von Humanität, Maß und Ordnung gestaltet sind. In ihnen zeigt sich Stifters Sinn für das Stille und Unscheinbare, der Glaube an ein ›sanftes Gesetz‹ in der Natur. Sein Hauptwerk ist der Bildungs- und Erziehungsroman ›Der Nachsommer‹ (1857); bedeutend sind auch, nicht zuletzt durch die Kunst der Naturschilderung, seine zahlreichen Erzählungen: ›Abdias‹, ›Der Hochwald‹, ›Die Mappe meines Urgroßvaters‹ (aus den Jahren 1840–46); ferner ›Granit‹, ›Kalkstein‹ und andere Geschichten meist aus dem Leben von Kindern (gesammelt in ›Bunte Steine‹, 1853) sowie der böhmische Geschichtsroman ›Witiko‹ (1865–67).

Adalbert Stifter

Stigmatisation [von griechisch stigma ›Zeichen‹], das Sichtbarwerden der Wundmale Jesu Christi am Körper lebender Personen. Diese Erscheinung ist wissenschaftlich noch nicht restlos geklärt. Sie betrifft fast immer Menschen, die sich sehr intensiv in das Leiden und Sterben Christi versenken. Der erste der bislang rund 300 Stigmatisierten war →Franz von Assisi.

Stil [von lateinisch stilus ›Griffel‹, ›Schreibart‹], die charakteristische Eigenart einer menschlichen Leistung, besonders auf künstlerischem Gebiet. Sachlich unterscheidet man z. B. Sprachstil, Baustil, Möbelstil, zeitlich **Epochenstile** wie Romanik, Gotik, Renaissance, Barock, nach Völkern **Nationalstile.** Unter **Persönlich-**

Stilleben: Paul Cézanne, ›Die blaue Vase‹; 1885/97 (Paris, Louvre)

keitsstil faßt man die für alle Werke eines Schaffenden charakteristischen Züge zusammen. Im weiteren Sinn umfaßt der Begriff Stil auch die Lebensform eines Menschen **(Lebensstil),** ebenso die Art der Ausübung einer Sportart (Schwimmstil, Laufstil).

Stilleben [von niederländisch still-leven ›unbewegliches Modell‹], französisch **nature morte** [›tote Natur‹], ein Bild, das eine künstlerisch wirksame Zusammenstellung von Blumen, Früchten, toten Tieren und Dingen des täglichen Lebens zeigt. Nach ihren Inhalten werden Stilleben als **Blumenstücke, Küchenstücke, Frühstücksstücke** und **Jagdstücke** bezeichnet. Seine Blütezeit hatte das Stilleben im 17. Jahrh. in den Niederlanden, dann wieder im späten 19. und im 20. Jahrh.

Stiller Ozean, der →Pazifische Ozean.

Stimmbruch, Stimmwechsel, das Tieferwerden der Stimme beim männlichen Jugendlichen während der →Pubertät, wobei es in der Übergangszeit häufig zu einem Umkippen der Stimme kommt. Verursacht wird der Stimmwechsel durch das Wachstum des →Kehlkopfes und der Stimmbänder.

Stimme, durch die in Schwingungen geratenen Stimmbänder hervorgerufene Töne oder Laute, die im →Kehlkopf durch den Luftstrom aus der Lunge erzeugt werden. Die Stimmritze kann durch Muskeln enger oder weiter gestellt werden, was für die Atmung und Stimmbildung wichtig ist. Die Tonhöhe ist durch die Spannung, Länge und Dicke der Stimmbänder sowie durch den Druck und die Stärke des Luftstroms veränderbar. Da die Stimmbänder der Männer länger sind als die der Frauen, ist die männliche Stimme tiefer (→Stimmbruch). Die für jeden Menschen charakteristische Klangfarbe der Stimme ist durch das Mitschwingen verschiedener Anteile des Nasen-Rachen-Raums gegeben. Es können verschiedene →Stimmlagen unterschieden werden. An der Sprachbildung sind auch Lippen, Gaumen, Zunge und Zähne beteiligt. Bei Kehlkopferkrankungen kann die Stimme heiser sein oder wegbleiben.

Stimmgabel

Stimmgabel, gabelartiges Gerät aus Stahl mit 2 Zinken. Wenn man es mit einem weichen Hammer oder mit dem Finger anschlägt, erzeugt es einen Ton, nach dem man Musikinstrumente stimmen kann.

Stimmlagen, die nach dem Umfang der Tonhöhe unterschiedenen Bereiche der menschlichen Singstimme.

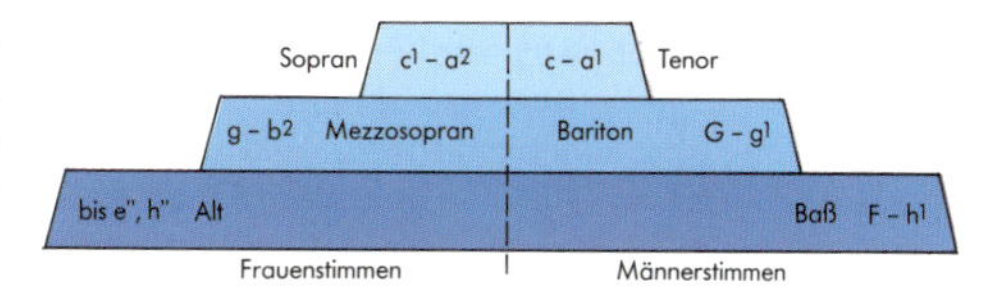

Stimmlagen

Stinktiere, Skunks [skanks, englisch], etwa katzengroße, etwas schwerfällige →Marder mit 2 weißen Rückenstreifen im schwarzen Fell. Bei Gefahr verspritzen sie eine übelriechende, ›stinkende‹ Flüssigkeit aus großen, am After sitzenden Drüsen, wobei sie den Angreifer auch aus mehreren Metern Entfernung treffen können. Meist drohen Stinktiere nur, indem sie den auffallend langen und buschigen Schwanz hochheben und mit den Vorderfüßen stampfen. Sie bewohnen in Amerika Buschwälder und Grasland. Ähnlich wie Dachse fressen sie Insekten, Würmer, Mäuse, aber auch Beeren und Obst.

Stinktiere: Ferkelskunk

Stoa, in der griechischen Baukunst eine Säulenhalle. Von einer solchen Halle in Athen, in der Zenon um 308 v. Chr. eine Philosophenschule gründete, ging der Name auf die Schule über, und die Philosophen dieser Richtung wurden **Stoiker** genannt. Nach der Lehre der Stoiker findet der Mensch die wahre Glückseligkeit nur in einem Leben, das im Einklang mit der Natur steht, und im Gehorsam gegenüber dem göttlichen Gebot und der von der Vernunft gebotenen Pflicht. Als wichtigste Tugenden galten ihnen Gerechtigkeit, Tapferkeit, Selbstbeherrschung und Menschlichkeit.

Stockholm, 675 000, mit Vororten 1,4 Millionen Einwohner, Hauptstadt Schwedens, auf Inseln und Halbinseln zwischen Mälarsee und Ostsee. Die Stadt, deren Inseln durch zahlreiche Brücken verbunden sind, ist Residenz des schwedischen Königs und die bedeutendste Industriestadt Schwedens mit mehreren Häfen. In der Altstadt, der ›Stadt zwischen den Brücken‹, liegen die Große Kirche (ursprünglich 13. Jahrh.), die Grabstätte vieler schwedischer Könige ist, und das Königliche Schloß. Die Stadt ist der kulturelle Mittelpunkt des Landes mit bedeutenden wissenschaftlichen Instituten, Bibliotheken und Museen. – Stockholm entwickelte sich im Mittelalter zu einem Handelszentrum und stand unter dem Einfluß der Hanse. Seit 1634 ist Stockholm die Hauptstadt Schwedens.

Stoffmenge, Basisgröße des Internationalen Einheitensystems (→Einheiten), die die Quantität einer aus gleichartigen Individuen (z. B. Atome, Moleküle, Ionen) bestehenden Stoffportion (Substanzmenge) durch die Anzahl der in ihr enthaltenen Teilchen beschreibt. SI-Einheit der Stoffmenge ist das →Mol. Die gleiche Substanzmenge kann auch durch ihre Masse quantitativ beschrieben werden.

Stoffwechsel, alle lebensnotwendigen chemischen Vorgänge, die im pflanzlichen und tierischen Organismus ablaufen und seiner Erhaltung dienen sowie seine Tätigkeiten ermöglichen. Aufgaben des Stoffwechsels sind die Aufnahme von Sauerstoff mit der Atmung und von Nahrungsstoffen durch die →Ernährung sowie deren Transport, Abbau und Umbau zu körpereigenen Substanzen, Austausch und Aufnahme in die Körperzellen, aber auch die Ausscheidung von Abbauprodukten. Diese chemischen Prozesse sind eng miteinander verknüpft. Sie stehen in einem wechselseitigen Gleichgewicht und werden durch →Enzyme und →Hormone gesteuert. Man unterscheidet den **Baustoffwechsel,** der dem Aufbau von Körpersubstanz dient, und den **Betriebsstoffwechsel** zur Erhaltung der Körperfunktionen. Die aufbauenden und abbauenden Vorgänge sind in viele Teilprozesse (z. B. Eiweiß-, Kohlenhydrat-, Fettstoffwechsel) gegliedert. Grundlage aller Stoffwechselvorgänge sind die aus der Nahrung gewonnenen Substanzen wie Kohlenhydrate, Eiweiße, Fette; auch Wasser, Mineralsalze und →Vitamine spielen eine wichtige Rolle. Durch den Abbau der Nahrungsstoffe mit Hilfe von Sauerstoff (›Verbrennung‹) gewinnt der Körper Energie, um Muskelarbeit zu leisten, die Körpertemperatur aufrechtzuerhalten und einzelne Stoffwechselschritte durchzuführen.

Stoffwechselerkrankungen entstehen oft durch Störung eines Schrittes innerhalb einer Reaktionskette, meist infolge eines Enzymmangels, z. B. bei der →Zuckerkrankheit, die mit einer Störung des Kohlenhydratstoffwechsels einhergeht.

Stollen, im Berg- und Tunnelbau die von der Erdoberfläche aus waagrecht oder fast waagrecht in das Gebirge getriebenen Gänge. Sie werden als begehbare und befahrbare ›Strecken‹ angelegt. Kleineren Querschnitt haben die **Abwasserstollen** der Kanalisation und die **Wasserstollen (Druckstollen)** der Talsperren und Wasserkraftwerke.

Stonehenge [stounhendsch, altenglisch ›hängende Steine‹], vorgeschichtliche Anlage aus großen Steinblöcken bei Salisbury in Südengland. Das an der Wende von Jungsteinzeit zur Bronzezeit entstandene Bauwerk diente vermutlich der Beobachtung von Sonnen- und Mondbewegungen. Teilweise gut erhalten ist ein Ring aus 30 durch Decksteine miteinander verbundenen, 4 m hohen Steinpfeilern. Die Anordnung dieser Pfeiler und anderer Steine im Zentrum der Anlage lassen darauf schließen, daß die Erbauer schon über astronomisches Wissen verfügten. In der Umgebung der Anlage befinden sich noch viele Gräber und Erdwerke, die aus der gleichen Zeit wie Stonehenge stammen.

Stoppuhr, eine →Uhr, die durch Knopfdruck gestartet und durch erneuten Knopfdruck gestoppt werden kann. Sie dient zur Messung kurzer Zeitspannen, z. B. bei Sportwettkämpfen.

Neben mechanischen Uhrwerken werden häufig elektronische Zeitmesser mit Digitalanzeige verwendet.

Stoppuhr (schematisches Schnittbild)

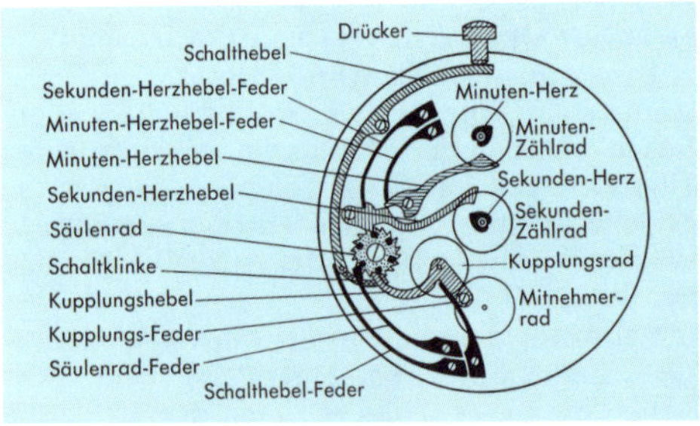

Wörter, die man unter S vermißt, suche man unter Sch oder Z

Störche, große →Schreitvögel, die in der Alten und Neuen Welt weit verbreitet sind; zu den Störchen gehören auch die →Marabus oder Kropfstörche. In Mitteleuropa lebt vor allem der gut 1 m große **Weißstorch** mit weißem Gefieder und schwarzen Flügeln. Aus Ästen und Reisig baut er seinen bis zu 2 m breiten Horst mit Vorliebe auf Dächern von Bauernhäusern. Als Hilfe für seinen Nestbau befestigt man häufig Wagenräder auf dem Dach. Seine Nahrung (Frösche, Schlangen, Molche, Mäuse, kleine Fische) sucht der Weißstorch vorwiegend in sumpfigem Gelände und auf feuchten Wiesen. Dabei schreitet er auf seinen langen, roten Stelzbeinen umher, bis er ein Beutetier erspäht. Dann stößt er mit dem langen, roten Schnabel schnell zu. Weißstörche können lediglich zischen und klappern (›Klapperstorch‹), wobei sie den Kopf weit zurücklegen.

Der seltene, kleinere **Schwarzstorch** ist nur am Bauch weiß. Er nistet in Deutschland in einsamen Wäldern (Niedersachsen, Bayern); er klappert nicht. Im August verlassen Störche ihr Brutgebiet und fliegen in größeren Verbänden nach dem südlichen Afrika in ihr Winterquartier. Im Flug sind sie am lang vorgestreckten Hals zu erkennen. Sie fliegen nicht über das Mittelmeer wie viele andere Vögel, sondern folgen 2 Zugstraßen über Spanien oder Kleinasien. Ab Ende Februar kehren Störche nach Europa zurück, wobei Altstörche ihr Nest vom letzten Jahr aufsuchen. Sie legen 3–5 Eier, die von beiden Partnern 33 Tage lang bebrütet werden. Erst mit 2 Monaten können die jungen →Nesthocker fliegen. Störche werden im allgemeinen fast 20 Jahre, vereinzelt über 50 Jahre alt.

Störche sind vom Aussterben bedroht. Ihr natürlicher Lebensraum wurde eingeengt, da immer mehr Sümpfe und Moore trockengelegt und Flüsse und Bäche reguliert wurden. Viele Störche verenden auch an Hochspannungsleitungen, in denen sie mit ihren großen Flügeln, die ausgebreitet von Spitze zu Spitze über 2 m spannen, hängenbleiben; auch die lange Reise zu ihren Winterquartieren überleben viele nicht. Verlassene oder verletzte Jungstörche können von Menschen aufgezogen werden. In der Bundesrepublik Deutschland brüteten 1984 noch knapp 400 Paare Weißstörche (1934 auf gleichem Gebiet 4 000 Paare). – Störche gelten im Volksglauben als Boten des Frühlings und wurden zum Sinnbild der Fruchtbarkeit. Daraus entwickelte sich die Vorstellung, der Storch (›Freund Adebar‹) bringe die neugeborenen Kinder ins Haus.

Storchenschnabel, ein Zeichengerät (→Pantograph).

Störe, Familie langgestreckter, etwa 1,5–8,5 m langer Fische mit spitz ausgezogener Schnauze und an der Unterseite liegender Mundöffnung, vor der Barteln stehen. Die Schwanzflosse ist asymmetrisch. Störe leben im Meer und steigen zum Laichen in Flüsse auf. In mitteleuropäischen Flüssen sind sie durch Wasserverschmutzung und übermäßiges Abfischen selten geworden. Sie werden vor allem in der Sowjetunion gefangen. Im Schlamm und Sand stöbern sie mit ihrer langen Schnauze und den als Tastorganen dienenden Barteln nach Würmern, Insekten, auch kleinen Fischen, die sie mit ihrem zahnlosen Maul aufsaugen. Ihr Rogen wird mit Salz zu **Kaviar** konserviert. (BILD Fische)

Storm. Das literarische Werk **Theodor Storms** (* 1817, † 1888) weist ihn vor allem als Meister der Novelle aus. Storm arbeitete als Rechtsanwalt in seiner Heimatstadt Husum in Holstein. Als 1852 Holstein nach dem Deutsch-Dänischen Krieg Dänemark zufiel, beteiligte er sich an der allgemeinen Volkserhebung gegen die neuen Herrscher. Er verlor Amt und Heimat und konnte erst 12 Jahre später nach Husum zurückkehren. Storm begann mit Gedichten von wehmutvoller Grundstimmung. In seinen zahlreichen Novellen beschwört er verlorenes oder versäumtes Glück, so in ›Immensee‹ (1850) und ›Pole Poppenspäler‹ (1874). Spätere Novellen sind mehr historisch und verwenden zum Teil Chronikstil. Als reifstes Werk gilt ›Der Schimmelreiter‹ (1888), die Geschichte vom Aufstieg eines hochbegabten Mannes bis zum Deichgrafen, von seinem Scheitern an der Trägheit seiner Umwelt und an den Naturgewalten.

Störche:
OBEN Schwarzstorch,
UNTEN Weißstorch

Störtebeker. Der Freibeuter **Klaus Störtebeker** ist aus Sagen und Volksliedern bekannt. Er war um 1400 zusammen mit Godeke Michels Führer der **Vitalienbrüder,** einer Gruppe von Männern, die im Krieg Dänemarks gegen Schweden auf Seiten des Schwedenkönigs Albrecht kämpften. Sie versorgten das zwischen 1389 und 1392 von den Dänen belagerte Stockholm mit Lebensmitteln (Vitalien) und kaperten Schiffe. Nach dem Krieg setzten sie die Piraterie auf eigene Faust fort und überfielen in der Nordsee besonders die Hanseschiffe. 1401 wurden die Vitalienbrüder gefangengenommen, Störtebeker und Michels nach Hamburg gebracht und dort 1402 hingerichtet.

Theodor Storm

Stoß. Der Bildhauer, Kupferstecher und Maler **Veit Stoß** (* 1447 oder 1448, † 1533), der wahrscheinlich in Horb am Neckar geboren wurde und ein ererbtes Nürnberger Bürgerrecht besaß,

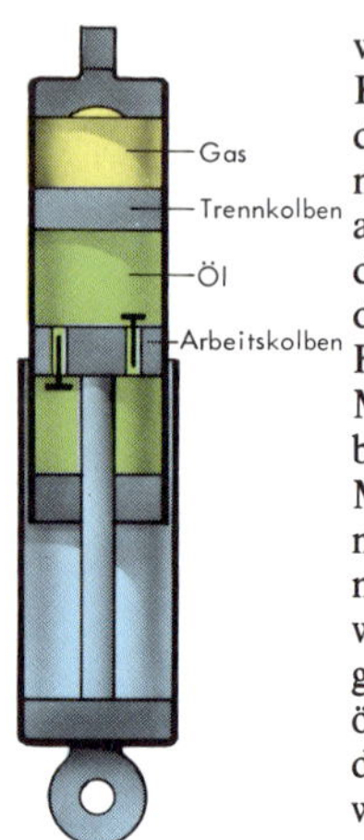

Stoßdämpfer:
Einrohr-Stoßdämpfer

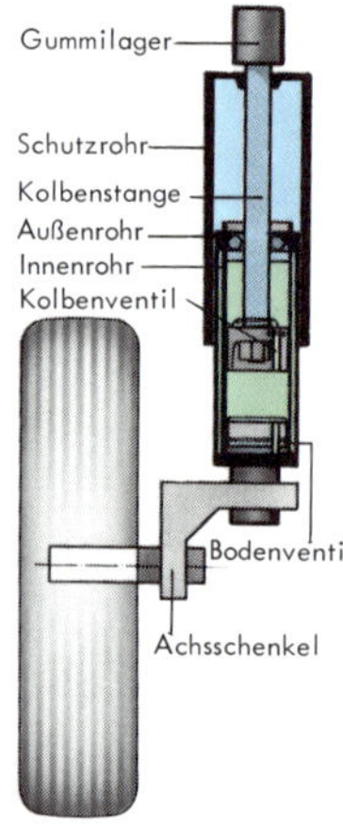

Stoßdämpfer:
Zweirohr-Stoßdämpfer

war einer der bedeutendsten spätgotischen Künstler. 1477 ging er nach Krakau und schuf dort den Hochaltar der Marienkirche, einen mächtigen, 13 m hohen, farbig gefaßten Schnitzaltar (1489 vollendet). Der Mittelschrein enthält die vollplastische Darstellung des Marientodes; die Figuren sind bis zu 2,80 m hoch. Die beiden Flügelpaare zeigen Reliefs mit Szenen aus dem Marienleben. Andere in Krakau entstandene Arbeiten sind vor allem Steinbildwerke wie das Marmorgrabmal für den polnischen König Kasimir IV. im Dom (1492). 1496 kehrte Veit Stoß nach Nürnberg zurück. Hier wurde er 1503 wegen einer Schuldscheinfälschung, die er begangen hatte, um zu seinem Recht zu gelangen, öffentlich auf beiden Wangen gebrandmarkt und durfte die Stadt nicht mehr verlassen. Später wurde er zwar von Kaiser Maximilian begnadigt und rehabilitiert, mußte aber bis zu seinem Tod Demütigungen und Repressalien erdulden. Zu den wichtigsten in Nürnberg geschaffenen Werken gehören die Sandsteinreliefs mit Darstellungen des Leidens Christi in der Sebalduskirche (1499), der als hölzerner Hängeleuchter gearbeitete ›Englische Gruß‹ (Verkündigung Mariens durch den Erzengel Gabriel; 1517/18) in der Lorenzkirche, das Kruzifix in der Sebalduskirche (1520) und der Altar für die Karmeliter (1520–23), der heute im Dom zu Bamberg steht. Kennzeichnend für Veit Stoß ist der leidenschaftliche Ausdruck seiner Gestaltung, vor allem der Köpfe und der beinahe ›barock‹ aufgewühlten Gewänder. Sein Werk beeinflußte die Künstler des gesamten deutschen Ostens und strahlte bis nach Polen, Ungarn und Siebenbürgen aus.

Stoßdämpfer, genauere Bezeichnung **Schwingungsdämpfer,** sorgen bei Kraftfahrzeugen dafür, daß die durch die Federung hervorgerufenen Schwingungen gedämpft werden. Die Stoßdämpfer sitzen zwischen der Radachse und dem Aufbau. Meist werden hydraulische **Teleskopstoßdämpfer** in Einrohr- oder Zweirohrbauart verwendet. In einem ölgefüllten Zylinder bewegt sich, durch Fahrwerkschwingungen ausgelöst, ein Kolben. Er verdrängt Öl durch kleine Bohrungen oder Ventile, wobei der Strömungswiderstand überwunden und die Kolbenbewegung verzögert wird.

Stoßen, →Gewichtheben.

Stottern, Sprechstörung, bei der der Redefluß unterbrochen wird, indem einzelne Silben, Laute oder Wörter mehrmals wiederholt werden. Dabei verkrampft sich gleichzeitig die Atem- und Gesichtsmuskulatur. Nicht selten stottern Kinder im 3. oder 4. Lebensjahr, wenn sie etwas Erlebtes nicht so schnell erzählen können, wie sie möchten. Häufig dürften seelische Konflikte für das Stottern verantwortlich sein, aber auch Schüchternheit sowie Ungeduld der anderen tragen dazu bei. Der Betroffene stottert nur in bestimmten, meist belastenden Situationen (Aufregung, Angst). Bei länger anhaltendem Stottern sollten von einem Sprachtherapeuten (Logopäden) Atem- und Sprechübungen durchgeführt werden, die durch eine psychologische Beratung ergänzt werden können.

Stradivari. Der Italiener **Antonio Stradivari** (* 1644, † 1737) gilt als der größte Geigenbaumeister aller Zeiten. Er entwickelte das Geigenmodell seines Lehrers Nicola Amati zur Vollendung, indem er die Korpuslänge der Instrumente auf etwa 35 cm vergrößerte und die Decke flacher wölbte. Er baute zwischen 1 000 und 3 000 Instrumente, von denen etwa 600 Violinen und 50 Violoncelli erhalten und als echt anerkannt sind.

Strafe, im weitesten Sinn Vergeltungsmaßnahme für Verletzungen von Gesetzen und anderen Regeln des menschlichen Zusammenlebens.

Kriminalstrafen werden bei Verstößen gegen Strafgesetze verhängt. Sie setzen ein Verschulden des Täters voraus, also Vorsatz oder →Fahrlässigkeit. Die Strafe soll dem Täter das Unrecht seines Verhaltens klarmachen und ihn vor Wiederholungen, die das Strafmaß verschärfen würden, warnen. Gleichzeitig soll die Bestrafung des einzelnen andere von ähnlichem Tun abschrecken. Kriminalstrafen werden hauptsächlich als Freiheits- oder Geldstrafen verhängt. Je nach Art des Falles sind zusätzlich noch Nebenstrafen, z. B. ein Fahrverbot, oder sonstige Maßnahmen möglich, z. B. Einziehung, das heißt entschädigungslose Enteignung, der Tatwerkzeuge. Nach Abschaffung der Todesstrafe ist die härteste Strafe lebenslanger Freiheitsentzug.

Disziplinar- und **Ordnungsstrafen** werden bei Rechtsverletzungen ausgesprochen, die keine schweren Verstöße gegen die allgemeine Ordnung darstellen, z. B. bei →Ordnungswidrigkeiten, Disziplinlosigkeiten in der Schule oder beim Militär.

Vertragsstrafen werden zwischen Privatpersonen für den Fall bestimmter Vertragsverletzungen vereinbart und haben den Charakter einer allgemeinen Entschädigung. Hält z. B. der Fabrikant den Liefertermin nicht ein, zahlt er dem Besteller eine bestimmte Geldsumme.

Strafgesetzbuch, Abkürzung **StGB,** Gesetzbuch, in dem die wichtigsten strafbaren

Handlungen beschrieben und zusammengefaßt sind und ihr Strafrahmen festgelegt ist. In Deutschland ist das Strafgesetzbuch seit 1871 in Kraft, das seither oft geändert wurde. Das österreichische Strafgesetzbuch gilt seit 1975 und hat das Strafgesetz von 1852 abgelöst. Das schweizerische Strafgesetzbuch ist seit 1942 gültig.

Strafprozeß, in der Strafprozeßordnung geregeltes Verfahren, in dem Straftaten behandelt werden. Es besteht aus 3 Teilen: Nach Bekanntwerden einer Straftat wird das **Ermittlungsverfahren** eingeleitet, das der Staatsanwalt mit Hilfe der Polizei leitet. Erhebt der Staatsanwalt Anklage gegen einen Beschuldigten, reicht er bei Gericht eine Anklageschrift ein. Das Gericht entscheidet nun im **Zwischenverfahren,** ob es die Anklage des Staatsanwaltes annimmt und das **Hauptverfahren** eröffnet. Das Kernstück des Hauptverfahrens ist die Hauptverhandlung; an ihr nehmen der Angeklagte und sein Verteidiger, die Richter, der Staatsanwalt sowie Zeugen und Sachverständige teil. Zu Beginn der Hauptverhandlung verliest der Staatsanwalt die Anklageschrift. Die darin enthaltenen Vorwürfe gegen den Angeklagten werden anschließend in der Beweisaufnahme untersucht, z. B. durch Anhörung der Zeugen. Der Angeklagte muß umfassend gehört werden; er ist aber nicht verpflichtet auszusagen. Die Hauptverhandlung endet mit dem Urteil. Hierfür darf das Gericht nur solche Tatsachen verwerten, die während der Hauptverhandlung zur Sprache gekommen sind. Das Gericht muß dem Angeklagten die Schuld nachweisen. Ist es nicht sicher, ob der Angeklagte schuldig ist, muß es ihn freisprechen. Die Hauptverhandlung ist öffentlich, nicht aber bei jugendlichen Angeklagten. (→Zivilprozeß)

Strafrecht, Sammelbezeichnung für den Teil der Rechtsordnung, der sich mit den Problemen strafbaren menschlichen Verhaltens und seinen Folgen (Strafen, Besserungsmaßnahmen) befaßt. Die Gesetzmäßigkeit des Strafrechts ist vor allem im Strafgesetzbuch, aber auch in vielen anderen Gesetzen (z. B. im Betäubungsmittelgesetz) niedergeschrieben. Zwei Grundsätze beherrschen das Strafrecht: **Keine Strafe ohne Schuld! Keine Strafe ohne Gesetz!**

Strafregister, als **Bundeszentralregister** in Berlin geführtes amtliches Verzeichnis, das unter anderem alle strafgerichtlichen Verurteilungen der Gerichte der Bundesrepublik Deutschland enthält. Urteile gegen Jugendliche werden dort nur erfaßt, wenn sie zu einer Jugendstrafe geführt haben (→Jugendstrafrecht); sonstige gerichtliche Maßnahmen gegen Jugendliche, z. B. Erziehungsmaßregeln, werden in ein gesondertes **Erziehungsregister** aufgenommen. Eintragungen in das Strafregister werden nach frühestens 5 Jahren gelöscht, solche im Erziehungsregister in der Regel dann, wenn der Betroffene 24 Jahre alt geworden ist. Auskunft aus dem Strafregister erhalten nur der Betroffene, z. B. wenn er zur Führerscheinprüfung ein **Führungszeugnis** braucht, und bestimmte (nicht alle) Behörden. Das Erziehungsregister dürfen nur Jugendämter, Straf- und Vormundschaftsgerichte, Staatsanwaltschaften und Gnadenbehörden (der Bundespräsident, die Ministerpräsidenten) einsehen.

Strafvollzug. Mit der rechtskräftigen Verurteilung eines Straftäters zu einer →Freiheitsstrafe beginnt der Strafvollzug. Er wird in Justizvollzugsanstalten (früher Strafvollzugsanstalten, Gefängnis oder Zuchthaus genannt) durchgeführt. Der Strafvollzug dient dem Schutz der Allgemeinheit vor erneuten Straftaten. Vor allem aber soll er den Straftäter befähigen, nach Verbüßung seiner Strafe ein straffreies Leben zu führen. Zu diesem Zweck können die Häftlinge beispielsweise während der Haft einen Beruf erlernen oder einen erlernten Beruf ausüben, unter Umständen auch außerhalb der Anstalt. Für geleistete Arbeit erhalten sie ein geringes Entgelt. Wenn sich im Verlauf des Strafvollzugs zeigt, daß das Vollzugsziel erreicht scheint, kann der Gefangene vorzeitig entlassen werden.

⇨ Amnestie · Begnadigung · Bewährung.

Strahlflugzeug, Düsenflugzeug, englisch kurz **Jet,** durch →Strahltriebwerk angetriebenes →Flugzeug. Die meisten Kampfflugzeuge und großen Verkehrsflugzeuge sind Strahlflugzeuge.

Strahltriebwerk, Düsentriebwerk, ein Triebwerk für leistungsstarke, schnelle Flugzeuge und für manche Flugkörper, z. B. die Marschflugkörper (Cruise missiles). Strahltriebwerke haben das gleiche Wirkungsprinzip wie →Raketen, nämlich das der Schuberzeugung durch →Rückstoß. Im Unterschied zu Raketen benötigen sie jedoch Umgebungsluft und sind deshalb nur in Höhen bis zu etwa 20 km brauchbar. Man spricht deshalb auch vom luftatmenden Strahlantrieb. Als Kraftstoff dient Kerosin, ein dem Dieselkraftstoff ähnliches Erdöldestillat.

Das am häufigsten verwendete Strahltriebwerk ist das **Turbinen-Luft-Strahltriebwerk,** auch **TL-Triebwerk** oder **Turbotriebwerk** genannt. Sein Arbeitsprinzip beruht auf dem der →Gasturbine mit Strahlleistung. Die dort beschriebene Wirkungsweise gilt für die einfachste Bauform des **Einstromtriebwerks.** Wirtschaftlicher sind die **Zweistromtriebwerke (ZTL-Triebwerke)** oder **Mantelstromtriebwerke,** bei denen ein abgezweigter Luftstrom das Triebwerkinnere umströmt. Primär- und Sekundärstrom durchlaufen Hochdruckverdichter und Hochdruckturbine oder

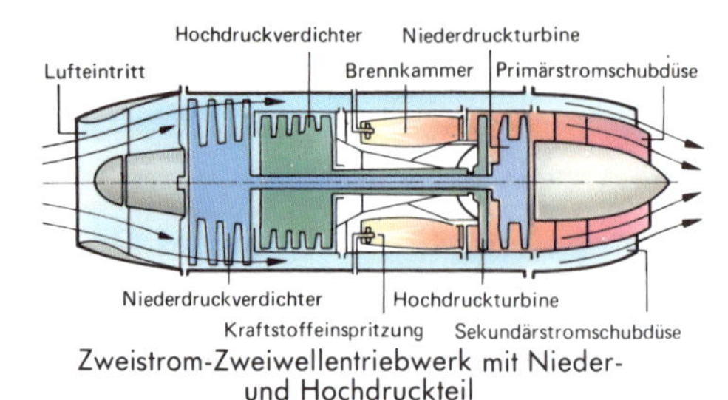

Strahltriebwerk

Niederdruckverdichter und Niederdruckturbine des Strahltriebwerks und vereinen sich erst in der gemeinsamen Schubdüse. Mit starken Turbinen-Luft-Strahltriebwerken ausgerüstete Flugzeuge können Schallgeschwindigkeit und Überschallgeschwindigkeit erreichen. Zur kurzzeitigen Leistungssteigerung von Kampfflugzeugen dient der

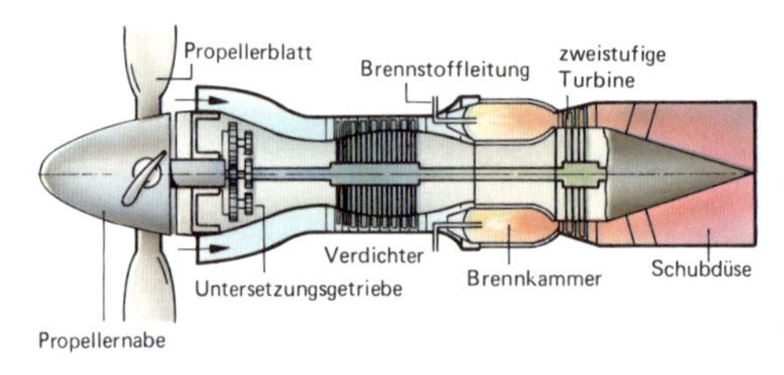

Strahltriebwerk: Propeller-Turbinen-Luft-Strahltriebwerk

Nachbrenner, eine Verlängerung des Triebwerks, in der den ausströmenden Verbrennungsgasen nochmals Kraftstoff zugesetzt wird. Die Ausströmgeschwindigkeit wird durch eine Nachverbrennung nochmals erhöht und so der Schub verstärkt.

Am wirtschaftlichsten von allen Strahltriebwerken ist das **Propeller-Turbinen-Luft-Strahltriebwerk,** auch **PTL-Triebwerk, Turboprop** oder **Propellerturbine** genannt. Bei ihm treibt die Turbine neben dem Verdichter noch einen Propeller an, der 70–90% des Schubs liefert, während an der Düse der Rest erzeugt wird. Wegen des Propellers können Turboprop-Flugzeuge keine so

Johann Strauß (Sohn)

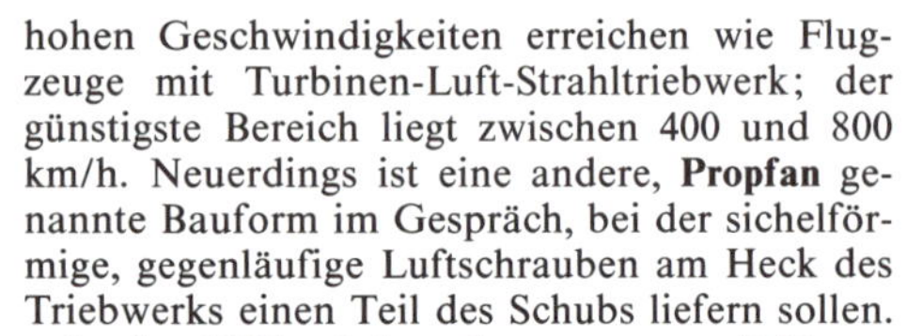

hohen Geschwindigkeiten erreichen wie Flugzeuge mit Turbinen-Luft-Strahltriebwerk; der günstigste Bereich liegt zwischen 400 und 800 km/h. Neuerdings ist eine andere, **Propfan** genannte Bauform im Gespräch, bei der sichelförmige, gegenläufige Luftschrauben am Heck des Triebwerks einen Teil des Schubs liefern sollen.

In den 1930er Jahren begann man mit Versuchen, das Prinzip der Gasturbine auf Flugtriebwerke anzuwenden. In Deutschland arbeitete daran vor allem Hans-Joachim Pabst von Ohain (* 1911), in Großbritannien unabhängig davon, aber fast gleichzeitig Frank Whittle (* 1907). Ohains Triebwerk wurde in ein Heinkel-Flugzeug (He 178) eingebaut, dessen Jungfernflug 1939 der erste Flug eines Strahlflugzeugs überhaupt war. Die deutsche Luftwaffe setzte noch im Zweiten Weltkrieg Jagdflugzeuge mit Strahlantrieb ein, der sich nach dem Krieg weltweit durchzusetzen begann.

Stralsund, 75 300 Einwohner, Stadt in Mecklenburg-Vorpommern, am Strelasund an der Ostsee. Stralsund hat gotische Backsteinbauwerke (13.–15. Jahrh.), z. B. Nikolaikirche, Marienkirche, Jakobikirche, Kloster Sankt Katharinen, Rathaus und viele alte Bürgerhäuser. Stralsund war im Mittelalter eine Hansestadt.

Straßburg, französisch **Strasbourg,** 256 000 Einwohner, Stadt in Frankreich, an der Mündung der Ill in den Rhein gelegen, ist geistiger und wirtschaftlicher Mittelpunkt des Elsaß. Die Stadt ist Sitz des Europarates und zugleich Tagungsort des Europäischen Parlaments. Die Fachwerkhäuser und Renaissancebauten der Altstadt werden vom **Straßburger Münster** überragt, einem Hauptwerk der Gotik. Im Mittelalter war Straßburg deutsche Reichsstadt; 1681 von Frankreich erobert, wechselte die Stadt gemeinsam mit dem Elsaß mehrmals die Zugehörigkeit zwischen Deutschland und Frankreich.

Strategie [zu griechisch stratos ›Heer‹ und agein ›führen‹], Lehre von der Kriegsführung. Im Gegensatz zur → Taktik beschäftigt sich die Strategie mit grundsätzlichen und umfassenden Fragen der Gesamtkriegsführung.

Stratocumulus, eine Form der → Wolken.

Stratosphäre [zu lateinisch stratum ›Decke‹], über der Troposphäre liegende Schicht der → Atmosphäre.

Stratus, eine Form der → Wolken.

Strauß. Seinen weltweiten Ruhm verdankt der Wiener Walzer vor allem dem Wirken der Musikerfamilie Strauß, Vater Johann sowie seinen Söhnen Johann, Josef und Eduard. **Johann Strauß (Vater),** * 1804, † 1849, gründete 1825 eine eigene Tanzkapelle und unternahm seit 1833 Konzertreisen. 1835 wurde er zum Hofballdirektor ernannt. Von seinen zahlreichen Kompositionen (darunter über 150 Walzer) ist besonders der beliebte Radetzky-Marsch zu nennen. – An Erfolg übertraf ihn noch sein ältester Sohn **Johann Strauß (Sohn),** * 1825, † 1899, der als ›Walzerkönig‹ in die Musikgeschichte einging. Er gründete 1844 sein eigenes Orchester und trat in Konkurrenz zum Vater. Nach dessen Tod vereinigte er beide Kapellen unter seiner Leitung und unternahm zahlreiche Konzertreisen bis in die USA (1872). Von seinen Werken, die sich durch rhythmischen Schwung, sangliche Melodik und vorzügliche Instrumentation auszeichnen, sind vor allem die Walzer ›An der schönen blauen Donau‹ (1867), ›Geschichten aus dem Wienerwald‹ (1868), ›Kaiserwalzer‹ (1888) und seine Operette ›Die Fledermaus‹ (1874) zu nennen. – Auch die Brüder **Josef Strauß** (* 1827, † 1870) und **Eduard Strauß** (* 1835, † 1916) haben sich als Orchesterleiter und Komponisten von Tanzmusik hervorgetan.

Strauss. Der Komponist **Richard Strauss** (* 1864, † 1949) wurde 1898 Hofkapellmeister in Berlin, 1919–24 leitete er die Staatsoper in Wien. Seine Werke stehen in der Tradition der Spätromantik und verbinden farbige Instrumentation und differenzierte Harmonik. Aus seinem umfangreichen Schaffen sind die Sinfonischen Dichtungen ›Don Juan‹ (1889), ›Tod und Verklärung‹ (1890), ›Till Eulenspiegels lustige Streiche‹ (1895), ›Also sprach Zarathustra‹ (1896) und die Opern ›Salome‹ (1905), ›Elektra‹ (1909), ›Der Rosenkavalier‹ (1911), ›Ariadne auf Naxos‹ (1912), ›Arabella‹ (1933) hervorzuheben.

Strauße, die größten heute lebenden Vögel. Sie können nicht fliegen, weil sie zu schwer sind, ihre Flügel keine Schwung- und Steuerfedern haben und die zum Fliegen erforderlichen kräftigen Brustmuskeln zurückgebildet sind. Dafür sind sie zu **Laufvögeln** mit kräftigen Beinen geworden.

Der **afrikanische Strauß** hat einen sehr langen Hals und hohe Beine. Das schwarz-weiße Männchen mit nackter roter oder blaugrauer Halshaut wird über 2,5 m hoch und bis zu 150 kg schwer. Mit bis zu 65 km/h läuft dieser Vogel durch Steppen und Wüsten, wobei eine Schrittlänge 4 m mißt. Durch Schläge mit den Füßen, die nur 2 Zehen haben, und mit dem kräftigen Schnabel kann er sogar einen angreifenden Löwen töten. Strauße ernähren sich mit Vorliebe von wasserhaltigen Pflanzenteilen und können so Trockenzeiten gut überstehen; sie fressen auch kleine Tiere (Eidechsen). Das bräunliche Weibchen legt seine Eier in eine flache Bodenmulde. Hat ein Straußenhahn mehrere Weibchen, so legen diese ihre Eier zusammen in eine Mulde. Ein Ei ist so groß wie 20–25 Hühnereier. Die Jungen sind →Nestflüchter. Da ihre Federn sehr begehrt sind, werden Strauße in Farmen gezüchtet. Sie sind auch häufig im Zoo zu sehen, wo sie bis zu 50 Jahre alt werden können.

In australischen Buschsteppen lebt, oft in großen Scharen, ein kleinerer Straußenvogel, der **Emu,** mit verschlissen wirkendem, grauschwarzem Gefieder. Er ist vom Aussterben bedroht, da man ihn stark verfolgt hat, um die Weizenfelder, in denen er Nahrung sucht, vor ihm zu schützen.

In den Urwäldern von Neuguinea bis Nord-Australien leben die schwarzen **Kasuare,** die auf dem Kopf einen nackten ›Helm‹ tragen. Sie sind ebenso häufig im Zoo zu sehen wie die grauen **Nandus** mit dreizehigen Füßen, die die Pampas in Südamerika bewohnen. Ein Nandu-Männchen hat einen ›Harem‹ mit bis zu 7 Weibchen, die ihre Eier in eine gemeinsame Bodenmulde legen. Das Männchen bebrütet die Eier allein und führt auch die Jungen.

Ein Straußenvogel ist auch der Wappenvogel Neuseelands, der sehr selten gewordene **Kiwi** mit bräunlichem, haarähnlichem Federkleid. Er wird nur so groß wie ein Huhn. Auf Neuseeland lebte auch der längst ausgestorbene **Moa,** der noch größer war als der afrikanische Strauß. Seine Eier wogen 2 kg. Eier von der Größe eines Fußballs – die größten Eier überhaupt – legte ein ebenfalls ausgestorbener sehr großer Strauß, der auf Madagaskar lebte.

Strawịnsky. Der russische Komponist **Igor Strawinsky** (* 1882, † 1971), der vor allem durch sein von elementarer Rhythmik geprägtes Frühwerk großen Einfluß ausübte, gehört zu den bedeutenden Vertretern der modernen Musik. Nach musikalischer Ausbildung bei Nikolaj Rimskij-Korsakow lebte er 1910–14 und 1920 bis 1939 in Paris. Dazwischen lag ein durch den Krieg bedingtes Exil in der Schweiz. 1939 übersiedelte er in die USA. Aus seinem sich durch äußerste Stilvielfalt auszeichnenden Schaffen sind das Ballett ›Der Feuervogel‹ (1910), die Tanzburleske ›Petruschka‹ (1911), das kultische Tanzspiel ›Le sacre du printemps‹ (1913), ›Die Geschichte vom Soldaten‹ (1917/18), die ›Psalmensinfonie‹ (1930) und die Messe (1944 und 1947) hervorzuheben.

Strẹcke. Geometrie: Die geradlinige Verbindungslinie zweier Punkte A und B nennt man die

1

2

3

4

Strauße: **1** Strauß, **2** Kiwi, **3** Helmkasuar, **4** Nandu

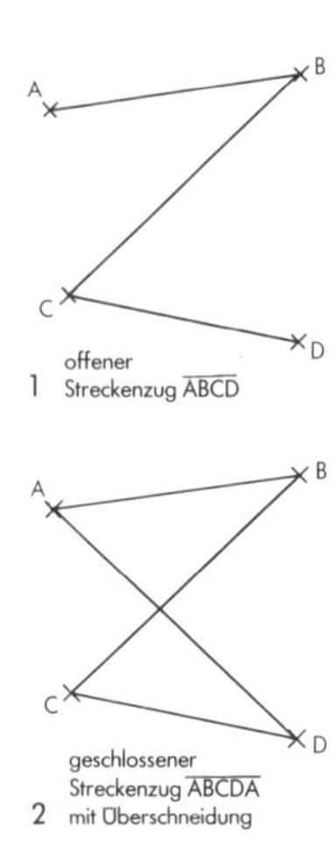

1 offener Streckenzug $\overline{ABCD}$

2 geschlossener Streckenzug $\overline{ABCDA}$ mit Überschneidung

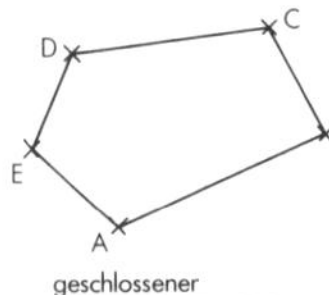

3 geschlossener Streckenzug $\overline{ABCDEA}$ ohne Überschneidung

Strecke

Strecke mit den **Endpunkten** A und B. Man bezeichnet sie meist mit $\overline{AB}$. Eine Strecke ist somit im Unterschied zu einer →Geraden durch ihre Endpunkte begrenzt. Die Endpunkte selbst gehören noch zur Strecke. Die Entfernung (oder den Abstand) der beiden Punkte A und B nennt man die Länge der Strecke $\overline{AB}$. Man bezeichnet die Länge meist mit $|AB|$.

Verbindet man die Punkte A, B, C und D durch die Strecken $\overline{AB}$, $\overline{BC}$ und $\overline{CD}$ miteinander, so entsteht der **Streckenzug** $\overline{ABCD}$ (BILD 1). Die Länge des Streckenzugs $\overline{ABCD}$ ist gleich der Summe der einzelnen Streckenlängen, also $|ABCD| = |AB| + |BC| + |CD|$.

Verbindet man auch noch die Punkte A und D miteinander, so erhält man den **geschlossenen Streckenzug** $\overline{ABCDA}$, im Gegensatz zum **offenen Streckenzug** $\overline{ABCD}$ (BILDER 1 und 2). Bei Streckenzügen unterscheidet man zwischen Streckenzügen mit und ohne Überschneidungen (BILDER 2 und 3).

Dreiecke, Vierecke, Fünfecke und sonstige →Vielecke entstehen durch geschlossene Streckenzüge ohne Überschneidungen.

Streichinstrumente, Gruppe von Musikinstrumenten, bei denen zur Tonerzeugung eine oder mehrere →Saiten durch einen Bogen angestrichen werden. Dazu gehören vor allem →Geige, →Bratsche, →Violoncello, →Kontrabaß und →Gambe sowie viele außereuropäische Volksinstrumente.

Streichquartett, →Kammermusik.

Streik, im ursprünglichen Sinn allein eine Form des →Arbeitskampfes, heute oft auch Bezeichnung für bestimmte Formen des Protests oder des hinhaltenden Widerstands gegen Gesetze, Verordnungen oder Verwaltungsmaßnahmen des Staates, seiner Organe oder seiner Behörden, z. B. **Steuerstreik** (das Nichtzahlen der fälligen Steuern), **Vorlesungsstreik** (das Nichtbesuchen von Vorlesungen und Seminaren durch Studenten) oder **Hungerstreik** (Verweigerung der Nahrungsaufnahme).

Stresemann. Der Politiker **Gustav Stresemann** (* 1878, † 1929) gehörte zwischen 1907 und 1929 mit kurzen Unterbrechungen dem Reichstag an. 1902–18 war er Syndikus (Rechtsberater) des Verbands sächsischer Industrieller. Nach dem Ersten Weltkrieg beteiligte er sich maßgeblich an der Gründung der ›Deutschen Volkspartei‹ (DVP) und führte sie als Vorsitzender (1918–29) aus der anfänglichen Ablehnung der Weimarer Republik in die Verantwortung für diesen Staat.

Von August bis November 1923 war er Reichskanzler, von August 1923 bis zu seinem Tod Außenminister. Als Reichskanzler legte er die Grundlagen für die Gesundung der Finanzen des Deutschen Reichs (Einführung der Rentenmark, 1923). Als Außenminister bemühte er sich erfolgreich um eine dauerhafte Verständigung besonders mit Frankreich. Höhepunkt dieser Politik waren die ›Locarno-Verträge‹ (1925), benannt nach dem Ort in der Schweiz, wo sich Stresemann auf einer Konferenz mit den Außenministern der früheren Kriegsgegner auf einen deutsch-französischen Ausgleich verständigt hatte. Im Laufe dieser Verhandlungen entwickelte Stresemann ein enges Vertrauensverhältnis zum französischen Außenminister Aristide Briand. Gemeinsam mit ihm erhielt Stresemann 1926 den Friedensnobelpreis.

Streichinstrumente

Streß [englisch ›Druck‹], Zustand eines Organismus bei erhöhter Belastung, der durch sehr unterschiedliche Faktoren (Hitze, Kälte, Lärm, Verletzungen, bestimmte Erkrankungen, aber auch Freude, Ärger und Aufregung) ausgelöst sein kann. Der Körper beantwortet diese belastenden Situationen mit der Ausschüttung bestimmter →Hormone, die den Organismus in ›Alarmbereitschaft‹ setzen und ihn in Anpassung an die Situation zu schnellen Reaktionen befähigen. Das ist lebensnotwendig, kann aber auch bei langandauernder starker Belastung zu vielfältigen Gesundheitsschäden führen, z. B. zu Magengeschwüren, Bluthochdruck, Schlaflosigkeit.

Strichrechnung, die →Grundrechenarten Addition und Subtraktion.

Strom, 1) →elektrischer Strom.

2) größeres, fließendes Gewässer auf dem Festland mit einer Länge über 500 km, einem Einzugsgebiet von über 100 000 km^2 und einer mittleren Wassermenge von über 2 000 m^3/s. Er stellt die Hauptader in einem entwässerten Einzugsgebiet dar und wird gespeist von vielen natürlichen Zuläufen. (→Fluß)

Stromquelle, allgemeine Bezeichnung für eine Anordnung, die bewirkt, daß →Elektronen durch einen →Leiter fließen. Dazu gehören z. B. →Batterien, →Akkumulatoren, →Generatoren.

Stromstärke. Dividiert man die →Ladung Q, die in einer bestimmten Zeit t durch den Querschnitt eines Leiters fließt, durch diese Zeit t, so erhält man die Stromstärke I (→elektrischer Strom):

$$I = \frac{Q}{t}$$

Die Einheit der elektrischen Stromstärke ist das →Ampere (1 A).
In der Praxis vorkommende Stromstärkenwerte:

Glühlampe (100 Watt)	0,5 A
Elektrische Kochplatte	5 A
E-Lok der Bundesbahn	2 000 A
Aluminiumherstellung	10 000 A

Stromstärken kann man z. B. mit →Drehspulinstrumenten oder →Galvanometern messen.

Hohe Stromstärken erfordern hinreichend dikke Drähte!

Strontium, Zeichen **Sr,** →chemisches Element (ÜBERSICHT), ein silberweißes, weiches, unedles Metall. In der Natur ist es verhältnismäßig selten.

Strontiumverbindungen färben die Flamme rot und werden daher für Feuerwerkskörper verwendet. Strontium wird leicht in das Skelettsystem von Mensch und Tier aufgenommen. Das Strontiumisotop ^{90}Sr ist deshalb ein besonders gefährliches radioaktives Folgeprodukt von Atombombenexplosionen.

Strophe [griechisch ›Wendung‹], in der Dichtung, vor allem in der Lyrik, eine Einheit, die aus mindestens 2 Verszeilen besteht. Gewöhnlich setzt sich ein Gedicht oder ein Epos aus mehreren Strophen zusammen, von denen jede einzelne einen Gesichtspunkt des Gesamtthemas behandelt. (→Reim)

Strychnin, farbloser, stickstoffhaltiger Naturstoff aus dem Samen z. B. der Brechnuß, der als **Krampfgift** bei Säugetieren und dem Menschen wirkt. In kleinen Mengen verstärkt Strychnin die Muskelspannung, was man früher (heute selten) zur Behandlung der Kreislaufschwäche nutzte. Höhere Dosen (Strychninvergiftung) führen zur Steigerung der Reflexe und schließlich zu Krämpfen (ähnlich dem Wundstarrkrampf) mit maximaler Anspannung der gesamten Skelettmuskulatur, die den Tod durch Atemlähmung zur Folge haben können. Strychnin wird zur Bekämpfung von tierischen Schädlingen (Ratten, Mäuse) eingesetzt.

Stuart [stjuet], schottische Adelsfamilie. Ihr entstammten seit 1371 die Könige von Schottland. Aus der Reihe der schottischen Herrscher ist →Maria Stuart, deren Schicksal in mehreren Dichtungen gestaltet wurde, besonders bekannt. Mit **Jakob I.** (1603–25) wurden die Stuarts auch Könige von England. Die Stuarts waren katholisch; daher kam es immer wieder zu Auseinandersetzungen mit der protestantischen Mehrheit im englischen Parlament. Unter Jakobs I. Sohn **Karl I.** (1625–49) kam es zu einem Kampf zwischen König und Parlament. Er endete 1649 mit der Hinrichtung des Königs (→Cromwell). Nach 11 Jahren Republik gelangten die Stuarts 1660 mit **Karl II.** (1660–85) erneut an die Herrschaft. Als **Jakob II.** (1685–88) den Katholizismus wieder in England einführen wollte, übernahm sein Schwiegersohn, der protestantische Wilhelm II. von Oranien (1689–1702), durch die ›Glorreiche Revolution‹ die Macht. Die protestantische Tochter Jakobs II. (1685–88), **Anna,** war 1702–14 die letzte Stuart auf dem englischen Thron.

Stummfilm, →Film.

Stummheit, Form der Sprachstörung, die durch das Unvermögen, Laute hervorzubringen (zu ›sprechen‹), gekennzeichnet ist. Häufig trifft man sie infolge von →Taubheit als Taubstummheit an oder auf Grund von Erkrankungen der Sprechorgane. Sie kann auch seelisch bedingt sein **(Mutismus).**

Stunde, Einheitenzeichen **h** [von lateinisch **h**ora], bei Angabe der Uhrzeit auch hochgestellt: ^{h}, gesetzliche Einheit der Zeit; bis 1967 definiert als der 24ste Teil des mittleren Sonnentages, von da an nur das 3 600fache der atomar definierten →Sekunde.

Stundenkilometer, falsche Bezeichnung für Kilometer je Stunde.

Stundung, Aufschub für eine zu einem bestimmten Zeitpunkt fällige Zahlung. Die Stundung bedarf einer Vereinbarung zwischen Gläubiger und Schuldner. Auch Steuern können bei Vorliegen besonderer Gründe gestundet werden.

Stuntman [stantmän, von englisch stunt ›Kunststück‹ und man ›Mann‹], beim Film Ersatzmann, der den Darsteller in gefährlichen Szenen vertritt.

Stupa, ursprünglich altindischer Begräbnishügel, später buddhistischer Kultbau, für die Aufnahme von Reliquien bestimmt. Über einer zylindrischen Sockelzone erhebt sich ein halbkugeliger massiver Erd- oder Ziegelbau, darüber ein würfelförmiger Aufbau mit der Reliquienurne. Den Abschluß bilden mehrere steinerne ›Schirme‹ (Symbol indischer Herrscher und Götter).

Sturm, sehr heftiger Wind der Stärke 9–11 (→Wind), der auf dem Land Bäume entwurzelt und Schäden an Gebäuden verursacht, auf See hohe Wellenberge aufwirft.

Sturmflut, durch ständig gegen die Küste wehenden Sturm erzeugter, außergewöhnlich hoher Wasserstau des Meeres. Besonders hoch steigt das Wasser in Buchten, Mündungstrichtern von Flüssen und an Flachküsten. Sturmfluten rufen oft schwere Verwüstungen hervor.

Sturm und Drang, nach dem Drama ›Sturm und Drang‹ (1776) von Friedrich Maximilian von Klinger benannte Epoche der deutschen Literatur (etwa zwischen 1765 und 1785), die wegen ihrer Verherrlichung des Genius (eines mit besonderen schöpferischen Kräften begabten, an keine künstlerischen Regeln gebundenen Menschen) auch **Geniezeit** genannt wird. Der Betonung von Verstand und Vernunft, wie sie in der Zeit der Aufklärung vorgeherrscht hatte, setzten die jungen Schriftsteller des Sturm und Drang vor allem in ihren Dramen Gefühl und Leidenschaft entgegen. Autoren waren Jakob Michael Reinhold Lenz, Friedrich Maximilian von Klinger, Johann Anton Leisewitz, Heinrich Leopold Wagner sowie Goethe und Schiller mit Frühwerken.

Sturmvögel, Hochseevögel mit röhrenförmig vorgezogenen Nasenlöchern (›Röhrennasen‹) und Schwimmhäuten zwischen den 3 Vorderzehen. Mit ihren schmalen Flügeln können sie sehr ausdauernd in großer Höhe fliegen. Sie gleiten auch dicht über dem Wasser, um kleine Fische und andere kleine Meerestiere zu fangen; einige Arten tauchen. Sturmvögel schlafen auf dem Wasser schwimmend. Nur zur Brutzeit kommen sie an Land. Sie brüten ein einziges Ei in Felsklüften oder in Erdhöhlen aus. Der **Eissturmvogel,** der etwa so groß wie eine Silbermöwe wird, brütet im Bereich der Nordsee. Mit den Sturmvögeln verwandt sind die →Albatrosse.

Stute, das weibliche →Pferd.

Stuttgart, 583 000 Einwohner, Hauptstadt von Baden-Württemberg, liegt in einem von Wäldern umgebenen Talkessel am Neckar und ist das industrielle (Daimler-Benz, Bosch) und kulturelle Zentrum in Südwestdeutschland. Im Stadtgebiet liegt die **›Wilhelma‹,** ein nach König Wilhelm I. benannter zoologisch-botanischer Garten. Neben historischen Bauten wie der Stiftskirche aus dem 15./16. Jahrh., dem Alten und dem Neuen Schloß (16. und 18. Jahrh.) prägen modernere Gebäude das Stadtbild, so der 1914–27 erbaute Hauptbahnhof und der Fernsehturm des Süddeutschen Rundfunks. Die Stadtteile **Bad Cannstadt** und **Berg** sind wegen ihrer Mineralquellen beliebte Kurorte.

Suaheli, Swahili [arabisch ›Küstenbewohner‹], die Bevölkerung im Küstengebiet von Ostafrika, zwischen Somalia und Moçambique, besonders auf den vorgelagerten Inseln wie Sansibar und Lamu. Dieses Gebiet gehörte schon im 1. Jahrtausend v. Chr. zum Einflußgebiet der Perser und Araber. Die ansässigen Bantu wurden daher schon früh arabisch beeinflußt, besonders kulturell, und gehören durchweg zum Islam. Sie sind als hervorragende Handwerker und Händler bekannt. Die **Suaheli-Sprache** (auch **Kisuaheli**) weist viele arabische Fremdwörter auf. Sie wurde durch arabische Sklavenhändler weit verbreitet, wird heute von 30 Millionen Menschen gesprochen und ist Verkehrssprache in ganz Ostafrika.

Subjekt [aus lateinisch subicere ›zugrundelegen‹, ›unterlegen‹], **Satzgegenstand,** bildet zusammen mit dem Prädikat (Satzaussage) die Grundform des →Satzes. Das Subjekt wird mit der Frage: Wer oder was ...? ermittelt.

Substantiv [aus lateinisch substantia ›Bestand‹, ›Wesenheit‹], **Hauptwort,** Wortart, die Lebewesen (Menschen, Tiere, Pflanzen), Gegenstände (z. B. Tisch, Flöte) und abstrakte Begriffe (z. B. Ehre, Freude, Unglück, Wette) bezeichnet. Substantive werden, entsprechend ihrer Stellung im Satz, dekliniert (→Deklination), das heißt, sie stehen im Singular oder Plural sowie in verschiedenen →Kasus. Das grammatische Geschlecht (→Genus) eines Substantivs erkennt man im Deutschen an seinem →Artikel.

Subtraktion [zu lateinisch substrahere ›wegziehen‹], eine der 4 →Grundrechenarten.

Subtropen [zu lateinisch sub ›unter‹], ein über 2000 km breiter Klimagürtel zwischen den →Tropen und der →gemäßigten Zone, der die großen Wüsten und warmen Steppen der Erde umfaßt, ebenso die Gebiete mit Mittelmeerklima. In den Subtropen beträgt die monatliche Durchschnittstemperatur 18 °C, in der kühleren Jahreszeit sinkt sie nicht unter 10 °C, wenn auch kurze, schwächere Fröste auftreten können.

Die natürliche Vegetation (vor allem Hartlaubgewächse) ist diesen Bedingungen durch die Bildung von harten, lederartigen und kleinen Blättern, durch Behaarung, Wachsüberzug oder Dornen gut angepaßt.

Subvention [zu lateinisch subvenire ›zu Hilfe kommen‹], Beihilfe des Staates für Unternehmen oder Wirtschaftszweige, wenn diese z. B. in weitreichende wirtschaftliche Schwierigkeiten geraten und viele Arbeitsplätze gefährdet sind **(Erhaltungssubvention).** Soll die einheimische Industrie gegen eine starke ausländische Konkurrenz geschützt oder bei der Umrüstung auf moderne Produktionsanlagen und -methoden unterstützt werden, gewährt der Staat **Anpassungs-** und **Produktionshilfen.**

Der Staat zahlt den betroffenen Unternehmen entweder Zuschüsse (Finanzhilfen), bewilligt Steuervergünstigungen oder verhilft zu Krediten zu günstigen Bedingungen. Subventionen werden außer aus wirtschaftlichen meist aus politischen, sozialen oder gesellschaftlichen Gründen gewährt. Sie sind allerdings in einer Marktwirtschaft umstritten, da sie die Wettbewerbsverhältnisse am freien Markt beeinträchtigen und unrentable Unternehmen begünstigen können.

Sucherkamera, ein →Photoapparat.

Sucht, Zustand der körperlichen und seelischen Abhängigkeit von der Wirkung von →Drogen, Medikamenten, Alkohol oder Nikotin, der durch die fortgesetzte Aufnahme des Suchtmittels entsteht. Vielfach werden auch Fettsucht, Magersucht, Arbeitssucht, Spielsucht als Ausdruck eines süchtigen (abhängigen) Verhaltens gewertet.

Sucre, 101 400 Einwohner, Hauptstadt von Bolivien, liegt in den Anden 2800 m über dem Meeresspiegel. Sucre gewann während der spanischen Kolonialzeit Bedeutung durch den benachbarten Silberbergbau und wurde 1825 Hauptstadt des neu gegründeten Staates Bolivien. Regierungssitz ist →La Paz.

Südafrika, Republik im Süden des afrikanischen Kontinents, mehr als dreimal so groß wie Deutschland. Im Innern ist das Land eine eintönige Hochfläche (1000–1500 m) mit einzelnen Bergkuppen. Die Hochfläche steigt nach außen hin zu den rund 1800 m hohen Drakensbergen an, die zur Küstenebene steil abfallen. Im Süden finden sich die Trockensteppe der Karru und die Faltenzüge des Kaplands. Das Klima ist subtropisch; die Kapprovinz erhält Winterregen, die inneren Gebiete sind trockener. Die Bevölkerung besteht zu ²⁄₃ aus Bantu; daneben gibt es Mischlinge und Asiaten, meist Inder. Nur ¹⁄₆ der Südafrikaner sind Weiße, meist Buren.

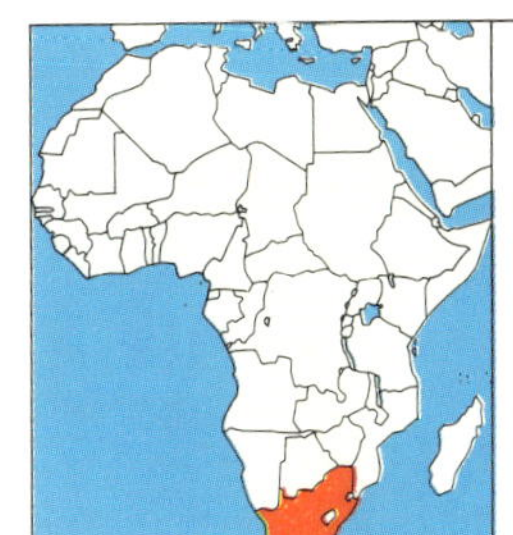

Südafrika

Fläche: 1 221 037 km²
Bevölkerung: 39,55 Mill. E
Hauptstadt: Pretoria
Amtssprachen: Afrikaans, Englisch
Nationalfeiertag: 31. Mai
Währung: 1 Rand (R) = 100 Cents (c)
Zeitzone: MEZ + 1 Stunde

Im Süden des Landes werden Obst, Wein und Citrusfrüchte angebaut, im Innern Getreide. Rinder- und Schafzucht haben große Bedeutung.

Südafrika besitzt fast alle wichtigen mineralischen Bodenschätze, besonders Gold, Diamanten und Uran. Das Land ist das am stärksten industrialisierte Land Afrikas.

Die Politik der Rassentrennung (→Apartheid) prägte das Land. Die Weißen bilden immer noch die Oberschicht. Die Mischlinge sind besonders im Handwerk, in Lehre und Verwaltung tätig; sie bilden zusammen mit den überwiegend als Händlern tätigen Indern die Mittelschicht. Die Bantu-Bevölkerung der Unterschicht setzt sich aus vielen sprachlich und kulturell verschiedenen Gruppen zusammen. Zum Teil leben sie in dichtbesiedelten **Homelands** – z. B. die Zulu in dem aus mehreren Gebieten bestehenden Kwazulu –, die ihnen von der weißen Regierung zugewiesen wurden. Viele Schwarze leben als Wanderarbeiter in der Industrie in den weißen Gebieten, wo sie in eigenen Satellitenstädten wohnen.

Kernland Südafrikas ist die 1652 als niederländische Siedlung entstandene Kapprovinz, die 1806 von den Briten erobert wurde. 1910 wurde sie, mit anderen Gebieten zur ›Südafrikanischen Union‹ vereinigt, britisches Kolonialgebiet. 1961 wurde das Land selbständige Republik. Die Politik der Rassentrennung führte immer wieder zu politischen Unruhen. Seit Beginn der 1990er Jahre wird das Apartheidsystem schrittweise beseitigt. (KARTE Band 2, Seite 194)

Südafrika

Staatswappen

Staatsflagge

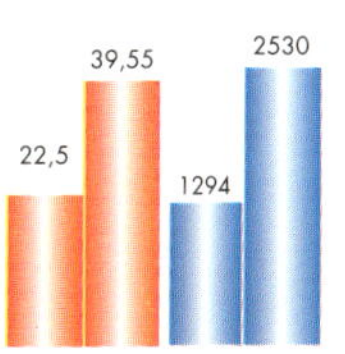

Bevölkerung (in Mill.) – Bruttosozialprodukt je E (in US-$)

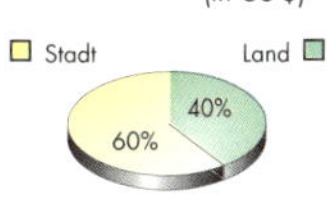

Bevölkerungsverteilung 1990

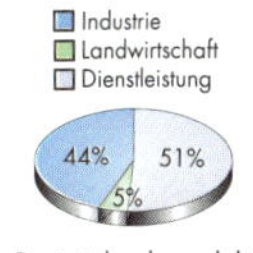

Bruttoinlandsprodukt 1990

Südamẹrika, →Amerika.

Sudạn, Sudạnzone, Großlandschaft im nördlichen Afrika. Der Sudan erstreckt sich zwischen der Sahara im Norden und der tropischen Regenwaldzone im Süden. Die Staaten Senegal, Guinea, Mali, Burkina Faso, Nigeria, Niger, Tschad und die Republik Sudan haben Anteil an dieser Landschaft, die aus Trockensavanne, im Süden auch aus Feuchtsavanne besteht.

Sudan

Fläche: 2 505 813 km²
Bevölkerung: 25,16 Mill. E
Hauptstadt: Khartum
Amtssprachen: Arabisch; Englisch
Nationalfeiertag: 1. Jan.
Währung: 1 Sudan Dinar (SD) = 100 Piastres (PT.)
Zeitzone: MEZ +1 Stunde

Sudan

Staatswappen

Staatsflagge

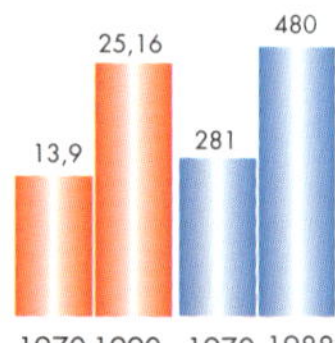

Bevölkerung (in Mill.)
Bruttosozialprodukt je E (in US-$)

Bevölkerungsverteilung 1990

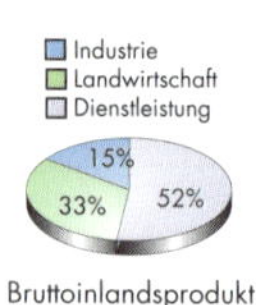

Bruttoinlandsprodukt 1988

Sudạn, Republik in Nordostafrika am Oberlauf des Nil. Sudan, das flächenmäßig größte Land Afrikas, ist etwa siebenmal so groß wie Deutschland. Das Land wird von Völkern verschiedener Rassen und Religionen bewohnt. Fast die Hälfte sind Araber, die zweitgrößte Gruppe bilden die Nubier. Der Staat umfaßt den Ostteil der Sahelzone und hat Anteil an der Sahara (Libysche und Nubische Wüste), die etwa ⅓ des Landes einnimmt. In dem tropischen Klima besteht die südliche Hälfte aus Trockensavanne. Nur ⅐ der Gesamtfläche ist ackerbaulich nutzbar. Dieses Gebiet liegt im Niltal. Bewässerung erlaubt den Anbau von Baumwolle, Erdnüssen und Sesam für den Export. Hirse und Datteln dienen der Versorgung der eigenen Bevölkerung. Industrie ist kaum vorhanden, so daß Sudan zu den ärmsten Ländern der Erde gehört. Besonders durch Bewässerungsvorhaben versuchen die Industrieländer, den Ackerbau zu verbessern. In den vergangenen Jahrhunderten standen die Bewohner oft in Abwehrkämpfen gegen Äthiopien und Ägypten. 1899–1953 wurde das Land von Ägypten und Großbritannien gemeinsam verwaltet. 1956 wurde Sudan unabhängig. In der Folgezeit wechselten die Militärregierungen sehr häufig durch Putsche. (KARTE Band 2, Seite 194)

Sụden, eine Himmelsrichtung, die durch den Schnittpunkt des →Meridians mit dem →Horizont bestimmt ist.

Sudẹten, Gebirgsland zwischen Schlesien (Polen), Sachsen und Böhmen (Tschechische Republik). Das 30 bis 60 km breite Gebirge erstreckt sich über eine Länge von 330 km von der Lausitzer Neiße bis zur Mährischen Pforte. Im einzelnen bestehen die Sudeten aus Iser-, Riesen-, Bober-Katzbach-Gebirge, Waldenburger Bergland, Eulen-, Heuscheuer-, Adler-, Habelschwerdter-, Glatzer Schnee-, Reichensteiner- und Altvatergebirge und Niederes Gesenke.

Sudẹtendeutsche, Deutsche, die seit dem Mittelalter aus ihrer deutschen Heimat nach Osten in die →Sudeten auswanderten. Diese Volksgruppe, die am Rande des Böhmischen Beckens in einem geschlossenen Sprachgebiet lebte, wurde nach dem Zerfall der österreichisch-ungarischen Monarchie 1919 in den Staatsverband der Tschechoslowakei eingegliedert. Die wachsende Unzufriedenheit der Sudetendeutschen über die Einschränkung in der Ausübung ihrer Sprache und Kultur wurde später von Hitler für seine politischen Ziele ausgenutzt. Im Rahmen des Münchener Abkommens mußte die Tschechoslowakei 1938 das Sudetenland an das Deutsche Reich abtreten. Nach 1945 mußten fast alle Sudetendeutschen ihre Heimat verlassen und leben jetzt meist in der Bundesrepublik Deutschland, aber auch in Österreich.

Sụ̈dfrüchte, Obstarten, die aus tropischen und subtropischen Gegenden stammen und in Mitteleuropa in der Regel nicht gedeihen, weil sie für ihr Wachstum viel Wärme brauchen und sehr frostempfindlich sind. Sie werden daher aus südlichen Ländern eingeführt. Die bekanntesten Südfrüchte sind die →Citrusfrüchte (Zitrone, Grapefruit, Pampelmuse, Mandarine, Orange, Apfelsine), ferner Kokosnüsse, Paranüsse, Pistazien, Erdnüsse, Oliven, Datteln, Bananen, Ananas, Feigen, Mangos, Papayas, Guavas, Kiwis, Cherimoyas, Passionsfrüchte, Kumquats, Melonen, Granatäpfel. Wegen des Wohlgeschmacks und des Vitamingehalts sind Südfrüchte wichtige Nahrungsmittel. (BILDER Seiten 247/248)

Sụ̈d-Korea, →Korea.

Sụ̈dpol, Punkt, an dem die gedachte Erdachse die Erdoberfläche durchstößt. Der Südpol ist der am weitesten vom Äquator entfernt liegende Punkt der Südhalbkugel. Am Südpol geht die Sonne vom 23. September bis zum 31. März nicht unter.

Sụ̈dpolargebiet, Antạrktis, →Polargebiete.

Sụ̈dsee, der südwestliche Teil des →Pazifischen Ozeans.

Sụ̈dtirol, Landschaft in Norditalien, ursprünglich der Südteil Tirols, südlich des Brenners; heute ist Südtirol gleichbedeutend mit der Provinz Bozen, dem Nordteil der italienischen Region Trentino-Südtirol.

Den Nordteil bildet die Südabdachung der Ötztaler und Zillertaler Alpen, die Westgrenze die Ortler- und Adamellogruppe. Östlich folgen die Südtiroler Dolomiten. Wirtschaftlich gehört Südtirol zu den bedeutendsten Regionen Italiens. In den Tälern von Etsch und Eisack werden Obst (Äpfel, Birnen) und Wein angebaut; sie werden vor allem in die Bundesrepublik Deutschland ausgeführt. Daneben ist Waldwirtschaft und Industrie von Bedeutung. Südtirol zieht mit seinem milden Klima zahlreiche Touristen an.

Geschichte. Das seit dem 6. Jahrh. durch die Baiern besiedelte Gebiet gehörte bis 1918 zu Österreich; seit 1919 gehört es als Provinz Bozen zu Italien. Nach dem Zweiten Weltkrieg forderte Österreich vergeblich die Rückgabe der Provinz Bozen. 1948 gewährte Italien der neugeschaffenen Region ›Trentino-Alto Adige‹ (seit 1969 ›Trentino-Südtirol‹) Selbstverwaltungsrechte. Da hier die Südtiroler aber in der Minderheit waren, löste dies starke Unzufriedenheit in der deutschsprachigen Bevölkerung aus und führte zu Gewalttaten südtiroler Extremisten. Nach österreichisch-italienischen Verhandlungen gewährte die italienische Regierung im ›Südtirolpaket‹ (1969) der mehrheitlich deutschsprachigen Provinz Bozen (innerhalb der Region gelegen) Gesetzgebungsrechte in der Wirtschafts-, Sozial- und Personalplanung.

Südwestafrika, → Namibia.

Südfrüchte: 1 Ananas, **1 a** Längsschnitt; **2** Feige, **2 a** Längsschnitt; **3** Granatapfel, **3 a** Längsschnitt; **4** Banane, **4 a** geöffnet, Frucht angeschnitten; **5** Mango, **5 a** Längsschnitt; **6** Papaya, Baummelone, **6 a** Längsschnitt; **7** Guava; **8** Kiwi, **8 a** Querschnitt; **9** Cherimoya, **9 a** Längsschnitt; **10** Passionsfrucht, Maracuja, **10 a** Längsschnitt, **10 b** Querschnitt; **11** Grapefruit, **11 a** Querschnitt; **12** Mandarine, **12 a** geöffnet; **13** Zitrone, **13 a** Querschnitt; **14** Apfelsine, **14 a** Querschnitt; **15** Längsschnitt durch Orange; **16** Kumquat, **16 a** Längsschnitt, **16 b** Querschnitt; **17** Kokosnuß, **17 a** Längsschnitt

Wörter, die man unter S vermißt, suche man unter Sch oder Z

Suezkanal, schleusenloser Seeschiffahrtskanal in Ägypten. Der 161 km lange, 13–15 m tiefe und 160–200 m breite Kanal verbindet das Mittelmeer (Port Said) mit dem Roten Meer (Suez). Durch den Kanal verkürzt sich der Seeweg von Europa nach Asien gegenüber dem um das Kap der Guten Hoffnung beträchtlich (auf der Strecke Hamburg – Bombay um rund 4500 Seemeilen). Der Kanal läßt nur die Durchfahrt von Seeschiffen mit einer Ladung bis zu 70000 t zu, so daß moderne Großtanker, die einen Tiefgang bis zu 20 m haben, ihn nicht nutzen können. Trotzdem ist der Suezkanal nach der Transportmenge der meistgenutzte Seeschiffahrtskanal der Erde (vor Panama- und Nord-Ostsee-Kanal).

Der Suezkanal wurde 1859–69 unter der Leitung des französischen Ingenieurs Ferdinand de Lesseps nach Plänen des Österreichers Alois Negrelli gebaut. Da Ägypten das Geld für den Kanalbau nicht aufbringen konnte, gründete Lesseps eine Aktiengesellschaft (Suez-Gesellschaft), in der die britische Regierung einen entscheidenden Anteil erwarb. Durch die vertragliche Übereinkunft mehrerer Staaten (Suez-Konvention) wurde 1888 die völlige Freiheit der Schiffahrt auf dem Suezkanal gewährleistet. Doch mit der Besetzung Ägyptens (1882) durch Großbritannien und dem englisch-ägyptischen Vertrag von 1899 stand der Kanal unter dem Einfluß und der militärischen Bewachung Großbritanniens. 1936 wurde der Vertrag nochmals um 20 Jahre verlängert und die Suez-Zone als britische Militärbasis ausgebaut. 1955 zog Großbritannien seine Truppen aus der Suez-Kanal-Zone ab. Die Verstaatlichung der Suez-Gesellschaft durch den ägyptischen Präsidenten Nasser löste den Suez-Konflikt aus (→ Nahostkonflikt). Nach dem israelisch-ägyptischen Krieg von 1967 (Sechs-Tage-Krieg) war der Kanal bis 1975 für die Schiffahrt gesperrt.

Südfrüchte

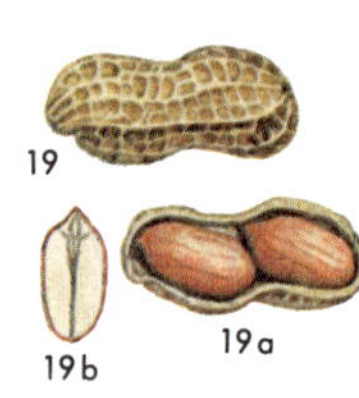

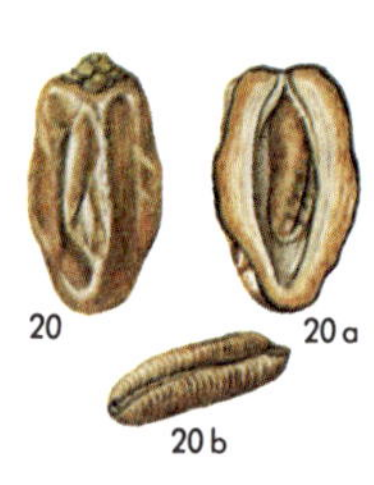

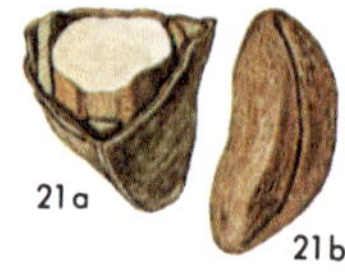

Südfrüchte: 18 Pistaziennuß, **18 a** eßbarer Kern (Samen), **18 b** Längsschnitt durch den Kern; **19** Erdnuß, **19 a** geöffnet, **19 b** Längsschnitt durch den Kern (Samen); **20** Dattel, **20 a** Längsschnitt mit Samen, **20 b** Samen; **21** Paranuß, **21 a** Querschnitt, **21 b** eßbarer Kern (Samen)

Suhl, 55100 Einwohner, Stadt in Thüringen, liegt am Südhang des Thüringer Waldes. Grundlage für die wirtschaftliche Entwicklung war der Eisenerzbergbau. Die Herstellung von Handfeuerwaffen genoß einen besonderen Ruf.

Suite [swite, französisch ›Folge‹], Instrumentalkomposition, die aus einer Folge von mehreren Tänzen oder tanzartigen Sätzen besteht, vor allem aus Allemande, Courante, Sarabande und Gigue; dazu können noch andere kommen wie Gavotte, Menuett und Polonaise.

Sukkulenten [von italienisch sucus ›Saft‹], Pflanzen, die in großzelligen, fleischigen Geweben Wasser speichern können. Sie wachsen vor allem in Trockengebieten; viele können jahrelang ohne Wasserzufuhr auskommen. Bei manchen Sukkulenten sind die verdickten Blätter die Speicherorgane (Agaven, Aloe), bei anderen die Stämme (Kakteen) oder Wurzeln (Pelargonien, Sauerklee).

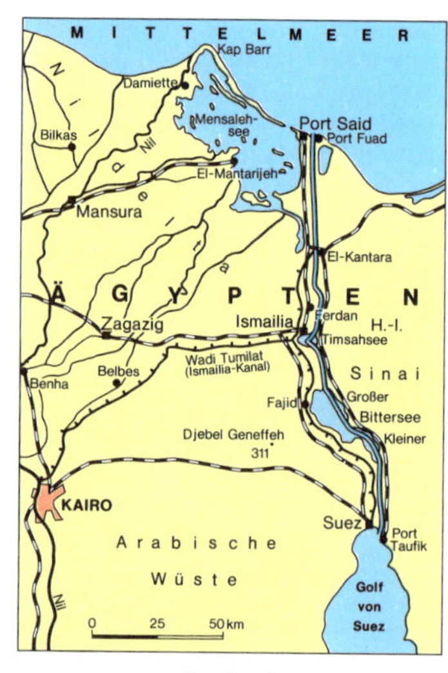

Suezkanal

Süleiman II., der Prächtige, * 1494, † 1566, Sultan des Osmanischen Reichs, das er bis nach Ägypten und Nordafrika (→ Türkei, Geschichte) erweiterte und das unter ihm seine größte Ausdehnung erreichte. Seine Flotten beherrschten fast das gesamte Mittelmeer und das Rote Meer. Seine Heere stießen 1529 bis nach Wien vor, das die Türken zum ersten Mal belagerten. Süleiman regierte als unumschränkter Herrscher. Er gab seinem Land neue, bessere Gesetze, machte das Heer schlagkräftiger und regelte die Staatseinnahmen: Alle nichtislamischen unterworfenen Völker lebten unter seinem Schutz, mußten aber hohe Steuern zahlen. Süleiman war auch ein bedeutender Bauherr; er ließ z. B. die prächtige, seinen Namen tragende Moschee in Istanbul errichten.

Sulla, * 138, † 78 v. Chr., römischer Diktator. Als Führer der Partei, die den römischen → Senat unterstützte (›Optimaten‹), war Sulla ein erbitterter Gegner der Volkspartei des Marius (›Popularen‹). Im Kampf beider um den Oberbefehl im Krieg gegen den orientalischen König Mithridates und die erhoffte reiche Beute entbrannte in Rom ein Bürgerkrieg (88 v. Chr.), in dem Sulla sich schließlich gegen Marius durchsetzte. Nach seiner Rückkehr aus dem siegreichen Krieg gegen Mithridates beseitigte er die in seiner Abwesenheit erkämpfte Gewaltherrschaft des Marius und ersetzte sie durch neuen Terror. 79 v. Chr. trat er als Diktator (seit 82 v. Chr.) zurück.

Sultan [arabisch ›Herrschaft‹, ›Macht‹], seit dem 9. Jahrh. ein Herrschertitel, vor allem bei Dynastien türkischen Ursprungs. Die Herrscher des Osmanischen Reichs nahmen ihn um 1400 an und trugen ihn bis 1922. Auch arabische Scheichs haben den Titel Sultan bisweilen angenommen: So wurde Marokko zeitweise von einem Sultan regiert; Oman ist bis heute ein Sultanat.

Sultaninen, →Rosinen.

Sumerer, altes Kulturvolk, das im 3. Jahrtausend v. Chr. an den Unterläufen von Euphrat und Tigris in Mesopotamien (im heutigen Irak) lebte. In den von den Sumerern geschaffenen, straff organisierten Stadtstaaten (z. B. Uruk und Ur) regierten die Könige als Statthalter der Schutzgottheit. Es gab eine gut organisierte Priester- und Beamtenschaft. Technik und Naturwissenschaften (z. B. Astronomie und Mathematik) wurden von den Sumerern besonders gepflegt. Bei den Sumerern entstand auch die →Keilschrift, in der Lieder, Epen, aber z. B. auch Wirtschaftstexte aufgeschrieben wurden. Die sumerische Kunst brachte vor allem Monumentalbauten hervor, darunter die gestuften Tempeltürme (Zikkurat).

Summe, das Ergebnis einer Additionsaufgabe (→Grundrechenarten).

Sumpfdotterblumen, Butterblumen blühen schon im März und April an Bächen und auf feuchten Wiesen. Ihre großen, dottergelben Blüten und die dunkelgrünen, nierenförmigen Blätter glänzen. In Gärten pflanzt man Arten mit gefüllten Blüten. Die Pflanze ist **schwach giftig.**

Sunda-Inseln, Inselgruppe im Malaiischen Archipel (Südostasien). Sie besteht aus den Großen Sunda-Inseln mit Sumatra, →Java, Borneo und Celebes sowie den Kleinen Sunda-Inseln mit der Inselwelt von Bali im Westen bis Timor im Osten.

Sünde, im religiösen Sinn die Schuld des Menschen, insofern sie das Verhältnis zu Gott, zu den Mitmenschen und zur Schöpfung trübt. Sie entsteht durch das absichtliche und willentliche Übertreten göttlicher Gebote. Der Sünder verstößt gegen seine Bestimmung, in Gedanken, Worten und Werken das Gute zu tun und das Böse zu meiden. Er begeht damit einen Akt der Glaubensverweigerung und sondert sich von Gott ab. Die Wiederherstellung der gestörten Verbindung kann der Mensch nicht selbst leisten; sie wird als ein Geschenk der verzeihenden Gnade Gottes angesehen. Die christlichen Glaubensgemeinschaften weisen verschiedene Wege zur Versöhnung mit Gott, die Jesus Christus durch seinen Tod und seine Auferstehung ermöglicht hat. So wird besonders in der katholischen Kirche durch das Sakrament der →Beichte dem Menschen, der seine Schuld bereut, der Nachlaß der Sünden und die Versöhnung mit Gott zugesprochen.

Als die Quelle aller Sünden bezeichnet die christliche Lehre die **Erbsünde.** Sie ist der Zustand der Ungnade, der nach dem Alten Testament durch den Sündenfall der ersten Menschen verursacht wurde. Nach katholischer Auffassung geht die Erbsünde auf jeden Menschen über, wird aber durch die Taufe ausgelöscht. Nur Jesus Christus und Maria waren davon befreit. Die evangelischen Kirchen verstehen darunter den Hang des Menschen zur Sünde und seine Erlösungsbedürftigkeit.

Sumpfdotterblume

Sunniten, Anhänger der zahlenmäßig größten Konfession des →Islam, die im Gegensatz zu den →Schiiten die Führerschaft der →Kalifen anerkennen. 92 % der Moslems sind Sunniten.

Superlativ [von lateinisch gradus superlativus ›höchste Stufe‹], **Meiststufe,** →Komparation.

Superleichtgewicht, →Gewichtsklassen.

Super-Riesenslalom, die jüngste Disziplin im Alpinen Skisport, eine Kombination von Abfahrtslauf und Riesenslalom. Die Strecke ist steiler als eine Riesenslalompiste, aber weniger steil als eine Abfahrtslaufpiste. Sie ist mit mehr Toren als eine Riesenslalomstrecke versehen. Sieger ist der Läufer, der die Strecke in der kürzesten Zeit ohne Torfehler durchfährt.

Superschwergewicht, →Gewichtsklassen.

Sure [arabisch surah ›Stufe‹, ›Grad‹], das einzelne Kapitel des →Korans.

Surfen [söhfen], →Segelsurfen.

Surinam, Suriname, Republik an der Nordostküste Südamerikas. Das Land ist etwa doppelt so groß wie Österreich. Hinter einem schmalen Küstenstreifen steigt das Bergland von Guayana (bis 1280 m) auf. Nahezu $^9/_{10}$ des Landes sind von zum Teil noch unerschlossenem tropischem Regenwald bedeckt. Mehr als $^1/_3$ der Einwohner sind

Surinam

Staatswappen

Staatsflagge

Surinam

Fläche: 163 265 km²
Bevölkerung: 408 000 E
Hauptstadt: Paramaribo
Amtssprache: Niederländisch
Nationalfeiertag: 25. Nov.
Währung: 1 Surinam-Gulden (Sf) = 100 Cents
Zeitzone: MEZ $-4\frac{1}{2}$ h

Inder, fast $\frac{1}{3}$ Kreolen. Das Land hat reiche Bauxitvorkommen. – 1667 kam Surinam als Niederländisch-Guyana in niederländischen Besitz. 1975 erhielt es die Unabhängigkeit. (KARTE Band 2, Seite 197)

Swasiland

Staatswappen

Staatsflagge

Surrealismus, eine nach dem Ersten Weltkrieg entstandene Richtung moderner Literatur und Kunst. Die Bezeichnung wurde zuerst von dem französischen Dichter Guillaume Apollinaire verwendet und weist auf die Bedeutung des Surrealen (›Überwirklichen‹) für diese Kunst hin. Beeinflußt durch die Psychoanalyse Sigmund Freuds, verwerteten die Surrealisten in ihren Werken Traum- und Rauscherlebnisse als Quelle künstlerischer Eingebung; auf Kontrolle durch den Verstand sollte dabei verzichtet, und die Grenze zwischen Wirklichem und Phantastischem sollte aufgelöst werden. Zum Surrealismus, der zunächst enge Bindungen zum →Dadaismus hatte, gehörten neben anderen die französischen Dichter André Breton und Louis Aragon; die Bewegung spaltete sich Ende der 1920er Jahre. Auch außerhalb Frankreichs enthalten manche literarischen Werke surrealistische Elemente, so im deutschsprachigen Raum Werke von Franz Kafka, in Spanien von Federico García Lorca.

Surrealismus: Salvador Dalí, Die brennende Giraffe; 1935 (Basel, Kunsthalle)

Mit dem Italiener Giorgio de Chirico (›Metaphysische Malerei‹) und dem Deutschen Max Ernst drang der Surrealismus auch in die Malerei ein. Die Künstler stellten Dinge und Formen in traumhaft absurden Verbindungen und phantastischen Verzerrungen gleichsam naturgetreu dar (Salvador Dalí) oder zeigten banale Gegenstände des Alltags in neuen, unwirklich anmutenden Zusammenhängen (René Magritte); andere malten in eher abstrakten Formen (Joan Miró). 1925 fand in Paris die erste Gruppenausstellung statt, auf der auch Paul Klee und Pablo Picasso vertreten waren. – Der Surrealismus wirkte auch auf den Film (Luis Buñuel, Jean Cocteau).

Süßholzstrauch, ein Strauch, dessen Wurzelsaft zu →Lakritze verarbeitet wird.

Swasiland

Fläche: 17 364 km²
Bevölkerung: 779 000 E
Hauptstadt: Mbabane
Amtssprachen: isi-Swazi, Englisch
Nationalfeiertag: 6. Sept.
Währung: 1 Lilaugeni (E; Plural: Emalangeni) = 100 Cents (c)
Zeitzone: MEZ + 1 Stunde

Swasiland, Königreich auf der Ostseite des südafrikanischen Hochlands, ein Binnenstaat, etwas größer als Schleswig-Holstein. Savannen nehmen den größten Teil des 700-1 300 m hoch gelegenen Landes ein. Die Einwohner gehören größtenteils dem Bantuvolk der Swasi an. Mit den Steinkohle- und Eisenerzvorkommen wird eine Industrie aufgebaut. Rinderzucht spielt eine große Rolle, Fleischprodukte werden exportiert. Ehemals britisch, erhielt das Land 1968 die Unabhängigkeit. (KARTE Band 2, Seite 194)

Swift. Der Roman ›Gullivers Reisen‹ erschien 1726 anonym, das heißt ohne Namensnennung des irischen Schriftstellers **Jonathan Swift** (* 1667, † 1745), der voraussah, daß sein Buch Anstoß erregen würde. Denn der als Reisebericht des Schiffsarztes Lemuel Gulliver verfaßte vierteilige Roman über dessen Erlebnisse bei den Liliputanern, den Riesen, den Wissenschaftlern auf einer fliegenden Insel und bei den gelehrten Pferden war eine bittere →Satire auf die Zustände in England. Swift wandte sich darin gegen die Dummheit, Verlogenheit und den Hochmut der

Menschen, griff die Kirche und die politischen Parteien an und wies auf soziale Mißstände hin. Heute ist der Roman in stark gekürzter Fassung, die lediglich die märchenhaften und phantastischen Reisen Gullivers zu den Zwergen und Riesen enthält, als Jugendbuch bekannt. Auch in anderen Satiren und in zahlreichen Flugschriften nahm Swift zu kirchlichen und tagespolitischen Fragen Stellung. Er setzte sich für die Iren ein und prangerte die Unterdrückung und Ausbeutung Irlands durch England an. Swift war seit 1694 anglikanischer Geistlicher und übernahm 1713 das Dekanat der Sankt Patrick's Kathedrale in Dublin. In seinem 78. Lebensjahr starb Swift in geistiger Umnachtung.

Jonathan Swift

Sydney [sịdni], mit Vororten 3,65 Millionen Einwohner, größte Stadt und bedeutendstes Industriezentrum in Australien. Wahrzeichen der Stadt sind die Bogenbrücke (Sydney Harbour Bridge) und das moderne, an der Port Jackson Bay gelegene Opernhaus. Sydney ging aus der 1788 gegründeten Strafkolonie Port Jackson hervor und ist die älteste Stadt des Kontinents.

Sylt, mit 99 km² die größte und nördlichste der Nordfriesischen Inseln; Hauptort ist Westerland. Sylt gehört zum Bundesland Schleswig-Holstein. Die langgestreckte Insel (Nord-Süd-Ausdehnung rund 40 km) wird im zentral gelegenen Roten Kliff bis zu 52 m hoch. Die Westküste wird durch die starke Brandung trotz aufwendiger Küstenschutzmaßnahmen ständig umgestaltet und zum Teil erheblich zurückverlagert. Seit 1927 ist die Insel durch den Hindenburgdamm (nur Eisenbahn mit Autoverladung) mit dem Festland verbunden. Die 20 700 Einwohner leben vor allem vom Fremdenverkehr.

Symbiose: Die Putzerfische (z. B. der Putzerlippfisch) leben von den Hautparasiten anderer Fische, hier beim Putzen des Orangestreifen-Drückerfisches

Symbiọse [aus griechisch symbiosis ›Zusammenleben‹], eine enge Lebensgemeinschaft zwischen Organismen verschiedener Arten, bei der die Partner einen Vorteil vom gegenseitigen Zusammenleben haben. Weit verbreitet ist die Symbiose von Mikroorganismen und Tieren, so im Darm der Pflanzenfresser (z. B. der Huftiere), wo Bakterien die für die Tiere unverdauliche Cellulose aufschließen und ihnen damit als Nahrung zugänglich machen. Einen Teil der Nahrung beanspruchen die Bakterien für sich; dafür dienen sie nach ihrem Tod als Eiweißlieferanten. Ein Beispiel für eine Symbiose zwischen 2 Tierarten ist die Beziehung zwischen den Putzerfischen und einigen größeren Fischen, denen sie Parasiten aus der Haut entfernen (BILD). Eine bekannte Symbiose zwischen Pflanzen stellen die →Flechten dar, ein solch enger Zusammenschluß von Algen und Pilzen, daß man sie lange Zeit für nur ein Lebewesen gehalten hat. Als Symbiosen im weiteren Sinn kann man auch die Beziehung zwischen Ameisen und Blattläusen oder zwischen Blütenpflanzen und den sie bestäubenden Tieren bezeichnen. Die Grenze zwischen Symbiose und Parasitismus (→Parasiten) ist oft schwer zu bestimmen.

Symbọl [zu griechisch symballein ›zusammenwerfen‹], Erkennungszeichen oder Sinnbild, dem eine ›übersinnliche‹ Bedeutung zugrundeliegt, die über die sichtbare Erscheinung des Zeichens hinausweist. So ist z. B. das Kreuz ein Symbol für den christlichen Glauben, der Weinstock ein Symbol für das ewige Leben und der Ehering ein Symbol für die Treue. In der Dichtung veranschaulicht ein Symbol etwas, das auf andere Weise nicht ausgedrückt werden kann. Die ›blaue Blume‹ symbolisiert z. B. die romantische Sehnsucht nach dem Unendlichen.

Symmetrie [zu griechisch syn ›zusammen‹ und metron ›Maß‹]. Geometrie: Man unterscheidet 3 Arten von Symmetrien:

1) **Achsensymmetrie:** Eine Figur heißt achsensymmetrisch zur Geraden *g*, wenn sie bei einer Geradenspiegelung an der Geraden *g* auf sich abgebildet wird. Die Gerade *g* heißt **Symmetrieachse** der Figur (→Abbildung 2).

Beispiel: Ein gleichschenkliges Dreieck ist achsensymmetrisch zur Mittelsenkrechten der Basis (BILD 1).

2) **Drehsymmetrie:** Eine Figur heißt drehsymmetrisch zum Punkt *M*, wenn sie durch eine Drehung um *M* auf sich abgebildet wird.

Beispiel: Die Figur in Bild 2 ist drehsymmetrisch zum Punkt *M*, da sie durch eine Drehung um 120° um *M* auf sich abgebildet wird. Da auch die Drehungen um 240° und 360° die Figur auf sich abbilden, nennt man die Figur dreifach drehsymmetrisch (→Abbildung 3).

3) **Punktsymmetrie:** Eine Figur heißt punktsymmetrisch zum Punkt *M*, wenn sie bei einer

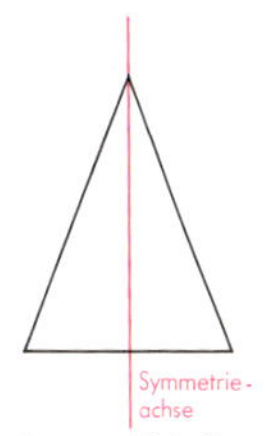

1 achsensymmetrische Figur

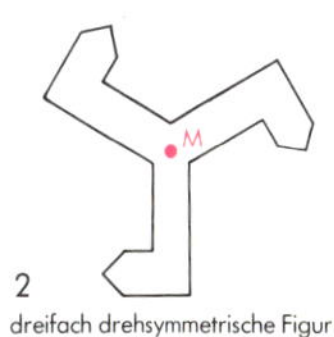

2 dreifach drehsymmetrische Figur

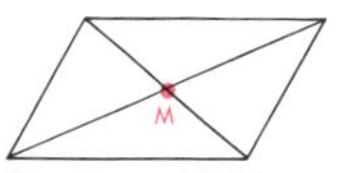

3 punktsymmetrische Figur

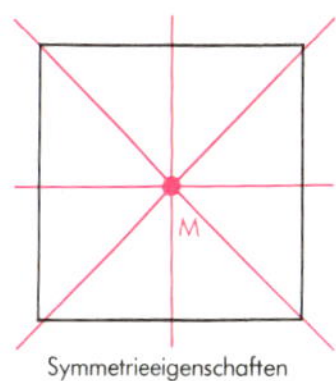

4 Symmetrieeigenschaften des Quadrats

Symmetrie

Drehung um 180° um M auf sich abgebildet wird. M heißt **Symmetriepunkt** der Figur. (→Abbildung 3)

> Beispiel: Ein Parallelogramm ist punktsymmetrisch zum Schnittpunkt der beiden Diagonalen (BILD 3, Seite 251).

Es gibt Figuren, die mehrere Symmetrieeigenschaften besitzen. So besitzt ein Quadrat 4 Symmetrieachsen (beide Diagonalen und beide Mittellinien), ist vierfach dreh- und punktsymmetrisch zum Mittelpunkt M (BILD 4, Seite 251).

Symphonie, →Sinfonie.

Symptom [griechisch ›Zufall‹, ›Eigenschaft‹], das Anzeichen einer Krankheit. Manche Symptome können nur vom Kranken selbst wahrgenommen werden (z. B. Schmerzen), andere sind als Veränderung am Körper (z. B. Rötung, Schwellung) zu sehen und zu tasten. Einige Symptome findet man bei vielen Krankheiten (z. B. Fieber), wenige sind typisch für eine Erkrankung. Alle Symptome zusammen ergeben die →Diagnose.

Synagoge [griechisch ›Versammlung(sort)‹], die versammelte jüdische Gemeinde und das Gebäude, in dem sie zum Gottesdienst, aber auch zu anderen Gelegenheiten zusammenkommt. Der Raum der Synagoge, in dem der Gottesdienst gefeiert wird, ist nach Jerusalem ausgerichtet. In einer Wandnische, die die Richtung nach Jerusalem anzeigt, steht ein meist wertvoll gearbeiteter Schrein, in dem die Thorarolle (→Thora) aufbewahrt wird. Die Ursprünge der Synagoge liegen im Dunkeln. Man vermutet, daß sie als Ort für den Wortgottesdienst während der jüdischen Verbannung in Babylon (6. Jahrh. v. Chr.; →Babylonische Gefangenschaft) entstanden ist.

Synonyme [von griechisch synonym ›von gleichem Namen‹], Wörter, die das gleiche aussagen und im Satz gegeneinander ausgetauscht werden können. Beispiel: ›Die Möglichkeit, billig zu verreisen‹ ist auch ›die Gelegenheit‹ oder ›die Chance, billig zu verreisen‹.

Synthese [von griechisch synthesis ›Zusammensetzung‹], Aufbau chemischer Verbindungen aus einfacheren Stoffen. Synthesen werden zur Herstellung technisch wichtiger Verbindungen (z. B. Ammoniak, Arzneimittel) oder zur Lösung theoretischer Probleme (z. B. Strukturaufklärung von Naturstoffen) durchgeführt. Die Bildung von Naturstoffen unter dem Einfluß von Enzymen wird als **Biosynthese** bezeichnet.

Synthesizer [syntеßaiser, von englisch to synthesize ›zusammensetzen‹], ein elektronisches Gerät, mit dem künstliche Klänge, Musik und Geräusche erzeugt werden können. Der Tonerzeugung dienen Generatoren (spannungsgesteuerte Oszillatoren, VCO), die auf einstellbaren Frequenzen (das heißt in bestimmten Tonhöhen) schwingen. Die Bildung von Klangvariationen (Klangfarben) setzt voraus, daß zu den einzelnen Grundtönen genügend Oberschwingungen zur Verfügung stehen und diese wahlweise zugefügt oder weggelassen werden können. Der Oberschwingungsgehalt läßt sich durch elektrische Filter (Tiefpaß, Hochpaß, Bandpaß) beliebig verändern. Modulatoren beeinflussen den zeitlichen Verlauf der Töne und bestimmen die Kurvenform der Schwingungen. Mit einer Mischeinrichtung werden die Töne in wählbaren Anteilen ihrer Amplituden (Lautstärke) zu einem Klang oder einem Geräusch zusammengesetzt.

Diese Apparate, die zuerst in Amerika von Robert Moog entwickelt wurden, können alle herkömmlichen Instrumente nachahmen. Ihre eigentliche Bedeutung liegt aber in den fast unbegrenzten Möglichkeiten zur Zusammenstellung neuer Klänge. In der elektronischen Musik sowie in der Rock- und Popmusik werden Synthesizer als Instrumente eingesetzt.

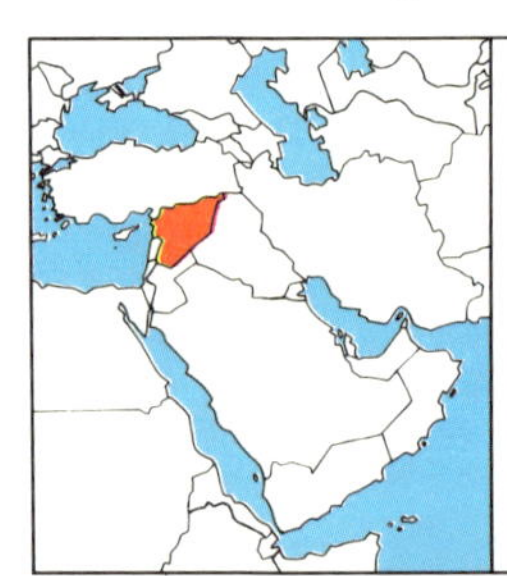

Syrien

Fläche: 185 180 km²
Bevölkerung: 12,6 Mill. E
Hauptstadt: Damaskus
Amtssprache: Arabisch
Nationalfeiertag: 17. April
Währung: 1 Syrisches Pfund (syr£) = 100 Piastres (PS)
Zeitzone: MEZ + 1 Stunde

Syrien

Staatswappen

Staatsflagge

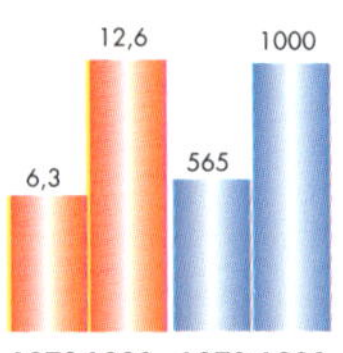

Bevölkerung (in Mill.) — Bruttosozialprodukt je E (in US-$)

Stadt / Land

Bevölkerungsverteilung 1990

Industrie / Landwirtschaft / Dienstleistung

Bruttoinlandsprodukt 1990

Syrien, Republik in Vorderasien an der Ostküste des Mittelmeers, etwa doppelt so groß wie Portugal. Antilibanon und Hermongebirge beherrschen das Land im Westen, im Osten liegen Ebenen und Tafelländer, die im Norden vom Euphrat und seinen Nebenflüssen durchzogen werden. In dem unter dem Einfluß des Meeres stehenden Westteil herrscht Winterregenklima; der größte Teil des Landes ist Wüstensteppe und Wüste. Das Land wird überwiegend von Arabern bewohnt, daneben von Kurden und Armeniern. Sie gehören fast ausschließlich zum Islam. Der Westen bis zur Linie Aleppo–Damaskus ist Wirtschaftsschwerpunkt. Weizen, Gerste und Baumwolle werden für den Export angebaut. Das Wasser der aufgestauten Flüsse Euphrat und Orontes dient zur Bewässerung. An Bodenschätzen ist nur Erdöl von Bedeutung. Die Industrie stellt Textilien her und verarbeitet landwirtschaftliche Produkte. Zwischen 1963 und 1965 wurden alle größeren Betriebe verstaatlicht.

Geschichte. Nach vierhundertjähriger türkischer Herrschaft mißlang 1920 der Versuch, ein selbständiges Königreich zu gründen. Der Völkerbund übertrug das Land Frankreich als Mandatsgebiet. 1944 wurde Syrien unabhängig. Im Konflikt zwischen Israel und den arabischen Staaten zählt Syrien zu den entschiedensten Gegnern der jüdischen Staatsgründung. 1976 griff es in den libanesischen Bürgerkrieg ein und besetzte große Teile des Landes. (KARTE Band 2, Seite 194, BILD Seite 252)

Syrinx [griechisch ›Röhre‹], **1)** die →Panflöte. **2)** das Stimmorgan der →Singvögel.

T, der zwanzigste Buchstabe des Alphabets, ein Konsonant. T ist das chemische Zeichen für Tritium; t ist Einheitenzeichen für →Tonne.

Tabak, 1–3 m hohe Pflanze, die mit Tomate und Kartoffel verwandt ist und aus dem tropischen Amerika stammt. Bereits vor der Entdekkung Amerikas wurde Tabak von Indianern angebaut. Durch Seefahrer gelangte er im 16. Jahrh. nach Europa. Als Tabak bezeichnet man auch die getrockneten und besonders behandelten Blätter dieser Pflanze. – Zur Ernte werden die Tabakblätter meist mit der Hand gebrochen, zur Aufbereitung getrocknet und dann der Gärung (Fermentation) unterworfen. Bei diesem Prozeß, der unter dem Einfluß von Enzymen und Mikroorganismen abläuft, entsteht der Rohstoff Tabak für die Verarbeitung zu **Tabakwaren.** Die Eiweißstoffe und der Restzucker werden abgebaut, es entwickeln sich bestimmte, das Aroma beeinflussende Stoffe, und der Nikotingehalt wird etwas reduziert. Das so behandelte Material wird in Fässern und Ballen verpackt und einem weiteren Reifungsprozeß ausgesetzt, bei dem der Tabak milder und im Geschmack reiner wird.

In einer Reihe von Fabrikationsvorgängen wird der Rohtabak zur Herstellung der Tabakwaren aufbereitet. Diese können in Form von Zigaretten, Zigarren und Rauchtabak geraucht, als Kautabak gekaut und als Schnupftabak geschnupft werden.

Tabak enthält einen Giftstoff, das →Nikotin. Außerdem entstehen beim Verbrennen des Tabaks Teerprodukte. Rauchen in jeder Form ist daher gesundheitsschädlich. Es kann chronischen Bronchialkatarrh, Gefäßveränderungen, Herzinfarkt sowie häufig auch Krebs (Lungen-, Kehlkopf- und Speiseröhrenkrebs) zur Folge haben. Während der Schwangerschaft ist besonders der Embryo gefährdet (Frühgeburt, geringeres Geburtsgewicht). Auch passive Raucher, das heißt Personen, die den Tabakrauch einatmen müssen, weil sie sich im selben Raum wie die Raucher aufhalten, sind gefährdet.

Die wichtigsten Anbaugebiete für Tabak sind in Amerika die USA und Brasilien, in Asien China, Indien, Pakistan, in Europa die Ukraine und die Länder der Balkanhalbinsel (Griechenland, Bulgarien, Türkei). In Deutschland gedeiht Tabak vor allem am Oberrhein, in Baden und in der Pfalz (5% der hier verbrauchten Menge).

Tabak: Virginischer Tabak

Tabu, religiös bestimmtes Verbot oder Meidungsgebot, z. B. bestimmte Gegenstände nicht zu berühren, bestimmte Speisen nicht zu essen oder den Namen eines Verstorbenen nicht auszusprechen. In Gesellschaften ohne entwickeltes Rechtsgefüge sind Tabus, die schon Kindern eingeprägt werden, der Ersatz für Gesetze. Während Gesetze aber oft von wenigen Fachleuten ausgearbeitet und nicht immer von allgemeiner Zustimmung getragen sind, werden Tabus gewöhnlich innerhalb einer Gesellschaft allgemein anerkannt. – Der Begriff **tabu** bezeichnet heute verallgemeinert Dinge, Bereiche, Themen, die ›verboten‹ sind, über die ›man‹ nicht spricht, die ›man‹ nicht tut.

Tachometer [zu griechisch tachys ›schnell‹], Meßinstrument in Fahrzeugen oder an Maschinen, das Geschwindigkeiten in Kilometern pro

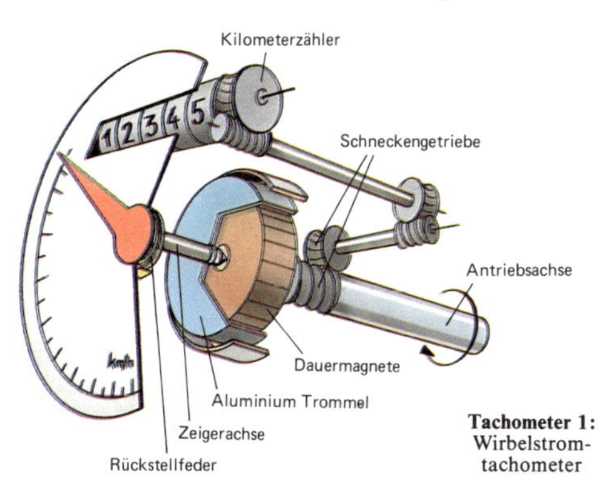

Tachometer 1: Wirbelstromtachometer

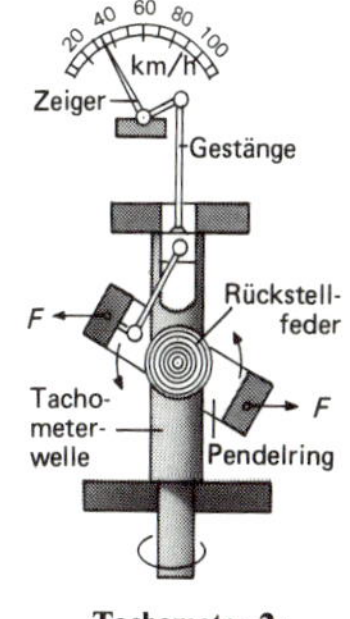

Tachometer 2: mechanischer Tachometer

Stunde (km/h) oder Metern pro Sekunde (m/s) anzeigt. Der Tachometer ist über eine biegsame Welle mit einer Antriebswelle am Motor oder Getriebe verbunden. Beim **mechanischen Tachometer** (BILD 2) wirken durch die Drehung der Tachometerwelle an dem Pendelring Fliehkräfte F und kippen diesen je nach Drehzahl gegen die Kraft der Rückstellfeder. Über ein Hebelgestänge wird der Zeiger bewegt, der die Geschwindigkeit des Fahrzeuges anzeigt, die von einem Zifferblatt abgelesen werden kann. Eine elektromechanische Funktionsweise hat der **Wirbelstromtachometer** (BILD 1). In einer mit dem Zeiger verbundenen Aluminiumtrommel rotiert eine Scheibe mit Dauermagneten. Dadurch entstehen bremsende Kräfte (Wirbelströme), die die Aluminiumtrommel verdrehen und damit den Zeigerausschlag bewirken, der sich nach der Drehzahl richtet und durch die Rückstellfeder begrenzt wird. Die gemessene Geschwindigkeit wird über einen Zeiger oder (wie heute bereits verbreitet) auch in Ziffern angezeigt. Der Kilometerzähler ist bei Fahrzeugen meist mit dem Geschwindigkeitsmesser kombiniert und wird über Schneckengetriebe angetrieben.

Tacitus. Der römische Geschichtsschreiber **Publius Cornelius Tacitus** (* um 55, † 116 n. Chr.) war 88 n. Chr. Prätor und 97 Konsul in Rom. Später wurde er Statthalter der römischen Provinz Asia. In seinen ›Annalen‹ und ›Historien‹ überschriebenen Werken, die nicht vollständig erhalten sind, schrieb er die Geschichte der römischen Kaiser. Mit seiner meisterhaften Darstellungskunst gelang es ihm, auch trockene Stoffe spannungsreich zu gestalten, wenngleich die Wirklichkeit von seinem persönlichen Urteil gefärbt ist. So zeichnete er in seinem kurz ›Germania‹ genannten Werk ein positives Bild von der Lebensweise der Germanen; sie wurde den Römern, deren verdorbene Sitten er beklagte, als vorbildlich vorgestellt. Diese älteste Beschreibung des Landes und seiner Bevölkerung ist von größtem Wert für unsere Kenntnis Altgermaniens.

Tadschikistan, Republik in Südostmittelasien. Das Land ist dreimal so groß wie die Schweiz. Es ist zu 70% ein zum Teil schwer zugängliches Hochgebirgsland (Pamirgebirge bis 7495 m). Es herrscht trockenes Kontinentalklima, in tieferen Tälern subtropisches Klima. Die Bevölkerung besteht zu 62% aus Tadschiken, daneben aus Usbeken, Russen, Tataren. Die Mehrheit bekennt sich zum sunnitischen Islam, eine Minderheit bilden die Schiiten. Wirtschaftsgrundlage ist der Baumwollanbau. Im Gebirge dominiert Weidewirtschaft. An Bodenschätzen werden bes. Erdöl, Erdgas und Braunkohle gefördert. Führend ist die Textilindustrie; außerdem bestehen Hüttenwerke.

Tadschikistan

Staatsflagge

Tadschikistan

Fläche: 143 100 km²
Bevölkerung: 5,2 Mill. E
Hauptstadt: Duschanbe
Amtssprache: Tadschikisch
Nationalfeiertag:
Währung: 1 Rubel = 100 Kopeken (vorgesehen: Somon)
Zeitzone: MEZ +4 Stunden

Im Altertum war das Gebiet unter persischer, griechischer und hunnischer Herrschaft; seit dem 8. Jahrh. herrscht arabischer Einfluß vor. 1219 eroberten die Mongolen das Land; seit dem 16. Jahrh. gehörte es zum usbekischen Khanat Buchara. Seit 1868 gliederte Rußland sich das Gebiet ein. 1991 erklärte Tadschikistan seine Unabhängigkeit.

Taekwondo [täkondo, koreanisch-japanisch tae ›springen‹, ›schlagen‹, ›stoßen‹, kwon ›Faust‹ und do ›Weg‹], moderne, in Korea weiterentwikkelte sportliche Form der althergebrachten asiatischen Selbstverteidigungssysteme. Diese Zweikampfsportart üben Damen und Herren aus. Gekämpft wird auf einer Fläche von 9 × 9 m. Wettkampfsprache ist Koreanisch. Die Kampfkleidung ist die gleiche wie beim Karate. Ebenso wie beim Karate suchen die Taekwondoka durch Stoß oder Schlag mit Hand und Fuß Körpertreffer zu landen. Einen breiten Raum nehmen die Sprungtechniken ein, bei denen Treffer mit dem Fuß aus dem Sprung heraus erzielt werden. Gewertet wird die Anzahl der gelandeten Treffer, wobei zwischen Angriffs- und Abwehrtechniken nicht unterschieden wird. Die Angriffe müssen mindestens 5 cm vor dem Auftreffen gestoppt werden.

Tafelmalerei, im Unterschied zur Wandmalerei jede Art freier → Malerei auf Holztafeln, Papier, Pappe und Leinwand.

Tag, Astronomie, Zeitmessung: a) der Zeitraum zwischen Sonnenaufgang und -untergang im Gegensatz zur Nacht.

b) die Dauer einer Erdumdrehung, wobei man den **Sonnentag** und den **Sterntag** unterscheidet. Der Sonnentag umfaßt die 24 Stunden zwischen 2 aufeinanderfolgenden unteren Kulminationen der Sonne, das heißt zwischen 2 tiefsten Stellungen der Sonne unter dem Horizont (um Mitternacht). Der Sterntag mißt die Umdrehung der Erde gegenüber dem Fixsternhimmel.

c) gesetzliche, SI-fremde Einheit der Zeit, Einheitenzeichen **d;** sie entspricht etwa dem mittleren Sonnentag. Da der mittlere Sonnentag wegen der Abnahme der Rotationsgeschwindigkeit der Erde laufend länger wird (jedes Jahrhundert ist um etwa 9,1 s länger als das vorhergehende), ist er als Grundlage eines unveränderlichen Zeitmaßstabes ungeeignet. Daher leitet sich die gesetzliche Zeiteinheit Tag von der atomar definierten →Sekunde ab: 1 d = 24 h = 1 440 min = 86 400 s.

Tagpfauenauge, ein →Schmetterling.

Tagundnachtgleiche. Um den 21. März und den 23. September steht die Sonne während ihrer scheinbaren jährlichen Bewegung im Schnittpunkt von →Ekliptik und Himmelsäquator. Zu diesen Zeitpunkten sind Tag und Nacht überall auf der Erde gleich lang, das heißt, der Tag beginnt um 6 Uhr (Sonnenaufgang) und endet um 18 Uhr (Sonnenuntergang).

Tahiti, Insel im Pazifischen Ozean. Die 1 042 km² große Insel ist Mittelpunkt der zu →Polynesien zählenden, seit 1842 zu Frankreich gehörenden Gesellschaftsinseln. Die vulkanische Insel ist bis 2 237 m hoch und wird im Inneren von Wald bedeckt. Die 95 600 Einwohner leben vor allem in der Küstenregion und betreiben Landwirtschaft (Kokosnuß, Bananen, Knollenfrüchte und Vanille). Hauptstadt Französisch-Polynesiens ist das auf Tahiti gelegene Papeete.

Taifun, tropischer →Wirbelsturm im Bereich des Indischen und Pazifischen Ozeans. Taifune treten während des ganzen Jahres auf, vor allem jedoch von Juli bis November.

Taiga, der überwiegend aus Nadelhölzern (besonders Fichten und Lärchen) bestehende Waldgürtel von Sibirien über Finnland, Skandinavien bis Schottland. Die südlich an die →Tundra anschließende Taiga ist das größte zusammenhängende Waldgebiet der Erde.

Taipei, Taipeh, 2,7 Millionen Einwohner, Hauptstadt und größte Stadt von Taiwan nahe der Küste im Norden der Insel, rund 30 km vom Hafen Keelung entfernt. Im Nationalen Palastmuseum befindet sich eine prachtvolle Sammlung chinesischer Kunstschätze.

Taiwan, Republik China, Staat von der Größe Baden-Württembergs auf der Insel Taiwan (Formosa). Sie liegt vor der südöstlichen Küste des chinesischen Festlandes. Die Insel wird von Norden nach Süden von einem bis zu

Taiwan

Fläche: 36 179 km²
Bevölkerung: 20,45 Mill. E
Hauptstadt: Taipeh
Amtssprache: Chinesisch (Mandarin)
Nationalfeiertag: 10. Okt.
Währung: 1 Neuer Taiwan-Dollar (NT$) = 100 Cents (c)
Zeitzone: MEZ +7 h

4000 m hohen Gebirge durchzogen. Das Klima ist im Süden tropisch, in den übrigen Teilen subtropisch. Taifune sind häufig.

Die Bevölkerung besteht überwiegend aus Chinesen, die nach dem Bürgerkrieg vom Festland eingewandert sind. Nur ⅓ des Landes ist landwirtschaftlich nutzbar. Das Klima ermöglicht 2–3 Ernten im Jahr. Reis, Süßkartoffeln, Zuckerrohr, Erdnüsse, Sojabohnen, Mais, Tee, Bananen, Ananas, Orangen und Champignons sind die wichtigsten Produkte.

Taiwan verfügt über nur wenige Bodenschätze. Dennoch hat sich die Industrie sehr stark entwickelt. Textilien, Fahrräder, Elektroartikel und Schuhe werden ausgeführt. Immer größere Bedeutung gewinnt die elektronische Industrie.

Im Bürgerkrieg von den Kommunisten besiegt, zog sich die bürgerliche Regierung unter →Tschiang Kai-schek 1949 nach Taiwan zurück. 1950 wurde der Staat Taiwan als Nationale Republik China gegründet. Sie versteht sich als Vertreter auch der Chinesen auf dem Festland. (KARTE Band 2, Seite 195)

Taizé [täseh], Ort in Mittelfrankreich und Sitz der evangelischen ökumenischen Brudergemeinschaft, die 1942 von Roger Schutz gegründet wurde. Die Brüder der **›Communauté de Taizé‹** (deutsch: Gemeinschaft von Taizé) aus mehr als 10 Ländern verpflichten sich nach dreijährigem Noviziat zu Ehelosigkeit und Gütergemeinschaft, bleiben aber Mitglieder ihrer jeweiligen Konfession; sie leben vom Ertrag ihrer Arbeit. Ihre Aufgaben sehen sie vor allem in der Bemühung um die Einheit der Kirche. Großen Einfluß hat die Gemeinschaft von Taizé auf die geistige Erneuerung der Jugend (Konzil der Jugend). Gebet, Meditation und soziales Engagement kennzeichnen diese Vereinigung.

Tajo [tacho], portugiesisch **Tejo** [teschu], der längste Strom der Pyrenäenhalbinsel. Der 1120 km lange Fluß entspringt in der Serrania de Cuenca (östlich von Madrid), durchfließt die Hochfläche von Neukastilien und mündet bei

Taiwan

Staatswappen

Staatsflagge

Taler: Joachimstaler (Originalgröße 4 cm)

Lissabon in den Atlantischen Ozean. Nur in Portugal ist der Fluß auf 200 km schiffbar.

Takt [von lateinisch tactus ›Schlag‹], in der Musik eine Gruppe von betonten und unbetonten Zeiteinheiten. Dabei wird stets der erste Taktteil betont. Die Gliederung ist entweder 2- oder 4teilig (gerade) oder 3teilig (ungerade). Ein Takt wird durch einen senkrechten Strich in der Notenzeile begrenzt. – Zur Angabe des Taktes beim Dirigieren werden bestimmte **Taktfiguren** (BILD) verwendet.

Taktik [aus griechisch taktike techne ›Kunst der Aufstellung‹]. Begriff aus der Kriegswissenschaft. Im Unterschied zur →Strategie beschäftigt sich die Taktik mit der Führung und zweckmäßigen Verwendung von Truppen verschiedener Truppengattungen im Gefecht.

Tal, langgestreckter, hohlförmiger Einschnitt in der Erdoberfläche, der durch die ausräumende Arbeit des fließenden Wassers (→Erosion) geschaffen und meist auch von einem Wasserlauf durchflossen wird. Die **Talformen** hängen von der Arbeit des Flusses, von der Hangbeschaffenheit und von der Widerstandsfähigkeit der Gesteine ab und ändern sich vom Ober- zum Unterlauf. So entsteht im Oberlauf bei starker Tiefenerosion eine **Klamm,** bei nachlassender Erosionstätigkeit eine **Schlucht (Cañon),** aus der sich dann ein **Kerbtal** mit einem V-förmigen Querschnitt bilden kann. Meist nimmt der Fluß den ganzen Talboden ein. Im Mittel- und Unterlauf erodieren die Flüsse mehr seitlich an den Talrändern als in die Tiefe und entwickeln ein **Sohlental.** Bei einem **Muldental** geht der Talboden allmählich in die Talhänge über, da der Fluß das mitgeführte Material wegen der geringen Strömungsgeschwindigkeit im Unterlauf nicht mehr wegführen kann. Trockentäler ohne oberirdischen Abfluß entstehen in Karstgebieten. Wird ein Tal von einem Gletscher vertieft und U-förmig ausgeweitet, nennt man es **U-** oder **Trogtal.**

Taler, deutscher Name der wichtigsten Silbermünze vom Ende des 15. bis ins späte 19. Jahrh.

Takt: Taktfiguren (Taktierbewegungen); a zweizählig (2/4, 2/2, schneller 6/8 und 6/4, langsamer 2/8), b dreizählig (3/4, 3/2, schneller 9/8 und 9/4, langsamer 3/8), c vierzählig (4/8, 4/4, 4/2), d sechszählig (6/8, 6/4), e^1 fünfzählig (5/4 = 2+3), e^2 fünfzählig (5/4 = 3+2)

Der Name ist eine Abkürzung von Sankt Joachimsthal, einem Ort im Erzgebirge in der heutigen Tschechischen Republik, der im 16. Jahrh. im Silberbergbau große Bedeutung hatte. Viele Länder übernahmen den Taler und übertrugen den Namen in ihre Landessprache, so heißt er italienisch ›Tallero‹, dänisch und norwegisch ›Rigsdaler‹, also Reichstaler. Auch der Name des amerikanischen Dollars leitet sich von Taler ab. Große Verbreitung erlangte der **Maria-Theresien-Taler,** der seit 1753 als Zahlungsmittel im Handel mit orientalischen Staaten geprägt wurde und heute noch in manchen Staaten des Vorderen Orients und Afrikas verbreitet ist. (BILD Seite 255)

Talmud [hebräisch ›Lehre‹], das neben der Bibel bedeutendste Buch des Judentums. Es enthält die aus der Bibel hergeleiteten rechtlichen, sittlichen und kultischen Vorschriften, nach denen die Juden ihr Leben einrichten. Der Talmud ist in mehrhundertjähriger mündlicher und schriftlicher Überlieferung entstanden. Die Sammlung wurde um 500 n. Chr. abgeschlossen.

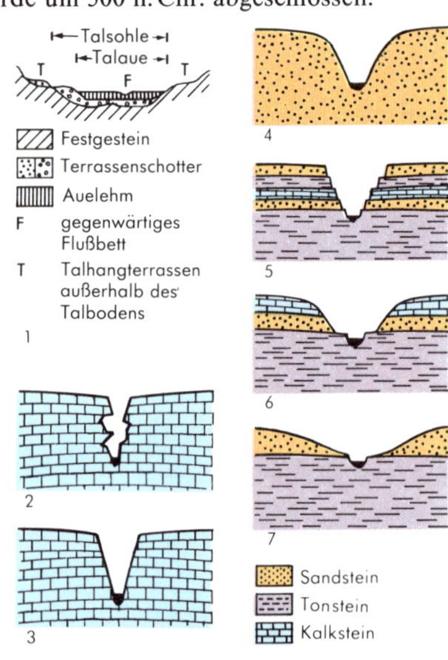

Tal: **1** Talquerschnitt, **2** Klamm, **3** Schlucht, **4** Kerbtal, **5** Cañon, **6** Sohlental, **7** Muldental

Talsperre, Stauanlage, die die ganze Talbreite eines Wasserlaufs abschließt, das Gewässer aufstaut und so Wasser speichert (→Stausee). Einfache Talsperren sind **Staudämme** (Erd- oder Steindämme), meist mit einem Kern aus wasserdichtem Material (Lehm, Ton) oder einer wasserdichten Schicht (Asphalt) auf der Wasserseite. Größere Talsperren sind **Staumauern.** Eine **Gewichtsstaumauer** verläuft geradlinig. Sie ist im Querschnitt dreieckig, hat einen breiten Sockel und erhält ihre Standsicherheit nur durch ihr Gewicht. Die Krone der **Bogenstaumauer** verläuft dagegen bogenförmig; der Druck der Wassermassen wird so auf die Talseiten übertragen. Staumauern können mehrere hundert Meter hoch sein.

Tamburin, kleine Trommel, bestehend aus einem Holzreifen, der an der Oberseite mit Fell bespannt ist. Der Rahmen ist mit Metallglöckchen behängt, die mitklingen, wenn man das Tamburin schüttelt, das Fell mit den Knöcheln klopft oder mit dem Handrücken schlägt.

Tamerlan, →Timur.

Tamtam, die chinesische Form des →Gongs; auch die afrikanische Holztrommel wird manchmal so genannt.

Tang, größere Formen der →Algen.

Tanganjikasee, langgestreckter See im Zentralafrikanischen Graben. Er ist bis zu 1435 m tief und mit 34000 km² ebenso groß wie das Bundesland Nordrhein-Westfalen. Der fischreiche See entwässert über den Lukuga in den Kongo und damit in den Atlantischen Ozean.

Tangente [zu lateinisch tangere ›berühren‹], eine Gerade, die mit einem →Kreis genau einen Punkt gemeinsam hat. Der Tangentenbegriff kann auf beliebige Kurven erweitert werden. Ein **Tangentenviereck** ist ein Viereck, dessen Seiten Tangenten eines Kreises sind (BILD).

Tanne, ein Nadelbaum, der sich von der →Fichte, die häufig als ›Tanne‹ bezeichnet wird, in wesentlichen Merkmalen unterscheidet. In Europa heimisch ist nur die **Weißtanne** (auch **Edeltanne** oder **Silbertanne**) mit glatter, silbergrauer Rinde, die in Deutschland in Bergwäldern wächst. Ihre weichen Nadeln stehen links und rechts am Zweig, sind flach, stumpf und vorne eingekerbt und haben an der Unterseite 2 helle Streifen. Die Zapfen stehen aufrecht. Samen und Zapfenschuppen fallen einzeln ab, die Spindel bleibt am Baum. Tannen werden bis 65 m hoch und 350–450 Jahre alt. Das Holz ist gutes Bau- und Tischlerholz.

Tansania

Fläche: 945087 km²
Bevölkerung: 26,1 Mill. E
Hauptstadt: Dodoma
Amtssprachen: Swahili, daneben auch Englisch
Nationalfeiertag: 26. April
Währung: 1 Tansania-Schilling (T.Sh.) = 100 Cents (Ct.)
Zeitzone: MEZ +2 h

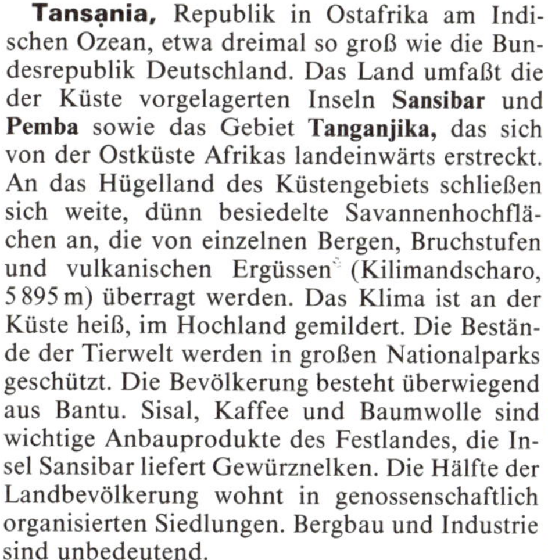

Talsperre: Staudamm, Dammquerschnitt der Großen Dhünntalsperre (Bergisches Land)

Tannhäuser, * um 1205, † 1270, mittelhochdeutscher Lyriker, der aus einem wahrscheinlich in Bayern ansässigen Rittergeschlecht stammte und zeitweilig an einem österreichischen Fürstenhof lebte. In späteren Jahrhunderten entstand eine Volkssage um Tannhäuser, die auch der gleichnamigen Oper von Richard Wagner (1845) zugrundeliegt: Von Frau Venus in den Zauberberg gelockt, sucht Tannhäuser durch eine Wallfahrt nach Rom die Rettung seiner Seele. Gott selbst sichert sie ihm durch ein Wunder zu, doch der Sänger, verzweifelt über den harten Spruch des Papstes, ist schon in den Venusberg zurückgekehrt.

Tamburin

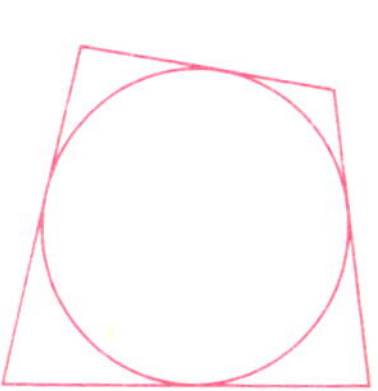

Tangente: Tangentenviereck

Tansania, Republik in Ostafrika am Indischen Ozean, etwa dreimal so groß wie die Bundesrepublik Deutschland. Das Land umfaßt die der Küste vorgelagerten Inseln **Sansibar** und **Pemba** sowie das Gebiet **Tanganjika,** das sich von der Ostküste Afrikas landeinwärts erstreckt. An das Hügelland des Küstengebiets schließen sich weite, dünn besiedelte Savannenhochflächen an, die von einzelnen Bergen, Bruchstufen und vulkanischen Ergüssen (Kilimandscharo, 5895 m) überragt werden. Das Klima ist an der Küste heiß, im Hochland gemildert. Die Bestände der Tierwelt werden in großen Nationalparks geschützt. Die Bevölkerung besteht überwiegend aus Bantu. Sisal, Kaffee und Baumwolle sind wichtige Anbauprodukte des Festlandes, die Insel Sansibar liefert Gewürznelken. Die Hälfte der Landbevölkerung wohnt in genossenschaftlich organisierten Siedlungen. Bergbau und Industrie sind unbedeutend.

Tanganjika ist aus dem Hauptteil des ehemaligen deutschen Kolonialgebiets Deutsch-Ostafrika hervorgegangen. Von 1920 an stand es unter

Tanne

Tanne: Weißtanne; OBEN blühend, weiblich (links), männlich (rechts); UNTEN Zweig mit Zapfen

Tansania

Staatswappen

Staatsflagge

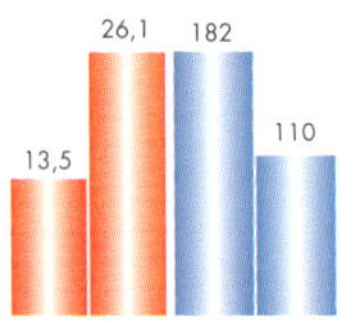

1970 1990 1970 1990

Bevölkerung (in Mill.) Bruttosozialprodukt je E (in US-$)

Stadt Land

33% 67%

Bevölkerungsverteilung 1990

Industrie
Landwirtschaft
Dienstleistung

Bruttoinlandsprodukt 1990

britischer Verwaltung und wurde 1961 unabhängig. 1964 schloß es sich mit Sansibar und Pemba zur ›Vereinigten Republik von Tansania‹ zusammen. (KARTE Band 2, Seite 194)

Tantal [nach Tantalus], →chemische Elemente, ÜBERSICHT.

Tantalus, in der griechischen Sage ein Sohn des Zeus und ein Vertrauter der Götter. Um die Allwissenheit der Götter zu prüfen, setzte ihnen Tantalus bei einem Festessen seinen geschlachteten Sohn Pelops vor. Die Götter gaben Pelops sein Leben zurück; Tantalus aber wurde in die Unterwelt verbannt, wo er ewigen Hunger und Durst leiden mußte. Noch heute sagt man, wenn ein Mensch große Qualen erduldet: ›Er erleidet Tantalusqualen‹.

Tanzsport, Turniertanz. Die wettkampfmäßige Form des Gesellschaftstanzes umfaßt 5 **Standardtänze** (Langsamer Walzer, Tango, Wiener Walzer, Slowfox, Quickstep) und 5 **Lateinamerikanische Tänze** (Samba, Cha-Cha, Rumba, Paso doble, Jive). Der Tanzsport ist ein Partnerwettbewerb und verlangt Anpassungsvermögen an die unterschiedlichen Tänze mit ihren 5 Wertungsgebieten (Takt und Grundrhythmus, Körperlinien, Bewegungsablauf, rhythmische Gestaltung und Fußarbeit) und die Fähigkeit, den Tanz in der choreographischen Gestaltung harmonisch aufzubauen, die Figuren exakt zu tanzen und auch sportlichen Einfallsreichtum zu zeigen, der nicht in Artistik übergehen darf. Außer Einzelwettbewerben gibt es Mannschaftskämpfe, wobei einzelne Paare einer Mannschaft gegen andere antreten, und Formationswettbewerbe für Mannschaften von 6 oder 8 Paaren sowie Wettbewerbe im Rock'n'Roll. Gewertet wird nach einem Punktsystem.

Tapire könnte man als lebende Fossilien vergangener Erdzeitalter ansehen, denn die schweineähnliche Gestalt dieser Tiere hat sich seit 25–30 Millionen Jahren kaum verändert. Diese scheuen Huftiere haben eine rüsselartig verlängerte Nase, mit der sie sehr gut riechen können. Einzeln oder paarweise durchstreifen sie dichte Wälder, um Blätter, Knospen und Früchte zu äsen. Sie baden gern, schwimmen und tauchen gut. In Südostasien leben die schwarzweißen **Schabrackentapire,** die 3 Arten Südamerikas sind graubraun.

Tarantel

Taranteln, bis 5 cm lange, in Tropen und Subtropen lebende Spinnen aus der Familie der Wolfsspinnen, die zum Teil giftig sind. In Europa lebt im Mittelmeergebiet in Erdhöhlen oder Baumspalten die **Apulische Tarantel.** Diese bis 3 cm langen, hellbraunen Spinnen mit schwarzge-

Tapire: Schabrackentapir

streiftem Rücken kommen nur nachts zum Vorschein, um große Insekten zu jagen. Früher nahm man an, ihr Biß führe zu Wahnsinn, der nur durch Tanz, und zwar den süditalienischen Volkstanz Tarantella, heilbar sei. Der Biß ist schmerzhaft, aber für den Menschen ungefährlich.

Tarifvertrag, ein Vertrag zwischen Arbeitgebern und Gewerkschaften, den **Tarifparteien,** über alle Fragen von Arbeitsverhältnissen: Bezahlung, Dauer (Einstellung und Kündigung) der Beschäftigung, Stelleninhalte, Arbeitsplatzbedingungen, Arbeitszeiten (wöchentliche Stundenzahl, Urlaubsregelungen). Tarifverträge sind für große Gruppen von Arbeitnehmern gültig, z. B. für alle Metallarbeiter oder alle Drucker eines Landes, und sollen der Gleichberechtigung unter den Arbeitnehmern eines Wirtschafts- oder Berufszweiges dienen. Tarifverträge werden für einen festen Zeitraum, z. B. ein Jahr, abgeschlossen, währenddessen keine Streiks und Aussperrungen erfolgen dürfen (›Friedenspflicht‹). Grundlage eines Tarifvertrags ist die Festsetzung von Löhnen, Gehältern und der Bezahlung von Auszubildenden **(Lohn- und Gehaltstarifvertrag).** Der umfassendere **Manteltarifvertrag** regelt darüber hinaus die verschiedenen Lohnformen (→Lohn), die Fragen über Krankheit, Urlaub und Alterssicherung sowie die Gestaltung von Arbeitsplatz und Arbeitsablauf. Die Bestimmungen des Tarifvertrags dürfen nicht unterschritten werden und für die Arbeitnehmer nicht ungünstiger ausfallen; eine Grenze nach oben, z. B. für eine außertarifliche Bezahlung, ist jedoch nicht gesetzt.

Tarntracht, eine Schutzanpassung vieler Tierarten, die diese weitgehend unsichtbar für ihre Feinde macht, z. B. das weiße Fell von Tieren, die in arktischen Gebieten leben (Schneehase, Polarfuchs, Eisbär) oder das gelbbraune Fell von Wüsten- und Steppenbewohnern (Löwen, Antilopen) sowie unterschiedliche Färbung von Sommer- und Winterkleid (Hermelin). Andere Tiere ahmen mit ihrer Körperform und -farbe bestimmte Objekte nach (›Mimese‹), wie das ›Wandelnde Blatt‹, eine Gespenstheuschrecke, die einem Blatt zum Verwechseln ähnlich sieht; einige Spannerraupen können von kleinen Ästchen kaum unterschieden werden. Manche →Plattfische können durch Farbwechsel ihre Körperfarbe dem jeweiligen Untergrund angleichen. Eine Sonderform der Tarntracht ist die →Mimikry.

Tartarus, in der griechischen Sage die Bezeichnung für einen Abgrund in der Unterwelt, in den Zeus seine Gegner, z. B. die →Titanen, stürzte.

Taschengeld, der dem Kind von seinen Eltern meist regelmäßig gezahlte Geldbetrag, über den das Kind selbständig verfügen darf. Rechtsgeschäfte, die ein Minderjähriger von seinem Taschengeld tätigt, sind gültig (→Geschäftsfähigkeit). Kauft sich ein Minderjähriger von seinem Taschengeld z. B. einen Walkman, kann er von diesem Kauf, auch wenn die Eltern dies wünschen, nicht mehr zurücktreten (›Taschengeldparagraph‹, § 110 Bürgerliches Gesetzbuch). Einen Rechtsanspruch auf Taschengeld hat der Minderjährige nicht.

Taschenrechner, ein Kleincomputer geringer Leistungsfähigkeit im Taschenformat. Er verfügt meist über fest eingebaute Programme, bei manchen Modellen sind auch einige Programmierschritte möglich. Zur Eingabe der Daten dient eine Tastatur, die Ausgabe der Rechenergebnisse erfolgt optisch über eine Flüssigkristall- (LCD) oder Lumineszenzdiodenanzeige (LED). Einige Modelle besitzen auch einen Anschluß für Drucker.

Der Taschenrechner hat heute in der Schule das Rechnen mit dem Rechenstab und der Logarithmentafel abgelöst. Es gibt ihn in sehr vielen verschiedenen Modellen. Bei der Anschaffung eines Rechners für die Schule sollte man einen ›wissenschaftlichen Taschenrechner‹ bevorzugen. Bei diesem findet man neben den Grundrechenarten folgende Tasten:

$1/x$	Taste für den Kehrwert
$\sqrt{x}$	Taste für die Quadratwurzel
x^2	Taste für das Quadrat
y^x	Taste für die x-te Potenz
$+ \leftrightarrow -$	Taste für den Vorzeichenwechsel
π	Taste für die Konstante π.

Hinzu kommen mindestens noch Tasten für die Berechnung der Exponentialfunktionen (10^x, e^x), der Logarithmusfunktionen (log, ln), der Winkelfunktionen und ihrer Umkehrungen (sin, cos, tan) sowie die Wahl der Winkeleinheiten (Grad- und Bogenmaß). Da im Oberstufenunterricht die Wahrscheinlichkeitsrechnung obligatorisch ist, sind Tasten für die Berechnung des Mittelwertes und der Standardabweichung sinnvoll. Der Rechner sollte ferner mindestens einen Speicher und eine etwa achtstellige Anzeige besitzen sowie das Rechnen mit Klammern ((,)) erlauben. Der Rechner sollte sowohl mit Netzanschluß als auch mit Batterien betrieben werden können. Eine Programmierbarkeit des Taschenrechners ist im allgemeinen nicht erforderlich. Beim Kauf sollte auch auf eine handliche Form, auf die Stabilität, eine angemessene Größe, übersichtliche Tastenanordnung, einfache Symbole und große, deutliche, blendfreie und auch im Hellen lesbare Anzeige geachtet werden. Nicht günstig sind Tasten, die man nur leicht berühren muß, da man oft nicht merkt, ob man eine Zahl schon eingetippt hat oder noch nicht.

Die Notation, das heißt die Festlegung der Reihenfolge von Rechenoperationen, bestimmt die funktionelle Arbeitsweise des Taschenrechners. Bei der **algebraischen Notation** (**AOS** von englisch **a**lgebraic **o**peration **s**ystem) werden bei der Eingabe die Rechensymbole zwischen 2 Operanden eingegeben. Mit der nach dem polnischen Mathematiker Jan Łukasiewicz benannten **umgekehrten polnischen Notation (UPN)** läßt sich eine andere Eingabestruktur verwirklichen. Das Rechensymbol (Operator) wird nach den beiden Operanden eingegeben. Diese Notation kommt ohne Klammern aus und ermöglicht eher ein gedankliches Mitvollziehen der Rechnung.

Es gibt Taschenrechner, die die Rechenregel Punkt- vor Strichrechnung beachten, andere dagegen beachten sie nicht. Tippt man die Aufgabe $4 + 2 \cdot 3 =$ ein und erscheint als Ergebnis 18, so wird die Regel nicht beachtet, erscheint hingegen die Zahl 10, so wird sie beachtet. Teilt man 5 durch 3 und erscheint als Ergebnis 1,6666667, so kann der Rechner aufrunden, was günstiger ist, als nicht aufzurunden. In diesem Fall erscheint in der obigen Rechnung eine 6 als letzte Ziffer.

Tastsinn, Fähigkeit eines Organismus, durch Reizempfänger (Rezeptoren) in der Haut mechanische Reize aufzunehmen und zu verarbeiten.

Brieftaube

Ringeltaube

Turteltaube

Kropftaube

Felsentaube

Tauben

Die Rezeptoren für diese Wahrnehmungen sind nicht in einem Organ zusammengefaßt wie z. B. beim Auge oder beim Ohr, sondern über die ganze Körperoberfläche verstreut. In einigen Hautregionen liegen sie besonders dicht zusammen (Lippen, Fingerkuppen), in anderen dagegen sehr weit auseinander (Oberschenkel, Rücken). Zum Tastsinn gehören verschiedene Rezeptorenarten, die unterschiedlich aufgebaut sind. Dadurch ist es möglich, bei Tastwahrnehmungen zwischen Berührungs-, Druck-, Vibrations- und Kitzelreizen zu unterscheiden. Außerdem können Form und Eigenschaften von Gegenständen durch den Tastsinn erkannt werden. Dazu muß jedoch z. B. die Hand aktiv bewegt werden, das heißt, sie muß den Gegenstand ›abtasten‹. Dabei werden verschiedene Hautrezeptoren gleichzeitig erregt, und es kann dadurch z. B. zwischen klebrig, trocken, naß, rund, eckig, weich, hart, glatt, rauh unterschieden werden. Im weiteren Sinn können auch die Empfindung für Schmerz und Temperatur dazugezählt werden.

Im Tierreich findet man einen Tastsinn schon bei den einfachsten Formen, z. B. den →Schwämmen, die zur Aufnahme von Berührungsreizen spezialisierte Zellen besitzen (→Sinnesorgane). Im Pflanzenreich kann man z. B. die ›Fühlborsten‹ der Mimosen als eine Art Tastsinn bezeichnen.

Tataren. Von Tatar, dem Namen eines Stammes in der östlichen Mongolei zur Zeit →Dschingis Chans, wurde in zeitgenössischen chinesischen Quellen die Bezeichnung **Ta-ta** für Mongolen allgemein abgeleitet. Im mittelalterlichen Europa bildete man den Namen zu **Tartaren** um und verstand darunter türkische, mongolische und iranische Steppenvölker Zentralasiens. Dieser Sprachgebrauch ist gelegentlich noch heute anzutreffen; meist bezeichnet das Wort Tataren jedoch die Bevölkerung in Rußland in der Tschetscheno-Inguschischen, der Tatarischen und Baschkirischen Republik, in Sibirien (Westsibirische Tataren) und in der Ukraine auf der Krim (Krimtataren).

Tätigkeitsform, →Aktiv.

Tätigkeitswort, →Verb.

Tätowieren, eigentlich **Tatauieren,** das Einstechen von Mustern und Zeichnungen in die Haut mit Nadeln, Dornen oder ähnlichem, wobei gleichzeitig Farbstoffe eingearbeitet oder gefärbte Fäden unter die Haut gezogen werden. Dementsprechend schwierig ist die spätere Entfernung von Tätowierungen. Als Schmuck und Stammeszeichen oder aus kultisch-magischen Gründen waren Tätowierungen besonders bei hellhäutigen Naturvölkern üblich; dunkelhäutige bevorzugten es, sich mit Narben zu schmükken, die durch Einritzen der Haut und Behandlung der Wunden mit Reizstoffen erzeugt wurden. In Europa wurde das Tätowieren zuerst bei Seeleuten gebräuchlich und kam im 19. Jahrh. sehr in Mode; heute ist es seltener geworden.

Tau, Niederschlag in Form von kondensiertem Wasserdampf am Boden. Tau bildet sich besonders in klaren Nächten, wenn der Erdboden die gespeicherte Wärme ungehindert abstrahlen kann und sich auf diese Weise stark abkühlt. Die Bildung von Tau ist für den Wasserhaushalt von Bedeutung, besonders etwa bei sommerlicher Dürre. Man hat errechnet, daß in der gemäßigten Zone bei einem Jahresniederschlag von 1 000 mm – das sind 1 000 l pro m² – zwischen 20 und 50 mm (20-50 l/m²) auf Tau entfallen.

Tauben, in allen Erdteilen verbreitete, mittelgroße Vögel. Sie haben einen geraden, an der Basis verdickten Schnabel, mit dem sie vor allem Samen, Beeren, auch Raupen, Larven und Puppen aufnehmen. Mit ihren stark gerundeten Flügeln fliegen sie geräuschvoll, schnell und gewandt. Ihr dichtes, sehr unterschiedlich gefärbtes Gefieder ist durch einen talkartigen Puderstaub, den einige Flaumfedern absondern, gegen Feuchtigkeit geschützt. Das Männchen läßt zur Balzzeit dumpfe und hohl gurrende, auch sanft girrende Töne vernehmen. Tauben brüten mehrmals im Jahr in lockeren Nestern aus dünnen Reisern, die sie in Bäumen und Sträuchern oder in Fels- und Baumhöhlungen bauen. Beide Partner bebrüten abwechselnd meist 2 Eier. Die Jungen sind Nesthocker, die zunächst mit einem käsigen Brei, der aus den Wandungen des Kropfes abgesondert wird (›Kropfmilch‹), später mit im Kropf eingeweichten Körnern gefüttert werden. Sie stecken dazu ihren Schnabel in den Schlund der Eltern, die den Nahrungsbrei hervorwürgen.

In Europa weit verbreitet sind die **Ringeltaube** mit weißem Halsring und weißen Flügelbinden und die kleinere **Turteltaube** mit schwarzweiß gestreiftem Halsfleck, die beide in Wäldern, Gärten und Parks leben. Ein scheuer Waldbewohner ist die blaugraue **Hohltaube.** Die graue **Türkentaube,** an ihrem offenen schwarzen Halsring und Ruf (›du-du-du‹) zu erkennen, ist heute auch in europäischen Städten sehr häufig. In den Städten sind die dort lebenden Tauben oft ein Problem. Ihr ätzender Kot zerfrißt z. B. Dachrinnen; die Tauben selbst nehmen jeden Tag Mörtel auf und lockern dadurch Mauerteile. Bis auf die Türkentaube sind alle heimischen Tauben Zugvögel, die im Mittelmeergebiet überwintern. Dort brütet in Felsgrotten besonders häufig die **Felsentaube,** die Stammform der **Haustaube.** Haustauben werden seit Jahrtausenden gezüchtet. Heute gibt es 140 Rassen mit zahlreichen Varianten. Die bekannteste Haustaubenrasse ist die **Brieftaube,** die schon im Altertum, besonders im Orient, zur Beförderung von Nachrichten verwendet wurde. Die nur etwa 500 g schwere Brieftaube hat ein ausgeprägtes Heimfindevermögen. Sie schafft Rückflüge aus 1 000 km Entfernung, wobei sie etwa 1 km in der Minute fliegt. Wettkampfmäßig wird dieser Langstreckenflug im **Taubensport** betrieben.

Tauben leben fast immer paarweise zusammen. Sie gelten als Sinnbild der Gattenliebe und -treue. In der Bibel gilt die Taube als Sinnbild des Friedens (Noah). Im Neuen Testament ist sie das Symbol des Heiligen Geistes. Seit dem 17. Jahrh. gilt die Taube mit dem Ölzweig im Schnabel allgemein als Friedenssymbol.

Taubheit, Unfähigkeit, Höreindrücke (Geräusche, Sprache) wahrzunehmen (zu ›hören‹). Sie kann angeboren oder auf Grund von Erkrankungen des Innenohres oder des Gehörnervs erworben sein. Oft ist die Taubheit nur einseitig. Das gesunde Ohr vermag ausreichend zu hören, so daß die einseitige Taubheit oft lange unentdeckt bleibt. Besteht die Taubheit (Gehörlosigkeit) seit der Geburt oder dem frühen Kindesalter, so hat dies oft **Taubstummheit** zur Folge, denn das Hörenkönnen ist die Voraussetzung für die Sprachentwicklung. In Gehörlosenschulen (Taubstummenschulen) versucht man, eine Verständigung durch Erlernung einer Zeichensprache (Gebärdensprache) oder durch Ablesen vom Mund zu erreichen. Gehörlose können z. B. durch Ertasten der Vibrationen des Kehlkopfs und Beobachten der Mundstellung sprechen lernen. Dies gelingt entsprechend besser, wenn noch geringe Hörreste vorhanden sind.

Taubnesseln, Feld- und Heckenpflanzen mit gelben, weißen oder roten Lippenblüten. Ihre behaarten Blätter brennen im Unterschied zur nicht verwandten Brennessel nicht (›taube‹ Nesseln).

Tauchen, der Aufenthalt unter Wasser mit oder ohne Zufuhr von Sauerstoff. Zur Standardausrüstung eines Tauchers gehören Tauchbrille, Atemgerät, Kälteschutzanzug mit Rettungsweste sowie Flossen. Sportliche Wettkämpfe sind das **Orientierungstauchen** (Such- und Orientierungsaufgaben unter Wasser), das **Streckentauchen** (Fortbewegung unter Wasser mit und ohne Atemgerät), das **Flossenschwimmen** (schnellstmögliche Bewältigung einer bestimmten Strecke mit Schwimmflossen) sowie **Unterwasser-Rugby** (ein rugbyähnliches Spiel unter Wasser).

Tauchgeräte ermöglichen einen längeren Aufenthalt unter Wasser. Das einfachste Tauchgerät ist der →Schnorchel. Für leichte Unterwasserarbeiten, z. B. Schiffsbodenuntersuchungen, für das Rettungs- und Sporttauchen werden vor allem die schlauchlosen **Preßluftatmer** verwendet, bei denen der Atemluftvorrat unter Druck in Flaschen gespeichert mitgeführt wird. **Schlauchgeräte** versorgen den gewerblichen **Helmtaucher** mit Luft und Telephon von der Wasseroberfläche aus; der mit Gewichten beschwerte Taucheranzug erlaubt größere Tauchtiefen. In Tiefen bis zu 200–300 m kann der **Panzertaucher** gelangen. Längere Aufenthalte, größere Tauchtiefen und mehr Sicherheit bieten **Tauchkammern** oder **Tauchboote** für die Erforschung der Tiefsee. Auguste →Piccard hat dafür Pionierarbeit geleistet. Sein Sohn Jacques führte 1969 mit dem Tauchboot Mesoskaph Golfstrom-Untersuchungen durch. Ein mit Kernenergie angetriebenes Tauchboot der amerikanischen Marine erforschte 1984 Gewässer unter dem Nordmeereis. Solche Tauchboote ähneln weitgehend den →Unterseebooten.

Tauern, 1) Hohe Tauern, stark vergletscherte Gebirgsgruppe der östlichen Zentralalpen im Grenzgebiet der österreichischen Bundesländer Salzburg, Osttirol und Kärnten. Die Hohen Tauern bestehen unter anderem aus der Glockner-, Venediger- und Ankogelgruppe. Höchster Gipfel ist der Großglockner mit 3 798 m. Bedeutende Wintersportorte sind Gastein, Kaprun, Heiligenblut.

2) Niedere Tauern, die nordöstliche Fortsetzung der Hohen Tauern in den österreichischen Bundesländern Salzburg und Steiermark. Höchster Gipfel ist der Hochgolling mit 2 862 m. In den eiszeitlichen Karen liegen viele kleine Hochseen. Wintersport wird vor allem bei Schladming und am Radstädter Tauern (Obertauern) betrieben.

3) Name einiger unvergletscherter Paßübergänge in den Hohen und Niederen Tauern, z. B. **Felber Tauern** (2 545 m) mit Felber-Tauern-Straßentunnel (1 652 m), **Heiligenbluter Tauern,** meist Hochtor genannt (2 575 m), mit Tunnel der Großglockner-Hochalpenstraße in 2 505 m Höhe, **Radstädter Tauern** (1 739 m).

Taufe, kultische Handlung, durch die ein Mensch in eine Glaubensgemeinschaft aufge-

Taubnesseln: Rote Taubnessel

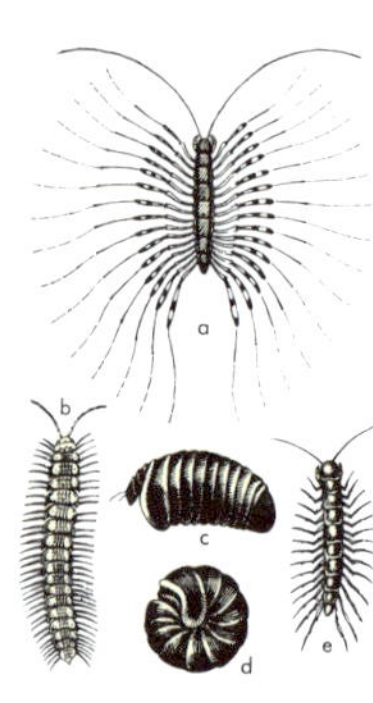

Tausendfüßer: **a** Spinnenläufer; **b** Bandfüßer; **c, d** Gerandeter Saftkugler; **c** laufend, **d** zusammengerollt; **e** Steinläufer

nommen wird. Nach christlicher Lehre ist sie das von Jesus Christus eingesetzte erste und grundlegende →Sakrament, das den Täufling mit einem ›unauslöschlichen Merkmal‹ versieht. Die Taufe kann daher nicht wiederholt oder zurückgenommen werden und wird von allen Kirchen gegenseitig anerkannt. Ursprünglich wurde sie Erwachsenen gespendet. Seit dem 3. Jahrh. setzte sich immer mehr die Kindertaufe durch, die auch noch heute üblich ist. Einzelne christliche Gemeinschaften, z. B. die →Baptisten, lehnen sie aber aus Glaubensgründen ab.

Bei der Taufe wird der Täufling in Wasser getaucht oder sein Kopf mit ein wenig Wasser übergossen. Dabei wird ausgesprochen, daß dies ›im Namen des Vaters und des Sohnes und des Heiligen Geistes‹ geschieht.

In der Regel erteilt ein Geistlicher der jeweiligen Konfession die Taufe. Sie darf aber im Notfall von jedem Menschen gespendet werden.

Taunus, der südöstliche Teil des Rheinischen Schiefergebirges. Er erstreckt sich zwischen dem Tiefland an Untermain und Rhein im Süden, dem Mittelrheintal im Westen, dem Lahntal im Norden und der Wetterau im Osten. Von dem im Großen Feldberg bis zu 880 m hohen Hochtaunus fällt der Taunus nach Norden allmählich, nach Süden recht steil ab. Zahlreiche Kurorte nutzen die Mineralquellen des Taunus: Wiesbaden, Bad Homburg vor der Höhe, Bad Schwalbach, Schlangenbad, Bad Nauheim, Bad Soden.

Tausendfüßer, Gruppe der →Gliederfüßer; sie haben nicht etwa 1 000 Füße, wie der Name vermuten läßt, sondern ›nur‹ bis zu 300 Beinpaare. Jeder Ring ihres langgestreckten, gleichförmig gegliederten Körpers trägt 1 oder 2 Beinpaare. Am Kopf sitzen 2 Fühler. Tausendfüßer sind lichtscheu und lieben Feuchtigkeit; sie leben in Spalten und Ritzen, unter Steinen, Baumrinden und abgefallenem Laub. Manche erbeuten Spinnen und Insekten, andere fressen weiche Pflanzenteile und Pilze. Bei Gefahr rollen sich einige zu einer Kugel zusammen.

Tausendundeine Nacht, eine arabische Sammlung von über 300 Erzählungen, darunter die Märchen ›Aladins Wunderlampe‹ und ›Ali Baba und die 40 Räuber‹, Ritter- und Seefahrergeschichten wie ›Sindbad der Seefahrer‹, Sagen und Anekdoten. Eine Rahmenhandlung umschließt die Geschichten: Der König von Samarkand wird von seiner Gemahlin betrogen und verliert den Glauben an die Treue der Frauen. Er heiratet deshalb jeden Abend eine neue Frau und läßt jede am Morgen nach der Hochzeitsnacht töten. Die kluge Scheherezade fesselt den König durch ihre Erzählungen während 1001 Nächten und erreicht, daß er ihr das Leben schenkt. Schon aus dem 10. Jahrh. ist eine entsprechende Sammlung bekannt, die bis ins 16. Jahrh. hinein durch Erzählungen anderer Völker erweitert wurde. Erst durch die Übersetzung (1704–17) des französischen Orientalisten Jean-Antoine Galland wurde das gesamte Werk auch außerhalb des arabischen Sprachraums bekannt.

Tauziehen, auch **Seilziehen,** Kraftsportwettbewerb zwischen 2 Mannschaften mit je 8 Sportlern, die an den Enden eines mindestens 32 m langen Seils ziehen und versuchen, den Gegner 3 m ins eigene Feld zu ziehen. Ein Wettkampf besteht aus 3 Durchgängen (Pulls); es siegt die Mannschaft, die als erste 2 Pulls für sich entscheidet.

Teak [tihk], sehr festes und dauerhaftes Holz des **Teakbaumes,** der in den Urwäldern tropischer Länder von Indien bis Java heimisch ist und heute in fast allen Tropenländern angebaut wird. Das Holz wird vor allem im Schiffbau und wegen seiner dekorativen Streifen auch für Möbel verwendet.

Technetium, →chemische Elemente, ÜBERSICHT.

Tee, Getränk, das durch Aufgießen von kochendem Wasser auf getrocknete Pflanzenteile entsteht (z. B. Kräutertee, Hagebuttentee). ›Echten‹ Tee gewinnt man aus den getrockneten Blättern und Blattknospen des Teestrauchs. Dieser Tee ist ein anregendes aromatisches Getränk; er enthält in geringen Mengen Coffein, das auch im Kaffee vorhanden ist. Nach der Art der Trocknung unterscheidet man ›schwarzen‹ und ›grünen‹ Tee. – Der **Teestrauch,** der in den Bergwäldern Südostasiens heimisch ist, kann 20 m hoch werden, wird aber in den Teeplantagen in einer Höhe von 1–1,5 m gehalten; er verträgt weder große Kälte noch übermäßige Hitze. Hauptanbaugebiete sind Indien, Japan, China, Brasilien, Indonesien, Ostafrika und die Sowjetunion. Bei der **Zubereitung** von schwarzem oder grünem Tee kann man einen ziemlich coffeinreichen Tee durch kurzes Brühen mit wenig Wasser bekommen, da sich Coffein sehr gut in Wasser löst. Bei längerem Ziehen wird auch die Gerbsäure aus den Teeblättern gelöst, sie bindet sich an Coffein und vermindert damit dessen Wirkung im Körper. Die Sitte, Tee zu trinken, kam erst im 17. Jahrh. aus China nach Europa.

Tee: blühender Zweig des Teestrauchs

Teer. Bei der Verkokung (→Kohleveredlung) von Steinkohle fällt eine schwarze, unangenehm riechende, zähflüssige Masse, der Teer, an. Er ist für die chemische Industrie ein wichtiger Rohstoff geworden. Er enthält zahlreiche ringförmige organische Verbindungen, deren wichtigste das Benzol ist. Diese bilden die Grundlage der Herstellung von Farben, Arzneimitteln und Kunststoffen. Ganz allgemein entsteht Teer durch zersetzende Wärmebehandlung (Pyrolyse) organischer Naturstoffe wie Stein- und Braunkohle, Torf, Ölschiefer oder Holz.

Tegernsee, eiszeitlich entstandener See im bayrischen Alpenvorland. Hauptorte des Fremdenverkehrsgebiets an dem 8,9 km^2 großen und bis zu 72 m tiefen See sind Gmund, Bad Wiessee, Rottach-Egern und Tegernsee.

Tegucigalpa, 678000 Einwohner, Hauptstadt von Honduras im Süden des Landes in einem Hochbecken. Tegucigalpa wurde 1579 als Bergbausiedlung in der Nähe heute erschöpfter Gold- und Silberminen gegründet.

Teheran, Tehran, mit Vororten 6 Millionen Einwohner, Hauptstadt von Iran und größte Stadt Vorderasiens am Südfuß des Elbursgebirges. Teheran, seit 1796 Hauptstadt, ist der politische, wirtschaftliche und kulturelle Mittelpunkt des Landes mit Hochschulen, Palästen und Moscheen.

Teichhühner leben an dicht bewachsenen Gewässern, wo sie am Ufer oder auf der Wasseroberfläche nach Nahrung suchen. Nur bei Gefahr tauchen sie unter; der Schnabel ragt dann wie ein Schnorchel aus dem Wasser. Diese in Deutschland häufigen Wasservögel mit rotem Stirnschild sind nicht mit den Hühnern verwandt, sondern gehören zu den →Rallen. Beim Schwimmen und Gehen fallen sie durch ruckartiges Nicken mit dem Kopf auf. Im Unterschied zu den größeren, verwandten →Bleßhühnern sieht man sie selten in Schwärmen.

Teilchenbeschleuniger, →Beschleuniger.

Teiler. Mathematik:

Aufgabe: Ein 24 m langer Zaun soll aus Fertigteilen gebaut werden. Es gibt Fertigteile von 3 m, 4 m und 5 m Länge. Es sollen nur jeweils gleich lange Teile verwendet werden. Aus welchen Teilen kann man den Zaun bauen?

Lösung: 24 m = 3 m · 8; 24 m = 4 m · 6; 24 m = 5 m · 4 + 4 m. Der Zaun kann aus 8 Bauteilen zu je 3 m oder 6 Bauteilen zu je 4 m aufgebaut werden. In der obigen Aufgabe waren unter den Zahlen 3, 4 und 5 diejenigen gesucht, durch die man 24 ohne Rest dividieren kann.

Man sagt: Kann man eine natürliche Zahl a durch eine natürliche Zahl t ohne Rest dividieren, so heißt t ein **Teiler** der Zahl a, oder a ist **teilbar** durch t. Man schreibt $t|a$ für ›t teilt a‹ und $t|a$ für ›t teilt nicht a‹.

Beispiele:
$3|24$, da $24 = 3 \cdot 8$, aber $5 \nmid 24$, da $24 = 5 \cdot 4 + 4$.

Die Menge aller Teiler einer Zahl a heißt **Teilermenge.** Sie wird mit dem Symbol T_a abgekürzt.

Beispiele:
$T_{24} = \{1; 2; 3; 4; 6; 8; 12; 24\}$, $T_5 = \{1; 5\}$, $T_{25} = \{1; 5; 25\}$.

In jeder Teilermenge T_a kommen die Zahl 1 und die Zahl a vor. Somit gilt: **Jede Zahl ist teilbar durch 1 und sich selbst.**

Aufgabe: Ein Bad der Länge 3,6 m und der Breite 2,4 m soll mit quadratischen Platten ausgelegt werden. Es stehen Platten mit 6 cm, 10 cm, 12 cm und 18 cm Seitenlänge zur Verfügung. Welche Platten kann man verwenden?

Teichhühner: Teichralle

Lösung: Die Seitenlänge der Platte muß ein Teiler von 360 cm und 240 cm sein. Also sind nur die Platten mit 6 cm, 10 cm und 12 cm Seitenlänge zum Auslegen des Bades geeignet.

In der obigen Aufgabe sind Zahlen gesucht, die sowohl 240 also auch 360 teilen.

Man sagt: Eine Zahl t, die sowohl die Zahl a als auch die Zahl b teilt, heißt **gemeinsamer Teiler** der Zahlen a und b.

Beispiel: Gemeinsame Teiler der Zahlen 24 und 36 sind: 1, 2, 3, 4, 6, 12. Unter den gemeinsamen Teilern zweier Zahlen a und b gibt es stets einen **größten gemeinsamen Teiler (ggT).** Im obigen Beispiel gilt: ggT (24; 36) = 12. Der ggT zweier Zahlen kann mit Hilfe der Primfaktorzerlegung (→Primzahlen) der beiden Zahlen gefunden werden.

Beispiel: Bestimme ggT (280; 1300)

Lösung: Die Primfaktorzerlegung der beiden Zahlen lautet:

$280 = 2 \cdot 2 \cdot 2 \cdot 5 \cdot 7$ und $1300 = 2 \cdot 2 \cdot 5 \cdot 5 \cdot 13$

Den ggT bestimmt man nun mit Hilfe des folgenden Schemas:

$$\begin{array}{rcl} 280 & = & 2 \cdot 2 \cdot 2 \cdot 5 \cdot \quad 7 \\ 1300 & = & 2 \cdot 2 \cdot \quad 5 \cdot 5 \cdot \quad 13 \\ \hline \text{ggT}(280, 1300) & = & 2 \cdot 2 \cdot \quad 5 = 20 \end{array}$$

Ist der ggT zweier Zahlen a und b gleich 1, so nennt man die beiden Zahlen **teilerfremd.**

Tel Aviv-Jaffa, 340000 Einwohner, Hafenstadt in Israel an der Mittelmeerküste, besteht aus Jaffa im Süden und Tel Aviv im Norden. Tel Aviv-Jaffa ist der wirtschaftliche und kulturelle Mittelpunkt des Landes, auch bekannt für die Verarbeitung und Ausfuhr von Citrusfrüchten. Tel Aviv wurde 1909 gegründet und 1950 mit der alten Hafenstadt Jaffa zu Tel Aviv-Jaffa vereinigt. In Tel Aviv wurde 1948 der Staat Israel ausgerufen.

Telegraphie [von griechisch tele- ›fern‹ und graphein ›schreiben‹], Form der Nachrichtenübertragung mit Hilfe elektrischer Impulse. Dabei können die elektrischen Signale entweder über Kabel oder über Funk weitergeleitet werden. Am Empfangsort werden die Impulse dann als Zeichen oder als Buchstaben aufgezeichnet.

Von den älteren Telegraphenapparaten wird nur noch der Morseapparat benutzt. Die modernste Form des Drucktelegraphen stellt der → Fernschreiber dar, der wie eine Schreibmaschine bedient wird. Mit Hilfe der Bildtelegraphie können Bilder oder ganze Textseiten übertragen werden. Große Bedeutung besitzt die Telegraphie heute auch im Bereich der Datentechnik (Datenfernübertragung).

Vor der Erfindung der elektrischen Telegraphen zu Beginn des 19. Jahrh. wurden Nachrichten durch Feuer-, Rauch-, Flaggen- oder Schallsignale weitergeleitet. Am Ende des 18. Jahrhunderts war der optische Telegraph von großer Bedeutung. Dieser ›Semaphor‹ war ein Mast, an dem bewegliche Flügel befestigt waren.

Telemann. Zu den bedeutendsten Komponisten und Musikerpersönlichkeiten des deutschen Spätbarock gehört **Georg Philipp Telemann** (* 1681, † 1767). Er wurde 1702 Organist an der Thomaskirche in Leipzig und erhielt seine Lebensstellung 1721 als Musikdirektor der 5 Hauptkirchen in Hamburg. Sein Schaffen umfaßt alle Gattungen der Musik, hat aber seine Schwerpunkte in den Oratorien, Kantaten, Opern sowie den Orchestersuiten. Er wurde zu einem Wegbereiter der Wiener Klassik.

Telefon [von griechisch tele- ›fern‹ und phone ›Stimme‹], **Telephon, Fernsprecher,** Einrichtung zur Übertragung von Sprache mit Hilfe der elektrischen Nachrichtentechnik. Durch die gesprochenen Worte entstehen Schallwellen, die in einem Mikrophon in elektrische Schwingungen umgewandelt werden. Über Kabel (Kupferkabel) oder drahtlos über Funk werden sie bis zum Empfänger weitergeleitet. Es gibt auch schon Fernsprechverbindungen, die optisch über Glasfaserkabel geleitet werden sowie Mobiltelefone (→ Mobilfunk). Im Telefonhörer des Empfängers werden die elektrischen Signale wieder in Schallwellen umgeformt. Mikrophon und Hörer sind im Handapparat zusammengefaßt. Der Telefonapparat selbst enthält eine Wählscheibe oder eine Wähltastatur, einen Nummernschalter zur Erzeugung der Wählimpulse, einen Wecker (Klingel) und einen Gabelumschalter. Bei aufgelegtem Handapparat ist der Stromkreis des Weckers geschlossen. Nimmt man den Handapparat ab, schließt der Gabelumschalter den Stromkreis über das Mikrophon, worauf in der Vermittlungsstelle die Verbindung durchgeschaltet wird. Ankommende Sprechströme gelangen jetzt über einen Übertrager (kleiner Transformator) zum Hörer. Bestimmte Signaltöne geben Aufschluß über den Zustand der Telefonverbindung, z. B. Leitung frei, Leitung besetzt.

Will man einen Fernsprechteilnehmer anrufen, wählt man dessen Telefonnummer. Durch das Betätigen der Wählscheibe oder der Tastatur wird der Stromkreis im Takt der gewählten Nummer unterbrochen. Dadurch werden Stromimpulse erzeugt, die die Wähler in den Vermittlungsstellen ansteuern. Beim heute allgemein üblichen Selbstwählverkehr stellen Wähler (Vorwähler, Gruppenwähler, Leitungswähler) automatisch die gewünschte Verbindung her.

Geschichte. Das erste Gerät zur elektrischen Tonübertragung konstruierte der deutsche Physiker Johann Philipp Reis (1861). Der Amerikaner Alexander Graham Bell erfand 1876 das elektromagnetische Telefon, das durch das Kohlemikrophon von Thomas Alva Edison (1876) entscheidend verbessert wurde. Bei den ersten Fernsprechern wurde die Verbindung mit anderen Teilnehmern durch das Fernsprechamt vorgenommen. 1889 entwickelte der Amerikaner Almon Strowger das Wählverfahren, das Fernsprechverbindungen automatisch herstellte.

Teleskop [von griechisch tele- ›fern‹ und skopein ›sehen‹], das → Fernrohr.

Telespiel, → Videospiel.

Telex, Abkürzung für englisch **Tele**printer **ex**change [›Fernschreiberaustausch‹], ein Fernschreiben (→ Fernschreiber).

Tell. Der Meisterschütze **Wilhelm Tell** ist Held einer Schweizer Sage, deren älteste Fassung aus dem 14. Jahrh. stammt. Tell ist ein Jäger aus dem Urner Dorf Bürglen. Er wird von dem habsburgischen Landvogt Geßler, unter dessen Willkürherrschaft die Schweizer zu leiden haben, gezwungen, einen Apfel vom Kopf des eigenen Sohnes zu schießen. Der Meisterschuß gelingt. Aber bald nach diesem Vorfall tötet Tell den Tyrannen in der Hohlen Gasse bei Küßnacht. Er rechtfertigt den Mord als Dienst am gesamten Volk. Nun erheben sich die 3 schweizerischen Kantone Uri, Schwyz und Unterwalden, die sich durch ihren Schwur auf dem Rütli zu einem

°C	°R	°F	K
100	80	212	373,15
90	72	194	363,15
80	64	176	353,15
70	56	158	343,15
60	48	140	333,15
50	40	122	323,15
40	32	104	313,15
30	24	86	303,15
20	16	68	293,15
10	8	50	283,15
0	0	32	273,15

Temperatur: Vergleich der Temperatur-Skalen von Celsius, Réaumur, Fahrenheit und Kelvin

Bund zusammengeschlossen haben, gegen die Habsburger.

Während Tell und Geßler keine geschichtlichen Personen waren, ist der Aufstand der Schweizer gegen die Habsburger historisch belegt. Über die Schweiz hinaus bekannt wurde Wilhelm Tell durch das gleichnamige Schauspiel von Friedrich von →Schiller.

Tellur [von lateinisch tellus ›Erde‹], →chemische Elemente, ÜBERSICHT.

Tempel, für die Verehrung einer Gottheit bestimmter Bau in nichtchristlichen Kulturen. Im Alten Orient entwickelten sich vor allem in Mesopotamien ausgedehnte Tempelanlagen, bei denen viele Räume um einen Hof gruppiert waren. Wesentlicher Bestandteil wurde seit dem 2. Jahrtausend v. Chr. der über mehrere Stockwerke ansteigende Stufentempel (Zikkurat). Der Salomonische Tempel in Jerusalem (10. Jahrh. v. Chr.) war eine Rechteckanlage mit Vorhalle, Hauptraum und dem Allerheiligsten, in dem die Gesetzestafeln in der Bundeslade aufbewahrt wurden. In Ägypten waren die mit Tortürmen (Pylonen) geschmückten Tempel entlang einer Achse angelegt mit hintereinanderliegenden Säulenhöfen und -sälen und dem Allerheiligsten für das Kultbild. In Indien entwickelten sich neben den buddhistischen →Stupas verschiedene Bauformen, z. B. Tempel mit mehrschiffigen Vorhallen, Höhlentempel, Tempeltürme und ganze Tempelstädte. Der chinesische Tempel besteht aus einer Folge von Hallen (mit einer Haupthalle), die sich um Höfe gruppieren; Türme flankieren den Weg vom Eingangstor zu den verschiedenen Hallen. Nach diesem Vorbild sind auch die japanischen Tempel angelegt; meist ist der ganze Komplex von einer Mauer umschlossen.

Der griechische Tempel (→griechische Kunst, BILDER) wurde ausschließlich zur Aufbewahrung des Kultbildes errichtet; die Gemeinde kam zum Opfer nur zu dem meist vor dem Tempel liegenden Altar. Der früheste griechische Tempeltyp war der **Antentempel;** er bestand aus Hauptraum (Cella) für das Götterbild und einer Vorhalle (Pronaos) mit 2 Säulen zwischen den vorgezogenen Längswänden. Aus den Weiterbildungen (BILDER) zum **Doppelantentempel,** zum **Prostylos** und zum **Amphiprostylos** entwickelten sich als klassische Formen **Peripteros** und **Dipteros.** Eine Sonderform war der **Rundtempel (Tholos).** Der römische Tempel hatte ein Podium mit Freitreppe, eine tiefe Vorhalle mit meist 4 Säulen und eine einräumige Cella.

Temperatur [zu lateinisch temperatura ›Mischung‹]. Der menschliche Körper reagiert empfindlich auf Wärme und Kälte, aber die Wärmeempfindung des Menschen ist nicht objektiv. Der Mensch besitzt kein Organ, das den Wärmezustand oder die Temperatur anderer Körper eindeutig erkennt. Man braucht deshalb Geräte zum genauen Erfassen der Temperatur, auf die eine **Temperaturskala** aufgedruckt ist.

Sehr häufig benutzt wird die **Celsius-Skala.** Sie hat ihren Namen von ihrem Erfinder, dem Schweden Anders Celsius (* 1701, † 1744), und wird durch 2 feste Punkte bestimmt. Der eine Punkt gibt die Siedetemperatur des Wassers an, man nennt ihn 100 Grad Celsius (100 °C); den anderen Punkt bezeichnet man als 0 °C, das ist die Temperatur, die sich in einem Gemisch von Wasser und Eis einstellt. Zwischen diesen beiden Punkten teilt man die Skala in 100 gleiche Teile, jedem Teil entspricht dann 1 °C. Diese Temperaturskala kann man zu höheren und zu niedrigeren, negativen Temperaturen fortsetzen. Im negativen Bereich endet sie bei − 273,15 °C. Diese Temperatur heißt auch 0 Kelvin (K). Die **Kelvin-Skala,** die auch als **absolute Temperaturskala** bezeichnet wird, ist die für die Temperatur international festgelegte Skala und nach dem englischen Physiker William Thomson (* 1824, † 1907, seit 1892 Lord Kelvin of Largs) benannt. 0 °C entsprechen dann 273,15 K; 20 °C entsprechen 293,15 K und 100 °C entsprechen 373,15 K. Weitere Temperaturskalen siehe BILD.

Tempo [aus lateinisch tempus ›Zeit‹], Musik: Geschwindigkeit, mit der ein Musikstück ausgeführt werden soll. Es wird festgelegt durch die **Tempobezeichnungen,** z. B. adagio ›langsam‹, andante ›ruhig, gehend‹, allegro ›schnell, heiter‹, presto ›schnell‹. Mit einem →Metronom kann man das Tempo kontrollieren.

Tempus [lateinisch ›Zeit‹], Zeitform, grammatische Form des Verbs, durch die ausgedrückt wird, wann etwas geschieht. Durch die Konjuga-

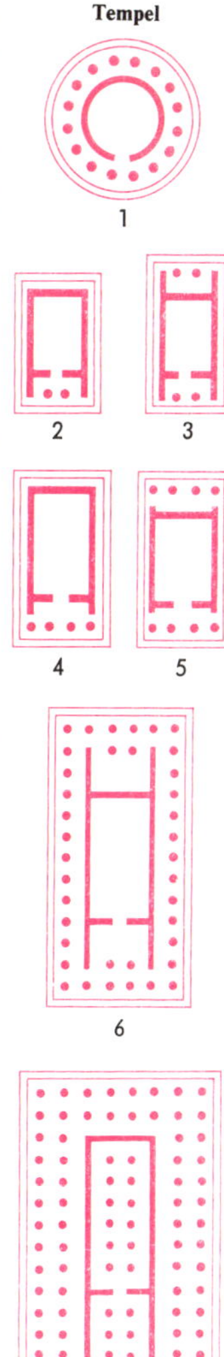

Tempel: Grundrisse griechischer Tempelformen; **1** Tholos. **2** Antentempel. **3** Doppelantentempel. **4** Prostylos. **5** Amphiprostylos. **6** Peripteros. **7** Dipteros

tion des Verbs lassen sich 6 Zeitformen unterscheiden.

Präsens (Gegenwart)	ich lese ich fahre
Imperfekt (Vergangenheit)	ich las ich fuhr
Futur (Zukunft)	ich werde lesen ich werde fahren
Perfekt (vollendete Gegenwart)	ich habe gelesen ich bin gefahren
Plusquamperfekt (vollendete Vergangenheit)	ich hatte gelesen ich war gefahren
Futur II (vollendete Zukunft)	ich werde gelesen haben ich werde gefahren sein

Teneriffa, die größte der zu Spanien gehörenden Kanarischen Inseln. Das 1928 km² große Teneriffa hat 655 000 Einwohner, von denen ⅓ in der Hauptstadt Santa Cruz lebt. Der 3 716 m hohe Vulkan Pico de Teide ist der höchste Berg Spaniens. Auf Grund des milden Klimas nennt man Teneriffa auch die Insel des ›ewigen Frühlings‹, auf der Südfrüchte, Bananen, Wein, Tomaten gedeihen. Das Orotava-Tal mit der Stadt Puerto de la Cruz im Norden der Insel ist das Zentrum des Fremdenverkehrs.

Tennessee [tenessi, tenessi], mit 1 049 km Länge der größte Nebenfluß des Ohio in den USA. Der Fluß entsteht durch Vereinigung zweier Quellflüsse in den Appalachen und ist ab Knoxville schiffbar. Zahlreiche Talsperren dienen der Elektrizitätsgewinnung und Bewässerung. Sie wurden im Rahmen des Tennessee Valley Authority, einem Unternehmen zur allgemeinen Entwicklung des Tennessee-Tales, in den 1930er Jahren errichtet.

Tennis: Spielfeld

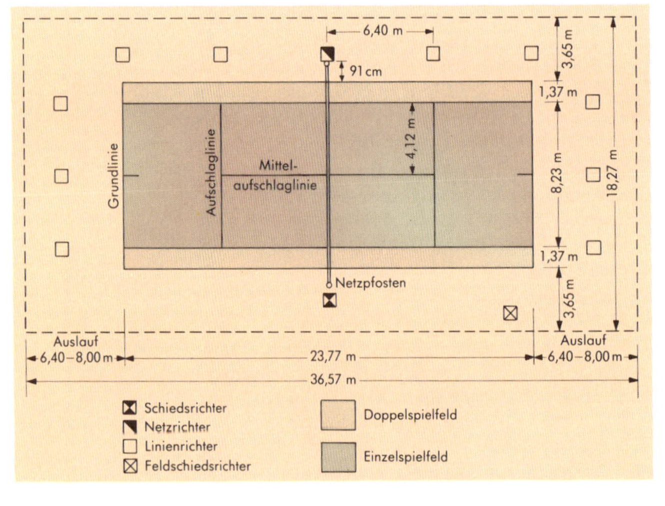

Tennis [wohl von französisch tenir ›halten‹], ein Rückschlagspiel für Damen und Herren. Mit einem Schläger muß ein Ball (Durchmesser 6,35–6,67 cm; Gewicht 56,7–58,7 g) über ein Netz geschlagen werden. Tennis wird als Einzel (zwischen 2 Spielern), als Doppel (zwischen 2 Spielerpaaren) und als gemischtes Doppel (Mixed: je Spielerpaar eine Dame und ein Herr) ausgetragen. Vor Spielbeginn werden Spielfeldseite und Aufschlag ausgelost. Die Spieler stellen sich auf beiden Seiten des Netzes auf. Der Spieler, der zuerst den Ball ins Spiel bringt, heißt Aufschläger, der Gegner Rückschläger. Der Aufschläger muß den in die Luft geworfenen Ball, ohne daß er vorher den Boden berührt, mit dem Schläger über das Netz in das schräg gegenüberliegende Aufschlagfeld schlagen. Er steht dabei hinter der Grundlinie, beim Aufschlag zum 1. Punkt rechts, zum 2. Punkt links von der Mitte. Macht der Spieler beim Aufschlag einen Fehler, darf er einen zweiten Ball aufschlagen; ist dieser wieder fehlerhaft (Doppelfehler), zählt er, das heißt, der Gegner hat einen Punkt gewonnen. Der Aufschlag ist ungültig und zu wiederholen, wenn der Ball das Netz berührt hat, aber trotzdem ins richtige Feld gefallen ist (Netzball), auch wenn das beim Aufschlag mehrmals geschieht. Der Aufschlagball muß nach einmaligem Berühren des Bodens vom Rückschläger zurückgeschlagen werden, während alle Bälle danach auch aus der Luft geschlagen werden können (Flugball, englisch Volley).

Ein Tennisspiel wird nach Punkten, Spielen und Sätzen gewertet. Zu einem Sieg gehören je nach Vereinbarung 2 oder 3 Gewinnsätze. Dameneinzel sowie gemischte Doppelspiele werden immer nur auf 2 Gewinnsätze gespielt. Gewinnt ein Spieler den 1. Punkt, so zählt das 15 zu seinen Gunsten, beim 2. Punkt 30, beim 3. Punkt 40. Der 4. Punkt bedeutet für den Spieler Spielgewinn, er führt 1:0 im Satz. Haben aber beide Spieler in einem Spiel 3 Punkte gewonnen (40:40 = Einstand), dann ist der nächste Punkt noch nicht spielentscheidend, da der Vorsprung für einen Spielgewinn 2 Punkte betragen muß. Hat nach dem Einstand ein Spieler 1 Punkt gewonnen, wird er als Vorteil für ihn gezählt. Gewinnt derselbe Spieler, der den Vorteil-Punkt gewonnen hat, auch den nächsten Punkt, so hat er das Spiel gewonnen; gewinnt jedoch der Gegner diesen

Punkt, so gibt es wieder Einstand. Der Gewinn von 6 Spielen ist gleichbedeutend mit dem Gewinn eines Satzes, aber nur, wenn einer der Spieler 2 Spiele mehr als sein Gegner gewonnen hat (also 6:4). Steht das Spiel 6:5, geht es so lange weiter, bis ein Abstand von 2 Spielen erreicht ist. Ein Satz besteht also im Prinzip aus 6 Spielen, er kann aber auch aus mehr Spielen bestehen. Seit 1970 ist der ›Tie-Break‹ (Unentschieden-Brecher) bei 6:6 zum Sieg mit 7:6 und bei 8:8 zum Sieg mit 9:8 möglich, um überlange Sätze zu vermeiden. Nach jedem ungeraden Spiel werden die Seiten gewechselt. Mit dem Aufschlag wechseln die Spieler von Spiel zu Spiel ab.

Tenno [japanisch ›himmlischer Herrscher‹], Titel des japanischen Kaisers, der in Japan als Gottheit verehrt wurde. Nach der Niederlage Japans im Zweiten Weltkrieg mußte Kaiser Hirohito (1926–89) in einer Rundfunkrede die Göttlichkeit seiner Person verneinen. Nach der japanischen Verfassung vom 3. Mai 1947 hat der Tenno als Symbol des Staates nur noch repräsentative Aufgaben.

Tenor [zu lateinisch tenere ›halten‹], →Stimmlagen.

Teppich, Fußbodenbelag oder Wandbehang aus Wolle und anderen Tierhaaren, Seide oder Baumwolle, auch aus Hanf, Jute, Kokosfasern und Chemiefasern. Nach den Herstellungstechniken in Hand- oder Maschinenarbeit unterscheidet man Knüpfteppiche, Webteppiche, Nadelteppiche (Tuftingteppiche) und andere.

Maschinenteppiche werden vor allem als schwere Webteppiche und als Nadelteppiche hergestellt. Die Webteppiche sind entweder Flachgewebe oder haben eine Oberfläche aus dichtstehenden, haarartigen Fasern (›Flor‹, deshalb **Florteppiche** genannt), entweder mit geschlossenen Florschlingen **(Bouclételteppiche)** oder mit aufgeschnittenen Flornoppen **(Velours- oder Plüschteppiche). Nadelteppiche (getuftete Teppiche)** erhalten ihren geschlossenen oder später aufgeschnittenen Flor durch Einziehen von Schlingen in ein Grundgewebe mit Hilfe spezieller Maschinen (Vielnadelmaschinen).

Handgefertigte Teppiche können gewebt (Kelim, Fleckerlteppich), gewirkt (Gobelin, →Bildwirkerei) oder geknüpft sein. Zu den Knüpfteppichen zählen vor allem die **Orientteppiche** (aus der Türkei, dem Iran, Afghanistan, dem Kaukasus, Pakistan, Indien, China und Tibet) und die **Berberteppiche** (aus Nordafrika). Die auf dem Webstuhl in Längsrichtung gespannten Fäden (die ›Kette‹) bilden mit den querverbindenden ›Schüssen‹ das Grundgewebe. Bei der Knüpftechnik werden während des Webvorgangs zwischen die Schüsse Knotenreihen eingelegt. Sie ergeben das Muster und den Flor, der nach Fertigstellung des Teppichs auf einheitliche Höhe geschoren wird. Man unterscheidet 2 Knotenarten: den **türkischen Knoten,** bei dem jeweils 2 Kettfäden gleichartig umschlungen werden, und den **Perserknoten,** bei dem jeweils 2 Kettfäden ungleichförmig umschlungen werden. Unter **Kelim** versteht man Orientteppiche ohne Flor, deren Musterung durch den Schuß oder durch in Schußrichtung eingestickte Fäden erzielt wird.

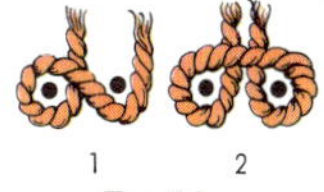

Teppich: **1** Persischer Knoten, **2** Türkischer Knoten

Der älteste erhaltene Teppich (4. Jahrh. v. Chr.) wurde in einem skythischen Grab im asiatischen Altaigebirge gefunden. Im Alten Orient wurden Palasträume mit Teppichen unterteilt. Als Wandbehänge verwendet wurden Teppiche von den Römern und besonders im Mittelalter, in dem sich die Bildwirkerei zu hoher Vollendung entwickelte. Mit dem Vordringen des Islam gelangte der Orientteppich nach Spanien (8. Jahrh.), durch die Kreuzfahrer in das übrige Europa. Die frühesten Zeugnisse handgeknüpfter europäischer Teppiche gehen ins 3.–4. Jahrh. n. Chr. zurück.

Terbium, →chemische Elemente, ÜBERSICHT.

Term [von französisch terme ›Ziel‹, ›Grenze‹], Mathematik: eine Zahl, eine Variable oder ein Rechenausdruck, in dem Zahlen und Variable miteinander verknüpft sind.

Beispiele:
7; x; $(-3)\cdot 4 + 7$; $3x$; $(x+y)\cdot(x-y)$.
Terme lassen sich nur berechnen, falls sie keine Variablen enthalten. So ist z.B. $(-3)\cdot 4 + 7 = -12 + 7 = -5$.

Bei Termen mit Variablen ist die Angabe der Menge der Zahlen, die für die Variablen eingesetzt werden sollen, erforderlich. Diese Menge nennt man **Grundmenge.** Terme mit Variablen treten auf den beiden Seiten von →Gleichungen und →Ungleichungen auf. Um Gleichungen zu lösen, müssen häufig Terme umgeformt werden. Dabei sind aber nur solche Umformungen erlaubt, bei denen der umgeformte Term **äquivalent** (→Äquivalenz) zum Ausgangsterm ist.

Zu solchen Termumformungen gehören:
1) das Zusammenfassen gleichartiger Terme;

Beispiele:
$8x - 3y + 2 - 3x + 7y - 1 = 5x + 4y + 1$
$13xy^2 - 12x^2y + 4x^2y - 3xy^2 = 10xy^2 - 8x^2y$.

2) das Auflösen von →Klammern;
3) das Anwenden der →binomischen Formeln;
4) das Anwenden der Potenzgesetze (→Potenz).

Termiten: Termitenhügel in der Savanne, Australien

Terminal [tö̧minl, englisch ›Endstation‹], **Datenendgerät,** Bedienungsstation für den Benutzer eines Computers, die mindestens eine Eingabeeinheit (Tastatur, Lichtstift), eine Ausgabeeinheit (Bildschirm, Drucker) und eine Einheit für den Datenverkehr mit dem Computer besitzt. **Intelligente Terminals** sind zusätzlich mit einer Verarbeitungseinheit ausgerüstet, die viele Routinearbeiten bei der Gestaltung der Datenausgabe und eine teilweise Bearbeitung der Eingabedaten unabhängig vom Zentralrechner im Terminal selbst durchführen kann.

Termiten [zu lateinisch termes, tarmes ›Holzwurm‹], Insekten, die wegen ihres fast farblosen Körpers im Volksmund ›weiße Ameisen‹ genannt werden. Mit diesen Hautflüglern sind sie jedoch nicht näher verwandt, auch wenn sie wie die Ameisen zu den staatenbildenden Insekten (→Tierstaaten) gehören. Termiten mit ihren beißenden Mundwerkzeugen stehen den →Schaben nahe. Sie leben vor allem in Steppen und Regenwäldern der tropischen und subtropischen Länder. Manche Arten errichten **Termitenhügel,** die bis zu 7 m hoch sein können. Andere bauen Erd- oder Baumnester. Das Baumaterial besteht aus Erde, Holz und zerkauten Pflanzenteilen und wird – mit Kot und Speichel vermischt – hart wie Beton. Im Innern der Nester errichten die Termiten ein weitverzweigtes System von Kammern und Gängen, in dem durch Luftschächte und Isolationsschichten die erforderliche Temperatur und hohe Luftfeuchtigkeit reguliert werden kann. Unterirdische Gänge führen zu Futterplätzen (z. B. abgestorbenen Baumstämmen, selbst angelegten ›Pilzgärten‹) und Wasserstellen.

In einem Termitenstaat können Millionen von Tieren leben, die entsprechend ihren unterschiedlichen Aufgaben verschieden gebaut sind. Die 2–20 mm langen Termiten sind sehr lichtscheu, und nur die geschlechtsreifen geflügelten Tiere schwärmen zum Hochzeitsflug ans Tageslicht. Hat sich ein Paar (ein König und eine Königin) gefunden, werfen sie ihre Flügel ab und höhlen eine große Kammer aus, in der sie sich paaren. Dann beginnt die Königin mit dem Eierlegen (alle 2 Sekunden ein Ei). Man schätzt, daß eine Königin pro Tag bis zu 36 000 Eier legt, das entspricht 13 Millionen Eiern pro Jahr. Durch ihre riesigen Eierstöcke schwillt ihr Körper bis auf 11 cm Länge an. Ein Termitenpaar lebt bis zu 10 Jahre zusammen. Anders als bei den Honigbienen wird die Königin in Abständen immer wieder begattet. Sonst leben im Staat vor allem die Arbeiter, die, im Unterschied zu den Arbeitstieren der Ameisen und Bienen, männlich und weiblich sind. Sie übernehmen Nestbau, Futtersuche und Brutpflege, füttern das Königspaar und auch die ›Soldaten‹, die mit ihren großen Beißzangen oder mit Hilfe eines Kopfstachels, aus dem eine klebrige Flüssigkeit austritt, das Nest gegen Feinde (Ameisen) verteidigen.

Termiten fressen vor allem Holz und sind daher als Schädlinge an Nutz- und Bauholz sehr gefürchtet. Aber auch andere pflanzliche Stoffe (z. B. Papier) und lebende Pflanzen dienen als Nahrung. Termiten selbst werden besonders von Vögeln, auch Ameisenbären, Erdferkeln, Kriechtieren und Lurchen gefressen. Sie verbessern die Fruchtbarkeit der Böden, da sie die Erde auflokkern und dafür sorgen, daß abgestorbene Pflanzensubstanz rasch in den Kreislauf der Stoffe zurückgeführt wird.

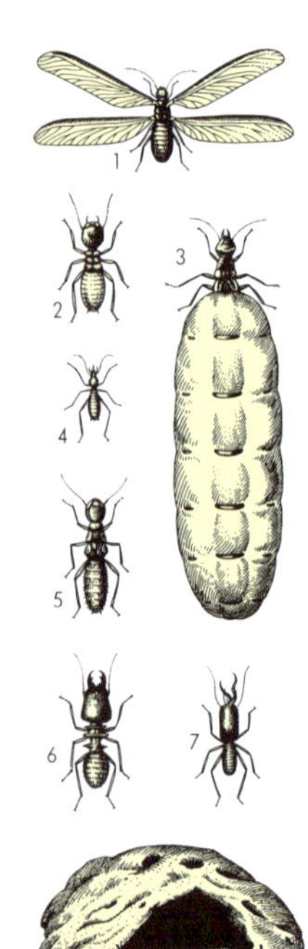

Termiten: **1** Junges Weibchen. **2** Arbeiter. **3** Weibchen, Königin. **4** Soldat. **5** Entflügeltes Männchen, König. **6** Soldat. **7** Soldat. **8** Zentralkern mit Königinnenzelle

Terrakotta [italienisch ›gebrannte Erde‹], frühere Bezeichnung für alle Töpferarbeiten (→Keramik) aus gebranntem, unglasiertem Ton, z. B. Fußbodenplatten, Blumentöpfe, Bauornamente. Heute werden meist nur figürliche Plastiken und Reliefs aus gebranntem Ton Terrakotta genannt, vor allem Werke des Altertums, der Mittelmeerländer und Afrikas. Sie sind in der Regel unglasiert. Bildwerke aus ungebranntem Ton werden meist **Tonplastik** genannt, doch hat sich diese Bezeichnung auch für die meist gebrannten Tonfiguren einiger außereuropäischer Kulturen durchgesetzt.

Die Terrakotta erlebte ihre Blütezeit in der griechischen Kleinplastik (Grabbeigaben, Weihgeschenke für Götter, später auch häuslicher Zierat). Dargestellt wurden Tiere, Menschen und Gottheiten. An Tempeln finden sich reliefgeschmückte, bemalte Tonziegel. Etruskische Tempel waren mit lebensgroßen Terrakottafiguren dekoriert, römische Villen mit Reliefplatten. Bildwerke aus Ton entstanden im 15. Jahrh. in Deutschland (spätgotisch) und in Italien (Renaissance); die Werke der italienischen Künstler wie Luca und Andrea della Robbia wurden meist weiß oder bunt glasiert und werden deshalb auch Fayence-Plastik (→Fayence) genannt.

Terrarium [zu lateinisch terra ›Erde‹], Behälter, in dem besonders Lurche und Kriechtiere sowie kleine Säugetiere gehalten werden. Das Terrarium besteht meist aus Glas und ist mit Erde oder Sand und Steinen gefüllt. Für die nötige Luftfeuchtigkeit sorgen Pflanzen und gegebenenfalls ein Wasserbecken. Für die Wärme und

Trockenheit liebenden Kriechtiere kann man ein Heizkabel unter die Sandschicht legen oder eine Lampe über das Terrarium hängen. Terrarien mit großem Wasserteil nennt man **Aqua-Terrarien.** Sie eignen sich besonders für Frösche und Salamander, die eine feuchte Umgebung benötigen. Zur Überwinterung einheimischer Tiere säubert man das Terrarium, füllt es mit feuchtem Laub und stellt es anschließend an einen kalten, aber frostsicheren Ort. Einige Tierarten können auch in Freilandterrarien gehalten werden, so z. B. die Griechische Landschildkröte. Die Tiere graben sich im Herbst selbst ein, wenn man ihnen dafür genügend Laub zur Verfügung stellt.

Bei der Auswahl der **Terrarientiere** müssen die Artenschutzbestimmungen beachtet werden.

Terrier [zu lateinisch terra ›Erde‹], eine Rasse der →Hunde.

Terror [lateinisch ›Schrecken‹], die von einer diktatorischen Regierung ausgeübte Gewaltherrschaft zur Aufrechterhaltung ihrer Macht. Der **Staatsterror** verleugnet die Bindung der Staatsgewalt an Moral und Recht. In der Zeit der Französischen Revolution übten die →Jakobiner 1793–94 eine →Schreckensherrschaft aus. Einen Höhepunkt gewann der Staatsterror im 20. Jahrh. unter den Herrschaftssystemen des Faschismus, des Nationalsozialismus und des Kommunismus.

Unter **Terrorismus** versteht man die bewußte Gewaltanwendung von zahlenmäßig kleinen Gruppen zur Durchsetzung ihrer sozialrevolutionären oder nationalrevolutionären Ziele. Die **Terroristen** suchen z. B. durch Anschläge (Attentat, Entführung) auf Minister, Abgeordnete, Diplomaten, Vertreter der Justiz (Staatsanwälte, Richter) oder Persönlichkeiten aus Wirtschaft und Kultur eine bestehende Staats- und Gesellschaftsordnung zu stürzen. Weitere Mittel sind Flugzeugentführungen und Sprengstoffanschläge gegen öffentliche Gebäude.

Terroristische Methoden entwickelten beispielsweise im arabischen Raum palästinensische Freischärlergruppen (wie al-Fatah), in Lateinamerika die Stadtguerilla in Uruguay (Tupamaros), in Nordirland die ›IRA‹, in Spanien die ›ETA militar‹, in Italien die ›Roten Brigaden‹ oder in der Bundesrepublik Deutschland die ›**R**ote-**A**rmee-**F**raktion‹ (RAF).

Tertiär [zu lateinisch tertius ›der dritte‹], →Erdgeschichte, ÜBERSICHT.

Terz [von lateinisch tertia ›die dritte‹], Musik: ein →Intervall im Abstand von 3 Notenstufen.

Terzett [italienisch terzetto, zu lateinisch tertius ›der dritte‹], Komposition für 3 Singstimmen. Auch 3 Sänger, die zusammen singen, werden als Terzett bezeichnet.

Tessin, italienisch **Ticino, 1)** der südlichste Kanton der Schweiz. Der größte Teil (Sopraceneri) wird von den Tessiner Alpen mit Höhen bis über 3 000 m eingenommen. Der kleinere südliche, hügelige Teil (Sottoceneri) umfaßt die Gebiete um den Luganer See und den nördlichen Teil des Lago Maggiore. Im Nordteil des Tessin herrscht Alpwirtschaft vor, in den Tälern und im Süden werden Getreide, Wein, Tabak, Arzneipflanzen und Gemüse angebaut. Der Fremdenverkehr ist eine wichtige Einnahmequelle für die überwiegend Italienisch sprechende Bevölkerung, vor allem im Südteil, wo das Klima auch im Winter sehr mild ist.

Tessin
Fläche: 2 811 km²
Einwohner: 286 700
Hauptort: Bellinzona

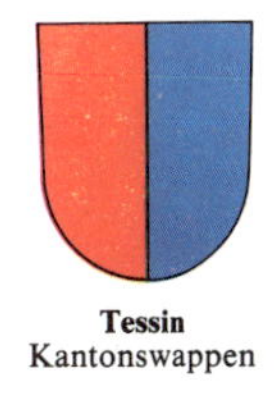
Tessin
Kantonswappen

Für den Nord-Süd-Verkehr durch die Alpen hat das Tessin große Bedeutung: Bei Airolo befindet sich das Südportal des Sankt-Gotthard-Straßentunnels, der kürzesten Querverbindung durch die Alpen. – Der Kanton Tessin entstand 1803.

2) linker Nebenfluß des Po, 248 km lang. Er entspringt in der Schweiz im Sankt-Gotthard-Massiv, durchfließt den Kanton Tessin, den Lago Maggiore und mündet unterhalb Pavia in den Po.

Testament [zu lateinisch testar ›bezeugen‹], **letzter Wille,** Verfügung eines Menschen, des Erblassers, über seinen Nachlaß. Im Testament bestimmt der Erblasser die Erben seines Vermögens nach seinem Tod. Das Testament kann die gesetzlichen Bestimmungen über die Erbfolge einschränken. In der Regel bestimmt der Erblasser seine nächsten Verwandten zu Erben. Er kann sie aber auch übergehen, also enterben, und andere Personen bedenken. Den gesetzlichen Erben 1. Ordnung (→Erbschaft) steht dann aber der Pflichtteil zu, das heißt, sie können immer noch die Hälfte des gesetzlichen Erbteils für sich beanspruchen.

Das Testament kann als Privat- oder als öffentliches Testament errichtet werden. Das **Privattestament** muß vom Erblasser eigenhändig geschrieben und unterschrieben sein, andernfalls ist es ungültig. Es soll Ort und Datum der Errichtung enthalten. Das **öffentliche Testament** wird von einem Notar errichtet, dem der Erblasser seinen letzten Willen mündlich oder schriftlich mitteilt. Hierüber fertigt der Notar eine Urkunde, die er selbst, so in Baden-Württemberg, verwahrt oder beim Amtsgericht hinterlegt (→Lebensalter,

Thailand

Staatswappen

Staatsflagge

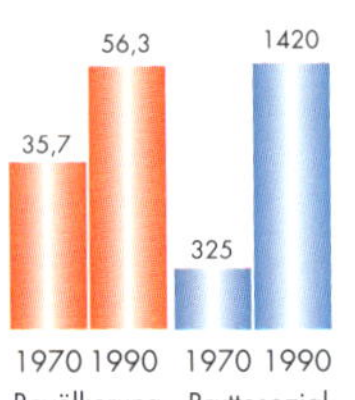

Bevölkerung (in Mill.)
Bruttosozialprodukt je E (in US-$)

Stadt
Land
23%
77%

Bevölkerungsverteilung 1990

Industrie
Landwirtschaft
Dienstleistung

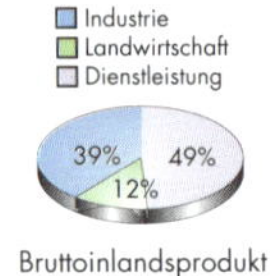

Bruttoinlandsprodukt 1990

ÜBERSICHT). Der Erblasser kann sein Testament jederzeit ändern.

Tetanus [von griechisch tetanos ›Spannung‹], → Wundstarrkrampf.

Teufel, Satan, in der Bibel und in der christlichen Überlieferung Bezeichnung für den Widersacher Gottes und des Menschen. Sein Ziel ist es, die Menschen zur → Sünde zu verführen und damit von Gott zu trennen. Nach christlicher Lehre wurde seine Gewalt über den Menschen durch Jesus Christus gebrochen, so daß ihm der Glaubende erfolgreich widerstehen kann. In der traditionellen Theologie gilt der Teufel als ein persönliches Wesen; zunehmend wird er jedoch als das unpersönliche Symbol für das Böse in der Welt und die Glaubensverweigerung gegenüber Gott verstanden. – Häufig wurde der Teufel als ein Mischwesen aus Mensch und Tier mit Hörnern, Bocksbeinen, Schwanz, zottiger Behaarung und fratzenhaften Gesichtszügen dargestellt.

Teutoburger Wald, Höhenzug in Nordwestdeutschland. Der 110 km lange, 7 bis 15 km breite Teutoburger Wald erreicht im Barnacken mit 446 m seine höchste Erhebung. Im Teutoburger Wald befinden sich die Externsteine (Felsgruppe mit einem Relief der Kreuzabnahme Christi, um 1130) und das Hermannsdenkmal (→ Arminius).

Teutonen, germanischer Stamm, → Kimbern.

Texas, nordamerikanischer Bundesstaat am Golf von Mexiko, zweitgrößter Staat (692 405 km²) der USA, doppelt so groß wie die Bundesrepublik Deutschland. Etwa ¼ der rund 17,06 Millionen Einwohner sind Schwarze (schwarzafrikanischer Herkunft), Mexikaner, indianische und asiatische Minderheiten. Texas erstreckt sich von der Küstenebene über das Flachland der Great Plains bis zu den Ausläufern der Rocky Mountains (bis 2 667 m) im Westen. Das Klima ist warm-gemäßigt. Angebaut werden Baumwolle, Mais, Weizen, Hafer, Reis, Citrusfrüchte und Gemüse. Im trockeneren Westen ist die Viehwirtschaft (Rinder, Schafe) bedeutend.

Texas verfügt über große Erdöl- und Erdgasvorkommen. Daneben gibt es Raffinerien, chemische Industrie, Nahrungsmittelindustrie, Flugzeug-, Schiff- und Maschinenbau. Bedeutende Städte sind Houston, Dallas und die Hauptstadt Austin. – Texas gehörte seit 1821 zu Mexiko. In einem Aufstand setzten 1836 nordamerikanische Siedler die Unabhängigkeit durch. Die Eingliederung von Texas in die USA als 28. Staat (1845) löste einen Krieg mit Mexiko aus. Im Sezessionskrieg gehörte Texas zu den Südstaaten.

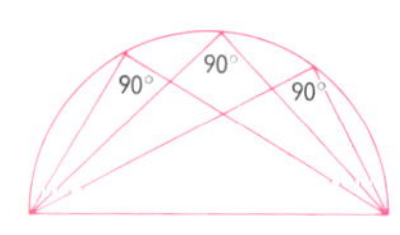

Thales-Kreis

Thailand

Fläche: 513 115 km²
Bevölkerung: 56,3 Mill. E
Hauptstadt: Bangkok
Amtssprache: Thai
Staatsreligion: Buddhismus
Nationalfeiertag: 5. Dez.
Währung: 1 Baht (B) = 100 Stangs (St., Stg.)
Zeitzone: MEZ +6 Stunden

Thailand, Königreich am Golf von Siam in Hinterindien, etwas größer als Spanien.

Kerngebiet Thailands ist die fruchtbare Schwemmlandebene des Menam. Den Norden und Westen nehmen Bergländer ein, den Osten das Koratplateau. Zu Thailand gehört im Süden ein fast 1 000 km langer schmaler Anteil an der Malaiischen Halbinsel.

Im Norden wird das Klima durch den Monsun bestimmt. Im Süden ist es das ganze Jahr über heiß und regenreich. Die Bevölkerung ist überwiegend buddhistisch und gehört größtenteils den Thaistämmen des Kerngebiets an. Im Süden leben Malaien. Chinesen spielen im Wirtschaftsleben des Landes eine Rolle. Mehr als ¾ der Einwohner leben von der Landwirtschaft. Reis, Mais, Maniok und Zuckerrohr werden angebaut. Wasserbüffel auf den Reisfeldern und Elefanten in den Teakholzwäldern sind wichtige Arbeitstiere. Außerdem werden Rinder und Schweine gehalten. Im Bergbau spielt der Abbau von Zinn eine besondere Rolle. Zentren der Industrie sind Bangkok sowie der Südosten und Südwesten des Landes. Wichtiger für die Wirtschaft ist der Tourismus. Bangkok gilt als das Luftkreuz Südostasiens im internationalen Luftverkehr.

Der seit Jahrhunderten selbständige Staat trug bis 1939 den Namen **Siam.** Im 19. Jahrh. mußte er große Teile den Kolonialmächten Großbritannien und Frankreich abtreten, war aber selbst nie Kolonie. (KARTE Band 2, Seite 195)

Thales-Kreis [nach dem griechischen Naturphilosophen Thales von Milet, *um 650 v. Chr., † um 560 v. Chr.], der Kreis, der von den Scheiteln aller rechten Winkel gebildet wird, deren Schenkel durch 2 vorgegebene Punkte gehen (BILD).

Thallium [zu griechisch thallos ›grüner Zweig‹], → chemische Elemente, ÜBERSICHT.

Theater. Das griechische Wort ›theatron‹ bedeutet ›Raum zum Schauen‹. Es bezeichnete in der Antike zunächst nur den Teil des Theaters, der den Zuschauern vorbehalten war. Heute versteht man unter ›Theater‹ im wesentlichen: 1) das Theatergebäude als Ganzes (Zuschauerhaus und →Bühne mit allen Nebeneinrichtungen); 2) die Kunstform Theater, also vor allem die Theateraufführung, daneben den gesamten Theaterbetrieb. Hier werden vom Sprechtheater (Schauspiel) gewöhnlich Musiktheater, Tanztheater, Pantomime und anderes unterschieden; im engeren Sinn bedeutet ›Theater‹ das Sprechtheater.

Spielen ist ein Urtrieb der Menschen, der sich schon beim Kind zeigt und sich in Freude an Nachahmung oder Verwandlung (mit Hilfe von Verkleidung und Maske) ausprägt. Ursprünglich, in primitiven Kulturen, war der Spieltrieb mit Magie verbunden. Von Theater kann man erst dann sprechen, wenn Menschen (Schauspieler) anderen Menschen (Zuschauern) etwas vorspielen, ohne damit magische Wirkungen erreichen zu wollen. Dabei geht es um die öffentliche Darstellung eines Geschehens; die vorgestellten Figuren werden vom Schauspieler mit Hilfe vieler Ausdrucksmittel gestaltet. Zu diesen Mitteln gehören Stimme, Gebärden, Bewegungen und Mienenspiel. Hinzu kommen die Textvorlage (das Theaterstück) und äußere Hilfsmittel wie Kostüm und Maske, Raumausstattung, Beleuchtung und Ton.

Die Anfänge des europäischen Theaters liegen in Griechenland, wo sie aus kultischen Handlungen hervorgingen: Dem Chor, der zu Ehren des Fruchtbarkeitsgottes Dionysos sang, wurden ein, später mehrere Sprecher gegenübergestellt, die eine dramatische Aktion ermöglichten. Daneben bildete sich ein derb-realistisches, komisches Theater wandernder Schauspieler, die typische Szenen aus dem Alltagsleben darstellten. Komische Typen wie der Harlekin gingen später aus dieser Spieltradition hervor. – Aus dem griechischen entwickelte sich – mit ausgeprägteren Rollentypen – das römische Theater. Die charakteristische Theaterform des Mittelalters war das geistliche Drama, das anfangs in Kirchen, später auf Marktplätzen, auf Wagen und in Sälen gespielt wurde. Es zogen aber auch Gaukler und Possenreißer durch das Land; im Spätmittelalter waren schwankhafte Fastnachtsspiele beliebt. Seit dem 15. Jahrh. entwickelte sich besonders an Fürstenhöfen die Illusionsbühne, die mit Hilfe von Dekorationen, Maschinen und Kerzenbeleuchtung Vorstellungen von etwas Nichtwirklichem hervorrief. Diese Theaterform fand ihre Vollendung in der dreiseitig abgeschlossenen Guckkastenbühne, die auch an den im 18. Jahrh. in Deutschland entstehenden Hof- und Nationaltheatern üblich war. Die Wandertruppen, von denen das Theaterleben des 17. und 18. Jahrh. geprägt war, wurden nun seßhaft. – Im 19. Jahrh. wurden vielerorts Stadttheater gegründet. Wichtigster technischer Fortschritt waren Drehbühne und elektrische Beleuchtung seit Ende des 19. Jahrh.; die Kulissen erschienen damit veraltet, das →Bühnenbild wurde plastisch aufgebaut. Andere Möglichkeiten waren, mit Lichteffekten zu arbeiten oder den Raum symbolhaft zu gestalten. In dieser Zeit gewann der Regisseur, in geringerem Maß auch der Dramaturg (→Dramaturgie), immer größere Bedeutung. Meister eines neuen Illusionstheaters war Max Reinhardt; andere Wege gingen nach dem Ersten Weltkrieg Regisseure wie Erwin Piscator (politisch-agitatorisches Theater), Leopold Jessner (dem Expressionismus nahestehend) und die Künstler des russischen Revolutionstheaters. Nach dem Zweiten Weltkrieg gewann Bertolt →Brecht großen Einfluß. Andere bekannte deutsche Regisseure: Gustaf Gründgens, Jürgen Fehling, Fritz Kortner; in der Gegenwart z. B.: Hansgünther Heyme,

THEATER	
Auftritt	das erste Erscheinen eines Schauspielers auf der Bühne; im Drama: Szene, Unterabschnitt eines Aufzugs (Akts).
Engagement	Verpflichtung z. B. eines Schauspielers oder Sängers an ein Theater für ein Stück oder für eine begrenzte Zeit.
Extemporieren	etwas improvisierend aus dem Stegreif spielen oder sprechen (ohne vorher festgelegten Text oder vom Text abweichend).
Gage	Bezahlung des Theaterpersonals.
Intendant	Leiter eines Theaters (Staats-, Stadt-, Landestheater; gewöhnlich für mehrere Jahre). – **Generalintendant,** Leiter eines Theaters mit mehreren Häusern.
Inszenierung	die künstlerische Vorbereitung (unter anderem durch Proben) und Leitung der Aufführung eines Theaterstücks; auch die inszenierte Aufführung selbst.
Komparse	Darsteller, der in einer kurzen Rolle ohne Sprechtext auftritt, besonders in Massenszenen; meist ein Laie.
Laienspiel	Theaterspiel nicht berufsmäßiger Schauspieler z. B. in der Schule, von Jugend- oder Erwachsenenverbänden.
Loge	kleiner, abgetrennter Zuschauerraum im Theater oder Kino. Seitenwände teilen ihn meist von den Rängen (Zuschauergalerien) ab.
Parkett	ein Teil der Sitzplätze im Erdgeschoß des Theaterzuschauerraums.
Premiere	[la première, französisch ›die erste‹], erste Aufführung eines neueinstudierten Stücks.
Probe	probeweises Spiel während der Vorbereitung einer Aufführung. Die Proben beginnen meist mit einer ›Leseprobe‹ (Lesen des Textes mit verteilten Rollen) und führen über ›Stellproben‹ (Festlegung der Gruppierung und Bewegung auf der Bühne), ›Bauprobe‹ (mit Bühnenbild) und ›Hauptproben‹ (mit allen Mitwirkenden) bis zur ›Generalprobe‹ vor der Premiere.
Rang	Galerie an den Wänden des Zuschauerraums im Theater. Meist gibt es 2 oder 3 Ränge übereinander.
Regisseur	Spielleiter, künstlerischer Leiter einer Inszenierung, der in der Probezeit die verschiedenen Bereiche (Bühnenbild, Technik, Schauspieler) aufeinander abstimmt.
Repertoire	Gesamtheit der Stücke, die ein Theater während einer oder über mehrere Spielzeiten hinweg zeigt. Außerdem werden die Rollen, die z. B. ein Schauspieler oder Sänger beherrscht, als sein Repertoire bezeichnet.
Souffleur	[französisch ›Zuflüsterer‹], Person, die aus dem Souffleurkasten textunsicheren Darstellern durch leises Vor- oder Mitsprechen hilft (souffliert).
Uraufführung	erste Aufführung eines neuen, vorher noch nirgends gespielten Werks.

Theater: Bühnenquerschnitt

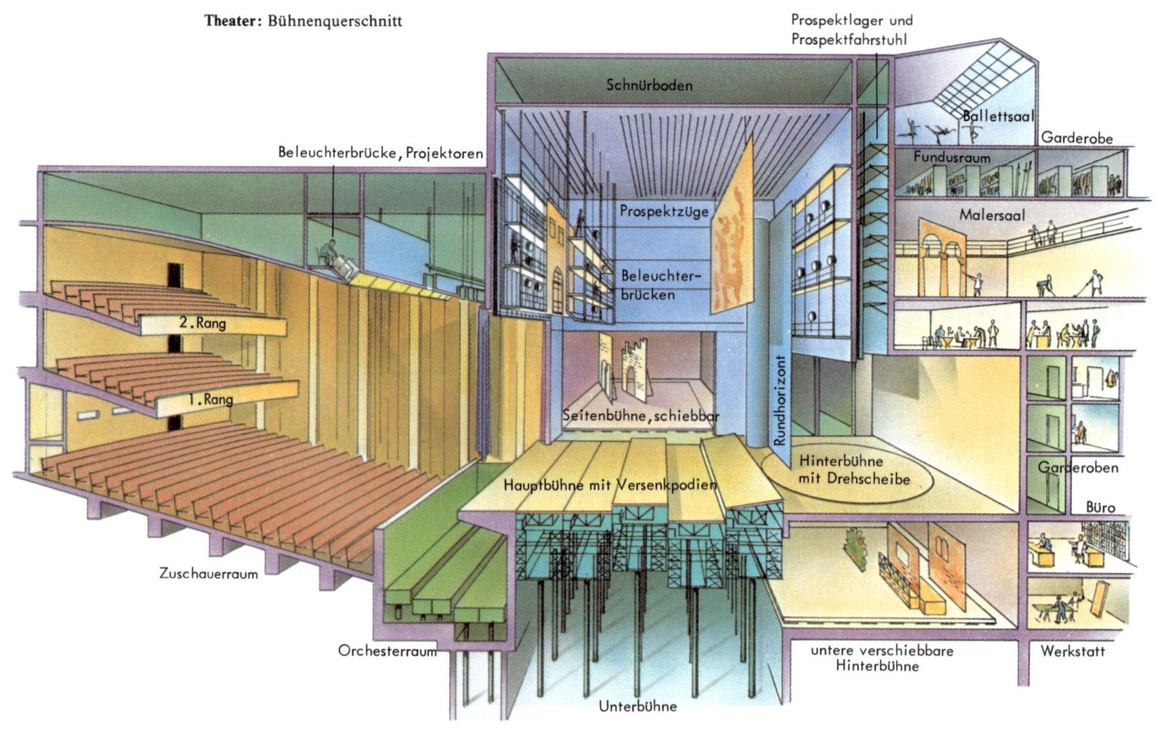

Rudolf Noelte, Claus Peymann, Peter Zadek, Peter Stein.

Heute haben sich neben den traditionellen auch neue Spielformen entwickelt, unter anderem durch die Gründung freier Theatergruppen und Straßentheater. Vielen dieser Formen ist es gemeinsam, daß sie sich von den überlieferten Prinzipien des Illusionstheaters weit entfernen; man bevorzugt z. B. das Spiel in veränderbaren Räumen, den Miteinbezug des Publikums, die Auflösung eines nach →Akten gegliederten Dramenaufbaus (auch durch Neubearbeitung älterer Stücke), und man betont den körperlichen Ausdruck oft stärker als die schauspielerische Sprachgestaltung.

In Deutschland sind die meisten Theater heute auf staatliche oder städtische Subventionen angewiesen, besonders die großen Stadt- und die Staatstheater. Privattheater sind selten geworden, dagegen finden sich häufiger Tourneetheater (Gruppen, die mit einem bestimmten Stück in verschiedenen Orten gastieren).

Theben, 19000 Einwohner, Kleinstadt in Mittelgriechenland. Von der im Altertum bedeutenden Stadt sind nur geringe Reste erhalten. Theben galt als Geburtsort von Dionysos und Herakles, war Schauplatz der Sagen von →Ödipus, der Sieben gegen Theben und Antigone. Politisch stand Theben meist im Gegensatz zu Athen. Im Korinthischen Krieg gegen Sparta (395–386 v. Chr.) schloß sich jedoch auch Athen dem von Theben geführten Bündnis mit Korinth und Argos an. Theben erlangte durch den Sieg über Sparta bei Leuktra (371 v. Chr.) für kurze Zeit die Vormachtstellung in Griechenland. Nach einem Aufstand gegen Alexander den Großen wurde die Stadt 335 v. Chr. zerstört, 316 v. Chr. jedoch wiederaufgebaut.

Theben, bedeutende Stadt des Altertums in Oberägypten. Sie lag auf beiden Seiten des Nils, an der Stelle des heutigen →Luxor und →Karnak. Im 16. Jahrh. v. Chr. wurde Theben Hauptstadt des ägyptischen Reichs; gewaltige Palast- und Tempelanlagen entstanden. 663 v. Chr. wurde die Stadt von den Assyrern zerstört. Auf dem Westufer des Nils lag die Totenstadt mit großen Totentempeln der Pharaonen, Privatgräbern und Felsgräbern der Könige und der Königinnen in 2 Tälern des Wüstengebirges (Tal der Könige und Tal der Königinnen).

Theiß, größter Nebenfluß der Donau. Der 977 km lange Fluß entspringt in den Waldkarpaten in der Ukraine. Die Theiß bildet teilweise die Grenze zwischen der Ukraine und Rumänien, durchfließt das Ungarische Tiefland und mündet in Serbien in die Donau. Sie wurde im 19. Jahrh. begradigt und zur Bewässerung sowie zur Elektrizitätsgewinnung mehrfach aufgestaut. Auf insgesamt 440 km ist sie schiffbar.

Themistokles, * 525 v. Chr., † nach 460 v. Chr., ließ als athenischer Heer- und Flottenführer den Hafen Piräus zum Kriegshafen ausbauen und setzte den Bau einer großen Kriegsflotte durch, die er er 480 v. Chr. bei Salamis (→ Perserkriege) zum Sieg über die Flotte des Perserkönigs Xerxes führte. Dadurch blieb die Freiheit der griechischen Städte erhalten. 471 v. Chr. wurde Themistokles verbannt. Er starb in Kleinasien im Dienst des Perserkönigs.

Themse, längster Fluß Englands. Die 346 km lange Themse entspringt in nur 113 m Höhe in den Cotswold Hills bei Cirencester, durchfließt Oxford und London und mündet in die Nordsee. Der Mittellauf ist durch 30 Schleusen für kleine Wasserfahrzeuge schiffbar. Der Unterlauf unterliegt bis London (Breite 245 m) der Gezeitenwirkung (Gezeitensperrwerk bei Greenwich) und ist von Seeschiffen befahrbar.

Theoderich der Große, * um 453, † 526, König der Ostgoten (seit 471). Er führte sein Volk in erfolgreichen Kriegszügen aus dem Donauraum nach Italien. Dort besiegte er den Germanenkönig Odoaker, der damals in Italien herrschte, mehrmals, unter anderem bei Verona (489), das im Mittelalter ›Bern‹ genannt wurde und Theoderich in der Sage den Namen → ›Dietrich von Bern‹ eintrug. Drei Jahre lang belagerte Theoderich Odoaker in Ravenna und erschlug ihn nach der Übergabe der Stadt 493. In die Sage gingen die Kämpfe um Ravenna als ›Rabenschlacht‹ ein. Von nun an war Theoderich alleiniger Herr über Italien, das er unabhängig regierte, obwohl er die Oberhoheit des oströmischen Kaisers anerkannte.

Theoderich bemühte sich um die Erhaltung antiker Kultur. In seiner Hauptstadt Ravenna entfaltete er auch eine rege Bautätigkeit: Reste der von ihm erbauten Kirchen und seines Palastes sind erhalten. Wie ein römischer Tempel wirkt sein Grabmal aus Kalkstein, dessen Kuppel aus einem einzigen 8 000 Zentner schweren Steinblock besteht.

Theodolit, ein Winkelmeßinstrument zur Gelände- und Gebäudevermessung. Es eignet sich zur Horizontal- und Höhenwinkelmessung. Der Theodolit besteht aus einem dreibeinigen Stativ, auf dem ein drehbares U-förmiges Gestell angebracht ist. In das Gestell ist ein in senkrechter Richtung schwenkbares Fernrohr mit Fadenkreuz eingebaut. Der Theodolit muß mit einem Lot oder einer Libelle (kleine Wasserwaage) genau über dem Vermessungspunkt aufgebaut und ausgerichtet werden, da sonst große Meßfehler auftreten.

Theodosius I., der Große. Der römische Kaiser **Flavius Theodosius** (* 347, † 395) war seit 379 Kaiser im Ostteil des Römischen Reichs, den er 394 ein letztes Mal mit dem Westteil vereinigte. Er erhob 380 die christliche Religion zur Staatsreligion und verbot 391/92 alle heidnischen Kulte. Unter seinen Nachfolgern teilte er das Römische Reich wieder in ein weströmisches und ein oströmisches, → Byzantinisches Reich, auf.

Theophano, byzantinische Prinzessin (* 955, † 991); sie wurde durch ihre Heirat mit Otto II. 972 römisch-deutsche Kaiserin. Nach dem frühen Tod ihres Mannes führte sie seit 983 die Regentschaft für ihren Sohn Otto III. und sicherte ihm den Thron. Sie war sehr gebildet und hatte großen Einfluß auf die politischen Anschauungen ihres Sohnes.

Thera, italienisch **Santorin,** griechische Insel der südlichen Kykladen im Ägäischen Meer. Die 76 km² große Insel ist mit den kleineren Inseln Therasia und Aspronisi Rest eines bei einem gewaltigen Ausbruch gesprengten Vulkankegels (um 1500 v. Chr.). Die 6 200 Einwohner leben von der Landwirtschaft (Wein-, Gemüse- und Weizenanbau) und dem Fremdenverkehr. Die Ausgrabungen im Süden der Insel erwiesen, daß auf Thera eine bedeutende, der minoischen Kultur Kretas nahestehende bronzezeitliche Siedlung bestand.

Thermen [von griechisch therme ›Wärme‹]. **1) Thermalquellen** liefern Wasser, das aus der Tiefe der Erdkruste erwärmt aufsteigt oder sich im Gebiet eines tätigen oder erloschenen Vulkans erwärmt und mit mindestens 20 °C an die Oberfläche tritt. In Wildbad (Schwarzwald) kommt das Thermalwasser mit einer Temperatur von 38 °C, in Wiesbaden von 68 °C, in Aachen von 77 °C aus dem Boden. In → Geysiren ist das Wasser meist über 100 °C heiß. Das warme bis heiße Wasser kann größere Salzmengen aus dem Gestein lösen und mit an die Oberfläche befördern,

Theodolit

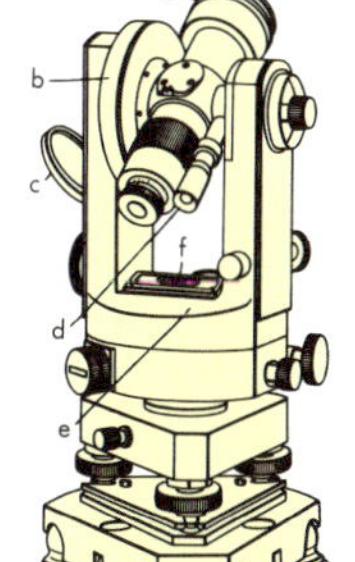

Theodolit: **a** Fernrohr (25fache Vergrößerung), **b** Vertikalkreis, **c** Beleuchtungsspiegel, **d** Ablesemikroskop für Horizontal- und Vertikalkreis, **e** Horizontalkreis, **f** Libelle

wo es zur Behandlung verschiedener Erkrankungen genutzt wird (Heilquellen).

2) antike Badeanlagen, in Griechenland seit dem 5. Jahrh. v. Chr. Die öffentlichen Thermen der römischen Kaiserzeit waren große Gebäudekomplexe, ausgestattet mit Fußboden- und Wandbeheizung, die dem sportlichen Training und der Erholung dienten und damit zu einem gesellschaftlichen Treffpunkt wurden. Zu den Thermen gehörten Warmluftraum, Warmwasserbad, Abkühlraum, Kaltwasserbad und Freibad. Selbst den römischen Soldaten, die am Limes in Kastellen wie z. B. der →Saalburg ihren Dienst versahen, standen solche Anlagen zur Verfügung.

Thermik, aufsteigende Luftströmungen, die durch Sonneneinstrahlung und die damit verbundene Erwärmung des Erdbodens entstehen und für den Segelflug genutzt werden.

Thermometer, Meßgerät zur Bestimmung der →Temperatur von festen, flüssigen und gasförmigen Stoffen. Die Temperatur wird meist in Grad Celsius (°C) oder Kelvin (K) angegeben. Die gebräuchlichen Geräte zur Temperaturmessung lassen sich in 2 Gruppen einteilen. **Berührungsthermometer** müssen den Meßgegenstand berühren. Sie funktionieren entweder mechanisch oder elektrisch. Bei mechanischen Thermometern (z. B. Fieberthermometer) macht man sich die Ausdehnung einer Flüssigkeit (z. B. Alkohol, Quecksilber) oder fester Stoffe (z. B. →Bimetalle) zunutze. Elektrische Thermometer ermitteln die Temperatur z. B. über den elektrischen Widerstand bestimmter Stoffe, der sich temperaturabhängig ändert. Im Gegensatz zu diesen Meßgeräten ist bei den **Strahlungsthermometern,** auch **Pyrometer** genannt, eine Berührung des Meßgegenstandes nicht erforderlich. Deshalb kann man damit sehr hohe Temperaturen messen, bei denen die Berührungsthermometer schmelzen würden. Ein Strahlungsthermometer empfängt die Wärmestrahlung, die ein Körper aussendet, und vergleicht sie mit einer anderen, bekannten Strahlung wie bei einer Temperaturskala.

Thermometer

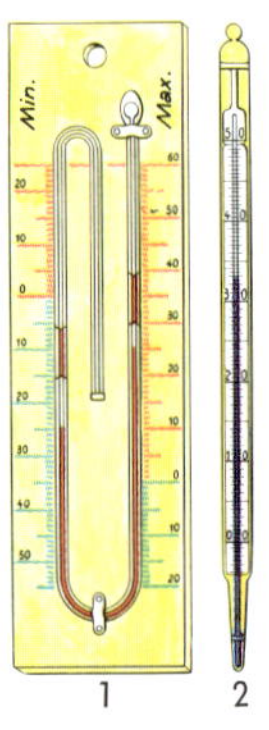

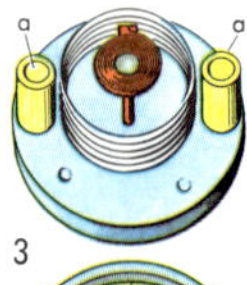

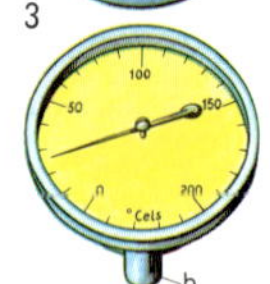

Thermometer: 1 Maximum-Minimum-Thermometer. 2 Wissenschaftliches Thermometer. 3 Bimetall-Haft-Thermometer, a Haftmagnete, b darüberfassende Kappe (um 90° gedreht)

Thermopylen, im Altertum ein Engpaß an der einzigen Straße zwischen Nord- und Mittelgriechenland. 480 v. Chr. versuchte hier der spartanische König Leonidas, den Vormarsch der Perser aufzuhalten. Durch Verrat konnten die Perser den Engpaß umgehen, den Spartanern in den Rücken fallen und sie vernichten.

Thermostat, Temperaturregler, der mit einer Heiz- oder Kühleinrichtung gekoppelt ist. Man findet Thermostate in Bügeleisen, Kühlschränken und Waschmaschinen sowie im Kühlkreislauf von Motoren. Bei den einfachen Thermostaten wird die Temperatur durch ein →Bimetall gemessen. Unterschreitet sie den vorgegebenen Sollwert, so schaltet sich die Heizeinrichtung ein und läuft so lange, bis der Sollwert wieder erreicht ist.

Theseus, in der griechischen Sage ein athenischer Königssohn, der für seine Tapferkeit bekannt war. Alljährlich hatte das Königreich seines Vaters 7 Jünglinge und 7 Jungfrauen als Tribut an König Minos auf Kreta zu zahlen. Dieser warf sie dem Minotaurus vor, einem menschenähnlichen Ungeheuer, das in einem Labyrinth gefangengehalten wurde. Theseus faßte den Plan, das Ungeheuer zu töten. Ariadne, die Tochter des Königs Minos, riet ihm, beim Eindringen in das Labyrinth seinen Weg mit einem Wollfaden zu markieren, um so wieder herausfinden zu können. Durch diese List überwand Theseus den Minotaurus. Auf der Heimreise vergaß Theseus, als Zeichen für den glücklichen Ausgang des Unternehmens, weiße Segel zu setzen. So glaubte sein Vater beim Anblick des sich nähernden Schiffes, sein Sohn sei tot. Trauernd stürzte er sich ins Meer. Theseus, der neue König, regierte dann lange Zeit die Athener, wurde jedoch schließlich aus seinem Reich vertrieben. Nach seinem Tod auf der Insel Skyros verehrten die Athener den legendären Theseus als Nationalhelden.

Thing, germanische Gerichtsversammlung, →Ding.

Thomas von Aquin, der bedeutendste Theologe und Philosoph des Mittelalters. Er wurde um 1225 bei Aquino in der Nähe von Neapel geboren und starb im Jahre 1274. Gegen den Willen seiner adeligen Familie trat er mit 18 Jahren in den Dominikanerorden ein. Thomas lehrte als Professor an den Universitäten in Paris, Rom und Neapel. Sein Hauptwerk ist die ›Summa theologica‹, an der er bis zu seinem Tod schrieb. Darin gibt er eine Gesamtdarstellung der christlichen Glaubenslehre auf der Grundlage der Philosophie des →Aristoteles. Thomas gilt als der geniale Denker der mittelalterlichen Theologie (→Scholastik), der Glauben und Vernunft miteinander versöhnen wollte. Sein Werk beeinflußte das philosophisch-theologische Denken bis in unsere Zeit hinein sehr stark. Das gilt besonders für die katholische Kirche, die Thomas von Aquin als Heiligen und Kirchenlehrer verehrt.

Thor, germanischer Gott, → Donar.

Thora [hebräisch ›Lehre‹], jüdische Bezeichnung für die ersten 5 Bücher des Alten Testaments, auch die ›Fünf Bücher Mose‹ genannt. Die Thora enthält die für den jüdischen Glauben grundlegenden Lehren. Für den gottesdienstlichen Gebrauch ist der Text auf eine Pergamentrolle **(Thorarolle)** geschrieben, die in der Synagoge in einem Schrein aufbewahrt wird.

Thorium [nach Thor], → chemische Elemente, ÜBERSICHT.

Thrakien, Thrazien, nach altgriechischem Sprachgebrauch der gesamte Rumpf der Balkanhalbinsel, später nur deren Osthälfte mit den Gebieten südlich der Donau. Die römische Provinz Thracia umfaßte nur das Gebiet südlich des heute zu Bulgarien gehörenden Balkangebirges. Nach dem Ersten Weltkrieg wurde Thrakien zwischen Griechenland und der Türkei aufgeteilt.

Thulium, → chemische Elemente, ÜBERSICHT.

Thunfische gehören zu den größten und am schnellsten schwimmenden Meeresfischen. Sie werden bis 5 m lang und 600 kg schwer. In großen Schwärmen kommen sie zum Laichen in Küstennähe. Man findet sie im Mittelmeer und im Atlantischen Ozean, auch in der Nord- und Ostsee. Ihr Fleisch wird meist zu Konserven verarbeitet. (BILD Fische)

Thurgau. Der nordschweizerische Kanton ist überwiegend deutschsprachig und protestantisch und liegt im Mittelland. Am Bodensee spielen Obstbau und Fremdenverkehr eine große Rolle. Nach Süden zu folgen der Seerücken, das thurgauische Hügelland und das Tößbergland. – Thurgau stand seit 1460 unter der Herrschaft der Eidgenossenschaft und wurde 1803 Kanton.

Thurgau
Fläche: 1013 km^2
Einwohner: 206000
Hauptort: Frauenfeld

Thurgau
Kantonswappen

Thüringen wurde 1990 als Bundesland der Bundesrepublik Deutschland aus den Bezirken Erfurt, Gera und Suhl der ehemaligen Deutschen Demokratischen Republik gebildet. Das Land liegt mitten in der deutschen Mittelgebirgsschwelle. Es umfaßt das fruchtbare Thüringer Becken und den Thüringer Wald mit dem Frankenwald. Das ozeanisch geprägte Klima wird durch die Vielseitigkeit des Reliefs mannigfaltig variiert. Thüringen ist ein Bundesland mit umfangreicher industrieller und landwirtschaftlicher Produktion. Bedeutend ist der Fahrzeugbau (Eisenach), der Maschinenbau, die Werkzeugproduktion und die elektrotechnische Industrie sowie der Präzisionsgerätebau (Jena: Zeiss).

Fläche: 16251 km^2
Einwohner: 2654000
Hauptstadt: Erfurt

Der Name leitet sich von dem deutschen Stamm der Thüringer her, der sich in diesem Raum aus verschiedenen hier siedelnden germanischen Völkerschaften im 4. Jahrh. bildete. Im 12./13. Jahrh. war Thüringen eine Landgrafschaft, in späterer Zeit wurde es durch vielfältige Teilungen zersplittert und vereinigte sich mit Ausnahme von Coburg erst wieder 1920 zum Freistaat Thüringen mit Weimar als Hauptstadt. Im April 1945 zunächst amerikanisch besetzt, kam das Land im Juli 1945 zur sowjetischen Besatzungszone. 1952 wurde Thüringen in die Bezirke Erfurt, Gera und Suhl aufgeteilt.

Thurn und Taxis, seit Mitte des 17. Jahrh. Namen des fürstlichen Zweigs des oberitalienischen Adelsgeschlechts **Taxis.** 1495 richteten die Taxis eine erste Postverbindung zwischen den kaiserlichen Residenzen Wien und Brüssel ein und legten dadurch den Grund für das deutsche Postwesen (→ Post), für das sie mehrere hundert Jahre als Reichspostmeister das Monopol hatten. 1867 traten sie dieses Monopol an den preußischen Staat ab.

Tiara [griechisch ›Turban‹], die Krone der Päpste, die bis 1964 zu feierlichen Anlässen getragen wurde. Sie bestand seit dem 14. Jahrh. aus 3 übereinanderliegenden Kronreifen.

Tiber, Fluß in Mittelitalien. Der 405 km lange Tiber entspringt im Etruskischen Apennin, durchfließt Umbrien sowie Rom und mündet bei Ostia ins Tyrrhenische Meer. Für kleinere Schiffe ist der Tiber bis Rom schiffbar.

Tibet, Region mit Selbstverwaltungsrechten in der Volksrepublik China. Mit 1,2 Millionen km^2 ist Tibet mehr als dreimal so groß wie die Bundesrepublik Deutschland, hat aber nur 6 Millionen Einwohner (meist Tibeter). Die Hauptstadt ist Lhasa. Tibet ist das größte Hochland der Erde. Es liegt in Innerasien, zwischen Kun-lun im Norden, Himalaya im Süden, Karakorum im Westen und dem Osttibetisch-Chinesischen Bergland im Osten. Zahlreiche Gebirgsketten und Beckenlandschaften mit abflußlosen Seen gliedern das im Durchschnitt 4000 m hohe Land. Das Klima unterliegt starken jahres- und tageszeitlichen Temperaturschwankungen. Die tiefergelegenen Schluchten sind dicht bewaldet, während das Hochland meist baumlos ist. Hier betreiben die Hochlandnomaden Viehzucht (Schafe, Yaks, Ziegen, Pferde). Im Süden und Süd-

Thüringen
Landeswappen

osten ist stellenweise Ackerbau möglich (z. B. Gerste, Bohnen, Erbsen, Weizen, Reis, Obst). Seit der Eingliederung in den chinesischen Staatsverband wird der Ausbau des Verkehrsnetzes und die Industrialisierung vorangetrieben.

Das ehemalige buddhistische Königreich Tibet stand seit dem 11. Jahrh. unter dem Einfluß des Lamaismus. Diese alles beherrschende Religion prägte das Land seit dem 15. Jahrh.; der Dalai Lama, der oberste Priester, übernahm auch die Führung des Staates. Trotz starker chinesischer Beeinflussung behielt Tibet bis 1950 seine Selbständigkeit. 1951 kam es zu China. 1959/60 brachen Aufstände gegen die chinesische Herrschaft aus; der Dalai Lama floh nach Indien.

Tidenhub, →Gezeiten.

Tief, Tiefdruckgebiet, in der Wetterkunde ein Gebiet, in dem im Vergleich zu seiner Umgebung tiefer Luftdruck herrscht. Die Luft strömt von allen Seiten in ein Tief hinein, jedoch nicht geradlinig, sondern auf einer spiralförmigen Bahn – auf der Südhalbkugel mit, auf der Nordhalbkugel entgegen dem Uhrzeigersinn –, weil sie durch die Erddrehung abgelenkt wird. Die im Tief gegeneinanderströmende Luft steigt auf und kühlt ab. Dies führt zur Wolkenbildung und häufig zu trübem Wetter mit Niederschlägen. Von einem Wettersatelliten aus gesehen erscheinen Tiefdruckgebiete als riesige Wirbel mit einem Durchmesser etwa zwischen 300 und 3 000 km.

Tief: Ausgehend von einem Tief über Nordirland, erstreckt sich das Wolkenband einer Kaltfront von der Nordsee über das westliche Deutschland bis Südfrankreich. Cumuluswolken mit zellartiger Struktur charakterisieren die Kaltfront über der Biscaya und dem Ostatlantik. Deutlich sind die schneebedeckten Alpen zu erkennen.

Zwei unterschiedliche Vorgänge führen zur Bildung von Tiefdruckgebieten. Zum einen erhitzt sich die Luft über großen, von der Sonne stark aufgeheizten Landflächen, so daß sie sich nach oben ausdehnt und in der Höhe nach den Seiten abfließt. Diese Luftsäule enthält somit weniger Luft als die Umgebung, ist also leichter, und am Boden entsteht ein Gebiet tiefen Luftdrucks, ein **Hitzetief.** In dieses Tief strömt von allen Seiten Luft hinein und wird nach oben gesaugt, wo sie wieder seitwärts abfließt. Solche Hitzetiefs bleiben im Sommer über den Kontinenten teilweise sehr lange bestehen.

Völlig andere Bedingungen führen zur Entstehung der **dynamischen Tiefs** an der Grenze unterschiedlich temperierter und entgegengesetzt strömender Luftmassen. In diesem Bereich bilden sich große Wirbel mit niedrigem Luftdruck in der Mitte. An ihrer Ostseite führen sie warme Luft polwärts, an ihrer Westseite kalte Luft äquatorwärts. Auf diese Weise entstandene Tiefdruckgebiete sind einerseits relativ ortsfest (z. B. das Islandtief), wandern aber andererseits mit den in den gemäßigten Breiten vorherrschenden Westwinden nach Osten (→Zyklonen).

Tiefenschärfe, →Schärfentiefe.

Tiefkühltruhe, →Kühlschränke.

Tiefsee, Bereich des Meeres, der die landfernen, lichtlosen Ozeanräume ab etwa 800 m Tiefe umfaßt. Die Tiefsee bedeckt mehr als 60% der Erdoberfläche; durch Schwellen und Rücken (mehrere tausend Meter hohe Gebirge, deren höchste Gipfel als Inseln aus dem Meer ragen) ist sie in etwa 60 **Tiefseebecken** gegliedert. Parallel zu küstennahen Hochgebirgen und zu Inselreihen mit ausgeprägtem Vulkanismus erstrecken sich **Tiefseegräben** (z. B. der Marianengraben, 10 924 m tief). Die Tiefseeablagerungen bestehen vorwiegend aus organischen, meist schwimmenden Einzellern mit Kalkschalen oder Kieselskeletten (Foraminiferen, Diatomeen), die nach ihrem Absterben auf den Tiefseeboden absinken, wo sie unterhalb von 4 000 m meist gelöst werden. Unterhalb von 5 000 m bedeckt der Rote Tiefseeton den Boden, eine mineralische Tonablagerung, die mit Eisenoxiden und Mangan angereichert ist.

Die Vegetation reicht im Meer bis in Zonen von etwa 100–200 m Tiefe. In den lichtlosen Tiefenschichten unter 500 m findet sich das Tiefseeplankton. Die meisten Tiefseefische besitzen rückgebildete oder besonders leistungsfähige, teleskopartige Augen, gelegentlich fühlerartige Fortsätze und besondere Leuchtorgane, mit denen sie die Beute direkt in ihren Rachen locken. Das Licht wird durch Leuchtbakterien erzeugt, die mit diesen Fischen in Symbiose leben.

Tiefsee: Tiefseeanglerfisch

Tiere, Lebewesen, die zur Aufrechterhaltung ihrer Lebensfunktionen organischer Nahrung bedürfen. Tiere bestehen aus Zellen ohne verfestigte Zellwand. In den einfachsten Lebensformen, den einzelligen Organismen, sind Tiere von Pflanzen nicht immer zu trennen (→Flagellaten). Im einzelnen gibt es folgende prinzipielle Unterschiede zu den Pflanzen: Tiere müssen organische Stoffe als Nahrung aufnehmen, für deren Nutzung der Organismus besondere Verdauungsorgane wie Magen und Darm braucht. Bei höheren Tieren erfordert das Suchen, Fangen und Ergreifen der Nahrung besonders ausgebildete Bewegungsorgane (Muskelsystem). Reizaufnehmende Organe (→Sinnesorgane, z. B. Augen, Ohren, Mund, Nase, Tastorgane), reizleitende und reizverarbeitende Organe (→Nervensystem) steuern über das Muskelsystem als ausführendes Organ den gesamten Bewegungsapparat und ermöglichen damit die Bewegungen und gezielten Handlungen der Tiere, z. B. bei der Nahrungssuche und Fortpflanzung. Die Fortpflanzungsorgane liegen meist im Körperinneren. Darüber hinaus zeigen zahlreiche Tiere eine Brutpflege, die sich in einer bestimmten Art der Sorge um die Nachkommenschaft äußert.

Die Größe der Tiere kann von einigen Tausendstel mm (→Einzeller) bis über 30 m (Blauwal) betragen. Die kleinsten und die größten Tiere leben im Wasser.

Die Tiere lassen sich in Gruppen zu einem System (→biologisches System) ordnen. Tiere, die sich in der äußeren Gestalt, dem inneren Bau und der Entwicklung ähneln, faßt man zu Stämmen zusammen. Den **Einzellern** (Protozoen, Urtierchen), deren Körper nur aus einer einzigen Zelle besteht, stellt man alle übrigen Tiere, die aus vielen Zellen bestehen, als **Vielzeller** (Metazoen) gegenüber. Da bei den Metazoen die Zellen zu Geweben vereinigt sind, nennt man sie auch **Gewebetiere.**

Die Zahl der lebenden Tierarten soll etwa 1,1 Millionen betragen, wovon auf die Insekten mehr als 750 000 kommen. Für die Wirbeltiere lassen sich annähernd folgende Zahlen angeben: Fische etwa 25 000 Arten, Lurche (Amphibien) über 3 000 Arten, Kriechtiere (Reptilien) über 6 000 Arten, Vögel etwa 8 600 Arten, Säugetiere etwa 4 500 Arten. Außerdem sind über 100 000 ausgestorbene Tierarten bekannt.

Die Lehre von den Tieren heißt **Tierkunde** oder **Zoologie.**

tierfangende Pflanzen, Pflanzen, die mit besonders gestalteten Blättern lebende kleine Tiere (Insekten, Spinnen, kleine Krebse, Würmer) fangen können. Wie alle grünen Pflanzen ernähren sich diese Pflanzen zwar zum großen Teil mit Hilfe der →Photosynthese, brauchen aber eine zusätzliche Nahrungsquelle, da sie auf nährstoffarmen Böden (Hochmoor, Sumpf) wachsen oder im Wasser schwimmen. Man nennt sie wegen dieser Verwendung der gefangenen Tiere auch (nicht ganz zutreffend) **fleischfressende Pflanzen.** Die Tiere werden mit besonderen Vorrichtungen von der Pflanze festgehalten. Drüsenzellen der Blattfläche scheiden eiweißverdauende Enzyme aus, die die verdaulichen Teile der Beute auflösen. Die gelösten Nährstoffe (vor allem Stickstoff) werden dann von der Blattfläche aufgenommen. Nur unverdauliche Teile der Beute (Flügel, Beine, Panzer) bleiben übrig.

Manche Pflanzen kleben die Beute auf den Blättern fest. Der **Sonnentau** der Hochmoore z. B. trägt auf seinen löffelartigen Blättern rote, langgestielte Drüsenhaare, die wie Tau glitzern und klebrigen Schleim absondern; dies lockt Insekten an und hält sie fest; dabei krümmt sich das Blatt und umschließt die Beute. Ähnlich wirken die Blattdrüsen des **Fettkrauts,** das an feuchten Standorten wächst. Auf der klebrigen Oberfläche der am Rand eingerollten Blätter bleiben kleine

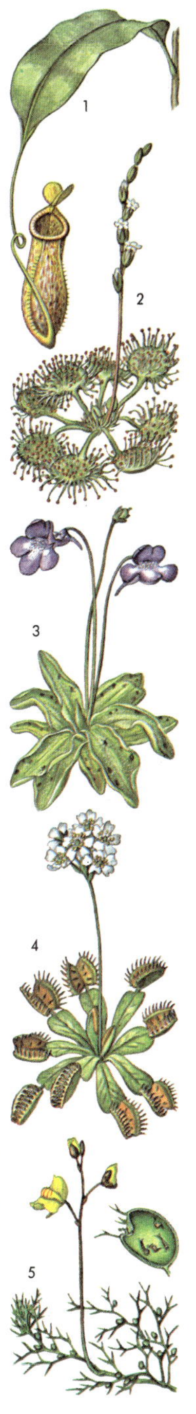

tierfangende Pflanzen: 1 Kannenpflanze, **2** Sonnentau, **3** Fettkraut, **4** Venusfliegenfalle, **5** Wasserschlauch, Blätter mit Fangblasen unter Wasser, rechts Fangblase mit Beute (Längsschnitt)

Insekten wie an einem Fliegenfänger hängen. Andere Pflanzen besitzen eine ›Fallgrube‹ wie die **Kannenpflanze,** eine kletternde Urwaldpflanze tropischer Gebiete um den Indischen Ozean. Ihre Blattfläche ist zu einer ›Kanne‹ mit schräg stehendem, nicht zuklappendem Deckel umgestaltet. Duftstoffe und trübrote Farben locken Insekten an. Über glatte Randflächen gleiten diese in die Kanne und werden in einer Flüssigkeit zersetzt.

Bei einigen Pflanzen sind die Blätter als ›Klappfalle‹ ausgebildet, z. B. bei der in den Mooren des wärmeren Nordamerika heimischen **Venusfliegenfalle.** Wenn ein Insekt die Fühlborsten auf der Blattfläche berührt, klappen die Blatthälften längs der Mittelrippe schnell zusammen, das Tier wird festgeklemmt und mit rechenartig ineinandergreifenden Randborsten gehalten. Bei der ›Schluckfalle‹ einiger Wasserpflanzen wird in einem blasenartigen Blatteil, dessen Öffnung mit einem Deckel verschlossen ist, ein Unterdruck erzeugt, indem Drüsen Wasser heraussaugen. Trifft ein Krebschen auf eine Fühlborste, klappt der Deckel nach innen; mit dem einströmenden Wasser wird die Beute eingeschluckt. Solche Fangblasen hat der wurzellose **Wasserschlauch,** der in Deutschland in Seen und Tümpeln vorkommt. Der **Aronstab** z. B. fängt Insekten nur zum Zweck der Bestäubung. Er wird deshalb auch nicht zu den eigentlichen ›fleischfressenden Pflanzen‹ gerechnet. Die durch Geruchsstoffe angelockten Insekten bleiben solange gefangen, bis die weiblichen Blüten mit mitgebrachten Pollen bestäubt sind und die männlichen Blüten ihren Pollen auf die Insekten gestreut haben. Anschließend welken bestimmte Teile der Blüte, und die gefangenen Insekten können wieder ins Freie gelangen.

Tierkreis, Zodiakus. Die Erde bewegt sich in einem Jahr um die Sonne in einer Umlaufbahn, deren Ebene um etwa 23,5° gegen den Erdäquator geneigt ist. Von der Erde aus gesehen bewegt sich aber am Himmelsgewölbe scheinbar die Sonne (→Ekliptik) vor dem Hintergrund von →Sternbildern, deren Einzelsterne immer dieselbe Lage zueinander (Konstellation) haben und die sich immer wieder in derselben Reihenfolge im Osten vor Sonnenaufgang zeigen. Nach der Auffassung früherer Astronomen ziehen 12 markante Sternbilder in einem Band um die Erde. Schon im Altertum gab man diesen Sternkonstellationen Namen und nannte sie **Tierkreissternbilder:** Widder, Stier, Zwillinge, Krebs, Löwe, Jungfrau, Waage, Skorpion, Schütze, Steinbock, Wassermann, Fische. Die Zone der Ekliptik wird in 12 gleiche Teile von je 30° eingeteilt, die den Sternbildern jeweils zugeordnet sind. Die scheinbare Sonnenbahn schneidet den Himmelsäquator am Frühlingspunkt, auch Widderpunkt genannt, und am Herbstpunkt (Herbstzeichen Waage). Dort erscheint die Sonne für die Nordhalbkugel der Erde am 21. März (Frühlingsanfang) beziehungsweise am 23. September (Herbstanfang). Den Sommerpunkt (Sommerzeichen Krebs) beziehungsweise den Winterpunkt (Winterzeichen Steinbock) hat die Sonne am 21. Juni beziehungsweise am 22. Dezember erreicht.

Vor mehr als 2000 Jahren, zur Zeit des griechischen Astronomen Hipparch (um 150 v. Chr.), begann der Frühling beim Übergang der Sonne vom Sternbild Fische in das Sternbild Widder. Seitdem hat sich der Frühlingspunkt auf Grund der Kreiselbewegung der Erdachse um mehr als 30° an das westliche Ende des Sternbildes Fische verschoben, so daß die Sonne von Ende März bis Ende April durch dieses Tierzeichen läuft und nicht mehr durch den Widder. Dennoch wurden die Bezeichnungen beibehalten; man spricht aber heute nicht mehr von Sternbildern, sondern von Zeichen des Tierkreises, bei denen es sich um Abschnitte handelt, die an den Frühlingspunkt gebunden sind. Das Tierkreiszeichen Widder fällt also etwa mit dem Sternbild der Fische zusammen, wird aber von der Sonne nach wie vor bei Frühlingsbeginn erreicht.

Die einzelnen Tierkreiszeichen werden heute in der →Astrologie beim Erstellen von Horoskopen verwendet. Sie faßt die Tierkreiszeichen als Gestalttypen auf, denen 12 Lebensformen (z. B. ›Widdermensch‹, ›Stiermensch‹) und damit bestimmte Charakterzüge entsprechen. Daher ähneln sich nach Ansicht der Astrologie Menschen, die unter demselben Tierkreiszeichen geboren sind, in ihrem Wesen.

Tierschutz umfaßt die Vorschriften zum Schutz des Lebens und des Wohlbefindens der Tiere. Tierquälerei ist verboten und strafbar. Niemand darf Tieren ohne vernünftigen Grund Schmerzen, Leiden oder Schäden zufügen. Das Tierschutzgesetz vom 24. Juli 1972 verbietet bei der Tierhaltung z. B. das Vernachlässigen in der Pflege, die Überbeanspruchung in der Arbeitsleistung, das Aussetzen von Haustieren, das ›Stopfen‹ oder ›Nudeln‹ (Überfüttern von Hühnern und Gänsen zur Mast und Lebervergrößerung). Ein Wirbeltier darf nur unter Betäubung und unter Vermeidung von Schmerzen getötet werden. Verwahrloste Tiere können dem Tierhalter weggenommen und auf seine Kosten anderweitig untergebracht werden. Bevor man ein Tier anschaffen will, sollte man daher die jeweiligen Vorschriften zur artgerechten Haltung der Tiere beim nächsten Tierschutzverein erfragen. Das Tierschutzgesetz enthält auch Vorschriften über wissenschaftliche Versuche an lebenden Tieren (→Tierversuche). Wildlebende Tiere sind durch das Bundesnaturschutzgesetz vom 20. Dezember 1976 besonders geschützt. Beim Tierhandel gibt es zusätzlich die Vorschriften des internationalen Rechts; es wird überwacht durch das Washingtoner Artenschutzübereinkommen.

Tierstaaten, Gemeinschaften von Insekten, besonders →Ameisen, →Bienen und →Termiten, die in ihrem Zusammenleben eine strenge **Arbeitsteilung** aufweisen. Allen gemeinsam ist, daß die Produktion von Nachkommen auf ein oder wenige Weibchen (›Königin‹) beschränkt ist. Außerdem gibt es nichtfortpflanzungsfähige ›Arbeiter‹, die für Nahrungserwerb und -speicherung sowie die Pflege von Brut und Königin zuständig sind, und ›Soldaten‹ oder ›Wächter‹, die den Wohnbau vor Eindringlingen schützen. Außer bei den Termiten sind Arbeiter und Soldaten ausschließlich Weibchen, die Männchen haben in der Regel nur die Aufgabe der Begattung geschlechtsreifer Weibchen. Die spätere Funktion eines Tieres wird unter anderem durch die Qualität des Larvenfutters und durch Hormone bestimmt. Man kann die Funktion eines Tieres häufig an Besonderheiten im Körperbau erkennen.

Neben der Arbeitsteilung hat ein Tierstaat noch folgende Merkmale: Es müssen **Wohnbauten (Nester)** vorhanden sein, die von den Tieren aus körpereigenen und körperfremden Stoffen gebaut werden. Sie ermöglichen Brutpflege und Nahrungsspeicherung und bieten Schutz. Die **Ernährung** der großen Zahl von Einzellebewesen stellt besondere Anforderungen. Neben dem Sammeln von Nahrung (Honigbienen) gibt es daher auch besondere Formen des Nahrungserwerbs, z. B. das Anlegen von ›Pilzgärten‹ (bei Termiten) und Nahrungsspeichern oder die Nutzung der Produkte anderer Tiere (›Melken‹ der Blattläuse durch Ameisen). Die **Verständigung** kann durch optische, chemische und mechanische Signale erfolgen. Eine besonders hochentwickelte Form der Verständigung ist der ›Schwänzeltanz‹ der Bienen.

Tierversuche, wissenschaftliche Experimente am lebenden Tier. Sie dienen z. B. der Erprobung neuer Arzneimittel bezüglich ihrer Wirksamkeit und Verträglichkeit sowie der Untersuchung neuer chemischer Stoffe daraufhin, ob sie möglicherweise gesundheitsgefährdend sind. Auch für die Erforschung von natürlichen und krankhaften Vorgängen im Organismus sind Tierversuche wichtig. Besonders in den letzten Jahren wurde über die Problematik von Tierversuchen in der Öffentlichkeit viel diskutiert. Dies hat unter anderem dazu geführt, daß neue Verfahren und Experimente entwickelt wurden, die in einigen Bereichen Tierversuche ersetzen konnten oder eine Verminderung der Zahl der benötigten Versuchstiere ermöglichten.

Tiger sind neben den Löwen die größten katzenartigen Raubtiere (→Katzen). Sie leben als Einzelgänger in Wäldern und Dickichten Süd- und Ostasiens; in vielen Gegenden sind sie bereits ausgerottet. Der größte ist der über 3 m lange und fast 300 kg schwere, sehr seltene **Sibirische Tiger.** Vom kleineren **Bengaltiger,** auch **Königstiger,** leben in Vorderindien noch einige tausend Tiere. Das gelbliche bis rotbraune Fell mit den unregelmäßigen schwarzen Querstreifen tarnt den Tiger auf seiner Jagd nach Wildschweinen, Rindern und Hirschen. Da Tiger gut schwimmen, erbeuten sie auch Wassertiere. Sie klettern sehr selten, laufen aber weite Strecken. In Freiheit werden Tiger höchstens 20–25 Jahre alt. Dressierte Tiger werden oft im Zirkus gezeigt.

Tigris, der wasserreichste Strom Vorderasiens. Der etwa 1950 km lange Fluß entspringt im Osttaurus (Türkei), bildet ein kurzes Stück die Grenze zwischen Syrien und der Türkei, durchfließt den Irak und mündet – mit dem →Euphrat vereinigt – als **Schatt el-Arab** in den Persischen Golf. Von Osten strömen ihm große Nebenflüsse zu: Khabur, Großer und Kleiner Zab, Adhaim und Diyala. Die jahreszeitlich stark schwankende Wasserführung wird durch zahlreiche Staudämme ausgeglichen. Das Wasser dient vor allem der Bewässerung landwirtschaftlicher Nutzflächen.

Timur [osttürkisch ›Eisen‹]. Der Mongolenfürst **Timur** oder **Tamerlan** (* 1336, † 1405) eroberte weite Teile Asiens (1398 erreichte er Delhi) und war wegen seiner Grausamkeit von Christen und Muslimen gefürchtet. 1402 besiegte er den türkischen Sultan, den er bis zu dessen Tod gefangenhielt. Sein abenteuerliches Leben bildete schon früh den Stoff für verschiedene Sagen.

Tintenfische sind →Weichtiere, die im Meer leben. Sie tragen ihren Namen, weil verschiedene Arten bei Gefahr eine ›tintige‹ schwarzbraune Flüssigkeit ausstoßen, die das Wasser trübt. Hinter dieser Farbwolke ergreifen sie die Flucht. Zur Tarnung können Tintenfische bei Erregung auch ihre Hautfarbe ändern und sich so der Umge-

Tintenfische: Großer Kalmar

Tintenfische: Krake

bung täuschend angleichen. Tintenfische, die nur wenige Zentimeter messen, ernähren sich von Plankton. Größere Arten erbeuten Fische, Krebse, Muscheln und Krabben; die größten unter ihnen greifen sogar Thunfische und Wale an. Der Mund dieser Weichtiere ist von einem Kranz äußerst beweglicher und muskulöser Fangarme umgeben, die aus dem umgewandelten Fuß und Teilen des Kopfes gebildet werden (daher auch **Kopffüßer**). Mit den Fangarmen ergreifen Tintenfische ihre Beute, umklammern sie und halten sie mit den Saugnäpfen und Haken, die auf den Armen sitzen, fest. Mit ihren einem Papageienschnabel ähnlichen Kiefern zerbeißen und mit ihrer Reibzunge zerreiben sie die Beute.

Durch Bewegung der Fangarme schwimmen und kriechen Tintenfische vorwärts. Manche Arten haben zum Schwimmen Flossensäume. Mit Kiemen atmen sie Sauerstoff aus dem in die Mantelhöhle aufgenommenen Wasser. Durch Zusammenziehen der Mantelwand wird das verbrauchte Wasser durch einen Trichter wie ein Strahl aus einer Düse wieder ausgepreßt. Geschieht dies kraftvoll und mehrmals, so können Tintenfische durch den Rückstoß vor allem bei Gefahr sehr schnell rückwärts schwimmen. Tintenfische haben ein gut ausgebildetes Gehirn und hochentwickelte Sinnesorgane. Mit ihren äußerst scharfen, zum Teil sehr großen Augen erspähen sie sofort einen sich nähernden Feind (Haie, Delphine, Muränen) oder eine Beute, wobei sie sich häufig zwischen Pflanzen oder in Felsenhöhlungen verbergen.

Bei der Paarung schiebt das Männchen sein Samenpaket mit einem entsprechend umgebildeten Fangarm in die Mantelhöhle des Weibchens. Dieses heftet die 200–500 befruchteten Eier an Pflanzen oder Steine; ein Larvenstadium fehlt.

Kraken, in der Umgangssprache auch **Polypen** genannt, sind Tintenfische mit 8 Armen. Der Gemeine Krake erreicht im Mittelmeer und im Atlantischen Ozean eine Länge von fast 6 m und kann auch für Taucher gefährlich werden. In der Nordsee wird er nur etwa 70 cm groß. Die schlanken **Kalmare** haben 10 Arme, von denen 2 besonders lang sind. Diese werden unter den anderen in ›Taschen‹ verborgen gehalten und schnellen zum Beutefang vor. Ein Riesenkalmar, der im Pazifischen Ozean am Meeresgrund lebt, kann bis zu 18 m lange Fangarme mit einem Durchmesser von 1 m haben. Seine Augen haben einen Durchmesser von etwa 40 cm. Kleinere Kalmare leben im Mittelmeer, im Atlantischen Ozean und in der Nordsee. In vielen Ländern gelten Tintenfische als Delikatesse.

Tirol
Landeswappen

Tintoretto [italienisch ›der kleine Färber‹]. Der italienische Maler **Tintoretto** (* 1518, † 1594), der eigentlich **Jacopo Robusti** hieß, war ein Hauptmeister der venezianischen Malerei im 16. Jahrh.; in seinem Werk finden sich Stilelemente der Hochrenaissance und besonders des →Manierismus. Tintoretto schuf vor allem großformatige religiöse Gemälde von ausdrucksstarker, leidenschaftlich bewegter Gestaltung. Figuren und Gebäude zeigt er oft in starker perspektivischer Verkürzung, der gesamte Bildraum ist von großer Tiefenwirkung. In den frühen Werken sind die Farben zu höchster Leuchtkraft gestaltet, in der Spätzeit wurde die Farbe zu einer fahlbleichen Lichterscheinung, die das dramatische Geschehen ins Unwirkliche hebt. Seine bedeutendsten Werke sind die Wand- und Deckengemälde mit Szenen aus dem Alten und Neuen Testament, die er seit 1565 für die Laienbruderschaft ›Scuola di San Rocco‹ in Venedig schuf. Gleichzeitig malte er auch für den Dogenpalast, z. B. die Stadt Venedig als Beherrscherin der Meere (1581–84). Für die Kirche San Giorgio Maggiore schuf er eine in düsteres Licht getauchte Darstellung des letzten Abendmahls (1592–94). Auch als Porträtmaler gehört Tintoretto zu den größten Künstlern seiner Zeit.

Tirana, 210 000 Einwohner, Hauptstadt Albaniens in einem Becken am Rand des albanischen Hochlands. Tirana wurde 1920 Hauptstadt des unabhängigen Albanien. Die Altstadt mit zahlreichen Moscheen ist orientalisch geprägt.

Tirol. Das österreichische Bundesland liegt im Westen des Landes. Es nimmt einen zentralen Teil der Alpen ein und liegt als reines Hochgebirgsland zwischen Deutschland und Italien. **Nord-Tirol** hat mit Lechtaler Alpen, Wetterstein, Karwendel und Kaisergebirge Anteil an den Nördlichen Kalkalpen; südlich vom westöstlich verlaufenden Inntal erheben sich die zum

Tirol
Fläche: 12 648 km²
Einwohner: 632 700

Teil vergletscherten Ötztaler, Stubaier und Zillertaler Alpen mit Höhen bis über 3 500 m. Das räumlich getrennte **Ost-Tirol** reicht von den vergletscherten Hohen Tauern (Großglockner 3 798 m) nach Süden in das Tal der Drau und ihrer Nebenflüsse.

Hauptsiedlungsgebiet Tirols und Wirtschaftszentrum ist das Inntal mit der Landeshauptstadt **Innsbruck.** Bergbau und Industrie sind vielseitig, aber insgesamt nicht sehr bedeutend. Wichtig sind dagegen die Wasserkraftwerke, die Elektrizität bis in den ganzen süddeutschen Raum liefern. Die Landwirtschaft beschränkt sich im wesentlichen auf Viehzucht und Grünlandwirtschaft; fast 1/3 des Landes ist Ödland.

Tirol ist Österreichs wichtigstes Fremdenverkehrsland. 1964 und 1976 fanden in Innsbruck die Olympischen Winterspiele statt. Mit dem Inntal (Inntal-Autobahn) und den Verkehrswegen über die Pässe (Brenner-Autobahn) ist Tirol seit frühen Zeiten ein Durchgangsland des europäischen Verkehrs.

Geschichte. Im 6. Jahrh. wurde das Alpenland von Baiern besiedelt. Im 13. Jahrh. schufen die Grafen von Tirol das Land Tirol, das 1363 von der Gräfin Margarete Maultasch an die Habsburger vererbt wurde. Als Napoleon I. das Land 1805 an Bayern gab, kam es wenig später zur großen Volkserhebung unter Andreas Hofer. Seit 1814 war das Land wieder österreichisch. Nach dem Ersten Weltkrieg mußte →Südtirol an Italien abgetreten werden. Der Rest ist seither das österreichische Bundesland Tirol.

Tischtennis, dem Tennis ähnliches Sportspiel, bei dem 2 Spieler oder 2 Paare an einem durch ein schmales Netz in Hälften geteilten Tisch versuchen, mittels eines Schlägers einen Zelluloidball so über das Netz auf die gegnerische Tischhälfte zu schlagen, daß der oder die Gegner ihn nicht mehr den Regeln entsprechend zurückspielen können. Tischtennis wird meist in der Halle, als Hobbyspiel (Ping-Pong) auch im Freien gespielt. Fehler werden als Punktgewinn des Gegners gewertet. Ein Satz wird durch die Partei gewonnen, die zuerst 21 Punkte bei einem Vorsprung von 2 Punkten erreicht hat. Ein Spiel erstreckt sich je nach Wettbewerb über 3 (Einzel) oder 2 (Einzel, Doppel) Gewinnsätze. Ein vorschriftsmäßiger Turniertisch ist 274 × 152,5 cm groß und vom Fußboden bis zur Plattoberkante 76 cm hoch. Die Platte soll 2,55 cm dick sein. Das Netz ist bis zu einer Höhe von 15,25 cm gespannt und reicht zu beiden Seiten der Platte 15,25 cm über den Tisch hinaus, Tisch und Netz sind dunkelgrün mit weißen Markierungen oder einer weißen Oberkante. Die Zelluloidbälle haben einen Umfang von 11,43 bis 12,7 cm und sollen 2,4–2,53 g wiegen. Größe, Form und Gewicht des hölzernen Schlägers sind freigestellt. Die dunklen und matten Beschläge haben sich bei Vor- und Rückhand deutlich in der Farbe zu unterscheiden.

Titan [nach den Titanen], Zeichen **Ti,** →chemisches Element (ÜBERSICHT), ein silberweißes, dehnbares Leichtmetall, das kalt gewalzt und zu Drähten gezogen werden kann. Es übertrifft in seiner Korrosionsbeständigkeit rostfreien Stahl, hat große mechanische Festigkeit und einen hohen Schmelzpunkt. Titan kommt als relativ häufiges Element in einigen Mineralen vor. Der sehr wertvolle Rohstoff wird in großem Maßstab in der Luft- und Raumfahrt eingesetzt. Er findet auch Verwendung als Pigment für Lacke und Farben sowie für Schweißelektroden und chemische Apparate.

Titanen, in der Sage ein Geschlecht vorgriechischer Götter, das von der olympischen Sippe des →Zeus besiegt und in einen Abgrund in der Unterwelt, den Tartarus, geworfen wurde. Zu den Titanen gehört z. B. →Kronos.

Titicacasee, See im Kordilleren-Hochland (Altiplano) Südamerikas. Er liegt in 3 812 m Höhe und ist mit 8 300 km² der größte Hochlandsee der Erde. Der bis zu 281 m tiefe See gehört zu Peru und Bolivien. Er entwässert durch den Desaguadero nach Südosten zum abflußlosen Lago de Poopó.

Titisee, eiszeitlich entstandener See im südlichen Schwarzwald. Der 1,1 km² große See liegt in 848 m Höhe nordöstlich des Feldbergs. Er entwässert über die Gutach (Wutach) in den Rhein.

Tito. Der frühere jugoslawische Staatspräsident (1953–1980) **Josip Broz,** genannt **Tito** (* 1892, † 1980), ist der Schöpfer der kommunistischen Staats- und Gesellschaftsordnung in Jugoslawien. Er entwickelte die bis zum Verfall Jugoslawiens 1991 gültigen Leitlinien der jugoslawischen Politik.

Als Generalsekretär der Jugoslawischen Kommunistischen Partei (seit 1937) baute er im Zweiten Weltkrieg im Kampf gegen deutsche und italienische Besatzungstruppen kommunistische Partisanenverbände auf. Nachdem er mit seinen Truppen den größten Teil Jugoslawiens besetzen konnte, gestaltete er als Ministerpräsident (1945–53) Jugoslawien zu einer kommunistisch gelenkten Republik um. Als Tito eigene Vorstellungen vom Aufbau einer kommunistischen Gesellschaft entwickelte, das Recht eines jeden Vol-

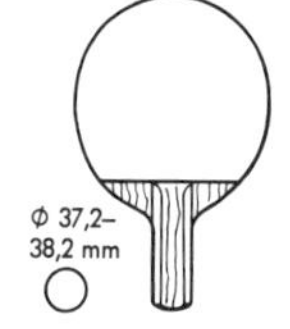

Tischtennis: Schläger und Ball

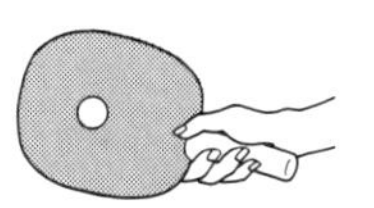

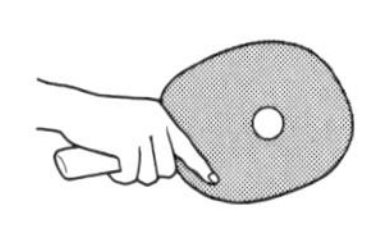

Tischtennis: Vorhand- und Rückhandschlag

kes auf seinen ›eigenen Weg zum Sozialismus‹ und die Gleichberechtigung der kommunistischen Parteien untereinander betonte **(Titoismus)**, geriet er 1947/48 in Konflikt mit Stalin. Wirtschaftlich vor allem von der westlichen Staatenwelt unterstützt, verfolgte er nach außen eine Politik der ›Blockfreiheit‹. Nach der Verfassungsreform von 1953 wurde Tito Staatspräsident (1963 auf Lebenszeit).

Tizian. Der italienische Maler **Tizian** (* 1477 oder um 1488/90, † 1576), der eigentlich **Tiziano Vecelli(o)** hieß, war einer der größten Meister der Hochrenaissance. Er lebte meist in Venedig, wo er Schüler des Malers Giovanni Bellini war. Reisen führten ihn unter anderem an den Hof Kaiser Karls V., der ihn zum Hofmaler ernannte und ihn in den Adelsstand erhob, und nach Rom, wo er eine Zeitlang als Gast Papst Pauls III. arbeitete.

Eindrucksvoll sind bereits Tizians frühe Werke, so die monumentale, dramatisch gestaltete ›Himmelfahrt Mariens‹ in der Frarikirche in Venedig (1516–18). In der Folgezeit schuf er eine große Zahl von Altarbildern und Gemälden mit mythologischen Szenen; in ihnen verbinden sich lebensvolle Menschendarstellung und Farbenpracht mit stark bewegter Komposition. Von ruhigerer Art sind die Werke der mittleren Schaffensperiode. Seine ›Venus von Urbino‹ (1538, Florenz, Uffizien) wurde zum Vorbild für Aktdarstellungen vieler späterer Maler, z. B. von Diego Velázquez, Francisco Goya und Édouard Manet. Berühmt wurden Tizians Porträts, etwa die von Kaiser Karl V. und Papst Paul III. Von den Spätwerken rühren den Betrachter vor allem die Selbstporträts an, die den Künstler als beeindruckenden alten Mann zeigen.

TNT, Abkürzung für **Trinitrotoluol**, ein Sprengstoff (→ Kernwaffen).

Tochtergeschwulst, die → Metastase.

Tod. Alle Organismen, die aus Zellverbänden (Geweben) aufgebaut sind, durchlaufen mehrere Stufen der Entwicklung: Entstehung (Geburt), Wachstum (Jugendzeit), Reifezeit (Zeit der Fortpflanzung), Altern und Tod. Nur die sich durch einfache Zellteilung fortpflanzenden Einzeller sind praktisch ›unsterblich‹, da die Mutterzelle vollständig in den Tochterzellen aufgeht. Altern und Tod sind die Folge von Abbau- und Abnutzungsvorgängen, die die Lebenserscheinungen schließlich zum Stillstand bringen und damit zum Tod führen. So nimmt z. B. das Gewicht der Muskeln des Menschen zwischen dem 30. und 90. Lebensjahr um etwa 30 % ab, und die Zahl der Nervenfasern sowie das Gewicht des Gehirns verringern sich im Alter um etwa ein Viertel. Ebenso arbeiten die Nervenfasern alter Menschen um etwa 15 % langsamer als die junger Menschen, was eine verlängerte Reaktionszeit nach sich zieht. Die Sauerstoffversorgung der Organe wird geringer, und Gift- und Abfallstoffe werden langsamer aus dem Körper entfernt, da das Herz im Vergleich zum Herzen eines Dreißigjährigen pro Herzschlag nur noch etwa die Hälfte des Bluts in den Körper pumpt. Wenn auch vorzeitiges Altern etwa beim Menschen durch Sport und gesunde Ernährung beeinflußt werden kann, so sind Altern und Tod für alle vielzelligen Organismen unausweichlich.

Jedes vielzellige Lebewesen hat eine bestimmte, begrenzte Lebensdauer, die wohl in den → Genen festgelegt ist. So verlieren in Zellkulturen gezüchtete Körperzellen eines menschlichen Embryos nach 40–50 Teilungen ihre Vermehrungsfähigkeit. Die gleichen Zellen, einem erwachsenen Körper entnommen, tun dies schon nach etwa 20 Teilungen. Die Teilungsunfähigkeit ist also neben den bekannten Abnutzungserscheinungen der eigentliche biologische Grund für den Tod.

Die Grenze zwischen Leben und Tod liegt jedoch nicht eindeutig fest. Im medizinischen Bereich wird zwischen klinischem Tod und biologischem Tod (Hirntod) unterschieden. Der **klinische Tod,** also der Stillstand von Atmung, Herz und Kreislauf, kann unter Umständen durch Wiederbelebungsmaßnahmen rückgängig gemacht werden. Ist jedoch die Sauerstoffversorgung des Gehirns zu lange unterbrochen, kommt es zum Absterben der Gehirnzellen, und der **Hirntod** oder **biologische Tod** tritt unwiderruflich ein.

Von allen Lebewesen ist der Mensch allein fähig, sich das Ende seines Lebens bewußt vorzustellen. Seine Angst vor dem Tod ist einerseits Ausdruck des Selbsterhaltungstriebes, andererseits aber auch eine Quelle philosophischer und religiöser Besinnung. Angesichts der Endlichkeit und Einmaligkeit seines Lebens fragt der Mensch nach dem Sinn des Daseins. Antworten erhält er beispielsweise im Glauben an Gott und die Unsterblichkeit der Seele. Die christliche Religion sieht den Tod als Folge der Sünde, deren Macht aber durch Jesus Christus gebrochen wurde. Sein Sterben am Kreuz und seine Auferstehung geben dem Christen das Vertrauen, daß Gott über dem Tod steht und ein ewiges Leben schenkt.

Togo, Republik in Westafrika am Golf von Guinea, etwa so groß wie Hessen und Nordrhein-Westfalen zusammen. Von der tropisch-heißen, 53 km langen Küste erstreckt sich das Land

Togo

Staatswappen

Staatsflagge

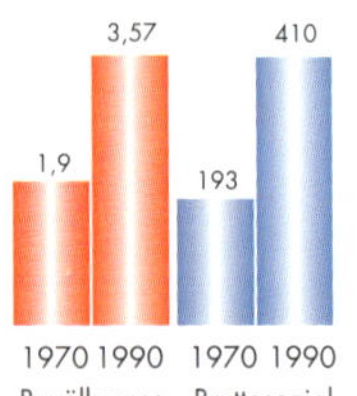

Bevölkerung (in Mill.)

Bruttosozialprodukt je E (in US-$)

Stadt Land

26% 74%

Bevölkerungsverteilung 1990

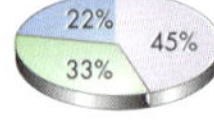

Bruttoinlandsprodukt 1990

Togo

Fläche: 56785 km²
Bevölkerung: 3,57 Mill. E
Hauptstadt: Lomé
Amtssprache: Französisch
Nationalfeiertag: 27. April
Währung: 1 CFA-Franc (F.C.F.A.) = 100 Centimes (c)
Zeitzone: MEZ – 1 Stunde

600 km weit als schmaler Streifen nach Norden. Große Teile werden von Savannen eingenommen. Das Land wird von einer großen Zahl von Volks- und Stammesgruppen bewohnt. Angebaut werden Hirse, Mais, Maniok, Baumwolle, Kokospalmen, für die Ausfuhr Kaffee und Kakao. Wichtigstes Erzeugnis des Bergbaus ist Phosphat.

1884–1918 war Togo deutsche Kolonie, danach stand es unter britischer und französischer Verwaltung. Der britische Teil kam 1957 zu Ghana, der französische wurde 1960 unabhängig. (KARTE Band 2, Seite 194)

Tokio, amtlich **Tokyo** [japanisch ›Osthauptstadt‹], 8,36 Millionen Einwohner, Hauptstadt Japans auf der Insel Honshu an der Tokio-Bucht. Tokio ist der wirtschaftliche und kulturelle Mittelpunkt des Landes und Kern eines großen Ballungsraumes. Im Stadtzentrum liegt der alte, von Mauern umgebene Kaiserpalast. Tokio hat den größten Fischereihafen Japans, **Tsukiji,** über 100 Universitäten und Hochschulen, z. B. Tokio-Universität und die Privatuniversität Keio, sowie viele Tempel und Schreine, so den Asakusa-Kannon-Tempel (17. Jahrh.). Das Stadtbild prägen moderne Geschäftsviertel mit unterirdischen Laden- und Restaurantstraßen. – Tokio, früher **Edo (Yedo),** ist seit 1603 das politische Zentrum Japans. Als der Kaiser 1868 seine Residenz von Kioto nach Tokio verlegte, wurde es Hauptstadt.

Toledo, 57800 Einwohner, Stadt in Zentralspanien am Tajo. In der von hohen Mauern umgebenen Altstadt sind viele alte Bauwerke aus maurischer und christlicher Zeit erhalten, z. B. der **Alcázar,** eine maurische Festung, die heute Nationaldenkmal ist, und die gotische Kirche Santiago del Arrabal (13.–15. Jahrh.). – Toledo, das römische **Toletum,** gehört zu den ältesten Städten Spaniens; im 11.–16. Jahrh. war es Residenz der Könige von Kastilien.

Tollkirsche, eine bis 1,5 m hohe buschige Staude mit großen eiförmigen Blättern und glockenförmigen, braunvioletten Blüten. Sie wächst in Wäldern und an Wegrändern, besonders im Bergland. Ihre reifen, süßlich schmeckenden Früchte sehen wie schwarzglänzende Kirschen aus, sind aber, wie die ganze Pflanze, **sehr giftig.** Schon der Verzehr von 3–4 Früchten kann zum Tod führen; Vögel nehmen keinen Schaden. Das vor allem aus den Blättern und der Wurzel gewonnene **Atropin** wird unter anderem zur Behandlung von Augenerkrankungen verwendet; es erweitert die Pupille. (BILD Heilpflanzen)

Tölpel: Baßtölpel

Tollwut, durch ein Virus hervorgerufene →ansteckende Krankheit. Sie tritt bei Mensch und Tier auf und verläuft, wenn sie nicht behandelt wird, tödlich. Die Krankheit wird durch den infizierten Speichel von Tier zu Tier, aber auch von Tier zu Mensch übertragen. Früher waren hauptsächlich Haustiere betroffen, heute erkranken überwiegend Wildtiere (Füchse, Rehe, Marder). Die Ansteckungszeit (→Inkubationszeit) kann beim Menschen Tage bis Monate betragen. Das Anfangsstadium mit Kopfschmerzen, Fieber und starker Unruhe führt über Erregung mit Krämpfen und Schluckstörungen zum Endstadium mit Lähmungen bis zum Eintritt des Todes.

Zur Behandlung bei Verletzung oder Berührung durch ein verdächtiges Tier steht heute ein Impfstoff zur Verfügung. Bei Haustieren werden Schutzimpfungen empfohlen. Als Vorsichtsmaßnahme sollen tote Tiere und Tiere, die ein verändertes Verhalten zeigen, nicht angefaßt werden.

Lew Tolstoj

Tölpel, große Schwimmvögel, die an den Küsten aller Ozeane leben. Mit ihren Füßen, bei denen die Schwimmhaut den ganzen Fuß überspannt, schwimmen und tauchen sie sehr gewandt. An Land laufen sie unbeholfen (›tölpelhaft‹). Im Flug spähen sie nach Fischen und stoßen dann herab, um sie beim Untertauchen zu erbeuten. Tölpel brüten meist auf felsigen Inseln. Im Nordatlantik lebt der **Baßtölpel,** der gelegentlich auch an der deutschen Nordsee- oder Ostseeküste zu sehen ist.

Tolstoj. Der russische Schriftsteller Graf **Lew (Leo) Nikolajewitsch Tolstoj** (* 1828, † 1910) ist mit seinen Romanen, z. B. ›Krieg und Frieden‹ (1868/69), ›Anna Karenina‹ (1878), und Erzählungen ein Meister der genauen, anschaulichen Darstellung menschlicher Verhaltensweisen und Charaktere. Seine religiösen und sozialen Anschauungen (Lehre der Gewaltlosigkeit, Forderung nach einer einfachen, naturnahen Lebensweise, Kritik an gesellschaftlichem Unrecht) hielt er auch in theoretischen Schriften fest.

Tomahawk

Tomahawk [tomahak], Streitaxt mit geschweifter Klinge. Der Tomahawk wurde ur-

Tomate

sprünglich durch Europäer in Nordamerika eingeführt, dann vor allem von Indianern benutzt.

Tomạte, ein Nachtschattengewächs wie Kartoffel und Paprika, das aus Mittel- und Südamerika stammt. Die Tomate ist eine einjährige Pflanze, die in Treibhäusern gezogen und, da sie sehr empfindlich gegen niedere Temperaturen ist, erst ins Freie gesetzt wird, wenn keine Nachtfrostgefahr mehr besteht. Die Früchte enthalten Vitamin B und C. – Ende des 16. Jahrh. lernten die Spanier die Tomate in Mexiko und Peru kennen; in Europa wurde sie erst im 19. Jahrh. allgemein bekannt.

Tom Sawyer [-sọjer], die Titelfigur des Romans ›Tom Sawyers Abenteuer‹ von →Mark Twain, ist das Gegenteil eines Musterknaben. Die Abenteuer, die er zusammen mit →Huckleberry Finn erlebt, und die Entwicklung des phantasievollen Jungen werden in diesem Buch geschildert.

Ton, Rohstoff, aus dem keramische Erzeugnisse (→Keramik) hergestellt werden. Es handelt sich um ein sehr feinkörniges Lockergestein, das aus Verwitterungsresten von Feldspat und Glimmer, Verwitterungsneubildungen und anderen Bestandteilen besteht. Ton nimmt leicht Wasser auf, quillt und wirkt gesättigt wasserstauend. Im feuchten Zustand läßt er sich leicht formen. Er wird auch bei der Zementherstellung und als Abdichtungsbaustoff verwendet. Die Färbung des Tons rührt unter anderem von Eisenverbindungen und organischen Stoffen her.

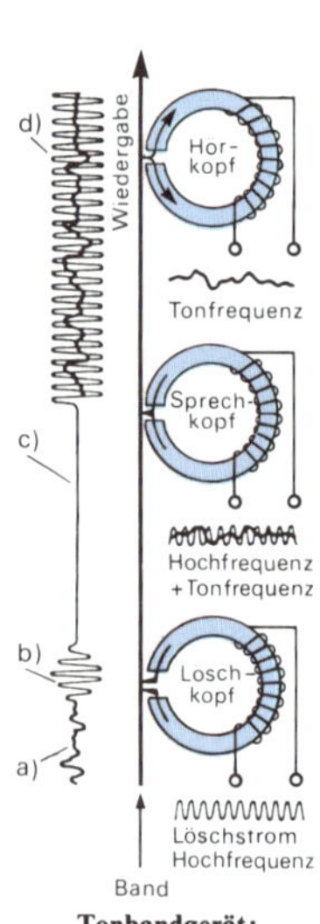

Tonbandgerät: a alte Aufzeichnung, b löschen, c unbespielt, d Aufnahme

Tọnart, die Zugehörigkeit eines Musikstücks zum Dur- oder Moll-Geschlecht, bezogen auf eine bestimmte Stufe der zwölfstufigen Tonleiter. Alle Tonarten sind nur Transpositionen der beiden Grundleiterformen C-Dur und a-Moll; es gibt demnach 12 Dur- und 12 Molltonarten. Da sich die Intervallverhältnisse bei der Transposition nicht verändern, ist die Erhöhung oder Erniedrigung einzelner Stammtöne um einen Halbton notwendig, angezeigt durch Versetzungszeichen am Anfang des Notensystems nach dem Schlüssel. Die Tonart wird nach Grundton und Tongeschlecht bezeichnet. Dur- und Molltonarten mit dem gleichen Grundton nennt man gleichnamig (D-Dur, d-Moll). Dur- und Molltonarten mit den gleichen Vorzeichen heißen parallel (G-Dur, e-Moll). Die parallele Molltonart steht eine kleine Terz tiefer als die zugehörige Durtonart. Man unterscheidet Kreuz- und B-Tonarten. Art und Anzahl der Vorzeichen ergeben sich aus der Lage des Grundtons innerhalb des →Quintenzirkels. Aus Gründen leichterer Lesbarkeit werden hohe Kreuztonarten (etwa Cis-Dur, Gis-Dur, Dis-Dur) durch die enharmonisch gleichen B-Tonarten (also Des-Dur, As-Dur, Es-Dur) ersetzt. Gleiche Regelung gilt für hohe B-Tonarten, die in ihre enharmonisch gleichen Kreuztonarten umgedeutet werden.

Tọnband, mit magnetisierbarem Material beschichtetes Kunststoffband, das zur magnetischen Aufzeichnung von Schall mit einem →Tonbandgerät oder einem Kassettenrecorder verwendet wird. Tonbänder gibt es als **offene Wickel** auf Wickelkernen (Bobbies) für Studiogeräte, auf Spulenkörpern **(Flanschspulen)** und in genormten **Tonbandkassetten.**

Bei den Flanschspulen für den Heimgebrauch sind Spulendurchmesser von 7,5 cm, 10 cm, 13 cm, 15 cm und 18 cm üblich. Nach den Banddicken unterscheidet man **Normal- (Standard-), Langspiel-, Doppelspiel-** und **Dreifachspielbänder.** Eine Spule von 18 cm Durchmesser nimmt z. B. 540 m Langspielband auf. Daneben gibt es Kompakt- und Mikrokassetten. Tonbandkassetten gibt es unbespielt **(Leerkassette)** oder fertig bespielt **(Musikkassette).**

Eisenbänder sind mit Eisenoxid (Fe_2O_3) beschichtet. Die mit Chromdioxid (CrO_2) beschichteten **Chrombänder** geben vor allem die hohen Frequenzen besser wieder und erlauben niedrigere Bandgeschwindigkeiten. **Doppelschichtbänder (Ferrochrombänder)** sind mit Eisenoxid und Chromdioxid beschichtet und vereinigen die guten Eigenschaften beider Bandarten. **Reineisenbänder** bieten die zur Zeit höchste Qualität, erfordern aber dafür eingerichtete Tonbandgeräte.

Tọnbandgerät, Aufnahme- und Wiedergabegerät für Schallschwingungen (Sprache, Musik, Geräusche), die auf einem Tonband gespeichert sind. Der Antriebsmotor **(Tonmotor)** wirkt direkt oder über eine Übertragung auf die **Tonwelle** für den Bandantrieb. Die **Wickelteller** werden über eigene **Wickelmotoren** oder auch vom Tonmotor her angetrieben. Die üblichen Bandgeschwindigkeiten betragen 19, 9,5 und 4,75 cm/s.

Das Tonbandgerät enthält mindestens 2 **Magnetköpfe,** einen **Löschkopf** zum Löschen der auf dem Band gespeicherten Töne und einen **Kombikopf** zur Aufnahme und Wiedergabe der Töne. Einige Geräte haben auch getrennte **Aufnahme-** und **Wiedergabeköpfe (Sprech-** und **Hörköpfe),** wodurch eine Hinterbandkontrolle, das heißt das Abhören und Überwachen der gerade auf Band aufgenommenen Töne, während der Aufnahme möglich ist.

Mit **Stereotonbandgeräten** werden 2 Spuren gleichzeitig aufgezeichnet und wiedergegeben.

Dazu sind je 2 untereinander oder im Winkel zueinander angeordnete Tonkopfsysteme, bei getrenntem Sprech- und Hörkopf also insgesamt 4 Tonkopfsysteme, erforderlich, ferner je 2 Verstärker für Aufnahme und Wiedergabe und je 2 Mikrophone und Lautsprecher.

Nach der Anzahl von Tonspuren, die auf einem Band untergebracht werden können, unterscheidet man Tonbandgeräte für **Doppelspuraufzeichnung (Halbspurverfahren)** und Geräte für **Vierfachspuraufzeichnung (Viertelspurverfahren).**

Kassettentonbandgeräte **(Kassettenrecorder)** dienen als Aufnahmegeräte für Leerkassetten und zur Wiedergabe von bespielten Kassetten. Sie sind mit Rauschunterdrückungssystemen (z. B. Dolby-System) ausgestattet.

Tonfilm. Im Unterschied zum Stummfilm gehören bei der Vorführung eines Tonfilms die zu den Schauspielern und der Handlung passende Sprache und Musik zum Bild dazu (→ Film). Der Ton wird von einem oder mehreren Mikrophonen aufgenommen, in elektrische Signale umgewandelt und mit einem Tonbandgerät elektromagnetisch aufgezeichnet. Musik und Geräusche lassen sich der Aufnahme über ein Mischpult im Studio hinzufügen. Wenn die Bild- und Tonaufnahmen fertig sind, werden sie zusammen auf einen Filmstreifen überspielt, wobei es 2 unterschiedliche Verfahren gibt.

Beim **Magnettonverfahren** sind auf dem Filmstreifen neben den Bildern Magnetspuren aufgebracht, die der Speicherung des Tons dienen. Dieser kann später bei der Wiedergabe mit einem Filmprojektor über einen Hörkopf, der im Filmprojektor eingebaut ist, und über Verstärker und Lautsprecher abgespielt werden.

Beim **Lichttonverfahren** wird der in elektrische Signale umgewandelte Ton über eine Lampe in Helligkeitsschwankungen umgesetzt, mit denen ein Seitenstreifen des Films belichtet wird. Das Ergebnis ist eine schmale Spur mit mehr oder weniger starken Streifen oder Zacken. Zur Wiedergabe des Tons befindet sich im Projektor eine Lampe, deren Licht durch den Film auf ein lichtempfindliches Bauelement (Photodetektor) fällt, das die Helligkeitsschwankungen in elektrische Signale zurückverwandelt. Diese werden verstärkt und über Lautsprecher in Schallwellen umgesetzt.

Für Reportagen, Forschungsreisen und ähnliches gibt es auch tragbare Bild-Ton-Kameras, mit denen Bild und Ton gleich auf einen Film aufgezeichnet werden. Tonfilme lassen sich auch mit Fernsehkameras (→ Fernsehen) oder modernen → Videokameras herstellen.

Tonga

Fläche: 747 km²
Bevölkerung: 99 000 E
Hauptstadt: Nukualofa
Amtssprachen: Tonganisch, Englisch
Nationalfeiertag: 4. Juni
Währung: 1 Pa'anga (T$) = 100 Seniti (s)
Zeitzone: MEZ + 12 Stunden

Tonga, Königreich und Inselgruppe **(Tonga-Inseln, Freundschafts-Inseln)** im südwestlichen Polynesien. Tonga umfaßt etwa 150 meist waldbedeckte vulkanische Inseln und Koralleninseln westlich des **Tongagrabens** (10 882 m tief); nur 45 sind bewohnt. Die meist polynesischen Einwohner leben von der Ausfuhr von Kopra und Bananen. – Die im 17. Jahrh. entdeckten Inseln wurden 1900 britisch. 1970 erhielten sie die Unabhängigkeit. (KARTE Band 2, Seite 198)

Staatswappen

Staatsflagge

Tonleiter, eine Folge von Tönen, die von dem 1. Ton, dem Grundton, bis zu seiner Oktave, dem 8. Ton, reicht. Der Grundton gibt der Tonleiter den Namen, z. B. C-Dur-Tonleiter oder e-Moll-Tonleiter. In der europäischen Musik werden vor allem Dur- und Molltonleitern verwendet. Sie unterscheiden sich in ihrem Klang, da ihre Halbtonschritte verschieden angeordnet sind. Durtonleitern haben zwischen dem 3. und 4. und zwischen dem 7. und 8. Ton Halbtonschritte, Molltonleitern zwischen dem 2. und 3. und dem 5. und 6. Ton. Damit an den richtigen Stellen Halbtonschritte entstehen, müssen manchmal Töne hinzugezogen werden, die in der Notenschrift ein Versetzungszeichen erhalten. Die einzige Durtonleiter ohne Versetzungszeichen ist die C-Dur-Tonleiter.

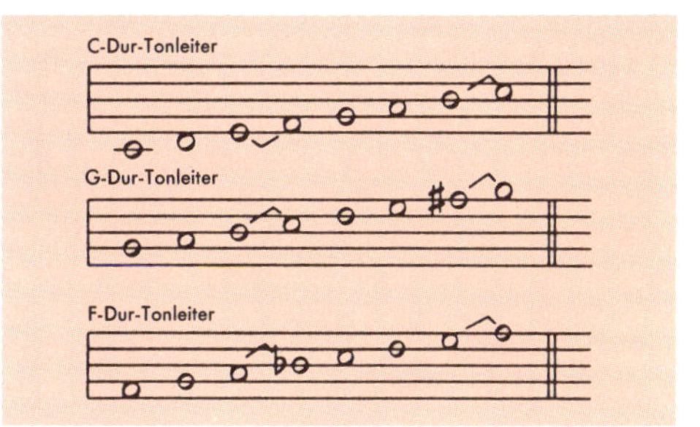

Tonleiter

Tonne, Einheitenzeichen **t,** gesetzliche → Einheit der Masse und des Gewichts, besonderer

Name für Megagramm: 1 t = 1 Mg = 1 000 kg. 1 **Dezitonne** = 1 dt = 10^{-1} t = 100 kg (statt des nicht gesetzlichen Doppelzentners). 1 **Kilotonne** = 1 kt = 10^3 t = 1 000 t. 1 **Megatonne** = 1 Mt = 10^6 t = 1 000 kt.

Töpferei, die handwerkliche Herstellung von Tonwaren (→Keramik), oft mit Hilfe der Töpferscheibe.

Tordesillas [tordeßiljas], 6 800 Einwohner, Kleinstadt am Duero in Altkastilien in Nordspanien. Hier wurde 1494 nach einem Schiedsspruch von Papst Alexander VI. (1492–1503) durch einen Vertrag zwischen Portugal und Spanien die neu entdeckte Welt aufgeteilt. Der Längengrad, der 370 Meilen westlich von den Kapverdischen Inseln verläuft (47 Grad westlich von Greenwich), sollte die **Tordesillas-Linie** bilden. Alles Land westlich von dieser Linie sollte spanisches und östlich davon portugiesisches Interessengebiet sein. Daher wurden die Küsten Afrikas, Indiens und Brasiliens von Portugiesen, hingegen Mittel- und Südamerika von Mexiko über Venezuela bis nach Chile von Spanien in Besitz genommen.

Tories [von irisch toraidhe ›Verfolger‹], in England im 17. Jahrh. die Anhänger der katholischen Könige aus dem Haus →Stuart. Ihnen standen die Whigs gegenüber. Im 19. Jahrh. entwickelte sich aus den Tories die Konservative Partei (→konservativ). Umgangssprachlich wird noch heute ein Anhänger dieser Partei als **Tory** bezeichnet.

Torlauf, der →Slalom.

Tornado [spanisch ›gedreht‹], im mittleren Westen der USA auftretender Wirbelwind, eine besonders große →Trombe. Tornados bilden sich vor allem im Frühjahr und Frühsommer, wenn Luftmassen mit sehr starken Temperaturunterschieden aufeinandertreffen. Dabei entstehen Luftwirbel mit Durchmessern bis zu 500 m. Die in ihnen wirkenden Energien sind unvorstellbar groß; die sich um einen Kern drehenden Luftmassen erreichen die größten auf der Erdoberfläche überhaupt beobachteten Windgeschwindigkeiten: über 200 km/h, nach Schätzungen sogar über 500 km/h. Messen lassen sich solche Windstärken nicht mehr, da jedes Meßgerät zerstört würde. Im Zentrum eines Tornados, dem ›Auge‹, herrscht dagegen Windstille.

Die meist von Südwesten nach Nordosten durch das Mississippi-Becken ziehenden Stürme hinterlassen eine Bahn totaler Verwüstung: entwurzelte Bäume, zerstörte Gebäude, Autos, die durch die Luft gewirbelt wurden, getötetes Vieh, nicht selten auch viele Todesopfer unter der Bevölkerung. Im Unterschied zu tropischen →Wirbelstürmen haben Tornados eine relativ kurze Lebensdauer. Sie lösen sich meist nach wenigen Kilometern wieder auf. Die größte bisher registrierte Katastrophe ereignete sich am 19. Februar 1884. An diesem Tag bildeten sich 57 Tornados, die 1200 Todesopfer forderten und große Schäden verursachten.

Torr [nach dem italienischen Mathematiker und Physiker Evangelista Torricelli, * 1608, † 1647], Einheitenzeichen **Torr,** nicht gesetzliche Einheit des Druckes, besonders des Luftdruckes, definiert als der 760ste Teil der physikalischen →Atmosphäre: 1 Torr = 1/760 atm = 1,33322 mbar (Millibar) = 133,322 Pa (→Pascal).

Toskana, Region in Mittelitalien mit der Hauptstadt Florenz. Die aus 9 Provinzen bestehende Region ist 22 990 km² groß und hat 3,6 Millionen Einwohner. Die Toskana erstreckt sich vom Gebirgskamm des Toskanischen Apennin im Norden bis zur Landschaft des Bolsena- und Trasimenischen Sees im Süden sowie von der Westküste einschließlich Elba bis zum Oberlauf des Tiber. Sie wird überwiegend von Becken- und Hügellandschaften eingenommen, die landwirtschaftlich genutzt werden. Neben Weizen und Oliven wird vor allem Chianti-Wein angebaut. Das bedeutendste Industriegebiet liegt zwischen Pistoia und Florenz. – Die Toskana ist reich an geschichtlichen und kunstgeschichtlichen Städten wie Florenz, Siena, Pisa, San Gimignano, Lucca und Voltera. Sie machen zusammen mit der malerischen Landschaft die Toskana zu einem der bedeutendsten Fremdenverkehrsgebiete Europas.

Das **antike Etrurien** wurde im Mittelalter eine Markgrafschaft, die 1139–1266 unter staufischer Reichsverwaltung stand. Unter der Herrschaft der Familie →Medici erlangte Florenz die Vorherrschaft in der Toskana. Die Medici beherrschten, mit kurzen Unterbrechungen, 1537–1737 als Herzöge und Großherzöge die Toskana. Nach ihrem Aussterben kam die Toskana an Lothringen und 1765–1859 an die Habsburger. 1860 fiel sie nach einer Volksabstimmung dem Königreich Piemont-Sardinien zu, das kurze Zeit später in das Königreich Italien überging.

totalitärer Staat, ein Staat, der die uneingeschränkte Verfügungsgewalt über die von ihm beherrschten Bürger beansprucht. Er sucht über den öffentlichen Bereich hinaus alle gesellschaftlichen und persönlichen Bereiche des Staatsbürgers zu bestimmen. Träger dieses uneingeschränkten Verfügungsanspruchs über den Bürger **(Totalitarismus)** ist im totalitären Staat eine politische Bewegung, eine Partei oder eine Person, die einen solchen Herrschaftsanspruch weltanschaulich begründet und darauf abzielt, im Rahmen eines neuen Wertesystems einen ›neuen Menschen‹ zu schaffen. **Totalitäre Herrschaft** ist verbunden vor allem mit politischer Diktatur, geistiger Steuerung der Bevölkerung (Reglementierung ihres Denkens), Politisierung der Privatsphäre sowie Terror gegen einzelne Menschen und Gruppen, die sich nicht fügen wollen oder als Gegner gelten.

Totem, bei manchen Naturvölkern, z. B. bei Indianerstämmen, ein Tier, eine Pflanze, ein Gegenstand oder eine Naturerscheinung, denen sich Einzelpersonen oder Gruppen auf eine verwandtschaftliche Art besonders verbunden fühlen. So glaubt z. B. der Schildkröten-Klan eines Irokesenstammes, von diesem Tier abzustammen. Totems werden als Helfer und Schützer mit geheimnisvollen Kräften verehrt und ehrfurchtsvoll behandelt. Ein Totem darf nicht getötet, verletzt, gegessen oder berührt werden; es ist ›tabu‹. Die Beziehung zum Totem ist ein starkes Bindeglied innerhalb einer Gruppe und spielt in den religiösen Handlungen eine große Rolle. Das **Totemzeichen** hat bei diesen Gruppen eine ähnliche Bedeutung wie die Fahne in der abendländischen Kultur.

Totengräber, Käfer, die kleine tote Tiere als Nahrung für ihre Larven vergraben. Sie spüren den Kadaver mit ihrem Geruchssinn auf und unterwühlen ihn, bis er in den Boden einsinkt. Durch Stoßen und Pressen formen sie ihn zu einem Kloß. Das Weibchen legt die Eier in der Nähe ab und lockt die geschlüpften Larven durch Zirptöne zum Aas. Zunächst füttert und bewacht es die Larven, eine bei den Käfern einmalige Brutpflege.

Totes Meer, abflußloser Mündungssee des Jordangrabens an der israelisch-jordanischen Grenze. Der 80 km lange See ist mit 1 000 km^2 fast doppelt so groß wie der Bodensee und erreicht eine Tiefe von 398 m. Das extrem trockene und heiße Klima (Jahresdurchschnittstemperatur über 25 °C) ließ schon seit einigen tausend Jahren mehr Wasser verdunsten als in den See neu hinzufloß. So ist das Tote Meer nur noch ein Restmeer, in dem die Salze einer viel größeren Wassermenge enthalten sind. Deshalb ist der Salzgehalt mit 26,3 % extrem hoch (Fische und Pflanzen können im See nicht existieren) und der Wasserspiegel extrem niedrig. Mit 396 m unter dem Meeresspiegel ist das Tote Meer die tiefstgelegene Seefläche der Erde. Am Südufer werden Kali und Bromsalze gewonnen. Da dem Jordan, besonders zur Bewässerung, große Mengen Wasser entnommen werden, sinkt der Wasserspiegel des Toten Meeres ständig. Zur Abhilfe des Wassermangels plant Israel den Bau eines Kanals zum Mittelmeer. Das große Gefälle von 396 m möchte man gleichzeitig zur Gewinnung von Elektrizität ausnutzen. Das Tote Meer wird von vielen Touristen besucht, die in dem salzhaltigen Wasser ohne Bewegungen schwimmen können. In den Höhlen von Qumran am Nordwestende des Toten Meeres fand man seit 1947 Handschriften von Büchern des Alten Testaments.

Toulouse-Lautrec [tuluslotrẹk]. Der französische Maler und Graphiker **Henri de Toulouse-Lautrec** (* 1864, † 1901) entstammte einem alten Grafengeschlecht; durch zweimaligen Beinbruch wurde er zum Krüppel und dadurch zum gesellschaftlichen Außenseiter. Er lebte im Pariser Künstler- und Vergnügungsviertel Montmartre und fand seine Bildvorlagen in der Welt der Dirnen und Nachtclubtänzerinnen, im Kabarett, im Zirkus und auf dem Rennplatz. Beeinflußt wurde er zunächst von den Impressionisten, von deren Malweise er sich später abwandte, ferner durch den japanischen Farbholzschnitt. Seine wichtigsten Ausdrucksmittel waren die bewegte Linie und die flächige Farbform. Deshalb bevorzugte er die Lithographie, die er vor allem in seinen Plakaten zu höchster künstlerischer Vollendung brachte. Seine Kunst beeinflußte nachhaltig die Malerei und vor allem die Plakatgestaltung des Jugendstils.

Totengräber

Trabant [von tschechisch drabant ›Krieger zu Fuß‹], →Mond.

Trabrennen, Rennen von speziell gezüchteten, im Trab laufenden Pferden, wobei die diagonalen Hufe gleichzeitig gesetzt werden. Die Pferde laufen einspännig vor einem zweirädrigen Rennwagen (Sulky, Sulkette, Longschaft), auf dem der Fahrer sitzt. Die Rennen werden auf Trabrennbahnen (800–1 200 m lang) gelaufen. Die Rennstrecken sind 1 600–4 200 m lang. Sieger ist das Pferd, das als erstes mit dem Kopf (Nasenspitze) die gedachte Linie zwischen den Zielpfosten überquert und das nicht disqualifiziert wird. Disqualifikationen werden meist wegen Schrittfehlern ausgesprochen, wenn das Pferd vom Trab in den Galopp wechselt.

Trachẹen [von griechisch trachys ›rauh‹], die Atmungsorgane der Insekten, Tausendfüßer und mancher Spinnen. Tracheen sind mit der Außen-

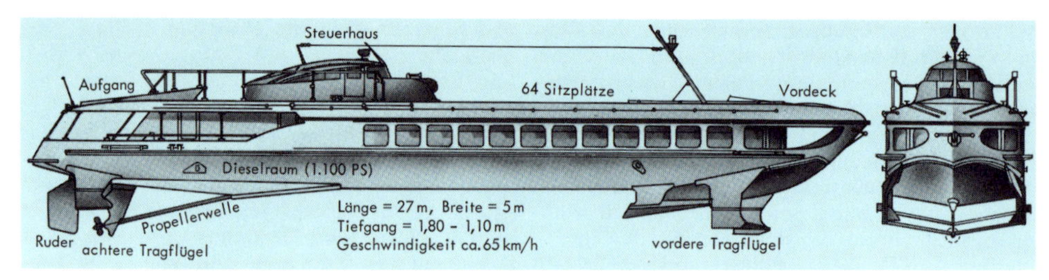

Tragflügelboot (sowjetischer Bauart) ›Rheinpfeil‹ der Köln-Düsseldorfer Rheinschiffahrt AG

welt in Verbindung stehende feine röhrenförmige Hauteinstülpungen, deren Inneres durch eine chitinige Wand ausgekleidet und gestützt wird. Diese wird mitgehäutet, da sie der Chitinschicht entspricht, die der Haut außen aufgelagert ist. Die Tracheen verzweigen und verästeln sich bis in alle Organe und Gewebe; sie transportieren den Sauerstoff unmittelbar zu den Zellen und nehmen das Kohlendioxid aus dem Körper auf.

Bei den Pflanzen werden bestimmte Teile des Röhrensystems, das die ganze Pflanze durchzieht, als Tracheen bezeichnet.

Trafalgar, Kap an der spanischen Küste des Atlantischen Ozeans. In der Seeschlacht vor Trafalgar 1805 besiegte die britische Flotte unter Horatio →Nelson die französisch-spanische Flotte.

Tragflügelboot, Tragflächenboot, ein schnelles Schiff mit Tragflügeln unter dem Schiffskörper. Diese erzeugen während der Fahrt einen dynamischen →Auftrieb, so daß der Schiffskörper über der Wasseroberfläche schwebt. Dadurch wird der Wasserwiderstand erheblich verringert, und die Schiffe können Geschwindigkeiten bis zu 60 Knoten erreichen. Tragflügelboote werden auf Flüssen und im küstennahen Personenverkehr eingesetzt.

Tragödie [von griechisch tragodia ›Bocksgesang‹], **Trauerspiel,** früheste Gattung des →Dramas. Die Tragödie gestaltet nach altgriechischer Auffassung einen jähen Wechsel von Glück zu Unglück, einen unauflöslichen Konflikt zwischen dem Helden und der Weltordnung oder dem Schicksal. Sie entwickelte sich im antiken Griechenland aus kultischen Chorgesängen; das Wechselgespräch zwischen Chorführer und Chor war Grundlage des späteren →Dialogs. In der ersten Tragödie des Tragikers Thespis um 534 v. Chr. soll dem Chor zunächst ein Einzelschauspieler gegenübergestanden haben. Die griechischen Dichter Aischylos und Sophokles führten in ihren Tragödien des folgenden Jahrhunderts einen zweiten und dritten Schauspieler ein. Bei Euripides, dem dritten der griechischen Tragiker, deren Werke auf die abendländische Literatur bleibenden Einfluß hatten, verloren Elemente wie Chor, Maske und Kothurn (hoher Stiefel der Schauspieler), die bisher in allen Tragödien vorhanden waren, an Bedeutung. Über die Wirkung der griechischen Tragödie schrieb der Schriftsteller und Philosoph Aristoteles, daß durch die Erregung von ›Schauder‹ und ›Jammer‹ die Tragödie beim Zuschauer schließlich zu einer ›Reinigung‹ **(Katharsis)** von solchen Regungen und zu einem bewußteren Lebensgefühl führe.

Die römische Tragödie knüpfte ab 240 v. Chr., z. B. mit den Werken des Philosophen Seneca, stofflich und formal an die griechischen Vorbilder an. Während dem Mittelalter die Tragödie fremd blieb, gestalteten Dichter der Renaissance und des Barock diese Form neu; tragische Konflikte wurden nun durch den Charakter des Helden begründet (→Shakespeare), auch durch den Gegensatz zwischen dem einzelnen Menschen und dem Staat oder der Gesellschaft.

Auf die Sonderentwicklung des **bürgerlichen Trauerspiels** im England und Frankreich des 18. Jahrh. stützten sich Lessing und nach ihm Dramatiker des →Sturm und Drang, Schiller und Hebbel. Bei Goethe, Schiller, Heinrich von Kleist, Georg Büchner, Franz Grillparzer und Friedrich Hebbel wird das Tragische in jeweils anderer Weise aufgefaßt und geformt.

Im 19. und 20. Jahrh. zielten Werke etwa von Henrik Ibsen, August Strindberg und Eugene O'Neill nicht mehr auf die tragische Erschütterung der Zuschauer durch einen Schicksalskonflikt, sondern hauptsächlich auf eine schonungslose Darstellung von Menschen und Zuständen. Daneben wurde die Erfahrung einer Sinnlosigkeit des Daseins immer deutlicher dargestellt. Andererseits betonte man auch das Komische wieder stärker. Die Grenzen der dramatischen Gattungen begannen zu verfließen, und es entstanden Mischformen wie Tragikomödien oder absurde Dramen.

Trajan. Unter dem römischen Kaiser **Marcus Ulpius Traianus** (* 53, † 117; Kaiser seit 98) erreichte das Römische Reich seine größte Ausdehnung (KARTE römische Geschichte). Literatur und Kunst blühten, Straßen und Kanäle wurden gebaut und neue Städte gegründet. In Rom ist noch heute die 40 m hohe **Trajanssäule** zu sehen, auf der Trajans Kriegszug gegen die im Donauraum ansässigen Daker dargestellt ist.

Trampeltier, das zweihöckerige →Kamel.

Träne, schwach salzige Absonderung der Tränendrüsen. Die Tränenflüssigkeit, die durch den Lidschlag verteilt wird, sorgt dafür, daß die Hornhaut des Auges feucht bleibt. Über eine punktförmige Öffnung im inneren Augenwinkel wird sie über den Tränen-Nasen-Kanal zur Nase abgeleitet. Die **Tränendrüsen** liegen im oberen, äußeren Augenwinkel. Äußere Reize wie Fremdkörper oder chemische Reize (z. B. beim Zwiebelschneiden), aber auch Gemütsbewegungen führen zu einer vermehrten Absonderung.

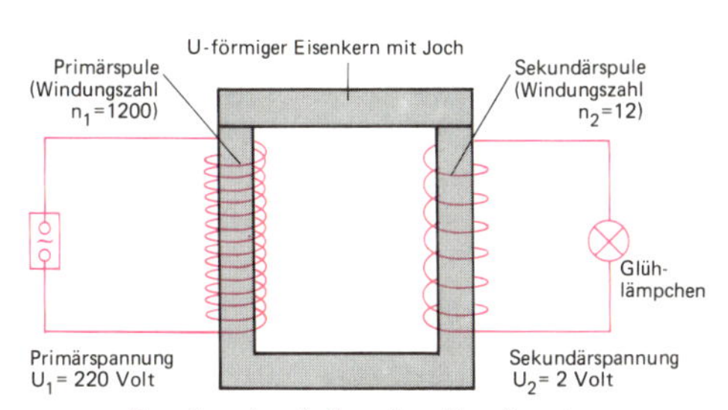

Transformator: Aufbau eines Transformators

Transformator [lateinisch ›Umformer‹], **Umspanner,** kurz **Trafo,** Gerät zur Umwandlung einer Wechselspannung in eine höhere oder niedrigere Wechselspannung. Die der Energieversorgung dienende Hochspannung wird mit einem Transformator heruntergesetzt, so daß eine Netzspannung von 220 V entsteht, an die Haushaltsgeräte und Glühlampen angeschlossen werden können. Doch auch die Netzspannung ist manchmal noch zu hoch. Die Klingel im Haus, die Spielzeugeisenbahn und die Versuchsgeräte bei Schulversuchen dürfen nicht direkt an die Spannung von 220 V angeschlossen werden. Kleine Transformatoren sorgen für niedrige Spannungen: für die Klingel Spannungen von 5 oder 8 V, für die Spielzeugeisenbahn 20 V, für Schulversuche bis 24 V.

Ein Transformator ist im wesentlichen aus einem Eisenkern und 2 Spulen aufgebaut, die untereinander keine elektrisch leitende Verbindung haben. Man sagt, sie sind galvanisch voneinander getrennt. Die Spule, an der die zu transformierende Spannung anliegt, heißt **Primärspule.** Die andere Spule, an die der Verbraucher, z. B. eine Glühlampe, angeschlossen ist, nennt man **Sekundärspule.** Obwohl nun Primär- und Sekundärstromkreis gegeneinander isoliert sind, entsteht in der Sekundärspule ein Strom. Als ›verbindendes Element‹ kann man hier das magnetische Feld ansehen, das ein stromdurchflossener Leiter in seiner Umgebung erzeugt. Dieses Feld magnetisiert den Eisenkern dauernd um, wenn durch die Primärspule ein Wechselstrom fließt. Der wechselnde Magnetismus erregt durch →Induktion in der Sekundärspule eine Spannung, die sich entsprechend den Stromwechseln in der Primärspule ebenfalls ändert. Diese Wechselspannung in der Sekundärspule erzeugt im geschlossenen Stromkreis der Lampe einen Induktionsstrom, und zwar einen Wechselstrom.

In der Sekundärspule kann man je nach Anzahl der Windungen verschieden hohe Spannungen erzielen: Mit einer größeren Zahl von Windungen in der Sekundärspule erreicht man eine höhere Spannung, mit einer kleineren Zahl von Windungen eine niedrigere Spannung. Mathematisch wird dieser Zusammenhang durch die Gleichung $U_2/U_1 = n_2/n_1$ beschrieben, wobei U die Spannung und n die Windungszahl jeweils für den Primärkreis (Index 1) und den Sekundärkreis (Index 2) darstellen.

Beim ›Heruntertransformieren‹ erhält man eine niedrigere Spannung, dafür kann man aber eine um so größere →Stromstärke entnehmen. Umgekehrt verhält es sich beim ›Herauftransformieren‹.

Die in der Fernmeldetechnik und Elektronik verwendeten Transformatoren für kleine, hochfrequente Wechselspannungen werden als **Übertrager** bezeichnet.

Transistor [aus englisch **trans**fer ›Übertragung‹ und res**istor** ›elektrischer Widerstand‹], elektronisches Bauelement, das aus einem Halbleiterkristall besteht. Das Ausgangsmaterial für Transistoren ist meist Silicium, für besondere Anwendungen kommen aber auch Germanium und Galliumarsenid in Frage. Transistoren lassen sich grundsätzlich in bipolare und unipolare Transistoren unterteilen.

Der **bipolare Transistor** besteht aus 3 aufeinanderfolgenden Schichten, die abwechselnd als

Transistor 1)

Transistor 1: OBEN Hochvolt-Transistor mit guter Sperrstromstabilität bei hoher Temperatur für allgemeine Schaltaufgaben. UNTEN Hochfrequenz-Transistor, z. B. für die Endstufe in Fernsehempfängern

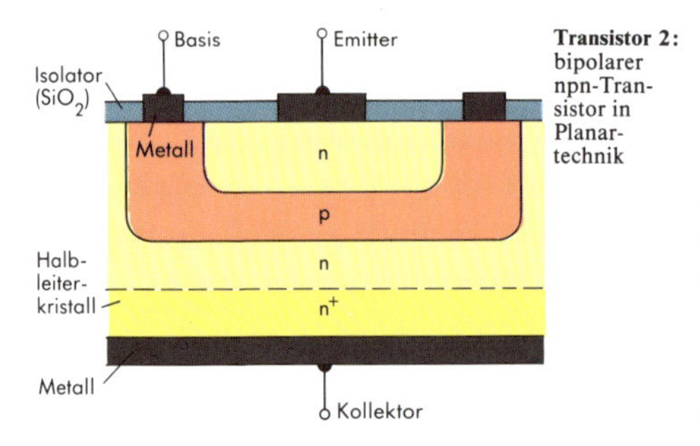

Transistor 2: bipolarer npn-Transistor in Planartechnik

p- und n-leitende Zonen ausgebildet sind. Die Schichtenfolge kann **p**ositiv-**n**egativ-**p**ositiv **(pnp-Transistor)** oder **n**egativ-**p**ositiv-**n**egativ **(npn-Transistor)** sein. Die äußeren Halbleiterbereiche werden als **Kollektor (C)** und **Emitter (E)** bezeichnet, die mittlere Schicht als **Basis (B).** Zwischen Basis und Kollektor einerseits sowie Basis und Emitter andererseits besteht je ein **pn-Übergang.** Von jeder Schicht führt ein Anschlußdraht durch die Gehäusewand des Bauelements nach außen.

Der wichtigste Vertreter der **unipolaren Transistoren** ist der **Feldeffekttransistor** (Abkürzung **FET**). Kennzeichnend für ihn ist, daß er im Gegensatz zu den bipolaren Transistoren mit gleichgepolten pn-Übergängen betrieben wird. Die Anschlüsse der Feldeffekttransistoren werden mit **Source** (englisch ›Quelle‹) und **Drain** (englisch ›Senke‹) bezeichnet; zwischen ihnen liegt je nach Typ der p- oder der n-leitende **Kanal.** Die dritte Elektrode heißt **Gate** (englisch ›Tor‹); sie beeinflußt den Stromfluß im Kanal.

Der erste Transistor wurde 1948 von den Amerikanern William B. Shockley, John Bardeen und Walter H. Brattain entwickelt. Gegenüber den Elektronenröhren haben Transistoren sehr viele Vorteile. Sie sind kleiner und robuster und brauchen weniger Energie und Kühlung. Daher haben sie die Röhren in den meisten elektronischen Geräten ersetzt. Transistoren werden vor allem zur Verstärkung elektrischer Signale, zur Erzeugung von Schwingungen, beim Computer für Verknüpfungs- und Speicherfunktionen und als elektronische Schalter verwendet. Die Bemühungen, Transistoren immer kleiner zu bauen, führten zur Entwicklung von →Chips, die eine Vielzahl von Transistoren auf engstem Raum zusammengefaßt enthalten.

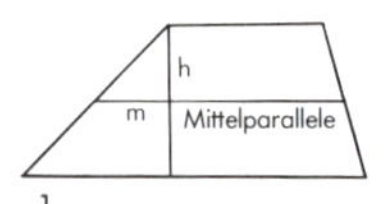

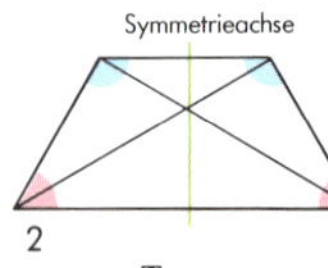

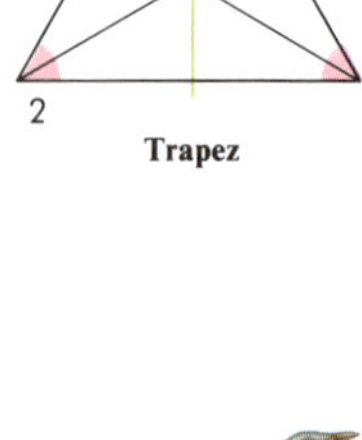

Trapez

Trappen: Großtrappe

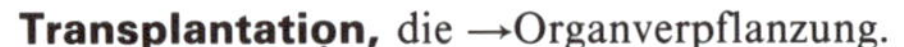

Transplantation, die →Organverpflanzung.

Trapez [von griechisch trapeza ›Tisch‹], Geometrie: ein →Viereck mit 2 parallelen Seiten, die als **Grundseiten** bezeichnet werden; die beiden anderen Seiten heißen **Schenkel.** Die Mittellinie zwischen den beiden parallelen Seiten heißt auch **Mittelparallele.** Eigenschaften des Trapezes:

1) Die Mittelparallele halbiert die beiden Schenkel und die beiden →Diagonalen. Sie ist halb so lang wie die beiden Grundseiten zusammen.

2) Die an ein und demselben Schenkel liegenden Winkel ergänzen sich zu 180°.

Formel: Für den Flächeninhalt A eines Trapezes gilt: $A = m \cdot h$, wobei m die Länge der Mittelparallele und h die Länge der Höhe auf einer Grundseite ist (BILD 1).

Ist das Trapez achsensymmetrisch, so sind die beiden Schenkel gleich lang, und man spricht von einem **gleichschenkligen Trapez** (BILD 2). Eigenschaften des gleichschenkligen Trapezes:

1) Die Winkel an jeder Grundseite sind gleich groß.

2) Gegenüberliegende Winkel ergänzen sich zu 180°.

3) Die beiden Diagonalen sind gleich lang. Sonderfälle eines gleichschenkligen Trapezes sind das →Rechteck und das →Quadrat.

Trappen, große, mit den →Kranichen verwandte Laufvögel mit hohen, kräftigen Läufen. Sie leben vor allem in Afrika. Die **Großtrappe** ist auch in Europa heimisch und bewohnt noch vereinzelt Felder und Wiesen im Norddeutschen Tiefland sowie im österreichischen Burgenland (Neusiedler See). Der Hahn wiegt gut 15 kg und gehört damit zu den schwersten flugfähigen Vögeln der Erde. Trappen fliegen selten. Im Flug strecken sie wie Kraniche und Störche den Hals aus.

Traube, ein →Blütenstand.

Traubenzucker, Glucose, in fast allen süßen Früchten enthaltener →Zucker. Er ist ein wichtiger Energielieferant der lebenden Zelle, da er direkt ins Blut übergeht und nicht erst chemisch gespalten werden muß. Mit reinem Traubenzucker kann die körperliche Leistungsfähigkeit gesteigert werden. Zusammen mit dem Rohr- oder Rübenzucker bildet er den Haushaltszucker. Traubenzucker ist der Baustein sowohl der →Stärke als auch der →Cellulose. Im menschlichen Blut beträgt seine Konzentration etwa 0,1 %. Dieser Wert unterliegt starken Schwankungen, die von der Nahrungsaufnahme und der körperlichen Betätigung abhängen.

Trauung, kirchliche und standesamtliche Form der Eheschließung (→Ehe).

Trave, Fluß in Ostholstein (Norddeutschland). Der 118 km lange Fluß entspringt südlich von Eutin, durchfließt den Wardersee und nimmt bei Lübeck den Elbe-Lübeck-Kanal, die Wakenitz und die Schwartau auf. Die Trave mündet bei Travemünde in die Ostsee. Sie ist im Unterlauf auf 35 km für Seeschiffe ausgebaut.

Triangel [aus italienisch triangolo ›Dreieck‹], ein runder Stahlstab, der zum gleichschenkligen Dreieck gebogen ist. Wenn man ihn mit einem Metallstäbchen anschlägt, erklingt ein klarer, heller, durchdringender Ton. Nach Europa ist der Triangel mit der türkischen Janitscharenmusik gekommen.

Trias [griechisch ›Dreizahl‹], →Erdgeschichte, ÜBERSICHT.

Triathlon [griechisch ›Dreikampf‹], Ausdauer-Mehrkampf aus Schwimmen, Radfahren und Laufen an einem Tag. Triathlon ist um 1977 auf Hawaii entstanden und wird nach den dortigen Bedingungen auch als Ultra-Triathlon bezeichnet: 3,8 km Schwimmen, 180 km Radfahren und Langlauf über die Marathonstrecke (42,195 km) sind unmittelbar hintereinander zu bewältigen.

Trichine [zu griechisch trichos ›Haare‹], Fadenwurm, der bei Mensch und Säugetieren zu einer schweren Erkrankung mit Fieber, Durchfall und Muskelschmerzen führt; je nach Ausmaß des Befalls kommt es auch zur Beeinträchtigung der Atem-, Kau- und Schluckmuskulatur, so daß durch Lähmung der Atemmuskulatur der Tod eintreten kann. Die Erkrankung, die auch bei Schweinen und Wildtieren vorkommt, wird durch Genuß von rohem oder ungenügend erhitztem Fleisch auf den Menschen übertragen, da sich die Trichinenlarven in der Skelettmuskulatur einnisten und dort jahrelang überleben können. Sie werden im menschlichen Dünndarm freigesetzt und gelangen über das Blut oder die Lymphe in den gesamten Körper. Durch die gesetzlich vorgeschriebene Trichinen- oder Fleischbeschau ist die Häufigkeit der Erkrankung stark zurückgegangen.

Trier, 96 700 Einwohner, alte Bischofsstadt in Rheinland-Pfalz an der Mosel, ein Mittelpunkt des Weinhandels im Gebiet von Mosel und Saar. Das Stadtbild prägen Römerbauten wie →Porta Nigra, Kaiserthermen (Badeanlagen), Amphitheater und Römerbrücke über die Mosel mit originalen Pfeilern. Aus dem Mittelalter und aus späteren Jahrhunderten stammen der romanische Dom (11./12. Jahrh.) mit reichem Domschatz und die gotische Liebfrauenkirche (13. Jahrh.) sowie das Kurfürstliche Schloß (17./18. Jahrh.) und viele Bürgerhäuser. – Trier wurde um 15 v. Chr. als **Augusta Treverorum** vom römischen Kaiser Augustus gegründet und war 285–400 Sitz der römischen Kaiser für die westliche Reichshälfte.

Trikolore, eine dreifarbige Flagge, besonders die Nationalflagge →Frankreichs.

Trillion, die Zahl 10^{18} = 1 Million × 1 Million × 1 Million.

Trinidad und Tobago

Fläche: 65 128 km² (Trinidad: 4 828 km², Tobago: 300 km²)
Bevölkerung: 1,27 Mill. E
Hauptstadt: Port of Spain
Amtssprache: Englisch
Nationalfeiertag: 31. Aug.
Währung: 1 Trinidad-und-Tobago-Dollar (TT$) = 100 Cents

Trinidad und Tobago, Inselrepublik vor der Nordwestküste Südamerikas, bestehend aus den Antilleninseln **Trinidad** (4 827 km²) und **Tobago** (301 km²). Die Inseln sind meist gebirgig, das Klima ist tropisch. Die reichen Vorkommen von Erdöl, Erdgas und Asphalt (›Asphaltsee‹, größtes Vorkommen von Naturasphalt der Erde) auf Trinidad sind Grundlage der Wirtschaft. Erzeugnisse der Landwirtschaft sind Zuckerrohr, Kokosnüsse, Kakao, Kaffee, Reis. – Die Inseln wurden 1498 von Kolumbus entdeckt. Tobago wurde 1763, Trinidad 1802 britisch. 1962 wurden beide als ›Trinidad und Tobago‹ unabhängig. (KARTE Band 2, Seite 197)

Trinität [aus lateinisch trinitas ›Dreizahl‹], die →Dreifaltigkeit.

Trio [italienisch, zu tre ›drei‹], eine Komposition für 3 Instrumente (→Kammermusik). Auch 3 Musiker, die zusammen spielen, werden als Trio bezeichnet.

Trio wird auch der Mittelteil von Tanzsätzen (z. B. Menuett) in Suite, Sonate, Sinfonie genannt. Es wurde ursprünglich von 3 Musikern (2 Oboen und Fagott) gespielt und steht meist in ruhigerem Tempo als der Hauptteil des Satzes.

Tripelentente [-ãtãt], auch **Dreiverband,** lose politische Verbindung zwischen Frankreich, Großbritannien und Rußland, im ersten Jahrzehnt des 20. Jahrh. entstanden; sie wurde 1911/12 durch wechselseitige militärische Abmachungen ergänzt und gefestigt.

Trinidad und Tobago

Staatswappen

Staatsflagge

Trichine

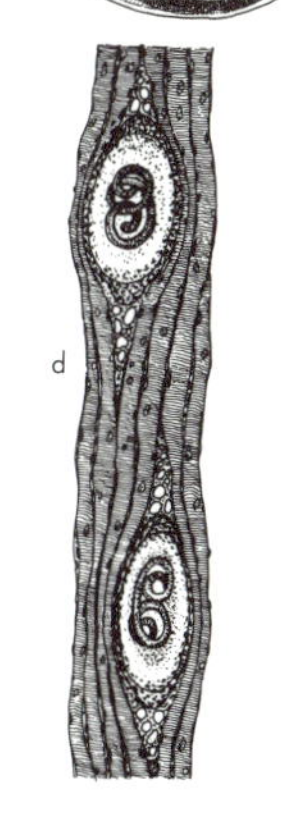

Trichine: **a** Weibchen, **b** Männchen, **c** Junglarve, **d** Muskelbündel mit eingekapselten Muskeltrichinen

Tripolis, 1 Million Einwohner, Hauptstadt von Libyen und Hafen am Mittelmeer. An die zum Teil ummauerte, orientalisch geprägte Altstadt, die vom Kastell der Malteserritter (1533) überragt wird, schließt die moderne Neustadt an. Tripolis wurde von den Phönikern gegründet. Aus römischer Zeit ist der Triumphbogen des Kaisers Marc Aurel erhalten.

Tristan, ein Held der mittelalterlichen Sagendichtung. Er gehörte zum Kreis der Ritter um König Artus und wurde von seinem Onkel, König Marke, als Brautwerber zu **Isolde** geschickt. Durch ein Mißgeschick tranken Tristan und Isolde von einem Liebestrank, der eigentlich für Marke und seine zukünftige Gemahlin bestimmt war, nun aber das junge Paar in Liebe verband. Daraufhin brach Tristan seinen Treueeid gegenüber Marke und flüchtete mit Isolde in die Wildnis der Wälder. Nach der Rückkehr an Markes Hof wurde Tristan verbannt. Klassische Form erhielt die Tristansage in dem mittelhochdeutschen Versepos ›Tristan‹ von Gottfried von Straßburg. Richard Wagner griff den Stoff in dem Musikdrama ›Tristan und Isolde‹ auf.

Triumphbogen, Ehrenbogen, antiker freistehender Torbau mit 1 oder 3 Durchgängen; in der römischen Republik wurde er vor allem für siegreiche Feldherren und Verstorbene, später für den Kaiser und seine Familie errichtet. Die Bögen waren meist mit historischen und allegorischen Reliefs geschmückt. Gut erhaltene Triumphbögen sind z. B. in Rom die der Kaiser Titus (BILD römische Kunst), Severus und Konstantin. Auch in der Renaissance und im 19. Jahrh. wurden solche Torbauten nach römischem Vorbild errichtet (Arc de Triomphe in Paris, Siegestor in München).

Triumvirat [von lateinisch tres ›drei‹ und vir ›Mann‹], im alten Rom ein Kollegium, das aus 3 Männern, den **Triumvirn,** bestand. Von politischer Bedeutung war das **erste Triumvirat,** ein 60 v. Chr. geschlossenes politisches Bündnis zwischen den Feldherren →Pompejus und →Caesar sowie dem reichen Crassus. Nach der Ermordung Caesars (44 v. Chr.) erhielt das **zweite Triumvirat,** dem Octavian (der spätere →Augustus), →Antonius und Lepidus angehörten, den Auftrag, den Staat neu zu ordnen. Es bestand bis 32 v. Chr. (→römische Geschichte).

Trizeps [lateinisch ›dreiköpfig‹], Streckmuskel am Oberarm, der im Unterschied zum →Bizeps 3 Ursprungssehnen hat. Er liegt an der Rückseite des →Arms und streckt den Unterarm.

Trochäus, Versfuß aus einer langen und einer kurzen Silbe (→Vers).

Troja, auch **Ilion,** sagenumwobener Ort des Altertums in der antiken Landschaft Troas an der Nordwestspitze Kleinasiens. Troja wurde seit 1870 von Heinrich Schliemann, später von Wilhelm Dörpfeld und Carl William Blegen ausgegraben. Viele Siedlungsschichten wurden freigelegt, von denen die älteste ins 3. Jahrtausend v. Chr. zurückreicht. Die Funde, vor allem Gold- und Silberschätze aus Schicht II (etwa 2500–2200 v. Chr.), lassen auf einen reichen Fürstensitz schließen, den Schliemann für das homerische Troja der Ilias hielt, während die spätere Forschung eine jüngere Schicht (13. Jahrh. v. Chr.) dafür in Anspruch nimmt.

Trojanischer Krieg, nach der griechischen Sage der zehnjährige Belagerungskampf der Griechen um die kleinasiatische Stadt Troja. Möglicherweise fand er tatsächlich um 1200 v. Chr. statt; dafür sprechen die Ausgrabungen in →Troja. Der Krieg war ausgelöst worden, weil der trojanische Königssohn →Paris die Gattin des griechischen Königs Menelaos, Helena, nach Troja entführt hatte. Da es den Griechen, bei Homer oft Danaer genannt, nicht gelang, die Stadt zu stürmen, griffen sie zu einer List. Sie bauten ein gewaltiges hölzernes Pferd (Trojanisches Pferd), in dem sich die tapfersten Griechen verbargen. Als die griechischen Schiffe ihre Ankerplätze vor der Küste verließen, glaubten die Trojaner, die Griechen hätten den Kampf aufgegeben. Obwohl →Kassandra und →Laokoon die Trojaner warnten, holten sie das Pferd als ein Weihgeschenk für die Göttin Athene in die Stadt. In der Nacht stiegen die Griechen aus dem Bauch des Pferdes und öffneten die Stadttore für die Krieger der zurückgekehrten Flotte. Die Griechen zerstörten die Stadt und töteten die meisten Trojaner. Nur →Äneas entkam mit einigen Bundesgenossen. Die Geschichte des hölzernen Pferdes prägte im Deutschen den Ausdruck ›Danaergeschenk‹ für ein unheilbringendes Geschenk.

Die Sage vom Krieg um Troja wurde nicht nur in der ›Ilias‹ des antiken Dichters Homer verarbeitet; bis ins 20. Jahrh. war sie Grundlage literarischer Texte, z. B. von Jean Giraudoux und Rudolf Hagelstange.

Trombe [von italienisch tromba ›Trompete‹], bei starken Temperaturgegensätzen entstehender Luftwirbel. Kleinere Tromben bilden sich in der Nähe des Erdbodens. Sie können einen Durchmesser von einigen Metern erreichen und bis zu

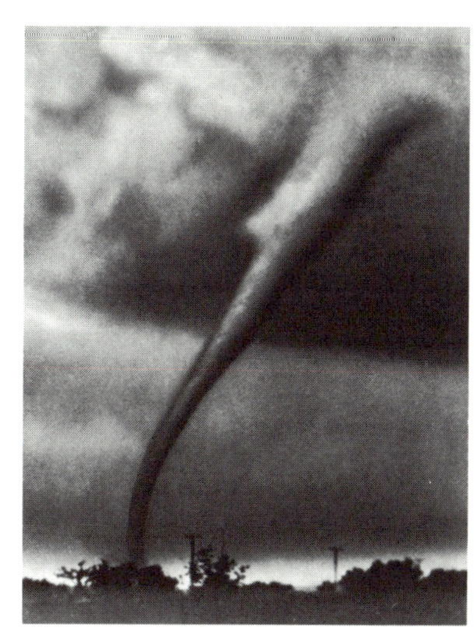
Trombe

100 m hoch wachsen. Sie werden durch aufgewirbelten Staub sichtbar und haben die Form eines schmalen, langen Schlauchs. Man bezeichnet sie auch als **Staubteufel.** Größere Tromben entwickeln sich an der Unterseite von Haufen-, besonders Gewitterwolken als trichter- oder schlauchförmige Gebilde. Sie erreichen schließlich den Erdboden, wo sie große Mengen Sand und Staub **(Windhose),** über Wasserflächen auch Wasser **(Wasserhose)** aufwirbeln. Der starke Sog im Innern einer Trombe kann selbst schwere Gegenstände vom Boden hochreißen und kilometerweit forttragen. Große Tromben haben einen Durchmesser von 100–200 m, im Extremfall, beim →Tornado, bis zu 500 m. Auf ihrer Bahn können sie erhebliche Schäden verursachen. Die meisten Tromben haben jedoch nach 10–30 Minuten ihre Energie verbraucht und lösen sich auf.

Trommel, Schlaginstrument, das aus einem Rahmen besteht, über den ein oder 2 Felle, heute teilweise auch Kunststoffolien, gespannt sind. Die Tonhöhe wird durch unterschiedliche Spannung des Fells verändert, wobei Schrauben einen über den Fellrand gelegten Ring bewegen. Die Trommel wird mit den Händen oder mit Schlegeln geschlagen. Das Klanggeräusch kann durch die Wahl verschiedener Anschlagstellen des Fells beeinflußt werden.

Die Trommel ist ein uraltes Instrument aller Völker. In Gebrauch sind heute die kleine flache **Militärtrommel,** die tonnenförmige **Landsknechtstrommel** und die **Große Trommel,** die der türkischen Janitscharenmusik entstammt; diese darf nicht mit der →Pauke verwechselt werden. Die Trommel ist ein wichtiger Teil des →Schlagzeugs im Orchester. In Beat- und Popmusik werden oft Nachbildungen afrikanischer und asiatischer Trommeln zur Erweiterung des Klangbilds verwendet.

Trommelfell, sehnige Haut zwischen Gehörgang und Mittelohr (→Ohr).

Trompete, das Sopraninstrument der →Blechblasinstrumente; es wird wie das Horn mit einem Kesselmundstück angeblasen. Die Trompete wird in verschiedenen Größen und Stimmungen gebaut. Der Tonumfang beträgt etwa 2 ½ Oktaven, die auch mit Hilfe der Ventile erreicht werden. Außer im Sinfonieorchester wird die Trompete auch im Jazz verwendet, hier jedoch ein enger gebautes Modell. Die hohe **Oktavtrompete (Bachtrompete)** braucht man für barocke Musik. Der Klang der Trompete ist hell und schmetternd, das Spiel in den hohen Lagen für den Bläser sehr anstrengend.

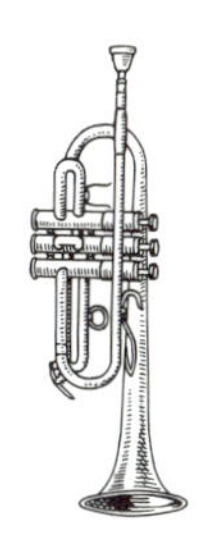
Trompete

Tropen [von griechisch trope ›Wende‹], Zone der Erde beiderseits des Äquators zwischen den Wendekreisen, in der die Sonne im Zenit stehen kann. Die Temperaturen in den Tropen sind sehr hoch und ändern sich im Jahresverlauf nur wenig. Dies hat eine hohe Verdunstung zur Folge, so daß in vielen tropischen Gebieten fast täglich heftige, meist gewittrige Regenfälle niedergehen. Wo diese ganzjährig auftreten oder nicht über längere Zeit ausfallen, wächst immergrüner Regenwald. Wird die Trockenzeit länger, so tritt diese Vegetation nur an Flußufern auf. In den Randbereichen der Tropen geht der Regenwald allmählich in Savannen über.

Tröpfcheninfektion, Übertragung von Krankheitserregern bei →ansteckenden Krankheiten durch die in der Atemluft enthaltenen feinsten Tröpfchen, die vom Keimträger durch Sprechen, Niesen oder Husten verstreut werden.

Tropfsteinhöhle: Stalagmiten und Stalaktiten

Tropfsteinhöhle, durch Lösungsvorgänge des Grundwassers in kalkreichen Gegenden der Erde entstandener Hohlraum, mitunter ein Höhlensystem von teils großen Ausmaßen. Das in den Boden eindringende Sickerwasser hat aus der Luft Kohlendioxid gelöst und beginnt, unterirdische kalkreiche Schichten aufzulösen, wodurch Hohlräume entstehen. Von den Decken der Höhlen tropft durch Ritze und Klüfte Lösungswasser. Jeder an der Decke sich bildende Tropfen überzieht sich mit einem feinen Kalkhäutchen, das bei weiterer Wasserzufuhr von oben platzt, während der Häutchenrand hängenbleibt. Der fallende Tropfen prallt auf den Boden, zerstiebt und verdunstet unter Abscheidung einer breiter verteilten Kalkbildung. So wachsen von unten **Stalagmiten** den dünneren, Eiszapfen gleichenden **Stalaktiten** entgegen und verbinden sich teilweise mit ihnen.

Troposphạ̈re, unterste Schicht der →Atmosphäre.

Trọtzkij. Der russische Revolutionär und Politiker **Leo Dawidowitsch Bronstein** (* 1879, † 1940), genannt **Trotzkij,** spielte schon in der gescheiterten russischen Revolution von 1905/06 eine führende Rolle. 1907 flüchtete er aus der sibirischen Verbannung ins Ausland. 1917 kehrte er nach Rußland zurück, schloß sich den Bolschewiken an und nahm neben Lenin entscheidenden Einfluß auf die revolutionären Ereignisse vom Herbst 1917. Er bereitete vor allem organisatorisch die ›Oktoberrevolution‹ vor. Als Kriegskommissar (1918–25) hatte er großen Anteil am Aufbau der Roten Armee und an ihrem Sieg im Bürgerkrieg (1918–21). Nach dem Tod Lenins (1924) unterlag Trotzkij im Machtkampf gegen Stalin; 1929 mußte er die Sowjetunion verlassen. 1940 wurde er von Mercador, wohl einem Agenten des sowjetischen Geheimdienstes, in Mexiko ermordet.

Ideologisch entwickelte Trotzkij die Lehre von der ›Permanenten Revolution‹ (Kernaussage des **Trotzkismus**); sie besagt, daß die proletarische Revolution und die durch sie errichtete sozialistische Gesellschaftsordnung auf Dauer nur dann gesichert werden könne, wenn die in Rußland ausgebrochene Revolution sich in anderen Ländern, besonders in den Industrieländern West- und Mitteleuropas, ohne Unterbrechung fortsetze; letztlich sei die sozialistische Gesellschaft nur dann gesichert, wenn sie sich im Weltmaßstab durchsetze.

Troubadour [trubadu̱r, provenzalisch], ab etwa 1100 Bezeichnung für Dichter an den mittelalterlichen Höfen Südfrankreichs, die ihre Lieder oft selbst vertonten und vortrugen. Die Troubadourdichtung, in deren Mittelpunkt die Verehrung einer hochgestellten, meist verheirateten Frau steht, hatte großen Einfluß auch auf die deutsche Literatur (→Minnesang). Nach dem Niedergang in den Albigenserkriegen (1209–29) erlebte die Troubadourdichtung eine Nachblüte in Nordfrankreich (der Troubadour heißt hier **Trouvère**), Spanien und Sizilien.

Tru̦thühner, Pu̦ten, Hühnervögel, die wegen ihres wohlschmeckenden Fleisches als Haustiere gehalten werden; sie werden in Farmen und auch in freilebenden Herden gezüchtet. Um das Weibchen (Pute) auf sich aufmerksam zu machen, plustert der Truthahn (Puter) seinen breiten, gerundeten Schwanz auf, stellt ihn hoch und läßt mit laut hörbarem Kollern seine roten Hautfalten und Hautsäckchen am Kinn anschwellen.

Truthühner: Truthahn

Tschad

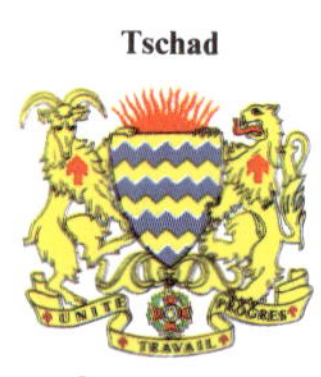

Staatswappen

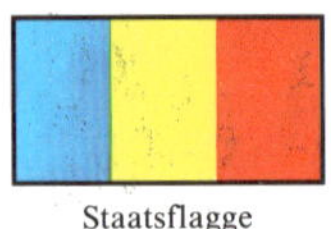

Staatsflagge

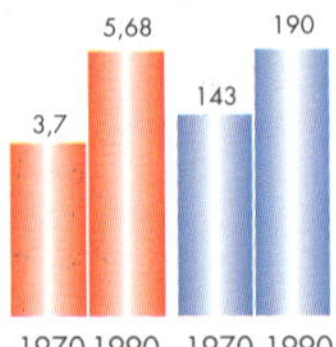

1970 1990 1970 1990

Bevölkerung (in Mill.) Bruttosozialprodukt je E (in US-$)

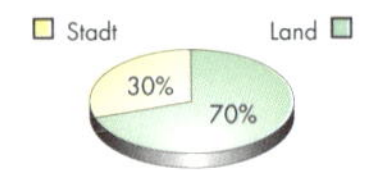

Bevölkerungsverteilung 1990

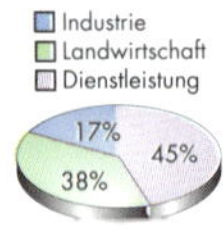

Bruttoinlandsprodukt 1990

Tschad

Fläche: 1 284 000 km²
Bevölkerung: 5,68 Mill. E
Hauptstadt: N'Djamena
Amtssprachen: Französisch, z. T. Arabisch
Nationalfeiertag: 11. Aug.
Währung: 1 CFA-Franc (F.C.F.A.) = 100 Centimos (c)
Zeitzone: MEZ

Tschad, Republik im Norden Zentralafrikas, ein Binnenstaat, mehr als dreimal so groß wie die Bundesrepublik Deutschland. Das Land erstreckt sich von der Sahara im Norden, wo es im Tibesti 3 415 m Höhe erreicht, über die Sudanzone bis zur Feuchtsavanne im Süden. Der Hauptteil des Landes gehört zum **Tschadbecken** mit dem Ostteil des **Tschadsees.** Die Einwohner gehören zu verschiedenen Volksgruppen; etwa die Hälfte sind Muslime. Im Norden leben fast ausschließlich Rinder-, Schaf- und Ziegennomaden; in der Feuchtsavanne ist Ackerbau möglich. – Tschad, seit 1910 französische Kolonie, wurde 1960 unabhängig. Bürgerkriege hemmen seit Jahren die Entwicklung des Landes. (KARTE Band 2, Seite 194)

Tschaikọwsky. Durch die Kompositionen von **Peter (Pjotr Iljitsch) Tschaikowsky** (* 1840, † 1893) erlangte die russische Musik Weltgeltung. Seit 1866 war er Theorielehrer der Musik in Moskau. Ende der 1860er Jahre errang er seine ersten Erfolge als Komponist. Eine jährliche Rente seiner Gönnerin Nadeschda von Meck erlaubte ihm eine freie Komponistentätigkeit und Reisen ins Ausland. Seit 1887 trat er auch als gefeierter Dirigent in Erscheinung. Von seinen zahlreichen Werken sind die Ballette ›Schwanensee‹ (1876), ›Dornröschen‹ (1889), ›Der Nußknacker‹ (1892), 6 Sinfonien (darunter die ›Pathétique‹ Nr. 6 in h-Moll) sowie die Oper ›Eugen Onegin‹ (1879) hervorzuheben.

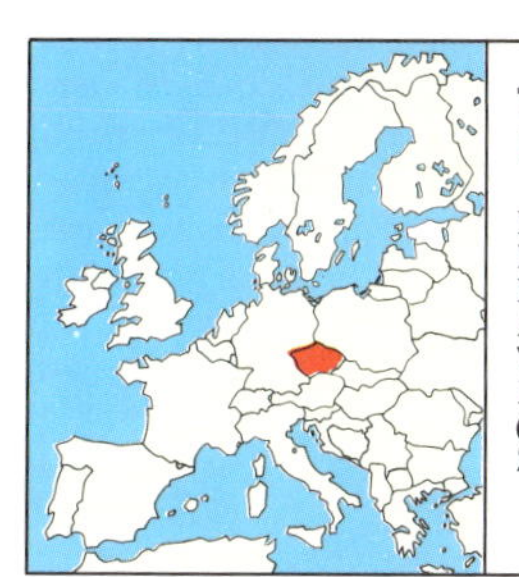

Tschechische Republik

Fläche: 78 864 km²
Bevölkerung: 10,36 Mill. E
Hauptstadt: Prag
Amtssprache: Tschechisch
Währung: 1 Tschech. Krone (KČ) = 100 Heller (Hálěrů; h)
Zeitzone: MEZ

Tschechische Republik, Staat in Osteuropa, flächenmäßig etwas kleiner als Österreich. Das von kleinen Mittelgebirgen durchsetzte Böhmische Becken bildet den zentralen Landesteil. Es wird umgeben von Böhmerwald, Erzgebirge und Sudeten. Nach Osten erstreckt sich das Land bis zu den Westkarpaten und ins Donautiefland. Die Bevölkerung besteht zu 94% aus Tschechen, weiterhin aus Slowaken, Polen und Deutschen. Die Industrie basiert auf Stein- und Braunkohlenbergbau: Schwerindustrie, Maschinenbau, Fahrzeugbau. In der Landwirtschaft werden Weizen, Roggen, Zuckerrüben und Kartoffeln angebaut.

Geschichte. 1918 schlossen sich Tschechen, die slawischen Bewohner von →Böhmen und →Mähren, und Slowaken zusammen und riefen die unabhängige Republik Tschechoslowakei aus. Der neue Staat vereinigte österreichische, ungarische und deutsche Gebiete. Erster Staatspräsident wurde Tomáš Masaryk (bis 1935). Im Land kam es bald zu Spannungen zwischen der Regierung, die vornehmlich von Tschechen gestellt wurde, den Slowaken, die Sonderinteressen verfolgten, und den nationalen Minderheiten. Zu diesen gehörten die Sudetendeutschen, die dem neuen Staat mehrheitlich ablehnend gegenüberstanden und seit 1937/38 den Anschluß des Sudetenlandes an das nationalsozialistische Deutsche Reich forderten. Unter dessen Druck mußte die Tschechoslowakei 1938 dieses Gebiet an Deutschland abtreten (Münchener Abkommen). Die Begründung einer selbständigen, vom Deutschen Reich abhängigen Slowakei und eines deutschen Protektorats (›Schutzgebiet‹) Böhmen und Mähren zerstörte 1939 die staatliche Existenz der Tschechoslowakei. 1945 wurde die Tschechoslowakei nach dem Einmarsch sowjetischer und amerikanischer Truppen wiederhergestellt. Die Sudetendeutschen wurden unter großen Menschenverlusten vertrieben. 1948 übernahm die kommunistische Partei die alleinige Macht. Das Land wurde Mitglied des COMECON und des Warschauer Pakts. 1968 versuchte die von Alexander Dubček geführte Partei, einen Reformkurs mit größeren Freiheiten für die Bürger zu steuern (›Prager Frühling‹). Am 21. August 1968 marschierten Truppen des Warschauer Pakts in die Tschechoslowakei ein und beendeten den Reformversuch. Regimekritiker sammelten sich seit 1975 in der Bürgerrechtsbewegung ›Charta 77‹. Nach dem Zusammenbruch des kommunistischen Regimes 1989/90 erfolgte die Umwandlung in eine föderative Republik, doch trennten sich die Tschechische und die Slowakische Republik zum 1. 1. 1993 und bilden seitdem zwei selbständige Staaten.

Tschechische Republik

Staatswappen

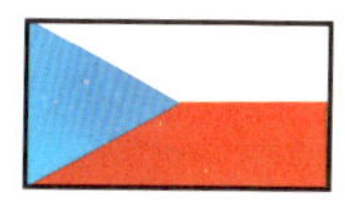

Staatsflagge

Tschechow. In zahlreichen Novellen und Kurzgeschichten, die klar und einfach geschrieben sind, schildert der russische Schriftsteller **Anton Pawlowitsch Tschechow** (* 1860, † 1904) die Welt des russischen Kleinbürgertums, der Intellektuellen und des sich auflösenden Gutsadels. Er untersucht das Verhalten der Menschen und deckt soziale Mißstände auf. Ein Beweis von Tschechows Humor sind die einaktigen Komödien ›Der Bär‹ und ›Der Heiratsantrag‹ (beide 1888). In den Theaterstücken ›Die Möwe‹ (1896), ›Onkel Wanja‹ (1897), ›Drei Schwestern‹ (1901) und ›Der Kirschgarten‹ (1904) steht das Neben- und Gegeneinander von Seelenzuständen und Stimmungen der Figuren im Mittelpunkt.

Tschiang Kai-schek, Chiang Kai-shek. Der chinesische General und Politiker **Tschiang Kai-schek** (* 1887, † 1975) schloß sich nach der Revolution von 1911 der von Sun Yat-sen (* 1866, † 1925) geführten Partei Kuo-min-tang an. Nach dem Tod Sun Yat-sens stieg er selbst zum Führer der Kuo-min-tang auf. Gestützt auf eine neugeschaffene Armee, einigte er von Süd-China aus auf dem ›Nordfeldzug‹ (1926–28) das in verschiedene Herrschaftsgebiete gespaltene China; dabei wandte er sich auch gegen die Kommunisten, mit denen er bis dahin zusammengearbeitet hatte. Er errichtete in Nanking eine Nationalregierung, die bald international allgemein anerkannt wurde. Tschiang Kai-schek selbst wurde die beherrschende Figur der Repu-

Peter Tschaikowskij

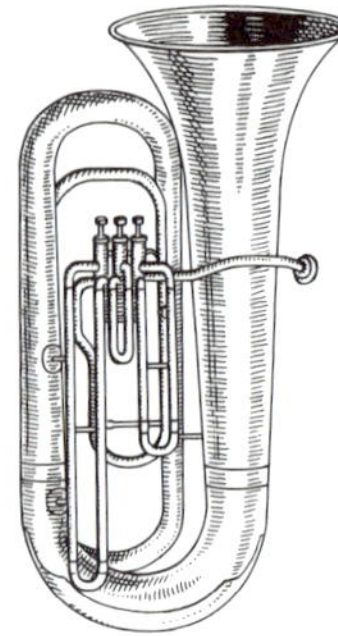

Tuba

Tukan

Tulpe: Gartentulpe

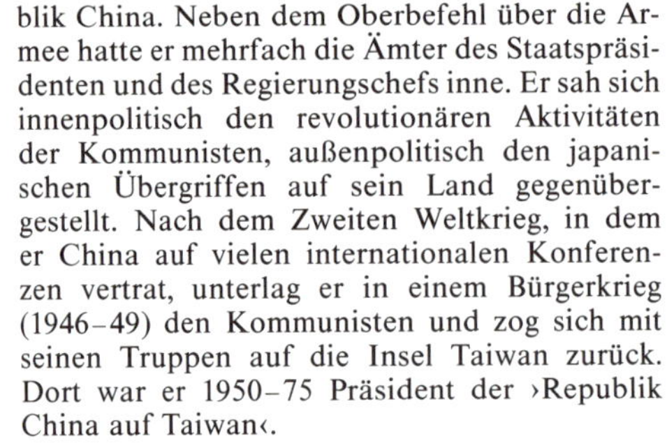

blik China. Neben dem Oberbefehl über die Armee hatte er mehrfach die Ämter des Staatspräsidenten und des Regierungschefs inne. Er sah sich innenpolitisch den revolutionären Aktivitäten der Kommunisten, außenpolitisch den japanischen Übergriffen auf sein Land gegenübergestellt. Nach dem Zweiten Weltkrieg, in dem er China auf vielen internationalen Konferenzen vertrat, unterlag er in einem Bürgerkrieg (1946–49) den Kommunisten und zog sich mit seinen Truppen auf die Insel Taiwan zurück. Dort war er 1950–75 Präsident der ›Republik China auf Taiwan‹.

Tsetsefliege, eine → Fliege.

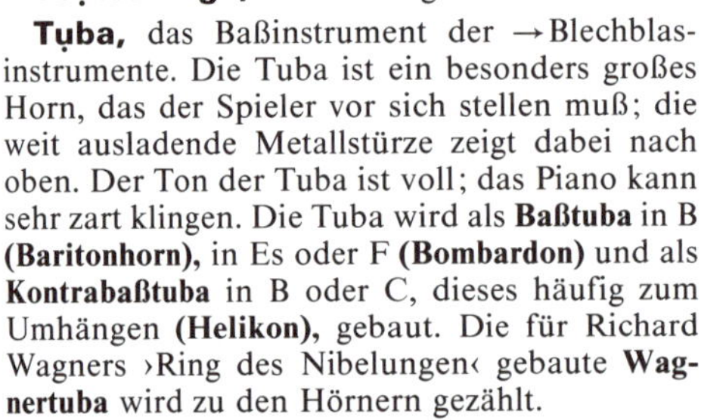

Tuba, das Baßinstrument der → Blechblasinstrumente. Die Tuba ist ein besonders großes Horn, das der Spieler vor sich stellen muß; die weit ausladende Metallstürze zeigt dabei nach oben. Der Ton der Tuba ist voll; das Piano kann sehr zart klingen. Die Tuba wird als **Baßtuba** in B **(Baritonhorn),** in Es oder F **(Bombardon)** und als **Kontrabaßtuba** in B oder C, dieses häufig zum Umhängen **(Helikon),** gebaut. Die für Richard Wagners ›Ring des Nibelungen‹ gebaute **Wagnertuba** wird zu den Hörnern gezählt.

Tuberkulose [zu lateinisch tuberculum ›Knötchen‹], Abkürzung **Tb, Tbc,** meldepflichtige → ansteckende Krankheit mit meist chronischem und häufig wechselvollem Verlauf. Erreger sind die von Robert Koch entdeckten **Tuberkelbakterien,** die in der Regel über die Atemwege übertragen werden. Bei der Erstansteckung kommt es in der Lunge zur Knötchenbildung mit Befall der zugehörigen Lymphknoten. Bei genügender Abwehrkraft heilt diese Entzündung oft ohne wesentliche Krankheitszeichen ab und ist später im Röntgenbild nur noch als Verkalkung erkennbar. An dieses erste Stadium kann sich bei geschwächter Abwehrlage eine zweite Phase anschließen, in der es zur Ausbreitung in andere Organe kommt. Hierbei können Entzündungsherde in der Lunge in die Bronchien einbrechen mit der Folge einer offenen, ansteckenden Tuberkulose oder Keime über die Blut- oder Lymphbahnen verschleppt werden. Nach einer Ruhepause kann es bei geschwächter Abwehrlage in einem dritten Stadium zum Wiederaufflackern der Tuberkulose kommen. Der früher unter hohem Fieber und Kräfteverfall **(Schwindsucht)** zum Tod führende Verlauf ist heute wegen der Möglichkeit der Vorbeugung, der frühen Erkennung und der wirksamen Behandlung selten geworden.

Tübingen, 78600 Einwohner, alte Universitätsstadt am Neckar in Baden-Württemberg. Die

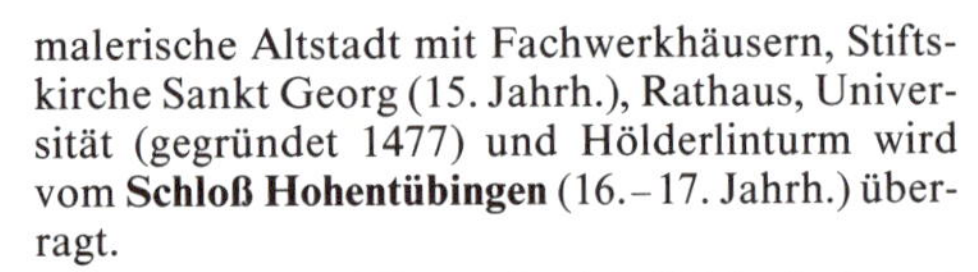

malerische Altstadt mit Fachwerkhäusern, Stiftskirche Sankt Georg (15. Jahrh.), Rathaus, Universität (gegründet 1477) und Hölderlinturm wird vom **Schloß Hohentübingen** (16.–17. Jahrh.) überragt.

Tucholsky. Mit großer Treffsicherheit und beißender Ironie kritisierte der deutsche Schriftsteller **Kurt Tucholsky** (* 1890, † Selbstmord 1935) in Gedichten und kurzen Prosastücken, zum Teil in Berliner Mundart, gesellschaftliche und politische Zustände in Deutschland. Entschieden wandte er sich gegen Krieg, nationale Überheblichkeit und Spießertum. Besonders scharf verurteilte Tucholsky, der seit 1924 im Ausland lebte, den Nationalsozialismus. 1933 wurden seine Bücher in Deutschland verboten. Angesichts der politischen Situation beging Tucholsky Selbstmord. Von ihm stammen auch die verspielt-zärtlichen Liebesgeschichten ›Rheinsberg‹ (1912) und ›Schloß Gripsholm‹ (1932).

Tudor [tjudor], englisches Adelsgeschlecht, das nach dem Ende der → Rosenkriege 1485 bis 1603 die Könige von England stellte, darunter → Heinrich VIII. und → Elisabeth I.

Tuff, vulkanische Asche, die bei Explosionen ausbrechender Vulkane in die Höhe geschleudert wird und sich nach Verwehung und Ablagerung zu einem porösen Gestein verfestigt.

Tukane, Pfefferfresser, mit den → Spechten verwandte, farbenprächtige Vögel, die in mittel- und südamerikanischen Urwäldern leben. Sie ernähren sich von Früchten. Auffallend ist ihr mächtiger, bunter Schnabel, der bis zu 15 cm lang und 5 cm dick, aber sehr leicht ist. Das Weibchen brütet in einer vom Männchen zugemauerten Höhle und wird von diesem gefüttert. (BILD Seite 296)

Tulpe, Gartenblume, die ursprünglich aus den Steppen Zentralasiens stammt und im 16. Jahrh. aus der Türkei nach Europa gelangte. Tulpenzwiebeln wurden damals vor allem in Holland teuer gehandelt. Diese bis 60 cm hohe Zwiebelpflanze wird heute in vielen Sorten gezüchtet. Ihre aufrecht stehende, manchmal gefüllte Blüte kommt in vielen Farben vor und kann auch gefleckt oder gestreift sein. Tulpen reagieren sehr empfindlich auf Temperaturunterschiede. Stellt man sie z. B. in ein warmes Zimmer, öffnen sich die Blüten in kurzer Zeit sehr weit, in kühler Umgebung schließen sie sich wieder. Das Öffnen erfolgt dadurch, daß die Innenseite der Blütenblätter stärker wächst als die Außenseite, das Schließen durch stärkeres Wachstum der Außenseite. Die Blüte kann sich bei mehrmaligem

Wiederholen dieses Vorganges auf das Doppelte vergrößern.

Tumor [lateinisch ›Schwellung‹], im weiteren Sinn eine örtlich begrenzte Schwellung des Körpergewebes, im engeren Sinn eine →Geschwulst.

Tundra, im Norden Asiens, Europas und Amerikas sowie auf einigen Inseln der Antarktis verbreitete arktische Vegetationszone, die hauptsächlich aus Flechten, Moosen und Zwergstrauchheiden besteht. Die Tundra schließt sich nördlich an die →Taiga an. Für diese Landschaft kennzeichnende Tiere sind Ren, Schneehase, Polarfuchs, Lemming und Schnee-Eule sowie in den Sommermonaten Stechmücken.

Tuner [tjuner, englisch ›Abstimmer‹], Baueinheit in Rundfunk- oder Fernsehapparaten, die dem Abstimmen auf den gewünschten Sender dient. Bei HiFi-Anlagen wird der Rundfunkempfangsteil ohne Verstärker als Tuner bezeichnet.

Tunesien, Republik in Nordafrika, doppelt so groß wie Österreich. Im Nordteil des Landes erstrecken sich die Ausläufer des Atlasgebirges. Nach Süden zu schließt sich die Zone der Salzsümpfe und Salztonebenen an. Der Süden ist Wüste. Der Norden des Landes hat Mittelmeerklima, südlich des Gebirges herrscht Steppen- und Wüstenklima. Neun Zehntel der Bewohner sind Araber und Berber, daneben leben noch wenige Italiener und Franzosen im Land.

Im Norden werden Weizen, Wein, Citrusfrüchte, Obst und Gemüse angebaut, in der Mitte spielt der Anbau von Oliven eine Rolle, in den Oasen des Südens bestimmt die Dattelpalme den Anbau. Phosphat, Erdöl und Erdgas sind die wichtigsten Bodenschätze. Die Industrie verarbeitet landwirtschaftliche und bergbauliche Erzeugnisse. Große Bedeutung haben Handwerk und Fremdenverkehr.

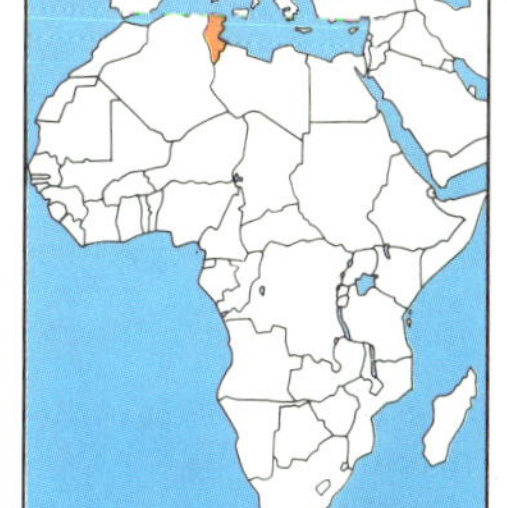

Tunesien

Fläche: 163 610 km²
Bevölkerung: 8,1 Mill. E
Hauptstadt: Tunis
Amtssprache: Arabisch
Staatsreligion: Islam sunnit. Richtung
Nationalfeiertag: 1. Juni
Währung: 1 Tunes. Dinar (tD) = 1 000 Millimes (M)
Zeitzone: MEZ

Tunesien war zunächst Kerngebiet Karthagos. Nach dessen Zerstörung 146 v. Chr. gehörte es zur römischen Provinz Africa, seit 429 n. Chr. zum Wandalenreich. Im 7. Jahrh. eroberten die Araber das Land. Ab dem 16. Jahrh. war es Teil des Osmanischen Reichs. 1881 wurde Tunesien französisches Kolonialgebiet, 1956 erhielt es die Unabhängigkeit. (KARTE Band 2, Seite 194)

Tunesien

Staatswappen

Staatsflagge

Tunis, 870 000, mit Vororten 1,15 Millionen Einwohner, Hauptstadt von Tunesien an einem Lagunensee am Mittelmeer, mit vorgelagertem Seehafen **La Goulette.** Um die Altstadt (Medina) mit vielen Basaren und Moscheen (Große Moschee, 732 gegründet) entstand unter französischer Schutzherrschaft (seit 1881) die europäisch geprägte Neustadt mit Theater und Museen.

Tunnel, unterirdisch geführte Verkehrswege für Straßen, Eisenbahnen, Untergrundbahnen, auch für Fußgänger. Früher mußten Tunnels Stück für Stück aus dem Gebirge herausgebrochen oder gesprengt werden, wobei die Bauweise davon abhing, ob das Gebirge standfest oder brüchig war. Die Gebirgsbeschaffenheit spielt auch beim heutigen **Schildvortrieb** (BILD) eine Rolle. Hierbei wird der volle Querschnitt der Tunnelröhre gebohrt und ausgebrochen und das Tun-

Tunnel: Schildvortrieb, Schildvortriebsstrecke beim Bau des Elbtunnels Hamburg

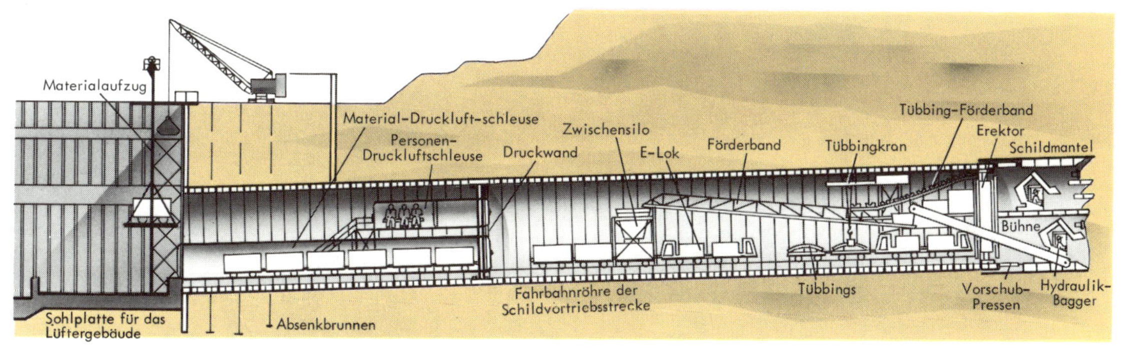

nelgewölbe sofort mit Spritzbeton und Stahlmatten gesichert. Meist beginnt man den Tunnelbau von beiden Seiten her und trifft sich auf halbem Weg. Neben der **geschlossenen Bauweise** gibt es bei geringer Bodenüberdeckung die **offene Bauweise,** bei der der Tunnel in offener Baugrube von oben her entsteht. Dies ist z. B. beim U-Bahn-Tunnel möglich.

Turbine [zu lateinisch turbo ›Wirbel‹], eine Kraftmaschine, die die Strömungsenergie, z. B. von Wasser oder Dampf, nutzt, um sie über ein mit Schaufeln besetztes Laufrad in gleichförmige Drehbewegung umzusetzen. Das Turbinenlaufrad wird bei **Axialturbinen** parallel zur Welle, bei **Radialturbinen** senkrecht zur Welle ›beaufschlagt‹. Die wichtigsten Turbinenarten sind die Wasserturbine, die Dampfturbine und die Gasturbine. Eine frühe Form der Turbine ist das Wasserrad.

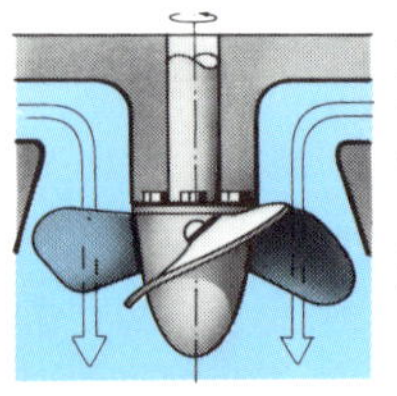

Axialturbine (Schnitt durch eine Kaplan-Wasserturbine)

Radialturbine

Turbine 1):

Die erste verwendbare **Wasserturbine** wurde 1827 in Frankreich gebaut. Das Wasser wird in hochgelegenen Stauseen gespeichert und fließt durch Rohrleitungen in das tieferliegende Kraftwerk zur Wasserturbine. Man unterscheidet bei den Wasserturbinen zur Stromerzeugung zwischen Gleich- und Überdruckturbinen. Bei **Gleichdruckturbinen** wird ein gleichbleibender Wasserdruck durch Düsen direkt auf das Laufrad übertragen und in Bewegungsenergie umgesetzt. In **Überdruckturbinen** geschieht die Übertragung des Druckes durch ein dem Laufrad vorgeschaltetes regelbares Leitrad, in dem der Druck beim Durchströmen geringer wird.

Turbinen können statt mit Wasser auch mit Dampf betrieben werden und finden ihre Anwendung in Elektrizitätswerken zur Erzeugung elektrischer Energie sowie als Schiffsantriebe. Die **Dampfturbine** wurde etwa 1883 gleichzeitig von dem Schweden Carl Gustav Patrik de Laval und dem Engländer Sir Charles Algernon Parsons entwickelt. Dampfturbinen haben Laufräder mit Schaufeln, die wie kleine schräggestellte gewölbte Tragflächen aussehen. Um die Strömungsenergie besser ausnutzen zu können, besitzen Dampfturbinen mehrere Druckstufen, das heißt mehrere Laufräder und Leiträder. Der Dampf wird in jeder Druckstufe weiter entspannt, also nimmt der Dampfdruck stetig ab. Durch diese stufenweise Nutzung der Dampfenergie wird der Wirkungsgrad der Turbine verbessert.

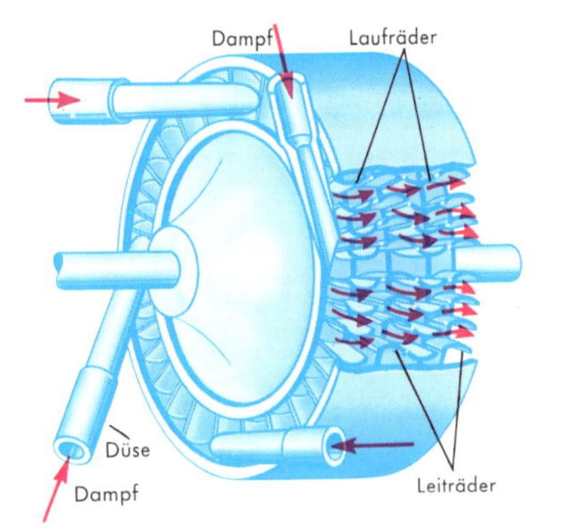

Turbine 2): Prinzip der Dampfturbine, dargestellt an der Laval-Turbine: Der Dampf strömt aus den Düsen in Richtung der Achse durch die Laufräder und drückt dabei die Laufräder vorwärts

TUNNEL

Straßentunnel:	Land/Ort	Länge	eröffnet
Gotthard-Tunnel	Schweiz	16,3 km	1980
Arlberg-Tunnel	Österreich	13,9 km	1978
Fréjus-Tunnel	Frankreich–Italien	12,7 km	1980
Montblanc-Tunnel	Frankreich–Italien	11,6 km	1965
Neuer Elbtunnel	Hamburg	2,6 km	1973
Eisenbahn-Tunnel:			
Seikan-Tunnel (Untermeerestunnel)	Japan	53,8 km	1988
Ärmelkanaltunnel	Frankreich-England	49,4 km	im Bau
Daishimizu-Tunnel	Japan	22,2 km	1979
Simplon-Tunnel	Schweiz–Italien	19,8 km	1906/22
Furka-Tunnel	Schweiz	15,4 km	1982
Gotthard-Tunnel	Schweiz	14,9 km	1882
Arlberg-Tunnel	Österreich	10,2 km	1884
Kaiser-Wilhelm-Tunnel	Cochem	4,2 km	1879
Distelrasen-Tunnel	Schlüchtern	3,6 km	1913

Während bei Dampfturbinen der Dampf in besonderen Dampfkesseln erzeugt wird, entsteht das Gas einer →Gasturbine durch Verbrennung eines Kraftstoff-Luft-Gemisches in der Brennkammer im Turbinengehäuse selbst.

Turbolader, auch **Turbo,** kurz für **Abgasturbolader,** ein Gerät, das bei Verbrennungsmotoren die Frischluft unter Druck in die Zylinder preßt und damit die Leistung des Motors steigert. Die ausströmenden Auspuffgase des Motors treiben eine kleine Turbine (Abgasturbine) an, auf deren Welle ein Gebläse (Aufladegebläse) sitzt, das die Druckluft zur Vorverdichtung (Aufladung) erzeugt. Der Turbolader bewirkt je nach Motordrehzahl eine Leistungssteigerung von 40–70%. Der Brennstoffverbrauch wird ein wenig gesenkt. – Wenn das Aufladegebläse nicht von einer Abgasturbine, sondern direkt von der Motorwelle angetrieben wird, spricht man nicht von Turbolader, sondern von →Kompressor. Dieser ist ein Drehkolbenverdichter, der früher zur Aufladung von Renn- und Sportwagenmotoren benutzt wurde. Die Motorleistung verringert sich dabei um die Antriebsleistung des Kompressors.

Turgenjew. Weite Beachtung fand der russische Schriftsteller **Iwan Sergejewitsch Turgenjew** (* 1818, † 1883) durch die ›Aufzeichnungen eines Jägers‹ (ab 1847). In dieser Sammlung von Erzählungen beschreibt Turgenjew die Lebensumstände der russischen Bauern, kritisiert den Adel und protestiert gegen die Leibeigenschaft. Seine Romane (z. B. ›Ein Adelsnest‹, 1858; ›Väter und Söhne‹, 1862) geben ein Bild der zeitgenössischen russischen Gesellschaft und stellen ihre Mängel bloß. Allgemeinmenschliche Probleme behandeln Turgenjews Novellen (z. B. ›Erste Liebe‹, 1860; ›Frühlingsströme‹, 1871).

Turin, 1,14 Millionen Einwohner, Stadt in Oberitalien am Po. Turin ist nach Mailand das zweitgrößte Handels- und Industriezentrum Italiens mit Autoindustrie (FIAT-Werke), Eisenbahn- und Flugzeugbau sowie Stahlwerken. Zu den alten Bauwerken gehören der Dom (15. Jahrh.), Kirchen und Paläste aus der Barockzeit, z. B. Palazzo Reale (der ehemalige Königliche Palast) und Palazzo Madama. – Turin, gegründet von den Kelten, wurde unter Augustus eine römische Kolonie, im 6. Jahrh. Sitz langobardischer Herzöge und im 9. Jahrh. fränkischer Grafen; 1861–65 war es Hauptstadt des Königreichs Italien.

Türkei, Republik in Südosteuropa und Vorderasien, mehr als zweimal so groß wie die Bundesrepublik Deutschland. Außer einem kleinen Anteil an Europa umfaßt die Türkei die Halbinsel **Kleinasien (Anatolien),** ein steppenhaftes Hochland, das von 800 m im Westen bis auf 1 200 m im Osten ansteigt und von vulkanischen Bergzügen überragt wird. Die nördliche Begrenzung bildet das Pontische Gebirge, die südliche das Gebirgssystem des Taurus. Im Osten erreicht das Land im Ararat-Hochland Höhen über 3 000 m. Die Küste der Ägäis ist stark gegliedert. Das Klima ist im Innern trocken mit starken Wärmeschwankungen, an der Küste feuchter und mittelmeerisch. Rund $^9/_{10}$ der Einwohner sind Türken; im Südosten leben Kurden. Die Bevölkerung gehört fast ausschließlich zum Islam.

Haupterwerbszweig ist die Landwirtschaft. Die Flächen im Norden, Westen und Süden des Landes sind klimatisch begünstigt und werden intensiv zum Anbau genutzt. Zwei Drittel des Ackerlandes werden mit Weizen bebaut, am Schwarzen Meer dominiert der Mais. An der West- und Südküste liegen Ölbaumkulturen. In bewässerten Gebieten werden Baumwolle, Obst und Gemüse angebaut. Citrusfrüchte, Melonen, Obst und Gemüse versorgen den einheimischen Markt. In Anatolien findet sich Tabakanbau, im östlichen Bereich der Schwarzmeerküste Teeanbau. Im trockenen Osten Inneranatoliens wird Schaf- und Ziegenhaltung betrieben.

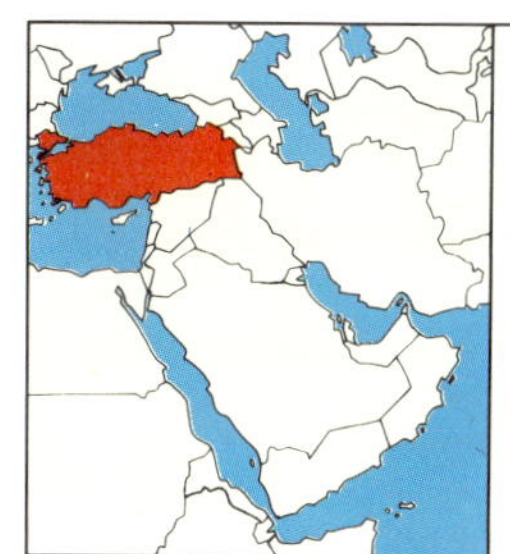

Türkei

Fläche: 779 452 km² (in Europa 23 764 km²)
Bevölkerung: 56,47 Mill. E
Hauptstadt: Ankara
Amtssprache: Türkisch
Nationalfeiertag: 29. Okt.
Währung: 1 Türk. Pfund/Türk. Lira (TL.) = 100 Kuruş (krş)
Zeitzone: MEZ + 1 Stunde

Der Bergbau fördert Stein- und Braunkohle, Eisenerz, Chrom und Kupfer. Anspruch auf die Erdölfelder im Ägäischen Meer erhebt neben der Türkei auch Griechenland. Wichtigste Industriezweige sind Nahrungs- und Genußmittelindustrie, Textil- und Bekleidungsindustrie, Metallverarbeitung, Maschinen- und Fahrzeugbau. Mit staatlicher Unterstützung soll der Fremdenverkehr stärker ausgebaut werden.

Wichtigster Einfuhrhafen ist Istanbul, wichtigster Ausfuhrhafen Izmir.

Geschichte. Die Türkei in ihrer heutigen Gestalt entstand 1920 nach dem Ersten Weltkrieg; erst seit 1923 heißt das Land offiziell ›Republik Türkei‹. Bis dahin sprach man vom **Osmanischen Reich,** das von einem Sultan regiert wurde und im Lauf seiner Geschichte viele Gebiete Vorderasiens, Nordafrikas und Südosteuropas umfaßte.

Die Geschichte des Osmanischen Reichs beginnt im 13. Jahrh., als eine Anzahl türkischer Kleinstaaten den ›Heiligen Krieg‹, den vom Koran gebotenen Glaubenskrieg gegen Nichtmuslime, gegen das → Byzantinische Reich führte. Auf dessen Kosten vergrößerte sich vor allem das Fürstentum der **Osmanen,** eines türkischen Volks, das nach seinem Fürsten und ersten Sultan → Osman I. benannt wird. Die Osmanen eroberten im 14. Jahrh. Serbien und Bulgarien und unter Sultan Mohammed II. die Stadt Konstantinopel (1453), die sie zu ihrer Hauptstadt machten (→ Istanbul). Im 15. Jahrh. eroberten sie Griechenland, die Krim, Syrien, Ägypten und die Arabische Halbinsel. Unter → Suleiman II., dem Prächtigen, erreichte das Osmanische Reich einen Höhepunkt an Macht und Ausdehnung. Su-

Türkei

Staatswappen

Staatsflagge

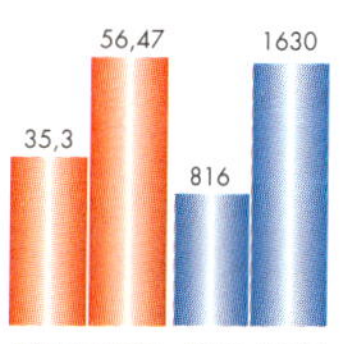

Bevölkerung (in Mill.)
Bruttosozialprodukt je E (in US-$)

Stadt Land
39%
61%

Bevölkerungsverteilung 1990

Industrie
Landwirtschaft
Dienstleistung

Bruttoinlandsprodukt 1990

leiman eroberte Südosteuropa bis nach Ungarn. Doch scheiterte die Belagerung Wiens 1529.

Unter den Nachfolgern Suleimans begann der Niedergang des Osmanischen Reichs. 1571 wurde seine Seemachtstellung durch die Niederlage bei Lepanto durch die Spanier und Venezianer schwer erschüttert. 1683 schließlich wurde die zweite Belagerung Wiens zu einem Fehlschlag. Von diesem Zeitpunkt an wurden die einzelnen Provinzen des Osmanischen Reichs zunehmend selbständiger. Im Ersten Weltkrieg kämpfte das Osmanische Reich auf deutscher Seite. Durch die Friedensverträge von Sèvres (1920) und Lausanne (1923) wurde sein Staatsgebiet auf das der heutigen Türkei beschränkt. 1922 wurde der Sultan abgesetzt, 1923 die Republik ausgerufen.

Ihr erster Präsident, **Kemal Pascha Atatürk,** der als Vater der modernen Türkei gilt, leitete die Reformen ein, die die türkischen Lebensformen denjenigen Europas anglichen (z. B. Gleichstellung der Frau, Übernahme der lateinischen Schriftzeichen). Nach 1945 entwickelte die Türkei ein Mehrparteiensystem nach westlichem Muster. 1952 wurde sie Mitglied der NATO. Innerhalb dieses Bündnisses hat die Türkei die Aufgabe, die Dardanellen, die Verbindung zwischen dem Schwarzen Meer und dem Mittelmeer, zu überwachen. Zu Spannungen kam es mit dem NATO-Partner Griechenland, besonders wegen →Zypern. Im Zusammenhang mit steigenden sozialen und wirtschaftlichen Schwierigkeiten kam es seit etwa 1970 zu politischen Unruhen, die 1980 zu einer Machtübernahme durch das Militär führten. 1982 billigte die Bevölkerung eine neue Verfassung. (KARTE Band 2, Seite 194)

Türkenkriege, die Kriege der christlichen Staaten, vor allem Österreich, Polen, Rußland, Venedig, gegen das Vordringen des Osmanischen Reichs (→Türkei, Geschichte) nach Westen. Im **Großen Türkenkrieg** 1683–99 hob der polnische König Jan Sobieski die zweimonatige Belagerung Wiens 1683 auf. Nach dem Sieg des Prinzen →Eugen bei Senta (1697) wurde 1699 der **Friede von Karlowitz** geschlossen: Österreich erhielt den größten Teil Ungarns, Siebenbürgen und den größten Teil Slawoniens, Polen bekam Padolien zurück, Venedig die Peloponnes und Teile Dalmatiens. Der Große Türkenkrieg leitete die Phase der Vertreibung der Osmanen aus Europa ein.

Türkis [von französisch turquoise, zu turc ›türkisch‹], ein Tonerde-Phophat-Mineral mit wachsartigem Glasglanz. Seine blaue bis grünblaue, fleckig-netzartige Färbung erhält er durch Kupfer und Eisen. Türkis kommt in Hohlräumen und auf Klüften aluminiumhaltiger Gesteine vor und ist seit Beginn des 19. Jahrh. bei uns ein geschätzter Schmuckstein. Lange zuvor war er in Ägypten und im Orient als Amulett und zur Verzierung von Waffen und Rüstungen bekannt.

Türkmenen, Turkmenen, aus vielen Unterstämmen bestehendes Volk in Vorder- und Zentralasien, in Turkmenistan, im Iran, Irak, in Afghanistan, Usbekistan und in der Türkei. Während die Türkmenen ursprünglich ein wanderndes Hirtenvolk waren, bezogen sie später unter dem Einfluß von Oasenbauern auch den Ackerbau in ihre Lebensweise mit ein und wurden zum Teil seßhaft. Typisch für ihre kunsthandwerklichen Erzeugnisse sind türkmenische Knüpfteppiche mit geometrischen Mustern.

Turkmenistan

Staatswappen

Staatsflagge

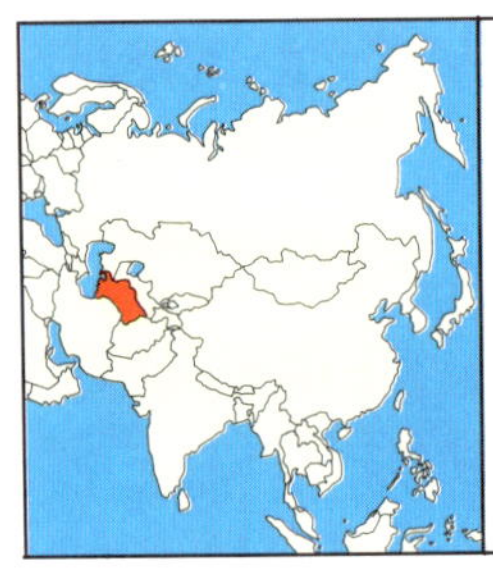

Turkmenistan

Fläche: 488 100 km²
Bevölkerung: 3,6 Mill. E
Hauptstadt: Aschchabad
Amtssprache: Turkmenisch
Währung: 1 Rubel = 100 Kopeken (vorgesehen: Malat)
Zeitzone: MEZ +3 Stunden

Turkmenistan, Republik in Südwestmittelasien. Das Land ist doppelt so groß wie Großbritannien und Nordirland. Der größte Teil ist Sandwüste, das Klima extrem kontinental, sonnenreich und trocken. 72% der Bevölkerung sind Turkmenen, 10% Russen, 9% Usbeken. Die größte Bedeutung hat die Industrie: Erdgas, Erdöl, chemische Industrie, Teppichherstellung. Wichtigster Zweig der Landwirtschaft ist der Baumwollanbau; daneben gibt es Seidenraupenzucht.

Vom 6. bis 4. Jahrh. v. Chr. gehörte das Gebiet zu Persien, dann zum Reich Alexanders des Großen. Im 8. Jahrh. n. Chr. eroberten die Araber das Land; seit dem 9. Jahrh. drangen die Vorfahren der Turkmenen, die türkischen Ogusen ein. Ende des 19. Jahrh. kam es an Rußland. 1916 gab es Aufstände gegen die zaristische, 1918 gegen die bolschewistische Herrschaft, die erst 1920 durchgesetzt werden konnte. 1991 erklärte Turkmenistan seine Unabhängigkeit.

Turks- und Caicos-Inseln, Inselgruppe in Westindien, südöstlich der Bahamas. Die 30 Koralleninseln, von denen 6 bewohnt sind, haben eine Fläche von 430 km² und rund 6 000 Einwohner. Zur Zeit der Entdeckung durch die Spanier (1512) waren sie unbewohnt. Die Inseln sind britische Kolonie. (KARTE Band 2, Seite 196)

Turmalin, Gruppe von Silikatmineralen mit gemeinsamer allgemeiner Formel, aber unterschiedlicher chemischer Zusammensetzung. Daraus ergibt sich die Farbenvielfalt, in der der Turmalin auftritt: von farblos über gelb, grün, braun zu schwarz. Diese kann auch in der Längsrichtung der gestreckten Kristalle auftreten, die bis 7 m lang werden und einen Durchmesser bis zu 1 m erreichen. Nach Farbe und chemischer Zusammensetzung werden eine Reihe von Varietäten unterschieden. Turmaline laden sich bei Druck oder Erwärmung auf bestimmten, gegenüberliegenden Flächen elektrisch entgegengesetzt auf (→ Piezoelektrizität).

Turmbau zu Babel, → Babylonischer Turm.

Turnen, von Friedrich Ludwig → Jahn geprägter Begriff für die Gesamtheit der von ihm entwickelten Körperübungen. Heute ist Turnen die Sammelbezeichnung für Leibesübungen mit und ohne Gerät. Es reicht vom volkstümlichen Üben in Sportvereinen bis zum Hochleistungssport. Turnen ist Teil des Sportunterrichts an den Schulen, als → Kunstturnen ist es seit 1896 olympische Disziplin.

Bei den **Turngeräten** unterscheidet man zwischen Handgeräten und Geräten, an denen geturnt wird. Handgeräte sind Geräte, mit denen geturnt wird. Zu ihnen zählen Ball, Band, Hantel, Keule, Reifen, Rundgewicht, Seil und Stab. Herren turnen an den Geräten Barren, Boden, Pferd, Reck, Ringe, Seitpferd; für Damen gibt es Wettbewerbe an den Geräten Boden, Pferd, Schwebebalken, Stufenbarren. Sonderformen des Geräteturnens sind z. B. das Turnen am Rhönrad und das Trampolinturnen. Zu den Sonderformen des Turnens zählen auch Säuglingsgymnastik, Krankengymnastik sowie speziell auf die Möglichkeiten körperlich und geistig Behinderter zugeschnittene Übungsprogramme.

Turner [törner]. Der englische Maler **William Turner** (* 1775, † 1851) begann als Zeichner von Architektur- und Stadtansichten und malte später vor allem Landschaften. Nach den Eindrükken, die er auf Studienreisen, besonders in Italien, empfangen hatte, löste er sich immer mehr von der realistischen Wiedergabe der Gegenstände, um vor allem die Wirkung von Licht, Luft und Farbe zu erfassen. Besonders in seinen späteren Aquarellen gelangte er zu fast schon impressionistisch anmutenden Darstellungen, in denen es keine festumrissenen Gegenstände mehr gibt, sondern die reinen, leuchtenden Farben von Landschaft, Himmel und Gebäuden ineinander zu verschwimmen scheinen. (BILD Aquarell)

Turnier, ritterliches Kampfspiel im Mittelalter. Bei einem Turnier wurden Sieger in 2 Kampfarten ermittelt: Der **Buhurt** war ein Massenkampf der Ritter zu Pferd, der ohne Waffen geführt und nur auf die Geschicklichkeit abgestellt wurde; der **Tjost** war der Zweikampf zu Pferd, der mit einer stumpfen Lanze ausgefochten wurde. Sieger war bei beiden Kampfarten jeweils der Ritter, der am Schluß als letzter noch im Sattel saß. Heute wird ein von mehreren Einzelsportlern oder von Mannschaften in verschiedenen Durchgängen ausgetragener Wettkampf als Turnier bezeichnet, z. B. im Pferdesport, Schach, Tennis und Tanzsport.

Tut-ench-Amun (goldene Maske des Königs)

Tut-ench-Amun, ägyptischer König, der um 1340 v. Chr. regierte und schon mit 18 Jahren starb. – Sein Grab ist das einzige Pharaonengrab, das nicht ausgeraubt gefunden worden ist. 1922 entdeckte es der englische Gelehrte Howard Carter in dem zur Totenstadt von → Theben gehörenden Tal der Könige. Die herrlich ausgemalte Grabkammer barg unermeßliche Schätze, die zum Teil aus purem Gold kunstvoll gefertigt sind.

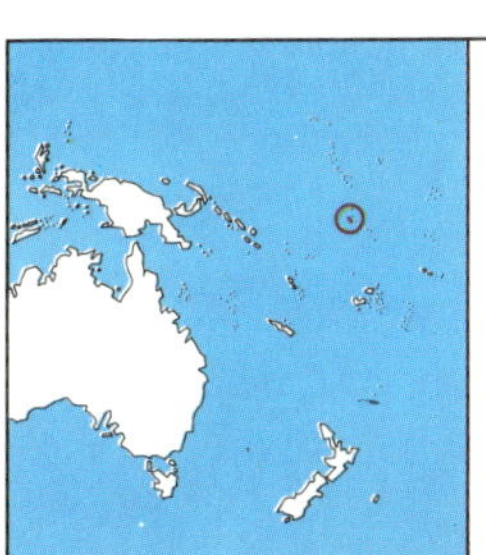

Tuvalu

Fläche: 26 km²
Bevölkerung: 9 100 E
Hauptstadt: Funafuti
Amtssprachen: Englisch, Tuvalu
Währung: 1 Austral. Dollar ($A) = 100 Cents (c); daneben eigene Münzen
Zeitzone: MEZ + 11 Stunden

Tuvalu

Staatswappen

Staatsflagge

Tuvalu, Republik im Pazifischen Ozean, 3 000 km nordöstlich von Australien, umfaßt die früheren Ellice-Inseln. Die Inselgruppe besteht aus Atollen. Die meist polynesischen Einwohner leben vom Fischfang und der Ausfuhr von Kopra. 1978 entließ Großbritannien den Inselstaat in die Unabhängigkeit innerhalb des Commonwealth.

Twain [twehn], → Mark Twain.

Typhus [von griechisch typhos ›Rauch‹], eine durch Bakterien (Salmonellen) hervorgerufene → ansteckende Krankheit, die vor allem in Ländern mit mangelnder Hygiene auftritt. Etwa 2 Wochen nach der Ansteckung beginnt die Erkrankung mit Kopf- und Gliederschmerzen und einem ›treppenförmigen‹ Fieberanstieg. Es folgt dann langanhaltendes, hohes Fieber mit schwerem Krankheitsgefühl und häufig Benommenheit bis zur Bewußtlosigkeit. Heftige Durchfälle treten meist in der dritten Krankheitswoche auf. Wegen der guten Behandlungsmöglichkeiten endet die Krankheit heute nur noch selten tödlich. Vor Reisen oder Aufenthalten in Typhusgebieten ist eine Impfung zu empfehlen.

Tyr, Tịu, Zịu, bei den Germanen der Gott des Krieges. Auf die Namensform Ziu wird der Wochentagsname ›Dienstag‹ zurückgeführt.

Tyrạnn [griechisch ›Herrscher‹], im Altertum ein ohne gesetzliche Bindung herrschender Fürst, im Unterschied zum König, dessen Macht auf dem Gesetz beruhte. Die Herrschaft eines Tyrannen hieß **Tyrannis.** In Athen erlangte Peisistratos um 546 v. Chr. die Tyrannis, die nach seinem Tod (527 v. Chr.) auf seine Söhne Hipparch (bis 514 v. Chr.) und Hippias (bis 510 v. Chr.) überging.

Tyrrhẹnisches Meer, Teil des Mittelmeers zwischen Italien, Korsika und Sizilien. Es ist bis 3 758 m tief und entstand vermutlich durch den Einbruch einer Landmasse.

U, der 21. Buchstabe des Alphabets, ein Vokal. In der Chemie ist U das Zeichen für Uran.

U-Bahn, Abkürzung für → Untergrundbahn.

Ụberschallflug, das Fliegen von Luftfahrzeugen mit Überschallgeschwindigkeit, das heißt schneller als etwa 340 m/s oder 1 200 km/h. Der dabei besonders hohe Luftwiderstand (→ Schallmauer) kann nur durch schubstarke Raketen- oder Stahltriebwerke überwunden werden. Außerdem muß die Form von Überschallflugzeugen den im Überschallbereich veränderten Gesetzen der → Aerodynamik angepaßt sein. Wegen der hohen Betriebskosten werden Überschallflugzeuge fast nur im militärischen Bereich verwendet; sie erreichen in der Regel doppelte Schallgeschwindigkeit. Lediglich die britisch-französische ›Concorde‹ ist heute als Überschall-Verkehrsflugzeug eingesetzt.

Überweisung, Auftrag eines Kontoinhabers an seine Bank, von seinem Konto einen bestimmten Geldbetrag abzuheben und diesen auf dem Konto eines anderen Kontoinhabers bei demselben oder einem anderen Kreditinstitut gutzuschreiben. Der Auftraggeber braucht dazu kein Bargeld einzuzahlen. Auf dem Konto des Auftraggebers erscheint nur eine Auszahlung (der Kontostand verringert sich), auf dem Konto des Empfängers wird eine Einzahlung verzeichnet.

U-Boot, Abkürzung für → Unterseeboot.

UdSSR, Abkürzung für **U**nion **d**er **S**ozialistischen **S**owjet**r**epubliken, → Sowjetunion.

UFO, Abkürzung für englisch **U**nidentified **F**lying **O**bjects [›unbekannte Flugobjekte‹], umgangssprachlich **Fliegende Untertassen,** meist als scheiben- oder zigarrenförmig beschriebene Flugobjekte unbekannter Herkunft, die seit 1947 besonders über den USA angeblich beobachtet wurden. Ihnen wurde häufig eine außerirdische Herkunft zugeschrieben. Eine Untersuchung der amerikanischen Luftwaffe von mehr als 12 000 Fällen erbrachte jedoch keine gesicherten Hinweise darauf, daß es sich dabei um Raumfahrzeuge von Wesen anderer Gestirne handelte. Nachprüfungen ergaben, daß meist optische Täuschungen oder Verwechslungen mit Gestirnen, Sternschnuppen, Polarlichtern, Blitzen, Wolken, Spiegelungen oder irdischen Luftfahrzeugen vorlagen.

Uganda

Fläche: 236 036 km²
Bevölkerung: 17,6 Mill. E
Hauptstadt: Kampala
Amtssprachen: Swahili, Englisch
Nationalfeiertag: 9. Okt.
Währung: 1 Ugand-Schilling (U.Sh.)
Zeitzone: MEZ + 2 Stunden

Uganda

Staatswappen

Staatsflagge

Ugạnda, Republik im ostafrikanischen Hochland, ein Binnenstaat, etwas kleiner als Großbritannien und Nordirland. Uganda umfaßt überwiegend hügeliges Hochland (1 000–1 200 m Höhe), das nach Westen zu den Randschwellen des Zentralafrikanischen Grabens ansteigt (Ruwenzori 5 119 m) und im Osten vom Vulkan Mount Elgon (4 321 m) überragt wird. Das tropische Klima ist durch die Höhenlage gemildert. Knapp ⅔ der Einwohner sind Bantu.

Hauptwirtschaftszweig ist die Landwirtschaft, die rund ⅕ der Fläche als Ackerland nutzt. Exportiert werden Kaffee, Baumwolle, Tee und Kupfererz. Die Industrie ist wenig entwickelt;

Baumwollverarbeitung und Konsumgüterindustrie stehen im Vordergrund. – 1894 kam das Land zum britischen Kolonialreich, 1962 wurde es selbständig. (KARTE Band 2, Seite 194)

UHF, Abkürzung für englisch **u**ltra **h**igh **f**requency [›ultrahohe Frequenz‹], der Frequenzbereich von 300 bis 3 000 MHz, entsprechend Wellenlängen zwischen 100 und 10 cm. In diesem Bereich liegen z. B. die Bänder IV und V für die Fernsehübertragung.

Uhr, ein Instrument, das den Ablauf der Zeit lückenlos zählt und anzeigt. Jeder gleichmäßig ablaufende Vorgang, z. B. das Auslaufen von Sand oder Wasser aus einem Gefäß oder die scheinbare Bewegung der Sonne, kann Grundlage für die Zeitmessung sein.

Solche einfachen ›Uhren‹ wurden vor etwa 5000 Jahren in Ägypten verwendet. Mit senkrecht stehenden Schattenstäben, die als Vorläufer der → Sonnenuhren anzusehen sind, wurde die Zeit gemessen. Seit dem 14. Jahrh. zeigen die Schattenstäbe in Richtung zum Himmelspol, das heißt, an jedem Aufstellungsort stehen die Schattenstäbe parallel zur Erdachse, der Verbindungslinie zwischen Nord- und Südpol. Die → Sanduhr und die → Wasseruhr sowie die **Öluhr** dienten ab 200 v. Chr. der Messung kürzerer Zeiträume. Die ersten **Räderuhren** waren aus Holz gefertigt, aber schon im 13. Jahrh. begann man, Eisen zu verwenden. Sie wurden über ein auf einer Rolle aufgewickeltes Seil mit daran hängendem Gewicht angetrieben.

Im 15. Jahrh. wurde die Metallfeder als Antriebskraft entdeckt; dies führte zur Entwicklung der ersten **Taschenuhr** durch Peter Henlein 1513 in Nürnberg. 1656 baute der Holländer Christian Huygens eine **Pendeluhr,** die wesentlich genauer als frühere Konstruktionen war. Eine wichtige Entwicklung war der Hemmungsmechanismus, bei dem ein Anker bewirkte, daß sich ein Zahnrad bei einer Pendelbewegung immer nur um einen Zahn weiterbewegt. Durch Veränderungen der Pendellänge (Abstand zwischen Pendelmasse und Aufhängepunkt) konnte der Gang der Uhren genau geregelt werden. Um immer kleinere Uhren herstellen zu können, wurde das Pendel durch die Unruh, eine Scheibe mit Spiralfeder, die Drehschwingungen ausführt, ersetzt. Einfache **mechanische Uhren** bestehen im wesentlichen aus 4 Baugruppen: dem Antrieb (Feder oder Gewicht), dem Räderwerk mit Zeigern, dem Hemmungsmechanismus (Anker und Hemmungsrad) und dem Gangregler (Pendel oder Unruh).

Elektrische Uhren sind im Aufbau den mechanischen Uhren ähnlich; lediglich der Antrieb und der Gangregler werden magnetisch und elektrisch gesteuert. Bei **Quarzuhren** dient ein elektrischer → Schwingkreis mit einem Quarzplättchen dazu, einen gleichmäßig sich wiederholenden Vorgang zu erzeugen, der dann zur Zeitanzeige benutzt wird.

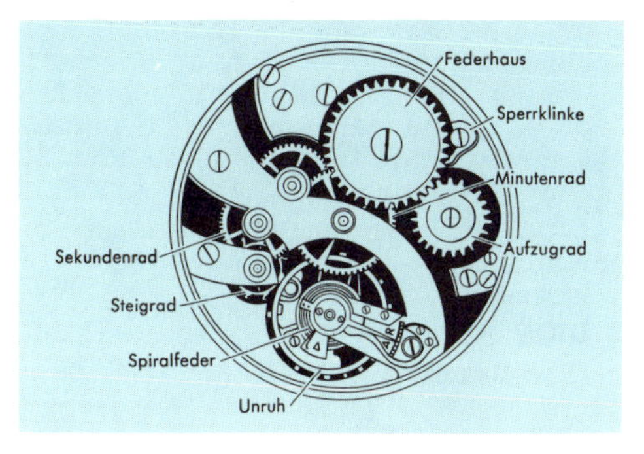

Uhr: Innenansicht einer mechanischen Taschenuhr

Atomuhren sind die genauesten Zeitmeßgeräte, die es heute gibt. Sie bedienen sich der Eigenschwingungen von Gasatomen, die einen nahezu gleichbleibenden Frequenzwert besitzen. Bei modernen Uhren ersetzen oft Zifferanzeigen die Zeiger.

Uhu, die größte Art der → Eulen.

Ukraine, Republik in Osteuropa. Das Land ist dreimal so groß wie Italien. Es liegt in der Osteuropäischen Ebene und hat Anteil an den Gebirgen der Karpaten und der Krim. Das Klima ist gemäßigt kontinental, auf der Krim subtropisch. Die Bevölkerung besteht zu 72 % aus orthodoxen Ukrainern, daneben Russen und Weißrussen. Dank der Schwarzerdeböden hat die Ukraine eine bedeutende Landwirtschaft. Auf der Grundlage der Kohle- und Eisenerzlagerstätten entwikkelte sich eine umfangreiche Schwerindustrie.

Als Kerngebiet ostslawischer Stämme bildete die Ukraine seit dem 10. Jahrh. das Zentrum des von Byzanz aus christianisierten Kiewer Reichs

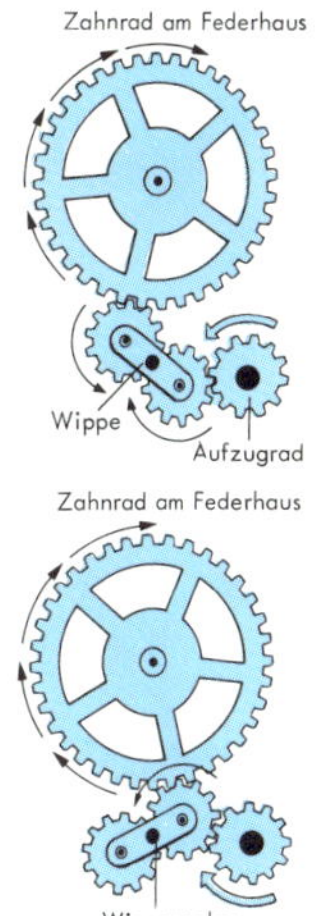

Uhr: Prinzip eines automatischen Aufzugs

Ukraine

Fläche: 603 700 km²
Bevölkerung: 51,8 Mill. E
Hauptstadt: Kiew
Amtssprache: Ukrainisch
Währung: 1 Karbowanez (vorgesehen: Griwna)
Zeitzone: MEZ + 1 Stunde

Ukraine

Staatswappen

Staatsflagge

(→russische Geschichte). Im 14. Jahrh. fiel die Ukraine an Litauen, 1569 an Polen, 1654 wurde sie russische Provinz. Die 1918/19 entstandene Ukrainische Nationalrepublik wurde von den Bolschewiken zerschlagen. Die Ukrainische SSR erklärte 1991 ihre Unabhängigkeit.

Ukrainer, früher auch **Kleinrussen** oder **Ruthenen** genannt, ostslawisches Volk (→Slawen) in der Ukraine.

UKW, Abkürzung für →**Ultrakurzwellen.**

Ulan-Bator, 560600 Einwohner, Hauptstadt der Mongolei, 1300 m über dem Meeresspiegel. Ulan-Bator entstand 1639 und war Sitz des Oberhauptes des mongolischen Lamaismus.

Ulm, 108900 Einwohner, Stadt in Baden-Württemberg an der Donau. Das Stadtbild wird vom gotischen **Ulmer Münster** (161 m hoher Turm) beherrscht.

Ulmen, sommergrüne Bäume mit eiförmigen, ungleichseitigen Blättern. Sie wachsen meist einzeln in Flußniederungen oder an Berghängen. Ihre Bestände sind durch eine Pilzkrankheit stark zurückgegangen (›Ulmensterben‹). Das harte, schön gemaserte Holz (›Rüster‹) wird vor allem für Möbel verwendet. Eine Ulme kann etwa 500 Jahre alt werden.

Ulmen: Feldulme, OBEN LINKS blühender Zweig, MITTE Laubzweig, UNTEN Frucht

Ulster [alster], historische Provinz auf der Insel Irland. Sechs der 9 Grafschaften dieser früheren Provinz gehören heute zu →Nordirland, das häufig mit Ulster gleichgesetzt wird.

Ultrakurzwellen, Abkürzung **UKW,** englisch **VHF,** von **v**ery **h**igh **f**requency [›sehr hohe Frequenz‹], elektromagnetische Wellen in einem Frequenzbereich von 30 bis 300 MHz. Das entspricht Wellenlängen zwischen 10 und 1 m. Diese Wellen werden daher auch als **Meterwellen** bezeichnet. Da Ultrakurzwellen feste Körper nicht gut durchdringen können, ist ihre Reichweite am Erdboden sehr begrenzt (bis etwa 150 km). Durch die Atmosphäre hindurch reichen sie bis in den Weltraum, wo sie von Satelliten empfangen und zur Erde zurückgesendet werden können. Ultrakurzwellen werden außer beim Rundfunk und Fernsehen auch beim Flug- und Polizeifunk verwendet.

Ultraschall. Das menschliche Ohr kann nur Töne wahrnehmen, deren →Frequenz zwischen 16 und 20000 Hz liegt. Die obere Hörgrenze sinkt jedoch mit zunehmendem Alter, so daß ältere Menschen z. B. das Zirpen einer Grille nicht mehr hören können. Schallwellen, deren Frequenz über der Hörgrenze liegt, nennt man Ultraschall.

Von verschiedenen Tieren weiß man, daß sie Ultraschall wahrnehmen können. So senden Fledermäuse im Flug Ultraschalltöne aus und orientieren sich mittels der Echos, die durch Reflexion dieser Wellen an Hindernissen im Raum entstehen. Hunde reagieren auf Hundepfeifen, die man mit solch hoher Frequenz baut, daß Menschen ihren Ton nicht hören können.

Hochseeschiffe, die →Echolote benutzen, messen mit Ultraschall die Wassertiefe in fremden Gewässern; Hochseefischer können damit auch Fischschwärme auffinden. – Mit Ultraschall kann man Werkstoffe zerstörungsfrei auf Fehler wie Risse oder Hohlräume untersuchen **(Ultraschallprüfung).** – Ultraschall wird auch in der Medizin bei Untersuchungen eingesetzt **(Ultraschalldiagnostik, Sonographie),** vor allem bei Untersuchungen der kindlichen Entwicklung während der Schwangerschaft (BILD 1); der Vorteil gegenüber der Röntgenuntersuchung besteht darin, daß der Untersuchte keiner Strahlenbelastung ausgesetzt wird und die Untersuchung schmerzlos ist. Auch zur medizinischen Behandlung wird Ultraschall eingesetzt **(Ultraschalltherapie).** Bei **Ultraschallmikroskopen** werden für mikroskopische Untersuchungen keine Lichtwellen, sondern Ultraschallwellen eingesetzt (BILD 2, Seite 305).

Ultrastrahlung, die →kosmische Strahlung.

Ultralschall 1: Ultraschalldiagnostik; Darstellung des Kindes in der Gebärmutter gegen Ende der Schwangerschaft; OBEN schematisch, UNTEN auf dem Bildschirm

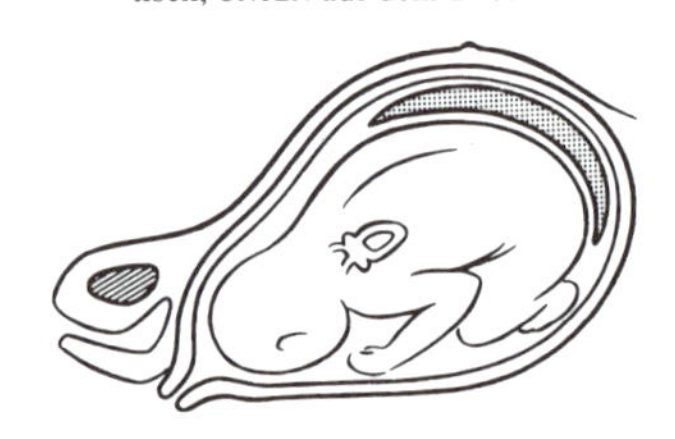

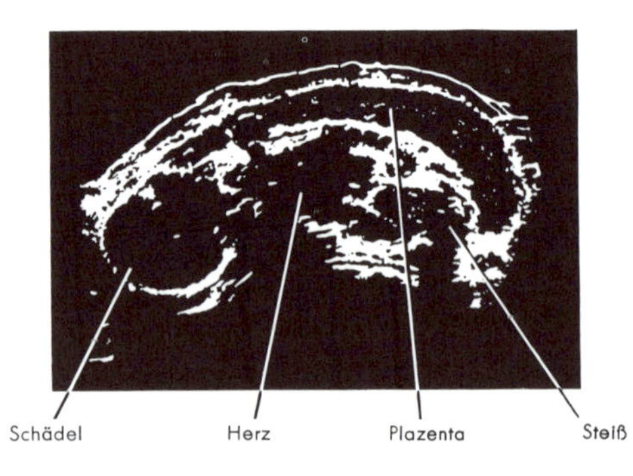

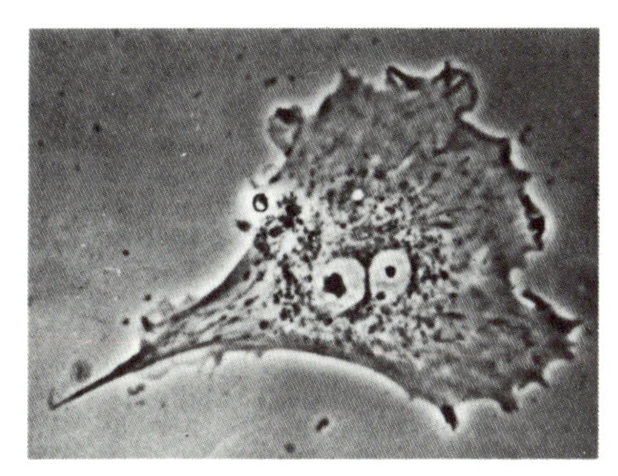

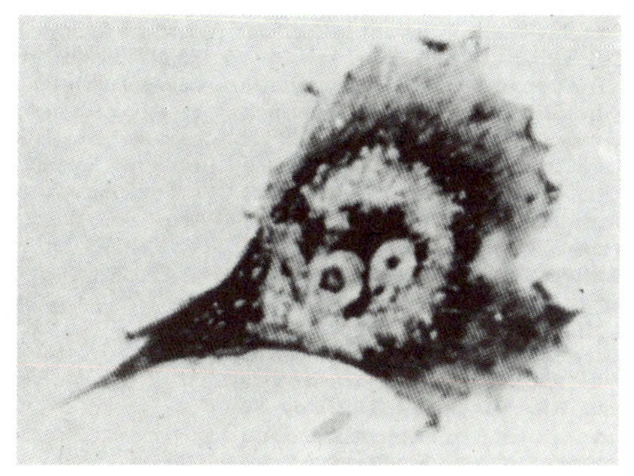

Ultraschall 2: Ultraschallmikroskop; Fibroplastenzelle aus dem Bindegewebe eines Hühnerembryos, aufgenommen mit Hilfe eines herkömmlichen Lichtmikroskops (LINKS) und eines Ultraschallmikroskops (RECHTS). Während der Kontrast bei der Mikrophotographie durch selektive Färbung erzeugt wurde, ist dagegen bei der Ultraschallaufnahme die unterschiedliche Elastizität der Zellbestandteile die Quelle des Kontrastes

Ultraviolettstrahlung, Abkürzung **UV-Strahlung.** Fängt man das durch die Brechung an einem Prisma entstandene farbige Licht (→Farbe) auf einen Leuchtschirm (Zinksulfidschirm) auf, leuchtet der Schirm noch jenseits des violetten Endes des sichtbaren Spektrums auf. Die unsichtbaren Strahlen, die dieses Aufleuchten bewirken, werden durch das Prisma stärker als die violetten Strahlen abgelenkt. Sie heißen daher **ultraviolette Strahlen.** Die UV-Strahlung folgt den gleichen Gesetzmäßigkeiten wie sichtbares Licht (z. B. Brechung, Reflexion) und ist wie dieses Teil des elektromagnetischen →Spektrums.

UV-Licht wird von sehr heißen Lichtquellen wie der Sonne und besonderen UV-Lampen ausgestrahlt. Es fördert im menschlichen Körper die Bildung von Vitamin D und rötet und bräunt die Haut. In stärkerer Konzentration ruft die UV-Strahlung Verbrennungen hervor; in neuerer Zeit wird sie zu den Faktoren gerechnet, die Hautkrebs verursachen können. Das Sonnenlicht auf hohen Bergen ist sehr reich an UV-Strahlung, da die darüber befindliche Lufthülle, die einen großen Teil der Strahlen absorbiert (verschluckt), dort dünner ist.

Ulysses, lateinischer Name des griechischen Sagenhelden →Odysseus.

Umfang, Geometrie: die Länge der Begrenzungslinie eines Flächenstücks. Der Umfang einiger Flächen kann mit Hilfe von Formeln bestimmt werden (→Rechteck, →Quadrat, →Kreis).

Umkehrfilm, ein photographischer →Film.

Umkreis, Geometrie: →Dreieck.

Umlaut, →Laut.

Umspanner, der →Transformator.

Umstandswort, →Adverb.

Umwelt, die gesamte Umgebung eines Lebewesens, also die biologische Umwelt (der natürliche Lebensraum), die soziale Umwelt (die Artgenossen) und – besonders beim Menschen – der kulturell, vor allem technisch, veränderte Lebensraum, z. B. eine Stadt. Umwelt kann aber auch verstanden werden als die Gesamtheit aller Umweltfaktoren, die auf ein Lebewesen einwirken oder von ihm wahrgenommen werden. Umwelt in diesem Sinn ist nur ein Ausschnitt der Umgebung, da nicht alles, was sich in der Umgebung eines Lebewesens befindet, von ihm wahrgenommen werden oder auf es einwirken muß. Nach Jakob Johann von Uexküll (* 1864, † 1944), dem Begründer der Umweltforschung, besteht die spezifische Umwelt einer Art zum einen aus der Umgebung, die sie mit ihren Sinnesorganen wahrnimmt **(Merkwelt),** und zum anderen aus der Umgebung, die sie aktiv verändern kann **(Wirkwelt).** Zur Wirkwelt eines Bibers gehört z. B. ein Bach, den er durch den Bau eines Damms aufstaut.

Umweltschutz, Gesamtheit aller Maßnahmen, die dazu dienen, die Umwelt des Menschen zu erhalten. Der **biologische** oder **ökologische Umweltschutz** dient dem Schutz der natürlichen Lebensräume von Mensch, Pflanzen und Tieren; zum **technischen Umweltschutz** dagegen gehören

Umweltschutz: Pflanzenschädigungen; OBEN Geschädigte Rübenblätter. Auffällige Symptome: braune Nekrosen und ausgefallene Partien in den Blattflächen. Ursache: Fluorwasserstoff aus einer Aluminiumhütte. UNTEN Geschädigter Trieb eines Birnbaums mit Fruchtansätzen und Blättern. Ursache: Abgabe chemischer Verbindungen durch ein benachbartes Chemiewerk

alle technischen Maßnahmen zur Sicherung einer gesunden Umwelt und zur Abwehr und Behebung von Umweltschäden, z. B. Abwasserreinigung, Beseitigung von Abfallstoffen und Müll, Maßnahmen gegen Luftverschmutzung und Lärm, für Umwelthygiene, Strahlenschutz und Wasseraufbereitung. Wirksame Maßnahmen setzen eine genaue Kenntnis der bestehenden Umweltschäden und der möglichen Gefährdung durch physikalische, biologische, chemische und andere Faktoren voraus. Hiermit befaßt sich die **Umweltwissenschaft** oder **Ökologie,** in der Biologen, Physiker, Chemiker, Techniker, Mediziner und andere Fachleute tätig sind. Sie befaßt sich aber auch damit, wie Wissenschaft und Technik für den Umweltschutz nutzbringend eingesetzt werden können. Die zunehmende Gefährdung der Umwelt hat in den letzten Jahren zu vielen Initiativen und zu einem stärkeren Umweltbewußtsein geführt.

Im Zusammenhang mit der Diskussion um einen wirksamen Umweltschutz wird von einem Konflikt zwischen Ökologie und Ökonomie gesprochen: Wirtschaftliches Handeln (z. B. Industrieproduktion) berücksichtige die umweltbeeinflussenden Auswirkungen (z. B. Luftverschmutzung) nicht oder nicht ausreichend. Dem steht die Auffassung gegenüber, daß sich Ökonomie und Ökologie sinnvoll ergänzen könnten, wenn die der Gesellschaft entstehenden Kosten für die Beseitigung von Umweltschäden möglichst dem Verursacher angelastet würden. Dieser würde dann die Umweltschädigung ganz vermeiden oder zumindest verringern.

UN, Abkürzung für englisch United Nations, →Vereinte Nationen.

Unabhängigkeitskrieg, 1776–83, Krieg, mit dem die 13 britischen Kolonien in Nordamerika mit französischer Waffenhilfe ihre Unabhängigkeit vom Mutterland Großbritannien erkämpften. Gleich zu Beginn der Feindseligkeiten, am 4. Juli 1776, verabschiedeten sie die **Unabhängigkeitserklärung,** mit der sie ihre Trennung vom Mutterland erklärten und sich fortan →Vereinigte Staaten von Amerika nannten.

uneheliche Kinder, →nichteheliche Kinder.

Ungarn, Republik im südöstlichen Mitteleuropa, etwas größer als Österreich. Ungarn ist größtenteils Tiefland (→Pußta), von den Ostalpen, den Karpaten und dem Dinarischen Gebirge eingeschlossen. Im Norden erhebt sich das Ungarische Mittelgebirge mit Höhen über 1 000 m. Das Klima ist kontinental; die Niederschläge nehmen von Westen nach Osten ab. Das Land wird hauptsächlich von Magyaren bewohnt; daneben gibt es Deutsche, Rumänen und Kroaten.

Die Landwirtschaft nutzt über ⅔ des Landes. Weizen, Mais, Gerste, Zuckerrüben und Sonnenblumen in den wärmeren Gebieten, Roggen und Kartoffeln im Nordosten sind die wichtigsten Produkte. Der Anbau von Tomaten, Paprika, Zwiebeln, Kohl und Obst besitzt eine lange Tradition. Ungarn ist einer der größten europäischen Obsterzeuger. Auch Wein wird angebaut.

An Bodenschätzen werden Bauxit, Braunkohle, Eisenerz, Kupfer, Uran, Mangan, Erdöl und Erdgas gefördert. Bedeutende Industriezweige sind Schwerindustrie und Maschinenbau, Elektro-, Textil- und chemische Industrie.

Geschichte. König Stephan der Heilige schuf 977–1038 den mittelalterlichen ungarischen Staat nach fränkischem Vorbild. Nach der Eroberung Belgrads 1521 durch die Türken fiel Ungarn an die Türken. Im Großen Türkenkrieg (1683–99) kam Ungarn wieder zum Haus Habsburg. Die ungarische Revolution von 1848 wurde von Österreich mit Hilfe russischer Truppen niedergeschlagen. 1867 wurde Ungarn zur zweiten Reichshälfte von →Österreich-Ungarn erklärt. 1920 entstand Ungarn als eigenständige Monar-

Umweltschutz: Luftverschmutzung; Eine 280 Jahre alte Steinskulptur am Schloß von Herten bei Recklinghausen, LINKS 1908, RECHTS 1969 nach Einwirkung von Abgasen der modernen Industrie und des Verkehrs

Ungarn

Staatswappen

Staatsflagge

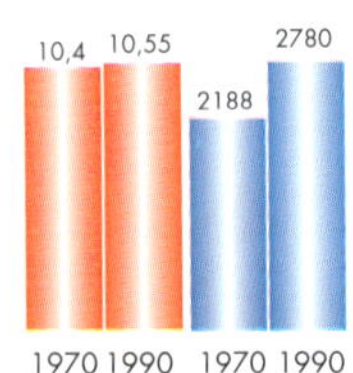

Bevölkerung (in Mill.)

Bruttosozialprodukt je E (in US-$)

Stadt · Land

Bevölkerungsverteilung 1990

Industrie
Landwirtschaft
Dienstleistung

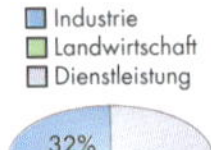

Bruttoinlandsprodukt 1990

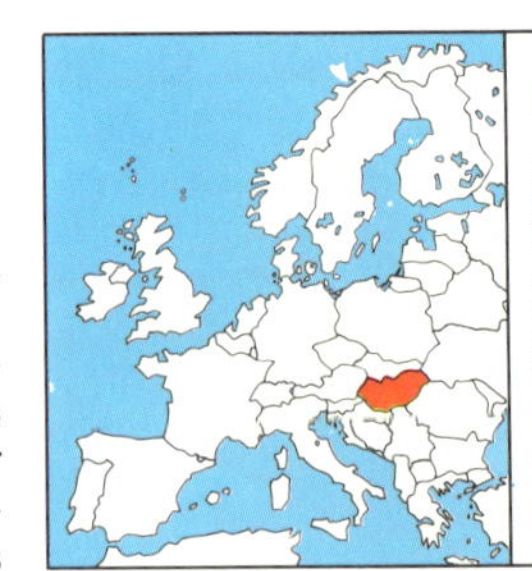

Ungarn

Fläche: 93 032 km²
Bevölkerung: 10,55 Mill. E
Hauptstadt: Budapest
Amtssprache: Ungarisch
Nationalfeiertag: 20. Aug., 23. Okt.
Währung: 1 Forint (Ft) = 100 Filler (f)
Zeitzone: MEZ

chie. Nach dem Zweiten Weltkrieg wurde es eine Volksdemokratie nach sowjetischem Vorbild. Ein Aufstand gegen das kommunistische System 1956 wurde von sowjetischen Truppen niedergeschlagen. Reformerische Bestrebungen in den 1980er Jahren führten 1987 zur umfassenden Liberalisierung, Zulassung mehrerer Parteien und 1990 zu freien Wahlen. (KARTE Band 2, Seite 204)

Ungleichung, Mathematik: Aufgabe: Wie muß die eine Seitenlänge eines Rechtecks gewählt werden, wenn die andere Seitenlänge 5 cm beträgt und der Flächeninhalt kleiner als 25 cm^2 sein soll? Die Maßzahl der gesuchten Seitenlänge soll ganzzahlig sein.

Lösung: Die gesuchte Seitenlänge sei x. Dann ergibt sich mit der Formel $A = a \cdot b$ für den Flächeninhalt eines Rechtecks: $5 \text{ cm} \cdot x < 25 \text{ cm}^2$, also $x = 1$ cm, 2 cm, 3 cm, 4 cm; $x = 0$ cm führt zu keinem Rechteck.

Der Ausdruck $5 \text{ cm} \cdot x < 25 \text{ cm}^2$ heißt Ungleichung. Eine Ungleichung entsteht, indem man links und rechts von einem Ungleichheitszeichen einen →Term schreibt. Folgende Ungleichheitszeichen werden verwendet:

$a < b$,	lies: a kleiner als b
$a \leqq b$, auch $a \leq b$,	lies: a kleiner als b oder höchstens gleich b (abgekürzt: a kleiner gleich b).
$a > b$,	lies: a größer als b.
$a \geqq b$, auch $a \geq b$,	lies: a größer als b oder mindestens gleich b (abgekürzt: a größer gleich b).

Kommt in der Ungleichung keine Variable vor, so ist die Ungleichung eine →Aussage. Enthält die Ungleichung Variable, so ist die Ungleichung eine Aussageform.

Beispiele:
1) $6 \cdot 12 < 80$ (Diese Ungleichung ohne Variable ist eine Aussage).
2) $x + 3 \leq 4$ (Diese Ungleichung mit einer Variablen ist eine Aussageform).

Wie bei einer →Gleichung unterscheidet man zwischen der Grundmenge (G) und der Lösungs- oder Erfüllungsmenge (L).

Für das Rechnen mit Ungleichungen gelten folgende Regeln:

1) Die beiden Seiten einer Ungleichung können miteinander vertauscht werden, wenn man gleichzeitig das Größer- in ein Kleinerzeichen oder umgekehrt das Kleiner- in ein Größerzeichen verwandelt (Umkehrung des Ungleichheitszeichens).

Beispiel: Die Ungleichung $5 < 7$ entspricht der Ungleichung $7 > 5$.

2) Zu den beiden Seiten einer Ungleichung kann man gleiche Zahlen addieren oder subtrahieren.

Beispiele: Aus $5 < 7$ folgt: $5+3 < 7+3$, also $8 < 10$.
Aus $5 > 4$ folgt: $5-6 > 4-6$, also $-1 > -2$.

3) Beide Seiten einer Ungleichung kann man mit einer positiven Zahl multiplizieren oder dividieren.

Beispiel: Aus $-2 > -4$ folgt: $(-2) \cdot 4 > (-4) \cdot 4$, also $-8 > -16$.

4) Multipliziert oder dividiert man die beiden Seiten einer Ungleichung mit einer negativen Zahl, so kehrt sich das Ungleichheitszeichen um.

Beispiel: Aus $4 < 8$ folgt: $4 \cdot (-2) > 8 \cdot (-2)$, also $-8 > -16$.

5) Geht man auf beiden Seiten einer Ungleichung zum Kehrwert über, so kehrt sich das Ungleichheitszeichen um.

Beispiel: Aus $6 < 10$ folgt: $\frac{1}{6} > \frac{1}{10}$.

UNICEF, Abkürzung für englisch **U**nited **N**ations **I**nternational **C**hildren's **E**mergency **F**und, das internationale Kinderhilfswerk der →Vereinten Nationen, das den Kindern in den ärmsten Ländern der Erde durch Zusendung von Nahrungsmitteln, Kleidern und Medikamenten hilft.

Unierte Kirchen, Bezeichnung für →lutherische Kirchen und →reformierte Kirchen, die sich im 19. Jahrh. ohne Wechsel der konfessionellen Überzeugung ihrer Mitglieder zu einer Einheit zusammengeschlossen haben.

Unierte Kirchen heißen auch die Ostkirchen, die unter Beibehaltung ihres eigenständigen kirchlichen Lebens die Gemeinschaft mit der römisch-katholischen Kirche wiederhergestellt haben und die Oberhoheit des Papstes anerkennen.

Universum [von lateinisch universus ›ganz‹, ›sämtlich‹], das →Weltall.

Unken, kleine →Lurche mit warziger Haut, die mit Fröschen und Kröten verwandt sind. Sie halten sich meist im Wasser auf, auch in kleinsten Tümpeln und Pfützen. An warmen Sommerabenden kann man ihren lauten, eintönigen ›Gesang‹ hören. Trocknen die Gewässer, in denen sie leben, aus, verkriechen sie sich im Schlamm und halten einen ›Trockenschlaf‹. Unken schwimmen gut und bewegen sich auch an Land ziemlich

Unken: Gelbbauchunke

Unkräuter

Acker-rettich oder Hederich

Geruchlose Kamille

Ackerdistel

Hirtentäschel(kraut)

flink. Bei Gefahr werfen sie sich auf den Rücken, um mit ihrer grellfarbig gefleckten Bauchseite Feinde abzuschrecken. Sie fressen Mücken, Fliegen, Würmer und kleine Schnecken. Zu den Unken gehören auch die →Geburtshelferkröten.

Unkräuter, Wildpflanzen, wegen ihrer biologischen Bedeutung jetzt oft **Wildkräuter** genannt, betrachtet man nicht mehr als →Schädlinge. Ihr Wurzelwerk hält den Boden locker und schützt ihn vor dem Austrocknen. (Weitere BILDER Seiten 309/310)

Unnilheptium, Unnilhexium, Unnilpentium, Unnilquadium, →chemische Elemente, ÜBERSICHT.

UNO, Abkürzung für englisch **U**nited **N**ations **O**rganization, →Vereinte Nationen.

Unpaarhufer, eine Gruppe der →Huftiere.

Untergrundbahn, kurz **U-Bahn,** schnelles Nahverkehrsmittel in Großstädten. Sie erreicht Höchstgeschwindigkeiten von 80–100 km/h. U-Bahnen werden elektrisch betrieben, meist mit 600–800 Volt Gleichstrom. Den Strom erhalten sie von einer Stromschiene neben dem Fahrgleis. Der Stromabnehmer befindet sich am Wagendrehgestell des Triebfahrzeugs. Das größte U-Bahn-Netz mit einer Länge von über 400 km besitzt New York. Die bekanntesten U-Bahn-Netze europäischer Hauptstädte gibt es in Paris, London, Moskau, Wien, Budapest. Die ersten U-Bahnen in Deutschland gab es in Berlin (seit 1902) und Hamburg (seit 1912); nach dem Zweiten Weltkrieg wurden in der Bundesrepublik Deutschland weitere U-Bahnen oder Unterpflaster-Straßenbahnen gebaut.

Unterhaltspflicht. Zwischen Eheleuten und zwischen engen Verwandten, z. B. zwischen Eltern und Kindern, nicht aber zwischen Geschwistern, besteht die gesetzliche Pflicht, einander Unterhalt zu gewähren, also für das aufzukommen, was der andere zum Leben braucht. Berechtigt, Unterhalt zu verlangen, ist derjenige, der nicht für sich selber sorgen kann. Das ist regelmäßig bei Kindern der Fall oder bei dem Ehepartner, der kein Geld verdient. Zum Unterhalt verpflichtet ist, wer neben seinem eigenen Unterhalt noch weitere Leistungen erbringen kann, z. B. der Geld verdienende Vater oder die vermögende Großmutter. Der Unterhalt umfaßt neben den Kosten für Nahrung und Kleidung auch die Ausbildungskosten.

Besonders geregelt ist die Unterhaltspflicht für nichteheliche Kinder. Sie haben zwar gegen beide Elternteile Anspruch auf Unterhalt, jedoch schuldet der nichteheliche Vater im allgemeinen

Untergrundbahn in Berlin

wenigstens den gesetzlich festgelegten Regelunterhalt (früher Alimente). Dieser monatlich zu zahlende Geldbetrag hängt in seiner Höhe vom Alter des Kindes ab. Er beträgt in der Bundesrepublik Deutschland 1992 291.– DM (bis zum 6. Lebensjahr), 353.– DM (7.–12. Lebensjahr), 418.– DM (13.–18. Lebensjahr).

Unternehmen, rechtlich und wirtschaftlich selbständige Einheit, in der Güter hergestellt oder gehandelt oder Dienstleistungen angeboten werden. Unternehmen können nach ihrer Größe (Klein-, Mittel-, Großunternehmen) oder nach ihrer Rechtsform (z. B. →Kommanditgesellschaft, →Gesellschaft mit beschränkter Haftung, →Aktiengesellschaft) unterschieden werden. Unter gesamtwirtschaftlichen Gesichtspunkten wird häufig eine Unterteilung nach Wirtschaftszweigen vorgenommen: Unternehmen der Landwirtschaft, der Industrie, des Handwerks und des Handels, Banken, Versicherungen und andere Dienstleistungsunternehmen.

Ein Unternehmen hat die Aufgabe, Rohstoffe, Maschinen, Werkstoffe und andere Materialien zu beschaffen und zu lagern **(Beschaffung),** die gewünschten Erzeugnisse nach bestimmten Produktionsverfahren (z. B. Fließband oder Werkstatt) herzustellen **(Produktion)** und schließlich die Produkte an Haushalte oder Handelsunternehmen zu verkaufen **(Absatz).**

Die Leitung eines Unternehmens **(Unternehmer** oder **Manager)** ist für seine wichtigsten Entscheidungen verantwortlich (z. B. welche Produkte mit welchem Verfahren hergestellt werden) und plant für die Zukunft. Der Unternehmer hat auch sein Vermögen zur Verfügung gestellt und trägt das unternehmerische Risiko. Manager sind nur Angestellte des Unternehmens.

Private Unternehmen wollen oft einen möglichst hohen Gewinn erzielen (Gewinnmaximierung) oder ihren Marktanteil ausdehnen. Öffentliche Unternehmen streben in der Regel an, den vorhandenen Bedarf zu decken (z. B. Stadtwerke den Bedarf an Strom) und ohne Verluste zu wirtschaften (Kostendeckung).

Im Unterschied zum Unternehmen ist der **Betrieb** eine technisch-organisatorische Einheit. Er ist als Produktionsstätte innerhalb eines Unternehmens rechtlich und wirtschaftlich unselbständig. Ein Unternehmen kann mehrere Betriebe umfassen.

Unterseeboot, kurz **U-Boot,** zur Unterwasserfahrt geeignetes Kriegsschiff mit einem wasserdichten, röhrenförmigen Rumpf (Druckkörper) und besonderen Tauchtanks. Angetrieben wird das U-Boot bei Überwasserfahrt durch Dieselmotoren, bei Unterwasserfahrt durch Elektromotoren. Mit Kernenergie angetriebene **Atomunterseeboote** haben einen Einheitsantrieb für Über- und Unterwasserfahrt.

Getaucht wird durch das Fluten der Tauchtanks und gleichzeitiges Legen der speziellen Tiefenruder. Durch das Einströmen des Wassers in die Tanks wird das U-Boot schwerer als das Gewicht der von ihm verdrängten Wassermenge. Zum Auftauchen werden wiederum die Tiefenruder betätigt und das Wasser durch Preßluft aus den Tauchtanks herausgedrückt. Bei Unterwasserfahrt in geringer Tiefe erfolgt die Beobachtung der Wasseroberfläche und des Luftraums durch Seerohre, die Belüftung durch →Schnorchel.

Hauptwaffe der U-Boote sind Torpedos, die aus Rohren ausgestoßen werden. Moderne Boote größerer Bauart sind zusätzlich mit Atomraketen (→Kernwaffen) bestückt. Die Ausrüstung eines U-Bootes wird vervollständigt durch besondere Funkanlagen, Unterwasserhorch-, Peil- und Ortungsgeräte (Radar). Die meisten zum Führen eines U-Bootes notwendigen Instrumente befinden sich am und im Turm sowie in der darunter gelegenen Zentrale.

Der Bau tauchfähiger Boote gelang Robert Fulton 1801 und Wilhelm Bauer 1851. Das erste brauchbare U-Boot konstruierte 1898 der Amerikaner John Philip Holland.

Unterwalden, neben Uri und Schwyz seit 1291 einer der 3 Schweizer Urkantone. Er besteht aus den beiden Halbkantonen **Unterwalden ob dem Wald** (→**Obwalden**) und **Unterwalden nid dem Wald** (→**Nidwalden**), die nur im 14. Jahrh. für kurze Zeit eine politische Einheit bildeten. Unterwalden gehört zur deutschsprachigen Schweiz.

Ur, ein anderer Name für die ausgestorbene Rinderart Auerochse (→Rinder).

Ural, 1) Gebirge in Rußland, das als Teil der Grenze zwischen Europa und Asien gilt. Das 40–150 km breite Gebirge erstreckt sich vom Karischen Meer, einem Nebenmeer des Nördlichen Eismeers, über 2 000 km weit nach Süden. Der Ural erreicht in der Narodnaja mit 1 894 m seine höchste Erhebung. Zum größten Teil ist das Gebirge waldbedeckt (Fichte, Tanne, Kiefer, Lärche), nur der nördliche Teil wird von Pflanzen der Tundra eingenommen.

Der Ural ist reich an Bodenschätzen: Eisen-, Kupfer-, Chrom-, Nickelerze, Gold, Platin, Salze, Asbest, Edelsteine, im Vorland auch Bauxit, Kohle, Erdöl, Erdgas. Zur Förderung und Verarbeitung dieser Bodenschätze hat sich vor allem in den Städten Swerdlowsk, Magnitogorsk, Serow und Orsk eine bedeutende Industrie entwickelt.

2) Fluß in Rußland und Kasachstan, 2 534 km lang. Er entspringt im südlichen Uralgebirge, durchfließt in 2 großen Bogen Kasachstan und mündet bei Gurjew ins Kaspische Meer. Von Orsk an gilt der Fluß in Fortsetzung des Uralgebirges als Grenze zwischen Europa und Asien. Von Uralsk bis zur Mündung ist er schiffbar.

Uran [nach dem Planeten Uranus], Zeichen **U**, ein →chemisches Element (ÜBERSICHT), das schon fast 150 Jahre bekannt ist, aber bis zur Entdeckung der Uranspaltung (→Kernspaltung) 1938 durch Otto Hahn und Fritz Straßmann unbedeutend blieb.

Das radioaktive chemische Element ist ein silberweißes, mäßig hartes Metall, das an der Luft anläuft und, feinverteilt, sich an der Luft entzündet. Element wie Verbindungen sind sowohl vom chemischen als auch vom radiobiologischen Standpunkt her **sehr giftig.** In der Natur kommt Uran in zahlreichen stark gefärbten Mineralen vor, wovon das **Uranpecherz** das bedeutendste ist.

Für die **Uranspaltung** sind nur die Urankerne mit der Masse 235 (→Isotope) geeignet. Vor allem in Form des Uranoxids, -nitrits und -carbids bildet Uran den wichtigsten Kernbrennstoff.

Uranus, von der Sonne aus gezählt der siebte Planet; er wurde 1781 von Friedrich Wilhelm Herschel entdeckt und erscheint im Fernrohr als bläulichgrünes Scheibchen mit bandartigen Wolkenstrukturen, wie sie von Jupiter und Saturn bekannt sind. Uranus hat einen Äquatordurchmesser von 51 800 km. Seine Umlaufzeit um die Sonne beträgt 84 Jahre, die Drehung um die eigene Achse 22,5 Stunden. Seine Masse beträgt 14,52 Erdmassen. Seine Atmosphäre ist aus Wasserstoff, Helium, Ammoniak und Methan zusammengesetzt und hat eine Temperatur von –180 °C. Auf der Ebene des Planetenäquators

Unkräuter

umkreisen ihn 5 Monde, die alle wesentlich kleiner sind als der die Erde umkreisende Mond.

Urheberrecht, englisch **Copyright** [koppirait, ›Vervielfältigungsrecht‹], rechtliche Verfügungsgewalt des Urhebers über sein geistiges Eigentum. Wer ein Buch geschrieben, ein Musikstück verfaßt oder ein Bild gemalt hat, bestimmt, ob, wo und wie sein Werk veröffentlicht wird. Dieses Recht steht den Erben des Urhebers noch 70 Jahre nach seinem Tod zu. Danach erlischt es. Auf Grund internationaler Abkommen sichert der Urheber veröffentlichter Werke seine Rechte auch im Ausland, indem er in allen Exemplaren seines Werkes den copyright-Vermerk © anbringen läßt.

Uri, Kanton im deutschsprachigen Kerngebiet der Schweiz mit dem Hauptort Altdorf. Der Kanton erstreckt sich vom Sankt-Gotthard-Paß bis zum Vierwaldstätter See. Die Viehzucht verliert gegenüber der Industrie um Altdorf (Holzverarbeitung, Maschinenbau) an Bedeutung. Der Fremdenverkehr ist eine wichtige Erwerbsquelle. Hauptverkehrslinien laufen von Luzern über das Reußtal durch den Sankt-Gotthard-Tunnel und vom Rhonetal über Furka- und Oberalppaß ins Vorderrheintal. Am Ufer des Vierwaldstätter Sees liegt das **Rütli,** wo angeblich die Vertreter der Urkantone Schwyz, Uri und Unterwalden 1291 den →Ewigen Bund beschworen (›Rütlischwur‹). (BILD Seite 311)

Uri
Fläche: 1077 km²
Einwohner: 34000

Urin, der →Harn.

Urknall, →Kosmologie.

Ursprung, Koordinatenursprung, Nullpunkt, Geometrie: der Schnittpunkt der Achsen eines →Koordinatensystems.

Urteil, gerichtliche Entscheidung, die einen Prozeß ganz oder teilweise beendet. Ein Urteil wird schriftlich abgefaßt und besteht aus 3 Teilen: 1) Im Urteilskopf werden die Namen der Prozeßbeteiligten aufgeführt und die Entscheidung des Gerichts verkündet, z. B.: ›Die Klage wird abgewiesen‹. Es folgen 2) die Wiedergabe des Sachverhalts und 3) die Begründung der Entscheidung mit den Unterschriften der Richter. Gegen das Urteil kann grundsätzlich →Berufung oder →Revision eingelegt werden.

Urtierchen, Protozoen, mikroskopisch kleine Lebewesen, deren Körper aus nur einer einzigen Zelle gebildet wird (→Einzeller). Die einfachsten Urtierchen, die →Amöben, bestehen nur aus einem Plasmaklümpchen mit Zellkern (→Zelle), die meisten besitzen jedoch innerhalb der Zelle besondere organartige Einrichtungen (Organellen), die bestimmte Aufgaben erfüllen, z. B. einen Zellmund für die Nahrungsaufnahme, eine Pore zur Ausscheidung von Abfallstoffen und eine Geißel (→Flagellaten) oder Wimper (→Wimpertierchen) zur Fortbewegung.

Urtierchen pflanzen sich ungeschlechtlich durch Teilung und Sporenbildung fort oder geschlechtlich durch Verschmelzung von 2 Zellen oder den Austausch von Teilen der Zellkerne. Die eine Zelle leistet also alle zum Leben notwendigen Funktionen, die bei den höher entwickelten Tieren (Vielzellern) verschiedene Organe und Gewebe ausüben. Die meisten Urtierchen leben im Wasser, einige in feuchter Erde. Sie können auch als Parasiten leben und daher besonders in den Tropen gefährliche Krankheitserreger bei Menschen und Tieren sein (z. B. von Malaria).

Wenn man etwas Heu in Wasser legt und einige Tage stehen läßt, bildet sich an der Wasseroberfläche ein Häutchen. Bringt man einen Tropfen davon unter ein Mikroskop, kann man darin Urtierchen sehen und beobachten. Solche **Aufgußtierchen** sind z. B. die Wimpertierchen (→Pantoffeltierchen).

Uruguay, Republik in Südamerika, etwa doppelt so groß wie Österreich. Uruguay erstreckt sich nördlich des Río de la Plata als flachwelliges Hügelland mit einzelnen Höhenrücken (bis 500 m). Die Westgrenze bildet der Fluß Uruguay. Die Küste des Atlantischen Ozeans im Südosten ist flach, zum Teil sumpfig, mit Strandseen. Das Klima ist gemäßigt. Die Bevölkerung ist überwiegend europäischer, besonders italienischer und spanischer Abstammung. Wichtigster Wirt-

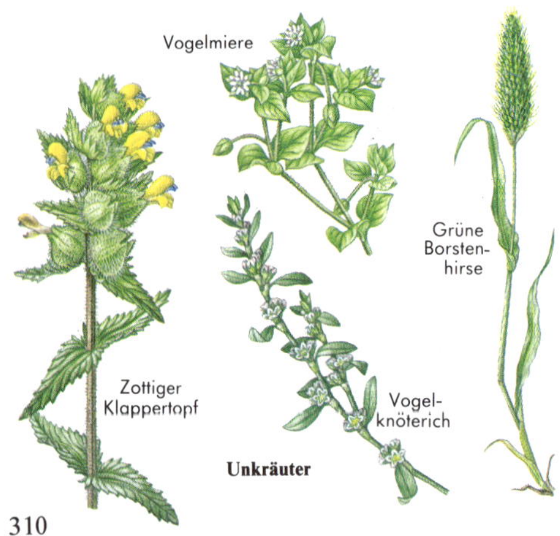

Unkräuter

Uruguay

Fläche: 176 215 km²
Bevölkerung: 3,03 Mill. E
Hauptstadt: Montevideo
Amtssprache: Spanisch
Nationalfeiertag: 25. Aug.
Währung: 1 Peso Uruguayo = 1 000 Nuevos Pesos (ab 1. März 1993)
Zeitzone: MEZ –4 Stunden

schaftszweig ist die Landwirtschaft; angebaut werden Weizen, Mais, Hirse, Reis, Zuckerrüben und Zuckerrohr, Leinsamen, Sonnenblumen, Früchte. Der größte Teil der Fläche dient als Weide (Rinder, Schafe). Die Industrie verarbeitet vor allem landwirtschaftliche Erzeugnisse. – Das Land wurde im 17. Jahrh. von Spaniern und Portugiesen besiedelt, war bis 1811 spanische Kolonie und kam 1817 an Brasilien. 1825 wurde es als Uruguay selbständig. (KARTE Band 2, Seite 197)

Uruguay, Río Uruguay, Strom im südlichen Südamerika. Er ist 1790 km lang, entspringt im Küstengebirge von Südbrasilien und bildet im Mittellauf die Grenze zwischen Brasilien und Argentinien. Der Unterlauf ist die Grenze zwischen Argentinien und Uruguay. Der Uruguay vereinigt sich mit dem Paraná zum Río de la Plata und mündet in den Atlantischen Ozean.

Urwald, vom Menschen nicht oder wenig veränderter, wildwachsender Wald. Bei den häufig als Urwald bezeichneten Wäldern tropischer Gebiete handelt es sich meist um →Regenwald.

USA, Abkürzung für United States of America, →Vereinigte Staaten von Amerika.

Usbekistan, Republik in Zentralasien. Das Land ist so groß wie Schweden. Ein großer Teil ist Sandwüste, ein Teil ist bewässert. Der Süden wird von Hochgebirgen begrenzt. 71 % der Bevölkerung sind Usbeken, 8 % Russen. Die traditionelle Religion der Usbeken ist der sunnitische Islam. Nur $^1/_{10}$ der Landesfläche kann landwirtschaftlich genutzt werden: Baumwollanbau, Karakulschafhaltung, Seidenraupenzucht. Usbekistan ist bedeutender Erdgasproduzent, auch Erdöl, Gold und Braunkohle werden gefördert.

Im 2. Jahrtausend v. Chr. von iranischen Völkern besiedelt, wurde Usbekistan im 4. Jahrh. v. Chr. von Alexander dem Großen erobert, gehörte danach zum Seleukidenreich. Seit dem 7. Jahrh. n. Chr. beherrschten Araber das Gebiet; der Islam setzte sich durch. Im 16. Jahrh. fielen die turkstämmigen Usbeken ein, die die Khanate Buchara, Chiwa und Kokand gründeten, nach 1860 von Rußland erobert. 1991 erklärte Usbekistan seine Unabhängigkeit.

Usbekistan

Fläche: 447 400 km²
Bevölkerung: 20,3 Mill. E
Hauptstadt: Taschkent
Amtssprache: Usbekisch, in der Autonomen Republik Karakalpakien Karakalpakisch
Währung: 1 Rubel = 100 Kopeken (vorgesehen: Sum)

Usedom, Insel vor dem Stettiner Haff, durch die Swine im Osten von Wollin und durch die Peene im Süden und Westen vom Festland getrennt; 445 km²; übewiegend zu Deutschland (Mecklenburg-Vorpommern), Ostzipfel zu Polen gehörend. Die Stadt Usedom, 2 800 Einwohner, wurde 1140 erstmals genannt.

Ussuri, rechter Nebenfluß des Amur in Ostsibirien. Der 909 km lange Fluß entsteht aus den Quellflüssen Ulache und Daubiche, die aus dem Sichote-alin kommen, und mündet bei Chabarowsk in den Amur. Der Ussuri bildet die seit den 1960er Jahren umstrittene Grenze zwischen Rußland und der Volksrepublik China.

Uterus, die Gebärmutter (→Geschlechtsorgane).

Utopie [griechisch ›Nirgendheim‹], eine nach Thomas Mores Staatsroman ›Utopia‹ (1516) geprägte Bezeichnung für literarische Darstellungen eines erdachten Staats- und Gesellschaftszustandes. Stofflich gehen Utopien häufig auf Platons Entwurf eines Idealstaates (im Dialog ›Politeia‹, 4. Jahrh. v. Chr.) zurück, richten sich gegen bestehende Staatsformen und sind ebenso wie der Roman ›Utopia‹ in der Form von Reisebeschreibungen gehalten. Im Lauf des 18. und 19. Jahrh. entstanden Utopien, in denen nicht gesellschaftliche, sondern technisch-naturwissenschaftliche Probleme im Mittelpunkt standen, z. B. Jules Verne ›Reise ins Zentrum der Erde‹ (1864). Diese Utopien sind direkte Vorläufer der →Science Fiction. Im 20. Jahrh. entwickelte sich die pessimistische ›negative Utopie‹; z. B. Aldous Huxley ›Schöne neue Welt‹ (1932) und George Orwell ›1984‹ (1949) beschreiben den totalen Staat, der auch das Privatleben seiner Bürger mit Hilfe der Technik überwacht und steuert.

UV-Strahlung, Abkürzung für →Ultraviolettstrahlung.

Uri
Kantonswappen

Uruguay

Staatswappen

Staatsflagge

Usbekistan

Staatswappen

Staatsflagge

V, der 22. Buchstabe des Alphabets, ein Konsonant und römisches Zahlzeichen für 5. V ist in der Chemie Zeichen für **V**anadium. In der Physik ist V Einheitenzeichen für →**Volt**; v wird als Abkürzung für von verwendet.

Vaduz, 5 000 Einwohner, Hauptstadt des Fürstentums Liechtenstein rechts des Rheins im Alpenrheintal. Das aus dem 12. Jahrh. stammende Schloß Vaduz überragt die Stadt und ist Residenz des Fürsten.

Vakuum [lateinisch ›leerer Raum‹]. Sehr überrascht waren die Zuschauer, als ihnen der Magdeburger Physiker und Bürgermeister **Otto von Guericke** (* 1602, † 1686) zeigte, daß er 2 mal 8 Pferde benötigte, um 2 dicht aneinandergefügte Metallhalbkugeln **(Magdeburger Halbkugeln),** die luftleer gepumpt waren, auseinanderzuziehen. Er hatte entdeckt, daß beim Herauspumpen der Luft aus dem Inneren der Kugel dort ein luftleerer Raum, ein Vakuum, entstand und der außerhalb der Kugel verbleibende, allseitig wirkende Luftdruck die Kugelhälften fest aneinanderdrückte.

Im Idealfall ist das Vakuum ein völlig materiefreier Raum, in der technischen Praxis ein Raum mit verminderter Gasdichte, der durch Verdünnung von Gasen und Dämpfen beim Auspumpen **(Evakuieren)** eines Gefäßes entsteht. Je nach dem Grad dieser Verdünnung unterscheidet man **Grob-, Fein-, Hoch-** und **Ultrahochvakuum.** Das Vakuum ist um so besser, je geringer der gemessene Druck ist. Besonders gutes Vakuum herrscht im Weltall außerhalb der Lufthülle der Erde, noch besseres im interstellaren Raum zwischen den Sternen.

Heute benutzt man in den unterschiedlichsten Lebensbereichen luftleer gepumpte Räume. So werden z. B. Kaffee, Wurst und Brot vakuumverpackt, um ihre Haltbarkeit zu verlängern. In Thermosflaschen werden ein inneres und ein äußeres Gefäß durch eine Vakuumschicht getrennt, um die Temperatur eines heißen oder kalten Getränkes möglichst lange konstant zu halten.

Valencia, 744 700 Einwohner, drittgrößte Stadt Spaniens, 3 km vom Mittelmeer entfernt, Handels- und Exportzentrum für Obst und Gemüse. In der winkligen Altstadt liegen die Kathedrale La Seo (13.–15. Jahrh.) mit ihrem Glockenturm Miguelete und die um 1500 gegründete Universität. Valencia wurde 138 erstmals als römische Kolonie erwähnt. Seit 1021 bildete es mit dem Küstengebiet ein selbständiges maurisches Königreich, das auch nach der Vertreibung der Mauren 1238 Königreich blieb und erst 1707 seine Sonderrechte verlor. Im Bürgerkrieg war Valencia 1936/37 Sitz der republikanischen Regierung.

Valletta, 14 000 Einwohner, Hauptstadt der Republik Malta an der Nordküste der Insel. Die von Befestigungsanlagen umgebene Stadt hat mehrere Naturhäfen, eine Universität (seit 1769) und bedeutende Bauwerke aus dem 16. Jahrh., so die Kathedrale San Giovanni. Valletta wurde 1566 unter dem Großmeister des Johanniterordens, Jean de la Valette, gegründet.

Valois [waloa], Seitenlinie der →Kapetinger. Die Valois stellten die französischen Könige in direkter Erbfolge von 1328 bis 1498, in Nebenlinien bis 1589.

Vampir, in Mittel- und Südamerika lebende Art der →Fledermäuse. Mit ihren messerscharfen Schneidezähnen ritzen diese Tiere die Haut schlafender Rinder, Pferde oder Schweine, auch des Menschen, und lecken das Blut auf.

Im Volksglauben sind Vampire Verstorbene, die nachts ihrem Grab entsteigen und Lebenden das Blut aussaugen. Viele Romane und Filme haben dieses Thema behandelt (→Dracula).

Vanadium, Zeichen **V,** →chemische Elemente, ÜBERSICHT.

Vandalen, →Wandalen.

Vanuatu

Staatswappen

Staatsflagge

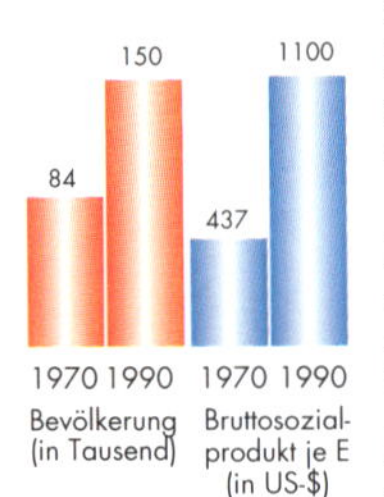

Bevölkerung (in Tausend) | Bruttosozialprodukt je E (in US-$)

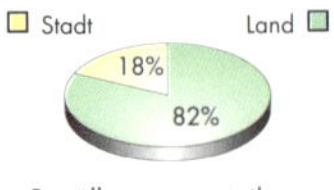

Bevölkerungsverteilung 1988

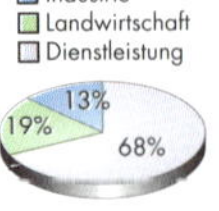

Bruttoinlandsprodukt 1989

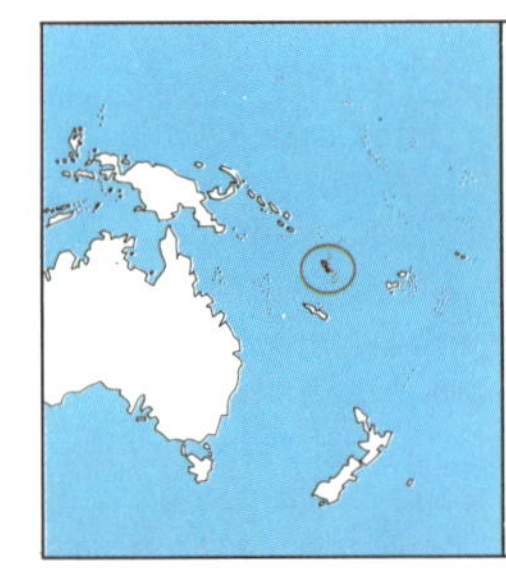

Vanuatu

Fläche: 14 763 km²
Bevölkerung: 150 000 E
Hauptstadt: Vila (auf Efate)
Amtssprachen: Bislama, Englisch, Französisch
Nationalfeiertag: 30. Juli
Währung: 1 Vatu (VT)
Zeitzone: MEZ + 10 Stunden

Vanuatu, Republik im Pazifischen Ozean, etwa 2 000 km östlich von Australien. Das überwiegend von Melanesiern bewohnte Land umfaßt die Inselgruppe der Neuen Hebriden. Kopra, Fisch, Kaffee und Kakao sind die wichtigsten Ausfuhrgüter. Ehemals unter britisch-französischer Verwaltung, erhielt der Staat 1980 die Unabhängigkeit. (KARTE Band 2, Seite 198)

Variable [zu lateinisch variare ›verändern‹], Mathematik: die →Leerstelle (→Funktion).

Variation [lateinisch ›Veränderung‹], in der Musik die Veränderung einer Melodie, z. B. durch Verzierungen, einen anderen Rhythmus, Takt oder eine andere Tonart.

Variskisches Gebirge, im jüngeren Erdaltertum (vor etwa 200–300 Millionen Jahren) entstandenes Faltengebirge in Mittel- und Westeuropa. Es erstreckt sich in einem großen Bogen vom französischen Zentralmassiv bis zu den Sudeten und umfaßt im südlichen Teil Schwarzwald, Vogesen und Böhmerwald, im nördlichen Teil Rheinisches Schiefergebirge, Harz und Ostsudeten. Teile des Pfälzer Walds, Odenwald, Spessart und die Gebirge der Oberpfalz, Thüringens und Sachsens gehören ebenfalls dazu. Im Lauf der Erdgeschichte wurde das Gebirge stark abgetragen, so daß heute nur noch einzelne Rümpfe bestehen.

Vasall, im Mittelalter der Lehnsmann (→Lehen).

Vasco da Gama, →Gama.

Vase [von lateinisch vas ›Gefäß‹], ein kunstvoll gearbeitetes Gefäß, in der Fachsprache vorwiegend ein antikes, besonders ein griechisches Tongefäß. Die Töpferkunst entwickelte sich in der kretisch-mykenischen Kultur des 2. Jahrtausends v. Chr. zu ihrer ersten Blüte. Voraussetzung dafür war die Erfindung der Töpferscheibe und einer wasser-, säure- und feuerbeständigen Malfarbe, die, aus eisenoxidhaltigem Ton bestehend, beim Brand tiefschwarze Färbung und starken Glanz annahm. Die Griechen entwickelten eine Vielfalt an Gefäßformen. So gab es Vorratsgefäße (z. B. Amphora, Pelike), Kannen (z. B. Oinochoe und Olpe), Wasserkrüge (Hydria), Mischgefäße (Krater), Salbgefäße (Alabastron, Lekythos) und verschiedene Trinkgefäße (z. B. Kantharos).

Alle Gefäße waren bemalt. Schon die kretisch-mykenische **Vasenmalerei** erreichte in ihren verschiedenen Dekorationsstilen (mit Ornamenten, Pflanzenmotiven, Meerestieren) künstlerische Höhepunkte. In Griechenland folgten auf die geometrische Vasenbemalung des 10.–8. Jahrh. v. Chr. (→griechische Kunst) neue, zum Teil aus dem Orient übernommene Schmuckformen wie Pflanzenornamente, Tier- und Fabelwesen. Zu hoher Vollendung entwickelte sich im 6. Jahrh. v. Chr., vor allem in Attika, der **schwarzfigurige Stil,** dessen figürliche und ornamentale Malereien als Silhouetten mit eingeritzter Binnenzeichnung auf dem rötlichen Tongrund erscheinen. Um 530 v. Chr. kam der **rotfigurige Stil** auf, dessen Darstellungen aus der schwarzbemalten Oberfläche der Vasen ausgespart sind und in der Farbe des Tons mit schwarz eingezeichneten Linien erscheinen. Die griechische Vasenmalerei, zum großen Teil vom Künstler signiert, bringt überwiegend Darstellungen aus der Sage und dem Alltagsleben. Diese Bilder geben uns eine Vorstellung von der nicht erhaltenen griechischen Wand- und Tafelmalerei. Griechische Vasen wurden schon früh nach fast allen Ländern der Alten Welt ausgeführt und regten zur Nachahmung an.

Vaterrecht, →Patriarchat.

Vatikanstadt, Staat der Vatikanstadt, selbständiges Staatsgebiet (0,4 km²) im Nordwesten der italienischen Hauptstadt Rom. Der Name stammt vom Vaticano, einem der 7 Hügel Roms. Der Staat umfaßt den heutigen Vatikanpalast mit den päpstlichen Gärten, den Petersplatz mit der Peterskirche und weitere Kirchen und Gebäude im Stadtgebiet und in der Nähe von Rom. Der Papst ist Inhaber aller Staatsgewalt. Zur Aufrechterhaltung der Ordnung und für Ehrendienste dient die Schweizergarde. Die Vatikanstadt hat einen eigenen Bahnhof, ein Postamt (eigene Briefmarken), einen Rundfunksender, gibt Zeitungen heraus (›Osservatore Romano‹) und unterhält wissenschaftliche Einrichtungen. – Der größere →Kirchenstaat des Mittelalters ist nicht der rechtliche Vorläufer der Vatikanstadt.

VEB, Abkürzung für →**V**olks**e**igener **B**etrieb.

Vegetarier [zu lateinisch vegetare ›beleben‹], Bezeichnung für Menschen, die sich ausschließlich oder vorwiegend pflanzlich ernähren. Beim **strengen Vegetarismus** sind Getreideprodukte, Nüsse, Knollen, Blätter, Früchte, beim **Lakto-Vegetarismus** (zu lateinisch lac ›Milch‹) auch Milchprodukte, Eier und Honig erlaubt. Man unterscheidet Vegetarier aus gesundheitlichen Gründen (hierbei dient die pflanzliche Ernährung zu Heilzwecken) von Vegetariern aus weltanschaulichen oder religiösen Gründen (sie gehen meist von dem Grundsatz aus, daß man kein Recht habe, ein Tier zu töten).

Vegetation [zu lateinisch vegetare ›beleben‹], die Gesamtheit aller Pflanzengesellschaften eines bestimmten Gebietes, im Unterschied zur →Flora. Unter **Pflanzengesellschaften** versteht man die von den jeweiligen Umweltbedingungen abhängige Kombination von bestimmten Pflanzenarten. Eine solche Pflanzengesellschaft bilden z. B. die auf Kalkböden vorkommenden Buchenwälder, in denen immer ganz bestimmte krautige Pflanzen wachsen. Mit Hilfe von **Vegetationskarten,** die man in vielen Atlanten findet, kann man sich ein Bild von der Pflanzendecke eines Gebietes machen und damit auch Rückschlüsse auf das Klima und die Bodenbeschaffenheit ziehen. Die **Vegetationsperiode** ist die Zeit, in der die Pflanzen wachsen. Sie ist von der geographischen

Halsamphora

Kelchkrater

Pelike

Hydria (Kalpis)

Olpe

Oinochoe

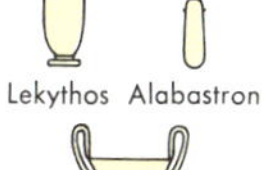
Lekythos Alabastron

Kantharos

Vase

Vatikanstadt

Staatswappen

Staatsflagge

Veilchen: Duftveilchen

Breite und der Höhe über dem Meeresspiegel abhängig und reicht bei uns ungefähr von April bis September. Nachbildungen der Vegetation verschiedener Gebiete findet man im → Botanischen Garten.

Vegetatiọnspunkte, die kegelförmigen zarten Enden der Pflanzenachsen und Wurzeln, von denen besonders Längenwachstum und Neubildung von Organen ausgehen. Der Vegetationspunkt der Wurzel ist von einer ›Haube‹ umhüllt.

Veilchen, Frühlingsblumen mit meist blauen oder violetten Blüten und fast herzförmigen Blättern. Sie wachsen in lichten Wäldern, an Wald- und Feldrändern, in Gebüschen, auf Heiden, auch im Gebirge. Ein Veilchen mit stark duftenden Blüten wird in Gärten angepflanzt.

Velázquez [welạßkeß]. Der spanische Maler **Diego Velázquez** (* 1599, † 1660), mit vollem Namen Diego **Rodríguez de Silva y Velázquez,** war einer der bedeutendsten Porträtmaler des höfischen Barock. In seiner Frühzeit malte er in seiner Heimatstadt Sevilla Alltagsszenen und religiöse Bilder. 1623 wurde er nach Madrid berufen, wo er Hofmaler und später Kammerherr des Königs wurde. Die höfischen Porträts der ersten Jahre zeigen die Dargestellten, darunter König Philipp IV., in gemessen vornehmer Haltung; Schwarzweißtöne herrschen vor. Bei einem mehrjährigen Aufenthalt in Italien empfing Velázquez starke Eindrücke von der venezianischen Malerei (Tizian, Tintoretto). Nach seiner Rückkehr malte er in leuchtenden Farben Bildnisse der königlichen Familie, ferner das monumentale zeitgeschichtliche Bild ›Übergabe von Breda‹ (1634/35), einer niederländischen Stadt, die 1625 von den Spaniern erobert worden war. Mit Vorliebe malte Velázquez auch Hofnarren, die oft verkrüppelt oder von zwergenhaftem Wuchs waren. Auf einer zweiten Italienreise entstand das in Rottönen gehaltene Porträt von Papst Innozenz X. (1650), das den Papst in realistischer Weise als individuelle Person wie auch als Repräsentanten kirchlicher Macht zeigt. Hauptwerke der letzten Madrider Jahre des Künstlers sind eine Darstellung der Infantin Margarita mit ihrem Gefolge (1656) und ein Gemälde, das die Spinnerinnen einer Teppichmanufaktur bei der Arbeit zeigt (um 1659).

Venẹdig, 321 000 Einwohner, Inselstadt in Italien, in einer Lagune an der Adria auf etwa 150 Inseln; Vororte und der Flughafen Venedigs liegen auf dem Festland. Venedig hat nach Genua den zweitgrößten Hafen Italiens; es ist Kulturzentrum mit reichen Kunstschätzen und regem Fremdenverkehr. Mittelpunkt Venedigs ist der **Markusplatz** mit Markuskirche (11. Jahrh.), Campanile (Glockenturm) und Dogenpalast (14./15. Jahrh.). Die **Markuskirche** mit 5 Kuppeln wurde auf der Grundfläche eines griechischen gleichschenkligen Kreuzes nach byzantinischen Vorbildern erbaut und birgt die Gebeine des Evangelisten Markus, des Schirmherrn der Stadt. Der **Dogenpalast,** ein Meisterwerk venezianisch-gotischer Baukunst, enthält wertvolle Gemälde, z. B. von Tintoretto und Tizian. Die Hauptverkehrsader, den **Canal Grande,** säumen Paläste vor allem des 15./16. Jahrh., z. B. die Ca' d'Oro (›Goldenes Haus‹). Zu den vielen alten Kirchen gehören die Kuppelkirche Santa Maria Gloriosa della Salute (17. Jahrh.) und Santa Maria dei Frari (13.–15. Jahrh.). Wegen der häufigen Überschwemmungen und der Landsenkung an der oberen Adriaküste sind umfangreiche Maßnahmen erforderlich, um die Stadt zu erhalten.

Venedig war im Mittelalter die bedeutendste See- und Handelsmacht im östlichen Mittelmeer. Der Stadtstaat, die **›Republik von San Marco‹,** wurde von einem Dogen regiert, den der ›Große Rat‹ unterstützte; in diesem waren nur die Adelsfamilien Venedigs vertreten. Venedig beherrschte zeitweise die Küsten und Inseln der heutigen Länder Kroatien, Bosnien-Herzegowina und Griechenland bis hin nach Konstantinopel, das 1204 auf Veranlassung Venedigs von einem Kreuzfahrerheer erobert wurde. Damals erbeuteten die Venezianer viele Kunstschätze, die sie nach Venedig brachten. Im 15. Jahrh. dehnte Venedig seine Herrschaft auch auf das oberitalienische Festland aus. Gleichzeitig verlor es immer mehr Besitzungen im östlichen Mittelmeer an das Osmanische Reich, zuletzt Kreta (1645–69).

Seine Unabhängigkeit verlor Venedig 1797, als Napoleon Bonaparte es mit seinen Truppen besetzte. Nach 1815 gehörte es mit seinem Umland (›Venetien‹) zu Österreich und bildete mit der Lombardei das Lombardo-Venezianische Königreich. 1866 kam Venedig an das Königreich Italien.

Venẹdigergruppe, Teil der Hohen Tauern (Österreich), zwischen Birnlücke und Felber Tauern gelegen. Die höchste Erhebung der stark vergletscherten Gebirgsgruppe ist der Großvenediger mit 3 666 m.

Vẹnen, Blutgefäße (→ Adern).

Venezuẹla, Republik im Norden Südamerikas, mehr als doppelt so groß wie Schweden. Venezuela erstreckt sich vom Tiefland von Maracaibo im Nordwesten über die Kordillere von Mé-

Venezuela

Staatswappen

Staatsflagge

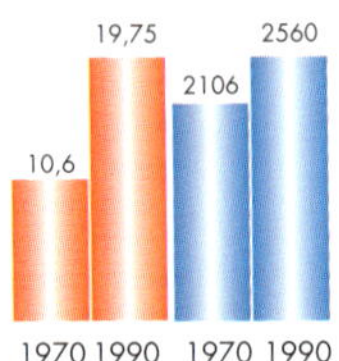

Bevölkerung (in Mill.) — Bruttosozialprodukt je E (in US-$)

Stadt / Land

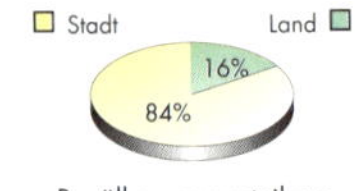

Bevölkerungsverteilung 1990

Industrie
Landwirtschaft
Dienstleistung

Bruttoinlandsprodukt 1990

Venezuela

Fläche: 912 050 km²
Bevölkerung: 19,75 Mill. E
Hauptstadt: Caracas
Amtssprache: Spanisch
Nationalfeiertag: 5. Juli
Währung: 1 Bolívar (Bs) = 100 Céntimos
Zeitzone: MEZ – 5 Stunden

rida (bis 5 002 m hoch), das Karibische Gebirge (bis 2 765 m), das ausgedehnte Tiefland des Orinoco bis zum Bergland von Guayana im Südosten. Das Klima ist tropisch mit hohen Temperaturen (in den Gebirgen gemildert) und hohen Niederschlägen im Sommer.

Die meisten Bewohner sind Mischlinge; am dichtesten besiedelt ist der Norden des Landes. Grundlage der Wirtschaft ist der Reichtum an Erdöl. Große Bedeutung hat auch die Förderung von Erdgas und von hochwertigen Eisenerzen. Außerdem werden z. B. Gold und Diamanten gewonnen. Die Industrie wurde stark ausgeweitet. Haupterzeugnisse der Landwirtschaft sind Reis, Mais, Ölfrüchte, Knollenfrüchte, Bananen, Kaffee, Zuckerrohr, Gemüse. Die Viehwirtschaft ist bedeutend.

Nach den indianischen Pfahldörfern nannten die spanischen Eroberer um 1500 das Land Venezuela (›Klein-Venedig‹). Die Loslösung von der spanischen Herrschaft begann mit der Revolution des Simón de Bolívar 1810 in Caracas; sie war um 1820 vollzogen. 1830 wurde das Land selbständig. Jahrzehntelange Bürgerkriege folgten. Von 1870 an wechselten immer wieder zivile Präsidentschaften mit Militärdiktaturen. Seit 1958 trat eine politische Beruhigung ein. (KARTE Band 2, Seite 197)

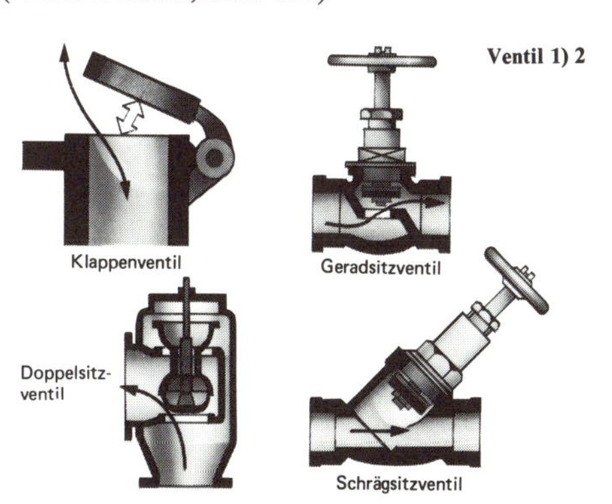

Ventil 1) 2

Ventil [von lateinisch ventus ›Wind‹], **1)** ein Absperrorgan, das zur Regulierung strömender Flüssigkeiten und Gase durch Rohrleitungen oder in Maschinen verwendet wird. Ein Ventil besteht im wesentlichen aus dem **Absperrkörper** und dem **Sitz** (Dichtfläche, auf die sich das Ventil setzt). Der Absperrkörper eines Ventils kann die Form eines Kegels, Tellers oder einer Kugel haben.

Kegel- und **Tellerventile** werden in Verbrennungsmotoren verwendet, wo sie schnellen mechanischen Bewegungen (Öffnen und Schließen) und hohen Temperaturen ausgesetzt sind. Das **Kugelventil** wird als selbsttätiges Ventil bezeichnet. Es steuert sich durch das zu regulierende Medium (Gas oder Flüssigkeit) und das Eigengewicht. Der Druck wird dazu in der entsprechenden Weise geändert. Zu dieser Gruppe gehört auch das Fahrradventil. Das **Klappenventil** ist ein Verschlußventil, das sich durch das Eigengewicht selbst reguliert, das heißt öffnet oder schließt. Der Wasserhahn **(Schrägsitzventil, Geradsitzventil)** mit einem Drehgriff bewegt über eine Schraubspindel den Absperrkörper. **Sicherheitsventile** sind selbsttätige Ventile, die sich öffnen, wenn ein vorher eingestellter Druck in einer Anlage (z. B. Kessel) überschritten wird.

2) Musik: Bei einigen Blechblasinstrumenten (→Horn, →Trompete) kann die Tonhöhe durch Zuschaltung von Verlängerungsstücken der Schallröhre verändert werden. Dies ermöglichen die Ventile, die die Luft in diese Zusatzbögen leiten und den Ton vertiefen oder Teile der Schallröhre abschalten und den Ton dadurch erhöhen. Horn und Trompete haben meist 3 Ventile: Das erste erniedrigt die Stimmung um einen Ganzton, das zweite um einen Halbton, das dritte um eine kleine Terz. Auch bei der Orgel wird die Luftzufuhr in die Pfeifen durch Ventile geregelt.

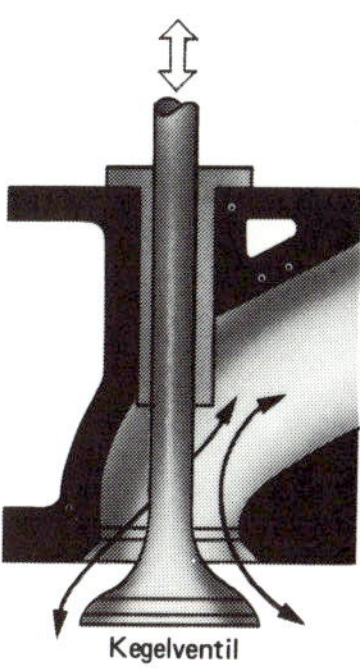

Kegelventil

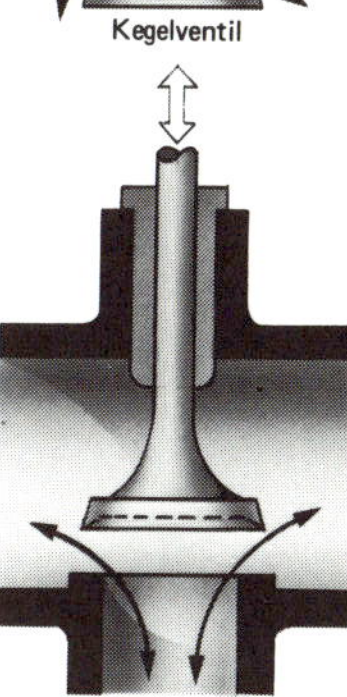

Tellerventil

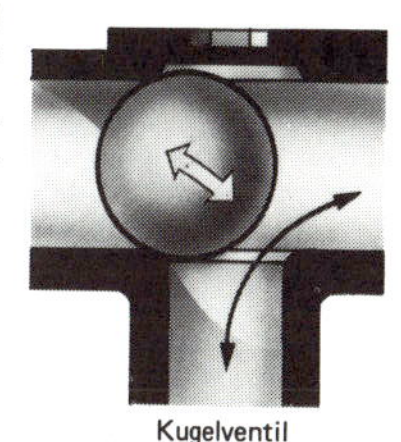

Kugelventil

Ventil 1) 1

Venus, 1) bei den Römern die Göttin der Liebe und Schönheit, der griechischen →Aphrodite gleichgesetzt.

2) von der Sonne aus gezählt der zweite Planet unseres Sonnensystems mit einem Äquatordurchmesser von 12 104 km. In 224,7 Tagen umkreist die Venus die Sonne in einem durchschnittlichen Abstand von 108,2 Millionen Kilometer. Die Masse der Venus beträgt 0,815 Erdmassen. Steht sie westlich der Sonne, zeigt sie sich als **Morgenstern,** östlich davon als **Abendstern.** Die Venus ist nach Sonne und Mond das hellste Gestirn des Himmels. Sie verfügt über eine dichte, undurchsichtige Atmosphäre, die sich zu 96% aus Kohlendioxid und zu 3,5% aus Stickstoff zusammensetzt. Sauerstoff, Wasserdampf und

VERBRENNUNGSMOTOR

Bauart	Hauptsächliche Anwendungen
Kleine, leichte, luftgekühlte Zweitakt-Ottomotoren	Rasenmäher und ähnliche landwirtschaftliche Geräte, Zweiräder bis 150 cm³
Luftgekühlte Viertakt-Ottomotoren	Zweiräder über 250 cm³, leichte Propellerflugzeuge
Wassergekühlte Viertakt-Ottomotoren	Personenkraftwagen, leichte Lieferwagen, schwere Motorräder
Wassergekühlte Viertakt-Dieselmotoren	Lastkraftwagen, Traktoren, Lokomotiven, Schiffe, Kraftwerke, Baumaschinen
Zweitakt-Dieselmotor	luftgekühlt in Flugmodellen, wassergekühlt als großer Schiffsdiesel

Edelgase (Helium, Argon, Neon) kommen nur in Spuren vor. Der atmosphärische Druck am Boden der Venus beträgt etwa 100 Bar (etwa so groß wie auf der Erde der Wasserdruck am Boden eines 1000 m tiefen Meeres). Die Oberflächentemperatur steigt auf über + 500 °C an, da kurzwellige Sonnenstrahlen auf den Planeten fallen können, aber die langwellige Wärmeabstrahlung von der dichten Atmosphäre, vor allem vom Kohlendioxid, verhindert wird (Treibhauseffekt).

Venusfliegenfalle, eine →tierfangende Pflanze.

Verb [von lateinisch verbum ›Wort‹], **Zeitwort, Tätigkeitswort,** Wortart, die eine Tätigkeit ausdrückt (Wir bauen ein Haus), ein Ereignis mitteilt (Der Baum fällt um) oder einen Zustand beschreibt (Mainz liegt am Rhein).

Verben können vielseitig konjugiert werden (→Konjugation). Sie zeigen damit (z. B. in Endungen) Person und →Tempus an, unterscheiden →Indikativ und →Konjunktiv, →Aktiv und →Passiv sowie →Numerus.

Starke Verben verändern bei der Konjugation ihren Stammlaut (s**i**ngen, s**a**ng, ges**u**ngen), **schwache Verben** behalten ihn bei (b**au**en, b**au**te, geb**au**t); →Hilfsverb.

Verbrennungsmotor, eine Wärmekraftmaschine, in der durch die Verbrennung eines Luft-Kraftstoff-Gemisches in einem Arbeitsraum Energie freigesetzt und damit eine Antriebskraft erzeugt wird, die z. B. eine Welle in Bewegung setzt. Zu den Verbrennungsmotoren gehören vor allem die Kolbenmotoren. In dem weitergefaßten Begriff der **Verbrennungskraftmaschine** ist außerdem die →Gasturbine (→Strahltriebwerk) enthalten.

Im **Kolbenmotor** bilden Zylinder und Kolben den Brennraum, in dem ein verdichtetes Gemisch aus Luft und Kraftstoff entflammt wird, im

Verbrennungsmotor

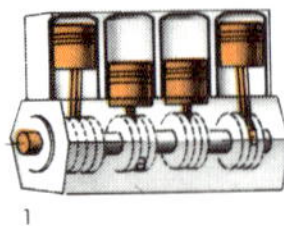

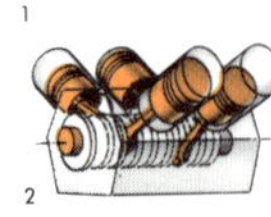

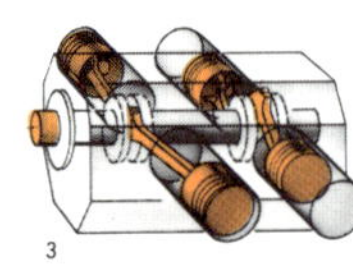

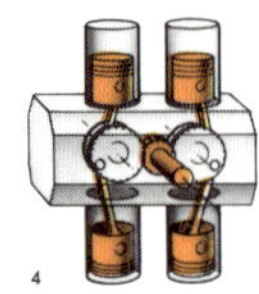

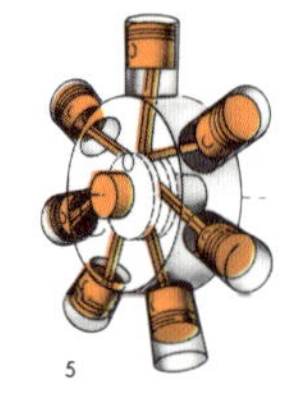

Verbrennungsmotor: **1** Reihenmotor stehend, **2** V-Reihenmotor stehend, **3** Boxer-Reihenmotor, **4** H-Reihenmotor (2 Kurbelwellen im Zahnradverbund), **5** Sternmotor

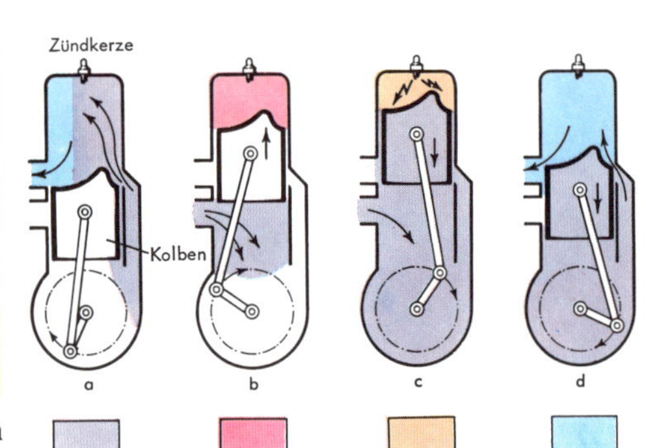

Verbrennungsmotor: Hubkolbenmotor, Zweitaktverfahren beim Ottomotor. **1** Überströmen des Kraftstoffgemisches, **2** Verdichten über und Ansaugen unter dem Kolben, **3** Verbrennen des Gemisches (Arbeitstakt), **4** Ausschieben und Beginn des Überströmens

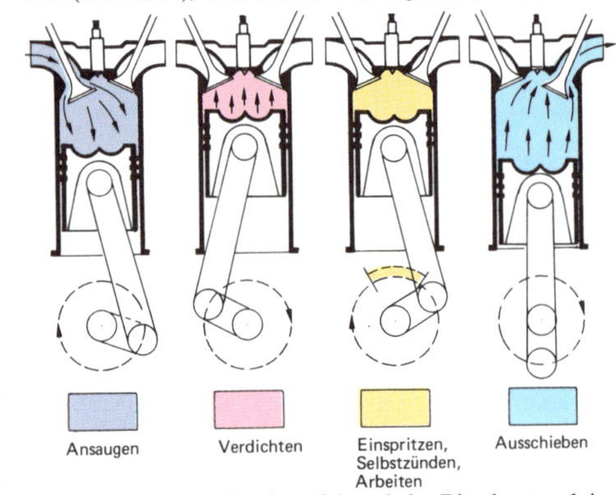

Verbrennungsmotor: Viertaktverfahren beim Dieselmotor: **1** Ansaugen, **2** Verdichten, **3** Einspritzen, Selbstzünden und Arbeiten, **4** Ausschieben. Für ein Arbeitsspiel sind zwei Kurbelwellenumdrehungen nötig

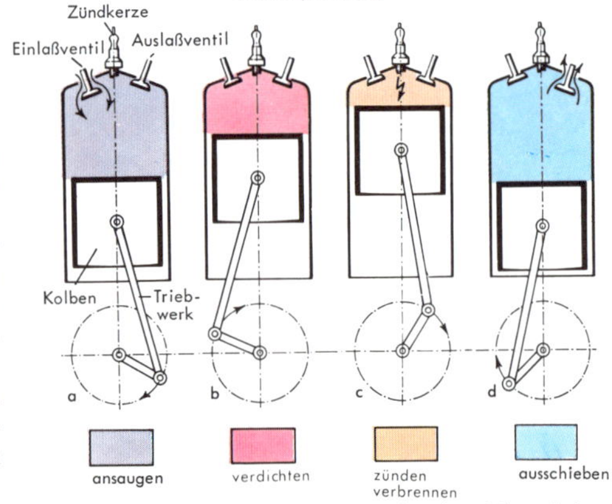

Verbrennungsmotor: Hubkolbenmotor, Viertaktverfahren beim Ottomotor: **1** Ansaugen, **2** Verdichten, **3** Zünden und Arbeiten, **4** Ausschieben

→Ottomotor durch den elektrischen Funken einer Zündkerze, im →Dieselmotor durch Selbstentzündung. Die explosionsartige Druckkraft der Gase bewegt den Kolben, der dadurch Arbeit leistet. Nach der Art der Kolbenbewegung unterscheidet man Hubkolben- und Kreiskolbenmotoren. Beim weitaus häufigeren **Hubkolbenmotor** (Otto- und Dieselmotor) schiebt sich der Kolben im Zylinder hin und her (→Hubraum), während er sich beim **Kreiskolbenmotor** (Ottomotor, Bauart →Wankelmotor) in einer Kammer um die anzutreibende Welle dreht. Beim Hubkolbenmotor wird die Kolbenbewegung über die Pleuelstange auf die Kurbelwelle übertragen. Deren Drehbewegung bildet den Antrieb z. B. für Fahrzeugräder, Generatorwellen, Schiffsschrauben und landwirtschaftliche Geräte. Die Kurbelwelle liefert auch den Antrieb für die Nockenwelle, die über Kipp- oder Schwinghebel die Einlaß- und Auslaßventile im richtigen Zeitpunkt öffnet und schließt. Weitere wichtige Baugruppen sind der Vergaser oder die Einspritzanlage, die Zündanlage beim Ottomotor, die Kraftstoff-, Öl- und Wasserpumpe, der Starter mit dem Ritzel für das Schwungrad, der Generator (Lichtmaschine), Ventilator und Luftfilter.

Hubkolbenmotoren (Otto- wie Dieselmotoren) arbeiten als Viertakt- oder als Zweitaktmotoren. Die einzelnen Takte des **Viertaktverfahrens** sind:

1. Ansaugen des Luft-Kraftstoff-Gemisches oder der Luft.
2. Verdichten des Zylinderinhalts.
3. Verbrennung und Ausdehnung mit Arbeitsleistung.
4. Ausschieben der verbrannten Gase. Viertaktmotoren haben fast ausschließlich Ventile.

Beim **Zweitaktverfahren** stellen nur Verdichten der Frischladung und Ausdehnung der Verbrennungsgase eigene Arbeitstakte dar. Der Ladungswechsel, das heißt das Ansaugen und Ausschieben, wird meist über Schlitze im Zylinder gesteuert, die durch den hin- und hergehenden Kolben geöffnet und geschlossen werden. Zweitaktmotoren brauchen also keine Ventile.

Die beim Hubkolbenmotor nacheinander ausgeführten Takte finden beim Wankelmotor gleichzeitig statt, und zwar in den zwischen Drehkolben und Gehäusewand sich bildenden Arbeitsräumen, die sich vergrößern und verkleinern. Ein- und Auslaßschlitze in der Gehäusewand werden vom Drehkolben gesteuert, so daß sich die 4 Takte ergeben: Ansaugen, Verdichten, Ausdehnen (Arbeiten), Ausschieben.

Die abgegebene Leistung von Verbrennungsmotoren wird durch die Veränderung von Drehzahl und Drehmoment bestimmt. Beim Ottomotor wird die jeweils benötigte Menge des Luft-Kraftstoff-Gemisches über eine Drosselklappe dem Motor zugeteilt, während bei Dieselmotoren nur die eingespritzte Kraftstoffmenge verändert wird. Die Leistung läßt sich ferner durch Aufladung mit Hilfe eines →Kompressors oder →Turboladers erhöhen. Um die Temperaturen der Motorwerkstoffe und Schmierstoffe in Grenzen zu halten, ist eine →Kühlung vorgesehen.

Verbrennungsmotoren gibt es in den verschiedensten Größen, vom Einzylindermotor mit einem Hubraum von 0,3 cm³ für Flugmodelle bis zum großen mehrzylindrigen Schiffsdieselmotor mit einem Hub von 2 000 mm und einer Zylinderleistung von 3 000 kW. Übliche Fahrzeugmotoren werden meist mit mehreren Zylindern in Reihe (**Reihenmotor** stehend, liegend oder geneigt), in V-Form (**V-Motor** stehend) oder als →Boxermotoren gebaut. Zwei stehende Boxermotoren mit gemeinsamer Welle ergeben den **H-Motor.** Ein früher üblicher Flugmotor war der luftgekühlte **Stern-** oder **Doppelsternmotor.**

Verdauung, Zerkleinerung, Aufspaltung und Umwandlung der Nahrungsstoffe, besonders im

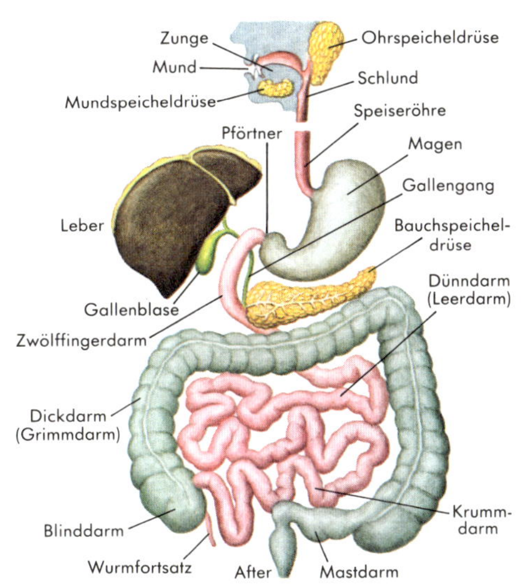

Verdauung: menschlicher Darm; Verdauungskanal mit einmündenden Verdauungsdrüsen

Magen-Darm-Kanal. Dabei werden diese unter Mitwirkung einer Vielzahl von Organen in so kleine Bestandteile zerlegt, daß sie durch die Darmwand ins Blut aufgenommen (resorbiert) oder als unverwertbare Anteile wieder ausge-

Giuseppe Verdi

schieden werden können. Nur Wasser und Vitamine sowie die meisten Salze und Spurenelemente können ohne Veränderung aufgenommen werden.

Die Verdauung beginnt mit der Zerkleinerung der Nahrung im Mund. Hier wird Speichel zugesetzt, der die Nahrung gleitfähig macht und mit Hilfe eines Enzyms die Aufspaltung der Kohlenhydrate einleitet. Über die Speiseröhre gelangt der Speisebrei in den Magen, wo mit dem Magensaft neue Verdauungsenzyme hinzukommen. Der verflüssigte und teilweise verdaute Speisebrei wird durch den Magenpförtner in den Zwölffingerdarm weitergegeben. Hier erreichen die Verdauungssäfte der Bauchspeicheldrüse, deren Enzyme die Eiweiße und Kohlenhydrate weiter aufspalten, und der Galle, die die Fette wasserlöslich machen, den Verdauungskanal. Im weiteren Verlauf des Dünndarms werden die so gelösten Bausteine der Nahrung resorbiert, gelangen ins Blut und werden von diesem zur Leber und den Zellen des Körpers transportiert. Im Dickdarm wird ein großer Teil des Wassers entzogen, die unverwertbaren Reste werden eingedickt und über den After als Kot ausgeschieden. Die Verdauungstätigkeit wird besonders im Dickdarm durch Bakterien unterstützt.

Verdi. Der italienische Opernkomponist **Giuseppe Verdi** (* 1813, † 1901) erhielt seine Ausbildung in Mailand, wo auch 1839 seine erste Oper ›Oberto‹ mit Erfolg aufgeführt wurde. Seinen großen Triumph feierte er 1842 mit der gegen die österreichische Fremdherrschaft gerichteten Freiheitsoper ›Nabucco‹ mit dem Chor der Gefangenen. Unter seinen 26 Opern ragen aus der mittleren Schaffensperiode ›Rigoletto‹ (1851), ›Der Troubadour‹ (1853), ›La Traviata‹ (1853), ›Ein Maskenball‹ (1859), ›Die Macht des Schicksals‹ (1862) und ›Don Carlos‹ (1867) heraus. Ursprünglich zur Eröffnung des Suezkanals komponierte Verdi ›Aida‹ (1871). Spätwerke sind ›Otello‹ (1887) und ›Falstaff‹ (1893). Verdis Opern sind geprägt durch großartige Menschendarstellung, mitreißende Dramatik und überquellenden melodischen Reichtum.

Verdichter, Gasverdichter, →Kompressor.

Verdichtung, →Kompression.

Verdun [wärdẽ], 21 500 Einwohner, Stadt in Ostfrankreich an der Maas. Im **Vertrag von Verdun** (843) teilten die Enkel →Karls des Großen, Kaiser Lothar I., Ludwig der Deutsche und Karl der Kahle, das →Fränkische Reich unter sich auf. – Während des Ersten Weltkriegs fanden 1916 bei Verdun schwere Schützengrabenkämpfe statt. Von den rund 700 000 Todesopfern auf französischer wie deutscher Seite zeugen große Soldatenfriedhöfe.

Vereinigte Arabische Emirate

Staatswappen

Staatsflagge

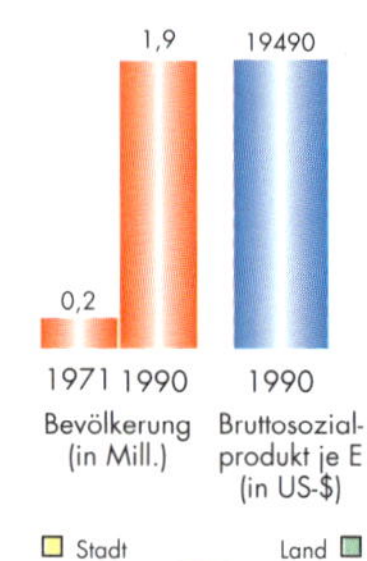

Bevölkerungsverteilung 1990

Bruttoinlandsprodukt 1990

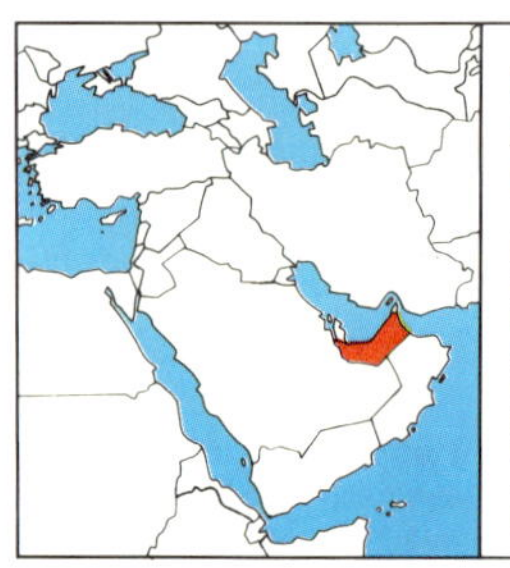

Vereinigte Arabische Emirate

Fläche: 83 600 km²
Bevölkerung: 1,9 Mill. E
Hauptstadt: Abu Dhabi
Amtssprachen: Arabisch, daneben Englisch
Nationalfeiertag: 2. Dez.
Währung: 1 Dirham (DH) = 100 Fils
Zeitzone: MEZ + 3 h

Vereinigte Arabische Emirate, Bundesstaat (Föderation) von 7 Scheichtümern (Emiraten) am Persischen Golf, so groß wie Österreich. Das Land ist vorwiegend Wüste, es hat heißes und trockenes Klima. Die einheimische Bevölkerung sind Araber, 1/10 davon leben als Nomaden. Über die Hälfte der Bewohner des Staates kommen als Gastarbeiter aus Iran, Pakistan und Indien. Auf Grund ergiebiger Ölvorkommen in Abu Dhabi und geringerer in Dubai haben sich die früher unbedeutenden Oasen und Hafenplätze am Persischen Golf seit etwa 1970 zu modernen Städten entwickelt mit Flughäfen, Bürohochhäusern, Banken, Hotels, Krankenhäusern, Schulen, Meerwasserentsalzungsanlagen zur Trinkwassergewinnung und mit modernen Industrieanlagen. Ein sehr geringer Teil der Fläche wird in Oasen als bewässertes Ackerland genutzt (Gemüse, Obst, Datteln, Tabak).

Seit dem 18. Jahrh. stand das Gebiet unter britischem Einfluß. Die Seeräuberei einheimischer und europäischer Piraten wurde 1820 durch einen Vertrag beendet. 1971 bildete sich die Föderation. Der Staat verfolgt im Nahostkonflikt zwischen Israel und seinen arabischen Nachbarstaaten eine gemäßigte Linie. Er ist um eine gemeinsame Verteidigung der Golfregion mit den anderen arabischen Staaten, besonders mit Saudi-Arabien, bemüht. (KARTE Band 2, Seite 194)

Vereinigte Staaten von Amerika, englisch **United States of America,** Abkürzung **USA,** Bundesstaat in Nordamerika, nach Fläche und Einwohnerzahl der viertgrößte Staat der Erde, fast so groß wie Europa. Er umfaßt den südlichen Teil des nordamerikanischen Festlands zwischen Atlantischem und Pazifischem Ozean, dazu Alaska und Hawaii. Hinzu kommen der autonome Staat Puerto Rico und verschiedene, in unterschiedlichem Grad abhängige Gebiete in Mittel-

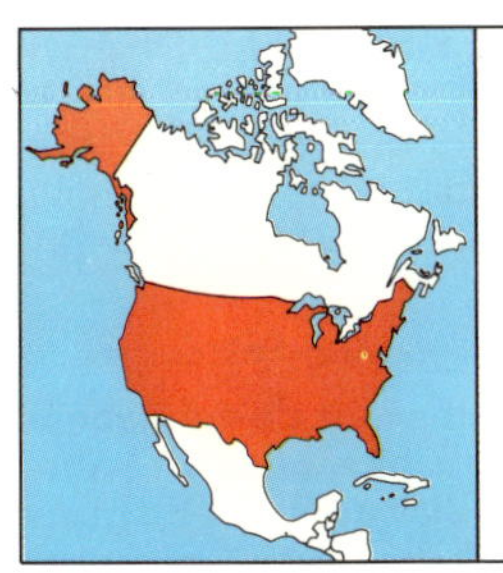

Vereinigte Staaten von Amerika

Fläche: 9 529 063 km²
Bevölkerung: 251,39 Mill. E
Hauptstadt: Washington
Amtssprache: Englisch
Nationalfeiertag: 4. Juli
Währung: 1 US-Dollar (US-$) = 100 Cents
Zeitzonen (von W nach O) MEZ – 12 bis – 6 Stunden

amerika und im Südwestpazifik. Den Osten durchziehen von Nordosten nach Südwesten die bis zu 2 039 m aufsteigenden **Appalachen.** Sie fallen zur Küstenebene steil, nach Westen in mehreren Stufen ab. Die Mitte der USA wird von den zentralen Ebenen eingenommen, deren Längsachse der **Mississippi** bildet. Das flache Tiefland ist im Norden von den Gletschern der Eiszeiten überformt, im Süden von mächtigen Lößschichten bedeckt. Westlich des Mississippi steigt das Tiefland in den **Great Plains** von 500 m auf 1 500 m am Fuß der Rocky Mountains an. Den Westen des Landes nimmt das Gebirgssystem der **Kordilleren** ein. Zwischen den Rocky Mountains und den westlichen Gebirgen erstrecken sich Beckenlandschaften wie das **Große Becken,** Plateaus wie das **Colorado-Plateau** mit dem Grand Canyon und Senken wie das **Tal des Todes.** Salzseen und Wüsten sind verbreitet.

Das Klima ist vielgestaltig. In Nordalaska herrscht Tundrenklima, im Süden ist es tropisch bis subtropisch. Die in Nord-Süd-Richtung verlaufenden Gebirge verhindern das Eindringen milder Meeresluftmassen von Westen, so daß das Klima im Innern ausgeprägt kontinental ist. An der nördlichen Pazifikküste fallen hohe Niederschläge, im Windschatten der Gebirge nur geringe. Weiter östlich nehmen sie wieder zu. Im Vergleich zu Orten gleicher Breitenlage in Europa sind die Winter im Nordosten viel kälter, da polare Luft ungestört nach Süden strömen kann.

Wichtige Flüsse sind Mississippi-Missouri, Ohio, Tennessee, Rio Grande, Colorado und Columbia. Die Großen Seen gehören zu ⅔ zu den USA.

In der Bevölkerung überwiegen die Nachkommen weißer Einwanderer. Der größte Teil ist europäischer Abkunft, vor allem aus Deutschland, Großbritannien, Irland und Italien. In den letzten Jahren stieg die Zahl der Einwanderer aus südamerikanischen und asiatischen Ländern. Viele Mexikaner kommen ohne Aufenthaltserlaubnis in die Staaten des Südwestens.

Mehr als $^1/_{10}$ der Einwohner sind Schwarze, Nachkommen der aus Afrika und Westindien eingeführten Sklaven. Sie leben hauptsächlich in den Staaten des Südens – Mississippi, South-Carolina und Louisiana haben mit rund ⅓ den höchsten Anteil –, aber auch in den industrialisierten Nordstaaten. Die Bürgerrechtsgesetze von 1964/65 haben die Benachteiligungen für Schwarze verringert, aber noch nicht beseitigt. Reste der indianischen Urbevölkerung leben zum größten Teil in Reservationen, insbesondere im Südwesten.

Mehr als ⅓ der Einwohner ist auf die stark von der Industrie geprägten Staaten des Nordostens

Größe und Bevölkerung (1990)

Bundesstaat	Abkürzung	Hauptstadt	Fläche in km²	Einwohner in 1 000
Alabama	Ala.	Montgomery	133 915	4 063
Alaska	Alas.	Juneau	1 530 700	552
Arizona	Ariz.	Phoenix	295 260	3 678
Arkansas	Ark.	Little Rock	137 754	2 362
California	Calif.	Sacramento	411 049	29 839
Colorado	Colo.	Denver	269 595	3 308
Connecticut	Conn.	Hartford	12 997	3 296
Delaware	Del.	Dover	5 295	669
District of Columbia	D. C.	Washington	178	610
Florida	Fla.	Tallahassee	151 939	13 003
Georgia	Ga.	Atlanta	152 576	6 508
Hawaii	Ha.	Honolulu	16 759	1 115
Idaho	Id.	Boise	216 432	1 012
Illinois	Ill.	Springfield	145 934	11 467
Indiana	Ind.	Indianapolis	93 720	5 564
Iowa	Ia.	Des Moines	145 753	2 787
Kansas	Kans.	Topeka	213 098	2 486
Kentucky	Ky.	Frankfort	104 660	3 699
Louisiana	La.	Baton Rouge	123 677	4 238
Maine	Me.	Augusta	86 156	1 233
Maryland	Md.	Annapolis	27 092	4 799
Massachusetts	Mass.	Boston	21 456	6 029
Michigan	Mich.	Lansing	151 586	9 329
Minnesota	Minn.	Saint Paul	218 601	4 387
Mississippi	Miss.	Jackson	123 515	2 586
Missouri	Mo.	Jefferson City	180 516	5 138
Montana	Mont.	Helena	380 848	804
Nebraska	Nebr.	Lincoln	200 350	1 585
Nevada	Nev.	Carson City	286 352	1 206
New Hampshire	N. H.	Concord	24 032	1 114
New Jersey	N. J.	Trenton	20 169	7 749
New Mexico	N. Mex.	Santa Fe	314 925	1 522
New York	N. Y.	Albany	127 189	18 045
North Carolina	N. C.	Raleigh	136 413	6 658
North Dakota	N. D.	Bismarck	183 119	641
Ohio	Oh.	Columbus	107 044	10 887
Oklahoma	Okla.	Oklahoma City	181 186	3 158
Oregon	Oreg.	Salem	251 419	2 854
Pennsylvania	Pa.	Harrisburg	117 348	11 925
Rhode Island	R. I.	Providence	3 140	1 006
South Carolina	S. C.	Columbia	80 582	3 506
South Dakota	S. D.	Pierre	199 730	700
Tennessee	Tenn.	Nashville	109 152	4 897
Texas	Tex.	Austin	691 030	17 060
Utah	Ut.	Salt Lake City	219 889	1 723
Vermont	Vt.	Montpelier	24 900	565
Virginia	Va.	Richmond	105 586	6 217
Washington	Wash.	Olympia	176 479	4 888
West Virginia	W. Va.	Charleston	62 759	1 802
Wisconsin	Wis.	Madison	145 436	4 907
Wyoming	Wyo.	Cheyenne	253 326	456

Vereinigte Staaten von Amerika

Staatswappen

Staatsflagge

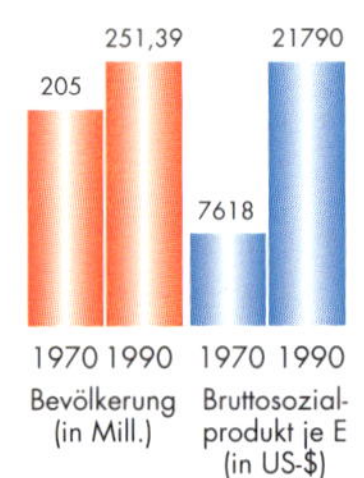

Stadt
Land
25%
75%

Bevölkerungsverteilung 1990

Bruttoinlandsprodukt 1989

konzentriert; weite Teile des Westens sind dünn besiedelt. In den letzten Jahren ziehen mehr und mehr Menschen aus dem Nordosten in den Westen und Süden. Kalifornien, Florida und Texas weisen die stärksten Steigerungsraten auf. In den Innenbezirken der großen Städte leben oft Menschen gleicher Nationalität in eigenen Vierteln zusammen. Im Durchschnitt wechselt jeder Amerikaner alle 5 Jahre seinen Wohnort.

Wirtschaft. Die USA sind die wichtigste Industriemacht der Erde. Das Wirtschaftssystem ist gekennzeichnet durch eine streng marktwirtschaftliche Ordnung und die überragende Bedeutung von Großbetrieben und Konzernen.

In der Landwirtschaft erzeugen die amerikanischen Farmen durch den Einsatz von Maschinen und die Spezialisierung auf bestimmte Produkte hohe Erträge. Getreideanbau wird im Mittelwesten betrieben, Mais und Sojabohnen kommen aus den Staaten südwestlich der Großen Seen. Baumwolle wird im Süden und in Texas angebaut, Citrusfrüchte in Florida und Kalifornien, wo mit Bewässerung die intensivste Bewirtschaftung erfolgt. Viehzucht spielt in den Präriestaaten zwischen Mississippi und Rocky Mountains eine große Rolle.

Im Bergbau gehören die USA zu den wichtigsten Staaten der Erde. Texas lebt zu $^1/_4$ von den Einnahmen durch das Erdöl. Außer Eisenerz, das nach Erschöpfung der Lagerstätten am Oberen See importiert werden muß, werden alle wichtigen Bodenschätze gefördert. Die Industrie ist vor allem im Nordosten **(Manufacturing Belt)** konzentriert. In den letzten Jahren sind Wachstumsindustrien (z. B. die Computerindustrie) nach Texas und Kalifornien abgewandert. Die bedeutendsten Industriezweige sind Maschinenbau, Fahrzeugbau, Elektro- und elektronische Industrie, Nahrungsmittel- und chemische sowie Eisen- und Stahlindustrie.

Wie kaum ein anderes Land bieten die USA dem Fremdenverkehr die unterschiedlichsten Möglichkeiten. Dabei überwiegen amerikanische Touristen, die Naturdenkmäler wie Niagarafälle, Grand Canyon, Yellowstone National Park, Tal des Todes und vieles andere besuchen. Die größten Einnahmen aus dem Fremdenverkehr fließen nach Kalifornien, Florida, New York und Texas. – Der hohe Lebensstandard und die Größe des Landes sind die Gründe für die überragende Rolle des Autos. Die USA haben die größte Kraftwagendichte aller Länder: Auf 1000 Einwohner entfallen 537 Kraftwagen. Die Eisenbahn spielt heute nur noch eine untergeordnete Rolle. Dagegen ist das Flugverkehrsnetz sehr dicht. Zu den 10 größten Flughäfen der Welt zählen 7 in den USA. An erster Stelle stehen Chicago, Los Angeles und New York. Wichtigste Seehäfen sind New York, New Orleans und Houston. (KARTE Band 2, Seite 206; ÜBERSICHT Geschichte Seite 321).

Vereinigungskirche, → Mun-Sekte.

Vereinte Nationen, englisch **United Nations Organization,** Abkürzung **UNO,** auch **UN,** Vereinigung von Staaten zur Sicherung des Friedens auf der Welt und zur Förderung der internationalen Zusammenarbeit, 1945 als Nachfolgeorganisation des → Völkerbundes gegründet. Die UNO umfaßt (1993) 179 Staaten und hat ihren Hauptsitz in New York; weitere Sitze der UNO sind heute neben Genf auch Wien und Nairobi.

Grundlage der Arbeit der UNO ist die 1945 in Kraft getretene **›Charta der Vereinten Nationen‹.** Darin bekennen sich die Vereinten Nationen z. B. zu friedlicher Streitschlichtung, Verzicht auf Gewaltanwendung in den internationalen Beziehungen sowie zum Schutz der Menschenrechte und Grundfreiheiten. Die Mitglieder sind verpflichtet, die Ziele der UNO zu unterstützen, einschließlich der von ihnen angeordneten Zwangsmaßnahmen.

Zu den Organen der UNO gehört die **Generalversammlung** (GV). Sie besteht aus den Vertretern aller Mitgliedstaaten (mit je einer Stimme), und erörtert alle (im Rahmen der UNO-Satzung) anfallenden Fragen. Der **Sicherheitsrat** handelt im Namen aller Mitglieder und im Sinne der Ziele der UNO. Er besteht aus 5 ständigen Mitgliedern (USA, Rußland, Großbritannien, Frankreich und Volksrepublik China) und 10 für je 2 Jahre gewählten nichtständigen Mitgliedern. Außer den Verfahrensfragen können die ständigen Mitglieder mit einer Nein-Stimme einen Beschluß des Sicherheitsrats verhindern (Vetorecht). Hauptorgan der Rechtsprechung ist der **Internationale Gerichtshof** in Den Haag, ausführendes Organ das von einem **Generalsekretär** (seit 1992 der Ägypter Boutros Ghali) geleitete **Sekretariat.** Neben oder innerhalb der UNO arbeiten eine Anzahl von Sonderorganisationen, z. B. die Organisation für Erziehung, Wissenschaft und Kultur (UNESCO), die Internationale Arbeitsorganisation (ILO), die Weltgesundheitsorganisation (WHO), das Weltkinderhilfswerk (UNICEF), der Internationale Währungsfonds (IMF), die Weltbank (Internationale Bank für Wiederaufbau und Entwicklung IBRD).

Vereinte Nationen

Vererbung, die Weitergabe von Erbanlagen (→ Gene) von den Eltern auf ihre Nachkommen bei Menschen, Tieren und Pflanzen. Sie folgt bestimmten Gesetzmäßigkeiten, die in den →Mendelschen Gesetzen festgehalten sind. Es gibt jedoch einige Abweichungen, so bei der **geschlechtsgebundenen Vererbung,** bei der ein Merkmal an ein Geschlechtschromosom gebunden ist (Defekt am X-Chromosom bei der Bluterkrankheit). Bei der **plasmatischen Vererbung** werden, vor allem bei dotterreichen Eizellen, zusätzlich zu den chromosomalen Erbfaktoren auch solche weitergegeben, die in anderen Zellbausteinen vorhanden sind. Die Nachkommen ähneln mehr der Mutter (z. B. Pferdestute gekreuzt mit Eselhengst = Maultier; Pferdehengst gekreuzt mit Eselstute = Maulesel).

Verfassung, in einem Staat das oberste Gesetz, dem alle übrigen Gesetze untergeordnet sind. Die Verfassung enthält die grundlegenden Regeln über den Staatsaufbau, vor allem über die →Gewaltenteilung. Ferner sind hier die Wertvorstellungen und Leitideen verankert, zu denen sich ein Staat bekennt, z. B. die →Grundrechte. Die meisten Staaten besitzen eine geschriebene Verfassung, so die Bundesrepublik Deutschland mit dem Grundgesetz von 1949 (daneben haben die Bundesländer eigene Länderverfassungen), Österreich (Bundesverfassung von 1920) und die Schweiz (Bundesverfassung von 1874). Einige Staaten, so Großbritannien, schreiben ihre Verfassung nicht nieder.

Vergaser, der Teil des →Ottomotors, in dem das für die Verbrennung notwendige Luft-Kraftstoff-Gemisch hergestellt wird. Vom Tank fließt der Kraftstoff in das Schwimmergehäuse des Vergasers, wobei ein Schwimmer mit einem Nadelventil die Kraftstoffzufuhr regelt. Über die Hauptdüse gelangt der Kraftstoff in das Mischrohr, wo er zerstäubt und mit der angesaugten Luft vermischt wird. Die über das Gaspedal betätigte Drosselklappe steuert die Gemischmenge. Um einen kalten Motor zu starten, muß im Vergaser ein besonders fettes Gemisch hergestellt werden. Zu diesem Zweck wird die Starterklappe – entweder von Hand (Choke) oder durch eine Startautomatik – geschlossen, so daß nur ganz wenig Luft angesaugt wird. (BILD Seite 322)

Vergiftung, die Schädigung eines Organismus durch Aufnahme von →Gift. Dieses gelangt meist über den Magen-Darm-Kanal, aber auch über die Atemwege oder die Haut in den Körper. Die Schwere der Vergiftung ist abhängig von der Menge und Konzentration des Gifts sowie von der Einwirkungszeit. Man unterscheidet zwischen **akuten Vergiftungen,** deren Folgen nach einmaliger Gifteinwirkung plötzlich auftreten, und **chronischen Vergiftungen,** die durch die Aufnahme kleinerer Giftmengen, vor allem gewerblicher Gifte, über einen längeren Zeitraum und allmählich einsetzende Gesundheitsstörungen ge-

VEREINIGTE STAATEN VON AMERIKA, GESCHICHTE

17. Jahrh.	Britische Siedler (als erste die **Pilgerväter**) gründeten Niederlassungen an der Ostküste Nordamerikas (Neuengland).
1765	Die Einführung der Stempelsteuer auf Zeitungen und Druckschriften führte in den nordamerikanischen Kolonien zu einer heftigen Protestbewegung. Das Schlagwort ›No taxation without representation‹ brachte den Unwillen der Kolonien zum Ausdruck, mit neuen Steuern belegt zu werden, ohne im britischen Parlament vertreten zu sein. Zwischenfälle wie die ›Boston Tea Party‹ 1773, als amerikanische Kolonisten eine Schiffsladung Tee vernichteten, leiteten die Auseinandersetzung mit dem Mutterland ein.
4. 7. 1776	Die 13 Kolonien erklärten ihre Unabhängigkeit von Großbritannien.
1776–83	**Unabhängigkeitskrieg.**
1783	Nach der Kapitulation der britischen Truppen erreichten die USA im Pariser Frieden die Anerkennung ihrer Unabhängigkeit.
1787	Die bundesstaatliche Verfassung trat in Kraft. **George Washington** wurde erster Präsident.
1. Hälfte 19. Jahrh.	Durch den Ankauf von Louisiana (1803) dehnten sich die USA bis zu den Rocky Mountains aus. Der Erwerb von Florida (1810/19), die Annexion von Texas (1845), die mexikanischen Gebietsabtretungen (1848) und -verkäufe (1849) sowie die Teilung des bis dahin britisch-amerikanischen Oregon-Gebiets (1846) rundeten das Territorium nach Süden bis zum Golf von Mexiko und nach Westen bis zur Küste des Pazifischen Ozeans ab.
1849	Goldfunde in Kalifornien ließen die Zahl der nach Westen ziehenden Siedler stark ansteigen.
1861–65	Im **Sezessionskrieg** zwischen Nord- und Südstaaten siegte der Norden; die Sklaverei wurde abgeschafft.
1867	Die USA kauften von Rußland Alaska.
1898	Im Spanisch-Amerikanischen Krieg gewannen die USA die Philippinen, Hawaii und Puerto Rico.
1917	Die USA, die zunächst eine Politik der Neutralität verfolgt hatten, traten gegen Deutschland in den Ersten Weltkrieg ein.
1919	Im Friedensvertrag von Versailles konnte Präsident Woodrow Wilson seine von den ›14 Punkten‹ getragene Politik nicht durchsetzen.
1929	In den USA nahm die große Wirtschaftskrise ihren Anfang; sie weitete sich rasch zur Weltwirtschaftskrise aus.
1941	Nach dem japanischen Überfall auf Pearl Harbor traten die USA in den Krieg gegen Japan und Deutschland ein, der sich dadurch zum Zweiten Weltkrieg ausweitete. Dieser wurde nicht zuletzt durch den gewaltigen amerikanischen Einsatz an Truppen und Material zugunsten der Alliierten entschieden.
1945	Atombomben auf die japanischen Städte Hiroshima (6. 8.) und Nagasaki (9. 8.) beendeten den Krieg gegen Japan (2. 9.).
1947	Die Marshall-Plan-Hilfe ermöglichte den Wiederaufbau Westeuropas.
1960–62	Unter Präsident John F. Kennedy begannen die Bemühungen um Verständigung mit der Sowjetunion, dennoch kam es in der Kubakrise zu einer gefährlichen Zuspitzung des Ost-West-Konflikts. Die USA griffen in die Auseinandersetzungen in Vietnam ein.
1972	Die Normalisierung der Beziehungen zur Volksrepublik China wurde durch den Besuch des Präsidenten Richard Nixon eingeleitet.
1973	Die Aufdeckung von Wahlkampfmachenschaften Präsident Nixons (›Watergate-Skandal‹) führte zu einer Krise, die die politischen Aktivitäten der USA lähmte.
1975	Süd-Vietnam wurde von kommunistischen Truppen erobert, US-Truppen verließen das Land.
1977	Erst unter James (Jimmy) Carter konnten die innenpolitischen Auswirkungen des amerikanischen Rückzugs aus Vietnam überwunden werden.
1978	Carter vermittelte eine Verständigung zwischen Israel und Ägypten im Nahostkonflikt (Abkommen von Camp David).
1980	Der republikanische Präsident Ronald Reagan verkündete ein Programm der ›nationalen Erneuerung Amerikas‹ nach innen und außen. Er sucht im Innern der Wirtschaft neue Impulse zu geben und im außen- und militärpolitischen Bereich die Position der USA zu stärken.
1989	Der republikanische Präsident George Bush (41. Präsident der USA) bringt die Stellung der USA als ordnungspolitische Großmacht im 2. Golfkrieg (1991) zur Geltung: der Irak wird besiegt und muß das von ihm annektierte Kuwait wieder räumen.
1993	Der Demokrat Bill Clinton ist der 42. Präsident der USA.

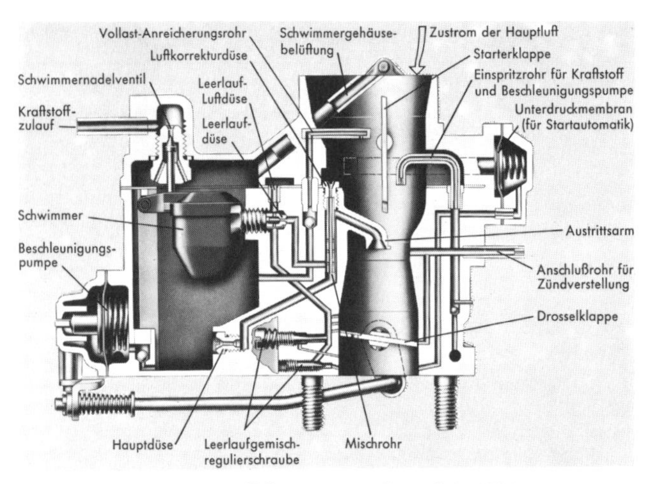

Vergaser: Fallstromvergaser, Bauart Solex (VW)

kennzeichnet sind. Die Behandlung richtet sich nach der Art des Gifts und der Form der Vergiftung (akut: →Erste Hilfe; chronisch: Behandlung der einzelnen Funktionsstörungen).

Vergil

Vergil. Der römische Dichter **Publius Vergilius Maro** (* 70 v. Chr., † 19 v. Chr.) war mit Kaiser →Augustus befreundet. Sein Hauptwerk, das Heldenlied ›Aeneis‹, schildert die Irrfahrten und die Landung des aus dem brennenden →Troja geflüchteten Äneas an der Küste der italienischen Landschaft Latium. Vergil stellt Äneas auch als Vorfahren von →Romulus und Remus und somit als Stammvater des römischen Geschlechts der Julier dar, dem auch Kaiser Augustus angehörte.

Vergrößerungsapparat, ein Gerät, mit dem man von einem Negativ oder Diapositiv vergrößerte photographische Papierbilder (›Abzüge‹) herstellen kann. Es besteht aus einem Projektionsgehäuse, das im wesentlichen Lampe, Bildbühne und Objektiv enthält, und ist über einer Grundplatte an einer Säule verstellbar angebracht. Geräte, die für Farbabzüge geeignet sind, besitzen zusätzlich Farbfilter, die zur Farbkorrektur ganz oder teilweise in den Strahlengang des Vergrößerungsapparats eingebracht werden können. Die Vorlage wird in die Halterung der Bildbühne gelegt und von der Lampe durchleuchtet. Das Objektiv bildet die Vorlage auf das lichtempfindliche Photopapier ab, das auf dem Grundbrett liegt. Dabei läßt sich der Vergrößerungsmaßstab dadurch verändern, daß man das Gehäuse entlang der Säule weiter nach oben oder nach unten verschiebt.

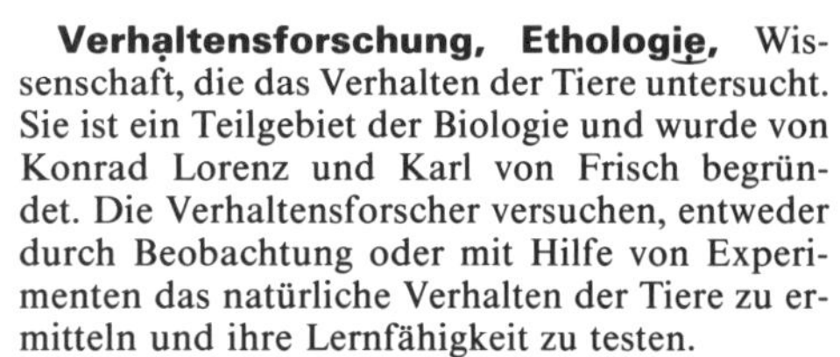

Verhaltensforschung, Ethologie, Wissenschaft, die das Verhalten der Tiere untersucht. Sie ist ein Teilgebiet der Biologie und wurde von Konrad Lorenz und Karl von Frisch begründet. Die Verhaltensforscher versuchen, entweder durch Beobachtung oder mit Hilfe von Experimenten das natürliche Verhalten der Tiere zu ermitteln und ihre Lernfähigkeit zu testen.

Die ersten sozialen Verhaltensweisen erlebt ein neugeborenes oder frischgeschlüpftes Jungtier durch seine Eltern, die es füttern und pflegen (→Brut). Viele Tiere trennen sich, wenn sie erwachsen sind, von den Eltern und Geschwistern und leben allein, so z. B. die Bären, die sich nur zur Paarung mit Artgenossen treffen. Die meisten Tierarten leben jedoch in Gruppen. Damit sie sich verstehen und miteinander auskommen, haben sie Verhaltensweisen, die man Sozialverhalten nennt. So gibt es Begrüßungsrituale (z. B. bei Gänsen), gegenseitige Fellpflege (bei Pferden und Affen), gegenseitiges Füttern (bei Vögeln). In vielen Tiergruppen gibt es eine →Rangordnung, die dazu dient, ständige Auseinandersetzungen zu vermeiden. Bei Gefahr nehmen die Gruppenmitglieder oft eine ganz bestimmte Position ein, so viele Huftiere, die einen Kreis um die Zugtiere bilden, um diese zu beschützen. Die →Tierstaaten der Ameisen, Bienen und Termiten sind Beispiele für ausgeprägtes Sozialverhalten.

Verhältniswort, →Präposition.

Verjährung. Wer von einem anderen etwas verlangen kann, muß seinen Anspruch innerhalb einer gesetzlich bestimmten Frist geltend machen. Läßt er diese Frist, die **Verjährungsfrist,**

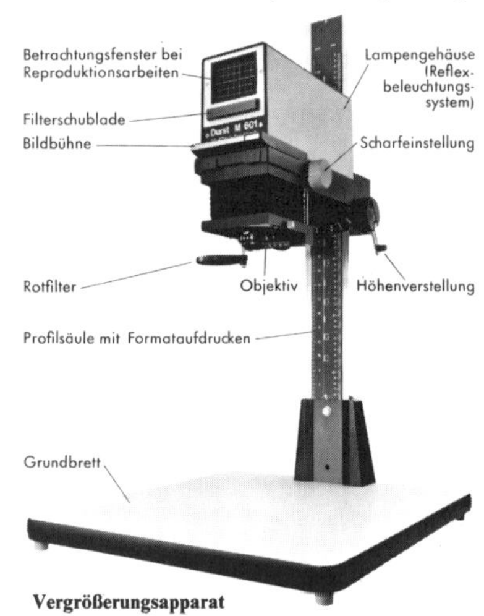

Vergrößerungsapparat

ungenutzt verstreichen, steht dem anderen das Recht zu, die geforderte Leistung zu verweigern. Verjährungsfristen sind unterschiedlich lang. Der Käufer einer schadhaften Ware z. B. muß seine Ansprüche innerhalb eines halben Jahres geltend machen; Erbansprüche verjähren erst nach 30 Jahren. Auch andere Rechtsbereiche, z. B. Strafrecht, Steuerrecht, kennen die Verjährung.

Vermeer. Der holländische Maler **Johannes (Jan) Vermeer** (* 1632, † 1675), der nach seinem Heimatort Delft **Vermeer van Delft** genannt wird, war einer der größten Maler des 17. Jahrh. Er schuf vor allem **Genrebilder,** das heißt Darstellungen von Szenen aus dem Alltagsleben. Meist zeigte er Einzelfiguren oder Gruppen im bürgerlichen Wohnzimmer, z. B. die ›Briefleserin‹, die ›Spitzenklöpplerin‹ oder das ›Weintrinkende Mädchen mit 2 Kavalieren‹. Nicht was Vermeer malte, war das Besondere, sondern wie er es malte. Die größte Wirkung geht vom Schmelz und von der Leuchtkraft der Farben aus; genau gibt er die Stofflichkeit der vom Licht umflossenen Dinge wieder. Die Kostbarkeit von Kleidern, Schmuck und Teppichen kommt bei dieser Malweise voll zur Geltung. Später schuf Vermeer auch sinnbildliche Darstellungen (›Allegorie der Malerei‹, ›Allegorie des christlichen Glaubens‹) und Landschaften (›Ansicht von Delft‹).

Vermehrung, Biologie: Erhöhung der Individuenzahl einer Population, →Fortpflanzung.

Verne [wern]. Der französische Schriftsteller **Jules Verne** (* 1828, † 1905) schrieb vor allem Geschichten, in denen komplizierte technische Geräte eine große Rolle spielen. In dem Roman ›Zwanzigtausend Meilen unter den Meeren‹ (1870) suchen einige Menschen ein Meerungeheuer. Dabei landen sie auf dem Rücken eben dieses Ungeheuers, das sich dann als Unterseeboot erweist. Die technische Ausrüstung dieses Bootes wird genau beschrieben. Das Erstaunliche dabei ist, daß das erste brauchbare U-Boot erst 1898 entwickelt wurde. Jules Verne nahm in seinen Romanen, z. B. ›Reise um die Erde in 80 Tagen‹ (1873), ›Reise ins Zentrum der Erde‹ (1864), oft technische Erfindungen vorweg, die erst später gemacht wurden. Mit seinem Werk steht er am Beginn der Science-Fiction-Literatur (→Science Fiction).

Verneinung, →Negation.

Verona, 266 000 Einwohner, Stadt in Oberitalien an den Ausläufern der Alpen am Fluß Etsch. Verona ist ein Handelszentrum für die landwirtschaftlichen Erzeugnisse der Umgebung. Die jährlichen Freilichtspiele im römischen Amphitheater und die Schauspiele im römischen Theater sind Hauptanziehungspunkte des Fremdenverkehrs. Verona ist reich an alten Kirchen und Palästen, z. B. romanische Kirche San Zeno (12. Jahrh.). – Die Stadt war seit 89 v. Chr. eine römische Kolonie. Der Ostgotenkönig →Theoderich der Große siegte hier 489 über den germanischen Heerführer Odoaker.

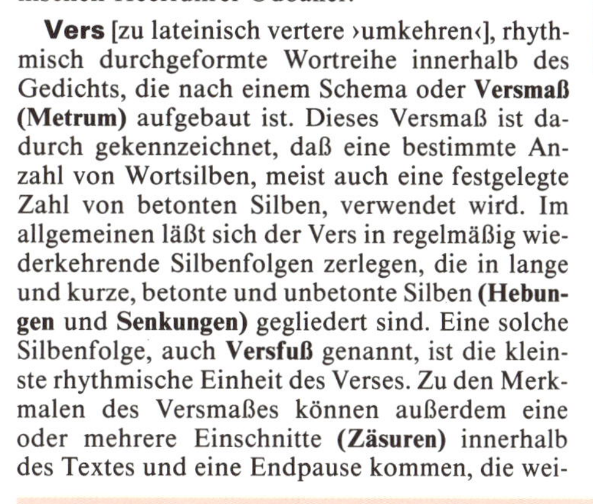

Vers [zu lateinisch vertere ›umkehren‹], rhythmisch durchgeformte Wortreihe innerhalb des Gedichts, die nach einem Schema oder **Versmaß (Metrum)** aufgebaut ist. Dieses Versmaß ist dadurch gekennzeichnet, daß eine bestimmte Anzahl von Wortsilben, meist auch eine festgelegte Zahl von betonten Silben, verwendet wird. Im allgemeinen läßt sich der Vers in regelmäßig wiederkehrende Silbenfolgen zerlegen, die in lange und kurze, betonte und unbetonte Silben **(Hebungen** und **Senkungen)** gegliedert sind. Eine solche Silbenfolge, auch **Versfuß** genannt, ist die kleinste rhythmische Einheit des Verses. Zu den Merkmalen des Versmaßes können außerdem eine oder mehrere Einschnitte **(Zäsuren)** innerhalb des Textes und eine Endpause kommen, die wei-

Jules Verne

VERSFORMEN UND -MASSE

Den Erklärungen sind die Zeichen für die jeweiligen Hebungen [–] und Senkungen [◡], die betonten und unbetonten Silben im Vers, beigegeben.

Alexandriner: ein 12- (oder 13-)silbiger Jambus mit betonter 6. und 12. Silbe und einem Pauseneinschnitt nach der 6. Silbe, z. B.: ›Ich weiß nicht, was ich will, ich will nicht, was ich weiß.‹ (Opitz).

Alliteration: der →Stabreim.

Anapäst: dreiteiliger Versfuß, bei dem auf 2 kurze (unbetonte) Silben eine lange (betonte) folgt, z. B. beim Wort ›Anapäst‹ oder in

›Wie mein Glück, ist mein Lied.‹ (Hölderlin).

Blankvers: reimloser Jambus mit 5 betonten und 5 unbetonten Silben, z. B.: ›Die Menschen fürchtet nur, wer sie nicht kennt.‹ (Goethe).

Daktylus: dreiteiliger Versfuß, bei dem auf eine lange (betonte) Silbe 2 kurze (unbetonte) Silben folgen, z. B. in den Wörtern ›Wasserfall‹ oder ›Daktylus‹.

Distichon: Doppelvers, meist aus einem Hexameter und einem Pentameter, z. B.: ›Im Hexameter steigt des Springquells flüssige Säule.

Im Pentameter drauf fällt sie melodisch herab.‹ (Schiller).

Hexameter: ein Vers mit 6 Versfüßen (meist Daktylen) ohne Endreim, der z. B. im Distichon (Beispiel oben) mit einem Pentameter verbunden wird.

Jambus: Versfuß, der aus einer kurzen (unbetonten) und einer langen (betonten) Silbe besteht, z. B.: ›Befiehl du deine Wege.‹

Pentameter: ein aus 5 metrischen Einheiten bestehender Vers. Die häufigste Form des daktylischen Pentameters enthält, trotz ihres Namens (Pentameter = griechisch ›Fünfmaß‹), 6 Daktylen; im Griechischen zählte man wegen des Fehlens der 3. und 6. Senkung nur 5 Längen. Im Distichon (Beispiel oben) wird er mit einem Hexameter verbunden.

Stabreim, Alliteration: die Wiederkehr gleicher Laute, vor allem gleicher Anfangslaute, zur Erzielung von Klangwirkungen und als Verbindung zwischen den betreffenden Wörtern. Er wird in Versen, aber auch in umgangssprachlichen Wendungen eingesetzt, z. B.: ›über Stock und Stein‹, ›mit Kind und Kegel‹.

Trochäus: Versfuß, der aus einer kurzen (unbetonten) und einer langen (betonten) Silbe besteht, z. B.: ›Rückwärts, rückwärts, Don Rodrigo.‹

tere rhythmische Untereinheiten des Verses bilden. Die Endpause, die im schriftlichen Text gewöhnlich durch das Zeilenende dargestellt wird, deckt sich meist mit einer durch den Satzbau bestimmten Pause. Sie kann z. B. durch einen **Reim** oder ein anderes auffälliges Klangbild verstärkt werden. Wesentlich für den Klang der Verszeile ist es auch, ob die letzte Silbe betont **(männliche Endung)** oder unbetont **(weibliche Endung)** ist. Neben der Verwendung von Endpausen gibt es bei der Gestaltung der Verszeilen auch die Möglichkeit des **Zeilensprungs (Enjambement),** bei dem der Satz über das Zeilen- und Versende hinaus fortgeführt wird.

Umgangssprachlich wird ein Vers oft mit einer **Strophe** gleichgesetzt; auch die Teile eines Kirchenlieds werden Verse genannt, da ein Vers des Bibeltextes den Inhalt einer Strophe bildet.

Versailler Vertrag [werßajer-], der am 28. Juni 1919 im Schloß zu Versailles unterzeichnete, am 10. Januar 1920 in Kraft getretene Friedensvertrag, der den Ersten Weltkrieg zwischen dem Deutschen Reich und seinen Kriegsgegnern, vor allem Frankreich und Großbritannien, beendete. Obwohl der amerikanische Präsident Woodrow Wilson maßgeblich an den Friedensverhandlungen beteiligt war, unterzeichneten die USA den Vertrag nicht, sondern schlossen 1921 mit dem Deutschen Reich einen Sonderfrieden.

Der erste Teil des Vertrags behandelt die Errichtung des Völkerbunds. Im zweiten Teil wurden dem Deutschen Reich harte Bedingungen auferlegt (›Diktat von Versailles‹). Diese bezogen sich besonders auf Gebietsverluste, Entwaffnungsbestimmungen und wirtschaftliche Auflagen. Deutschland mußte Elsaß-Lothringen an Frankreich sowie den Hauptteil der Provinzen Posen und Westpreußen an Polen abtreten; das Saargebiet wurde für 15 Jahre dem Völkerbund unterstellt und die Kohlengruben an der Saar Frankreich übergeben. Danzig unterstand als Freie Stadt dem Völkerbund. In bestimmten Gebieten Ost- und Westpreußens sowie Oberschlesiens und Schleswigs sollten Volksabstimmungen über die staatliche Zugehörigkeit entscheiden. Österreich durfte sich nicht mit dem Deutschen Reich vereinigen. Auf seine Kolonien mußte Deutschland verzichten. In den Entwaffnungsbestimmungen, die einer ›allgemeinen Rüstungsbeschränkung aller Nationen‹ den Weg ebnen sollten, mußte sich Deutschland z. B. mit einem Berufsheer von höchstens 100 000 Mann begnügen. Deutschland wurde die alleinige Schuld am Krieg zugewiesen und sollte demzufolge hohe →Reparationen an die Siegermächte zahlen.

Die Änderung des Versailler Vertrags wurde das zentrale außenpolitische Anliegen der Weimarer Republik, besonders die Ablösung der hohen Reparationsforderungen. Der nationalsozialistischen Propaganda diente der Versailler Vertrag als Mittel im Kampf gegen das demokratische Regierungssystem der Weimarer Republik.

Versailles [werßaj], 91 500 Einwohner, Stadt in Frankreich südwestlich von Paris. Das Schloß von Versailles, die größte Schloßanlage Europas, entstand unter dem französischen König Ludwig XIV. (seit 1661) an der Stelle eines kleinen Jagdschlosses Ludwigs XIII. Mit seinem langen Spiegelsaal, der Schloßkapelle und einem streng geometrisch angelegten Park ist es ein Hauptwerk des französischen →Barock und wurde Vorbild für viele europäische Residenzbauten. An den Park schließen die Schlösser **Trianon** an. 1682–1789 war Versailles Residenz der französischen Könige. Am 28. Juni 1919 wurde hier der →Versailler Vertrag unterzeichnet.

Verschiebung, Mathematik: eine Kongruenzabbildung (→Abbildung).

Verschluß, der Teil eines Photoapparats, der die Belichtungszeit (Verschlußzeit) regelt. Die Belichtungszeiten sind am Photoapparat von Hand einstellbar, bei Automatikkameras können sie auch selbständig vom Belichtungsmesser gesteuert werden. Die Zeiten reichen je nach Kameratyp z. B. von $^1/_{1000}$ s bis 10 s.

Der meist in Sucherkameras eingebaute **Zentralverschluß** befindet sich im Objektiv oder dicht dahinter. Er ist aus mehreren beweglichen Lamellen aufgebaut, die beim Auslösen eine Öffnung von der Mitte aus freigeben und wieder schließen.

Der **Schlitzverschluß** ist meist in Spiegelreflexkameras eingebaut. Er befindet sich im Kamerakörper direkt vor dem zu belichtenden Film und besteht aus 2 Vorhängen, die beim Auslösen in gleicher Richtung vor dem Film vorbeilaufen. Zwischen den beiden Vorhängen bleibt ein je nach eingestellter Belichtungszeit mehr oder weniger breiter Schlitz bestehen. Durch ihn fällt das Licht auf den Film. Mit dem Schlitzverschluß lassen sich kürzere Belichtungszeiten erreichen (bis zu $^1/_{2000}$ s) als mit dem Zentralverschluß.

Versetzungszeichen, Musik: Zeichen in der Notenschrift, die die Höhe des Tons, meist des ganzen Taktes, vor dem sie stehen, verändern, das heißt erhöhen oder erniedrigen.

Das **Kreuz** ♯ erhöht den Ton um einen Halbton; dem Notennamen wird die Silbe -is angehängt, also cis, dis, eis, fis, gis, ais, his.

Wörter, die man unter V vermißt, suche man unter W

Das **B** ♭ erniedrigt den Ton um einen Halbton; dem Notennamen wird meist die Silbe -es angehängt; also ces, des, es, fes, ges, as, b.

Das **Doppelkreuz** × erhöht den Ton um 2 Halbtöne; dem Notennamen wird die Silbe -isis angehängt.

Das **Doppel-B** 𝄫 erniedrigt den Ton um 2 Halbtöne; dem Notennamen wird die Silbe -eses angehängt.

Wenn ein Versetzungszeichen nach dem Notenschlüssel am Anfang der Notenzeile steht, so nennt man es **Vorzeichen.** Das Vorzeichen gibt die Tonart des ganzen Musikstücks an. Durch ein **Auflösungszeichen** ♮ wird die bis dahin gültige Erhöhung oder Erniedrigung aufgehoben.

Versicherung, die finanzielle Absicherung gegen mögliche Schäden und Risiken. Dabei ist ungewiß, ob, zu welchem Zeitpunkt und in welcher Höhe der Schaden eintritt. Zwischen der Versicherungsgesellschaft und dem Kunden, dem Versicherungsnehmer, wird ein Versicherungsvertrag, eine **Police,** abgeschlossen. In der Police ist eine Schadenshöhe festgelegt, die von der Gesellschaft im Schadensfall höchstens ersetzt wird. Dafür muß der Versicherte **Prämien** bezahlen, deren Höhe aus Erfahrungswerten von Schadenshäufigkeiten mit Hilfe der Wahrscheinlichkeitsrechnung und der Statistik mathematisch berechnet wird. – Neben der gesetzlich vorgeschriebenen →Sozialversicherung gibt es freiwillige **Individualversicherungen,** bei denen man sich gegen eine Fülle möglicher Risiken und Schäden versichern lassen kann: **Personenversicherungen** können gegen Tod, Krankheit (→Krankenversicherung) und Unfall abgeschlossen werden, **Schadensversicherungen** z. B. gegen Feuer-, Wasser-, Sturm-, Einbruchdiebstahl-, Kraftfahrt-, Transportschäden sowie →Haftpflicht.

Verstaatlichung, Nationalisierung. Überführung eines bisher privat geführten Unternehmens in staatliches Eigentum (Gemeineigentum) und staatliche Führung. Je nach Grund kann es sogar zur Verstaatlichung eines ganzen Wirtschaftszweiges kommen (z. B. der Transport mit öffentlichen Verkehrsmitteln), wenn das Wohl der Allgemeinheit dies erfordert. Nach der Verfassung der Bundesrepublik Deutschland, dem Grundgesetz, können besonders Grund und Boden, Naturschätze und Produktionsmittel (z. B. Industrieanlagen) in Gemeineigentum überführt werden, allerdings nur gegen angemessene Entschädigung (nicht unbedingt im Verkehrswert) und nur auf Grund eines förmlichen Parlamentsgesetzes. Die Verstaatlichung setzt den Entzug des Eigentums **(Enteignung)** beim früheren Privateigentümer voraus, der dagegen vor Gericht klagen kann. Ähnlich sind die Regeln in Österreich und in der Schweiz.

Verstärker, Schaltung oder Gerät zur Vergrößerung von elektrischen Spannungen, Strömen oder Leistungen. Die zur Verstärkung eingesetzten elektronischen Bauelemente sind Transistoren oder integrierte Schaltkreise; die früher verwendeten Elektronenröhren findet man heute nur noch in einigen Spezialbereichen. Meistens bestehen Verstärker aus mehreren Stufen, z. B. Vorverstärker und Endverstärker, die aneinandergekoppelt sind. Sie sind für ihren jeweiligen Aufgabenbereich ausgelegt, z. B. ein Sendeverstärker für hochfrequente Signale oder ein Niederfrequenz-(NF-)Verstärker für Signale im hörbaren Tonbereich. In HiFi-Anlagen sind Verstärker oft separate Geräte.

Verteidiger. In Strafverfahren kann ein Beschuldigter seine Rechte durch einen Verteidiger, meist einen Rechtsanwalt, wahren lassen. Dessen Aufgabe ist es, die Umstände hervorzuheben, die zugunsten des Beschuldigten sprechen. Der Verteidiger bleibt aber stets der Wahrheit verpflichtet, er darf also nicht mitwirken, eine gerechte Strafe zu vereiteln. Für bestimmte Beschuldigte, die selbst keinen Verteidiger gewählt haben, schreibt das Gesetz einen Verteidiger, den **Pflichtverteidiger,** vor; dazu gehören taube, stumme oder solche Beschuldigte, denen eine schwere Tat, z. B. Raub, angelastet wird.

Vertrag, Vereinbarung zwischen 2 oder mehreren Personen über einen bestimmten Sachverhalt, z. B. über den Kauf eines Autos oder das Mieten einer Wohnung. Verträge bilden die Grundlage des **Privatrechts** (auch **bürgerliches Recht**). Die daran beteiligten Vertragsparteien sind gleichberechtigt und können frei vereinbaren, was sie wollen und für richtig halten. Gesetzliche Vorschriften greifen dann ergänzend ein, wenn die Beteiligten gewisse Einzelheiten nicht bedacht haben. Verträge, die gegen die guten Sitten oder gegen gesetzliche Verbote verstoßen, sind nichtig, z. B. ein Darlehensvertrag mit Wucherzinsen oder ein Mietvertrag, durch den entgegen einem baupolizeilichen Verbot ein Haus vermietet wird. Für die Gültigkeit eines Vertrags ist unwichtig, ob er schriftlich oder mündlich abgeschlossen wurde. Nur für einige Verträge schreibt das Gesetz eine bestimmte Form vor, z. B. für Grundstückskaufverträge. Sie werden vor einem Notar geschlossen und beurkundet.

Verwarnung, im →Jugendstrafrecht ein Zuchtmittel, das dem Jugendlichen das Unrecht seiner Straftat klarmachen soll. Kleine →Ordnungswidrigkeiten, z. B. im Straßenverkehr, werden an Ort und Stelle durch eine Verwarnung (im Volksmund ›Protokoll‹) geahndet.

Verwesung, die Zersetzung von organischer (tierischer und pflanzlicher) Substanz durch Mikroorganismen (Bakterien und Pilze) bei ungehinderter Sauerstoffzufuhr. Ist dagegen kein Sauerstoff vorhanden, so spricht man von **Fäulnis.** Bei der Zersetzung, z. B. eines Tierkadavers, laufen beide Prozesse nebeneinander ab. Im Körperinneren setzen infolge Sauerstoffmangels zuerst Fäulnisprozesse ein. Gleichzeitig fressen von außen Tiere an dem Kadaver, einige legen Eier unter die Haut, aus denen Larven schlüpfen. Dadurch wird nach einiger Zeit der Luftzutritt ins Körperinnere möglich, und die Fäulnisprozesse werden durch Verwesungsprozesse ersetzt. Hierbei wird die organische Substanz mit Hilfe des Luftsauerstoffs durch die Mikroorganismen oxidiert. Die entstehenden Abbauprodukte sind vor allem Kohlendioxid und Wasser.

Vibraphon

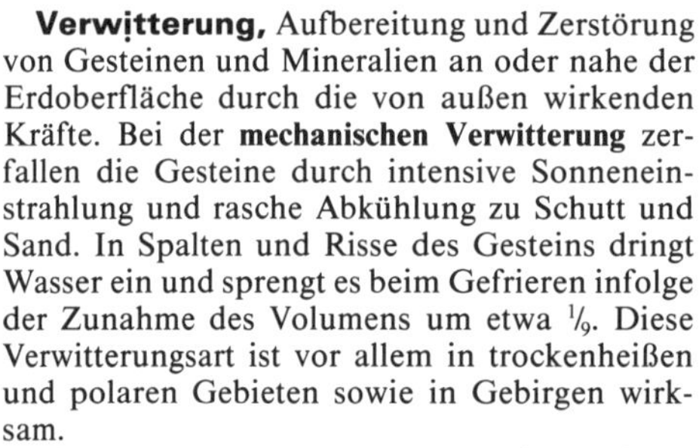

Verwitterung, Aufbereitung und Zerstörung von Gesteinen und Mineralien an oder nahe der Erdoberfläche durch die von außen wirkenden Kräfte. Bei der **mechanischen Verwitterung** zerfallen die Gesteine durch intensive Sonneneinstrahlung und rasche Abkühlung zu Schutt und Sand. In Spalten und Risse des Gesteins dringt Wasser ein und sprengt es beim Gefrieren infolge der Zunahme des Volumens um etwa $^1/_9$. Diese Verwitterungsart ist vor allem in trockenheißen und polaren Gebieten sowie in Gebirgen wirksam.

Die **chemische Verwitterung** verändert und zersetzt die Gesteine durch das Wasser und die in ihm enthaltenen gelösten Salze und Gase wie Kohlen- und Schwefeldioxid. Schäden an Bauwerken in industrialisierten Gebieten zeigen dies deutlich. Unter **biologischer Verwitterung** versteht man die Wurzelsprengung der Pflanzen, die Tätigkeit grabender Tiere, die zudem große Mengen organischer, zersetzender Säuren ausscheiden, sowie das Wirken von Mikroorganismen.

Vespucci [wesputtschi]. Der italienische Seefahrer und Kaufmann **Amerigo Vespucci** (* 1451, † 1512) unternahm in spanischen und portugiesischen Diensten Entdeckungsreisen an die Nord- und Ostküste Südamerikas. Bis dahin hatte man dieses Land noch für einen Teil Asiens gehalten. Erst Vespucci war überzeugt, einen unbekannten Erdteil zu erkunden. Sein Vorname wurde in der

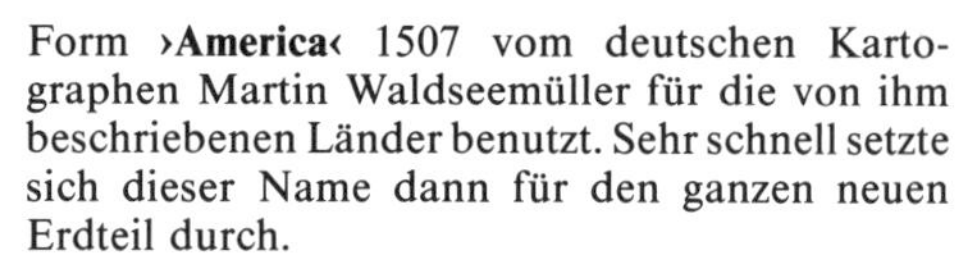

Form ›**America**‹ 1507 vom deutschen Kartographen Martin Waldseemüller für die von ihm beschriebenen Länder benutzt. Sehr schnell setzte sich dieser Name dann für den ganzen neuen Erdteil durch.

Vesuv, Vulkan bei Neapel (Süditalien). Die größte Höhe (1 277 m) des Berges erreicht der heutige Kegel, der sich in einem älteren Krater von 4 km Durchmesser aufbaut. Eine Bergbahn bringt die Besucher bis zum Kraterrand, eine Straße führt auf eine Höhe von rund 1 000 m. An der Westseite befindet sich in 608 m Höhe eine Beobachtungsstation für Wettervorgänge und Vulkantätigkeit. Der Boden an den unteren Hängen des Vesuvs ist sehr fruchtbar; gut gedeihen hier Obst und Wein.

Der Vesuv galt im Altertum als erloschen, doch 79 n. Chr. kam es zu einem gewaltigen Ausbruch, der mit seinem Aschenregen und der glühenden Lava die Städte Herculaneum, Stabiae und Pompeji vernichtete. Weitere bedeutende Ausbrüche folgten 1631, 1872, 1906 und 1944. Der Vulkan ist auch gegenwärtig aktiv.

VHF, Abkürzung für englisch **v**ery **h**igh **f**requency [›sehr hohe Frequenz‹], →Ultrakurzwellen.

Vibraphon, ein Schlaginstrument, das dem →Xylophon und dem →Marimbaphon verwandt ist. Allerdings sind die mit weichen Schlegeln anzuschlagenden Plättchen aus Metall. Seinen Namen hat das Vibraphon durch eine elektrische Vorrichtung, die es ermöglicht, die Resonanzrohre, die unter jedem Plättchen zur Tonverstärkung angebracht sind, abwechselnd zu öffnen und zu schließen. Dadurch schwankt die Intensität des Tons in kurzen Intervallen, und der Ton erhält ein charakteristisches Vibrato.

Victoria, * 1819, † 1901, bestieg mit 18 Jahren 1837 den Thron als Königin von Großbritannien und Irland. In ihrer 64jährigen Regierungszeit wurde die Königin sehr volkstümlich; nach ihr nannte man die Blütezeit der bürgerlichen Kultur in England **Viktorianisches Zeitalter.** Victoria war seit 1840 mit dem deutschen Herzog Albert von Sachsen-Coburg-Gotha (* 1819, † 1861) verheiratet, der als Ratgeber Einfluß auf die Königin und die Minister ausübte. Nach seinem Tod zog sich Königin Victoria aus dem öffentlichen Leben zurück. 1876 veranlaßte sie der Premierminister Benjamin Disraeli, den Titel einer ›Kaiserin von Indien‹ anzunehmen.

Victoria, die römische Siegesgöttin; bei den Griechen entsprach ihr **Nike.** Sie galt als die jungfräuliche Hüterin des Reiches und wurde mit dem ausgehenden Altertum zum umkämpften Sinnbild des Heidentums.

Victoriafälle, Mosi-oa-Tunya [in der Sprache der Kololo ›donnernder Rauch‹], Wasserfälle des Sambesi im südlichen Afrika. An der Grenze von Sambia und Simbabwe stürzt sich bei Maramba (Livingstone) der Sambesi in eine 110 m tiefe Schlucht. Der zunächst 1 700 m breite Fluß verschwindet dabei in einem nur 50 m breiten Tal. Eine Eisenbahnbrücke überspannt in 130 m Höhe die Schlucht.

Victoriasee, See in Ostafrika, der zu Uganda, Kenia und Tansania gehört. Der in 1 134 m Höhe liegende See ist mit 68 000 km^2 der größte See Afrikas und der drittgrößte der Erde. Er ist damit fast so groß wie das Bundesland Bayern. Der wichtigste Zufluß des nur 85 m tiefen Sees ist der Kagera, sein Abfluß der Victoria-Nil. Die zahlreichen Inseln nehmen eine Fläche von 6 000 km^2 ein.

Vicuña [wikunja], **Vikunga,** eine Wildform der Lamas (→Kamele).

Videoband [lateinisch video ›ich sehe‹], **Bildband,** Kunststoffband mit einer magnetisierbaren Eisenoxid- oder Chromdioxidschicht, das zur Aufzeichnung von Fernsehbildern und Tonsignalen geeignet ist. Die Bild- und Tonsignale werden mit einem →Videorecorder aufgenommen und über ein Fernsehgerät abgespielt. Wegen der großen Frequenzbreite, die für die Fernsehsignale notwendig ist, sind Videobänder breiter als die für die Tonaufzeichnung verwendeten Tonbänder.

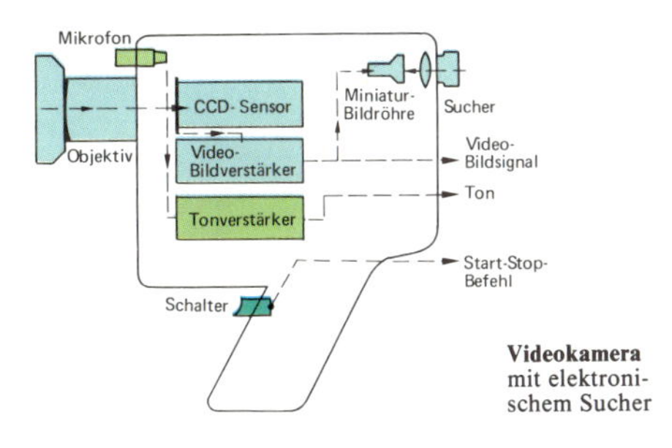

Videokamera mit elektronischem Sucher

Videokamera, elektronische Fernsehkamera (→Fernsehen) zur Aufzeichnung von Bildinformationen. Sie wandelt auf elektronischem Weg Licht in elektrische Signale um, die über Kabel zum Videorecorder weitergeleitet werden. Dort werden sie auf Band gespeichert und können anschließend über das Fernsehgerät abgespielt werden. Es gibt auch die Möglichkeit, die Videokamera direkt an das Fernsehgerät anzuschließen. Auf diese Weise können die mit der Kamera aufgenommenen Bilder sofort auf dem Bildschirm betrachtet werden.

Videoplatte, die →Bildplatte.

Videorecorder, Gerät, mit dem Fernsehsendungen (Bild und Ton) aufgenommen und für eine spätere Wiedergabe auf Band gespeichert werden können. Ton- und Bildsignale werden im Prinzip wie beim →Tonbandgerät aufgenommen. Da jedoch auf einem Videoband weit mehr Informationen gespeichert werden müssen als auf einem Tonband, hat ein Videorecorder 2 oder 4 Aufnahmeköpfe, die auf einer drehbaren Scheibe sitzen. So bewegen sich bei der Aufnahme nicht nur das Band, sondern auch die Aufnahmeköpfe und erzeugen dadurch auf dem Videoband schräge anstelle von geraden Spuren.

Ein Videorecorder wird an das Antennenkabel so angeschlossen, daß er sich im elektrischen Signalfluß zwischen Fernsehgerät und Antenne befindet. Bei der Aufnahme gelangt das Fernsehsignal direkt zum Aufnahmekopf des Videorecorders. Kombiniert man einen Videorecorder mit einer Videokamera, kann man selbst Filme aufnehmen und sie auf dem Fernsehgerät abspielen.

Videospiel, Telespiel, Bildschirmspiel, Fernsehspiel, mit einem handelsüblichen Fernsehempfänger gekoppeltes Spielgerät. Es enthält ein Codiergerät zur Erzeugung von Spielfeldmarkierungen und Lichtflecksymbolen auf dem Bildschirm. Dazu liefert das Gerät elektrische Signale, die genau denen gleichen, die zum Bildaufbau beim Fernsehen verwendet werden. Außerdem gehören zu einem Videospiel ein oder mehrere Bedienungsgeräte (z. B. ›Joystick‹) zur Beeinflussung von Größe, Form, Lage, Richtung und/oder Geschwindigkeit der Lichtflecksymbole. Das Spielprogramm ist in einem Festwertspeicher (ROM) enthalten, der entweder fest in das Gerät eingebaut ist oder als Steckmodul ausgewechselt werden kann. Es kann auch auf einer Diskette (›Floppy Disk‹) gespeichert sein.

Videotext, in der Bundesrepublik Deutschland verwendete Bezeichnung für eine Art der Telekommunikation, bei der Nachrichten und Daten zusätzlich zum normalen Fernsehprogramm über das Fernsehgerät empfangen werden können. Die Videotextinformationen werden zusammen mit den Fernsehsignalen gesendet, sind aber unabhängig von diesen. Da die Informationen verschlüsselt sind, ist ein Zusatzgerät (Decoder) zum Fernsehapparat erforderlich. Dieses bringt dann die Informationen in Form von

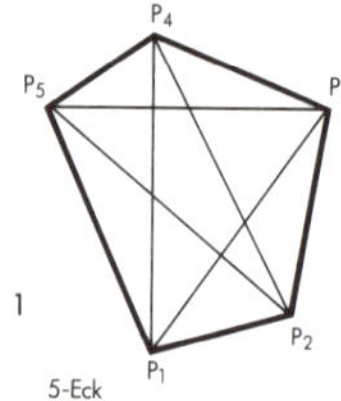

1

5-Eck
Es besitzt 5 Diagonalen

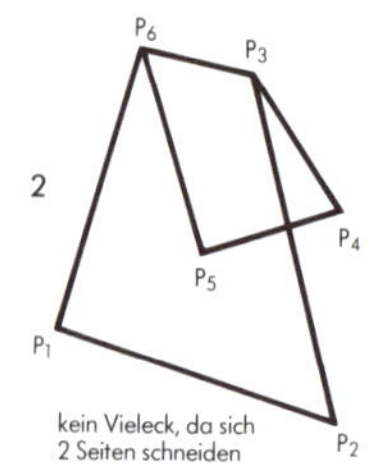

2

kein Vieleck, da sich 2 Seiten schneiden

3

Das 5-Eck wird in 3 Dreiecke zerlegt

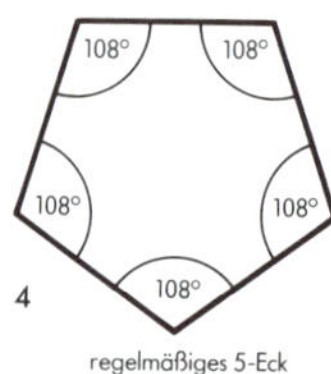

4

regelmäßiges 5-Eck

Vieleck

Buchstaben und einfachen Graphiken auf den Bildschirm. Die beiden deutschen Fernsehanstalten ARD und ZDF strahlen seit 1980 zusätzlich zum regulären Programm Videotext aus. So kann man z. B. Untertitel zum laufenden Programm oder unabhängig von den Sendezeiten jederzeit die neuesten Nachrichten bekommen.

Vieleck, Polygon, Geometrie: Verbindet man *n*- verschiedene Punkte $P_1, P_2, ..., P_n$, von denen keine 3 Punkte auf einer Geraden liegen dürfen, der Reihe nach durch Strecken $\overline{P_1P_2}, \overline{P_2P_3}, ..., \overline{P_nP_1}$ miteinander, die sich nicht schneiden dürfen (BILDER 1 und 2), so erhält man ein Vieleck.

Die Verbindungsstrecken der Punkte $P_1, ..., P_n$ bilden somit einen geschlossenen Streckenzug (→Strecke) ohne Überschneidungen. Die Punkte $P_1, ..., P_n$ nennt man die **Ecken** des Vielecks. Die Strecken $\overline{P_1P_2}, \overline{P_2P_3}, ..., \overline{P_nP_1}$ nennt man die **Seiten** des Vielecks. Nach der Anzahl der Ecken wird das Vieleck Dreieck, Viereck, ..., *n*-Eck genannt.

Die Verbindungsstrecken zweier nicht benachbarter Ecken heißen **Diagonalen.** In einem *n*-Eck gehen von jeder Ecke 2 Seiten und *n*-3 Diagonalen aus. Insgesamt besitzt ein *n*-Eck $\frac{n \cdot (n-3)}{2}$ Diagonalen (BILD 1). Jedes *n*-Eck kann in *n*-2 Dreiecke zerlegt werden (BILD 3). Da die Summe der Innenwinkel eines Dreiecks 180° beträgt, ist die Summe der Innenwinkel eines *n*-Ecks $(n-2) \cdot 180°$.

Vielecke von besonderer Bedeutung sind die →Dreiecke, die →Vierecke und die **regelmäßigen Vielecke.** Unter einem regelmäßigen Vieleck versteht man ein Vieleck mit gleichlangen Seiten und gleichgroßen Innenwinkeln (BILD 4).

Vielfaches. Multipliziert man eine natürliche Zahl (→Zahlenaufbau) nacheinander mit 1, 2, 3, ..., so erhält man die **Vielfachen** dieser Zahl. Die Menge aller Vielfachen einer Zahl *a* wird als **Vielfachmenge** bezeichnet. Sie wird mit V_a abgekürzt.

Beispiele: $V_2 = \{2, 4, 6, 8, 10, 12, ...\}$ (Menge der geraden Zahlen), $V_{11} = \{11, 22, 33, 44, 55, ...\}$

Aufgabe: 2 gleiche Platten sollen miteinander verschraubt werden. Die eine Platte hat Löcher im Abstand von 6 cm, die andere im Abstand von 9 cm. In welchem Abstand kann man Schrauben durchstecken, ohne neue Löcher bohren zu müssen?

Lösung: Erste Platte: Abstand der Löcher vom unteren Rand: 6 cm, 12 cm, 18 cm, 24 cm, 30 cm, 36 cm, ... Zweite Platte: Abstand der Löcher vom unteren Rand: 9 cm, 18 cm, 36 cm, 45 cm, ... Gemeinsame Löcher befinden sich im Abstand 18 cm, 36 cm, 54 cm, 72 cm, ...

In der obigen Aufgabe sind Zahlen gesucht, die sowohl Vielfache von 6 als auch von 9 sind. Man sagt: Eine Zahl, die sowohl Vielfaches der Zahl *a* als auch der Zahl *b* ist, heißt **gemeinsames Vielfaches** der Zahlen *a* und *b*.

Sucht man in obiger Aufgabe nach dem kleinsten Abstand für ein gemeinsames Loch, so erhält man 18 cm. Unter den gemeinsamen Vielfachen zweier Zahlen *a* und *b* gibt es stets ein **kleinstes gemeinsames Vielfaches** (kgV). Im obigen Beispiel gilt kgV (6; 9) = 18. Das kgV zweier Zahlen kann mit Hilfe der Primfaktorzerlegung (→Primzahlen) der beiden Zahlen gefunden werden.

Beispiel: Bestimme kgV(315; 420). Die Primfaktorzerlegung der beiden Zahlen lauten: $315 = 3 \cdot 3 \cdot 5 \cdot 7$ und $420 = 2 \cdot 2 \cdot 3 \cdot 5 \cdot 7$.
Das kgV bestimmt man nun mit Hilfe des folgenden Schemas:

$$\begin{array}{rl} 315 = & 3 \cdot 3 \cdot 5 \cdot 7 \\ 420 = & 2 \cdot 2 \cdot 3 \cdot 5 \cdot 7 \\ \hline \text{kgV}(315;420) = & 2 \cdot 2 \cdot 3 \cdot 3 \cdot 5 \cdot 7 = 1260 \end{array}$$

Vielflach, das →Polyeder.

Vielfraß, bärenähnlicher, plumper →Marder mit zottigem, dunklem Fell. Er ist nicht etwa besonders gefräßig, sondern sein Name geht auf das norwegische Wort fjeldfross ›Bergkater‹ zurück. Der knapp 1 m lange Vielfraß lebt im Norden Europas, Asiens und Amerikas. Als Einzelgänger durchstreift er Wälder und Moore. Da er sich in der schneefreien Zeit nur langsam und mit großem Krach bewegt, erbeutet er in dieser Zeit nur Tiere, die nicht schnell flüchten können. Im Winter, wenn seine breiten Krallenfüße mit behaarten Sohlen auf dem Schnee kaum zu hören sind, reißt er auch Elche und Rentiere. Der Vielfraß schwimmt gern und klettert geschickt.

Vielseitigkeit, früher **Military,** Wettbewerb mit mehreren Disziplinen für Pferd und Reiter (Dressur, Geländeprüfung und Springen), je nach Schwierigkeitsgrad in verschiedenen Klassen. Zumeist finden Wettbewerbe an 3–4 aufeinanderfolgenden Tagen statt. Sie beginnen mit der Dressur und enden mit dem Springen.

In der **Dressur** sind 20 Lektionen auf dem 20 × 60 m großen Viereck zu absolvieren. Dabei werden die Grundgangarten mit Tempounterschieden verlangt und Hufschlagfiguren mit einfachen bis mittleren Schwierigkeitsgraden. Bewertet wird mit Noten zwischen 10 (ausgezeichnet) und 0 (nicht ausgeführt).

Die **Geländeprüfung** besteht aus 4 Phasen: Wegstrecke I, Rennbahn, Wegstrecke II und Querfeldeinstrecke. Die Wegstrecke I ist 4800–7200 m lang. Die Länge der Rennbahn mit ihren 8–10 Hindernissen beträgt etwa 3500 m; die Hindernisse sind bis zu einem Meter hoch. Die Wegstrecke II ist 6000–9000 m lang. Die Querfeldeinstrecke (Länge 6000–8000 m) ent-

Wörter, die man unter V vermißt, suche man unter W

hält 25–35 feste, nicht über 1,20 m hohe Hindernisse.

Im **Parcoursspringen** sind die Hindernisse bis zu 1,20 m hoch. Hindernisfehler werden mit 5 Strafpunkten, der erste Ungehorsam mit 10, der zweite Ungehorsam mit 20 und Stürze mit 30 Strafpunkten geahndet. Sieger einer Vielseitigkeitsprüfung ist der Teilnehmer mit der geringsten Strafpunktzahl. – Seit 1912 ist die Vielseitigkeit olympische Disziplin.

Vielzeller, Metazoa, alle Tiere, die im Gegensatz zu den →Einzellern aus vielen Zellen bestehen, die unterschiedliche Funktionen haben. Während bei den einfachsten Vielzellern lediglich Körperzellen und Fortpflanzungszellen unterschieden werden können, haben hochentwickelte Tiere, z. B. Säugetiere, auf Grund des komplizierten Körperbaus und der mannigfaltigen Funktionen von Organen und Körperteilen eine sehr große Zahl unterschiedlich spezialisierter Zellen, z. B. Nervenzellen, Bindegewebszellen, Muskelzellen, Leberzellen.

Vientiane, 377 400 Einwohner, Hauptstadt von Laos am Mekong. Vientiane ist ein Zentrum des Reisanbaus von Laos.

Viereck, Geometrie: Verbindet man 4 verschiedene Punkte $A, B, C, D,$ von denen keine 3 Punkte auf einer Geraden liegen dürfen, durch 4 Strecken, die sich nicht schneiden dürfen, so erhält man ein Viereck (BILDER 1, 2, 3).

Die Punkte A, B, C, D heißen die Ecken, die Strecken $\overline{AB}, \overline{BC}, \overline{CD}, \overline{DA}$ die Seiten und die Strecken $\overline{AC}, \overline{BD}$ die Diagonalen des Vierecks. Die Winkel im Viereck werden mit den griechischen Buchstaben α, β, γ und δ bezeichnet (BILD 4). Von besonderer Bedeutung sind die symmetrischen (→Symmetrie) Vierecke. Hierzu gehören das →Parallelogramm, der →Drachen, die →Raute, das →Quadrat, das achsensymmetrische →Trapez und das →Rechteck. Diese Vierecke lassen sich in ein Diagramm einordnen (BILD 5): Sind im Bild 2 Vierecke mit einem Strich verbunden, dann gehört die untenstehende Figur zur Menge der darüberstehenden Figur. Die darüberstehende Figur gehört aber nicht zur Menge der darunterstehenden Figur (Beispiel: Das Rechteck ist ein Parallelogramm, ein achsensymmetrisches Trapez, ein Viereck, aber kein Quadrat).

Ein Viereck wird durch eine Diagonale in 2 Teildreiecke zerlegt. Da die Winkelsumme im →Dreieck 180° beträgt, ist die Winkelsumme im Viereck $2 \cdot 180° = 360°$.

Ein Dreieck ist nach den Kongruenzsätzen (→Kongruenz) durch 3 unabhängige Stücke bestimmt. Die 2 Teildreiecke des Vierecks haben aber eine Diagonale gemeinsam. Deshalb benötigt man zur Konstruktion des Vierecks 5 unabhängige Stücke. Das können z. B. 4 Seiten und ein Winkel, 3 Seiten und 2 Winkel oder 2 Seiten und 3 Winkel sein. Symmetrische Vierecke können bereits gezeichnet werden, wenn weniger als 5 unabhängige Stücke gegeben sind. So reichen 3 Stücke für das achsensymmetrische Trapez, den Drachen und das Parallelogramm, 2 Stücke für das Rechteck und die Raute und ein Stück für das Quadrat.

Vierfarbendruck, →Farbe.

Viertaktmotor, →Verbrennungsmotor.

Vierter Stand, im 19. Jahrh. geprägtes Schlagwort für die Gesellschaftsschicht der in der Industrie tätigen Lohnarbeiter. Es wird meist mit dem marxistischen Begriff des Proletariats (→Proletarier) gleichgesetzt. Es entstand in Entsprechung zu den traditionellen Ständen, dem Adel, der Geistlichkeit und dem →Dritten Stand, dem Bürgertum.

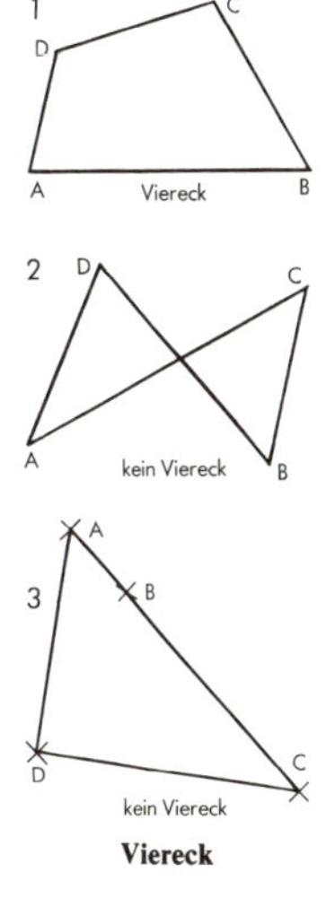

Viereck

Viereck

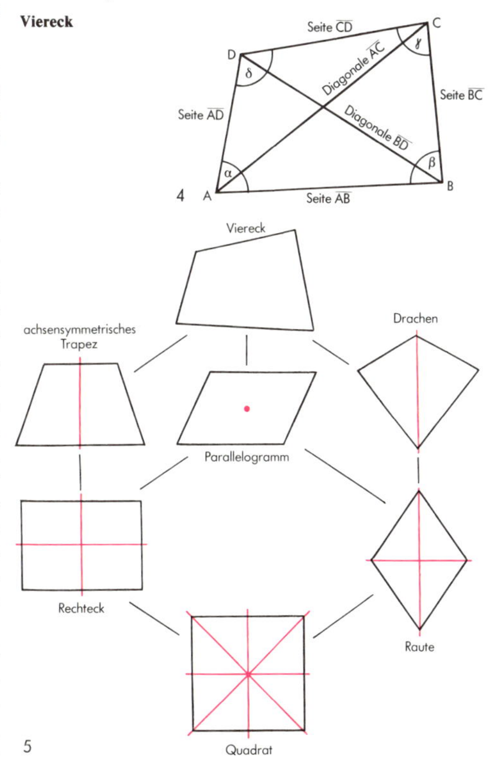

Vierte Welt, politisches Schlagwort. Es bezeichnet diejenigen Staaten der →Dritten Welt, die über sehr wenige Rohstoffe verfügen und deren landwirtschaftliche und industrielle Entwicklung auf einer niedrigen Stufe steht. Gleichzeitig weisen die Länder der Vierten Welt ein sehr großes Bevölkerungswachstum auf (z. B. Bangladesh, Ruanda, Somalia).

Vierwaldstätter See, See in der Zentralschweiz zwischen Uri, Schwyz, Unterwalden und Luzern. Der in 434 m Höhe gelegene See ist 113,6 km² groß und besteht (von Ost nach West) aus Urner, Gersauer, Weggiser, Luzerner, Alpnacher See sowie Küßnachter Bucht. Die in die Aare mündende Reuß durchfließt den See, der in einem bedeutenden Fremdenverkehrsgebiet der Schweiz liegt. Am Vierwaldstätter See befinden sich die Stätten der Sage um Wilhelm →Tell.

Vietnam

Staatswappen

Staatsflagge

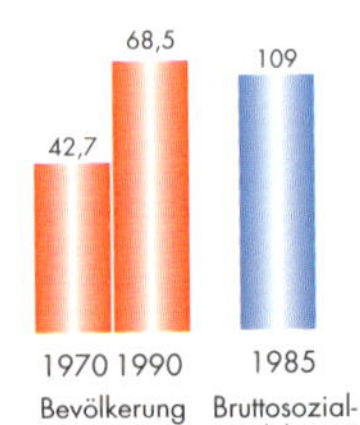

Bevölkerungsverteilung 1990

Industrie
Landwirtschaft
Dienstleistung
25% 27%
48%

Bruttoinlandsprodukt 1985

Vietnam

Fläche: 329 556 km²
Bevölkerung: 68,5 Mill. E
Hauptstadt: Hanoi
Amtssprache: Vietnamesisch
Nationalfeiertag: 2. Sept.
Währung: 1 Doing (D) = 10 Hào = 100 Xu
Zeitzone: MEZ +7 Stunden

Vietnam, sozialistische Republik in Südostasien, etwas größer als Italien. Vietnam grenzt im Norden an die Volksrepublik China, im Osten und Süden an das Südchinesische Meer, im Westen an Laos und Kambodscha und im Südwesten an den Golf von Siam. Im Norden liegt das teils gebirgige, teils ebene Tongking mit dem Delta des Roten Flusses und der Hauptstadt Hanoi sowie dem Hafen Haiphong. Die Mitte des Landes wird von der Annamitischen Kordillere eingenommen (bis 3 280 m Höhe) mit einem schmalen, vorgelagerten Küstentiefland. Der Süden, Cochinchina, umfaßt das Mekongdelta. Hier liegt Ho-Chi-Minh-Stadt, das ehemalige Saigon, der wichtigste Hafen des Landes.

Das Klima wird vom Monsun geprägt; im Süden ist es mild und ausgeglichen, der Norden ist etwas kühler. Mehr als ⅓ des Landes werden von tropischem Regenwald bedeckt, nur etwa ⅐ kann ackerbaulich genutzt werden. Die Bevölkerung besteht zum größten Teil aus Vietnamesen.

Mehr als ¾ der Ackerflächen, vor allem in den Deltagebieten im Norden und Süden, werden mit Reis bebaut; sie gelten als die ›Reisschalen‹ des Landes. Teilweise sind 2, in manchen Gebieten sogar 3 Ernten möglich. Außerdem wachsen auf den Feldern der Tiefländer Mais, Gemüse, Zuckerrohr und Sojabohnen, in den Berggebieten Kaffee und Tee. Die Umgestaltung der Landwirtschaft durch die kommunistische Regierung sowie Mißernten machen die Versorgung der Menschen zeitweise schwierig.

Im Norden finden sich zahlreiche Bodenschätze. Steinkohle, Anthrazit, Eisenerz und viele andere Mineralien werden abgebaut und zum Teil exportiert. Doch gehört Vietnam heute zu den ärmsten Ländern der Erde.

Geschichte: 968 gründeten Vietnamesen das Reich Daiviet, das 1804 in Vietnam umbenannt wurde. 1883 machte es Frankreich zu seinem Schutzgebiet. Ho Chi-Minh, der Führer der kommunistischen Partei Indochinas, gründete die Befreiungsbewegung des Vietminh. Unter dem Schutz Japans bildete Kaiser Bao Dai 1945 den Staat Vietnam. Nach der Niederlage Japans im Zweiten Weltkrieg kam Vietnam wieder unter die Herrschaft Frankreichs, das sich jedoch 1954 nach einem langen Krieg gegen die Vietminh aus Vietnam zurückziehen mußte. Das Land wurde in das kommunistische Nordvietnam und das nichtkommunistische Südvietnam geteilt. Seit 1957/58 entwickelte sich zwischen Südvietnam und den südvietnamesischen Kommunisten (Vietcong) ein Bürgerkrieg, der schließlich in den →Vietnamkrieg mündete. 1976 vereinigten sich beide Landesteile zur Sozialistischen Republik Vietnam. (KARTE Band 2, Seite 195)

Vietnamkrieg, im weiteren Sinn alle Kampfhandlungen, die zwischen 1946 und 1975 in den Ländern des früheren, französisch beherrschten Indochina (Vietnam, Laos und Kambodscha) stattgefunden haben; sie schließen den **Indochinakrieg** (1946–54) ein, in dem es den vietnamesischen Kommunisten unter Führung →Ho Chi-Minhs gelang, Frankreich zur Aufgabe seiner Herrschaft über die Länder Indochinas zu zwingen (1954 Niederlage der französischen Kolonialtruppen bei Dien Bien Phu).

Im engeren Sinn faßt man unter der Bezeichnung ›Vietnamkrieg‹ jene Kriegshandlungen zusammen, die sich nach dem Indochinakrieg und der Teilung Vietnams (in das kommunistische Nord- und das nichtkommunistische Südvietnam) aus einem Bürgerkrieg in Südvietnam dort zu einem Krieg mit internationaler Beteiligung entwickelten.

Seit 1957/58 suchte eine von Nordvietnam unterstützte, kommunistisch geführte Aufstandsbewegung, der **Vietcong,** im Kampf gegen südvietnamesische Regierungstruppen die selbständige Republik Südvietnam zu beseitigen und ihr Gebiet mit dem von Präsident Ho Chi-Minh geführten Nordvietnam zu vereinigen. Die Vietcong-Bewegung und Nordvietnam wurden dabei – militärisch und politisch – vor allem von der Volksrepublik China und der Sowjetunion unterstützt. Auf der Seite der Republik Südvietnam griffen die USA und einige verbündete Staaten (Australien, Thailand) in den Konflikt ein; ihr Ziel war, die Ausweitung des kommunistischen Machtbereichs in Südostasien zu verhindern.

Unter starkem innenpolitischen Druck zogen sich die USA ab 1972 schrittweise vom Kriegsschauplatz zurück; zu gleicher Zeit fanden in Paris Friedensverhandlungen zwischen dem amerikanischen Außenminister Henry A. Kissinger und dem nordvietnamesischen Verhandlungspartner Le Duc Tho statt. In einer letzten Großoffensive eroberten die Kommunisten 1975 Saigon und übernahmen die Macht.

Viola, Sammelname einer Gruppe von Streichinstrumenten, die sich seit dem 16. Jahrh. in Europa entwickelt hat. Diese teilte sich nach der Spielhaltung des Instruments in die Familie der **Viola da gamba,** die mit Kniehaltung gespielt wurde (→Gambe), und der **Viola da bracchio,** die in Armhaltung gespielt wurde. Während die Form der Viola da gamba im 18. Jahrh. erstarrte und nur im →Kontrabaß überlebte, entwickelten sich aus der Armgeige die heutige Violine (→Geige), →Bratsche und, entgegen der Gattungsbezeichnung, das →Violoncello, das in Kniehaltung gespielt wird. (BILD Streichinstrumente)

Violine, italienischer Name der →Geige.

Violoncello [-tschällo, Verkleinerungsform von Violone, dem Baßinstrument der Violinfamilie], Kurzform **Cello,** Baßinstrument der Familie der Viola da bracchio (→Viola). Es wird beim Spielen mit den Knien gehalten, durch einen Stachel auf den Boden aufgestützt. Die 4 Saiten sind in CGDA gestimmt und werden mit einem Bogen angestrichen. Das Violoncello hat im 18. Jahrh. die →Gambe verdrängt und sich, zumal seit es durch Antonio Stradivari seine endgültige Form erhalten hat, zunehmend von einem Baßinstrument zu einem Soloinstrument entwickelt. (BILD Streichinstrumente)

Vipern, Ottern, eine in der Alten Welt heimische Familie der giftigen →Schlangen, die an den senkrecht stehenden, schlitzförmigen Pupillen zu erkennen sind und lebende Junge zur Welt bringen. Dazu gehören die in Deutschland heimische →Kreuzotter und die **Aspisviper,** die ausschließlich im Südschwarzwald in wenigen Exemplaren vorkommt, sowie die häufigste afrikanische Schlange, die **Puffotter,** die mit 1,5 m Länge die größte Viper ist.

Virginia [wödschinja], einer der Atlantikstaaten der USA, südlich der Hauptstadt Washington. Mit 105716 km² ist der Staat mehr als doppelt so groß wie das Bundesland Niedersachsen. Von den 6,1 Millionen Einwohnern sind etwa 19% Schwarze. Hauptstadt ist Richmond. Mehr als 60% Virginias sind waldbedeckt, der Rest des Landes wird landwirtschaftlich genutzt; Tabak- und Erdnußanbau sowie Milchviehhaltung spielen dabei die wichtigste Rolle. In der größten Stadt, Norfolk, ist eine bedeutende Schiffbauindustrie angesiedelt.

Virginia erhielt seinen Namen vom englischen Seefahrer Walter Raleigh zu Ehren der ›jungfräulichen Königin‹ Elisabeth I. und umfaßte alles Land in Nordamerika, das Großbritannien für sich beanspruchte. Im Gebiet des heutigen Staates Virginia liegt die erste britische Siedlung auf nordamerikanischem Boden (Jamestown, 1607 gegründet).

Virgin Islands [wödschin ailends], Jungferninseln, Inselgruppe der Kleinen →Antillen, östlich von Puerto Rico. Der westliche Teil mit den Inseln Saint John, Saint Thomas (mit der Hauptstadt Charlotte Amalie) und Saint Croix gehört zu den USA. Diese 3 Inseln haben zusammen 344 km² (etwa so groß wie Malta) und rund 120000 Einwohner. Ausgedehnte Sandstrände, Korallenriffe längs der Küste und herrliche Buchten sind beliebte Touristenziele. Ziemlich unberührt ist die Insel Saint John, wo ein Nationalpark zum Schutz der tropischen Pflanzen- und Tierwelt geschaffen wurde.

Der östliche Teil mit etwa 40 Inseln, die nicht alle bewohnt sind, ist britische Kronkolonie (153 km², rund 12000 Einwohner); auf der größten Insel, Tortola, liegt die Hauptstadt Road Town.

Virus [lateinisch ›Gift‹], ein →Mikroorganismus, der lediglich aus →Nucleinsäure (DNS oder RNS) und einer Eiweißhülle besteht. Das Virus steht an der Grenze zwischen lebendem Organismus und unbelebter Materie. Es hat keine Zellstruktur und keinen eigenen Stoffwechsel, das heißt, es kann nicht selbständig Energie erzeugen. Zur Fortpflanzung muß das Virus eine Wirtszelle befallen, deren Stoffwechsel es dann so umprogrammiert, daß die Zelle nur noch Viren produziert, die in der Folge neue Zellen befallen. Viele Viren sind Erreger von ansteckenden Krankheiten bei Pflanzen, Tieren und Menschen.

Wegen des Fehlens von Stoffwechsel und selbständiger Vermehrung können Viren nicht – wie z. B. Bakterien durch Antibiotika – bekämpft werden. Da eine Infektion mit Viren in der Regel jedoch →Immunität erzeugt (z. B. bei Masern), führt man zur Bekämpfung vorbeugende →Impfungen durch, so z. B. bei der →Grippe.

Vishnu [wischnu, altindisch ›der Durchdringende‹], im Hinduismus der Gott, der die Welt erhält und schützt; er zählt neben Brahma und Shiva zur indischen ›Dreifaltigkeit‹. Um Recht und Ordnung auf der Erde wiederherzustellen, nimmt er verschiedentlich irdische Gestalt an. Eine seiner Erscheinungsformen war **Krishna,** der besonders in dem indischen Nationalepos ›Mahabharata‹ auftritt und sich als ›Ursprung und Ende der Welt‹ bezeichnet. Dargestellt wird Vishnu meist in Königsgestalt mit 4 Händen, in denen er Keule, Muschel, Wurfscheibe und Lotos hält.

Antonio Vivaldi

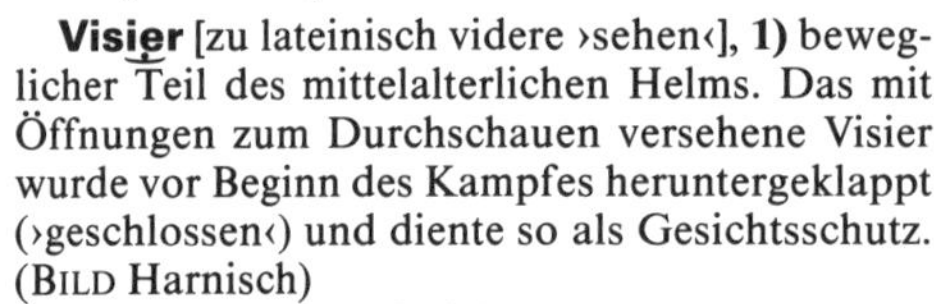

Visier [zu lateinisch videre ›sehen‹], **1)** beweglicher Teil des mittelalterlichen Helms. Das mit Öffnungen zum Durchschauen versehene Visier wurde vor Beginn des Kampfes heruntergeklappt (›geschlossen‹) und diente so als Gesichtsschutz. (BILD Harnisch)

2) Teil der Visiereinrichtung.

Visiereinrichtung, an Schußwaffen angebrachtes Hilfsmittel zum Zielen. Bei Handfeuerwaffen besteht die Visiereinrichtung aus dem auf der Rohrmündung befindlichen **Korn** und dem am hinteren Ende der Waffe befestigten **Visier** mit einer meist v-förmigen Einkerbung **(Kimme).** Je nach Entfernung des Ziels wird das höhenverstellbare Visier auf eine entsprechende Markierung eingestellt. Um das Ziel zu treffen, müssen beim Zielen Auge, Kimme, Korn und Ziel durch eine Linie **(Visierlinie)** verbunden sein.

Vitamine [zu lateinisch vita ›Leben‹ und Amin, einer chemischen Stoffgruppe, der man die Vitamine am Anfang ausschließlich zurechnete], kompliziert aufgebaute chemische Wirkstoffe, die jeweils ganz bestimmte Aufgaben erfüllen und deren Mangel oder Nichtzufuhr Mangelerscheinungen hervorrufen. Sie liefern im Vergleich zu Nährstoffen keine Energie. Auch ein Überangebot kann zu Erkrankungen führen. Vitamine sind für Mensch und Tier mehr oder weniger wichtige Verbindungen, die über die Nahrung aufgenommen oder durch Darmbakterien erzeugt werden. Neben Mikroorganismen erzeugen vor allem Pflanzen Vitamine. Einige Vitamine kommen in der Natur als Vorstufen **(Provitamine)** vor, viele sind Teile von Coenzymen

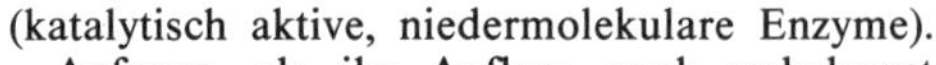

(katalytisch aktive, niedermolekulare Enzyme).

Anfangs, als ihr Aufbau noch unbekannt war, wurden die Vitamine in der Reihenfolge ihrer Entdeckung mit lateinischen Buchstaben bezeichnet, heute auch entsprechend ihrer chemischen Zusammensetzung. Es werden wasserlösliche (B, C, H, M) und fettlösliche (A, D, E, F, K) Vitamine unterschieden.

Vitamine kommen sehr häufig in Samen, Blättern und Knollen grüner Pflanzen vor, aber auch in Früchten, Milch und Eigelb; vitaminarm sind dagegen Mehl, Zucker, Fett und Muskelfleisch.

Vitaminmangel führt stets zu Erkrankungen, so etwa das Fehlen des in Zitronen und Kartoffeln reichlich vorkommenden Vitamin C zu Gewichtsverlust, Blutungsneigung (besonders in Schleimhaut, Zahnfleisch und Haut) und verzögerter Wundheilung.

Vivaldi. Der bedeutende und einflußreiche Komponist des italienischen Spätbarock, **Antonio Vivaldi** (* 1678, † 1741), genoß als Geiger in Europa großes Ansehen. Nach der Weihe zum Priester 1703 wurde er Geigenlehrer und Orchesterleiter. Vivaldi pflegte vor allem die Gattung des Konzertes, die ihm manche wichtige Neuerung verdankt. Berühmt sind ›Die vier Jahreszeiten‹. Bedeutendes leistete er auch auf dem Gebiet der Kirchenmusik und der Oper.

Vögel, warmblütige →Wirbeltiere mit einer Körpertemperatur von 40–44 °C (→Warmblüter). Sie sind über die ganze Erde verbreitet. Die meisten der rund 8 600 Arten leben in den Tropen, vor allem in Südamerika. In Deutschland brüten rund 250 Vogelarten, von denen die →Zugvögel am Ende der warmen Jahreszeit in südlichere Länder fliegen. Dafür kommen im Winter viele Vögel als Gäste aus dem kälteren Norden und Osten nach Deutschland.

Alle Vögel haben ein Gefieder (→Federn), das als Isolierung dient. Besonders bei Kälte ›plustern‹ Vögel sich auf, um durch die Luftschichten zwischen den Federn einen noch besseren Kälteschutz zu erreichen. Regelmäßig wächst den Vögeln ein neues Federkleid nach (→Mauser). Männchen und Weibchen können gleich gefärbt sein (Star, Drossel, Elster), oft sind die Männchen jedoch bunter (Buchfink, Pirol). Das meist unauffällige Gefieder der brütenden Weibchen und der Jungen ist eine Schutzfärbung. Die Männchen sind oft stimmbegabter und sangesfreudiger als die Weibchen. Nach dem unterschiedlichen Bau des Stimmapparates unterscheidet man – unabhängig von der Qualität ihres Gesangs – →Singvögel und Nichtsingvögel.

Vögel:
Einige heute lebende Arten,
die je eine Ordnung repräsentieren.

1. Ordnung: Steißhühner (Crypturi)
2. Ordnung: Straußvögel (Ratitae)
3. Ordnung: Hühnervögel (Galli)
4. Ordnung: Kranichvögel (Grues)
5. Ordnung: Strandvögel (a Wat-, b Möwenvögel)
6. Ordnung: Gänsevögel (Anseres)
7. Ordnung: Flamingos (Phoenicopteri)
8. Ordnung: Schreitvögel (Gressores)
9. Ordnung: Greifvögel (Accipitres)
10. Ordnung: Ruderfüßer (Steganopodes)
11. Ordnung: Röhrennasen (Tubinares)
12. Ordnung: Pinguine (Sphenisci)
13. Ordnung: Steißfüße (Podicipedes)
14. Ordnung: Kuckucksvögel (Cuculiformes)
15. Ordnung: Taubenvögel (Columbae)
16. Ordnung: Papageien (Psittaciformes)
17. Ordnung: Eulen (Striges)
18. Ordnung: Ziegenmelker (Caprimulgi)
19. Ordnung: Trogons (Trogones)
20. Ordnung: Rackenvögel (Coracii)
21. Ordnung: Mausvögel (Colii)
22. Ordnung: Seglerartige (Macrochires)
23. Ordnung: Spechtvögel (Pici)
24. Ordnung: Sperlingsvögel (Passeres)

Die meisten Vögel können fliegen. Ihre Vordergliedmaßen sind zu →Flügeln ausgebildet. Die meisten Knochen sind hohl, um das Körpergewicht niedrig zu halten. Die Lunge ist stark vergrößert. Die anhängenden dünnhäutigen Luftsäcke reichen bis in die Flügelknochen und in die Leibeshöhle hinein. Diese Luftsäcke blasen sich beim Fliegen wie ein Blasebalg auf und fördern den Auftrieb. Auch die kräftigen Flugmuskeln, die Form der Flügel und der spindelförmige Körper, der nur wenig Luftwiderstand bietet, helfen beim Fliegen (→Flug). Viele Vögel erreichen in der Luft große Geschwindigkeiten, eine Brieftaube z. B. 60 km pro Stunde, ein Mauersegler bis zu 100 km. Manche Vögel verbringen den größten Teil ihres Lebens in der Luft, z. B. der Mauersegler und der Albatros. Andere Vögel haben ihre Flugfähigkeit verloren und sind zu Laufvögeln geworden (z. B. die Strauße) oder haben sich dem Leben im Wasser angepaßt (Pinguine).

Die Form des Schnabels zeigt an, welches Futter eine Vogelart bevorzugt. Nach der hauptsächlichen Nahrung unterscheidet man z. B. Körnerfresser und Insektenfresser. Die **Körnerfresser** (z. B. Finkenvögel) haben meist einen breiten, kurzen und kegelförmigen Schnabel, mit dem sie Samen fressen. Im Frühjahr knabbern sie auch Knospen und junge Triebe. Die **Insektenfresser,** z. B. die Meisen, haben meist einen längeren, spitzen Schnabel, mit dem sie Insekten, Würmer und andere kleine Tiere auch aus schmalen Ritzen herauspicken. Sie fressen auch Beeren und Früchte. Die Körnerfresser füttern ihre Jungen vielfach auch mit weichen Insekten, da diese leichter verdaulich sind. Die Insektenfresser, die keine Zugvögel sind, stellen sich im Herbst und Winter auf Beeren und Sämereien um. Schwalben und Mauersegler können ihren Schnabel weit sperren und erhaschen Insekten im Flug. Der kräftige hakige Schnabel der Greifvögel dient zum Töten und Rupfen der Beute. Der lange schmale Schnabel der Kolibris kann in tiefe Blütenkelche eindringen. Flamingos z. B. können mit ihrem entsprechend ausgebildeten Schnabel die Nahrung aus dem Wasser seihen.

Vögel, die im Unterschied zu den Zugvögeln im Winter in ihrem Brutgebiet bleiben, nennt man **Standvögel.** Elster und Haussperling z. B. verlassen ihr Brutgebiet kaum. Die meisten dieser Vögel ziehen jedoch dann in kleineren Schwärmen umher. Sie suchen vor der Kälte Zuflucht in dichten Bäumen, Nistkästen, Dachnischen und ähnlichen Schlupfwinkeln.

Vögel leben als Paare zusammen, oft nur für eine Brutzeit, manche zeitlebens (Dohlen, Graugänse). Sie pflanzen sich durch Eier fort, die im Körper des Weibchens befruchtet werden. Bei der Begattung legen Männchen und Weibchen ihre Geschlechtsöffnungen aufeinander. Oft geht ein Liebesspiel voraus (→Balz). Die Eier haben eine harte, oft bunte Kalkschale und sind nach Anzahl, Größe, Form und Färbung bei den einzelnen Vogelarten sehr verschieden. Vögel, die in Höhlungen brüten, legen meist weißliche Eier. Die Eier der am Boden brütenden Arten haben meistens eine bräunliche Schutzfärbung. In der Regel brüten Vögel einmal im Jahr, vor allem kleinere Singvögel zweimal, bei günstiger Witterung auch dreimal (z. B. Amseln). Die Anzahl der für eine Brut gelegten Eier schwankt zwischen eins (Albatros) und etwa 20 (Rebhuhn). Meist sind es 3–6 Eier, die ausgebrütet werden. Vögel bauen ihre Nester am Boden, auf Bäumen und Sträuchern oder in Höhlungen und Vertiefungen von Bäumen und Felsen. Nach dem Nistplatz unterscheidet man Bodenbrüter (z. B. Enten, Gänse), Baumbrüter (z. B. Finkenvögel) und Höhlenbrüter (z. B. Spechte, Meisen). Die Jungen sind →Nestflüchter oder →Nesthocker. Findet man einen noch nicht voll flugfähigen, anscheinend aus dem Nest gefallenen Jungvogel, sollte man ihn nicht mitnehmen, denn er wird auch außerhalb des Nestes von den Eltern versorgt. Durch laute Rufe macht er auf sich aufmerksam.

Durch die fortschreitende Umweltzerstörung sind Vögel stark gefährdet. Von den in Deutschland brütenden Arten stehen etwa 50% auf der ›Roten Liste‹ bedrohter Tierarten (z. B. Adler, Storch, Uhu, Rebhuhn, Wiedehopf). Hier bereits ausgestorben sind z. B. die Blauracke, der Fischadler und die Moorente. Die wirtschaftlich ausgerichtete Land- und Forstwirtschaft, das Trokkenlegen von Sümpfen und Mooren sowie das Begradigen vieler Flußläufe haben natürliche Lebensräume und damit die Brutplätze zahlreicher Vogelarten zerstört. Schädlingsbekämpfungsmittel vernichten Insekten, die zur Hauptnahrung der Singvögel gehören. Ein Meisenpaar und seine Nachkommen vertilgen z. B. einen Zentner Raupen und Insekten im Jahr und erfüllen damit eine wichtige Aufgabe im biologischen Pflanzenschutz. Im Körper von Beutetieren häufen sich diese Gifte und gefährden somit besonders →Greifvögel, die am Ende einer Nahrungskette stehen. Durch auslaufendes Öl bei Unfällen von Öltankern werden viele Seevögel getötet.

Manche Vögel haben sich den veränderten Lebensbedingungen angepaßt (›Kulturfolger‹). So nutzen z. B. viele Wasservögel die Kläranlagen und Talsperren als Nistplätze oder als Rastplätze auf ihrem Flug ins afrikanische Winterquartier. Auch Großstädte dienen manchen Vögeln als ›Inseln‹, wo es in der Nacht wie auch im Winter wärmer ist als im freien Gelände und die natürlichen Feinde fehlen. So sieht man hier vermehrt Amseln, Stare, Meisen, Buchfinken, auch Krähen, Dohlen, Elstern, Eichelhäher, Stockenten, Waldkäuze und Lachmöwen.

Der moderne Vogelschutz hat vor allem die Aufgabe, seltene und bedrohte Vogelarten zu erhalten. Dazu werden z. B. neue →Biotope geschaffen, Nistgelegenheiten, Wassertränken und Winterfutterplätze bereitgestellt. Dem Vogelschutz widmen sich in der Bundesrepublik Deutschland staatliche Vogelschutzwarten und der private Deutsche Bund für Vogelschutz.

Vogelbeerbaum, die →Eberesche.

Vogelsberg, Mittelgebirge in Hessen, nordöstlich von Frankfurt am Main. Der Vogelsberg ist ein erloschener und im Laufe der Zeit abgetragener Vulkan, von dem nur noch eine Basaltdecke stehenblieb, die sich schildförmig bis auf 773 m Höhe (Taufstein) erhebt. Zahlreiche Flüsse entspringen am Vogelsberg und haben ihn in den Randbereichen stark zertalt. Das Gebirge wird vorwiegend landwirtschaftlich genutzt. Der Naturpark ›Hoher Vogelsberg‹ ist Fremdenverkehrs- und Naherholungsgebiet.

Vogelspinnen, die größten lebenden →Spinnen. Sie bauen keine Netze, sondern ziehen nachts umher und erbeuten Insekten und kleinere Wirbeltiere, z. B. junge oder verletzte Mäuse und Vögel. Die meist braunen oder schwarzen Vogelspinnen sind dicht behaart. Die bekannteste Art ist die südamerikanische Vogelspinne, die 7 cm lang wird; noch größer (bis zu 11 cm) ist eine Vogelspinne in der hinterindischen Inselwelt. Manche Arten können mit ihrem Giftbiß auch für Menschen gefährlich werden.

Vogelzug, der Flug der →Zugvögel in ihre Winterquartiere oder Brutgebiete.

Vogesen, französisch **Vosges,** früher auch **Wasgenwald,** Mittelgebirge im Nordosten Frankreichs. Die Vogesen erstrecken sich über 120 km von der Burgundischen Pforte im Süden bis zur Zaberner Senke im Norden; die nördliche Fortsetzung bildet die Haardt. Die Vogesen, erdgeschichtlich das Gegenstück des Schwarzwaldes, sind durch den Einbruch der Oberrheinischen Tiefebene entstanden. Entsprechend fällt das Gebirge nach Osten (zur Rheinebene) steil ab, während es nach Westen langsam in das lothringische Hügelland übergeht. Die höchste Erhebung ist der in den Südvogesen liegende Große Belchen mit 1 424 m. Einige Karseen deuten hier wie im Schwarzwald auf eine ehemalige Vergletscherung hin. Die Vogesen sind überwiegend Waldland, wobei in den unteren Stufen Buchenwald, in den Höhenlagen Nadelwald vorherrscht. Der Holzreichtum hat zur Entstehung von Holz- und Papierindustrie geführt. Daneben ist in den Tälern die Glas- und Textilindustrie von Bedeutung. In den Höhenregionen überwiegt auf gerodeten Flächen die Viehwirtschaft.

Vokal, Selbstlaut, →Laut.

Völkerbund, französisch **Société des Nations,** englisch **League of Nations,** Staatenvereinigung mit Sitz in Genf, die 1920–46 bestand; sie suchte den Frieden in der Welt zu sichern sowie die kulturelle und wirtschaftliche Zusammenarbeit zu fördern. Ihre Mitglieder waren verpflichtet, Streitigkeiten untereinander friedlich zu lösen. Der Völkerbund bemühte sich um die Förderung des Abrüstungsgedankens, um den Schutz nationaler Minderheiten und die Flüchtlingshilfe (Fridtjof →Nansen). In den 1930er Jahren konnte er jedoch der Expansionspolitik des faschistischen Italien, des nationalsozialistischen Deutschland sowie Japans nicht erfolgreich entgegentreten. Nach dem Zweiten Weltkrieg traten die →Vereinten Nationen (United Nations Organization, UNO) an die Stelle des Völkerbunds.

Vogelspinnen: Südamerikanische Vogelspinne

Völkermord, die Vernichtung nationaler, rassischer oder religiöser Gruppen durch Tötung, körperliche und seelische Schädigung oder Minderung der Lebensbedingungen.

Völkerrecht, Rechtsregeln, die hauptsächlich zwischen Staaten gelten und die Beziehungen der Staaten untereinander, ihre wechselseitigen Rechte und Pflichten in Frieden und Krieg betreffen. Der wichtigste Grundsatz des Völkerrechts ist die souveräne Gleichheit aller Staaten; das bedeutet, daß jeder Staat ohne Rücksicht auf die Größe seiner Bevölkerung, auf seine Ausdehnung oder wirtschaftliche Kraft gleich und unabhängig ist. Die Regeln des Völkerrechts können daher nicht verordnet werden, auch nicht durch Beschlüsse der Vereinten Nationen. Vielmehr beruht das Völkerrecht im wesentlichen auf zwischenstaatlichen Verträgen (solche sind auch die internationalen Konventionen, z. B. die Seerechtskonventionen) und anerkanntem Gewohnheitsrecht, also tatsächlich ausgeübten Regeln.

Völkerwanderung, Wanderung ganzer Völker oder Stämme. Völkerwanderungen werden oft durch Mißernten, Klimaverschlechterung oder durch die Bedrohung von seiten anderer

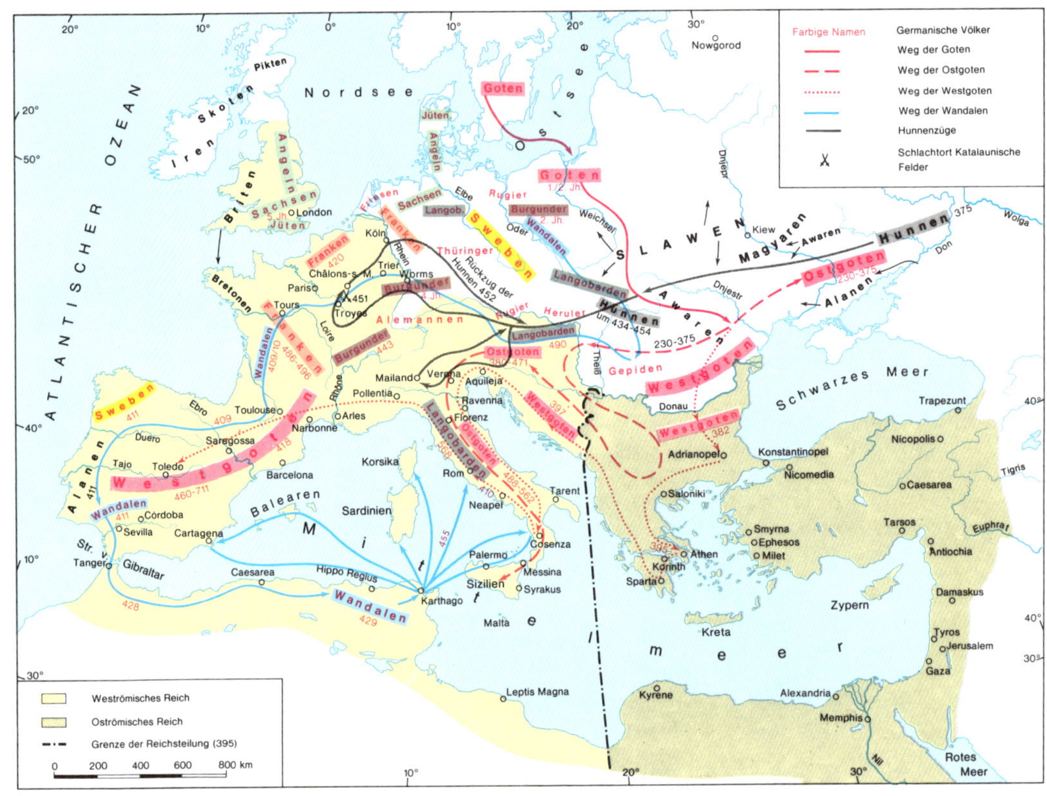

Völkerwanderung

Völker verursacht. Meist werden mit dem Begriff ›Völkerwanderung‹ die Wanderzüge der germanischen Völker im 2.–6. Jahrh. bezeichnet. Ihr Höhepunkt setzte mit dem Einbruch der →Hunnen in Europa 375 ein. Diese zwangen viele germanische Stämme, ihre Siedlungsräume zu verlassen: Die Germanen brachen nach Süden auf, überschritten die Grenzen des Römischen Reichs und gründeten in Süd- und Westeuropa eigene Reiche. Die meisten dieser Reiche, mit Ausnahme des →Fränkischen Reichs, waren nur von kurzer Dauer. Sie schufen aber die Grundlage der abendländischen Staatenwelt. Die wichtigsten germanischen Stämme, die an der Völkerwanderung beteiligt waren, waren die →Alemannen, →Baiern, →Burgunder, →Franken, →Goten (Ostgoten und Westgoten), →Langobarden, →Sachsen und →Wandalen. Vom 9. bis 11. Jahrh. erschienen als Nachzügler der Völkerwanderung noch die skandinavischen →Normannen in West- und Südeuropa.

Vọlksabstimmung, Vọlksentscheid, Plebiszịt, eine Form der direkten Demokratie, bei der die stimmberechtigten Bürger über Sachfragen abstimmen. Dadurch unterscheidet sich die Volksabstimmung von einer **Wahl,** bei der es um die Entscheidung über Personen oder Parteien und die Kräfteverhältnisse in den Parlamenten geht. Von der Volksabstimmung abzuheben ist das **Referendum,** bei dem eine Sachfrage, z. B. ein Gesetzentwurf, von der Regierung den stimmberechtigten Bürgern zur Entscheidung vorgelegt wird. Dies geschieht häufig in der Schweiz, seltener in Österreich und auf Grund der Bestimmungen des Grundgesetzes in der Bundesrepublik Deutschland nur in Ausnahmefällen. Eine Volksabstimmung kann auch durch ein **Volksbegehren** herbeigeführt werden; so müssen in der Schweiz Gesetze dem Volk zur späteren Abstimmung unterbreitet werden, wenn 50 000 stimmberechtigte Bürger dies verlangen.

Vọlksdemokratie, →Demokratie.

Wörter, die man unter V vermißt, suche man unter W

Volkseigene Betriebe, Abkürzung **VEB,** in der ehemaligen Deutschen Demokratischen Republik rechtlich selbständige Betriebe der Industrie, des Handels, der Verwaltung, des Bildungs-, Gesundheits- und Verkehrswesens mit eigener Kapitalausstattung (Geld, Maschinen, Transportmittel). Die VEB wurden zwar von einem Direktor nach dem Prinzip der Eigenverantwortung geleitet, unterstanden aber vollständiger staatlicher Kontrolle, die für eine Planwirtschaft charakteristisch ist. Von staatlichen Planungsbehörden wurde z. B. vorgeschrieben, was und wie der einzelne Betrieb produzieren sollte und zu welchen Preisen seine Produkte verkauft werden sollten.

Volkskammer, in der ehemaligen Deutschen Demokratischen Republik nach der Verfassung von 1974 das oberste Machtorgan des Staates; ihre 500 Abgeordneten wurden alle 5 Jahre neu gewählt. Alle anderen Staatsorgane, z. B. der Ministerrat (Regierung), der Staatsrat (Staatsoberhaupt) oder der Nationale Verteidigungsrat waren der Volkskammer verantwortlich. Da die SED im Rahmen der ›Nationalen Front der DDR‹ der entscheidende politische Willensträger war, waren in der politischen Praxis ihre Parteiorgane, vor allem das Politbüro, die maßgeblichen Entscheidungsträger. Die letzte, 1990 frei gewählte Volkskammer, beschloß den Beitritt der Deutschen Demokratischen Republik zur Bundesrepublik Deutschland.

Volksrepublik, oft Bestandteil des amtlichen Namens eines kommunistischen oder sozialistischen Staats (z. B. Volksrepublik China).

Volksvertretung, → Parlament.

Volleyball [wolli-], ein Rückschlagspiel für Herren und Damen mit 2 Mannschaften zu je 6 Spielern, die versuchen, einen Ball mit der Hand so in der Spielfeldmitte über das Netz zu schlagen, daß ihn der Gegner nicht mehr regelgerecht zurückspielen kann. Eine Mannschaft darf den Ball dabei höchstens dreimal hintereinander berühren, ehe er das Netz überquert, ihn aber weder halten oder beim Schlag führen noch fangen. Ein Spieler darf den Ball nicht zweimal hintereinander schlagen; er kann jedoch den 1. und 3. Schlag anbringen. Nach Blockberührung darf die berührende Mannschaft den Ball erneut dreimal spielen. Volleyball ist hauptsächlich ein Hallenspiel, kann aber auch im Freien ausgetragen werden.

Das Spielfeld mißt 18 × 9 m und ist durch eine Mittellinie in 2 Hälften geteilt. Über der Mittellinie befindet sich das 1 m hohe und 9,50 m lange Netz, dessen Oberkante 2,43 m (Herren) oder 2,24 m (Damen) vom Boden entfernt ist. Zu Spielbeginn stehen die Mannschaften in je 2 Dreierreihen in ihrer Spielhälfte. Die vordere Reihe bilden die Netz- oder Angriffsspieler, die rückwärtige Reihe die Grund- und Abwehrspieler. Der rechte Grundspieler führt die erste Aufgabe aus dem Aufgabenraum in die gegnerische Hälfte über das Netz aus. Nach einem Fehler der aufschlagenden Partei wechselt das Aufgaberecht zum Gegner. Beim Aufgabenwechsel muß die aufgebende Mannschaft ihre Position wechseln (Rotation). Der rechte Netzspieler wird nun rechter Grundspieler und hat das Aufgaberecht. Die übrigen Spieler rücken im Uhrzeigersinn nach. Punkte kann nur die Mannschaft mit Aufgaberecht erzielen, wenn ihr eine entsprechende Aktion gelingt oder der Gegner Fehler begeht. Sieger ist die Mannschaft, die 3 Sätze (Damen: 2 Sätze) gewonnen hat. Ein Satz ist gewonnen, wenn eine Mannschaft 15 Punkte erzielt und der Gegner mindestens 2 Punkte zurückliegt. – Seit 1964 ist Volleyball olympische Disziplin.

Volljährigkeit, Großjährigkeit, Mündigkeit. Mit Eintritt der Volljährigkeit wird ein Mensch im Rechtssinn erwachsen. Er ist dann voll geschäftsfähig und für sein Handeln allein verantwortlich (→ Lebensalter, ÜBERSICHT, → Geschäftsfähigkeit). In Deutschland tritt die Volljährigkeit mit 18 Jahren ein, in Österreich mit 19, in der Schweiz mit 20 Jahren.

Volt, Einheitenzeichen **V,** SI-Einheit der elektrischen → Spannung. Es gilt: 1 Volt = 1 Watt durch 1 Ampere, 1 V = 1 W/1 A. Das Volt hat seinen Namen nach dem italienischen Physiker Alessandro Volta (* 1745, † 1827), der um 1800 die erste brauchbare Stromquelle entwickelte, das **Volta-Element** (→ galvanische Elemente), das eine Spannung von etwa 1 V liefert.

Volta, Fluß in Westafrika. Er entsteht in Zentralghana aus dem **Schwarzen Volta** und dem **Weißen Volta,** die beide in Obervolta entspringen. Seine Gesamtlänge beträgt einschließlich des Schwarzen Volta 1 600 km, wovon 120 km schiffbar sind. Bevor der Fluß in den Golf von Guinea (Atlantischer Ozean) mündet, wird er durch den Akosombo-Damm aufgestaut. Der **Volta-Stausee** ist 400 km lang und hat eine Fläche von 8 500 km², damit ist er 12 mal so groß wie der Bodensee. Die hier gewonnene Elektrizität dient vor allem der Industrie, besonders der Aluminiumverhüttung in Ghana.

Voltaire [woltär]. Der französische Schriftsteller und Philosoph **Voltaire** (eigentlich **François Marie Arouet,** * 1694, † 1778) war einer der

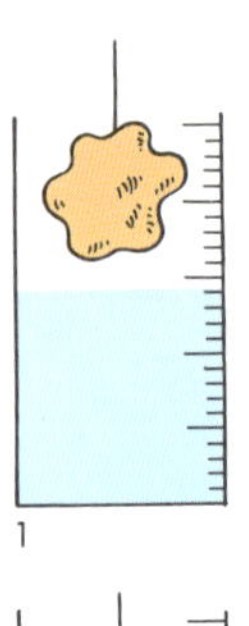
1

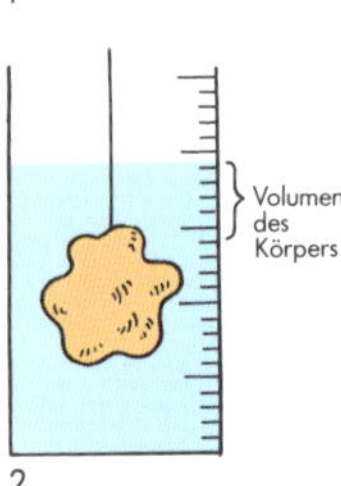

2
Messen eines Körpervolumens mit Hilfe eines Meßzylinders

Volumen

Vorarlberg
Landeswappen

schlagfertigsten und geistreichsten Vertreter der →Aufklärung. Seine Forderungen, die Leibeigenschaft aufzuheben, ungerechtfertigte Privilegien abzuschaffen und der Vernunft den Vorrang im politischen, religiösen und sozialen Bereich einzuräumen, brachten ihn häufig in Konflikt mit kirchlichen und staatlichen Würdenträgern, in dessen Folge er zu wiederholten Ortswechseln gezwungen wurde. 1726–29 wurde er aus Frankreich verbannt, worauf er beschloß, im freiheitlicher gesonnenen England zu leben. 1750 folgte er einer Einladung Friedrichs des Großen nach Potsdam. Er überwarf sich aber mit dem König und mußte Preußen 1753 verlassen.

Einer seiner bekanntesten Romane ist ›Candide‹ (1759). Voltaire erzählt darin die Geschichte eines jungen Mannes, der sich in der ›besten aller möglichen Welten‹ zu befinden glaubt, durch unglückliche Abenteuer seinen Optimismus verliert, jedoch erkennt, daß man selbst ›den Garten seines Lebens bebauen müsse‹. In seinen philosophischen und kulturgeschichtlichen Schriften bekämpfte Voltaire den Glauben an eine göttliche Vorsehung; er vertrat die Anschauung, daß sich die Menschheit aus eigener Gesetzmäßigkeit vernünftig weiterentwickeln könne.

Voltmeter, Gerät zur Messung der elektrischen Spannung, die in →Volt (V) angegeben wird. Bei dem Voltmeter handelt es sich meist um ein →Drehspulinstrument.

Volumen [lateinisch ›(Schrift)rolle‹], der Rauminhalt eines geometrischen →Körpers. Das Bestimmen des Volumens geschieht durch einen Vergleich mit einer festgelegten Einheit. Die SI-Einheit des Volumens ist 1 m^3. Das ist der Rauminhalt von einem Würfel mit der Kantenlänge 1 m. Für kleinere Volumen werden häufiger die Einheiten 1 dm^3, 1 cm^3 oder 1 mm^3 benutzt (→Einheiten). Eine weitere gesetzliche Volumeneinheit ist der →Liter (1 l = 1 dm^3).

Für die wichtigsten Körper gibt es Formeln zur Bestimmung ihres Volumens (→Kegel, →Kugel, →Polyeder, →Prisma, →Pyramide, →Quader, →Würfel, →Zylinder). Das Volumen von Körpern, für die es keine Volumenformel gibt, kann wie folgt bestimmt werden: In einen Meßzylinder, das ist ein zylindrisches Glasgefäß mit einer von unten nach oben verlaufenden Volumenmeßskala, wird eine bestimmte Wassermenge gefüllt. In dieses Wasser wird der Körper vollständig eingetaucht. Beim Eintauchen des Körpers verdrängt dieser genau das Volumen, das er selbst besitzt. Dieses Volumen kann am Meßzylinder abgelesen werden (BILDER 1 und 2).

Bei der Angabe des Volumens eines Körpers ist stets darauf zu achten, daß die verwendete Einheit die Hochzahl 3 besitzt. Die Hochzahl 3 bringt zum Ausdruck, daß die verwendete Volumeneinheit ein Produkt aus 3 Längeneinheiten ist; dies rührt daher, daß ein Körper ein Gegenstand ist, der sich in die Länge, die Breite und die Höhe erstreckt. Die Richtigkeit einer Formel zur Bestimmung des Volumens eines Körpers kann daran überprüft werden, ob in der Formel 3 Längen miteinander multipliziert werden. Ist dies nicht der Fall, so ist die Formel falsch.

Vorarlberg. Das westlichste österreichische Bundesland grenzt im Norden an die Bundesrepublik Deutschland, im Westen und Süden an die Schweiz und Liechtenstein. Die zentrale Landschaft mit der dichtesten Besiedlung ist die breite Rheinebene bis hin zum östlichen Bodenseeufer. Nach Osten schließen sich der **Bregenzer Wald** und das Allgäu an. Im Süden ist das Tal der Ill dichter besiedelt, das mit dem **Walgau** und **Montafon** bis in die Zentralalpen reicht. Mit dem Piz Buin (3 312 m), einem Gipfel der stark vergletscherten Silvrettagruppe, erreicht das Land seine größte Höhe.

Vorarlberg
Fläche: 2 601 km^2
Einwohner: 329 200
Hauptstadt: Bregenz

Vorarlberg ist das am stärksten industrialisierte Bundesland Österreichs mit wichtiger Textil- und Nahrungsmittelindustrie. Die Wasserkraftwerke exportieren $^2/_3$ der erzeugten elektrischen Energie in die Bundesrepublik Deutschland. Von großer Bedeutung ist auch der Fremdenverkehr, besonders im Montafon, im Kleinen Walsertal und im Arlberggebiet. Die Land- und Forstwirtschaft spielt demgegenüber nur eine geringe Rolle. Bekannt sind die Bregenzer Festspiele mit der im Bodensee verankerten Festspielbühne.

Der größte Teil Vorarlbergs wurde zwischen 1376 und 1523 von den Habsburgern gekauft und für Jahrhunderte gemeinsam mit Tirol verwaltet. Erst seit 1918 ist es ein eigenes Bundesland.

Vorderasien, südwestlicher Teil Asiens, der sich zwischen Mittelmeer, Schwarzem und Kaspischem Meer, Persischem Golf, Indischem Ozean und Rotem Meer erstreckt. Vorderasien umfaßt: Saudi-Arabien, Jemen, Oman, die Vereinigten Arabischen Emirate, Irak, Syrien, Jordanien, Israel, Libanon, Türkei, Iran und Afghanistan.

Vorderindien, Halbinsel in Südasien, die sich zwischen dem Arabischen Meer und dem Golf von Bengalen erstreckt. Im Westen, Norden und Osten wird der Subkontinent von Gebirgs-

Wörter, die man unter V vermißt, suche man unter W

VORGESCHICHTLICHE ZEITRÄUME MITTELEUROPAS

Hauptstufen	Unterstufen	Zeit v. Chr.	Kennzeichnende Klimazüge	Grabformen	Bevölkerung
Eisenzeit	Latènezeit	0 500	kühl-gemäßigt-feucht	Skelettgräber und Urnengräber	Germanen und Kelten
	Hallstattzeit	800			
Bronzezeit	Jüngere Bronzezeit	1100	zum Teil wärmer als jetzt; anfangs noch mild-feucht, später mild-trocken	Urnengräber unter Hügeln oder in der Erde, am Anfang und Ende auch Skelettgräber	In Norddeutschland Germanen, in Nordostdeutschland baltische Völker, in Ost- und Mitteldeutschland Illyrer (?), in Süd- und Westdeutschland Kelten (?)
	Mittlere Bronzezeit	1600			
	Frühe Bronzezeit	2000		Skelettgräber unter Hügeln oder in der Erde	
Steinzeit	Jungsteinzeit (Neolithikum)	5000		Leichenbestattung; im Norden Riesensteingräber, Mitte und Süden Hügel- und Flachgräber	Indogermanen und nichtindogermanische Völker
	Mittelsteinzeit (Mesolithikum)	8000	wärmer als jetzt; anfangs warm-trocken, später mild-feucht	Bestattung, zum Teil in Höhlen	Homo sapiens (Cro-Magnon- und Aurignac-Mensch)
	Würm-Kaltzeit	60000	sehr kalt – gemäßigt kalt kälter als heute		
Altsteinzeit (Paläolithikum)	Eem-Warmzeit	100 000	etwa heutiges Klima		Neandertal-Mensch
	Riß-Kaltzeit	200 000	wesentlich kälter als heute		Präsapiensmensch
	Holstein-Warmzeit	400 000	zum Teil wärmer als heute		
	Mindel-Kaltzeit	600 000	wesentlich kälter als heute		
	Cromer-Warmzeit	800 000	etwa heutiges Klima, zum Teil wärmer		Heidelbergmensch
	Günz-Kaltzeit	1 Million	wesentlich kälter als heute		

ketten umrahmt. Vorderindien besteht aus folgenden Großlandschaften: Indus-, Ganges-Brahmaputra-Tiefland, Bergländer Mittelindiens, Hochland von Dekkan und die Insel Sri Lanka. Politisch gegliedert ist Vorderindien in Bangladesh, Bhutan, Indien, Nepal, Pakistan und Sri Lanka.

Vorgeschichte, älteste Geschichte der Menschheit von den Anfängen bis zum Einsetzen schriftlicher Quellen. Auskunft über diese Zeit geben die erhaltenen Kulturreste wie Grabanlagen, Ruinenstätten und Wehrbauten. Meist findet man diese und andere Überreste (Werkzeuge, Waffen und Haushaltsgeräte, Schmucksachen aus Stein, Knochen, Holz, Leder und Metall, aber auch mehr oder weniger gut erhaltene Skelette) zufällig bei Erdarbeiten oder bei gezielten Ausgrabungen im Boden. Mit Hilfe des Luftbildes werden z. B. Siedlungsgrundrisse erst aus großen Höhen richtig erkennbar. Die gefundenen Überreste werden mit wissenschaftlichen Methoden untersucht. So kann durch physikalische und chemische Verfahren das Alter eines vorgeschichtlichen Fundes ziemlich genau bestimmt werden. Dies ist die Voraussetzung, um sich ein Bild von den Entwicklungsstufen der Menschheit (→Mensch) machen zu können.

Das Wissen über die Vorgeschichte ist heute so umfangreich, daß über die Kultur der vorgeschichtlichen Völker, ihre Wohnungen, Haushaltsgeräte und Waffen, die Handelsbeziehungen und Wanderbewegungen, die Kunst und die religiösen Vorstellungen dieser Zeit einigermaßen gesicherte und erschöpfende Aussagen gemacht

Wörter, die man unter V vermißt, suche man unter W

Vulkan: LINKS Saint Helens vor dem Ausbruch (Aufnahme vom 12. April 1980),

werden können. Nach den von den Menschen benutzten Materialien gliedert man die Vorgeschichte in 3 große Abschnitte: Steinzeit (unterteilt in →Altsteinzeit, Mittelsteinzeit und →Jungsteinzeit), →Bronzezeit und →Eisenzeit.

Vormund, jemand, der die Aufgabe hat, schutzbedürftige Personen, **Mündel,** zu betreuen und rechtlich zu vertreten. So erhalten Minderjährige, die ohne Eltern aufwachsen, einen Vormund. Das gleiche gilt für Erwachsene, die, z. B. wegen Geistesschwäche, Trunk- oder Verschwendungssucht, entmündigt sind. Die Vormundschaft wird durch das **Vormundschaftsgericht,** einen Teil des Amtsgerichts, angeordnet. Vormund kann grundsätzlich jeder Erwachsene sein, wobei Verwandte des Mündels bevorzugt werden. Auch das Jugendamt kann zum Vormund bestellt werden, z. B. für das Kind einer minderjährigen, ledigen Mutter.

Vorsätze, von der Generalkonferenz für Maß und Gewicht festgelegte Vorsilben, die vor den Namen einer metrischen Einheit gesetzt werden zur dezimalen Vervielfachung und dezimalen Teilung, z. B. Kilo für das 1 000fache: 1 Kilometer = 1 km = 1 000 m. Das Aneinanderreihen zweier oder mehrerer Vorsätze ist nicht zulässig (z. B. nicht Millimikro, sondern Nano). Kurzzeichen für diese Vorsätze sind die **Vorsatzzeichen** (→Einheiten, TABELLE 3).

Vortragsbezeichnungen, Hinweise, die der Komponist in den Notentext einfügt, um anzugeben, wie ein Musikstück gespielt werden soll. Sie stammen meist aus der italienischen Sprache und betreffen z. B. den Ausdruck (grave ›ernst, gemessen‹, animato ›beseelt‹), das Tempo (in diesem Fall nennt man sie auch Tempobezeichnungen, →Tempo), die Lautstärke (forte ›laut, stark‹, piano ›leise, sanft‹) und die Spieltechnik (col arco ›mit dem Bogen‹, colla destra ›mit der rechten Hand‹).

Vorvergangenheit, →Plusquamperfekt.

Vorzeichen, 1) Mathematik: Es gibt Größen, bei denen zur Zahlangabe noch der Zusatz **plus**

RECHTS nach dem Ausbruch (Aufnahme vom 30. Juni 1980)

(+) oder **minus** (−) hinzukommt. Dieser Zusatz wird **Vorzeichen** genannt. Bei der Temperatur z. B. gibt das Vorzeichen an, ob sie über (+) oder unter (−) der Temperatur 0 °C liegt. Bei Temperaturen über 0 °C wird der Einfachheit halber jedoch das Vorzeichen häufig weggelassen, statt z. B. +25 °C schreibt man nur 25 °C.

Man unterscheidet **Vorzeichen (VZ)** und **Rechenzeichen (RZ).** Das Rechenzeichen besagt, welche Rechenoperation, Addition (+) oder Subtraktion (−), auszuführen ist; das Vorzeichen gibt an, ob es sich um eine positive oder negative Zahl handelt. Vorzeichen und Rechenzeichen müssen durch Klammern getrennt werden. Positive Vorzeichen können weggelassen werden, negative Vorzeichen hingegen nicht.

Beispiele:

1) − 5 − (− 3)
↑ ↑ ↑
VZ RZ VZ

2) + 3 − (+ 5) oder 3 − 5
↑ ↑ ↑
VZ RZ VZ

Zahlen mit negativem und positivem Vorzeichen liegen auf der Zahlengeraden (→Anordnung von Zahlen) auf verschiedenen Seiten des Nullpunkts.

2) Musik: →Versetzungszeichen.

VTOL-Flugzeug, der →Senkrechtstarter.

Vulcanus, altitalischer Gott des Feuers, der auch als kunstreicher Schmied galt. Seine Kultstätten lagen außerhalb der Städte. Vom Namen dieses Gottes leitet sich die Bezeichnung ›Vulkan‹ für feuerspeiende Berge ab. Bei den Griechen hieß dieser Gott **Hephaistos.**

Vulkan [nach Vulcanus, dem altitalischen Gott des Feuers], allgemein jede Stelle der Erdoberfläche, an der Magma und Gase austreten. Vor allem bezeichnet man einen aus vulkanischem Material aufgebauten Berg als Vulkan. Bei einem Vulkanausbruch werden feste, flüssige und gasförmige Stoffe aus dem Erdinnern an die Erdoberfläche gebracht. Diese Stoffe stammen aus Magmaansammlungen, die teilweise in sehr großer Tiefe (bis über 50 km) liegen. Die Magmen in einem solchen **Vulkanherd** stehen durch gelöste Gase unter einem sehr hohen Druck. Durch Risse und Bruchstellen in der Erdkruste zwängt sich die glühende Masse nach oben und wird noch durch verdampftes Grundwasser angereichert, das den Drang nach oben erhöht. Wenn der Druck nachläßt, weil etwa ein Riß in der Erdkruste weiter aufreißt, werden die gelösten Gase plötzlich frei – ähnlich wie das Kohlendioxid beim Öffnen einer Sprudelwasserflasche. Beim Entweichen der Gase wird das Magma mit emporgerissen und aus der Austrittsöffnung, die häufig zu einem **Krater** erweitert ist, herausgeschleudert. Wenn der Weg des aufsteigenden Magmas versperrt ist, z. B. durch Gesteinsschutt oder einen Pfropfen aus erkaltetem Magma von einem früheren Ausbruch, kann sich der Druck so weit erhöhen, daß das Hindernis weggesprengt wird. Ein solcher Ausbruch ereignete sich 1980 im Nordwesten der USA: In einer gewaltigen Explosion wurde der Gipfel des Saint Helens weggesprengt; der Berg war nach dem Ausbruch 500 m niedriger. Das Land im Umkreis von 500 km wurde zum Teil schwer verwüstet. (BILDER Seite 340/341)

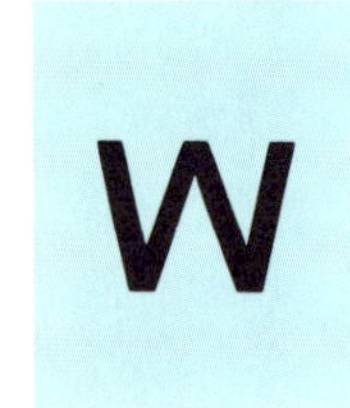

W, der 23. Buchstabe des Alphabets, ein Konsonant, entstanden durch eine Verdoppelung des V. W ist in der Chemie das Zeichen für **W**olfram, in der Physik das Einheitenzeichen für →**W**att. In der Geographie wird mit W die Himmelsrichtung **W**esten abgekürzt.

Waadt, französisch **Vaud,** volkstümlich **Waadtland.** Der schweizerische Kanton reicht vom Juragebirge im Nordwesten über das Mittelland mit dem Genfer See bis zu den **Waadtländer Alpen** im Osten und erreicht hier 3 209 m Höhe (Les Diablerets). Im Norden greift er bis auf den Neuenburger See hinaus. Im Rhonetal und am Neuenburger See sind Wein- und Obstbau vorherrschend; in den kühleren Höhenlagen von Jura und Alpen herrscht Viehzucht vor. Ein für die Gegend typischer Industriezweig ist die Uhrenherstellung. Mittelpunkt des gut entwickelten Fremdenverkehrs ist Montreux am Genfer See. Der Hauptort Lausanne ist Handels- und Messestadt, Sitz internationaler Vereinigungen sowie Schnittpunkt der wichtigen Verkehrslinien Paris–Mailand und Lyon–Zürich. 1803 wurde das französisichsprachige Waadtland als Kanton Mitglied der Eidgenossenschaft.

Waadt
Fläche: 3 219 km²
Einwohner: 583 600

Waadt
Kantonswappen

Waage, Gerät zur Bestimmung der Masse eines Körpers. Die SI-Einheit der Masse ist das Kilogramm (kg). Die Funktionsweise von Waagen beruht auf einem sehr häufig angewendeten physikalischen Gesetz, dem Hebelgesetz. Zu den **Hebelwaagen** zählen Neigungswaage, Balkenwaage, Briefwaage und Brückenwaage. Diese Waagen vergleichen die zu wiegende Masse mit einer geeichten Vergleichsmasse. Neben diesen Waagen gibt es noch **Federwaagen,** bei denen die Last aus der Verformung einer Feder ermittelt wird, und **Mikrowaagen (Feinwaagen)** für Höchstlasten zwischen 3–50 Gramm. Darüberhinaus gibt es **elektromechanische Waagen,** die die Gewichtskraft der zu bestimmenden Masse zur Wägung ausnutzen. Ein sich verformender Körper (z. B. Draht) ist mit einem dehnbaren Metallstreifen versehen, der bei Längenänderung seinen elektrischen Widerstand ändert. Der durch diesen Widerstand fließende Strom dient über eine geeichte Anzeige zur Meßwertanzeige in Kilogramm. Der Meßwert wird oft nicht mehr mittels Zeiger und Zifferblatt, sondern mit Digitalanzeige sichtbar gemacht.

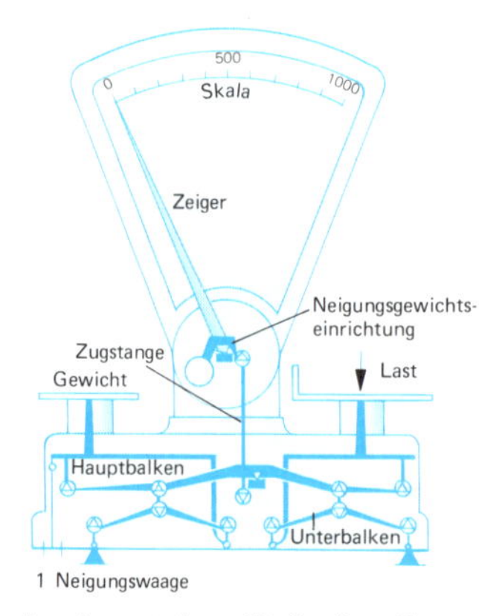

Waage
1 Neigungswaage

waagrecht, horizontal verläuft eine Gerade oder Ebene, wenn sie →senkrecht zur Lotrichtung steht. Die **Lotrichtung** erhält man, indem man ein Gewichtstück an eine Schnur bindet und diese frei aufhängt (BILD).

Mit Hilfe einer →Wasserwaage kann man überprüfen, ob eine Gerade oder Ebene waagrecht oder senkrecht verläuft.

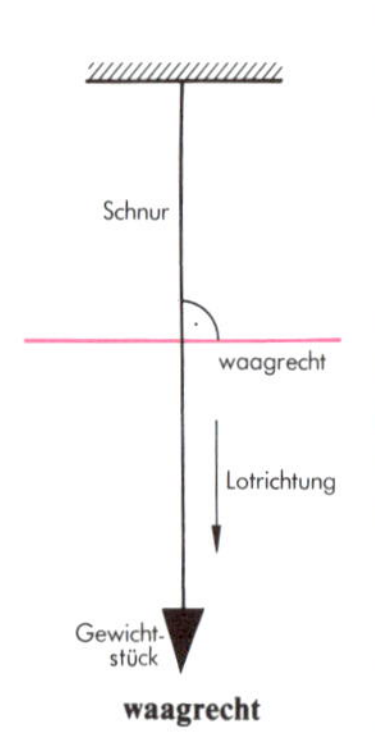

waagrecht

Waal, Hauptmündungsarm des Rheins in den Niederlanden. Die Waal führt ⅔ des Rheinwassers und vereinigt sich bei Gorinchem mit einem Mündungsarm der Maas zur Boven-Merwede.

Wachau, die Engtalstrecke der Donau zwischen Melk und Krems in Niederösterreich. Die wegen ihrer landschaftlichen Schönheit vielbesuchte Wachau (bewaldete Berge, zahlreiche Burgen) ist ein bedeutendes Weinanbaugebiet.

Wacholder, schmale, säulenförmige Bäume oder struppige Sträucher, die in lichten Wäldern, in der Heide, im Moor und im Gebirge, hier am Boden ›kriechend‹ auch noch jenseits der Baumgrenze, wachsen. Die stechenden immergrünen Nadeln und die schwarzblauen, beerenähnlichen Zapfen (›Wacholderbeeren‹) des Heidewacholders sind mit einer weißlichen wachsartigen Schicht überzogen (›bereift‹). Die Beeren werden als Würz- und Genußmittel verwendet; außerdem wird aus ihnen Schnaps (Gin, Steinhäger) gebrannt.

Wachs, Bezeichnung für organische Stoffe, die in der Regel bei 20 °C knetbar, durchscheinend bis undurchsichtig und polierbar sind und über 40 °C in eine relativ niedrig viskose Schmelze übergehen. Es gibt tierische Wachse, z. B. Bienenwachs, pflanzliche Wachse, z. B. Zuckerrohrwachs, und mineralische oder Erdölwachse. Chemisch sind sie Gemische aus →Estern, →Alkoholen und →Säuren. Wachse werden zur Herstellung von Kerzen, Schuh- und Möbelpolituren sowie für wasserfeste Imprägnierungen und elektrische Isolierungen verwendet.

Wachstum, Größenzunahme aller lebenden Organismen, die auf Volumenzunahme oder Streckungswachstum (in die Länge) der einzelnen Zellen oder – wie bei allen vielzelligen Organismen – auf Zellvermehrung beruht und nicht rückgängig zu machen ist. Bei Einzellern wird das Wachstum eingestellt, wenn das Plasma im Vergleich zum Kern eine bestimmte Größe erreicht hat (›Kern-Plasma-Relation‹). Pflanzen wachsen bis zu ihrem Absterben ununterbrochen weiter. Ihr Wachstum kann unter anderem durch Licht, Hormone, Nährstoffangebot beeinflußt werden. Tiere – auch der Mensch – wachsen in der Regel bis zur Geschlechtsreife (Ausnahmen sind vor allem niedere Tiere, auch Fische).

Beim Menschen kann man verschiedene Wachstumsstadien unterscheiden. Die stärkste Größenzunahme findet während der Entwicklung im Mutterleib statt. So wiegt der Embryo nach 9 Wochen etwa das 250 000fache der Eizelle, der Säugling bei der Geburt ungefähr das 2 700fache des Neunwochen-Keimlings. Vom Säuglingsalter bis zum Ende der Wachstumsphase (im Alter von ungefähr 20 Jahren) beträgt die Gewichtszunahme nur noch etwa das 20fache. Durch unterschiedliches Wachstum einzelner Körperteile und Organe ändert sich auch das Verhältnis der Körperteile zueinander. Beim Säugling ist der Kopf im Verhältnis zum Körper sehr groß, und die Beine sind relativ kurz. Durch Längenwachstum von Rumpf und Gliedmaßen bis zum Erwachsenenalter wird der Kopf im Verhältnis zum Rumpf kleiner, und die Beine können bis über die Hälfte der Körperhöhe ausmachen. Wie schnell und wie stark das Wachstum insgesamt ist, ist zum Teil genetisch festgelegt, wird aber auch durch Umwelteinflüsse, z. B. Ernährung, beeinflußt.

Wacholder

Wachteln, scheue, erdfarbene →Hühnervögel. Sie bauen ihr Nest in Erdmulden zwischen Getreide, dessen Körner ihre Hauptnahrung sind. Bei Gefahr laufen sie eher in Deckung, als daß sie auffliegen. Im Herbst ziehen sie in Scharen nach Afrika. In Deutschland sind Wachteln selten geworden, weil die Jungvögel durch Erntemaschinen getötet werden und Wachteleier als Delikatesse gelten.

Wachtel

Wadenbein, Teil des →Beins. Das außen gelegene, schlankere Wadenbein bildet zusammen mit dem →Schienbein das knöcherne Skelett des Unterschenkels.

Wadi [arabisch ›Wasser‹], trockenliegendes Flußbett (Trockental) in den Wüstengebieten Afrikas und Vorderasiens. Es ist nur nach starken Regenfällen vorübergehend mit Wasser gefüllt. Häufig führt es unter dem Talboden Grundwasser, das für die Dattelpalmen in den Oasen erreichbar ist und in Brunnen gesammelt wird.

Waffen-SS, ein Teil der →SS, 1939/40 gebildet, kämpfte während des Zweiten Weltkriegs als selbständige militärische Organisation im Rahmen des deutschen Heeres. Sie bestand ursprünglich aus Freiwilligen, seit etwa 1943 zunehmend aus Wehrpflichtigen. Angehörige einzelner Einheiten der Waffen-SS waren im Zweiten Weltkrieg an Kriegsverbrechen beteiligt.

Wagner. Der Komponist **Richard Wagner** (* 1813, † 1883) war zunächst Kapellmeister in Würzburg, Magdeburg, Königsberg und Riga. Auf der Flucht vor seinen Gläubigern gelangte er 1839 über England nach Paris, wo er von den kärglichen Einnahmen aus literarischer Tätigkeit leben mußte. 1843 wurde er Hofkapellmeister in Dresden. Die Beteiligung am republikanischen Aufstand 1849 zwang ihn zur Flucht in die

Richard Wagner

Schweiz. Erst 1861 konnte er wieder nach Deutschland zurückkehren. König Ludwig II. von Bayern berief ihn 1864 nach München und überhäufte ihn mit Ehren. Doch schon 1865 mußte Wagner unter dem Druck der öffentlichen Meinung die Stadt verlassen; er übersiedelte nach Tribschen bei Luzern. Nach seiner Vermählung mit Cosima von Bülow-Liszt wurde er 1872 in Bayreuth seßhaft. Hier fanden 1876 die Einweihung des Festspielhauses und die Erstaufführung des ›Ring des Nibelungen‹ statt.

Wagner, einer der bedeutendsten und wirkungsreichsten Musiker seiner Zeit, ist der Schöpfer des ›Musikdramas‹, bei dem die Dichtung das Ursprüngliche ist (die Texte zu seinen Werken schrieb Wagner alle selbst), die geschlossenen Formen der Oper in der ›unendlichen Melodie‹ aufgehen und das Orchester den Hauptanteil am musikalischen Geschehen erhält; kennzeichnend ist dabei unter anderem die Technik des wiederkehrenden musikalischen ›Leitmotivs‹. Das Streben, die Oper im Sinn der dramatischen Wahrheit zu erneuern, ist schon in ›Rienzi‹ (1840) wirksam; ›Der fliegende Holländer‹ (1841), ›Tannhäuser‹ (1845) und ›Lohengrin‹ (1848) bedeuten den Höhepunkt der romantischen Oper; erst die folgenden Werke verwirklichen die Idee eines musikalischen ›Gesamtkunstwerks‹ im Sinn einer Vereinigung aller Künste ganz: ›Der Ring des Nibelungen‹ (Das Rheingold, 1854; Die Walküre, 1856; Siegfried, 1871; Götterdämmerung, 1874), ›Tristan und Isolde‹ (1859), ›Die Meistersinger von Nürnberg‹ (1867) und ›Parsifal‹ (1882). Die Trennung von Rezitativ und Arie wird aufgegeben zugunsten eines der Sprachmelodie folgenden Sprechgesangs; die Grenzen der Harmonie werden erweitert. Wagner schuf auch einige Orchesterwerke und Lieder und verfaßte theoretische Schriften, zum Teil mit antisemitischer Tendenz.

Wahlrecht, zunächst das Recht zu wählen **(aktives Wahlrecht)** und die Befähigung, gewählt zu werden **(passives Wahlrecht),** aber auch die Art und Weise einer Wahl. Es gibt das **allgemeine Wahlrecht,** bei dem alle Staatsbürger, die bestimmte unerläßliche Voraussetzungen erfüllen (z. B. Mindestalter), Stimmrecht besitzen. Im Unterschied dazu hängt beim **beschränkten Wahlrecht** die Stimmberechtigung vom Vermögen oder vom Bildungsstand ab. Das **gleiche Wahlrecht** bewertet alle abgegebenen Stimmen gleich. Bei einem **ungleichen Wahlrecht** werden die Stimmen abgestuft, z. B. nach Besitz oder Alter. Dem **unmittelbaren Wahlrecht** (Wahl eines Kandidaten direkt durch den Wähler) steht das **mittelbare Wahlrecht** (Wahl eines Kandidaten indirekt über ein vom Wähler gewähltes Wahlmännergremium) gegenüber. Die **geheime Stimmabgabe** erfolgt durch Abgabe verdeckter Wahlzettel. Es gibt verschiedene Wahlsysteme, vor allem die Mehrheitswahl und die Verhältniswahl. Bei der **Mehrheitswahl** ist der Kandidat gewählt, der mehr als die Hälfte der abgegebenen Stimmen erhält (absolute Mehrheit) oder der im Vergleich zu den anderen Bewerbern die meisten Stimmen auf sich vereinigt (relative Mehrheit). Die **Verhältniswahl** setzt Kandidatenlisten voraus, die von politischen Gruppierungen (meist Parteien) in einer festgelegten Reihenfolge aufgestellt worden sind; jede politische Gruppe erhält so viele Abgeordnete, wie Stimmen prozentual zur Gesamtstimmenzahl auf ihre Liste abgegeben wurden.

Währung, im weiteren Sinn die gesetzliche Ordnung des Geldwesens eines Landes **(Geldverfassung),** besonders die Festlegung des Münzsystems, die Bestimmung der gesetzlichen Zahlungsmittel und die Festlegung ihres Austauschverhältnisses (→Wechselkurs) gegenüber ausländischen Währungen **(Währungsparität).**

Währung bezeichnet im engeren Sinn die Geldeinheit, das gesetzliche Zahlungsmittel eines Landes, z. B. die Deutsche Mark in der Bundesrepublik Deutschland.

Bei gebundenen Währungen **(Metallwährungen)** entspricht eine Währungseinheit dem Wert einer bestimmten Menge eines Edelmetalls (z. B. Gold, Silber): Bei einer Goldwährung kann das Gold entweder in Form von Goldmünzen als gesetzliches Zahlungsmittel umlaufen, oder es wird bei der Notenbank hinterlegt; diese ist dann zu jeder Zeit zum An- und Verkauf von Gold gegen ihre Banknoten verpflichtet.

Freie Währungen **(Papierwährungen)** verzichten auf diese Einlösungspflicht und die enge Bindung an ein Währungsmetall. Hier reguliert die Notenbank Geldmenge und Zahlungsverkehr **(Währungspolitik).** Sie hat dabei die Aufgabe, die Währung im Inneren des Landes (Vermeidung von →Inflation) sowie im Verhältnis zu den ausländischen Währungen zu festigen. Dies gilt besonders dann, wenn die inländische Währung einem Währungsverbund mit anderen Währungen angehört, z. B. beim Europäischen Währungssystem. Kommt es zu Spannungen in einem solchen Verbund mit festgesetzten Wechselkursen, weil z. B. die Regierungen der beteiligten Länder auseinanderstrebende wirtschaftspolitische Auffassungen haben, ist meist eine →Abwertung oder Aufwertung unvermeidlich.

Metallwährungen in Form von Goldwährun-

Wörter, die man unter W vermißt, suche man unter Ou oder V

gen wurden z. B. im Lauf des 19. Jahrh. von den wichtigsten Welthandelsnationen eingeführt und bestimmten das internationale Währungssystem bis zum Ersten Weltkrieg. Nach dem Zweiten Weltkrieg spielte Gold als Währungsmetall noch eine wesentliche Rolle, bis die Vereinigten Staaten 1971 die Einlösungspflicht des Dollars in Gold aufhoben.

Österreichischer Schilling und Deutsche Mark sind Papierwährungen ohne Deckungsvorschriften für die ausgegebenen Banknoten. Die Schweizerische Nationalbank ist zwar verpflichtet, mindestens 40% der im Umlauf befindlichen Banknoten mit Gold abzudecken, die Einlösungspflicht der Banknoten gegen Gold wurde aber schon 1936 abgeschafft, so daß der Schweizer Franken ebenfalls als Papierwährung angesehen werden kann.

Für die internationale Währungspolitik, die mit den wirtschaftlichen Belangen aller Länder der Erde befaßt ist, wurden unter anderem der **Internationale Währungsfonds (IWF)** und die **Weltbank** errichtet.

Währungsreform. Ist das Geldwesen eines Landes z. B. infolge eines Krieges durch übermäßige Inflation zerstört, so kann der Geldwert durch eine Währungsreform, das heißt eine Neuordnung des Geldwesens, mit der Einführung neuen Geldes im Tausch gegen die alte Währung wieder gefestigt werden. In der jüngeren deutschen Geschichte gab es nach beiden Weltkriegen Währungsreformen. Sowohl die Neuordnung 1923 als auch die Einführung der Deutschen Mark im Tausch gegen die Reichsmark 1948 waren auf die hohen Ausgaben für die Kriegführung und die finanziellen Folgen der Kriege zurückzuführen. Die Geldmenge hatte viel stärker zugenommen als die vorhandene Gütermenge, so daß es zu einer sehr starken Inflation kam. Außerdem war die Verschuldung des Staates so hoch, daß nur noch eine Währungsreform einen Neuanfang bringen konnte.

In den 3 westlichen Zonen, dem Gebiet der späteren Bundesrepublik Deutschland, erhielten 1948 Privatpersonen im Umtausch gegen Altgeld (Reichsmark) ein ›Kopfgeld‹ von 40 Deutschen Mark (DM), zu dem wenig später noch 20 DM hinzukamen. Unternehmen konnten 60 DM je Beschäftigten als Übergangshilfe umtauschen. Den Inhabern von Altgeldguthaben wurde 1 DM für 10 Reichsmark gutgeschrieben. Der gleichzeitige Übergang zu einer → Marktwirtschaft begünstigte die Wirksamkeit der Währungsreform.

Währungsunion, am 2. 7. 1990 geschaffenes gemeinsames Währungsgebiet (gleichzeitig mit Wirtschafts- und Sozialunion) der beiden deutschen Staaten. Die Deutsche Demokratische Republik übernahm die DM; die Mark der DDR wurde pro Person bis 4000,– DM 1:1 umgetauscht (Rentner bis 6000,–; Kinder bis 2000,– DM), so auch Löhne, Gehälter, Renten, Mieten und Pachten; größere Beträge im Verhältnis 2 Mark der DDR: 1 DM.

Walachei, geschichtliche Landschaft in Rumänien, zwischen Südkarpaten und Donau. Der Fluß Olt teilt die Landschaft in die östliche **Große Walachei** (Muntenien) und die westliche **Kleine Walachei** (Oltenien). Die Walachei ist die Kernlandschaft Rumäniens, sowohl Kornkammer wie auch das bedeutendste Industriegebiet (Bukarest, Ploieşti) des Landes.

Im 14. Jahrh. war die Landschaft ein selbständiges Fürstentum, das 1460 unter türkische Oberhoheit fiel. Nach mehreren Kriegen im 18. und 19. Jahrh. stand die Walachei 1829–56 unter russischem Einfluß. Durch die Vereinigung mit dem Fürstentum Moldau (1859) entstand 1862 der Staat → Rumänien.

Wald, Lebensraum nahe beieinander stehender Bäume mit besonderer Tier- und Pflanzenwelt. Die Zusammensetzung und Ausbreitung dieses Lebensraumes wird, abgesehen von der Einflußnahme des Menschen, vor allem durch klimatische Faktoren bestimmt. Zum Lebensraum des Waldes gehören auch Sträucher, Kräuter, Moose, Farne und Flechten mit unterschiedlich tief greifenden Wurzelsystemen.

Als **Urwald** oder **Naturwald** bezeichnet man den von menschlicher Einwirkung unberührten Wald. Er setzt sich aus Bäumen verschiedener Arten zusammen. Durch das Vermodern der abgestorbenen Bäume und Pflanzen werden dem Boden immer wieder Nährstoffe zugeführt.

Der **Kulturwald,** auch **Wirtschaftswald** oder **Forst** genannt, dient wirtschaftlichen Zwecken oder übt Schutzfunktionen aus.

Man unterscheidet bestimmte Waldformationen. Die **Nadelwälder** enthalten vorwiegend immergrüne Nadelhölzer wie Fichten, Kiefern, Tannen sowie Lärchen. Sie sind für Mittel- und Nordeuropa, Sibirien und Nordamerika charakteristisch.

Die sommergrünen **Laubwälder** bestehen vor allem aus Buchen, Eichen, Ahorn, Birken, Eschen, Linden, Ulmen und Walnußbaumarten, auf nassen Standorten auch aus Erlen und Pappeln. Alle diese Bäume wachsen in Gebieten mit warmen Sommern und kalten Wintern.

In den **Mischwäldern** kommen sowohl Arten der sommergrünen Laub- als auch Nadelhölzer

Waldmeister

vor. In Gebieten mit wechselnden Trocken- und Regenperioden treten meist sehr hohe bis mittelhohe tropische und subtropische Wälder auf, die nur während der Regenzeit Laub tragen **(regengrüne Wälder, Monsunwälder). Immergrüne Wälder** sind die **Hartholzwälder** (Akazie, Eukalyptus, Ölbaum) und **Lorbeerwälder** in Gebieten mit warmen und trockenen Sommern und milden, feuchten Wintern (vorwiegend in den Subtropen). In tropischen Gebieten mit ganzjährig heißem, feuchtem Klima wächst der immergrüne tropische **Regenwald,** dessen Baumriesen über 60 m hoch werden können.

Die Bedeutung des Waldes ergibt sich aus seinen vielfältigen Funktionen, zu denen z. B. die Speicherung, Reinigung und Abflußverteilung des Wassers, die Filterung und Verbesserung der Luft sowie Dämpfung von Lärm gehören. Der Wald schützt den Boden vor →Erosion und dämmt im Hochgebirge die Lawinengefahr ein. Er mindert die Klimaschwankungen und die Windgeschwindigkeit. Neben der Holzerzeugung sind vor allem die Gewinnung von Harzen, Gerbstoffen und Kautschuk sowie die Jagd wirtschaftlich von Bedeutung. Ausgedehnte und einseitige wirtschaftliche Nutzung sowie die Zunahme von Umweltgiften in Luft, Wasser und Boden sind vor allem in den letzten Jahrzehnten zu einer ernsthaften Bedrohung der Waldbestände geworden (→Waldsterben).

Waldgrenze, Grenzzone, ab der geschlossene Baumbestände aufhören. In Gebirgen kennzeichnet der Übergang vom Nadelwald in eine buschförmige Vegetation (Krummholz, Knieholz, Latschen) die **montane** oder **alpine Waldgrenze.** Die **polare Waldgrenze** oder **Kälte-Waldgrenze** entsteht, wie auch die alpine, durch starke Winde und vor allem zu geringe Sommerwärme. Sie verläuft ungefähr in dem Bereich, wo die mittlere Juli-Temperatur unter +10 °C liegt. Dann können die Nadelbäume (Fichten, Lärchen) und die mit ihnen vorkommenden anspruchslosen Birken nicht mehr ausreifen. Die Waldgrenze im Süden zur →Steppe hin wird vor allem durch die ungenügende Wasserversorgung bestimmt. Sie liegt dort, wo weniger als 400 mm Niederschlag pro Jahr fallen.

Waldhorn, ein Blasinstrument (→Horn 2).

Waldmeister, eine 10–30 cm hohe Frühlingspflanze des Laubwaldes mit kleinen weißen Blütchen und schmalen Blättern, die in Quirlen am vierkantigen Stengel sitzen. Das Kraut wird zum Würzen von Maibowle verwendet; das im Waldmeister enthaltene Cumarin kann in höheren Dosen giftig wirken.

Waldsterben, neu geprägter Begriff für die in den letzten Jahrzehnten verstärkt auftretenden Waldschäden, die – besonders in den höheren Lagen der Mittelgebirge – zu einem flächenhaften Absterben der Bäume führen. Als Ursachen gelten vor allem die zunehmende Luftverunreinigung und der dadurch auftretende →Saure Regen; beides schädigt zunächst Blätter und Nadeln der Bäume, wodurch →Photosynthese und Gasaustausch beeinträchtigt werden können. Aber auch der Boden, aus dem sich die Pflanzen ernähren, verändert sich nachteilig. Er wird durch den Sauren Regen angesäuert, und dies begünstigt unter anderem die Auswaschung von Nährstoffen wie Natrium, Magnesium und Kalium. Dadurch kommt es bei den Pflanzen zu Nährstoffmangel, der besonders an Nadelverfärbungen deutlich sichtbar ist. Nährstoffmangel und die Folgen der Blattschäden schwächen die Bäume und machen sie anfälliger für Schädlingsbefall, z. B. durch Borkenkäfer. Langanhaltende Trockenperioden begünstigen diese Anfälligkeit zusätzlich. Die zunehmende Schädigung führt zum Abfallen der Blätter und Nadeln, zuerst am Wipfel; später stirbt der Baum ganz ab. Als wirkungsvollste Maßnahme gegen das Waldsterben gilt die Verringerung der Luftverschmutzung, vor allem durch die Rauchgasentschwefelung bei Kraftwerken und die Verwendung von →Katalysatoren in Kraftfahrzeugen. Durch Kalkung der Böden sucht man der Bodenversauerung ent-

Waldsterben: Ursachen und deren Auswirkungen

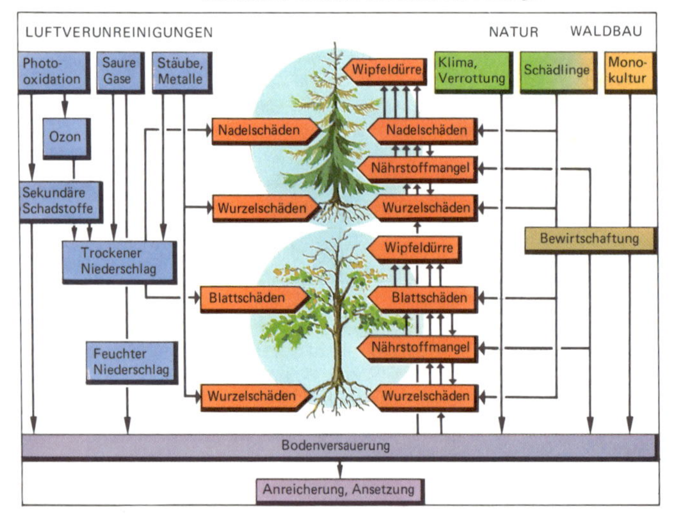

gegenzuwirken. Auch die Düngung der ausgelaugten Böden wird als Gegenmaßnahme angewendet.

Wale, die größten Säugetiere. Der Blauwal, das größte heute lebende Lebewesen, wird über 30 m lang und 130 Tonnen schwer, so schwer wie 25 Elefanten oder 150 Rinder. Sein Junges mißt bei der Geburt bereits 6–7 m. Die Weibchen gebären nur alle 2 Jahre ein Junges. Ihr torpedoförmiger Körper hat zu Flossen umgebildete Vorderbeine, Hinterbeine fehlen. Die im Unterschied zu Fischen waagerechte Schwanzflosse schlägt beim Schwimmen auf und ab. Große Wale erreichen Geschwindigkeiten von 50 km pro Stunde. Als Lungenatmer müssen Wale zum Luftholen immer wieder an die Wasseroberfläche, dennoch tauchen sie ausgezeichnet. Die bis 20 m langen Pottwale hat man in 1 000 m Tiefe beobachtet, wo sie sich über eine Stunde aufhalten können. Im allgemeinen tauchen Wale nur 5–10 Minuten lang und nur bis zu 100 m tief. Beim Auftauchen stoßen sie aus 2 Öffnungen oben am Kopf, die unseren Nasenlöchern entsprechen, eine weithin sichtbare Fontäne aus. Dabei handelt es sich um unzählige Wassertröpfchen, die sich bilden, wenn der in der warmen Atemluft enthaltene Wasserdampf in der kälteren Außenluft abkühlt und kondensiert.

Man unterscheidet **Bartenwale** und **Zahnwale.** Bei den Bartenwalen hängen vom Gaumen ihres zahnlosen Mauls 300–400 biegsame und zerfaserte Hornplatten (die Barten) herab, die bis zu 4 m lang sein können. Mit geöffnetem Maul schwimmen diese Wale durch einen Schwarm Krill (etwa 5 cm lange Krebse), schließen dann das Maul und pressen das Wasser hinaus; dabei filtern die Barten auch andere winzige Meerestierchen (→Plankton) heraus. Zu den Bartenwalen, die meist in den kalten Meeren um die Pole leben, gehören z. B. der **Blauwal,** der 25 m lange **Finnwal,** der auch Fische frißt, der 20 m lange **Grönlandwal** und der 16 m lange **Buckelwal.** Die mit Ausnahme des **Pottwals** meist kleineren Zahnwale fressen größere Meerestiere wie Fische und Robben. Die Zahl ihrer Zähne ist sehr unterschiedlich, so hat der **Narwal** nur 2 Zähne, von denen sich meist der linke beim Männchen zu einem 2–3 m langen Stoßzahn entwickelt, während die →Delphine bis zu 260 kleine Zähne haben. Im allgemeinen gelten Wale als friedlich. Zahnwale bewohnen alle Meere und leben auch in Flüssen. Ein **Belugawal** (auch **Weißwal,** bis 4 m lang) wurde 1983 in der Elbmündung gesichtet.

Früher verwertete man nur die 15–35 cm dicke, vor Kälte schützende Fettschicht (Öle für Seifenindustrie, Margarine) und die elastischen Barten (Miederindustrie). Heute wird auch das Walfleisch verarbeitet, z. B. zu Viehfutter, Fleischextrakt, Fleischkonserven. Ein Blauwal liefert z. B. rund 9 000 l Öl und 250 kg Barten. Wale werden heute vor allem mit Granatharpunen gefangen, die von wendigen, bis zu 40 m langen Fangbooten abgeschossen werden. Diese Boote bilden zusammen mit einem Mutterschiff, auf dem die Wale gleich verarbeitet werden, eine Walfangflotte. Durch den Walfang sind viele Walarten (Grönlandwal, Buckelwal, Blauwal) fast völlig ausgerottet worden, obwohl man seit 1946 die Zahl der Fänge zu begrenzen versucht. Das von der Internationalen Walfangkommission für 1986 geplante Fangverbot wurde erst 1988 wirksam, wird aber nicht von allen Staaten eingehalten.

Wales [wehls], mit England vereintes Fürstentum im südwestlichen Großbritannien. Mit 20 761 km² ist Wales etwa so groß wie das Bundesland Hessen, ist aber mit 2,8 Millionen Einwohnern wesentlich dünner besiedelt. Wales ist eine in die Irische See vorspringende Halbinsel zwischen der Bucht von Liverpool und dem Bristolkanal; es ist vorwiegend Bergland (im Snowdon 1 085 m hoch), das meist von Weiden überzogen wird. Die Rinder- und Schafhaltung ist deshalb von großer Bedeutung. Auf der Basis reicher Steinkohlevorkommen entstanden eine bedeutende Eisen- und Stahlindustrie sowie Buntmetall- und Aluminiumverhüttung.

Die keltischen Stämme der **Waliser** wurden nach der normannischen Eroberung Englands (1066) durch den normannischen Adel zum größten Teil unterworfen. Das Restfürstentum konnte König Edward I. 1282 unter englische Herrschaft bringen; er übertrug den Titel eines ›Prince of Wales‹ auf seinen ältesten Sohn; eine Sitte, die sich bis heute erhalten hat. Erst 1536 wurde Wales dem Königreich England einverleibt.

Walhall, im germanischen Götterglauben die Stätte, wohin Wotan (Odin) die im Kampf gefallenen Krieger berief. Beim Herannahen des Weltendes, der →Götterdämmerung, sollten diese Krieger gemeinsam mit Wotan und den anderen Göttern gegen feindliche Mächte kämpfen.

Walkie-talkie [wohki tohki, aus englisch to walk ›gehen‹ und to talk ›sprechen‹], ein tragbares →Funksprechgerät.

Walküren, in den altnordischen Sagen die Dienerinnen des höchsten Gottes Wotan (Odin), die bei Schlachten eingreifen und die von ihm auserwählten toten Helden nach →Walhall brin-

Wallenstein (Gemälde von Anthonis van Dyck)

gen; dort werden sie von ihnen mit dem Göttertrank Met bewirtet.

Wallach, kastriertes männliches Pferd.

Wallenstein. Der Feldherr **Albrecht von Wallenstein** (* 1583, † 1634) stellte während des →Dreißigjährigen Krieges das von ihm aufgestellte Söldnerheer dem Kaiser zur Verfügung. Er eroberte Norddeutschland. Auch gegen die Schweden kämpfte er erfolgreich und drängte sie nach Norddeutschland zurück. Gegen den Kaiser suchte Wallenstein seine Macht auszubauen. Als er mit Gegnern des Kaisers eigenmächtig über einen Frieden verhandelte, verdächtigte der Kaiser ihn des Hochverrats und befahl, ihn tot oder lebendig zu fangen. Kaiserliche Offiziere ermordeten Wallenstein und seine nächsten Vertrauten 1634 in Eger (Böhmen). Schiller verarbeitete das Schicksal Wallensteins in seinen Werken ›Wallensteins Lager‹, ›Die Piccolomini‹ und ›Wallensteins Tod‹.

Wallis, französisch **Valais.** Der Kanton im Südwesten der Schweiz mit dem Hauptort Sion (deutsch Sitten) ist in seinem Westteil, dem **Unterwallis,** französischsprachig, östlich von Sierre (deutsch Siders), im **Oberwallis,** deutschsprachig. Der größte Teil der Bevölkerung ist katholisch. Das Wallis umfaßt im wesentlichen das Längstal der oberen Rhone (›Rotten‹), das im Westen an den Genfer See stößt. Dieses ist von Gebirgszügen der Alpen umgeben; sie erreichen im Norden (Aletschhorn) und im Süden (Matterhorn, Monte Rosa) Höhen von über 4000 m. Die wichtigsten Erwerbsquellen sind Fremdenverkehr und Landwirtschaft; im Rhonetal herrschen Wein- und Obstbau vor. Dort haben sich auch Aluminium- und andere Industrien angesiedelt. Wichtige Verkehrslinien laufen vom Genfer See durch das Rhonetal zum Simplontunnel nach Italien, von Bern durch den Lötschbergtunnel zum Simplontunnel, vom Rhonetal über den Tunnel am Großen Sankt Bernhard ins Aostatal und vom Rhonetal über den Oberalppaß und durch den Furkatunnel ins Vorderrheintal. – Das Wallis, ursprünglich von den Bischöfen von Sitten beherrscht, bildet erst seit 1814 einen eigenen Kanton.

Wallis
Fläche: 5226 km²
Einwohner: 248300

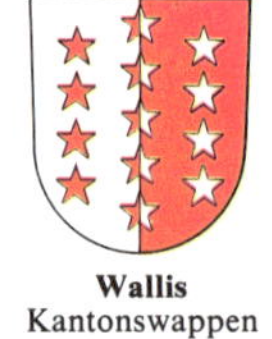

Wallis Kantonswappen

Wallonen, ihrer Abstammung nach romanisierte Kelten mit germanischem Einschlag im südlichen Belgien. Während nördlich der flämisch-französischen Sprachgrenze Flämisch und in östlichen Landesteilen Belgiens Deutsch gesprochen wird, gilt in der **Wallonie** im Süden neben der wallonischen Mundart das Französische als Schriftsprache. (→Flamen)

Walnußbäume gedeihen nur an einem freien, sonnigen Platz in Gegenden mit mildem Klima. Sie werden 10–25 m hoch und nur selten über 200 Jahre alt. Ihr feinstrukturiertes festes Holz ist ein wertvolles Tischler- und Drechslerholz. Die Blüten, die männlichen Kätzchen, sind unscheinbar. Die Frucht ist botanisch keine Nuß, sondern eine Steinfrucht, deren grüne Fruchtschale nach der Reife im September abfällt. In der hellbraunen harten Schale sitzt der runzlige Kern, die eßbare **Walnuß.**

Walroß, ein Wasserraubtier (→Robben).

Walther von der Vogelweide, der ungefähr von 1170 bis 1230 lebte, schrieb in mittelhochdeutscher Sprache Lieder und Sprüche, vertonte sie und trug sie als Sänger an Adelshöfen vor; er gilt als bedeutendster Lyriker der mittelhochdeutschen Dichtung. Walther wurde am Wiener Hof erzogen; ab 1198 führte er ein Wanderleben und stand im Dienst verschiedener Könige und Fürsten. Um 1220 erhielt er von Kaiser Friedrich II. das von ihm ersehnte Lehen, möglicherweise ein Landgut (wohl in der Nähe Würzburgs). Schwerpunkte seines dichterischen Werkes sind seine politische Spruchdichtung und seine Minnelieder. In den politischen Dichtungen sprach sich Walther für die Einheit des Deutschen Reichs unter einem Kaiser aus. Die Politik des Papstes wies er in den 3 ›Papstsprüchen‹ scharf zurück. Seine Minnelieder gehören teilweise zum hohen Minnesang, der die verehrende Liebe eines Mannes zu einer meist höhergestellten Frau gestaltet. Walther schrieb aber auch Lieder, in denen die – nichthöfische – Frau als Partnerin angesprochen und ein wirkliches Liebesverhältnis geschildert wird (›Mädchenlieder‹).

Wandalen, Vandalen, germanisches Volk, das ursprünglich in Schlesien und Westpolen ansässig war. Im Lauf der Völkerwanderung überschritten Wandalen 406 den Rhein und drangen nach Spanien vor, wo sie von den Römern Landzuweisungen zum Siedeln erhielten. Der Wandalenführer **Geiserich** brach 429 mit 80000 Wandalen nach Nordafrika auf und gründete als erster unabhängiger germanischer Herrscher auf römischem Boden ein eigenes Reich mit der alten Stadt Karthago als Mittelpunkt. Von dort aus beherrschten die Wandalen das westliche Mittelmeer. 455 gelang es ihnen, Rom zu erobern. Die Zerstörung von Bauwerken in Rom wurde ihnen fälschlich zugeschrieben (bis heute wird Zerstörungswut als ›Wandalismus‹ bezeichnet). Um 530 wurde das Wandalenreich von einem byzantinischen Heer zerschlagen.

Wandelstern, der →Planet.

Wandmalerei, im Unterschied zur Tafelmalerei jede Art von →Malerei auf Wänden, an Decken und Gewölben. Die Farbe wird auf den noch feuchten Putz (→Freskomalerei) oder auf die trockene Wand (Seccomalerei) aufgetragen.

Wankelmotor, von dem Ingenieur **Felix Wankel** (* 1902, † 1988) entwickelter Verbrennungsmotor, der statt eines Hubkolbens einen Drehkolben besitzt. Er wird deswegen auch als **Dreh-** oder **Kreiskolbenmotor** bezeichnet. Der Drehkolben hat die Form eines Dreiecks mit abgerundeten Flanken. Er rotiert in einem Gehäuse, wodurch sich die zwischen Gehäuse und Kolben entstehenden 3 Kammern je nach Kolbenstellung vergrößern und verkleinern. In diesen Kammern findet der Arbeitsvorgang nach dem Viertaktverfahren statt (→Verbrennungsmotor). Der Wankelmotor braucht keine Pleuelstangen, der Kolben selbst treibt über eine Verzahnung die Motorwelle an. Der Wankelmotor hat gegenüber dem Hubkolbenmotor weniger Bauteile, keine hin- und hergehenden Massen, keine Ventile, geringe Baugröße, geringes Gewicht. Dagegen ist die Kolbenabdichtung schwierig; der Brennraum hat hohe Wärmeverluste, dadurch höheren Kraftstoffverbrauch; im Abgas finden sich mehr unverbrannte Kohlenwasserstoffe.

Der erste Wankelmotor lief 1957 in den NSU-Motorenwerken (Neckarsulm), mit denen Felix Wankel zusammenarbeitete; der erste Kraftwagen mit Wankelmotor ging 1964 in Serie.

Wanzen, käferähnlich aussehende Insekten mit einem saugenden Stechrüssel, der, wenn er nicht gebraucht wird, unter den Körper geklappt ist. Sie saugen vor allem den Saft von Pflanzen, manche auch Tierblut; die heute in Mitteleuropa seltene flügellose **Bettwanze** saugt Blut beim Menschen und bei anderen Warmblütern (z. B. Tauben, Kaninchen). Blutsaugende Wanzen können Krankheiten übertragen. Zu den Landwanzen gehören auch die →Wasserläufer und die **Feuerwanzen,** die man oft in großer Zahl unter alten Bäumen findet, sowie die **Schildwanzen.** Unter Wasser lebende Wanzen sind die **Rückenschwimmer,** die auf dem Rücken schwimmen, und die **Wasserskorpione,** die nach ihrem langen ›Stachel‹ am Hinterleib benannt sind. Dabei handelt es sich um ein dünnes Atemrohr, das die Tiere von Zeit zu Zeit aus dem Wasser stecken. (BILDER Seite 350)

Waräger, aus dem Russischen stammende Bezeichnung für →Normannen.

Warane, eine Familie meist großer →Echsen mit sehr langem Schwanz. Sie kommen von Nordafrika über Südasien und Polynesien bis nach Australien vor. Der bis 2 m lange **Nilwaran** lebt viel im Wasser, kann gut schwimmen und frißt mit Vorliebe Krokodileier. Der nur auf der indonesischen Insel Komodo vorkommende, seltene **Komodowaran** wird über 3 m lang und überwältigt sogar Hirsche und Wildschweine; er erschlägt sie mit dem kräftigen Schwanz. Ähnlich wie Schlangen schlucken Warane große, unzerkaute Nahrungsbrocken hinunter; sie ›riechen‹, das heißt, sie nehmen Duftstoffe mit der Zunge auf. Die Weibchen legen ihre Eier in Sandgruben, der Nilwaran auch in Termitenbauten. Warane werden gern in Terrarien gehalten. (BILDER Seite 350)

Warmblüter, Tierarten, deren Körpertemperatur im Unterschied zu den →Wechselwarmen von der Außentemperatur unabhängig und ziemlich gleichbleibend ist (meist 30 °C–40 °C). Hierzu gehören die Vögel und alle Säugetiere. Ihr Körper besitzt die Fähigkeit, die Körpertemperatur zu regulieren. Bei sinkender Umwelttemperatur wird durch Steigerung des Stoffwechsels mehr Wärme produziert; dabei wächst der Nahrungsbedarf. Bei steigender Außentemperatur können Warmblüter Wärme abgeben. Einen wesentlichen Wärmeschutz bieten Haarkleid, Gefieder und Unterhautfettgewebe. Diejenigen Säugetiere, die einen →Winterschlaf halten, können ihre Körpertemperatur im Winter absenken und so den Nahrungsbedarf reduzieren.

Wärme, allgemein eine Sinnesempfindung, die durch physikalische Reize hervorgerufen wird; in der Physik die diese Sinnesempfindung auslösende spezielle Energieform (**Wärmeenergie, thermische Energie,** →Energie), die als Bewegungsenergie der ungeordneten Bewegung

Wankelmotor

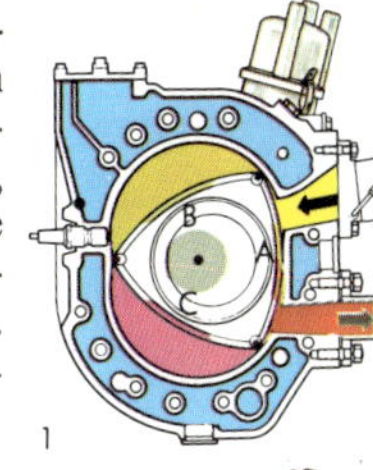

1

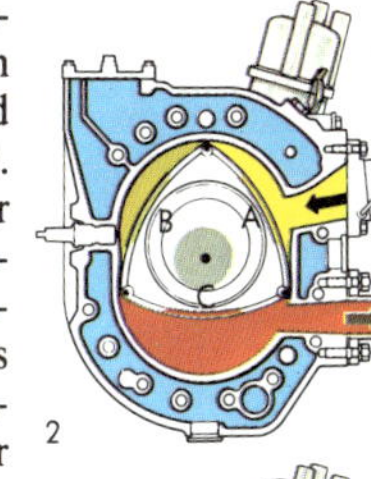

2

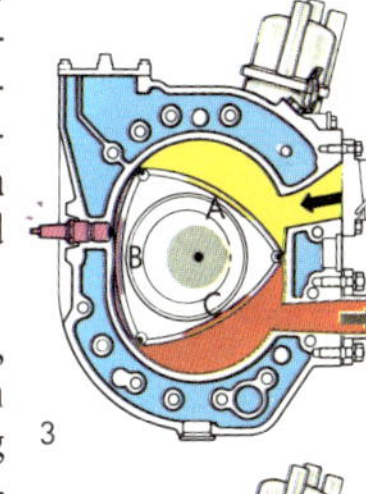

3

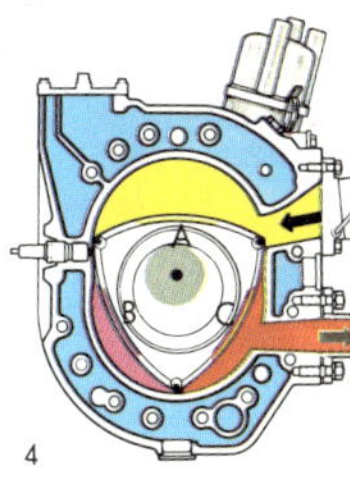

4

Wankelmotor: die 4 Arbeitstakte: **1** Über der Kolbenflanke A (Kammer A) sind die verbrannten Gase ausgeschoben, der Ansaugtakt beginnt. Kammer B ist mit Frischgas gefüllt und komprimiert. In C dehnen sich die verbrennenden Gase arbeitleistend aus. **2** Kammer A saugt weiter an. Kammer B verdichtet. In Kammer C hat die Dichtleiste die Auslaßsteueröffnung freigegeben, und die verbrannten Gase strömen aus. **3** Kammer A saugt noch immer an. In Kammer B wird die komprimierte Ladung gezündet. Kammer C schiebt weiter aus. **4** In Kammer A setzt der Kompressionstakt ein, sobald die Dichtleiste die Einlaßöffnung geschlossen hat. In Kammer B expandieren die verbrennenden Gase und treiben über den Kolben die Exzenterwelle an. Kammer C schiebt weiter aus. – Das nächste Bild entspräche wieder Figur 1

Ansaugen
Verdichten
Expansion
Ausschieben

Wanzen: LINKS Schildwanze mit Larven, RECHTS Rückenschwimmer

(Wärmebewegung) aufgefaßt wird, in der sich die atomaren Bausteine der Körper befinden.

Wärmekraftmaschinen, Bezeichnung für Maschinen, bei denen durch Verbrennung gewonnene Wärmeenergie in mechanische Energie umgesetzt wird. Bei **Wärmekraftmaschinen mit innerer Verbrennung** wird ein Luft-Kraftstoff-Gemisch im Arbeitszylinder von →Verbrennungsmotoren oder in der Brennkammer von →Gasturbinen verbrannt. Bei **Wärmekraftmaschinen mit äußerer Verbrennung** wird die Wärme außerhalb der Kraftmaschine erzeugt und ihr dann zugeführt, wie bei der →Dampfmaschine und der Dampfturbine (→Turbine).

Wärmestrahlung, die →Infrarotstrahlung.

Warmfront, Wetterkunde: →Front.

Warmzeit. Zwischen den 4 in Europa und Nordamerika nachgewiesenen →Eiszeiten herrschte über längere Zeitabschnitte hinweg ein deutlich wärmeres, etwa unserem heutigen vergleichbares Klima. Nachgewiesen wurden diese Zwischeneiszeiten durch Überreste wärmeliebender Pflanzen- und Tierarten (Fossilien), die sich in bestimmten Erdschichten und Sedimenten fanden und so auch zeitlich einordnen lassen.

Warane: LINKS Komodowaran, RECHTS Bindenwaran

Warschau, 1,65 Millionen Einwohner, Hauptstadt von Polen, an der Weichsel. Warschau ist der kulturelle und wirtschaftliche Mittelpunkt des Landes. Die Stadt war seit 1596 für rund 200 Jahre Residenz der polnischen Könige und erlebte im Barockzeitalter eine Blütezeit. In der Innenstadt liegen der Schloßplatz mit der Barocksäule des polnischen Königs Sigismund III. und dem Königsschloß, der Alte Markt mit alten Patrizierhäusern und der Neue Markt. Das Schloß Wilanów (17. Jahrh.) im Süden Warschaus ist eine der schönsten Barockanlagen des Landes. Viele Bauten der im Zweiten Weltkrieg weitgehend zerstörten Stadt wurden nach 1945 historisch getreu wiederaufgebaut.

Warschauer Pakt, 1955–1991 bestehendes Militärbündnis, das unter der Führung der Sowjetunion die kommunistischen Staaten Bulgarien, Rumänien, Ungarn, Polen, die Tschechoslowakei und (seit 1956) die Deutsche Demokratische Republik umfaßte. Das Gründungsmitglied Albanien war 1968 ausgeschieden. Grundlage des Bündnisses war der ›Warschauer Vertrag über Freundschaft, Zusammenarbeit und gegenseitigen Beistand‹ vom 14. Mai 1955, der 1985 um weitere 20 Jahre verlängert worden ist. Die Vertragspartner verpflichteten sich, einem militärisch angegriffenen Bündnismitglied beizustehen. An der Spitze des Oberkommandos mit Sitz in Moskau stand ein sowjetischer Oberbefehlshaber, dem im Kriegsfall die nationalen Streitkräfte aller Bündnismitglieder unterstanden. Nach den politischen Umwälzungen in Europa beschlossen die Mitgliedsländer die Auflösung des Paktes.

Wartburg. Südwestlich von Eisenach liegt im Thüringer Wald die Wartburg, im Mittelalter Sitz der Landgrafen von Thüringen. Hier lebte und wirkte 1212–27 die heilige Elisabeth von Thüringen. Später gehörte die Burg den Kurfürsten von Sachsen. 1521/22 lebte Martin Luther auf der Wartburg, der hier das Neue Testament ins Deutsche übersetzte.

1817 versammelten sich rund 500 Abgeordnete von 12 deutschen Universitäten zum **Wartburgfest.** Sie gedachten des Reformationsjahres 1517 und der Völkerschlacht bei Leipzig 1813 und forderten die staatliche Einigung Deutschlands.

Wạrthe, mit 808 km Länge der längste Nebenfluß der Oder. Die auf 407 km schiffbare Warthe entspringt in Polen, südlich von Tschenstochau, durchfließt in 2 großen Bogen Polen und mündet bei Küstrin in die Oder. Die Warthe ist über den Nebenfluß Netze und einen Kanal mit der Weichsel verbunden. Zwischen Landsberg und Küstrin befindet sich das nach den Plänen Friedrichs des Großen trockengelegte Warthebruch.

Wạschbären, in Amerika heimische Kleinbären (→Bären).

Washington [wọschingten], 640000 Einwohner, davon über 70% Schwarze, mit Vororten 3,06 Millionen Einwohner, Bundeshauptstadt der USA, die zugleich den Bundesdistrikt **D**istrict of **C**olumbia (D. C.) bildet. Washington liegt im Osten der USA, landeinwärts vom Atlantischen Ozean am Potomac River. Es ist Sitz des Präsidenten der USA **(Weißes Haus)** und des Verteidigungsministeriums **(Pentagon).** Mittelpunkt der Stadt ist das **Kapitol,** in dem der Kongreß tagt. Washington hat bedeutende Hochschulen, Museen und Bibliotheken; die Kongreßbibliothek gehört zu den umfangreichsten Bibliotheken der Erde; zahlreiche Gedenkstätten erinnern an frühere Präsidenten der USA, z. B. der Obelisk des Washington Monument an George Washington, den ersten Präsidenten der USA. – Washington wurde seit 1792 angelegt und ist seit 1800 Sitz der Bundesregierung.

Washington [wọschingten]. Der General und Politiker **George Washington** (* 1732, † 1799) war 1789–97 der erste Präsident der USA. Als Tabakpflanzer hatte er es zu großem Landbesitz gebracht. 1759 wurde er Mitglied der gesetzgebenden Versammlung von Virginia. Schon früh trat er für die Unabhängigkeit der amerikanischen Kolonien vom britischen Mutterland ein. 1775 bis 1783 war er Oberbefehlshaber der amerikanischen Revolutionstruppen, die er mit Hilfe europäischer Offiziere zu einer schlagkräftigen Armee ausbaute. Mit französischer Hilfe konnte er die britischen Truppen schließlich zur Kapitulation zwingen. Seit 1787 war er Präsident des Verfassungskonvents, der ihn 1789 einstimmig zum Präsidenten der USA wählte.

Wạsser ist in reinem Zustand eine chemisch neutrale, geruchlose und geschmackfreie Flüssigkeit, die aus Wasserstoff und Sauerstoff (H_2O) besteht. Sie hat bei 4 °C ihre größte Dichte, erstarrt bei 0 °C und siedet bei 100 °C. Größere Wassermengen erscheinen durch die diffuse Zerstreuung des kurzwelligen (blauen) Lichtanteiles an feinsten, organischen und mineralischen Beimengungen bläulich, während kleinere Wassermengen farblos sind. Auf Grund seiner gut lösenden Eigenschaften sind im Wasser Salze und andere Stoffe enthalten, die seinen Geschmack und seine Qualität bestimmen.

Wichtig ist vor allem sein Gehalt an Kalk ($CaCo_3$) und Gips ($CaSo_4$), der seine Härte ausmacht. Zu dessen Kennzeichnung wurde der Begriff des **Härtegrades** und als Meßzahl **Grad Deutsche Härte (°d)** eingeführt. 1 °d entspricht im Liter 10,00 mg CaO (Calciumoxid) oder 7,19 mg MgO (Magnesiumoxid). Danach unterscheidet man 0–4 °d sehr weiches, 4–8 °d weiches, 8–12 °d mittelhartes, 12–18 °d ziemlich hartes, 18–30 °d hartes und über 30 °d sehr hartes Wasser. Mehr als 50 °d machen das Wasser zum Trinken ungeeignet. Hartes Wasser, das beim Kochen Kesselstein bildet, tritt in Kalk- und Gipsgebieten auf, z. B. im Bereich des Muschelkalks. Würzburg weist einen durchschnittlichen Wert von 37 °d auf. Weiches Wasser findet sich in Gegenden mit Sandsteinen sowie mit Granit- oder Gneisuntergrund. Das Trinkwasser von Goslar hat 3,4 °d, das von Passau 2,8 °d.

George Washington

Wasser bedeckt rund 71% der Erdoberfläche und kommt in flüssigem Zustand im Meer sowie in fließenden und stehenden Gewässern, in Sümpfen, unter der Erde als **Grundwasser** und schließlich in fester Form als Schnee und Eis vor. Seine Gesamtmenge wird auf 1,5 Milliarden km^3 geschätzt, wovon allerdings nur etwa 0,32 km^3 auf **Süßwasser** entfallen. Im Unterschied zu diesem geschmackfreien Wasser enthält das **Meerwasser** etwa 3,3–3,75% gelöste Stoffe. In der Atmosphäre tritt es gasförmig als Wasserdampf auf, der als Wolken oder Nebel sichtbar wird und als Regen, Schnee, Graupel oder Hagel sowie als Tau oder Reif auf die Erde fällt (Niederschlag). Somit unterliegt das Wasser einem ständigen Kreislauf: Es verdunstet über den Gewässern des Festlandes und vor allem über den Meeresflächen, kühlt sich in der Atmosphäre ab, kondensiert und fällt als Niederschlag. Auf den Kontinenten gelangt das Wasser über die Ausatmung (Transpiration) der Pflanzen erneut in die Atmosphäre. Ein Teil sickert in das Grundwasser, das in Quellen wieder zutagetritt und zusammen mit dem Oberflächenwasser dem Meer zuströmt.

Zur **Trinkwasserversorgung** ist nur Süßwasser geeignet, das für alle Organismen unentbehrlich ist, da es als Lösungs-, Transport- und Quellungsmittel die zahlreichen Reaktionen der Zellen ermöglicht. Der Körper des erwachsenen Menschen besteht aus 60–70% Wasser. Der tägliche

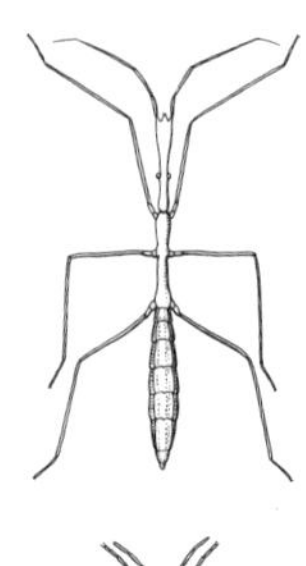

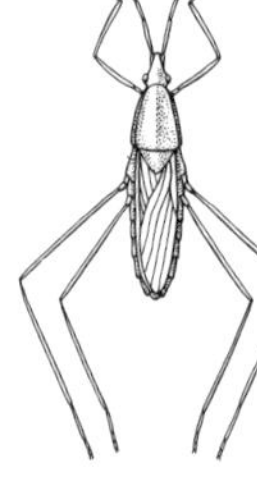

Wasserläufer:
OBEN Teichläufer,
UNTEN Wasserschneider

Wasserumsatz beläuft sich auf etwa 2,5 l, wobei ein Teil als Trinkflüssigkeit, ein anderer als Bestandteil der Nahrungsmittel aufgenommen wird. Als Harn, Schweiß und durch die Atemluft wird der größte Teil wieder ausgeschieden. Der Gesamtwasserverbrauch je Einwohner und Tag wird in der Bundesrepublik Deutschland mit mehr als 200 l angesetzt.

Die **Wassernutzung** durch den Menschen vollzieht sich in einem Kreislauf: Das aus Gewässern und dem Grundwasser kommende Wasser wird zu Trinkwasser aufbereitet. Nach seiner Nutzung (Essen, Trinken, Spülen, gewerblicher und industrieller Verbrauch) gelangt es als Abwasser über Kläranlagen wieder in die Gewässer. Die wichtigsten Stationen dieses Kreislaufs sind der Gewässerschutz, die Wasseraufbereitung und -versorgung sowie die Reinigung des Abwassers in →Kläranlagen.

Wasseramseln, eine Familie der Singvögel. Von den zahlreichen Arten kleiner Vögel sind die Wasseramseln die einzigen, die sowohl im Wasser als auch auf dem Land zu Hause sind. Sie leben in gebirgigen Landschaften an schnell fließenden Bächen und Flüssen. Durch die Strömung läßt sich die Wasseramsel auf den Gewässergrund drücken, um dort nach Nahrung zu suchen (Insekten, kleinen Krebsen und Fischen). Dabei legt sie schreitend etwa 20 m in bis zu 1,5 m Tiefe zurück und bleibt bis zu 30 Sekunden unter Wasser. Ihr Moornest bauen Wasseramseln unter Brücken und an Uferböschungen.

Wasserball, Wasserpolo, Ballspiel für Damen und Herren im Wasser mit Torwertung. Zu einer Mannschaft gehören 13 Spieler, darunter 2 Torhüter. 7 Spieler befinden sich jeweils im Wasser. Das Spielfeld mißt 30 × 20 m. Das Tor ist 3 m breit und 90 cm hoch. Gespielt wird mit einem 400–450 g schweren Hohlball. Zur Unterscheidung tragen die beiden Mannschaften farblich verschiedene Kappen in Weiß und Blau, die Torhüter in Rot. Jeder Spieler ist durch eine Nummer auf der Kappe gekennzeichnet. Zum Schutz gegen Trommelfellverletzungen dürfen Ohrenschützer aus Kunststoff getragen werden. Die Spieldauer beträgt viermal 7 Minuten reine Spielzeit. Ein Torerfolg kann mit jedem beliebigen Körperteil erzielt werden. Der Spieler darf den Ball nicht mit geschlossener Faust oder mit beiden Händen schlagen. Spielen heißt den Ball mit der Innenseite der Hand handhaben. – Seit 1900 ist Wasserball olympische Disziplin für Herren.

Wasserflöhe, winzige →Krebse, deren 0,6–14 mm langer Körper bis auf den Kopf von einer durchsichtigen, am Bauch offenen Schale bedeckt ist. Unter der Lupe kann man sogar das Herz schlagen sehen. Wasserflöhe leben in großen Mengen in Tümpeln, Seen und Teichen. Sie ernähren sich von Algen und Bakterien und sind selbst eine wichtige Nahrungsquelle für junge Fische und Futter für Aquarienfische. Sie bewegen sich wie Flöhe ›hüpfend‹ fort. Dabei schlagen sie mit ihren Fühlern, die Schwimmborsten haben, wie mit einem Ruder.

Wasserhose, eine große →Trombe.

Wasserkraftwerk, ein →Kraftwerk.

Wasserläufer, Wanzen, die auf dem Wasser laufen können. Dabei stoßen sie sich mit den mittleren Beinen ab und steuern mit den Hinterbeinen. Mit einem Ruck können sie über 60 cm vorwärtsschießen. Nur 0,5–2 cm lang, sind sie so leicht, daß sie durch die Oberflächenspannung des Wassers getragen werden. Zahlreiche eingefettete Härchen an Füßen und Unterleib verhindern, daß der Körper naß wird.

Wasserpflanzen wachsen an Seen und Teichen in gürtelartiger Anordnung. An die feuchte Uferwiese (z. B. mit Riedgräsern) schließt sich das Röhricht an, dessen Pflanzen zumindest mit der Wurzel immer im Wasser stehen. Schwertlilien, Rohrkolben und vor allem Schilfgras bilden hier einen dichten Stengelwald, in dem viele Insekten leben (Käfer, Libellen, Fliegen). Rohrdommel, Rohrsänger und andere Vögel bauen dort ihr Nest. Frösche und Fische verbergen sich im Pflanzengewirr. Zur Wasserseite hin folgt eine grüne Pflanzendecke aus Schwimmpflanzen. Manche, z. B. Froschbiß, Krebsschere und Entengrütze, schweben frei im Wasser; mit ihren Würzelchen halten sie nur das Gleichgewicht. Andere, wie die Seerosen, verankern ihre Wurzeln noch in über 2 m Tiefe. Die Spaltöffnungen der →Blätter, die auf der Wasseroberfläche liegen, sitzen – anders als bei Landpflanzen – auf der Oberseite. Durch Luftkanäle erhalten Blätter und Stengel mehr Auftrieb. Weiter zur Gewässermitte folgen die Unterwasserpflanzen, die im Boden wurzeln, deren Sprosse aber im Wasser fluten. Bei einigen ragen die Blüten über die Wasserfläche. Als Anpassung an diese Lebensweise sind ihre Blätter bandartig schmal oder federartig zerschlitzt. Die Blatthaut ist sehr dünn, um Nährstoffe aus dem Wasser aufnehmen zu können. Nimmt man diese zarten Pflanzen, z. B. Tausendblatt und Wasserpest, aus dem Wasser, hängen sie schlaff herab; ihnen fehlen die Stützorgane der Landpflanzen. In diesem Bereich und in noch größeren Tiefen wachsen viele →Algen.

Wörter, die man unter W vermißt, suche man unter Ou oder V

Wasserscheide, Trennungslinie der Einzugsgebiete von 2 Flußsystemen; das Einzugsgebiet umfaßt jeweils die von einem Fluß mit seinen Nebenflüssen entwässerte Region. Meist verläuft die Wasserscheide über den Kamm eines Höhenzugs **(Kammwasserscheide),** sie kann aber auch in Ebenen und Tälern liegen **(Talwasserscheide). Hauptwasserscheiden** trennen die Einzugsgebiete der zu verschiedenen Meeren fließenden Gewässer (z. B. Rhein/Rhône/Donau).

Wasserskilaufen [-schi-], eine Wassersportart, bei der die Sportler auf einem oder 2 Ski über die Wasseroberfläche gleiten. Wasserskilaufen hat sich aus dem Brandungsgleiten auf einem Brett entwickelt.

Das Skipaar besteht aus 2 Brettern mit gebogenen Spitzen und einem stabilisierenden Kiel am Ende. Eines der Bretter kann einzeln als **Monoski** benutzt werden. Ein normaler Wasserski ist 1,60–1,80 m lang und besitzt zur besseren Führung an der Unterseite eine 7 cm breite und 1,5 cm tiefe Hohlkehle. Der Läufer steht in pantoffelförmigen Bindungen aus Gummi. Für das sportliche Wasserskilaufen werden der **Trick-** oder **Figurenski** ohne Flossen (als Paar oder einzeln) benutzt, ferner der **Sprungski** (für Sprungwettbewerbe) und für Wasserski-Racing (Rennen) der über 2 m lange, sehr flache **Rennski.** Daneben gibt es Wettbewerbe im Barfußlaufen (ohne Wasserski). Gezogen werden die Läufer von Motorbooten oder Wasserski-Seilbahnanlagen.

Wasserspringen, eine Wassersportart, bei der von Brettern oder Plattformen ins Wasser gesprungen wird, wobei festgelegte Sprungfiguren gezeigt werden. Beim Wasserspringen unterscheidet man das Kunst- und das Turmspringen. Beim **Kunstspringen** wird von federnden Brettern gesprungen, vom Ein- oder Drei-Meter-Brett. Das **Turmspringen** wird immer von einer starren Plattform aus und einer Höhe von 10 m (auch 5 und 7½ m) ausgeführt. Kunst- und Turmspringen werden von Damen und Herren ausgeübt.

Die Wassertiefe in einem Sprungbecken muß bei einer Anlage mit einer Absprungstelle in 10 m Höhe mindestens 4,50 m betragen, beim Ein-Meter-Brett als der niedrigsten Stufe 3,40 m. Gewertet wird die Ausführung des Sprungs sowie die Eintauchphase. In der Punktwertung wird auch der Schwierigkeitsgrad des Sprungs berücksichtigt. – Wasserspringen ist seit 1904 olympische Disziplin für Herren, seit 1912 für Damen.

Wasserstoff, Zeichen **H** [von lateinisch **h**ydrogenium], ein →chemisches Element (ÜBERSICHT), früher ›brennbare Luft‹ genannt. Man findet es auf der Erde vor allem in Form seiner häufigsten Verbindung, dem Wasser; leitet man durch dieses elektrischen Strom, entsteht Wasserstoff, ein farb-, geruch- und geschmackloses Gas. Als Element spielt es nur in den obersten Schichten der Lufthülle der Erde eine Rolle.

Wasserstoff ist jedoch im Weltraum, auf der Sonne und anderen Sternen überall anzutreffen. Es wird heute angenommen, daß sich die Atome aller Elemente, ähnlich den Kernverschmelzungsvorgängen auf der Sonne, aus den Atomen des Wasserstoffs gebildet haben, diese somit die Bausteine des Weltalls darstellen. Als kleinste und leichteste aller Atome können sie sich in jedem beliebigen Raum schnell ausbreiten.

Solche Kernverschmelzungsvorgänge können auch künstlich erzeugt werden. So liefert z. B. die Fusion der Kerne der beiden Wasserstoffisotope Deuterium (›Schwerer Wasserstoff‹) und Tritium die Energie der **Wasserstoffbombe** (→Kernwaffen).

Bei Arbeiten mit Wasserstoff ist streng darauf zu achten, daß keine Mischung mit Luft oder reinem Sauerstoff entsteht, da dieses Knallgas genannte Gemisch hochexplosiv ist. Erst wenn in einer Versuchsapparatur die Abwesenheit von Sauerstoff überprüft wurde, kann der Wasserstoff entzündet werden, der dann ruhig abbrennt.

Die praktischen Verwendungsmöglichkeiten des Wasserstoffs sind vielfältig. Die Geschichte der Luftfahrt mit Fesselballons und Luftschiffen wäre ohne Wasserstoff als Füllgas undenkbar gewesen. Allerdings war – etwa bei Gewittern – stets auf die bestehende Explosionsgefahr zu achten. Ballons zur Untersuchung und Erforschung der oberen Luftschichten werden auch jetzt noch mit Wasserstoff gefüllt.

Wasserstoff ist heute vor allem wichtig zur Synthese organischer Stoffe wie Ammoniak, Benzin, Methanol, Aldehyden sowie zur Darstellung von Blau- und Salzsäure; es wird zum Schweißen und Schneiden, zur Härtung von Öl zu Fett, als Heizgas und verflüssigt als Raketentreibstoff verwendet. Außerdem wird dem Wasserstoff im Zusammenhang mit dem Umweltschutz große Bedeutung als Energieträger der Zukunft vorhergesagt. Da die Vorräte an Wasser auf der Erde nahezu unerschöpflich sind, könnten theoretisch viele Probleme der Energieversorgung mit Wasserstoff gelöst werden, wenn die elektrolytische Wasserzersetzung wirtschaftlich realisierbar wäre.

Wasserstraßen, Transportwege, auf denen Schiffe Massengüter, z. B. Kohle, Erze, Getreide, Öl, Benzin, transportieren. Flüsse, Seen und

James Watt

→Kanäle werden als **Binnenwasserstraßen** genutzt, die Meere als **Seestraßen.**

Wasserturbine, →Turbine.

Wasseruhr, eine der ältesten Zeitmeßvorrichtungen, die schon von den Ägyptern im 2. Jahrtausend v. Chr. verwendet wurde. Die Wasseruhr besteht aus 2 übereinanderstehenden Behältern. Zur Zeitmessung füllt man den oberen Behälter mit Wasser, das durch eine kleine Öffnung in den unteren Behälter tropft. Der steigende Wasserspiegel im unteren Behälter zeigt die vergehende Zeit an. Als Wasseruhr wird in der Umgangssprache unrichtig oft der Wasserzähler (→Zähler) bezeichnet.

Wasserversorgung, →Wasser.

Wasserwaage, Gerät zum Prüfen der senkrechten und waagrechten Richtung, z. B. an einem Mauerwerk. In ein Holz oder einen Metallstab sind 2 Schaugläser eingebaut, die bis auf eine kleine Gasblase mit Alkohol oder Äther gefüllt sind. Das eine Schauglas dient zur Ermittlung der Senkrechten, das andere zur Ermittlung der Waagerechten. Bei senkrechter oder waagrechter Lage der Wasserwaage steht die Luftblase in der Mitte des Schauglases.

Waterloo, Ort südlich von Brüssel in Belgien. Hier wurde Napoleon I. nach seiner Rückkehr aus der Verbannung auf der Insel Elba am 8. Juni 1815 von den Briten unter Wellington und den Preußen unter Blücher und Gneisenau geschlagen. Napoleon floh und dankte endgültig ab.

Carl Maria von Weber

Watt, an flachen Gezeitenküsten der seichte Teil des Meeresbodens, der bei Ebbe ganz oder teilweise trocken liegt, bei Flut aber vom **Wattenmeer** überspült wird. Besonders der bis 30 km seichte Saum der niederländisch-deutschen Nordseeküste wird als Watt bezeichnet. Es wird von vielverzweigten Prielen, den Zu- und Abflußrinnen der Gezeitenströme, durchzogen. Von den Gezeiten wird das Watt ständig verändert. Die Flut führt Schlick heran und lagert ihn ab, der Ebbestrom trägt ihn zum Teil wieder ab. Der graue bis bläulichschwarze **Wattboden** ist Lebensraum einer Vielzahl von Organismen; davon nähren sich Würmer, Muscheln, Schnecken, Krebse, Fische, von diesen wiederum See- und Strandvögel. In seinen höchsten Teilen entsteht aus dem Watt fruchtbarer Marschboden.

Watt [nach James →Watt], Einheitenzeichen **W,** SI-Einheit der →Leistung, 1 W = 1 J/s (Joule durch Sekunde) = 1 N · m/s (Newton mal Meter durch Sekunde).

Watt [wot]. Der Schotte **James Watt** (* 1736, † 1819), der Erfinder der →Dampfmaschine, erlernte zunächst das Feinmechanikerhandwerk und beschäftigte sich seit 1759 mit dem Problem der Dampfmaschine. 1765 baute er die erste Dampfmaschine, deren Zylinder vom Kondensator getrennt war, und erfand um 1788 den Fliehkraftregler zur Drehzahlregelung. Außerdem führte Watt die Einheit der Pferdestärke (PS) ein. Später nannte man ihm zu Ehren die Einheit der Leistung →Watt (W).

Watteau [watto̩h]. Der französische Maler **Antoine Watteau** (* 1684, † 1721) hat in seinem kurzen, von Schwermut und Krankheit überschatteten Leben eine Fülle von Bildern geschaffen, die in heiterer Verklärung Szenen aus dem Leben der höfisch-galanten Gesellschaft vorführen (›galante Feste‹), meist in durchsonnten Parklandschaften; ferner malte er Figuren der italienischen Komödie, Motive aus dem Soldatenleben und einige hervorragende Porträts. Er gilt als Hauptvertreter der ›Régence‹, der Stilphase der französischen Kunst zur Zeit der Regentschaft Philipps von Orléans (1715–23), die das französische Rokoko einleitete. Schon seine frühen Bilder zeigen seine Eigenart: die elegante Leichtigkeit der Figuren und die bei aller Leuchtkraft zart bleibende Farbigkeit. In seiner Reifezeit verschmelzen die blühenden Farben zu einem schimmernden Gesamtton, in dessen duftiger Atmosphäre die Personen schwerelos wirken.

Watzmann, Bergstock in den Berchtesgadener Alpen (Bayern); in der Mittelspitze **(Großer Watzmann)** erreicht er 2713 m, in der Südspitze 2712 m. Von der Mittelspitze zieht sich eine Reihe von Felsspitzen **(Watzmannkinder)** bis zum 2307 m hohen **Kleinen Watzmann.** Die steile Ostwand des Watzmann fällt fast 2000 m bis zum Königssee ab.

Weber. Der herausragende Opernkomponist der deutschen Frühromantik, **Carl Maria von Weber** (* 1786, † 1826), wurde 1813 Opernleiter in Prag und 1817 Direktor der deutschen Oper in Dresden. Er trat auch als Pianist hervor. Weber schuf die deutsche romantische Oper, die dem erwachenden deutschen Nationalbewußtsein vor dem Hintergrund der Freiheitskriege künstlerischen Ausdruck gab. Der ›Freischütz‹ (1821) wurde als Nationaloper aufgenommen. Bekannt wurden auch die Opern ›Euryanthe‹ (1823) und ›Oberon‹ (1826).

Weberknechte, Kanker, Schneider, mit den →Spinnen verwandte Tiere, die sich von diesen vor allem durch ihre sehr langen und dünnen Beine unterscheiden, mit denen sie schnell laufen können. Die Beine brechen leicht ab und wachsen nicht nach. Weberknechte haben keine Spinndrüsen. Sie halten sich an Baumstämmen und Mauern auf und leben von Pflanzen und von – meist toten – Insekten. Mit Hilfe einer ausstülpbaren Legeröhre legt das Weibchen seine Eier ab.

Webervögel, Familie kleiner, ursprünglich besonders in Afrika verbreiteter Singvögel, die oft kunstvolle Nester ›weben‹ und flechten. Sie haben runde Flügel und einen kegelförmigen Schnabel. Die in wärmeren Gebieten lebenden Webervögel haben meist ein buntes Gefieder und werden bei uns häufig als Stubenvögel gehalten **(Prachtfinken).** Webervögel sind auch die →Sperlinge.

Wechselkurs, der Preis oder das Tauschverhältnis der Währung eines Landes, ausgedrückt in der Währung eines anderen Landes. Will man z. B. vor einer Reise in ein fremdes Land ausländische Banknoten kaufen, um dort bezahlen zu können, so errechnet sich der Kaufpreis der fremden Währung aus dem Wechselkurs zwischen Inlands- und Auslandswährung (Zahlenbeispiel →Abwertung). – Es gibt **freie (flexible) Wechselkurse,** die sich durch Angebot und Nachfrage nach Währungen am Markt ergeben, und **feste (fixe) Wechselkurse,** die vom Staat oder der Notenbank festgesetzt werden (→Kurs).

Wechselstrom, elektrischer Strom, der im Gegensatz zum →Gleichstrom seine Richtung und seine Stärke periodisch ändert. Die Zeit eines Wechsels, nach dem der Strom wieder den gleichen Wert und die gleiche Richtung hat, heißt **Periode,** die Anzahl der Perioden je Sekunde **Frequenz.** Die Einheit der Frequenz ist das Hertz (Hz). In der Bundesrepublik Deutschland hat der zur elektrischen Energieversorgung verwendete Strom eine Frequenz von 50 Hz, das heißt, der Strom aus der Steckdose wechselt seine Richtung 100 mal in der Sekunde. Sind 3 Wechselströme gleicher Frequenz miteinander verkettet, spricht man von →Drehstrom.

Wechselwarme, in der Umgangssprache auch **Kaltblüter,** Bezeichnung für Tiere, deren Körpertemperatur von der Temperatur der Umgebung abhängig ist und mit dieser steigt und fällt. Jedoch können auch die Wechselwarmen ihre Körpertemperatur regulieren. Dazu müssen sie z. B. zwischen Schatten und Sonne hin und her wandern. Mit sinkender Umwelttemperatur wird auch ihr Stoffwechsel langsamer, und sie werden träge, bei größerer Kälte verfallen manche in einen Starrezustand, bei Frost erfrieren sie leicht. Wechselwarme sind alle Tiere außer Vögeln und Säugetieren.

Wehrdienst, die Ableistung der Militärdienstzeit bei den Streitkräften (→Wehrpflicht).

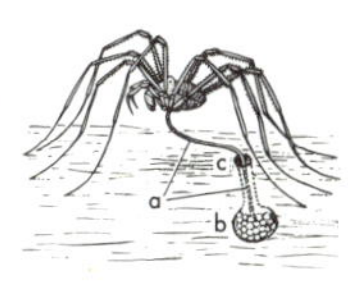

Weberknecht

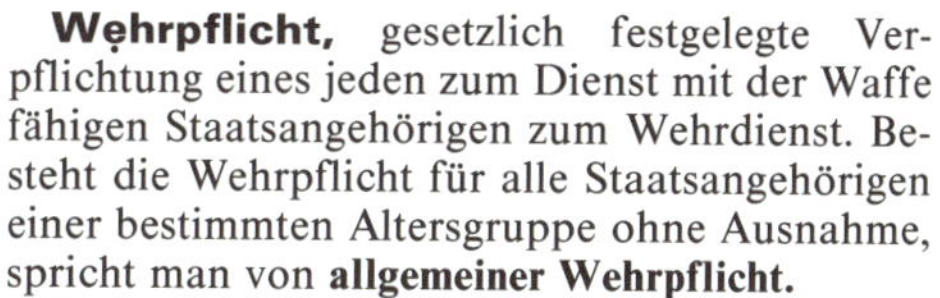

Weberknecht: eierlegendes Weibchen des Weberknechts; **a** Legeröhre, **b** in die Erde gesenktes Eierpaket, **c** Bohrloch

Wehrpflicht, gesetzlich festgelegte Verpflichtung eines jeden zum Dienst mit der Waffe fähigen Staatsangehörigen zum Wehrdienst. Besteht die Wehrpflicht für alle Staatsangehörigen einer bestimmten Altersgruppe ohne Ausnahme, spricht man von **allgemeiner Wehrpflicht.**

In der Bundesrepublik Deutschland gilt die allgemeine Wehrpflicht für jeden männlichen Bundesbürger vom 18. bis zum 45. Lebensjahr; sie umfaßt einen 12monatigen Grundwehrdienst, Teilnahme an Wehrübungen und im Verteidigungsfall unbefristeten Wehrdienst. Die Ableistung des Kriegsdienstes mit der Waffe kann aus Gewissensgründen verweigert werden. Wer als Kriegsdienstverweigerer anerkannt wird, muß einen 15monatigen Zivildienst, z. B. in einem Krankenhaus oder einer Pflegeanstalt, leisten.

In Österreich gibt es die allgemeine Wehrpflicht für jeden männlichen Bürger zwischen dem 18. und 21. Lebensjahr mit 6monatiger Dienstzeit und insgesamt 60 Wehrübungstagen bis zum 35. Lebensjahr. In besonderen Ausnahmefällen kann der Wehrdienst auf Antrag verweigert werden.

Die Schweiz unterhält ein Milizheer mit allgemeiner Wehrpflicht vom 20. bis zum 50. Lebensjahr. Der Rekrutenausbildung (17 Wochen) folgen mehrere Jahre lang jeweils mehrere Wehrübungswochen. Die Kriegsdienstverweigerung war bisher strafbar (→Zivildienst).

Weichsel, 1 047 km langer Fluß im östlichen Mitteleuropa. Sie entspringt mit 2 Quellflüssen in den westlichen Beskiden in Südpolen und durchfließt Polen in 2 Bogen. Die Weichsel mündet mit großem Delta in die Danziger Bucht (Ostsee), wobei der Mündungsarm Nogat ins Frische Haff fließt. Die Schiffbarkeit (ab Krakau) wurde durch Begradigung, Staustufen und Talsperren verbessert, ist aber durch lange Vereisung beeinträchtigt. Die Weichsel ist durch Kanäle mit der Warthe, der Memel und dem Dnjepr verbunden.

Weichtiere, Wirbellose mit 3 charakteristischen Formen, die im Meer, Süßwasser und an Land vorkommen. Die **Tintenfische** (auch **Kopffüßer**) leben nur in den Weltmeeren. Die **Schnecken** und **Muscheln** besiedeln in zahlreichen Arten

Webervögel: OBEN Bajaweber, UNTEN Bajaweber beim Nestbau

Weiden: Salweide; OBEN männliche Kätzchen (links), weibliche Kätzchen (rechts), UNTEN Laubzweig

Weihen: Kornweihe

auch das Süßwasser. Viele Schnecken bewohnen das Land. Weichtiere sind die einzige Tierklasse, deren Vertreter sowohl in den größten Meerestiefen als auch auf den höchsten Bergen vorkommen. Der Körper der Weichtiere besitzt kein inneres Skelett, ist dafür aber sehr muskulös und nur wenig gegliedert. Doch lassen sich meist Kopf (bei den Muscheln zurückgebildet), Fuß und Eingeweidesack unterscheiden. Der dünnhäutige Eingeweidesack, der die meisten inneren Organe umschließt, wird ganz oder teilweise von einem ›Mantel‹ umhüllt, der aus einer kräftigen Hautfalte gebildet wird. Eine Atemhöhle bleibt offen. Bei vielen Arten scheidet dieser Mantel eine feste äußere Kalkschale (Gehäuse) ab, die die drüsenreiche, meist schleimige und sehr empfindliche Haut vor Austrocknung und Verletzungen schützt. Die Tiere sind mit der Schale fest verbunden und ziehen sich bei Gefahr ganz darin zurück. Die Schalen abgestorbener Weichtiere bleiben lange erhalten. Sie haben wesentlich zur Gesteinsbildung der Erdrinde (Kalk, Kreide) beigetragen (z. B. der Alpen).

Im Wasser lebende Weichtiere atmen durch Kiemen. Die Landbewohner atmen mit lungenähnlichen Gefäßnetzen (manche Schnecken). Viele Weichtiere zerkleinern die Nahrung mit einer im muskulösen Schlundkopf gelegenen Reibzunge. Muscheln filtern ihre Nahrung aus dem Wasser. Die meisten Arten sind getrenntgeschlechtlich, es gibt auch →Zwitter. Weichtiere legen Eier, die oft zu Trauben und Schnüren vereinigt sind. Die Entwicklung verläuft bei den Wasserbewohnern häufig über ein Stadium schwimmender Larven.

Weiden, Bäume oder Sträucher, die besonders an Bachrändern und Flußufern wachsen. Wegen ihres filzigen Wurzelwerks werden sie auch zur Befestigung von Ufern, Hängen und Dünen angepflanzt. Alle Arten sind zweihäusig, das heißt, jede Pflanze trägt entweder nur männliche oder nur weibliche Blütenkränzchen. Das weißliche Holz ist weich, aber zäh, biegsam und ungewöhnlich leicht. Man verarbeitet es z. B. zu Furnieren, Kisten und Holzschuhen.

Die strauch- oder baumartige **Salweide** ist nur 3–9 m hoch und trägt vor dem Blühen weißfilzige Kätzchen; diese heißen auch **Palmkätzchen,** weil die Zweige am Palmsonntag in katholischen Kirchen geweiht werden. Bis 12 m hoch wird die **Bruchweide,** bis 30 m hoch die **Silberweide,** deren schmale Blätter unterseitig silbrig glänzen. Die **Trauerweide** hat herabhängende Zweige. **Kopfweiden** entstehen, wenn man die Zweige von heranwachsenden Weidenbäume alljährlich bis zum Stamm zurückschneidet. Sie treiben dann schlanke biegsame Ruten, aus denen man Korbwaren flechten kann.

Weihen, mittelgroße →Greifvögel mit schmalen Flügeln und langem Schwanz; wie die Eulen tragen sie einen Federschleier im Gesicht. Die in Deutschland selten gewordenen Arten nisten in offenen, häufig sumpfigen Landschaften am Boden, so die **Rohrweihe.** Die **Kornweihe** und die **Wiesenweihe** brüten in Kornfeldern und Wiesen. In niedrigem, fast schaukelndem Flug erbeuten Weihen Mäuse, Vögel, Fische, Frösche und Schlangen. Meist sind sie Zugvögel. **Gabelweihe** ist ein anderer Name für den Rotmilan (→Milane).

Weihnachten, Christfest, in der christlichen Überlieferung das Fest der Geburt von →Jesus Christus im Stall zu Bethlehem; neben →Ostern das höchste Fest des Kirchenjahres. Ursprünglich im Frühjahr oder auch am 6. Januar gefeiert, wurde es im 4. Jahrh. auf den 25. Dezember gelegt und verdrängte damit die an diesem Tag begangene Kultfeier des römischen Reichsgottes ›Sol Invictus‹. Es sollte verdeutlicht werden, daß nicht der heidnische Sonnengott, sondern Jesus Christus das Licht der Welt sei.

Sehr schnell entwickelte sich Weihnachten zum volkstümlichsten aller christlichen Feiertage, der geprägt ist von einem reichen Brauchtum. So wird der Vorabend als **Heiliger Abend** traditionsgemäß im Kreis der Familie begangen. Sie versammelt sich um den geschmückten **Weihnachtsbaum,** dessen immergrüne Zweige ein Symbol des Lebens sind. Der Brauch, sich dabei als Zeichen der Zuneigung **Geschenke** zu überreichen, verbreitete sich seit dem Beginn des 19. Jahrhunderts. Am späten Abend dieses Tages oder um Mitternacht findet in den christlichen Kirchen die **Christmette** statt, die gottesdienstliche Feier der Geburt Christi. Auf →Franz von Assisi geht die **Weihnachtskrippe** zurück, die figürliche Darstellung des biblischen Geschehens.

Weimar, 64 000 Einwohner, Stadt in Thüringen, östlich von Erfurt am Fluß Ilm. In Weimar wirkten im 18. und 19. Jahrh. bedeutende Künstler und Gelehrte, z. B. die Dichter Goethe, Schiller und Herder sowie der Komponist Franz Liszt. Daran erinnern das Goethehaus mit Goethe-Nationalmuseum, das Schillerhaus und Vereinigungen zur Literaturforschung, z. B. die Goethe-Gesellschaft. Zu den alten Bauwerken gehören die Stadtpfarrkirche (15. Jahrh.) und das Neue Schloß (18. Jahrh.). Bei Weimar liegt die Gedenkstätte des Konzentrationslagers Buchenwald.

Weimar wurde 1572 Hauptstadt des Herzogtums Sachsen-Weimar. 1919 tagte in Weimar die **Weimarer Nationalversammlung,** das verfassunggebende Parlament der Weimarer Republik.

Weimarer Republik, häufig gebrauchter Name für das Deutsche Reich in der Zeit von 1919 bis 1933. Die Weimarer Republik gründete in ihrer Staats- und Regierungsform auf der von der Nationalversammlung in Weimar 1919 verabschiedeten Verfassung (›Weimarer Verfassung‹). Sie war ein parlamentarisch-demokratischer Bundesstaat, der das 1871 von Bismark auf monarchischer Basis gegründete Reich fortsetzte. Von Anfang an war sie schweren Belastungen ausgesetzt: Sie mußte die harten politischen und wirtschaftlichen Bedingungen des Versailler Vertrags, der die deutsche Niederlage im Ersten Weltkrieg besiegelte, erfüllen; eine starke Opposition von rechts und links richtete sich von Anfang an darauf aus, das demokratische Regierungssystem zu beseitigen. In der Anfangsphase der Republik (1919–23) kam es zu kommunistischen Aufständen und nationalistisch bestimmten Putschversuchen.

Staatsoberhaupt der Weimarer Republik war der vom Volk gewählte Reichspräsident (1919–25 der Sozialdemokrat Friedrich Ebert, seit 1925 der frühere Generalfeldmarschall Paul von Hindenburg). Die Reichsregierung war vom Vertrauen des Reichstags abhängig; dieser kontrollierte die Regierung und übte die Gesetzgebung aus unter Mitwirkung des Reichsrats, des Vertreterorgans der Länder. 1919–33 gab es 21 verschiedene Reichskabinette, die wegen der vielen im Reichstag vertretenen Parteien oft nur unter großen Schwierigkeiten gebildet werden konnten. Die mittlere Periode der Weimarer Republik (1924–29) brachte einen wirtschaftlichen Aufschwung und außenpolitisch die Bemühungen um eine deutsch-französische Verständigung in den Locarno-Verträgen (Gustav →Stresemann, Aristide →Briand). Besonders auf kulturellem Gebiet gilt vornehmlich diese Zeit als die ›goldenen Zwanziger‹. Die 1929 einsetzende Weltwirtschaftskrise traf die deutsche Wirtschaft schwer. Angesichts einer 1932 bis auf 6 Millionen anschwellenden Zahl von Arbeitslosen entwikkelte sich die Krise der Wirtschaft zu einer Krise des Staates; radikale Strömungen, die Kommunisten, vor allem jedoch die von Adolf Hitler geführten Nationalsozialisten gewannen stark an Boden. In dieser Endphase der Weimarer Republik (1930–33) hatten die Regierungen keine parlamentarische Basis mehr und wurden vom Reichspräsidenten ernannt. Mit der Ernennung Hitlers zum Reichskanzler (1933) und der Errichtung einer nationalsozialistischen Diktatur brach die Weimarer Republik zusammen.

Wein, aus dem Traubensaft der Weinrebe durch alkoholische Gärung (→Alkohol) gewonnenes Getränk. Die **Weinrebe** (→Rebe) gehört zu den anspruchvollsten Kulturpflanzen; sie gedeiht am besten in Höhen von 100–200 m. Die Weintrauben erlangen bei günstigem Wetter einen hohen Zuckergehalt. Zur Erntezeit (Lese) werden sie vom Stock abgeschnitten und grob zerquetscht. Der Traubensaft mit Fruchtschalen und Stielen wird **Maische** genannt, in gefiltertem (gekeltertem) Zustand **Most.** Die weißen Trauben keltert man noch am Tag der Lese, während die roten nur von den Stielen befreit und als Maische weiterverarbeitet werden.

Da die Schalen der Beeren meist mit Hefepilzen behaftet sind, beginnt schnell eine Gärung, die durch Zusatz von Edelhefen unterstützt wird; dabei wandelt sich der Zucker in Alkohol und Kohlendioxid um. Daneben bilden sich noch bis zu 500 andere Stoffe, die dem Wein seinen Duft und Geschmack verleihen. Bei roten Trauben vergärt die Maische, wobei der Farbstoff aus den Schalen und die Gerbstoffe aus den Kernen in den Wein ziehen.

Wein: Weinrebe, Zweig mit Blütenrispe

Nach 14 Tagen ist die Gärung, die sich meist in großen Fässern oder Tanks vollzieht, abgeschlossen. Der schmutzig-gelbe Most hat sich geklärt. Er wird als **Jungwein** von der Hefe getrennt und in Lagertanks kühl gelagert, wo er Aroma und Haltbarkeit erhält. Mit zunehmendem Alkoholgehalt verläuft die Gärung langsamer; bei etwa 16% sterben die Hefen ab. Der übrigbleibende Zucker, der noch nicht vergoren wurde, verleiht dem Wein die sogenannte **Restsüße.**

Nach 2–8 Monaten, bei ›großen Weinen‹ auch nach noch längerer Zeit, wird der Wein auf Flaschen gefüllt, in denen sich die enthaltenen Säuren langsam abbauen.

Durch →Destillation von Wein wird **Weinbrand** gewonnen. Durch Umgärung oder Zusätze werden **Schaumwein, Perlwein, Likörwein** und weinhaltige Getränke (Aperitif, Wermutwein) erzeugt.

Die Weingebiete in der Bundesrepublik Deutschland liegen vorwiegend am Rhein, an der Ahr, an Mosel, Ruwer und Saar sowie in der Pfalz, in Franken und in Baden-Württemberg.

Österreichische Anbaugebiete sind Wachau, Krems, Weinviertel, Donauland, Baden, Vöslau, Rust-Neusiedlersee, Steiermark. Schweizerische Weine wachsen im Wallis, Waadtland, am Neuenburger See und im Tessin.

Weißdorn, ein Strauch mit dornigen Zweigen und weißen bis rosafarbenen Blüten. Die roten Früchte werden gern von Vögeln gefressen. Aus Blüten und Früchten werden Arzneimittel gewonnen, die Herz und Kreislauf stärken. Eine gezüchtete rotblühende Sorte ist der **Rotdorn.**

Weiße Rose, studentische Widerstandsgruppe an der Universität München, die 1942–43 in Flugblattaktionen die nationalsozialistische Willkürherrschaft anklagte. Im Februar 1943 wurden die Mitglieder der Gruppe (Professor Kurt Huber, Sophie und Hans Scholl, Christian Probst und andere) verhaftet und vom nationalsozialistischen ›Volksgerichtshof‹ zum Tod verurteilt und später hingerichtet.

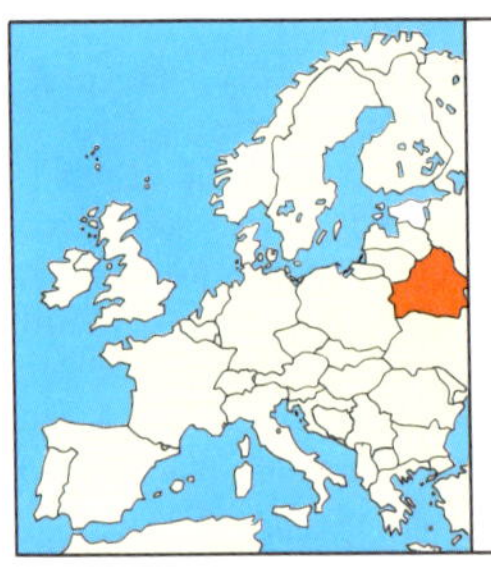

Weißrußland

Fläche: 207 600 km²
Bevölkerung: 10,3 Mill. E
Hauptstadt: Minsk
Amtssprache: Weißrussisch
Währung: 1 Rubel = 100 Kopeken
Zeitzone: MEZ + 1 Stunde

Weißrußland

Staatswappen

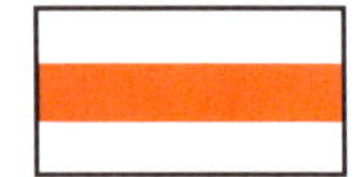

Staatsflagge

Weißrußland, Republik in Osteuropa. Das Land ist dreimal so groß wie Irland. Es liegt in der Osteuropäischen Ebene. Klimatisch ist der Westen maritim, der Osten kontinental geprägt. Die Bevölkerung besteht zu 78% aus Weißrussen, außerdem aus Russen, Polen und Ukrainern. Es gibt Viehzucht (Rinder, Schweine); angebaut werden Kartoffeln, Flachs und Futterpflanzen. An Bodenschätzen werden Kalisalze, Torf und Phosphate gefördert. Die Industrie wird von Werkzeugmaschinen- und Fahrzeugbau geprägt.

Die in diesem Gebiet siedelnden Stämme wurden Vasallen der Kiewer Großfürsten und von denen christianisiert. Seit dem 13. Jahrh. dehnten die Litauer Großfürsten ihre Herrschaft auf Weißrußland aus. Mit Litauen kam das Land 1795 an Rußland. 1991 erklärte Weißrußland seine Unabhängigkeit.

Weitsichtigkeit, ein Sehfehler, bei dem das Auge unfähig ist, einen Gegenstand in der Nähe scharf zu sehen (→Brille).

Weitsprung, leichtathletischer Sprungwettbewerb, olympische Disziplin für Herren (seit 1896) und für Damen (seit 1948). Es gilt, nach einem Anlauf eine möglichst große Sprungweite zu erzielen. Der Absprung wird nach einem etwa 45 m langen Anlauf (Mindestlänge) von einem in den Boden eingelassenen Absprungbalken ausgeführt. Die Sprungweite wird gemessen zwischen der Absprunglinie und dem ihr am nächsten liegenden Eindruck des Springers. Ein Übertreten der Absprunglinie macht den Sprung ungültig.

Weizen, ein →Getreide.

Welfen, deutsches Fürstengeschlecht. Die Welfen waren seit 1070 Herzöge von Bayern; außerdem hatten sie Besitz im burgundischen und schwäbischen Raum. Von 1137 an waren sie gleichzeitig Herzöge von Sachsen. Der bedeutendste Welfenherzog, →Heinrich der Löwe, verlor 1180 beide Herzogtümer. Nur der reiche Familienbesitz zwischen Weser und Elbe mit dem Zentrum Braunschweig blieb den Welfen. Daraus entstand 1235 ein Herzogtum. Der Sohn Heinrichs des Löwen, Otto IV. (* 1177, † 1218), wurde 1198 deutscher König und 1209 Kaiser. Der hannoversche Zweig der Welfenfamilie stellte 1714–1901 die Könige von Großbritannien.

Wellen. Taucht man einen Stock einmal in das Wasser eines Sees, so wird die Wasseroberfläche durchbrochen, das Wasser muß dem Stock Platz machen. Ein kleiner Wasserberg, eine Störung, entsteht rund um den Stock und breitet sich ringförmig nach allen Seiten hin aus; an der Eintauchstelle kommt das Wasser wieder zur Ruhe. Bei periodischem Eintauchen des Stockes entstehen immer neue Wellen, die sich um die Störstelle ausbreiten. Dabei bilden sich abwechselnd **Wellenberge** und **Wellentäler.**

Legt man auf die Wasseroberfläche Korkstückchen, so tanzen diese auf und ab, wenn Wellenberge über sie hinweglaufen. Nicht das Wasser, sondern die Störung wandert also von der Eintauchstelle fort. Da die Wasserteilchen senkrecht zur Wasseroberfläche, also quer zu der Ausbreitungsrichtung der Welle, schwingen, spricht man von einer **Querwelle (Transversalwelle).**

Die Wellen, die der Wind auf einem See erzeugt, unterscheiden sich von den Wellen in einer Wasserschale durch die Höhe der Wellenberge, die man Amplitude nennt, und die **Wellenlänge,** den Abstand zweier Wellenberge (oder Wellentäler). Die Wellenlänge wird umso kleiner, je häufiger man in die Wasseroberfläche eintaucht, je größer also die →Frequenz des Erregers ist.

Auch der →Schall breitet sich in Form von Wellen aus. **Schallwellen** in Luft kann man sich viel schwerer vorstellen als Wasserwellen. Aber auch hier erzeugt man durch periodisch aufeinanderfolgende Störungen des Gleichgewichts

Wellen, bei denen Verdichtungen und Verdünnungen der miteinander gekoppelten Luftteilchen abwechseln und sich kugelförmig von der Schallquelle aus nach allen Richtungen ausbreiten. Da sich die Störung hierbei längs der Ausbreitungsrichtung bewegt, handelt es sich bei Schallwellen in Luft um **Längswellen (Longitudinalwellen).** Allgemein gilt, daß in gasförmigen und flüssigen Medien nur longitudinale Schallwellen auftreten, in festen Medien zusätzlich transversale Schallwellen. Im Vakuum ist die Ausbreitung von Schallwellen nicht möglich. Dagegen ist die Ausbreitung von **elektromagnetischen Wellen,** wie Lichtwellen, Radiowellen, Mikrowellen (→Spektrum), nicht an Materie gebunden und somit auch im Vakuum möglich.

Wellenbereich, der →Frequenzbereich.

Wellenreiten, Surfing [söhfing], **Surfriding** [söhfraiding, von englisch surf ›Brandung‹], das Treiben auf den Brandungswellen, wobei der Wellenreiter auf einem an der Unterseite leicht gewölbten Brett aus Balsaholz oder Kunststoff steht. Das Brett hat gewöhnlich ein Gewicht von 10–12,5 kg und ist 2,50–2,80 m lang. Der Wellenreiter schwimmt mit dem Brett zur Brandung. Dort richtet er sich auf dem längs der Welle schwimmenden Brett auf und sucht sich durch Balancieren von der Welle vorwärtstragen zu lassen.

Wellensittiche, kleine →Papageien, die in der australischen Steppe heimisch sind. Von Natur aus sind sie grasgrün, kommen als Züchtungen aber auch in blauen, gelben und weißen Farbtönen vor. Wellensittiche sind leicht zu zähmen und sehr anhänglich, deshalb werden sie oft im Käfig gehalten. Sie fressen am liebsten Samen und Hirsekörner und können bis zu 10 Jahre alt werden. Viele Wellensittiche lernen Wörter und Sätze nachzusprechen; das gelingt aber nur, wenn ein Vogel allein aufgezogen wird.

Welse, karpfenähnliche Fische ohne Schuppen. Ihr Körper ist nackt oder teilweise bis völlig mit Knochenplatten besetzt. In Europa kommt nur der **Wels** oder **Waller** vor, der mit 2,5 m Länge und 250 kg Gewicht der größte heimische Süßwasserfisch ist. Er lebt auf dem Grund ruhiger Flüsse und Seen und jagt nachts Krebse, Fische und Frösche, auch Wasserratten und Wasservögel. Er ertastet sie mit den 6 Barteln, die um sein großes Maul sitzen. Ein Wels kann über 50 Jahre alt werden. Als Speisefische werden Welse auch gezüchtet. Der afrikanische **Zitterwels** besitzt ein stromerzeugendes Organ (→Elektrische Fische). Der **Wandernde Katzenfisch** Asiens und Amerikas kann aus austrocknenden Gewässern über Land wandern und atmet dabei wie der Schlammspringer (→Schmerlen) mit einem besonderen Atmungsorgan. (BILD Fische)

Welser, eine Kaufmannsfamilie aus Augsburg, die im 16. Jahrh. das größte Handelsunternehmen sowie eine Reederei mit Niederlassungen in den meisten großen europäischen Hafenstädten besaß. Ähnlich wie die →Fugger unterstützte sie finanziell die Wahl und die Feldzüge Kaiser Karls V. Dafür verpfändete der Kaiser den Welsern 1528 Venezuela, das sie aber später zurückgeben mußten. Vergeblich suchten sie dort das sagenhafte Goldland ›Eldorado‹. Die Firma ging schon 1614 in Konkurs.

Weltall, Kosmos, Universum, die Gesamtheit des mit Materie erfüllten Raumes. Die Erforschung der Entstehung, der Entwicklung, des Alters, der Ausdehnung und der Struktur des Weltalls ist Aufgabe der →Kosmologie. Der gegenwärtig der Beobachtung zugängliche Teil des Weltalls hat einen Durchmesser von etwa 15 Milliarden Lichtjahren. Darin befinden sich etwa 100 Milliarden →Sternsysteme, die im Mittel aus etwa 10 Milliarden →Sternen bestehen. Eines dieser Sternsysteme ist das →Milchstraßensystem, das aus mehr als 100 Milliarden Sternen besteht, wovon einer die →Sonne ist. Sie ist von →Planeten umgeben (→Sonnensystem), einer davon ist die →Erde.

Weltergewicht, →Gewichtsklassen, ÜBERSICHT.

Weltkriege, die beiden Kriege von 1914–18 (Erster Weltkrieg) und 1939–45 (Zweiter Weltkrieg), an denen die meisten Großmächte teilnahmen, wobei der größte Teil der Erde in Mitleidenschaft gezogen wurde.

Erster Weltkrieg

Die **Ursachen** liegen in den nationalistischen und imperialistischen Tendenzen der Politik der europäischen Staaten begründet, vor allem im deutsch-französischen Gegensatz seit 1871 und in den von Rußland unterstützten Unabhängigkeitsbestrebungen der Balkanvölker, die den Vielvölkerstaat Österreich-Ungarn bedrohten. **Kriegsanlaß** war die Ermordung des österreichisch-ungarischen Thronfolgers in Sarajevo durch serbische Nationalisten (28. Juni 1914). Zu Kriegsbeginn standen sich die **Alliierten Mächte** Frankreich, Großbritannien, Rußland (›Entente‹) und die **Mittelmächte** Deutsches Reich und Österreich-Ungarn gegenüber. Italien und Rumänien blieben zunächst trotz ihrer Bündnisse mit den Mittelmächten (›Dreibund‹) neutral, schlossen sich aber 1915 und 1916 den Alliierten an. Auf ihrer Seite kämpften außerdem Japan (seit 1914) und seit 1917 die USA sowie eine Reihe kleinerer Staaten. An die Seite der Mittelmächte traten 1914 die Türkei und 1915 Bulgarien. Der militärische Zusammenbruch Rußlands und der Ausbruch der **russischen Revolution** (1917) zwangen dieses zum Abschluß eines **Sonderfriedens (Brest-Litowsk,** 3. März 1918).

Der Kriegsverlauf in Westeuropa war, nachdem der deutsche Vormarsch in der Marneschlacht (5.–12. September 1914) zum Stehen gekommen war, bis 1918 durch Grabenkämpfe bestimmt, die zahllose Opfer forderten, z. B. in Verdun. Die **Kriegswende** brachte der Kriegseintritt der USA (1917), den der uneingeschränkte U-Boot-Krieg des Deutschen Reiches veranlaßt hatte. Die Offensive des französischen Marschalls Ferdinand Foch, der Masseneinsatz von Tanks auf der alliierten Seite, Kriegsmüdigkeit und innere Unruhen auf der Seite der Mittelmächte führten schließlich zur **Kapitulation des Deutschen Reichs** (11. November 1918). Am 28. Juni 1919 unterzeichnete das Deutsche Reich den **Friedensvertrag von Versailles.** Österreich, Ungarn, Bulgarien und die Türkei schlossen gesonderte Friedensverträge mit den Alliierten.

Der Erste Weltkrieg hat die Landkarte Europas und Vorderasiens sowie seine politische Struktur entscheidend verändert: Abschaffung der Monarchie im Deutschen Reich, in Rußland, dem Osmanischen Reich und Österreich-Ungarn; Auflösung der beiden letzteren in eine Vielzahl von Einzelstaaten; Entstehung neuer Staaten, vor allem im Nordosten und Osten Europas sowie im Vorderen Orient. Nach dem Ersten Weltkrieg erschien Frankreich als Vormacht in Europa und die USA als wirtschaftliche Vormacht in der Welt. Die Frage nach der Kriegsschuld, allein dem Deutschen Reich und seinen Verbündeten zur Last gelegt und Grundlage der alliierten Reparationsforderungen, hatte großen Einfluß auf die weitere Geschichte des Deutschen Reiches.

71 Millionen Menschen hatten während des Ersten Weltkrieges unter Waffen gestanden, davon fast 32 Millionen auf seiten der Mittelmächte. Die Zahl der Toten betrug rund 10 Millionen, der Verwundeten 20 Millionen Menschen. Als neue Waffen kamen Panzerwagen, Unterseeboote, Flugzeuge und Giftgas zum Einsatz.

Zweiter Weltkrieg

Die →Weltwirtschaftskrise (1929) erschütterte die politische Ordnung der Welt, deren Änderung zu ihren Gunsten Deutschland, Italien (Achse Berlin–Rom) und Japan anstrebten. Die Expansionspolitik Japans, Italiens und besonders des nationalsozialistischen Deutschland führte zum Krieg, der ausbrach, als Hitler am 1. September 1939 den **Angriff auf Polen** eröffnen ließ. In einer Reihe von kurzen Feldzügen wurden Polen, Dänemark, Norwegen, die Niederlande, Belgien und Frankreich von deutschen Truppen besetzt. Nur der See- und Luftkrieg gegen Großbritannien blieb ohne Erfolg. 1940 trat Italien auf deutscher Seite in den Krieg ein; die deutschen Frontlinien zogen sich bis nach Jugoslawien und Griechenland und griffen nach Afrika über. Hitlers **Angriff auf die Sowjetunion** 1941 (Unternehmen ›Barbarossa‹), die Zerstörung der amerikanischen Pazifikflotte in Pearl Harbour auf Hawaii durch Japan (7. Dezember 1941) und der darauffolgende **Kriegseintritt der USA** führte zur Bildung der **Anti-Hitler-Koalition.** Die Katastrophe von **Stalingrad** im Winter 1942/43 brachte die **Wende im Zweiten Weltkrieg.** Die Rote Armee drang nach Westen vor. Die Westalliierten beherrschten seit 1943 den deutschen Luftraum, besetzten Italien, das kapitulierte und im Oktober 1943 Deutschland den Krieg erklärte. Nach der Landung westalliierter Truppen in der Normandie (6. Juni 1944) brach auch die deutsche Westfront zusammen. Von Westen und Osten vorrückend, besetzten alliierte Truppen Deutschland; am 2. Mai 1945 fiel Berlin, **am 7./9. Mai kapitulierte das Deutsche Reich.**

Der Krieg gegen Japan im Pazifischen Ozean und in Asien ging weiter. Erst nach dem Abwurf zweier **Atombomben** auf **Hiroshima** (6. August) und **Nagasaki** (9. August 1945) sah sich Japan zur Kapitulation gezwungen (2. September 1945).

Ergebnis des Zweiten Weltkriegs war die Aufteilung der Erde in 2 Blöcke unter Führung der USA und der Sowjetunion, die die faktische Teilung Europas, besonders Deutschlands, zur Folge hatte. Zu Friedensschlüssen kam es mit Italien und kleineren Verbündeten Deutschlands 1947, mit Japan 1951. Grundlage der wiederhergestellten Eigenstaatlichkeit Österreichs wurde der Staatsvertrag (1955). Mit Deutschland kam es bisher zu keinem Friedensvertrag, doch erklärten die Westmächte 1951, die Sowjetunion 1955 den Kriegszustand mit ganz Deutschland für beendet.

Der Zweite Weltkrieg forderte über 30 Millionen Tote, Schätzungen gehen bis zu 55 Millionen. Erstmals kam die Atombombe zum Einsatz.

Weltliteratur, ein von Goethe 1827 eingeführter Begriff. Goethe bezeichnete damit die

WELTLITERATUR: 100 Lesevorschläge

1 Homer: Ilias (8. Jahrh. v. Chr.)
2 Homer: Odyssee (8. Jahrh. v. Chr.)
3 Sophokles: König Ödipus (409 v. Chr.)
4 Nibelungenlied (um 1200)
5 Wolfram von Eschenbach: Parzival (um 1210)
6 Dante Alighieri: Göttliche Komödie (ab 1311)
7 Boccaccio, Giovanni: Decamerone (1470)
8 More, Thomas: Utopia (1516)
9 Shakespeare, William: Romeo und Julia (1597)
10 Shakespeare, William: Hamlet (1600)
11 Cervantes Saavedra, Miguel de: Don Quijote (1605/15)
12 Calderón de la Barca, Pedro: Das große Welttheater (1645)
13 Molière: Tartuffe (1664)
14 Grimmelshausen, Hans Jakob Christoph von: Der Abenteuerliche Simplicissimus Teutsch (1669)
15 Defoe, Daniel: Robinson Crusoe (1719)
16 Fielding, Henry: Tom Jones (1749)
17 Sterne, Laurence: Tristram Shandy (1760–69)
18 Goethe, Johann Wolfgang von: Die Leiden des jungen Werthers (1774)
19 Swift, Jonathan: Gullivers Reisen (1776)
20 Lessing, Gotthold Ephraim: Nathan der Weise (1779)
21 Schiller, Friedrich: Die Räuber (1781)
22 Schiller, Friedrich: Don Carlos (1787)
23 Goethe, Johann Wolfgang von: Wilhelm Meisters Lehrjahre (1796)
24 Schiller, Friedrich: Wallenstein (1800)
25 Goethe, Johann Wolfgang von: Faust I (1808)
26 Kleist, Heinrich von: Michael Kohlhaas (1810)
27 Grillparzer, Franz: Sappho (1818)
28 Eichendorff, Joseph Freiherr von: Aus dem Leben eines Taugenichts (1826)
29 Stendhal: Rot und Schwarz (1830)
30 Hugo, Victor: Der Glöckner von Notre-Dame (1831)
31 Nestroy, Johann Nepomuk: Der böse Geist Lumpazivagabundus (1833)
32 Balzac, Honoré de: Vater Goriot (1834–35)
33 Büchner, Georg: Woyzeck (entstanden vor 1837, hg. 1879)
34 Dickens, Charles: Oliver Twist (1837/38)
35 Gogol, Nikolaj: Der Mantel (1840)
36 Poe, Edgar Allan: Phantastische Erzählungen (1840)
37 Dumas, Alexandre: Die drei Musketiere (1844)
38 Heine, Heinrich: Deutschland. Ein Wintermärchen (1844)
39 Thackeray, William: Jahrmarkt der Eitelkeit (1847/48)
40 Melville, Herman: Moby Dick (1851)
41 Beecher-Stowe, Harriet: Onkel Toms Hütte (1852)
42 Keller, Gottfried: Der grüne Heinrich (1854/55)
43 Flaubert, Gustave: Madame Bovary (1857)
44 Stifter, Adalbert: Nachsommer (1857)
45 Turgenjew, Iwan: Väter und Söhne (1862)
46 Dostojewskij, Fjodor: Schuld und Sühne (1866)
47 Tolstoj, Lew (Leo): Krieg und Frieden (1868/69)
48 Verne, Jules: Reise um die Welt in 80 Tagen (1873)
49 Mark Twain: Die Abenteuer Tom Sawyers (1876)
50 Ibsen, Henrik: Nora oder Ein Puppenheim (1879)
51 Zola, Émile: Nana (1880)
52 Maupassant, Guy de: Bel ami (1885)
53 Wilde, Oscar: Das Gespenst von Canterville (1887)
54 Storm, Theodor: Der Schimmelreiter (1888)
55 Lagerlöf, Selma: Gösta Berling (1891)
56 Hauptmann, Gerhart: Die Weber (1892)
57 Fontane, Theodor: Effi Briest (1895)
58 Schnitzler, Arthur: Reigen (1900)
59 Mann, Thomas: Buddenbrooks (1901)
60 Strindberg, Johan August: Totentanz (1901)
61 Tschechow, Anton: Der Kirschgarten (1904)
62 Gorkij, Maksim: Meine Kindheit (1913)
63 Kafka, Franz: Der Prozeß (entstanden 1914/15; hg. 1925)
64 Mann, Heinrich: Der Untertan (1914)
65 Hofmannsthal, Hugo von: Der Schwierige (1921)
66 Shaw, Bernard: Die heilige Johanna (1923)
67 Feuchtwanger, Lion: Jud Süß (1925)
68 Hesse, Hermann: Der Steppenwolf (1927)
69 Remarque, Erich Maria: Im Westen nichts Neues (1929)
70 Wolfe, Thomas: Schau heimwärts Engel (1929)
71 Zuckmayer, Carl: Der Hauptmann von Köpenick (1930)
72 O'Neill, Eugene: Trauer muß Elektra tragen (1931)
73 Faulkner, William: Licht im August (1932)
74 Huxley, Aldous: Schöne neue Welt (1932)
75 Roth, Joseph: Radetzkymarsch (1932)
76 Tucholsky, Kurt: Schloß Gripsholm (1932)
77 García Lorca, Federico: Bluthochzeit (1933)
78 Eliot, Thomas Stearns: Mord im Dom (1935)
79 Brecht, Bertold: Mutter Courage und ihre Kinder (1939)
80 Steinbeck, John: Früchte des Zorns (1939)
81 Seghers, Anna: Das siebte Kreuz (1941)
82 Saint-Exupéry, Antoine de: Der kleine Prinz (1943)
83 Sartre, Jean-Paul: Die Fliegen (1943)
84 Andrić, Ivo: Die Brücke über die Drina (1945)
85 Camus, Albert: Die Pest (1947)
86 Miller, Arthur: Der Tod des Handlungsreisenden (1949)
87 Orwell, George: 1984 (1949)
88 Hemingway, Ernest: Der alte Mann und das Meer (1952)
89 Beckett, Samuel: Warten auf Godot (1953)
90 Frisch, Max: Homo faber (1957)
91 Pasternak, Boris Leonidowitsch: Doktor Schiwago (1957)
92 Tomasi di Lampedusa, Giuseppe: Der Leopard (1958)
93 Grass, Günter: Die Blechtrommel (1959)
94 Ionesco, Eugène: Die Nashörner (1959)
95 Dürrenmatt, Friedrich: Die Physiker (1962)
96 Solschenizyn, Aleksandr: Ein Tag im Leben des Iwan Denissowitsch (1962)
97 Böll, Heinrich: Ansichten eines Clowns (1963)
98 Wolf, Christa: Der geteilte Himmel (1964)
99 Handke, Peter: Kaspar (1968)
100 Lenz, Siegfried: Deutschstunde (1968)

Beziehungen der literarisch Tätigen über die Ländergrenzen hinweg, den Austausch und den gemeinsamen Besitz der bedeutenden Literaturwerke unter den Nationen, wozu es dank der fortschreitenden Annäherung der Kulturvölker kommen müsse. – Außerdem versteht man unter ›Weltliteratur‹ auch die gesamte Literatur aller Völker und Zeiten, oder nur jene Werke, die über ihren nationalen Ursprungsbereich hinaus künstlerische Geltung haben (vergleiche Lesevorschläge Weltliteratur, ÜBERSICHT; ferner →Kinder- und Jugendliteratur).

Weltraum, der außerhalb der Erdatmosphäre befindliche Raum, der mit Hilfe der →Raumfahrt erreichbar ist oder erscheint.

Weltraumfahrt, die →Raumfahrt.

Weltraumstation, die →Raumstation.

Weltreligionen, Religionen, die nicht an ein einziges Volk gebunden sind. Zu ihnen gehören das →Christentum mit seinen verschiedenen →Konfessionen, der Buddhismus (→Buddha) und der →Islam. Der →Hinduismus wird teils als Weltreligion, teils als indische Volksregion aufgefaßt.

Weltwirtschaftskrise, Erschütterung des Wirtschaftslebens, die sehr viele Staaten, vor allem die Welthandelsnationen, erfaßt. Die Ursachen der Weltwirtschaftskrise 1929–33 lagen in den Folgen der Zerrüttung der internationalen

Wirtschaftsbeziehungen in und nach dem Ersten Weltkrieg. Es wurde versucht, die weltwirtschaftlichen Verflechtungen abzubauen, z.B. durch Einfuhrbeschränkungen. Die dadurch entstandene Massenarbeitslosigkeit – in Deutschland waren 6 Millionen Menschen arbeitslos – konnte nur schwer bekämpft werden. Die sozialen Folgen der Weltwirtschaftskrise begünstigten in Deutschland den Aufstieg des Nationalsozialismus.

Weltwunder, →Sieben Weltwunder.

Weltzeituhr, eine Uhr, die gleichzeitig die Tageszeiten der auf einem Zifferblatt angegebenen Orte auf der Erde anzeigt. Die Weltzeituhr besteht aus einem sich drehenden Zahlenring (BILD), der die Stunden anzeigt: Wenn es z.B. in New York noch 6 Uhr morgens ist, hat Moskau zur gleichen Zeit bereits 14 Uhr nachmittags.

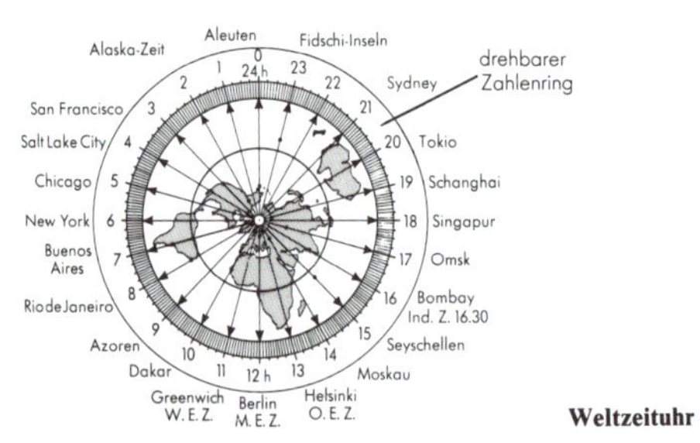

Weltzeituhr

Wemfall, Dativ, →Kasus.

Wendehals, ein mit den →Spechten verwandter, aber kleinerer rindenfarbener Vogel, der seinen Kopf um 180° drehen kann. Bei der Balz wirbt er mit schlangenartigen Verdrehungen seines langgestreckten Halses um ein Weibchen und läßt dazu seine klagenden Rufe vernehmen. Er lebt besonders im Süden Deutschlands in lichten Wäldern und Gärten, wo er in Höhlungen alter Bäume sein Nest baut. Im Unterschied zu anderen Spechten ist sein Schnabel schwach, und die Schwanzfedern sind weich. Mit der verlängerten, klebrigen Zunge nimmt er vor allem Ameisen auf.

Wendehals

Wendekreise, bestimmte, zum Äquator parallele Kreise des Himmels und der Erdoberfläche. Die Ebene der scheinbaren Sonnenbahn (→Ekliptik) bildet mit der Ebene des Himmels- und Erdäquators einen Winkel von 23° 27′; deshalb liegen die beiden Wendekreise auf 23° 27′ nördlicher und südlicher Breite. Am **nördlichen Wendekreis** fallen die Sonnenstrahlen um den 21. Juni, den Tag der Sommersonnenwende, zur Mittagszeit senkrecht auf die Erde, am **südlichen Wendekreis** um den 21. Dezember, den Tag der Wintersonnenwende. Unsere Sonne erreichte vor 2000 Jahren um den 21. Juni das Tierkreissternbild (→Tierkreis) Krebs und um den 21. Dezember das des Steinbocks; daher werden auch heute noch der nördliche Wendekreis als **Wendekreis des Krebses** und der südliche als **Wendekreis des Steinbocks** bezeichnet, obwohl die Sonne auf Grund der Kreiselbewegung (Präzession) der Erde um den 21. Juni bereits in das Sternbild der Zwillinge und um den 21. Dezember in das Sternbild Schütze hineinwandert. An den Wendekreisen ›wendet‹ die Sonne in ihrer scheinbaren Bahn um die Erde und nähert sich wieder dem Äquator. Nördlich des nördlichen Wendekreises und südlich des südlichen Wendekreises kann die Sonne nie im Zenit stehen. Zwischen den beiden Wendekreisen liegen die →Tropen. (BILD Gradnetz)

Wenfall, Akkusativ, →Kasus.

Werfall, Nominativ, →Kasus.

Wermut, eine etwa 1 m hohe, gelbblühende Pflanze mit silbrigen Blättern, die an Wegen, Felshängen und Mauern wächst. Die ganze Pflanze schmeckt sehr bitter und wird zur Herstellung von Absinthlikör und zum Würzen von Wermutweinen verwendet. Wermuttee und -tropfen sind ein Magen- und Gallenmittel. (BILD Heilpflanzen)

Wertebereich, Mathematik: die Menge aller Werte einer →Funktion.

Weser, Fluß im nördlichen Deutschland, 477 km lang (mit Werra 733 km). Die Weser entsteht bei Münden aus dem Zusammenfluß der beiden Quellflüsse Werra und Fulda. Als **Oberweser** durchfließt sie bis zur →Westfälischen Pforte das Weserbergland, als **Mittelweser** das Norddeutsche Tiefland und mündet als **Unterweser** bei Bremerhaven in die Nordsee. Die Weser ist auf ihrer ganzen Länge schiffbar, für Seeschiffe bis Bremen. Durch den kreuzenden Mittellandkanal ist sie mit Rhein und Elbe verbunden.

Wesfall, Genitiv, →Kasus.

Wespen, Insekten mit häutigen Flügeln und Giftstachel, die durch ihre ›Wespentaille‹, eine Einschnürung zwischen dem ersten und zweiten Hinterleibssegment, gekennzeichnet sind. Manche Wespen bilden Staaten, jedoch im Unterschied zu den →Bienen mit nur 3000–4000 Bewohnern. Ähnlich wie bei den →Hummeln überwintern nur einige befruchtete Weibchen. In verlassenen Mäusegängen, Kaninchenbauten oder in Bäumen und unter Hausdächern bauen Wespen ihr Nest, das so groß wie ein Fußball sein kann. Das Baumaterial ist eine papierähnliche Masse, die die Wespen selbst herstellen. Sie schaben mit ihren starken Kiefern kleine Holzteilchen ab, die sie zerkauen und einspeicheln. Wespen füttern ihre Larven vor allem mit Insekten, z. B. zerkauten Fliegen. Erwachsene Wespen nähren sich gern von Obst und süßen Säften, die sie auflecken. Die größte der staatenbildenden Wespen ist die **Hornisse,** deren Stich, besonders in Kopfnähe, auch für Menschen gefährlich werden kann. Wie bei allen Wespen besitzt ihr Stachel sehr viel kleinere Widerhaken als der Stachel der Bienen und kann daher beim Stich in die elastische Wirbeltierhaut vom Tier wieder herausgezogen werden. Einzeln lebende Wespen sind schlanker und länger. Manche graben eine Brutkammer in sandigen Böden, andere stellen kleine ›Krüge‹ aus Lehm her und tragen als Futter für ihre Larven durch ihren Stich gelähmte Insekten hinein. Einige Wespenarten leben als →Parasiten. Mit Hilfe eines Legbohrers legen die Weibchen ihre Eier z. B. in einer Schmetterlingsraupe ab. Die Larve frißt ihren Wirt von innen her aus. Diese Schlupfwespen vernichten dabei viele Schädlinge der Land- und Forstwirtschaft. Andere Wespenarten schmarotzen an Pflanzen und bilden →Gallen.

Westen, eine Himmelsrichtung. Am Abend geht dort scheinbar die Sonne unter. Der ›Westpunkt‹ ist einer der beiden Schnittpunkte des Horizontes mit dem Himmelsäquator.

Westerwald, rechtsrheinischer Teil des Rheinischen Schiefergebirges. Die Landschaft erstreckt sich zwischen Bergischem Land im Norden und Taunus im Süden sowie Rheintal im Westen und dem Oberlauf der Lahn im Osten. Der Westerwald ist eine wellige Hochfläche, wobei der Ostteil, der **Hohe Westerwald,** in der Fuchskaute 657 m erreicht. Ein großer Teil des Berglandes besteht aus hartem Basaltgestein. Der Westteil der Landschaft ist waldreich, der Hohe Westerwald dagegen ist kahl und rauh. Die Viehzucht spielt demnach die wichtigste Rolle in dieser Region. Die Keramikherstellung (Westerwälder Steinzeug) ist im Südwestteil, dem **Kannenbäckerland,** von großer Bedeutung.

Westfalen, ehemalige preußische Provinz, 20 125 km^2 groß, mit (1939) 5,21 Millionen Einwohnern. Hauptstadt des seit 1946 zu Nordrhein-Westfalen gehörenden Landes war Münster.

Ursprünglich bildete Westfalen den westlichen Teil des sächsischen Stammesgebietes. Mit der Teilung der sächsischen Herzogwürde (1180) zerfiel Westfalen in eine große Anzahl geistlich und weltlich beherrschter Territorien: die Hochstifte (geistliche Fürstentümer) Münster, Paderborn, Osnabrück und Minden sowie die Grafschaften Mark, Ravensberg, Lippe und Lingen. Südwestfalen (Sauerland) kam unter die Herrschaft der Kölner Erzbischöfe. 1815 wurde der größte Teil des Landes preußische Provinz. Osnabrück und das nördliche Münsterland kamen zu Hannover und Oldenburg und gehören heute deshalb zum Bundesland Niedersachsen.

Westfälische Pforte, das Durchbruchstal der Weser zwischen Wiehengebirge und Weserkette, südlich der Stadt Minden gelegen.

Westfälischer Frieden, →Dreißigjähriger Krieg.

Westgoten, einer der beiden großen Stämme der →Goten. Auf der Flucht vor den Hunnen überschritten die Westgoten die Donau und suchten Aufnahme im Römischen Reich (382), wo sie südlich der unteren Donau angesiedelt wurden; ihre Aufgabe sollte die Grenzverteidigung sein. Bald zogen sie, von ihrem jungen König →Alarich geführt, auf der Suche nach einem sicheren Siedlungsraum durch Griechenland und Italien; 410 plünderten sie Rom. Schließlich erhielten sie Landzuweisungen um Toulouse in Südfrankreich. Von hier aus eroberten sie 468 Teile des heutigen Spanien. 507 von den Franken besiegt, mußten sie diesen weichen und beschränkten sich seither auf Spanien; Toledo wurde nun Mittelpunkt ihres Königreichs. Die Westgoten traten 587 von der arianischen Form des Christentums zum Katholizismus über und vermischten sich rasch mit der einheimischen Bevölkerung. 711 erlagen sie den Angriffen der Araber.

Westindien, die Inseln Mittelamerikas, die sich in einem 4000 km langen Bogen zwischen Nord- und Südamerika erstrecken. Sie trennen das Karibische Meer und den Golf von Mexiko vom Atlantischen Ozean. Westindien umfaßt die **Großen Antillen** mit Kuba, Jamaika, Haiti (Hispaniola) und Puerto Rico sowie die **Kleinen Antillen** mit den Inseln über dem Winde und den Inseln unter dem Winde. Die weiter nördlich gelegenen **Bahama-Inseln** zählen ebenfalls zu Westindien. Die Bezeichnung Westindien geht auf Kolumbus zurück: Dieser glaubte, bei der Ent-

Wespen

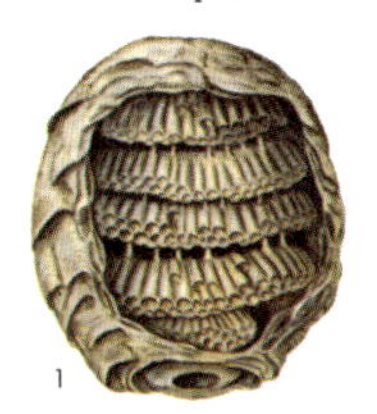

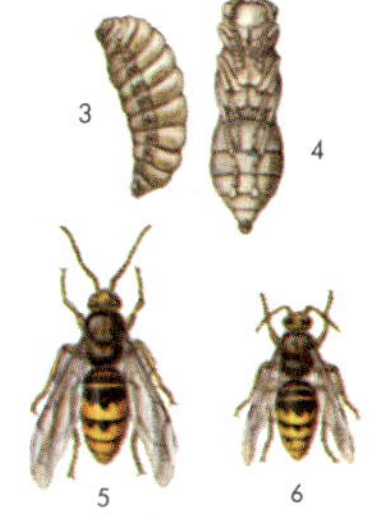

Wespen: Hornisse; **1** Nest, die Waben sind durch senkrechte Pfeiler miteinander verbunden, **2** Stück einer Wabe mit gedeckelten und leeren Zellen, **3** Larve, **4** Puppe, **5** Männchen, **6** Arbeiterin, **7** Weibchen. Nur bei 7 sind die Vorderflügel ganz entfaltet, bei 5 und 6 sind sie einmal längsgefaltet

West-Samoa

Staatswappen

Staatsflagge

deckung Amerikas (1492), als er auf der Bahama-Insel San Salvador landete, in Indien zu sein.

Westpreußen, ehemalige Provinz Preußens an der Ostsee, zwischen Pommern und Ostpreußen gelegen. Westpreußen umfaßte ursprünglich Länder des Deutschen Ordens, vor allem das Culmer Land, bildete aber seit 1466 einen selbständigen Staat, zunächst unter der Schutzherrschaft der Könige von Polen, seit 1569 mit diesem vereinigt. Bei den →Polnischen Teilungen kam Westpreußen an Preußen. 1919 fiel es größtenteils, 1945 ganz an Polen.

Westsahara, Gebiet an der Nordwestküste Afrikas. Es ist mit 266 000 km² größer als Großbritannien und Nordirland, hat aber nur 142 000 Einwohner. Verwaltungssitz ist El-Aaiún. Westsahara ist ein sehr regenarmes Randgebiet der Sahara. In Oasen werden Datteln, Gerste und Weizen angebaut. Von Berbern abstammende Nomaden züchten Kamele, Schafe und Ziegen. Bedeutend ist der Phosphatabbau. – Seit 1901 war Westsahara spanisches Kolonialgebiet. 1976 übergab Spanien das Land an die Staaten Mauretanien und Marokko. 1979 besetzte Marokko das ganze Gebiet. Die Befreiungsorganisation Polisario strebt die Unabhängigkeit von Westsahara an. (KARTE Band 2, Seite 194)

West-Samoa, Staat im westlichen Teil der →Samoa-Inseln. Die größten Inseln sind Savaii und Upolu mit der Hauptstadt Apia. Die Bewohner leben von der Landwirtschaft. Angebaut werden Süßkartoffeln, Mais und Reis für den Eigenbedarf; ausgeführt werden Kopra und Kakao.

West-Samoa

Fläche: 2 831 km²
Bevölkerung: 165 000 E
Hauptstadt: Apia (auf Upolu)
Amtssprachen: Englisch, Samoanisch
Nationalfeiertag: 1. Juni
Währung: 1 Tala (WS$, $) = 100 Sene (s)
Zeitzone: MEZ +12 h

Wetter. Der jeweilige Zustand der unteren Schichten der Atmosphäre an einem Ort wird im Unterschied zum →Klima und zur →Witterung als Wetter bezeichnet. Dieser Zustand ist bestimmt durch **Wettererscheinungen** wie Luftdruck, Windrichtung und Windstärke, Temperatur, Luftfeuchtigkeit, Bewölkung und Niederschläge. Da die Atmosphäre nie einen Zustand der Ruhe erreicht, weil die Luft – hauptsächlich auf Grund der Erddrehung und der unterschiedlichen Erwärmung durch die Sonne – immer in Bewegung gehalten wird, kann sich das Wetter ständig ändern. Eine **Wettervorhersage** wird auf Grund von Beobachtung und Messung der Wettererscheinungen erstellt. Sie wird in vielen **Wetterstationen** durchgeführt, die über die ganze Welt verteilt sind und in regelmäßigen Abständen (alle 3 Stunden) Messungen vornehmen. Die Stationen geben ihre Meßwerte an die staatlichen **Wetterdienste** weiter, wo alle Werte in eine **Wetterkarte** eingetragen werden.

Weitere Meßergebnisse erhält der Wetterdienst von großen, gasgefüllten **Wetterballons,** die mit Meßgeräten in Höhen von 30–35 km steigen und dort Luftfeuchtigkeit, Temperatur und Luftdruck messen. Dazu kommen noch die Beobachtungen der **Wettersatelliten.** Sie bewegen sich in 500–900 km Höhe auf einer Bahn um die Erde oder stehen in rund 36 000 km Höhe über einem bestimmten Punkt der Erdoberfläche. Die Satelliten sind mit Fernsehkameras ausgestattet, deren Bilder es ermöglichen, die Bildung der Wolken und die Bewegung der Wolkenfelder zu beobachten. Sie führen außerdem Temperaturmessungen durch, indem sie die Wärmestrahlung aus der Atmosphäre messen.

Die Wetterdienste vergleichen alle Angaben mit denen früherer Messungen. So erhalten sie ein genaues Bild des Wetterablaufs in den zurückliegenden Stunden und können die zu erwar-

Wetter: Funktionen des Wettersatelliten Meteosat

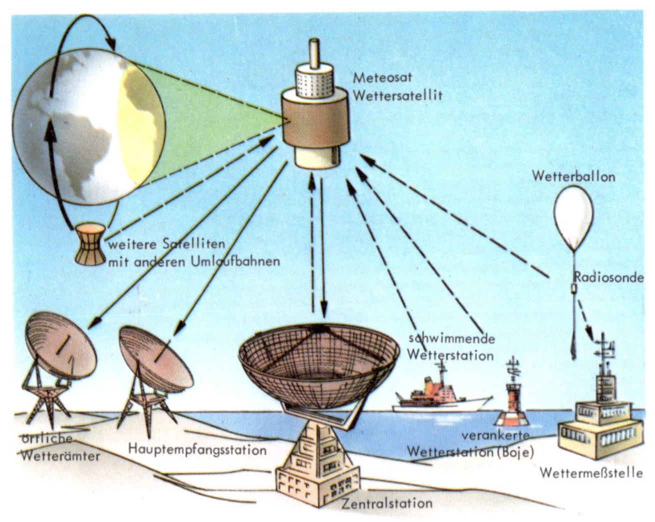

tende Entwicklung in den folgenden Stunden und Tagen berechnen. Es ist jedoch nicht möglich, das Wetter mit Bestimmtheit vorauszusagen.

Wetterau, nördliche Fortsetzung des Oberrheintals, die sich zwischen Vogelsberg und Taunus erstreckt. Auf fruchtbaren Löß- und Lehmböden wird eine ertragreiche Landwirtschaft betrieben (Weizen, Zuckerrüben).

Wetterkunde, die →Meteorologie.

Wettersteingebirge, Teil der Nördlichen Kalkalpen, in der Grenzregion von Bayern und Tirol (Österreich) gelegen. Das Loisachtal und die Leutascher Ache begrenzen das mächtige Gebirge. Das Rein- und Höllental zerlegen das Wettersteingebirge in 3 Kämme, die sich vom höchsten Punkt (**Zugspitze** mit 2962 m) nach Osten erstrecken. Das Wettersteingebirge ist mit der Zugspitze, der Partnachklamm (enge Felsschlucht des Reintales), dem Eibsee und den zahlreichen Orten am Fuße des Gebirges ein vielbesuchtes Fremdenverkehrsgebiet.

Whigs, in England im 17. Jahrh. der Parteiname für diejenigen, die ein katholisches Königtum verhindern wollten. Aus den Whigs bildete sich im 19. Jahrh. die liberale Partei Großbritanniens. Gegner der Whigs waren die →Tories.

Wichte, früher **spezifisches Gewicht,** Formelzeichen γ; der Quotient aus der Gewichtskraft G und dem Volumen V eines Körpers, $\gamma = G/V$ ($= g\varrho$). Die Wichte ist (wegen der ortsabhängigen Fallbeschleunigung g) im Gegensatz zur →Dichte ϱ eine vom Ort abhängige Größe.

Widder, das männliche →Schaf.

Widerhall, das →Echo.

Widerstand. Weshalb fließen bei gleicher elektrischer →Spannung durch verschiedene Verbraucher wie z. B. einen Konstantandraht (Legierung aus Kupfer, Nickel, Mangan), einen Kupferdraht oder einen Eisendraht verschieden starke elektrische Ströme?

Jedes Material behindert die Elektronen, deren Bewegung Stromfließen bedeutet, in verschiedener Weise. Man sagt, die Drähte setzen dem Stromfluß einen unterschiedlichen Widerstand entgegen, der von dem Material, der Länge und der Dicke des Drahtes abhängt.

Der Widerstand ist um so größer, je größer die Spannung ist, die an einem Leiter anliegen muß, damit ein →elektrischer Strom bestimmter Stärke fließt. Deshalb bezeichnet man den Quotienten aus der an dem Leiter anliegenden elektrischen Spannung U und der elektrischen Stromstärke I des durch den Leiter fließenden Stromes als elektrischen Widerstand R des betreffenden Leiters: $R = U/I$. Man mißt R in der Einheit →Ohm (Ω).

Nicht nur den Quotienten U/I nennt man Widerstand, sondern auch die Bauelemente, die dem Strom einen ›Widerstand‹ entgegensetzen. Durch Schiebewiderstände, deren Widerstandswert sich stufenlos verändern läßt, kann man in Theatern und Kinos Lampen langsam aufleuchten und erlöschen lassen. Häufig sind sie auch zum Drehen eingerichtet, z. B. Lautstärkeregler am Rundfunkgerät. Bei nicht regelbaren Schichtwiderständen, z. B. in Meßgeräten, Radios oder Fernsehapparaten, ist auf ein kleines Keramikröhrchen eine dünne Kohle-, Metall- oder Metalloxidschicht aufgebracht. Der Widerstandswert wird meist durch farbige Ringe gekennzeichnet.

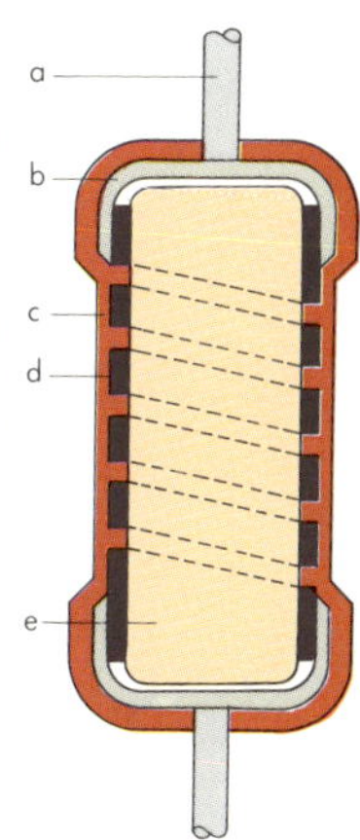

Widerstand 1: Querschnitt durch einen Schichtwiderstand; a Anschlußdraht, b Metallkappe, c Schutzlackierung, d Widerstandsschicht, e Keramikkörper

Widerstandsbewegung, eine im geheimen organisierte Auflehnung gegen ein als diktatorisch und moralisch verderblich empfundenes Regierungssystem oder gegen eine Fremdherrschaft.

Die deutsche Widerstandbewegung gegen das nationalsozialistische Regierungssystem entwikkelte sich seit 1933 in verschiedenen Bereichen der Gesellschaft: 1) in den beiden christlichen Kirchen: auf evangelischer Seite die →Bekennende Kirche, auf katholischer Seite sowohl Vertreter der Amtskirche (Bischof Clemens August Graf von Galen) als auch Laien (Josef Wirmer); 2) unter den Angehörigen der verbotenen Gewerkschaften und der aufgelösten Parteien (z. B. Wilhelm Leuschner, Jakob Kaiser, Julius Leber, Carl-Friedrich Goerdeler); die Kommunisten versuchten, sich als Untergrundbewegung zu organisieren; 3) in der Wehrmacht (General Ludwig Beck, Admiral Wilhelm Canaris) und im Staatsdienst (Ulrich von Hassell). 1938 scheiterten Staatsstreichpläne gegen die Regierung Hitler.

Im Zweiten Weltkrieg verband die von den Kommunisten aufgebaute **Rote Kapelle** Spionagetätigkeit mit Widerstandszielen. In dem von Helmut James Graf von Moltke organisierten **Kreisauer Kreis** fanden sich Persönlichkeiten aus allen Lagern zusammen. An der Münchner Universität bildete sich der Widerstandskreis der →Weißen Rose. Nach der militärischen Niederlage Deutschlands bei Stalingrad (1943) entstand unter sowjetischer Aufsicht das **Nationalkomitee Freies Deutschland** und der **Bund deutscher Offiziere.**

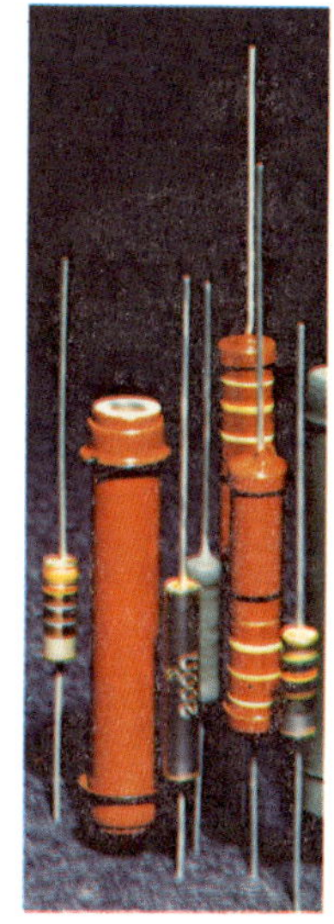

Widerstand 2: Widerstände verschiedener Größe

Die Versuche, Hitler zu töten und damit das nationalsozialistische Herrschaftssystem zu erschüttern, gipfelten im Aufstandversuch vom

20. Juli 1944 unter Führung Claus Graf Schenk von Stauffenbergs. Der Aufstand scheiterte.

Im Zweiten Weltkrieg entstanden in den von Deutschland und seinen Verbündeten besetzten Gebieten Widerstandsbewegungen, in Frankreich z. B. die **Résistance.** In anderen Ländern, z. B. in Jugoslawien, Polen, der Sowjetunion und in Griechenland, kämpften Partisanengruppen gegen die deutsche Besatzungsmacht.

Widukind, Wittekind, adliger Sachse aus Westfalen, der den Widerstand der heidnischen Sachsen gegen →Karl den Großen immer wieder neu entfachte. Erst 785 unterwarf sich Widukind und ließ sich taufen. Er soll 807 gefallen und in der Pfarrkirche von Enger (nördlich von Bielefeld) begraben sein.

Wiedehopf, rötlich-brauner, etwa amselgroßer Vogel mit breiten, schwarzweißen Querbändern an Flügeln und Schwanz. Seinen großen fächerförmigen Federschopf kann er bei Erregung aufrichten. Der Wiedehopf lebt in Deutschland in Parkanlagen, Obstgärten, lichten Wäldern und auf Viehweiden. Mit Vorliebe nistet er in den Höhlungen alter Bäume. Die brütenden Weibchen und die Jungen verspritzen bei Gefahr aus einer Drüse eine übelriechende Flüssigkeit. Mit seinem sehr langen und schlanken, leicht abwärtsgebogenen Schnabel sucht der Wiedehopf im Boden nach Insekten und deren Larven sowie Spinnen und Würmern. In Mitteleuropa sind Wiedehopfe Zugvögel.

Wiedehopf

Wiederaufarbeitung, Kerntechnik: die Zerlegung ›abgebrannter‹ (ausgedienter) →Brennelemente in ihre Bestandteile, um daraus spaltbares Material, vor allem Uran (U) 235 und Plutonium (Pu) 239 zurückzugewinnen und die bei der →Kernspaltung entstandenen, hochradioaktiven Spaltprodukte abzutrennen. Dazu sind spezielle, unter strengen Auflagen arbeitende Anlagen erforderlich, die in der Regel vollautomatisch und fernbedient betrieben werden und aus denen keine radioaktive Strahlung nach außen gelangen darf. Vor dem Transport in die Wiederaufarbeitungsanlage werden die abgebrannten Brennelemente zunächst in einem Wasserbecken gelagert, bis die Strahlung der kurzlebigen Spaltprodukte abgeklungen ist **(Zwischenlager).** In der Wiederaufarbeitungsanlage erfolgt in der ›heißen Zelle‹ die Zerlegung in Brennstäbe, Strukturteile und eventuelle Spaltprodukte. Die Brennstäbe werden zerschnitten, ihr Inhalt chemisch gelöst und aus der Lösung U und Pu isoliert.

Wiederkäuer

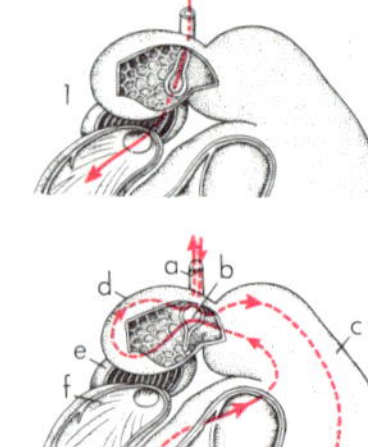

Wiederkäuer: Magen (Rind): **1** Schlundrinne weitgehend geschlossen. **2** Schlundrinne geöffnet (während des Wiederkäuens). a Speiseröhre, b Schlundrinne, c Pansen, d Netzmagen, e Blättermagen, f Labmagen, g Pförtner. Pfeile: Gang der Nahrung

Wiederkäuer, Tiere, die ihre ausschließlich pflanzliche Nahrung (Gras, Blätter) zweimal zerkauen. Sie bilden eine weltweit verbreitete Unterordnung der Paarhufer (→Huftiere). Dazu gehören unter anderem Hirsche, Giraffen, Rinder, Ziegen und Schafe. Wiederkäuer haben einen mehrteiligen Magen, mit dem sie ihre schwer verdauliche und nährstoffarme pflanzliche Nahrung gut verdauen und auswerten können. Sie verschlingen in relativ kurzer Zeit große Futtermengen, die nur grob zerkleinert in die 2 Vormägen (›Gärkammern‹) gelangen, wo sie vorverdaut und damit erweicht werden. Zuerst wird die Nahrung im geräumigen Pansen gelagert, und dort lebende Bakterien bauen die Cellulose ab, die der pflanzlichen Zellwand ihre Festigkeit verleiht (→Zelle). Dann erreicht die Nahrung den Netzmagen, in dem sie zu kleinen, ballenartigen Stückchen geformt wird. Etwa eine halbe bis eine Stunde nach dem Fressen werden diese kleinen Nahrungsportionen dann in die Mundhöhle zurückgewürgt. Nun beginnt das Wiederkäuen. Da dies anstrengend ist und lange dauert (beim Rind täglich 5–7 Stunden), ruhen die Tiere meist dabei. Mit Speichel vermengt, wird die Nahrung jetzt gründlich durchgekaut. Beim nochmaligen Verschlucken durchläuft der Speisebrei den Blättermagen (auch Faltmagen), in dem er vollständig zerrieben und ausgepreßt wird, und gleitet dann in den Hauptmagen (auch Labmagen). Hier findet, wie bei den übrigen Säugetieren, die eigentliche Verdauung statt, die im sehr langen Darm beendet wird. In Freiheit lebende Wiederkäuer suchen zum Wiederkäuen geschützte Plätze auf. So sind sie durch die rasche Nahrungsaufnahme im offenen Gelände nur kurze Zeit ihren Feinden (Löwe, Tiger) ausgesetzt.

Wiedertäufer. Im Verlauf der Reformation bildeten sich Gruppen, denen die Erneuerung der Kirche durch die Reformatoren Luther, Calvin und Zwingli nicht weit genug ging. Sie lehnten den Staat als solchen ab und forderten den Aufbau von Christengemeinden nach dem Vorbild des Neuen Testaments. Für sie durfte die Kirche lediglich aus freiwilligen Mitgliedern bestehen. So ließen sie nur die Taufe von bewußt Gläubigen, also von Erwachsenen, gelten und wurden daher von ihren Gegnern als ›Wiedertäufer‹ bezeichnet.

Die erste Täufergemeinde entstand 1525 in Zürich, wo noch im gleichen Jahr ihre Verfolgung einsetzte. Auch in Deutschland wurde diese Bewegung als Bedrohung von Kirche und Staat empfunden, und ihre Mitglieder wurden vom Reichstag von Speyer (1529) mit der Todesstrafe bedroht. Einige radikale Führer versuchten 1534 mit Gewalt, in der westfälischen Stadt Münster ein biblisches Gottesreich zu errichten. Ihre Schreckensherrschaft fand aber schon ein Jahr später ein blutiges Ende. Im Gegensatz zu ihnen zeichneten sich die meisten anderen Gruppen trotz vieler Verfolgungen durch Friedensliebe und Leidensbereitschaft aus.

Heute lebt das Wiedertäufertum in den evangelischen Freikirchen und in anderen Gemeinschaften (z. B. bei den Mennoniten) fort. Es ist besonders in den Vereinigten Staaten verbreitet.

Wiedervereinigung. Dieser Begriff bezeichnete besonders im politischen Sprachgebrauch der Bundesrepublik Deutschland die vom →Grundgesetz geforderte Wiederherstellung eines gemeinsamen Staates für alle Deutschen. Ausgelöst durch den politischen Umbruch im ehemaligen Ostblock konnte sich 1990 die Wiederherstellung der staatlichen Einheit Deutschlands auf der Grundlage der freiheitlichen demokratischen Rechtsordnung der Bundesrepublik Deutschland vollziehen.

Wien liegt an der Donau an den nordöstlichen Ausläufern der Alpen (→Wienerwald). Es ist die Hauptstadt Österreichs, Sitz der Bundesregierung und der obersten Bundesbehörden, der Landesregierung des Bundeslandes Niederösterreich und internationaler Organisationen, z. B. Internationale Atomenergiebehörde (IAEO), Organisation der UNO für industrielle Entwicklung (UNIDO). Die Stadt ist das Finanz- und Handelszentrum Österreichs mit Hafen und regem Fremdenverkehr. Wien ist der kulturelle Mittelpunkt des Landes mit einer alten Universität, gegründet 1365, mit weltweit bekannten Orchestern, den Wiener Philharmonikern und den Wiener Symphonikern, und Theatern, z. B. Burgtheater, Theater an der Wien, Staatsoper, mit dem Knabenchor der Wiener Sängerknaben und den jährlich stattfindenden Wiener Festwochen (Opern- und Theateraufführungen, Konzerte). Wien hat viele Museen, z. B. die Albertina (Zeichnungen alter Meister, Graphik), Kunsthistorisches und Naturhistorisches Museum, und Bibliotheken, z. B. die umfangreiche Österreichische Nationalbibliothek.

Wien
Hauptstadt der Republik Österreich und österreichisches Bundesland
Einwohner mit Vororten: 1,51 Millionen
Fläche: 414 km²

Die Stadt entwickelte sich ringförmig, überwiegend auf der rechten Seite der Donau. Die Innere Stadt, begrenzt durch die Ringstraße, bildet das Stadtzentrum mit dem gotischen **Stephansdom,** der mit seinem 136 m hohen Südturm, dem ›Steffel‹, ein Wahrzeichen Wiens ist. Zu den alten Bauwerken gehören die Gebäude der **Hofburg** (13.–19. Jahrh.), die früher als kaiserliches Schloß diente, die barocke Kapuzinerkirche und Kapuzinergruft mit den Gräbern habsburgischer Herrscher, die romanische Ruprechtskirche (11.–13. Jahrh.), die Karlskirche (18. Jahrh.) sowie viele Bürgerhäuser und Adelspaläste aus der Barockzeit, z. B. das Gartenschloß Belvedere (18. Jahrh.). Das ehemalige kaiserliche Schloß **Schönbrunn** (17./18. Jahrh.) umfaßt zahlreiche, prunkvoll im Rokokostil ausgestattete Räume, einen großen Park und einen Tiergarten. Teil des Praters, eines großen Naturparks an der Donau, bildet der Volks- oder Wurstelprater mit seinen Buden, Karussells und dem Riesenrad, das ein weiteres Wahrzeichen der Stadt ist.

Geschichte. Wien geht auf die keltisch-römische Siedlung Vindobona zurück. Im Mittelalter wurde die Stadt Residenz der Herzöge von Österreich und kam 1276 an die Habsburger. 1529 und 1683 wurde Wien von den Türken belagert (→Türkenkriege), konnte jedoch erfolgreich verteidigt werden. Einen Höhepunkt als Musikstadt erlebte Wien zwischen 1781 und 1827 mit den Wiener Klassikern Joseph Haydn, Wolfgang Amadeus Mozart und Ludwig van Beethoven. 1814/15 tagte hier der →Wiener Kongreß. Um die Wende zum 20. Jahrh. wurde Wien ein Zentrum führender Künstler und Gelehrter.

Wien
Landeswappen

Wiener Klassiker, die 3 Musiker Joseph →Haydn, Wolfgang Amadeus →Mozart und Ludwig van →Beethoven. Sie waren untereinander freundschaftlich verbunden, so war Haydn Mozarts Freund und Beethovens Lehrer. Unter **Wiener Klassik** faßt man ihre Werke zwischen 1781 und 1827, dem Todesjahr Beethovens, zusammen. Obwohl keiner der 3 Komponisten aus Wien stammte, war durch sie Wien Mittelpunkt der europäischen Musik dieser Zeit.

Wiener Kongreß. Nachdem Napoleon I. 1814 besiegt worden war und abgedankt hatte, trafen sich die Staatsoberhäupter und Minister der europäischen Staaten in Wien zu einem Kongreß, um über eine Neuordnung des europäischen Staatensystems zu beraten. Österreich, dessen Kanzler Fürst Metternich die beherrschende Persönlichkeit des Kongresses war, verzichtete auf die Österreichischen Niederlande (das heutige Belgien). Es erwarb in Oberitalien die Lombardei und Venetien. Preußen bekam die Gebiete von Kurköln und Kurtrier als Rheinprovinz. Es grenzte jetzt an Frankreich. Rußland behielt Finnland und beherrschte auch große Teile Polens, die man als ›Kongreßpolen‹ bezeichnet. Großbritannien erwarb Helgoland, Malta, die Kapkolonie in Südafrika und die Insel Ceylon (heute Sri Lanka). Frankreich behielt seine Grenzen von 1789. Bayern, Sachsen und Württemberg blieben Königreiche. Die Kaiserwürde wurde nicht wiederhergestellt. Als einigendes Band entstand der →Deutsche Bund.

Wienerwald, nordöstlichster Ausläufer der Alpen. Der Wienerwald umgibt Wien im Westen und Norden und erstreckt sich bis zur Donau. Das stark bewaldete Gebiet dient als Erholungsgebiet für die Wiener Bevölkerung.

Wiesbaden, 268 900 Einwohner, Hauptstadt des Bundeslandes Hessen zwischen dem Südhang des Taunus und dem Rhein. Wiesbaden ist eine Kurstadt mit Kongreßzentrum (Rhein-Main-Halle) und vielen Behörden, z. B. Statistisches Bundesamt, Bundeskriminalamt, außerdem Filmbewertungsstelle und Spitzenorganisation der Filmwirtschaft, Deutsche Klinik für Diagnostik. Das Stadtbild prägen der Kochbrunnen mit warmen Mineralquellen, die Marktkirche (19. Jahrh.), das barocke Biebricher Schloß (um 1700) und der Neroberg mit der russisch-orthodoxen Kapelle (19. Jahrh.). Wiesbaden war schon in der Römerzeit ein beliebter Badeort.

Wiesel, die kleinsten, besonders flinken →Marder. In Mitteleuropa lebt an Waldrändern, in Hecken und Büschen das etwa 20 cm lange, braune **Mauswiesel,** auch **Hermännchen;** es jagt Mäuse, frißt aber auch Eier. Im Unterschied zum Großen Wiesel, auch →Hermelin, hat es nur im Hochgebirge ein weißes Winterfell.

Wigwam, ursprünglich die kuppelförmige Hütte der nordamerikanischen Indianerstämme. Ein Wigwam bestand aus einem mit Baumrinde oder Fellen bedeckten Holzgestell. Die Europäer gebrauchten die Bezeichnung später allgemein für alle indianischen Behausungen.

Wikinger, →Normannen.

Wild, alle in Freiheit lebenden jagdbaren, das heißt dem Jagdgesetz unterliegenden Säugetiere und Vögel. Wild wird meist seines Fleisches oder Pelzes wegen gejagt. Man unterscheidet **Haarwild,** z. B. Rotwild (Hirsche), Damwild, Rehwild, Schwarzwild (Wildschweine), Hasen, Füchse, Kaninchen, Dachse, und **Federwild,** z. B. Rebhühner, Fasanen, Wildenten, Greifvögel. Als **Schalenwild** bezeichnet man Rothirsch, Reh und Wildschwein, da der Jäger die Hufe dieser Tiere Schalen nennt. Die Pfade, die bestimmte Tiere regelmäßig benutzen, um ihre Äsungsplätze zu erreichen, nennt man **Wildwechsel.** Im Winter kann man im Schnee die Spuren und Fährten (Schalenwild) des Wildes deutlich erkennen.

Wilde [waild]. Der englische Schriftsteller **Oscar Wilde** (* 1854, † 1900) führte ein ausschweifendes Leben bis er 1895 wegen Homosexualität zu 2 Jahren Zuchthaus verurteilt wurde. Wilde vertrat die Auffassung, daß Kunst keine bestimmte Absicht verfolgen solle, sondern reiner Selbstzweck sei. Der Held seines Romans ›Das Bildnis des Dorian Gray‹ (1890, Neufassung 1891) versucht, sein Leben als Kunstwerk zu gestalten, aber er wird zu einem hemmungslosen Genußmenschen, der in seinem Streben nach immerwährender Schönheit scheitert. In seinen Gesellschaftslustspielen (z. B. ›Lady Windermere's Fächer‹, 1892, ›Ein idealer Gatte‹, 1895), die sich durch geistreiche und witzige Dialoge auszeichnen, verspottete Wilde Moralvorstellungen und Verhaltensregeln der Gesellschaft im England des 19. Jahrh. Wilde schrieb auch Erzählungen (›Das Gespenst von Canterville‹, 1887) und romantische Märchen wie ›Der glückliche Prinz‹ (1888).

Wildschwein, eine wild lebende Art der →Schweine.

Wilhelm, Deutsche Kaiser:

Wilhelm I., * 1797, † 1888, König von Preußen (1861–88), seit 1871 zugleich deutscher Kaiser, war 1858–61 Regent für seinen kranken Bruder, König Friedrich Wilhelm IV. von Preußen. Nach seiner Thronbesteigung 1861 schien er eine liberale Politik zu vertreten, führte dann aber mit dem 1862 berufenen Ministerpräsidenten →Bismarck, der bis 1867 ohne Parlament regierte, ein konservatives Regiment. Nach den für Preußen siegreichen Kriegen gegen Dänemark (→Deutsch-dänische Kriege), Österreich (→Deutscher Krieg von 1866) und gegen Frankreich (→Deutsch-Französischer Krieg von 1870/71) wurde Wilhelm von allen deutschen Fürsten zum deutschen Kaiser ausgerufen. Die Kaiserproklamation fand am 18. Januar 1871 im Schloß von Versailles statt. Die Politik wurde weiterhin von Bismarck, der nun auch Reichskanzler war, gelenkt.

Wilhelm II., * 1859, † 1941, der letzte deutsche Kaiser und König von Preußen (1888–1918), Sohn und Nachfolger Kaiser Friedrichs III., Enkel Kaiser Wilhelms I., die beide 1888 starben (›Dreikaiserjahr‹). Seine Mutter war die Tochter

Wörter, die man unter W vermißt, suche man unter Ou oder V

der britischen Königin Victoria. Da der junge Kaiser persönlich regieren wollte, kam es bald zu Auseinandersetzungen mit dem Reichskanzler →Bismarck. Dieser wurde 1890 entlassen. Indem Deutschland das Bündnis mit Rußland (›Rückversicherungsvertrag‹) nicht erneuerte, gab Kaiser Wilhelm II. das Bündnissystem Bismarcks auf. Das hatte in dieser Zeit des unsicheren Gleichgewichts zwischen den europäischen Staaten zur Folge, daß sich Rußland in Frankreich einen anderen Partner suchte. Wilhelm II. erweckte durch unbedachte Reden den Anschein von Weltmachtstreben und Kriegsbereitschaft. Dazu trug auch der Bau einer großen Kriegsflotte bei. Davon fühlte sich besonders Großbritannien bedroht und schloß sich mit Frankreich und Rußland zu einem Block (›Entente‹) zusammen.

Innenpolitisch gab sich Wilhelm zuerst als ›Arbeiterkaiser‹, wandte sich dann aber gegen die SPD, die stärkst politische Kraft der Arbeiterbewegung. Seine Regierungszeit wird auch die **Wilhelminische Ära** genannt. Sie mündete 1914 in den Ersten Weltkrieg. Nach Kapitulation und →Novemberrevolution mußte Wilhelm II. abdanken. Er verließ Deutschland und lebte bis zu seinem Tod in den Niederlanden.

Wilhelm der Eroberer, * vielleicht 1027, † 1087, Herzog der Normandie in Frankreich, beanspruchte 1066 den englischen Königsthron. Daher landete er mit seinem Heer in England und besiegte 1066 den englischen König Harold II. in der Schlacht bei Hastings, einem am Ärmelkanal gelegenen Ort in der Grafschaft Sussex. Er eroberte bis 1070 ganz England und gab seinem Staat die Organisation eines straff geführten Feudalstaats.

Wilhelm I. von Oranien, * 1533, † 1584, Statthalter König Philipps II. von Spanien in einigen niederländischen Provinzen. Seit 1561 führte er mit den Grafen →Egmont und Hoorn den Widerstand gegen die Gegenreformation und die Unterdrückung politischer Freiheiten. Nach dem Scheitern dieses Aufstands kämpfte er gegen den spanischen Feldherrn →Alba als Führer der Aufständischen, der ›Geusen‹, in den niederländischen Seeprovinzen, die ihn zu ihrem ›Statthalter‹ ernannten. Nach manchen Mißerfolgen begründete er 1579 durch die Utrechter Union der nördlichen Provinzen die Unabhängigkeit der Niederlande und gilt dort als Retter des Protestantismus. Einer seiner Nachfolger, **Wilhelm III. von Oranien** (* 1650, † 1702), Statthalter seit 1674, vom englischen Parlament gegen den katholischen König Jakob II. (aus dem Haus Stuart) zu Hilfe gerufen, wurde 1689 mit seiner Frau **Maria** (* 1662, † 1694), der protestantischen Tochter Jakobs II., auch König von England, Schottland und Irland.

Williams [willjems]. In seinem ersten erfolgreichen Theaterstück ›Die Glasmenagerie‹ (1944) schildert der amerikanische Dramatiker **Tennessee** (eigentlich Thomas Lanier) **Williams** (* 1911, † 1983) die seelische Situation einer Frau, die sich aus Angst vor der Wirklichkeit in eine Traumwelt zurückgezogen hat. Auch in den folgenden Dramen, z. B. ›Endstation Sehnsucht‹ (1947), ›Die Katze auf dem heißen Blechdach‹ (1955), die von der Psychoanalyse Sigmund Freuds beeinflußt sind, stellt Williams leidenschaftlich-überspannte oder einfache Charaktere, den Zusammenstoß ihrer Hoffnungen mit der Alltäglichkeit und ihre Flucht in die ›Lebenslüge‹ dar.

Wimpertierchen sind →Urtierchen, die nach ihrem Wimperkleid benannt sind. Die kurzen, haarförmigen Wimpern sitzen auf der elastischen bis festen Oberfläche der Zelle. Durch rhythmische Schläge bewegen sich Wimpertierchen damit fort und strudeln Nahrungsteilchen herbei. Zu ihnen gehören auch die →Pantoffeltierchen.

Winckelmann. Der Gelehrte **Johann Joachim Winckelmann** (* 1717, † 1768) aus Stendal in der Mark Brandenburg ging 1755 nach Rom, wo er anfangs Bibliothekar und später Präsident der Altertümer der Vatikanischen Bibliothek war. Er erwarb umfassende Kenntnisse der antiken Kunstwerke in Rom, Florenz und Neapel, die er in seiner ›Geschichte der Kunst des Altertums‹ (1764) und in anderen Schriften in den geschichtlichen Zusammenhang einordnete. Dadurch wurde er zum Begründer der neueren Archäologie und der modernen vergleichenden Kunstgeschichte. Seine Auffassung vom Wesen der griechischen Kunst als ›edle Einfalt und stille Größe‹ wurde bestimmend für die Dichter der deutschen Klassik (Goethe- und Schillerzeit). Bei einem Aufenthalt in Triest fiel Winckelmann einem Raubmord zum Opfer.

Wind, Luftströmung, die durch Druckunterschiede der Atmosphäre entsteht. Der Wind weht aus Gebieten hohen Luftdrucks (Hochdruckgebiete) zu Gebieten tieferen Luftdrucks (Tiefdruckgebiete). Die Luft strömt jedoch nicht auf geradem Weg vom hohen zum tiefen Druck, sondern wird infolge der Erddrehung abgelenkt, so daß der Wind auf der Nordhalbkugel im Uhrzeigersinn aus einem Hochdruckgebiet heraus- und entgegen dem Uhrzeigersinn in ein Tiefdruckge-

WINDSTÄRKEN

Windstärke nach Beaufort	Geschwindigkeit m/s	Auswirkungen des Windes im Binnenland	Auswirkungen des Windes auf See
0 Windstille	0–0,2	Rauch steigt gerade empor	Spiegelglatte See
1 leichter Zug	0,3–1,5	Windrichtung nur durch Rauch erkennbar	Schuppenförmige Kräuselwellen
2 leichte Brise	1,6–3,3	Wind im Gesicht fühlbar, Blätter säuseln	Kurze kleine Wellen, Kämme brechen sich nicht
3 schwache Brise	3,4–5,4	Blätter und dünne Zweige bewegen sich	Kämme beginnen sich zu brechen, Schaum, meist glasig
4 mäßige Brise	5,5–7,9	Bewegt Zweige, dünne Äste, hebt Staub	Noch kleine Wellen, aber vielfach weiße Schaumköpfe
5 frische Brise	8,0–10,7	Kleine Bäume beginnen zu schwanken	Mäßig lange Wellen mit Schaumkämmen
6 starker Wind	10,8–13,8	Pfeifen an Drahtleitungen	Bildung großer Wellen (2,5–4 m) beginnt, größere Schaumflächen
7 steifer Wind	13,9–17,1	Fühlbare Hemmung beim Gehen	See türmt sich, Schaumstreifen in Windrichtung
8 stürmischer Wind	17,2–20,7	Bricht Zweige von den Bäumen, erschwert erheblich das Gehen	Hohe Wellenberge (über 7 m), Gipfel beginnen zu verwehen
9 Sturm	20,8–24,4	Kleinere Schäden an Häusern und Dächern	Dichter Schaumstreifen, ›Rollen‹ der See, Gischt verweht
10 schwerer Sturm	24,5–28,4	Entwurzelte Bäume, bedeutende Schäden	Sehr hohe Wellenberge, See weiß durch Schaum
11 orkanartiger Sturm	28,5–32,6	Verbreitete schwere Sturmschäden (sehr selten)	Außergewöhnlich hohe Wellenberge, Wellenkämme überall zu Gischt verweht
12 Orkan	über 32,6	–	Luft mit Schaum und Gischt angefüllt, keine Fernsicht mehr

In neuerer Zeit wurden drei weitere Stufen 13 bis 17 (Geschwindigkeit mehr als 56 m/s) angefügt.

biet hineinweht. Die **Windrichtung** ist stets die Richtung, aus der der Wind kommt. Die Geschwindigkeit einer Luftströmung ist abhängig von der Höhe der Luftdruckgegensätze und wird als **Windstärke** bezeichnet (ÜBERSICHT). Die

Windkanal:
Klimawindkanal des Volkswagenwerks (schematisch)

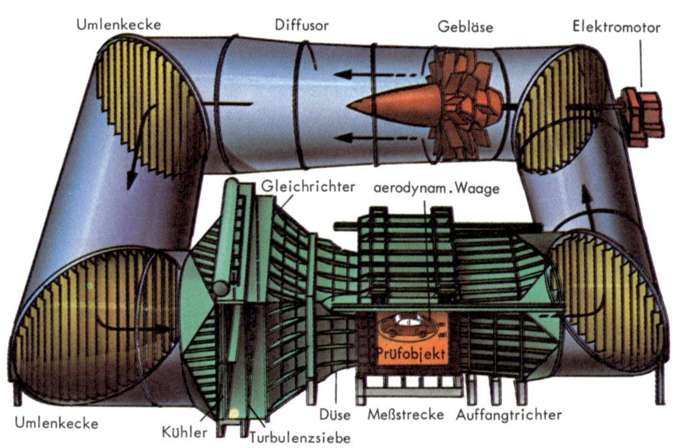

Energie des Winds kann in Windkraftwerken (→Kraftwerk) zur Erzeugung elektrischer Energie genutzt werden.

Winde, Fördermittel zum Heben oder Heranziehen von Lasten. Wird die Last von einer Schraubenspindel bewegt, die sich in einer Mutter dreht, handelt es sich um eine **Schraubenwinde.** Bei einer **Zahnstangenwinde** wird die Last durch eine verzahnte Stange bewegt, die durch die Drehung eines kleinen →Zahnrads (Ritzel) verschoben wird. Eine **hydraulische Winde** ist ein mit Öl gefüllter Zylinder, in dem durch Pumpen der Öldruck steigt und dadurch ein Kolben verschoben wird. Bei diesen 3 Windenformen können Lasten nur um geringe Höhen bewegt werden. Große Hubhöhen werden mit **Seilwinden (Haspeln),** wie man sie an Kränen findet, überwunden; hier wird die Last von einem Seil, das auf eine Trommel gewickelt ist, gehoben oder gesenkt.

Winder [wainder, englisch ›Spuler‹], Zusatzgerät zum Photoapparat, das für den automatischen Filmtransport sorgt. Nach jedem Druck auf den Auslöser wickelt der im Winder befindliche Motor den Film ein Stück weiter auf. Der Transporthebel am Photoapparat braucht nicht mehr betätigt zu werden.

Windglider [windglaider], Segelsurf-Brettklasse, seit 1984 im olympischen Programm; Maße: 3,90 m lang, 65 cm breit, Tiefgang mit Schwert 62 cm, Segelfläche 5,8 m^2.

Windhose, große →Trombe.

Windhuk, afrikaans **Windhoek,** 114 500 Einwohner, Hauptstadt von Namibia. Windhuk liegt 1 676 m über dem Meeresspiegel in der gebirgigen Landesmitte und ist das wirtschaftliche Zentrum des Landes. 1891–1919 war es Hauptstadt des Schutzgebietes Deutsch-Südwestafrika.

Windkanal, Versuchsanlage zur Untersuchung, wie Luft einen Körper umströmt. Ein **Unterschallwindkanal** besteht im Prinzip aus einem Gebläse in einem weiten Rohr, das sich in der Blasrichtung ein wenig verengt und in dem sich die Meßstrecke befindet. Zur Untersuchung von Modellen oder Teilen von Flugzeugen, Autos, Brücken und Häusern hat man Windkanäle gebaut, die mehrere Meter Durchmesser haben und in denen die Luft in einem geschlossenen Kreislauf geführt wird. Windkanäle dienen der Überprüfung der aerodynamischen Verhältnisse (→Aerodynamik), z. B. des Luftwiderstands, des Auftriebs, der Seitenkräfte. Die Erkenntnisse dieser Messungen und Beobachtungen haben großen Einfluß auf die Formgebung des betreffenden Geräts oder Bauwerks.

Überschallwindkanäle erfordern besondere Düsen (Lavaldüse) oder Druckluft, oder es wird ein Vakuumkessel mit atmosphärischer Luft aufgefüllt. **Hyperschallwindkanäle** für mehr als fünffache Schallgeschwindigkeit arbeiten mit hochverdichteter Luft, auch Stickstoff oder Helium.

Windmesser, Geräte zur Bestimmung der Windgeschwindigkeit. Ein waagrecht gelagertes Kreuz, an dessen Enden 4 Halbkugelschalen befestigt sind, dreht sich im Wind so, daß die gewölbten Seiten der Windrichtung entgegenlaufen. Der Grund für die Drehrichtung ist der kleinere Luftwiderstand der gewölbten Halbkugelflächen. Die durch den Wind entstehende Drehbewegung kann direkt mit einem →Tachometer in Geschwindigkeitswerten (Meter pro Sekunde) angezeigt werden.

Windpocken, Wasserpocken, Varizellen, durch ein →Virus hervorgerufene, sehr ansteckende, aber meist harmlos verlaufende Kinderkrankheit (→ansteckende Krankheiten). Die Viren werden gewöhnlich durch die Luft übertragen. Nach einer →Inkubationszeit von 2–3 Wochen treten auf der Haut rote Flecken auf, die sich erst zu Knötchen, dann zu wasserhellen Bläschen entwickeln, die trüb werden und eintrocknen. Der meist stark juckende Ausschlag erscheint in Schüben (vor allem im Gesicht, am behaarten Kopf und am Rumpf), so daß man Flecken, Knötchen und Bläschen nebeneinander vorfindet. Nach überstandener Krankheit besteht lebenslängliche →Immunität.

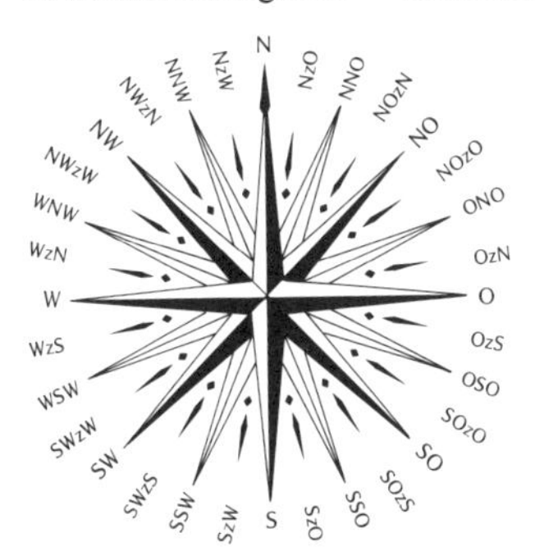

Windrose:
N = Nord(en)
O = Ost(en)
S = Süd(en)
W = West(en)
z = zu

Windrose, Kompaßrose, das drehbare Zifferblatt beim →Kompaß. Auf diesem Zifferblatt sind die Himmelsrichtungen angegeben.

Windsurfer [windsörfer], Segelsurf-Brettklasse; Maße: 3,65 m lang, 65 cm breit, Tiefgang mit Schwert 50 cm, Segelfläche 5,2 m². Den mit dem Windsurfer ausgeübten Sport bezeichnet man als **Windsurfing;** er ist eine Kombination aus Wellenreiten, Segeln und Wasserskilaufen (→Segelsurfen).

Winkel, Geometrie: eine geometrische Figur, die aus einem Punkt *S*, dem **Scheitelpunkt** des Winkels, und 2 von *S* ausgehenden →Halbgeraden *a* und *b*, den **Schenkeln** des Winkels, besteht. Winkel werden häufig durch kleine griechische Buchstaben ($\alpha, \beta, \gamma, \delta, \ldots$) oder mit $\sphericalangle(a, b)$ bezeichnet.

Ein Winkel zerlegt die Ebene in 2 getrennte Gebiete, das **Innen-** und das **Außengebiet des Winkels** (BILD 1). Den Winkel $\sphericalangle(a, b)$ kann man sich auch durch eine Drehung entstanden denken, bei der der Schenkel *a* um den Scheitel *S* gegen den Uhrzeigersinn solange gedreht wird, bis er auf den Schenkel *b* fällt. Führt der Schenkel *a* dabei eine ganze (oder volle) Drehung aus, so spricht man von einem **Vollwinkel.** Er dient als Grundlage der Winkelmessung.

Die Größe eines Winkels, das Winkelmaß, wird in →Grad angegeben. Winkel lassen sich nach ihrer Größe einteilen. Es gilt: **Nullwinkel:** $\alpha = 0°$, **spitzer Winkel:** $0° < \alpha < 90°$, **rechter Winkel:** $\alpha = 90°$, **stumpfer Winkel:** $90° < \alpha < 180°$, **gestreckter Winkel:** $\alpha = 180°$, **überstumpfer Winkel:** $180° < \alpha < 360°$, **Vollwinkel:** $\alpha = 360°$ (BILD 2).

Zwei Winkel, die sich zu 90° ergänzen, heißen **Komplementwinkel,** solche, die sich zu 180° ergänzen, **Supplementwinkel.** Die sich am Schnittpunkt zweier Geraden gegenüberliegenden Winkel heißen **Scheitelwinkel,** die nebeneinander liegenden **Nebenwinkel.** Scheitelwinkel sind gleich groß, Nebenwinkel ergänzen sich zu 180° (BILD 3, Seite 372). Die Winkel, die beim Schnitt einer Geraden mit 2 Parallelen entstehen, heißen **Stufenwinkel, Wechselwinkel** und **entgegengesetzte Winkel.** In BILD 4, Seite 372, sind Stufenwinkel: α_1 und α_2, β_1 und β_2, γ_1 und γ_2, δ_1 und δ_2, Wechselwinkel: α_1 und γ_2, β_1 und δ_2, γ_1 und α_2, δ_1 und β_2, entgegengesetzte Winkel: α_1 und δ_2, β_1 und γ_2, γ_1 und β_2, δ_1 und α_2. Es gilt: Stufen- und Wechselwinkel sind gleich, entgegengesetzte Winkel ergänzen sich zu 180°. – Dreiteilung des Winkels, →Quadratur des Kreises.

Winkelmesser, ein Zeichengerät zum Abtragen oder Messen von →Winkeln oder Richtungen. Der Winkelmesser hat die Gestalt eines Halbkreises, auf dessen Umfangslinie eine Teilung von 0° bis 180° (→Grad) angebracht ist. Will man die Größe eines Winkels mit den Schenkeln *a* und *b* messen, dann legt man den Winkelmes-

Winkel

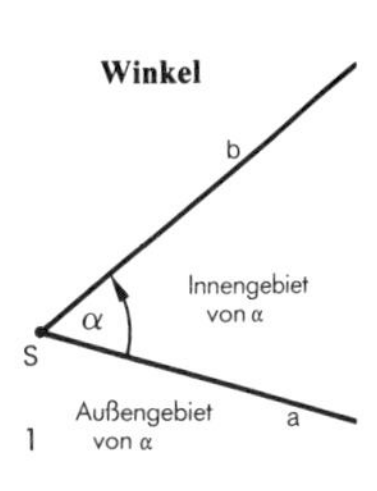

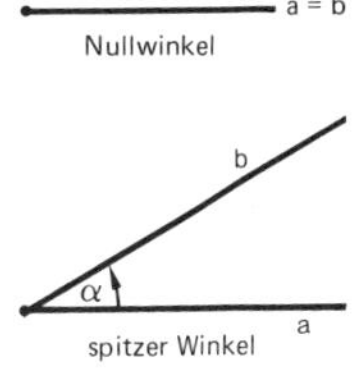

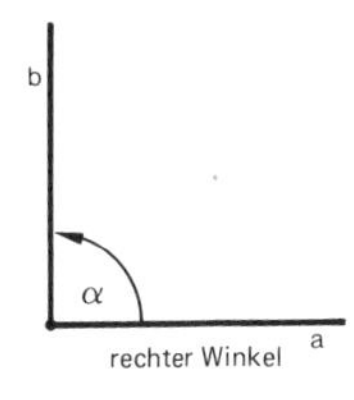

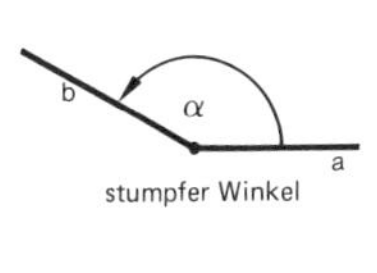

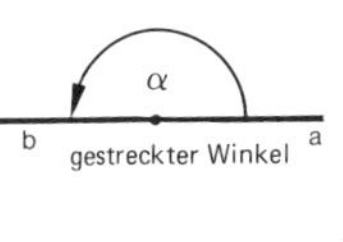

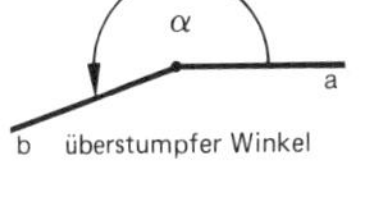

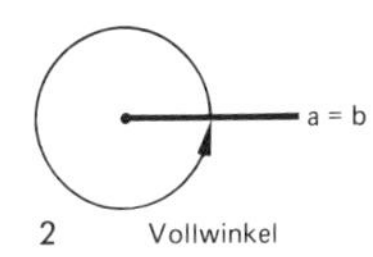

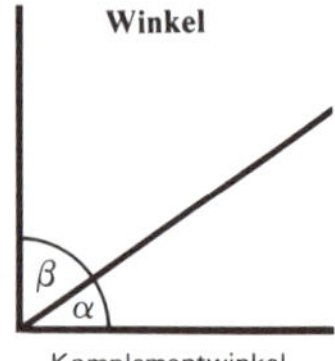

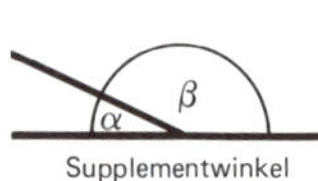

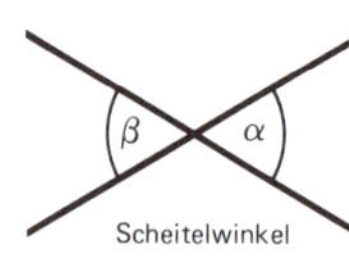

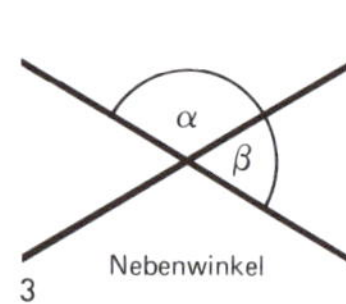

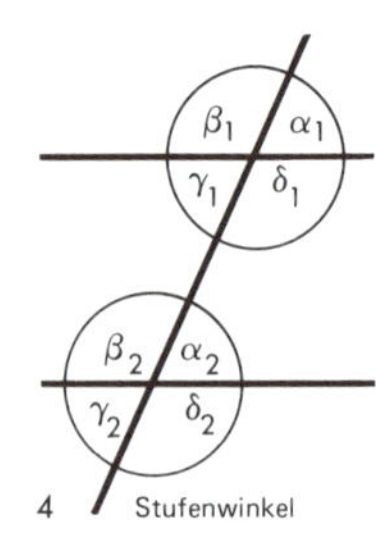

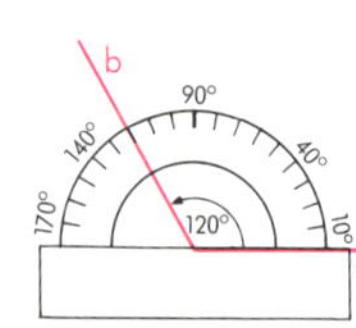

Winkelmesser

ser mit seiner geraden Kante so an den Schenkel *a* an, daß der Scheitel des Winkels an der Mittelmarkierung liegt. Die Lage des Schenkels *b* gibt dann die Winkelgröße an.

Winter, Jahreszeit auf der Nordhalbkugel vom 21. Dezember bis 21. März, auf der Südhalbkugel vom 21. Juni bis 23. September.

Winterschlaf, Ruhezustand während der Wintermonate bei manchen Säugetieren, z. B. bei Igeln, Bilchen, Murmeltieren und Fledermäusen. Sobald die Außentemperatur unter einen für die einzelnen Arten spezifischen Wert fällt, werden die normalen Aktivitäten eingestellt, und die Tiere fallen in den Winterschlaf. Während dieser Zeit sind die Körpertemperatur (beim Hamster bis auf 2°–3 °C), der Herzschlag (Hamster: von 250 auf 4 Schläge/Minute) und die Atmung (Fledermaus: bis auf 1 Atemzug/Stunde) stark herabgesetzt. Hierdurch sowie durch die in der Regel ›zusammengerollte‹ Schlafhaltung wird der Energieverbrauch drastisch gesenkt. Zur Aufrechterhaltung der lebensnotwendigen Funktionen fressen die Tiere entweder von Zeit zu Zeit von angelegten Vorräten (z. B. Hamster), oder sie zehren von ihren vorher angefressenen Fettpolstern. Bei allen Winterschlaf haltenden Tieren wird der Schlaf ab und zu unterbrochen. Die Gründe hierfür sind bei den Tieren, die während des Winterschlafs keine Nahrung zu sich nehmen, nicht bekannt. Um möglichst wenig Energie zu verbrauchen, ist die Körpertemperatur in der Regel ungefähr gleich der Umgebungstemperatur. Fällt sie jedoch unter einen Minimalwert, so wird die Wärmeproduktion beim Tier wieder angeregt, es wacht jedoch in der Regel nicht auf.

Nur eine **Winterruhe** halten z. B. Dachs, Biber, Eichhörnchen und Bär. Zum Teil legen diese Tiere Vorräte für den Winter an, ziehen sich für längere Zeiten in ihre Höhlen zurück und schlafen tagelang. – In eine **Winterstarre** verfallen wie viele Insekten auch andere →Wechselwarme wie Frösche, Lurche, Eidechsen und Schnecken.

Wirbellose, Tiere, die im Unterschied zu den →Wirbeltieren keine stützende Wirbelsäule haben. Manche haben Gehäuse (Schnecken), Schalen (Muscheln) oder Panzer (Käfer, Krebse), oder ihr Körper wird von einem prall gefüllten Darmrohr gestützt (Würmer). Viele leben im Meer. Neun Zehntel aller Tierarten gehören zu den Wirbellosen: →Einzeller, →Urtierchen, →Schwämme, →Weichtiere, →Stachelhäuter, →Hohltiere, →Gliederfüßer, →Würmer.

Wirbelsäule, Rückgrat, die in der Mitte des Rückens gelegene knöcherne Achse beim Menschen und den Wirbeltieren, die den Kopf trägt und den Rumpf stützt. Sie besteht beim Menschen aus 7 Hals-, 12 Brust- und 5 Lendenwirbeln. Daran schließen nach unten 5 zum Kreuzbein verschmolzene Wirbel an, die einen Teil des Beckens bilden. Die Wirbelsäule endet im Steißbein, das aus 3–4 zusammengewachsenen Wirbeln besteht.

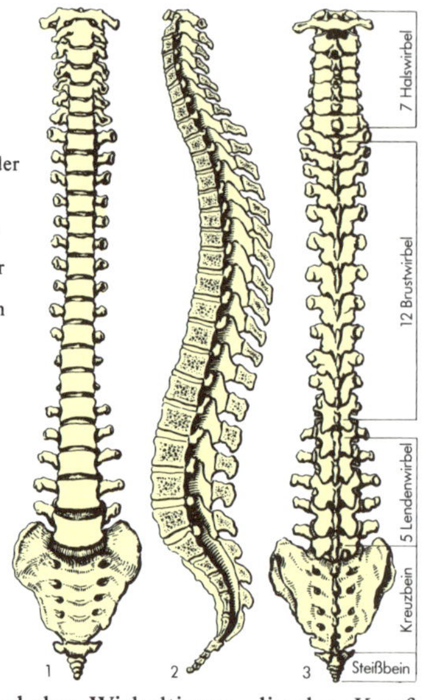

Wirbelsäule: Wirbelsäule des erwachsenen Menschen; **1** Wirbelsäule von vorn. **2** Längsschnitt durch die Mitte der Wirbelsäule von links, zeigt den Wirbelkanal und die natürlichen Krümmungen der Wirbelsäule. **3** Wirbelsäule von hinten

Jeder Wirbel hat einen **Wirbelkörper** und 2 **Wirbelbögen,** die das **Wirbelloch** umschließen und sich zu dem unter der Haut tastbaren **Dornfortsatz** verbinden. In dem von Wirbelbögen umschlossenen **Wirbelkanal** liegt das →Rückenmark. Die kleinen Gelenkfortsätze ermöglichen die bewegliche Verbindung der benachbarten Wirbel. Zwischen den Wirbeln liegen die Zwischenwirbelscheiben (→Bandscheibe), die wie die großen und kleinen Bänder Zusammenhalt und Beweglichkeit ermöglichen.

Jeder Abschnitt der Wirbelsäule ist durch einen seinen Aufgaben entsprechenden Aufbau geprägt. Der erste Halswirbel **(Atlas)** hat große Gelenkflächen, auf denen der Schädel ruht und die nur Nickbewegungen zulassen. Der zweite Wirbel **(Axis)** greift mit einem Knochenvorsprung in den ersten hinein; dadurch wird die Kopfdrehung möglich. Die **Halswirbelsäule** hat eine außerordentlich gute Beweglichkeit im Unterschied zur **Brustwirbelsäule,** bei der die Wirbel mit 12 Rippenpaaren verbunden sind. Sie bildet mit dem vorn gelegenen Brustbein den →Brustkorb. Die **Lendenwirbelsäule,** auf der die größte Kör-

Wörter, die man unter W vermißt, suche man unter Ou oder V

perlast ruht, zeichnet sich durch kräftige Wirbelkörper und eine relativ gute Beweglichkeit aus. Die Wirbelsäule ist S-förmig gekrümmt, wodurch eine größere Elastizität bewirkt wird und Stöße besser abgefedert werden können.

Wirbelsturm, großer Luftwirbel, in dem die Luft fast kreisförmig um ein Zentrum mit extrem niedrigem Luftdruck, das ›Auge‹, wirbelt. Ein Wirbelsturm hat einen Durchmesser von einigen hundert, das ›Auge‹ von 20–30 km Durchmesser. In der rotierenden Luftsäule treten orkanartige Windstärken mit Windgeschwindigkeiten um 200 km/h auf, während im Zentrum Windstille herrscht. Wirbelstürme entstehen über tropischen Meeren, deren Wassertemperatur etwa 27°C beträgt. Sie bewegen sich mit einer Geschwindigkeit von 30–60 km/h zunächst in westliche Richtung und werden dann durch die Erddrehung immer mehr nach Norden abgelenkt. Infolge ihrer langen Lebensdauer legen sie mehrere 1000 km zurück. Trifft ein Wirbelsturm auf eine Küste, richtet er infolge seiner orkanartigen Stärke und außerordentlich hoher Niederschläge meist große Schäden an. Schlimmere Auswirkungen haben jedoch die Sturmfluten, die von Wirbelstürmen verursacht werden. Über Land verliert ein Wirbelsturm relativ rasch seine Energie und löst sich auf. Die häufigsten Wirbelstürme sind die →Hurrikane und die →Taifune.

⇒Tornado · Trombe · Zyklone

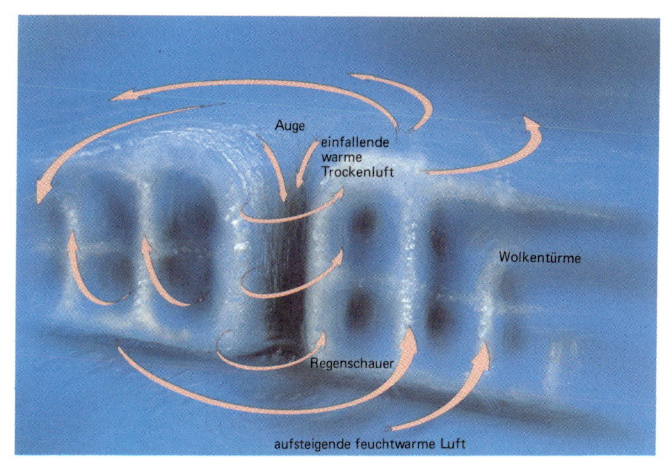

Wirbelsturm: Querschnitt durch einen Wirbelsturm. Die spiralförmig um das Zentrum kreisende, aufsteigende Luft läßt Wolkenwände entstehen, in denen der meiste Regen fällt. Ein Teil der wirbelnden Luftmassen entweicht oben nach der Seite

Wirbeltiere. Der Körper von Wirbeltieren wird durch eine feste →Wirbelsäule gestützt, die als Achse durch das nach beiden Seiten symmetrisch entwickelte Innenskelett aus Knorpel und Knochen läuft. Zu den Wirbeltieren gehören die →Fische, →Lurche, →Kriechtiere, →Vögel und →Säugetiere einschließlich des Menschen.

Der Körper der Wirbeltiere ist deutlich in die 3 Abschnitte Kopf, Rumpf und Schwanz gegliedert; der Schwanz kann auch zurückgebildet sein wie bei Menschenaffen und dem Menschen. Wirbeltiere haben meist 2 Paar Gliedmaßen, die bis auf die Flossen der Fische den gleichen Grundbauplan zeigen. Meist sind sie als Schreitbeine ausgebildet; sie können aber auch umgebildet sein zum Greifen (Arme: Affe, Mensch), zum Graben (Grabschaufeln: Maulwurf), zum Fliegen (Flügel: Vogel, Fledermaus) oder zum Schwimmen (Flosse: Wal); sie können auch völlig zurückgebildet sein (Schlange). Nervensystem (Rückenmark, Gehirn) und Sinnesorgane der Wirbeltiere sind hoch entwickelt. Fische und Lurche im Jugendstadium atmen durch Kiemen, alle anderen Wirbeltiere durch Lungen. Wirbeltiere pflanzen sich geschlechtlich fort, das heißt, die Keimzellen (Ei- und Samenzellen) jeder Art sind auf Männchen und Weibchen verteilt. Säugetiere gebären meist lebende Junge; fast alle anderen Wirbeltiere legen Eier.

Alle Wirbeltiere haben eine mehrschichtige Haut, die Schuppen, Federn oder Haare bildet, woran man meist schon erkennen kann, ob es sich um Fisch, Lurch, Vogel oder Säugetier handelt. Wirbeltiere haben einen geschlossenen Blutkreislauf, der vom Herzen ausgeht und wieder zum Herzen zurückführt. Man unterscheidet die →Wechselwarmen, deren Körpertemperatur von der Umgebungstemperatur abhängt (Fische, Lurche, Kriechtiere), und die →Warmblüter mit ziemlich konstanter Körpertemperatur (Vögel, Säugetiere einschließlich Mensch).

Nur etwa $^1/_{10}$ aller heute lebenden Tierarten gehört zu den Wirbeltieren; die übrigen sind →Wirbellose, das heißt, ihnen fehlt die Wirbelsäule.

Wirklichkeitsform, →Indikativ.

Wirt, Biologie: Bezeichnung für ein tierisches oder pflanzliches Lebewesen, das einen →Parasiten ›beherbergt‹, der sich von ihm oder mit seiner Hilfe ernährt und fortpflanzt. Wechselt ein Parasit während der →Entwicklung von einem Wirtsorganismus auf einen anderen, so wird dies als **Wirtswechsel** bezeichnet. Hierbei wird der **Zwischenwirt** stets von den Jugendstadien (z. B. Larven) besiedelt, während der Parasit im **Endwirt** dann seine Geschlechtsreife erlangt. Wirtswechsel kommt z. B. bei den →Bandwürmern vor.

Wisent, das größte in Europa wildlebende Tier. Der hell- bis schwarzbraune Wisent ist ein mit dem amerikanischen →Bison verwandtes Waldrind, jedoch kleiner und weniger stark. Früher waren Wisente über ganz Europa verbreitet. Bereits auf altsteinzeitlichen Felsbildern in Höhlen Südfrankreichs und Nordspaniens sind sie dargestellt. Heute leben Wisente in Tiergärten und Schutzgebieten. Als Waldbewohner fressen Wisente vor allem Laub und Zweige.

Wismut, Zeichen **Bi** (von lateinisch **bi**smutum), ein rötlich-silberweiß glänzendes, sprödes Metall (→chemische Elemente, ÜBERSICHT), das für zahlreiche leicht schmelzende Legierungen benutzt wird. Das seltene Metall wird auch in der pharmazeutischen und kosmetischen Industrie, zur Herstellung von Druckstöcken, Elektroden, Thermoelementen, Halbleitern und Farben verwendet.

Wittelsbacher, ein deutsches Fürstengeschlecht. Die Wittelsbacher waren treue Lehnsleute des staufischen Kaisers Friedrich I. Barbarossa, der sie mit dem Herzogtum Bayern belehnte. 1214 wurden die Wittelsbacher auch Pfalzgrafen bei Rhein. Diese wurden 1356 Kurfürsten. 1623 fiel die Kurwürde an die bayerischen Wittelsbacher. Für die pfälzischen Wittelsbacher wurde durch den →Westfälischen Frieden von 1648 eine neue, eine achte, Kurstimme geschaffen. Eine Nebenlinie, die Wittelsbacher von Pfalz-Zweibrücken, stellte 1654–1718 die Könige von Schweden. Zweibrücken beerbte 1799 das bayerische Haus Wittelsbach. Aus dieser Familie entstammten die bayerischen Könige zwischen 1806 und 1918. Eine weitere Familie Wittelsbach trug den Titel ›Herzöge in Bayern‹.

Wittenberg, auch **Lutherstadt Wittenberg,** 54300 Einwohner, Stadt in Sachsen-Anhalt an der Elbe. Wittenberg, die Wirkungsstätte Martin Luthers, bewahrt viele Erinnerungen an die Reformation, z. B. die Schloßkirche (15. Jahrh.), an deren Tür Martin Luther am 31. Oktober 1517 die 95 Thesen angeschlagen haben soll, mit der Grabstätte Luthers, Luthers Wohnhaus (heute Museum der Reformation) und die Stadtkirche (13.–16. Jahrh.). Die 1502 gegründete Universität wurde durch Luther und den Humanisten und Theologen Philipp Melanchthon Mittelpunkt der Reformation.

Witterung, der Ablauf des →Wetters an mehreren aufeinanderfolgenden Tagen im Unterschied zum →Klima.

Woche, Zeitraum von 7 Tagen, beginnend mit dem Montag als erstem Wochentag. Diese Einteilung war schon im Altertum bei Juden und Babyloniern bekannt. Die Wochentage wurden nach römischen Göttern und Planeten benannt; im deutschen Sprachraum wurden die Namen der römischen Götter durch die entsprechenden germanischen ersetzt. 321 wurde unter Konstantin dem Großen die Sieben-Tage-Woche gesetzlich eingeführt.

Wolf. Die Schriftstellerin **Christa Wolf** (* 1929) stellt in ihren Werken die Gesellschaft der Deutschen Demokratischen Republik, ihre Veränderungen und die Situation des einzelnen Menschen in dem anderen deutschen Staat dar. Viel beachtet wurden ihre Romane ›Der geteilte Himmel‹ (1964) über das Schicksal eines Paares im geteilten Deutschland und ›Nachdenken über Christa T.‹ (1969). Der Nationalsozialismus ist Thema ihres Buches ›Kindheitsmuster‹ (1977). In ›Kassandra‹ (1983) wendet sich Christa Wolf gegen den Krieg und die Verrohung des Menschen.

Wölfe, hundeartige Raubtiere, die große Waldgebiete und weite Steppen der nördlichen Halbkugel bewohnen; früher waren sie in ganz Europa heimisch. Da sie seit Jahrhunderten als Wild- und Viehdiebe verfolgt wurden, kommen sie heute fast nur noch in Ost- und Südosteuropa vor. Wölfe erjagen durch Hetzen vor allem Ziegen, Schafe und Rehe. Nur im Winter rotten sie sich zu Rudeln zusammen. Besonders zur Paarungszeit ist ihr lautes Heulen zu hören. Nur wenn Wölfe sehr hungrig sind und keine Nahrung finden, greifen sie Menschen an. Vom Wolf, der wie ein schlanker, hochbeiniger Schäferhund aussieht, stammen alle Haushunde ab. (BILD Hunde)

Wolfram, Zeichen **W,** →chemisches Element (ÜBERSICHT), ein weißglänzendes, chemisch relativ beständiges Metall, das bei höherer Temperatur walz-, zieh- und hämmerbar ist. Wolfram wird verarbeitet zu Glühlampendraht, elektrischen Kontakten, Raketendüsen, Hitzeschilden für Raumflugkörper, Geschoßkernen für panzerbrechende Waffen und hat als Legierungsbestandteil, z. B. für Wolframstähle, Bedeutung.

Wolfram von Eschenbach. Die Werke des aus Mittelfranken stammenden fahrenden Dichters **Wolfram von Eschenbach** (* um 1170, † um 1220) gelten als Höhepunkte der in mittelhochdeutscher Sprache geschriebenen ritterlichen Dichtung der Stauferzeit. In ihnen gestaltete er die Frage, wie die Bewältigung der Welt in Einklang mit dem Heil der Seele zu bringen sei. Sein Hauptwerk ist das Epos →Parzival (um 1210). Der ›Willehalm‹, ein höfisches Epos aus dem

Stoffbereich der französischen Heldendichtung, blieb unvollendet; darin beweisen neben den Christen auch die Heiden ihre Menschlichkeit und Ritterlichkeit. In dem nur bruchstückhaft überlieferten ›Titurel‹ erzählte Wolfram die Geschichte des im ›Parzival‹ auftretenden Liebespaares Sigune und Schionatulander. Wolframs Werke zeichnen sich durch Phantasie und realistische Beobachtungsgabe aus. Ungewöhnlich für die damalige Zeit ist seine subjektive Erzählweise.

Wọlga, der größte Strom Europas. Die 3 530 km lange Wolga entspringt in den Waldai-Höhen nordwestlich von Moskau. Sie durchfließt in 2 großen Bögen Rußland, löst sich unterhalb von Wolgograd in rund 80 Arme auf und mündet bei Astrachan mit großem Delta ins Kaspische Meer. Die wichtigsten Nebenflüsse sind Twerza, Mologa, Scheksna, Unscha, Kama, Oka und Samara. Die Wolga ist mehrfach zur Elektrizitätsgewinnung aufgestaut. Durch Kanäle ist sie mit der Ostsee, dem Weißen und dem Schwarzen Meer verbunden. Sie ist die wichtigste Binnenwasserstraße Rußlands.

Wọlgograd, bis 1925 **Zarizyn,** bis 1961 **Stalingrad,** 1 Million Einwohner, Hafenstadt in Rußland am rechten Bergufer der Wolga. Wolgograd ist ein Industriezentrum mit Maschinenbau (Traktoren), Schiffswerft, Erdölraffinerie und Aluminiumhütte. Mit dem Namen **Stalingrad** ist der Wendepunkt des Zweiten Weltkrieges an der Ostfront verknüpft (1942/43). Nach heftigen Kämpfen kapitulierten die in der Stadt eingeschlossenen deutschen Truppen.

Wọlken, in der Luft schwebende, sichtbare Ansammlungen von Wassertröpfchen (Wasserwolken) oder Eisteilchen (Eiswolken) oder eine Mischung aus beiden. Wolken entstehen, wenn der in jeder Luft vorhandene Wasserdampf zu kleinen Tröpfchen kondensiert (→Kondensation). Wieviel Wasserdampf die Luft enthält, hängt von ihrer Temperatur ab: Warme Luft vermag mehr Feuchtigkeit zu speichern als kalte. Wenn warme Luft sich abkühlt, wird die Feuchtigkeit in Form kleinster, schwebender Tröpfchen sichtbar. Das kann man im Winter beobachten, wenn die warme und feuchte Atemluft kleine ›Rauchfahnen‹ bildet. Die Feuchtigkeit kondensiert aber nur dann, wenn feste Teilchen vorhanden sind,

1

2

3

4

Wolken: **1** Flache Haufenwolken (Cumulus, Schönwetterwolken). **2** Aufgetürmte Haufenwolke (Cumulus). **3** Gewitterwolke (Cumulonimbus) mit ›Amboß‹, von tiefen Haufen- und Schichtwolken (Cumulus, Stratocumulus) umgeben. **4** Regenschauer mit Böenwolke (Cumulonimbus)

5

6

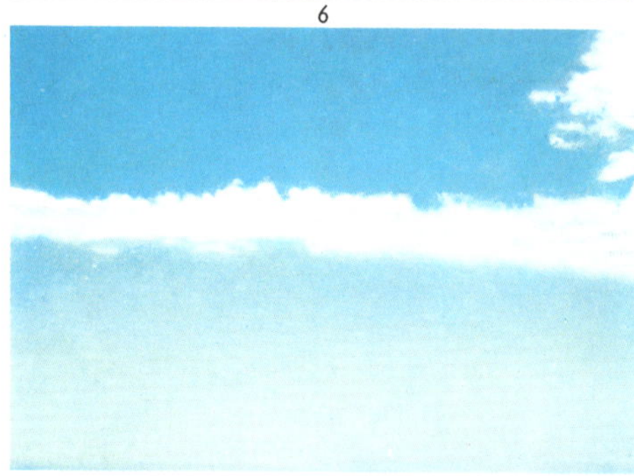

7

8

an denen sie hängenbleiben kann. In den bodennahen Luftschichten der Atmosphäre, zum Teil aber auch noch in großer Höhe, sind sehr viele solcher Teilchen vorhanden. Sie sind mikroskopisch klein. Wenn sie in großen Mengen auftreten, kann man sie als Dunst sehen, wie er z. B. im Sommer bei warmem Wetter und Windstille über großen Städten auftritt. Es handelt sich dabei vorwiegend um feinsten Staub oder um Ascheteilchen, die in der Luft schweben, über dem Meer vielfach auch um kleine Salzkristalle aus dem Meerwasser. Die Wetterforscher bezeichnen diese Teilchen als ›Kondensationskerne‹. Ähnlich wie eine kalte Scheibe beschlägt, die man anhaucht, so ›beschlagen‹ diese in der Luft schwebenden Teilchen, wenn sich die Luft abkühlt, und es kommt zur Bildung von Wolken.

Die Form der Wolken ist abhängig von der Luftströmung, in der sie entstehen. Bei steil nach oben strömender Luft bilden sich **Haufen-** oder **Quellwolken.** Eine mehr seitwärts gerichtete Luftbewegung erzeugt **Schichtwolken.** Wenn beide Strömungsrichtungen zusammen auftreten, entstehen als Zwischenform **Haufenschichtwolken.**

Nach der Höhenlage unterscheidet man 4 **Wolkenfamilien:**

1) hohe Wolken, meist Eiswolken, in 5–13 km Höhe;

2) mittelhohe Wolken, häufig Mischwolken, in 2–7 km Höhe (sie sind durch die Vorsilbe Alto- gekennzeichnet);

3) tiefe Wolken, meist Wasserwolken, in Höhen bis zu 2 km;

4) Wolken, deren Untergrenze im Bereich der tiefen Wolken liegt und die durch mehrere ›Wolkenstockwerke‹ hindurchreichen.

Aus den genannten Unterscheidungsmerkmalen ergeben sich 10 Wolkengattungen:

Zu den hohen Wolken zählen Cirrus, Cirrocumulus und Cirrostratus. Die **Cirren** sind Eiswolken von faserigem Aussehen. Sie haben meist die Form von Haken oder Büscheln und werden auch als Federwolken bezeichnet. Ihre langgestreckten Formen lassen auf hohe Windgeschwindigkeiten in der Höhe der Wolken schließen. Der **Cirrocumulus** ist eine Eiswolke, die aus kleinen, flockenartigen Wolkenteilen besteht. Wegen ihrer regelmäßigen Anordnung wird diese Wolkenform volkstümlich auch ›kleine Schäf-

Wolken: 5 Haufenschichtwolken (Stratocumulus). **6** Mittelhohe Schichtwolke (Altostratus) mit durchscheinender Sonne. **7** Türmchenartige Quellungen aus einer mittelhohen Schichtwolke (Altostratus). **8** Im oberen Teil des Bilds: hohe Eiswolken (Cirrus)

Wörter, die man unter W vermißt, suche man unter Ou oder V

chenwolke‹ genannt. Der **Cirrostratus** bedeckt als dünner, durchscheinender Schleier meist große Flächen des Himmels und erzeugt in Sonnen- oder Mondnähe farbige →Halos. Auch diese Wolke besteht aus Eisteilchen.

Mittelhohe Wolken sind der Altocumulus und der Altostratus. Der **Altocumulus** ist eine Wasserwolke in einer oder mehreren Schichten. Weil sie unterschiedlich dick ist, zeigt sie an ihrer Unterseite vielfach ein regelmäßiges Muster von hellen und dunklen Stellen. Der **Altostratus** dagegen ist eine einförmig graue Wolkenschicht. Sie ist stellenweise gerade so dünn, daß Sonne und Mond als heller Fleck erkennbar sind. Aus dem Altostratus kann Regen oder Schnee fallen. Wenn die Niederschläge nicht die Erde erreichen, weil sie unterwegs in wärmere Luftschichten gelangen und wieder verdunsten, bilden sie unter der Wolkenschicht einen grauen, faserigen Schleier.

Stratocumulus und Stratus bilden die Gruppe der tiefen Wolken. Der **Stratocumulus** ist eine unterschiedlich dicke Wolkenschicht. Ihre Unterseite besteht aus dicken ballen- oder walzenförmigen Wolkenteilen und weist abwechselnd helle und dunkle Stellen auf. Der **Stratus** ist eine tiefhängende, graue, einförmige Wolkenschicht mit glatter Unterseite. Die Schicht ist meist nicht sehr dick, so daß Sonne und Mond als weiße Scheibe mit glatten Rändern erkennbar sind. Eine genaue Unterscheidung zwischen Stratus und Hochnebel läßt sich nicht angeben.

Die letzten 3 Wolkengattungen, Cumulus, Cumulonimbus und Nimbostratus, haben meist eine relativ große Ausdehnung in der Höhe. Der **Cumulus,** auch Schönwetterwolke genannt, ist relativ flach. Solche Wolken treten häufig bei ansonsten strahlend blauem Himmel auf. Die von der Sonne beschienenen Teile sind leuchtend weiß, während die Unterseite vergleichsweise dunkel ist. Die Unterseite ist eben, die aufquellenden oberen Teile erinnern im Aussehen an einen Blumenkohl. Besonders dicke Cumulus-Wolken können sich bis in den Bereich der mittelhohen Wolken erstrecken. Viel mächtiger ist der **Cumulonimbus.** Er reicht bis in das oberste ›Wolkenstockwerk‹ und kann von der Unterseite bis zur Spitze über 10 km hoch sein. Solche hoch aufragenden Wolkentürme bestehen in ihrem oberen Bereich aus Eisteilchen und sehen an der Spitze zerfasert aus. Durch die hohen Windgeschwindigkeiten in der Höhe ist die Spitze auseinandergezogen, so daß sie vom Boden wie ein Amboß aussieht. Der Cumulonimbus wird auch als Gewitterwolke bezeichnet. An der Unterseite ist er dunkelgrau; er bringt Gewitter, Schauer, auch Hagel. Der **Nimbostratus** ist eine dicke, tiefhängende Wolkendecke, unter der häufig niedrige, zerfetzte Wolken auftreten. Er ist dunkelgrau und reicht bis in das ›Stockwerk‹ der mittelhohen Wolken. Die Sonne ist durch ihn nicht mehr sichtbar. Nimbostratus-Wolken sind Regenwolken. Sie können tagelang andauernde, starke Niederschläge bringen.

Wombat, ein →Beuteltier.

Worms, 75300 Einwohner, Stadt in Rheinland-Pfalz am linken Rheinufer. Der Wormser Dom (12./13. Jahrh.) ist ein Hauptwerk der Romanik. Er ist eine doppelchörige Pfeilerbasilika mit mehreren Türmen und besitzt einzigartige Skulpturen, z. B. Tierdarstellungen und ein Relief Daniels in der Löwengrube. Die ursprünglich keltische Siedlung Worms, im 5. Jahrh. Hauptstadt der Burgunder (als solche Mittelpunkt der Nibelungensage), war seit dem 7. Jahrh. eine der politisch bedeutendsten Städte des Mittelalters. Viele Reichstage fanden hier statt, z. B. der von 1521, auf dem über Martin →Luther die Reichsacht verhängt wurde **(Wormser Edikt).** Vom 4. Jahrh. bis 1805 war Worms katholischer Bischofssitz. (BILD Romanik)

Wormser Konkordat, →Investiturstreit.

Wort, kleinste selbständige Einheit der Sprache. Jede Sprache besteht aus vielen Wörtern, die aus Lauten oder Buchstaben gebildet werden. Ein oder mehrere Wörter bilden einen Satz. Nach ihrer Bedeutung im Satz werden sie in **Wortarten** eingeteilt, vor allem →Substantiv, →Artikel, →Pronomen, →Adjektiv, →Verb, →Adverb, →Präposition, →Konjunktion. Aus einem **Stammwort,** z. B. ›fahren‹, können andere Wörter entstehen, z. B. ›Fahrt‹, ›Fähre‹, ›fertig‹; diese verwandten Wörter bilden eine **Wortfamilie.** Ein **Wortfeld** besteht aus Wörtern, die etwas Ähnliches bezeichnen; z. B. gehören zum Wortfeld ›sprechen‹ die Wörter ›sagen‹, ›reden‹, ›fragen‹, ›antworten‹. Mit einem Gegenstand oder Begriff aus einem anderen Sprachraum wird oft auch der Name dafür übernommen; dieser wird dann zum →Fremdwort. Ein Fremdwort, das sehr lange in einer Sprache gesprochen und geschrieben wird, wird häufig zum →Lehnwort.

Die Sprache und ihre Wörter können sich ändern. Für neue Dinge müssen neue Wörter erfunden werden, z. B. gibt es das Wort ›Astronaut‹ erst seit 1968; andere nicht mehr verwendete Wörter werden allmählich vergessen, z. B. ›Eidam‹ für Schwiegersohn oder ›Oheim‹ für Onkel. Mit der Herkunft und Entwicklung der Wörter befaßt sich die →Etymologie.

In der Datenverarbeitung versteht man unter einem Wort eine Folge von Zeichen, z. B. 16 Bits, die zusammen eine Einheit bilden.

Wörterbuch, alphabetisches Verzeichnis von Wörtern mit sprachlichen Angaben oder Übersetzungen, besonders als **Rechtschreibewörterbuch,** das über die Schreibung Auskunft gibt, als **Fremdwörterbuch** zur Erläuterung von Fremdwörtern und als **zweisprachiges Wörterbuch** zur Übersetzungshilfe. **Sach-** und **Fachwörterbücher** beschränken sich auf bestimmte Sach- und Fachbereiche; **Bildwörterbücher** geben eine größere Zahl der verzeichneten Begriffe auch bildlich wieder. (→Enzyklopädie, →Lexikon)

Wörther See, mit 18,8 km² der größte See Kärntens (Österreich). Der eiszeitlich entstandene See liegt in 440 m Höhe und ist bis 86 m tief. Der Wörther See gilt als wärmster See Kärntens und steht deshalb mit seinen Uferorten Krumpendorf, Pörtschach, Velden, Reifnitz und Maria Wörth in der österreichischen Fremdenverkehrsstatistik an vorderster Stelle.

Wotan, altnordisch **Odin,** der höchste Gott der Germanen, die sich ihn auf einem achtfüßigen Wolkenhengst dahinbrausend vorstellten. Wotan war zugleich Kriegsgott und Totengott. In seiner himmlischen Wohnung, Walhall, empfing er die Gefallenen, die von seinen Dienerinnen, den Walküren, dorthin geleitet wurden. Außerdem war Wotan der Gott der Künste und galt als Erfinder der germanischen Schriftzeichen, der Runen. Innerhalb der Götterfamilie war Frija seine Gemahlin. Ihre Söhne waren der Lichtgott Baldur und der Donnergott Donar. – Auf Wotans Namen geht das englische Wort für Mittwoch, ›Wednesday‹, zurück.

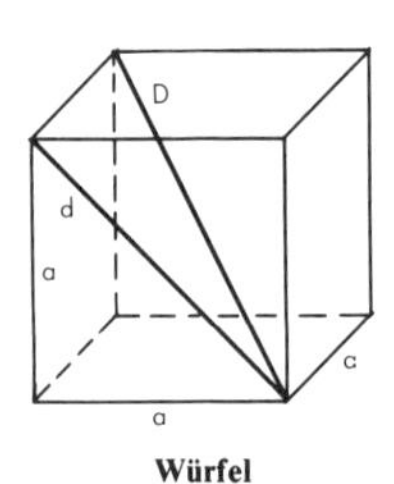

Würfel

Wounded Knee [wu̦hndid nih], Dorf und Bach in einer Indianerreservation im südwestlichen South Dakota, USA. Hier brachen amerikanische Truppen 1890 mit einem Blutbad den letzten Widerstand der →Dakota gegen die Landnahme durch weiße Truppen und Siedler.

Wunde, Durchtrennung der Haut oder Schleimhaut und des darunterliegenden Gewebes meist auf Grund einer Verletzung. Nach Art der Verletzung unterscheidet man Platz-, Schürf-, Quetsch-, Stich-, Schnitt- und Bißwunden. Dabei kommt es durch Eröffnung von Blutgefäßen zu Blutungen und durch die Reizung freier Nervenendigungen zu Schmerzen. Neben dem Blutverlust besteht die Gefahr der **Wundinfektion,** des Eindringens von Krankheitserregern, die Entzündungen und Eiterungen verursachen. Die Wunde stellt auch die Eintrittspforte für die Erreger des →Wundstarrkrampfes dar. Die **Wundheilung** erfolgt von den Wundrändern her, die neue Zellen bilden. Diese wachsen aufeinander zu, das Gewebe verfestigt sich und bildet eine Narbe. Glatte Wunden heilen gut ab, während Wunden mit zerfetzten Rändern vom Arzt versorgt werden müssen, um eine schnelle Heilung zu erzielen. Wegen der Infektionsgefahr sollte als ›Erste-Hilfe-Maßnahme‹ die Wunde möglichst keimfrei abgedeckt werden. Stark blutende Wunden erhalten einen Druckverband.

Wundstarrkrampf, Tetanus, durch Giftstoffe eines Bakteriums hervorgerufene schwere →ansteckende Krankheit. Die Krankheitserreger, die nur in einer sauerstofffreien Umgebung leben können, gelangen über kleinste Hautverletzungen, die mit Erde oder Staub verunreinigt sind, in den Körper. Die Erkrankung beginnt nach 4–14 Tagen →Inkubationszeit mit Schmerzen im Bereich der Verletzung; später kommt es zu schmerzhaften Krämpfen besonders der Kau- und Gesichtsmuskulatur. Unbehandelt führt die Erkrankung über eine krampfhafte Muskelstarre mit Behinderung der Atmung zum Tode. Schutz vor dieser Erkrankung bietet eine Impfung, die in regelmäßigen Abständen oder bei einer Verletzung wieder aufgefrischt werden muß.

Wurf, Physik: Die Bewegung eines Körpers im Schwerefeld der Erde, dem durch eine mechanische Kraft eine Anfangsgeschwindigkeit erteilt wurde. Bei Vernachlässigung des Luftwiderstands ergibt sich als **Wurfbahn** eine Parabel **(Wurfparabel).**

Würfel, Geometrie: ein geometrischer →Körper, der von 6 gleich großen Quadraten begrenzt wird.

Die Eigenschaften eines Würfels sind:

1) Die gegenüberliegenden Quadrate liegen parallel zueinander.

2) Die 6 Quadrate stoßen in 12 Kanten zusammen. Alle Kanten sind gleich lang.

3) Ein Würfel besitzt 8 Ecken. In jeder Ecke stoßen 3 Kanten zusammen, die paarweise miteinander rechte Winkel bilden.

Da ein Würfel von Quadraten, also Rechtecken, begrenzt wird, gehört er zu den →Quadern.

Formeln: Für das Volumen V und den Inhalt der Oberfläche O eines Würfels gilt: $V = a^3$, $O = 6a^2$, wobei a die Kantenlänge des Würfels ist.

Für die Länge d der **Flächendiagonalen** (→Diagonale) und die Länge D der **Raumdiagonalen** gilt nach dem →Pythagoreischen Lehrsatz: $d = a \cdot \sqrt{2}$, $D = a \cdot \sqrt{3}$.

Würfelverdoppelung, Delisches Problem, Mathematik: →Quadratur des Kreises.

Würmer, Sammelbezeichnung für mehrere Stämme der →Wirbellosen. Fast alle haben einen gestreckten Körper ohne Beine, sonst aber wenig gemeinsame Merkmale. Hierzu gehören z. B. die Plattwürmer (→Bandwurm), die Schlauchwürmer (→Rädertiere, →Trichinen) und die Ringelwürmer (→Regenwurm, →Blutegel).

Württemberg, ehemaliges Land im Südwesten Deutschlands mit der Hauptstadt Stuttgart. Württemberg umfaßte 19 508 km² und hatte (1939) 2,9 Millionen Einwohner. – Die Grafen von Württemberg (Stammburg Wirtenberg bei Untertürkheim) erschienen im 12. Jahrh. im staufischen Herzogtum Schwaben. Sie erweiterten in der kaiserlosen Zeit (Interregnum, 1254–73) ihre Machtbereiche erheblich und wurden 1495 Herzöge. 1519 wurde Herzog Ulrich vom Schwäbischen Bund, einer Vereinigung schwäbischer Reichsstände, vertrieben, der Württemberg an Österreich verkaufte. Mit der Rückkehr Ulrichs (1534) wurde die Reformation eingeführt. Herzog Friedrich II., seit 1806 König Friedrich I., konnte durch seinen Anschluß an Napoleon sein Gebiet 1802–10 um das Doppelte vergrößern. Wilhelm I. verlieh 1819 eine neue liberale Verfassung. 1918 wurde Württemberg Freistaat, der 1933–45 unter der Führung eines Reichsstatthalters stand. 1945 wurde der südliche Teil mit Hohenzollern zum Land Württemberg-Hohenzollern, der nördliche Teil mit Nord-Baden zum Land Württemberg-Baden vereinigt. Nach der Volksabstimmung von 1951 ging ganz Württemberg in dem neuen Bundesland →Baden-Württemberg auf.

Würzburg, 130 200 Einwohner, Stadt in Bayern, am Main. Auf dem linksmainischen **Marienberg,** dem Wahrzeichen Würzburgs, erhebt sich die ehemalige Festung mit dem Rundbau der Marienkirche (706). Die Festung beherbergt das ›Mainfränkische Museum‹ für Kunst und Kunstgewerbe mit der größten Sammlung von Werken des Bildhauers Tilman Riemenschneider. Zu den geschichtlichen Bauwerken der Stadt zählen weiterhin die hufeisenförmig angelegte barocke **Residenz** der Fürstbischöfe (18. Jahrh.), der romanische Dom Sankt Kilian (ursprünglich 11. Jahrh.), die Neumünsterkirche (begonnen im 11. Jahrh.) sowie viele Paläste und Bürgerhäuser aus dem 17./18. Jahrh. – Der Marienberg war schon in der Hallstattzeit keltischer Fürstensitz. 741/42 gründete Bonifatius das Bistum Würzburg. Seit dem Mittelalter bis 1803 stand die Stadt unter der Herrschaft der Bischöfe, die zugleich Herzöge von Franken waren; 1803 kam sie an Bayern. Im Zweiten Weltkrieg wurde Würzburg zu 85% zerstört.

Wurzel. Den Ausdruck $\sqrt{a}$ bezeichnet man in der Mathematik als **Wurzel,** oder genauer als **Quadratwurzel,** aus der Zahl a. Die Zahl a nennt man dabei den **Radikanden,** das Zeichen $\sqrt{\ }$ heißt **Wurzelzeichen.**

Die Quadratwurzel $\sqrt{a}$ ist festgelegt als diejenige nichtnegative Zahl, deren Quadrat a ergibt. Also $(\sqrt{a})^2 = a$. So gilt z. B.:

1) $\sqrt{4} = 2$, da $2^2 = 4$ ist.
2) $\sqrt{0{,}25} = 0{,}5$, da $(0{,}5)^2 = 0{,}25$ ist.
3) $\sqrt{0} = 0$, da $0^2 = 0$ ist.
4) $\sqrt{-4}$ ist im Bereich der reellen Zahlen nicht definiert, da es keine reelle Zahl gibt, deren Quadrat -4 ist.

Das Berechnen des Wertes einer Wurzel heißt **Wurzelziehen** oder **Radizieren** (von lateinisch radix, ›Wurzel‹). Das Wurzelzeichen kann man als ein stilisiertes r auffassen.

Da $\sqrt{5^2} = \sqrt{25} = 5$, $\sqrt{4^2} = \sqrt{16} = 4$ oder $\sqrt{3^2} = \sqrt{9} = 3$ gilt, kann man das Wurzelziehen als eine Umkehrung des Potenzierens (→Potenz) betrachten.

Für das Rechnen mit Wurzeln gelten die folgenden Regeln:

1) $\sqrt{a \cdot b} = \sqrt{a} \cdot \sqrt{b}$ und

2) $\sqrt{\frac{a}{b}} = \frac{\sqrt{a}}{\sqrt{b}}$, wobei $b \neq 0$ gilt.

Beispiele:

1. $\sqrt{4 \cdot 9} = \sqrt{4} \cdot \sqrt{9} = 2 \cdot 3 = 6$

2. $\sqrt{\frac{4}{81}} = \frac{\sqrt{4}}{\sqrt{81}} = \frac{2}{9}$

$\sqrt{a+b} \neq \sqrt{a} + \sqrt{b}$. So ist z. B. $\sqrt{9+16} = \sqrt{25} = 5$, aber $\sqrt{9} + \sqrt{16} = 3 + 4 = 7$.

Verwendet werden Wurzeln z. B. zur Lösung quadratischer →Gleichungen. So lassen sich die Lösungen der Gleichung $x^2 = 9$ mit Hilfe von Wurzeln bestimmen.
Es gilt: $x_1 = \sqrt{9} = 3$ und $x_2 = -\sqrt{9} = -3$.

Der Begriff der Quadratwurzel kann erweitert werden. So wird in dem Ausdruck $\sqrt[3]{125}$ (sprich: 3. Wurzel aus 125) eine Zahl gesucht, die dreimal mit sich selbst multipliziert 125 ergibt. Diese Zahl ist die 5. Also ergibt sich: $\sqrt[3]{125} = 5$. Die Zahl über der Wurzel, im Beispiel die 3, heißt **Wurzelexponent.** Sie gibt an, wie oft man den Wurzelwert mit sich selbst multiplizieren muß, damit der Radi-

Würmer

Würmer: OBEN Blutegel, bis 15 cm lang. UNTEN Roter Regenwurm, 20–35 cm lang

Wurzeln

Wüste: LINKS Sand-, RECHTS Steinwüste (Sahara)

kand entsteht. Es ist üblich, bei Quadratwurzeln den Wurzelexponenten 2 wegzulassen. Wurzeln mit dem Exponenten 3 heißen **Kubikwurzeln.**

Beispiele:

$$\sqrt[4]{81} = 3, \quad \sqrt[5]{32} = 2, \quad \sqrt[3]{\frac{64}{125}} = \frac{4}{5}.$$

In der Potenzrechnung werden Wurzeln auch als Potenzen mit rationalen Hochzahlen dargestellt. So gilt z. B.:

$$\sqrt{4} = 4^{\frac{1}{2}}, \sqrt[3]{x} = x^{\frac{1}{3}}$$

oder allgemein $\sqrt[n]{a} = a^{\frac{1}{n}} \quad a > 0.$

Wurzeln, blattlose, meist unterirdische Pflanzenorgane, die mehrere Aufgaben zu erfüllen haben. Sie müssen die Pflanze fest verankern und ihr helfen, sich aufrecht zu halten. Mit den Wurzelhaaren, die zwischen die Bodenteilchen eindringen, nehmen die Wurzeln Wasser und darin gelöste Nährsalze auf und leiten sie in den →Sproß weiter. Die Wurzelhaare sind in einer kurzen Zone oberhalb der Wurzelspitze konzentriert. Wächst die Wurzel, sterben die alten Haare ab und im gleichbleibenden Abstand zur Spitze bilden sich neue. Die zarte Wurzelspitze, der →Vegetationspunkt, ist von einer fingerhutartigen **Wurzelhaube** umgeben, die vor Verletzungen schützt, wenn sich die Wurzel ihren Weg zwischen den Bodenteilchen bahnt. Diese Haube besteht aus stark verschleimenden Zellen, die das Vordringen im Erdreich erleichtern.

Wurzeln sind ein Speicherorgan für die aufgenommenen Nährstoffe. Das wird besonders deutlich, wenn sie stark verdickt sind. Eine verdickte, senkrechte Hauptwurzel heißt **Rübe** (z. B. bei der Möhre). Verdickte Seiten- oder Nebenwurzeln werden zu **Knollen** (z. B. bei der Dahlie). Viele Pflanzen werden statt aus Samen aus Knollen gezogen, die sogleich nach dem Einpflanzen Wurzeln ausbilden. Auch ein Sproß kann teilweise unter der Erde wachsen und mehr oder weniger verdickt sein. Ein solcher **Wurzelstock** (z. B. bei der Schwertlilie) trägt Blattreste und wächst waagerecht. Häufig hat er Speichergewebe. Oft dient er der ungeschlechtlichen Vermehrung der Pflanzen. Unterirdische Sproßteile können ebenfalls Knollen bilden (›Sproßknollen‹), z. B. entsteht aus verdickten Enden von Ausläufern die Kartoffel.

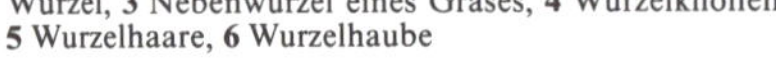

Wurzeln: 1 Haupt- mit Seitenwurzel, **2** rübenförmige Wurzel, **3** Nebenwurzel eines Grases, **4** Wurzelknollen, **5** Wurzelhaare, **6** Wurzelhaube

Wüste, Landschaft mit geringem oder völlig fehlendem Pflanzenwuchs. Wüsten sind entweder verursacht durch fehlende Wärme (**Kältewüsten** im Hochgebirge und in den polnahen Bereichen), oder sie entstehen durch Mangel an Wasser (**Trocken-** oder **Heißwüsten). Eiswüsten** sind völlig mit Eis und Schnee bedeckt.

In den Trockenwüsten, die man in erster Linie mit dem Begriff Wüste verbindet, überwiegt die Verdunstung die Niederschläge. Sehr hohe Tagestemperaturen und starke nächtliche Abkühlung (bis unter −10 °C) führen zu großen täglichen Temperaturschwankungen (die Unterschiede zwischen Tages- und Nachttemperaturen können über 50 °C betragen). Seltene, oft wolkenbruchartige Regenfälle lassen schuttbeladene reißende Gewässer entstehen, die tiefe Schluchten (Wadis) bilden und meist in abflußlosen Wannen enden. Die Wüsten sind äußerst dünn besiedelt. Nur an Stellen, wo hoher Grundwasserstand ein Pflanzenwachstum und die Anlage von Brunnen erlaubt (Oasen), können Menschen wohnen.

Das Erscheinungsbild der Wüste reicht von **Fels-** und **Steinwüsten** über **Geröll-** und **Kieswüsten** zu reinen **Sandwüsten** mit großen Dünenbildungen, dem Endzustand der Wüstenentwicklung.

X, der 24. Buchstabe des Alphabets, ein Konsonant, und das römische Zahlzeichen für 10. In der Mathematik bezeichnet *x* die unbekannte Größe, die errechnet werden soll.

Xenon [griechisch ›das Fremde‹], Zeichen **Xe,** ein →Edelgas (→chemische Elemente, ÜBERSICHT). Es dient zur Füllung von Glühbirnen, Leucht- und Blitzlichtröhren und für Xenon-Hochdrucklampen. Xenon bildet mit Sauerstoff und den Halogenen zahlreiche **Xenonverbindungen,** die erst seit 1962 bekannt sind. Alle Xenonverbindungen wirken stark oxidierend.

Xerxes I., *519 v.Chr., †465 v.Chr., persischer Großkönig des Altertums. Er folgte 486 v.Chr. seinem Vater →Dareios I. und unterwarf in den folgenden Jahren Ägypten und Babylonien. 480 v.Chr. plante er, ganz Griechenland zu unterwerfen (→Perserkriege). Seine Flotte wurde bei Salamis entscheidend geschlagen.

Xylophon, Schlaginstrument; es besteht aus 36–38 verschieden langen Holzstäben, die auf die Tonleiter abgestimmt sind; sie ruhen an ihren Enden auf Holzleisten. Mit 2 löffelartigen Holzschlegeln werden sie angeschlagen und geben einen hohlen, klappernden Ton. Durch schnelle Wirbel, Triller und schnelles Gleiten mit den Schlegeln über die Stäbe können viele Wirkungen hervorgerufen werden. Besonders Carl Orff hat in seinem musikalischen Schulwerk das Xylophon zur Grundlage der musikalischen Früherziehung gemacht.

Y, Ypsilon, der 25. Buchstabe des Alphabets, ein Konsonant. In der Chemie ist Y das Zeichen für **Yttrium.**

Yak, Jak, ein Wildrind (→Rinder) mit weitgeschwungenen Hörnern, das im asiatischen Hochgebirge bis in 5000 m Höhe lebt. Durch sein dunkles, teils bis auf den Boden hängendes Haarkleid ist es gut gegen die Kälte geschützt. Heute leben nur noch wenige Yaks wild in Osttibet. Der kleinere, besonders in Tibet als Haustier gehaltene Yak (auch Grunzochse) liefert Milch, Fleisch und Wolle und wird als Last- und Reittier benutzt. Yaks werden etwa 30 Jahre alt.

Yak

yard [jahd], Einheitenzeichen **yd,** Längeneinheit in Großbritannien und den USA. 1 yd = 3 ft (→foot) = 36 in (→inch) = 0,9144 m (vereinheitlichter Wert).

Yellowstone National Park [jelloustoun näschnel pahk], ein in 2000–2400 m Höhe gelegenes Becken der Rocky Mountains in den USA. Das rund 9000 km² große Gebiet, dies entspricht der Hälfte des Bundeslandes Rheinland-Pfalz, wurde 1872 zum Nationalpark erklärt. Heiße Quellen, Geysire, Schlammvulkane und eine reiche Tier- und Pflanzenwelt locken alljährlich viele Touristen an. Inmitten des Parks liegt der 363 km² große **Yellowstone-See.** Er hat glasklares Wasser, ist bis zu 100 m tief und liegt auf 2350 m Höhe. Südlich des Sees entspringt der **Yellowstone-River.** Der 1080 km lange Fluß durchfließt den Yellowstone-See und mündet bei Fort Union in den Missouri.

Yen, die japanische Währung seit 1870. 1 Yen sind 100 Sen.

Yoga [von altindisch yuga ›Joch‹], **Joga,** ein aus Indien kommendes Verfahren der Körperbeherrschung und der Bewußtseinsveränderung. Durch Atemtechniken und bestimmte Körperhaltungen lernt der Mensch, sich zu entspannen und sich besser zu konzentrieren.

Yokohama, Jokohama, 3,15 Millionen Einwohner, bedeutendster Handelshafen Japans, auf der Insel Honshu an der Tokio-Bucht.

Ytterbium, Zeichen **Yb,** →chemische Elemente, ÜBERSICHT.

Yttrium, Zeichen **Y,** →chemische Elemente, ÜBERSICHT.

Yucatán, Halbinsel in Zentralamerika zwischen Golf von Mexiko und Karibischem Meer. Die **Yucatán-Straße** trennt die Halbinsel von Kuba. Yucatán umfaßt Belize sowie einen Teil von Guatemala und Mexiko.

Z

Z, der 26. und letzte Buchstabe des Alphabets, ein Konsonant.

Zagreb [sagreb], deutsch **Agram,** 763 000 Einwohner, Hauptstadt Kroatiens, an der Save. Zagreb ist Universitätsstadt (Universität gegründet 1669) und der kulturelle und wirtschaftliche Mittelpunkt Kroatiens.

Zahl. Zum Rechnen werden Zahlen verwendet. Diese werden durch bestimmte Zeichen, die →Ziffern, dargestellt. Die heute gebräuchlichsten Zahlzeichen sind die **arabischen Ziffern.** Die Bedeutung der Ziffern innerhalb einer Zahl wird durch die Verwendung eines bestimmten →Stellenwertsystems, z. B. des →Dezimalsystems oder des →Dualsystems, festgelegt (→Zahlenaufbau).

Zahlenaufbau. Beim Aufbau der Zahlen unterscheidet man folgende Zahlenmengen:
1) Die Menge $\mathbb{N}$ (sprich: Doppelstrich N) der **natürlichen Zahlen:** $\mathbb{N} = \{1, 2, 3, 4, ...\}$
2) Die Menge $\mathbb{Z}$ (sprich: Doppelstrich Z) der **ganzen Zahlen:** $\mathbb{Z} = \{..., -3, -2, -1, 0, 1, 2, 3, ...\}$
3) Die Menge $\mathbb{Q}$ (sprich: Doppelstrich Q) der **rationalen Zahlen:** $\mathbb{Q}$ = Menge der Brüche.
4) Die Menge $\mathbb{R}$ (sprich: Doppelstrich R) der **reellen Zahlen:** $\mathbb{R} = \mathbb{Q} \cup \mathbb{I}$, wobei $\mathbb{I}$ = Menge der Irrationalzahlen.

Man beginnt das Rechnen mit den **natürlichen Zahlen,** die man zum Bestimmen der Anzahl der Elemente einer Menge benötigt. Allerdings reichen die natürlichen Zahlen zur Beschreibung vieler Sachverhalte nicht aus. Deshalb benötigt man negative Zahlen und die Zahl 0, etwa zur Beschreibung von Temperaturen.

Beispiele: Liest man auf einem Thermometer $-5\,°C$ ab, so bedeutet dies, daß eine Temperatur von 5 Grad Celsius unter dem Gefrierpunkt herrscht.

Um solche Sachverhalte darzustellen, wird die Menge $\mathbb{N}$ um die Zahl 0 und die negativen ganzen Zahlen $\{-1; -2; -3; ...\}$ erweitert, und man erhält so die Menge $\mathbb{Z}$ der **ganzen Zahlen.**

Zerlegt man einen Kreis in 4 gleiche Teile, so ist ein Teilstück $^1/_4$ (ein Viertel) des Kreises, 3 Teilstücke sind $^3/_4$ (3 Viertel) des Kreises. Zahlen wie $^1/_4$, $^3/_4$ heißen Bruchzahlen oder kurz →Brüche. Da die Brüche $^1/_4$, $^3/_4$ keine ganzen Zahlen sind, wird die Menge $\mathbb{Z}$ durch Einführung der Brüche zur Menge $\mathbb{Q}$ der **rationalen Zahlen** erweitert. Da alle ganzen Zahlen auch als Brüche geschrieben werden können, z. B. $5 = {}^5/_1$, $-7 = -{}^7/_1$, ist die Menge $\mathbb{Z}$ eine Teilmenge der Menge $\mathbb{Q}$.

Ein Quadrat hat die Seitenlänge 1 cm. Gesucht ist die Länge der Diagonalen. Nach dem →Pythagoreischen Lehrsatz gilt: $(1\text{ cm})^2 + (1\text{ cm})^2 = x^2$ oder $x^2 = 2\text{ cm}^2$. Um diese Gleichung lösen zu können, benötigt man →Wurzeln. Es gilt: $x = \sqrt{2}$ cm. Man kann nun zeigen, daß die Zahl $\sqrt{2}$ kein Bruch ist. Deshalb wird die Menge $\mathbb{Q}$ durch Einführung der **irrationalen Zahlen,** das sind Zahlen, die keine Brüche sind, z. B. $\sqrt{2}, \sqrt{3}, \pi$, zur Menge $\mathbb{R}$ der **reellen Zahlen** erweitert. Zusammengefaßt gilt: $\mathbb{N} \subset \mathbb{Z} \subset \mathbb{Q} \subset \mathbb{R}$.

In der höheren Mathematik ergibt sich aus der Notwendigkeit, auch die Gleichung $x^2 = -1$ zu lösen, noch eine Erweiterung der reellen Zahlen zu den **komplexen Zahlen** $\mathbb{C}$.

Eine bedeutende Rolle spielen noch die →Dezimalzahlen (Kommazahlen). Man kann zeigen, daß sich jede endliche und jede periodische Dezimalzahl als Bruch schreiben läßt, so daß diese Dezimalzahlen zur Menge $\mathbb{Q}$ gehören. Hingegen lassen sich die unendlichen nichtperiodischen Dezimalzahlen nicht als Brüche schreiben. Diese bilden die Menge $\mathbb{I}$ der irrationalen Zahlen.

Große Zahlen

1 000 000 = 1 Million (10^6)
1 000 000 000 = 1 Milliarde (10^9)
1 000 000 000 000 = 1 Billion (10^{12})
1 000 000 000 000 000 = 1 Billiarde (10^{15})
1 000 000 000 000 000 000 = 1 Trillion (10^{18})
1 000 000 000 000 000 000 000 = 1 Trilliarde (10^{21})
1 000 000 000 000 000 000 000 000 = 1 Quadrillion (10^{24})
1 000 000 000 000 000 000 000 000 000 = 1 Quadrilliarde (10^{27})
1 000 000 000 000 000 000 000 000 000 000 = 1 Quintillion (10^{30})
1 000 000 000 000 000 000 000 000 000 000 000 = 1 Quintilliarde (10^{33})

Die Hochzahlen geben die Anzahl der Nullen an.

Zahlengerade, →Anordnung von Zahlen.

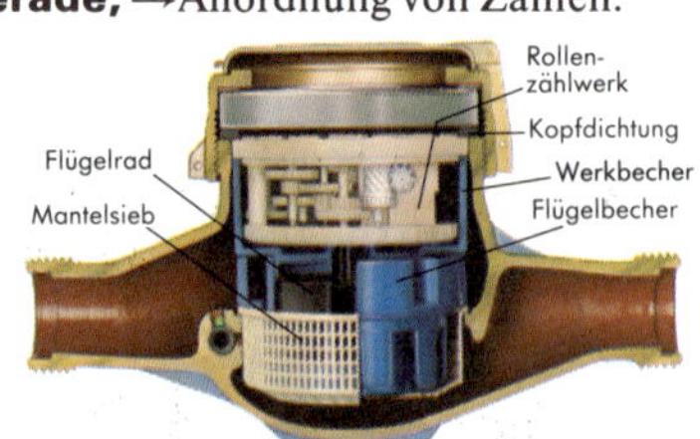

Zähler: Wasserzähler

Zähler. Der Wasser- und der Gaszähler sind Volumenmeßgeräte zur Ermittlung des Verbrauchs in geschlossenen Rohrleitungen, z. B. innerhalb eines Hauses.

Beim **Wasserzähler** kann der Wasserverbrauch mit einem Flügelrad-Wasserzähler aus der Geschwindigkeit des durchfließenden Wassers ermittelt werden. Die Flügelradumdrehungen werden auf ein Zeiger- oder Rollenzählwerk übertragen und angezeigt. Der Wasserverbrauch wird in Kubikmetern (m^3) angegeben.

Beim **Gaszähler** werden zum Messen der verbrauchten Gasmenge ›Balgenzähler‹ verwendet.

Der Gaszustrom treibt ein mit Schiebern verbundenes Zweikammersystem an, bei dem sich ein bestimmtes Volumen entleert, während sich das zweite Volumen füllt. Ein Zählwerk, das am Gaszähler angebracht ist, zeigt die verbrauchte Gasmenge in Kubikmetern (m^3) an.

Zählrohr, →Geigerzähler.

Zahlungsverkehr, alle baren und bargeldlosen Zahlungen, die die Banken und Sparkassen für sich oder ihre Kunden ausführen; in einem weiteren Sinn auch alle Zahlungsvorgänge in einer Volkswirtschaft.

Zunächst wurde der Zahlungsverkehr in bar abgewickelt, das heißt Bargeld wechselte beim Kauf einer Ware den Besitzer, oder Bargeld wurde auf ein Konto bei einem Kreditinstitut eingezahlt oder abgehoben **(barer Zahlungsverkehr).**

Beim **bargeldersparenden Zahlungsverkehr** besitzt entweder der Einzahler oder der Zahlungsempfänger ein →Konto bei einem Kreditinstitut, während der jeweilige Zahlungspartner Bargeld erhält oder einzahlt (z. B. bei der Postanweisung).

Am weitesten verbreitet ist heute der **bargeldlose Zahlungsverkehr,** der nur möglich ist, wenn beide Zahlungspartner Konten bei Kreditinstituten haben. Für die Abwicklung von Zahlungen wird kein Bargeld mehr benötigt; durch →Überweisung oder →Scheck wird ein Geldbetrag vom Konto des Zahlenden abgebucht und auf dem Konto des Zahlungsempfängers gutgeschrieben.

Zahn, knochenartiges Gebilde in der Mundhöhle bei Mensch und Wirbeltieren, das dem Zerkleinern von Nahrung dient. In ihrer Gesamtheit bilden die Zähne das →Gebiß. Am Zahn unterscheidet man als sichtbaren Teil die **Zahnkrone,** den **Zahnhals,** der vom Zahnfleisch bedeckt wird, und die **Zahnwurzel,** die im Zahnfach des Kieferknochens sitzt und dort mit Hilfe der **Wurzelhaut** fest verankert ist. Der Zahn besteht aus **Zahnbein** (Dentin), das im Bereich der Krone von einer sehr harten Außenschicht, dem **Schmelz,** und an der Wurzel von **Zement** überzogen ist. Im Innern des Zahnbeins befindet sich die **Zahnhöhle (Pulpahöhle),** die das reichlich mit Nerven und Blutgefäßen versorgte **Zahnmark** enthält.

Von ihrer Form und Aufgabe her unterscheidet man Schneide-, Eck- und Backenzähne; die Schneide- und Eckzähne haben eine Wurzel, die Backenzähne 2–4 Wurzeln. Beim Menschen findet einmal im Lauf der kindlichen Entwicklung ein Zahnwechsel statt, bei dem die **Milchzähne,** die ersten Zähne, durch das bleibende Gebiß ersetzt werden. Ein Zahnwechsel findet auch bei den meisten Säugetieren statt, wobei aber die Backenzähne erhalten bleiben. Lediglich einige Nagetiere und Zahnwale haben nur eine Zahngeneration. Fische, Amphibien und Reptilien ersetzen verbrauchte Zähne laufend.

Häufige Erkrankungen der Zähne sind Zahnfäule (→Karies) und Parodontose.

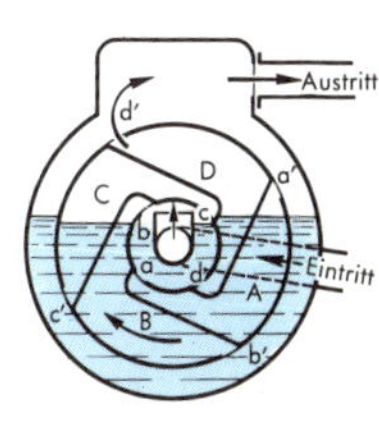

Zähler: Gaszähler

Zähler: Gaszähler; das Gas strömt durch die Eintrittsöffnungen b und c in die Kammern B und C, deren Entleerungsöffnungen b' und c' durch Öl oder Glycerin verschlossen sind. D wird durch Drehung der Trommel über d' entleert. Kammer A enthält noch Gas, das durch Öffnung a' entweicht. Eintrittsöffnungen a und d sind durch Öl oder Glycerin verschlossen

Zahnrad, ein Maschinenelement, das im Zusammenspiel mit einem zweiten Zahnrad die Drehbewegung einer Welle auf eine zweite überträgt. Zur kontinuierlichen Bewegungsübertragung muß immer mindestens ein Zähnepaar ineinandergreifen. Die Übertragung von einem großen auf ein kleines Zahnrad erhöht die Drehzahl der zweiten Welle gegenüber der ersten. Umgekehrt dreht sich die zweite Welle langsamer, wenn die Bewegung von einem kleinen auf ein großes Rad übertragen wird. Zahnräder werden vor allem in →Getrieben verwendet. Je nach Lage der Wellen zueinander werden verschiedene Zahnradformen unterschieden: Sind die Wellen parallel, so benutzt man **Stirnräder,** stehen sie senkrecht zueinander, so wird die Drehbewegung durch **Schrauben-** und **Schneckenräder** übertragen. **Kegelräder** werden eingesetzt, wenn sich die Wellen in einem beliebigen Winkel schneiden. Wie ein Zahnrad mit unendlich großem Durchmesser wirkt die **Zahnstange,** eine mit Zähnen versehene Leiste, in Verbindung mit einem Zahnrad, z. B. bei der Zahnradbahn.

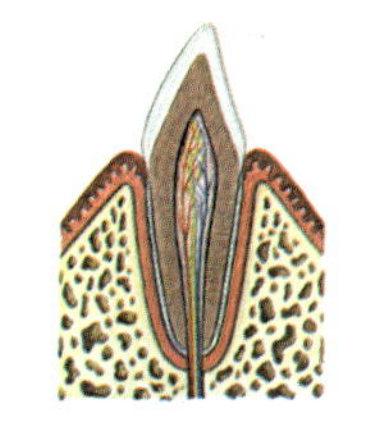

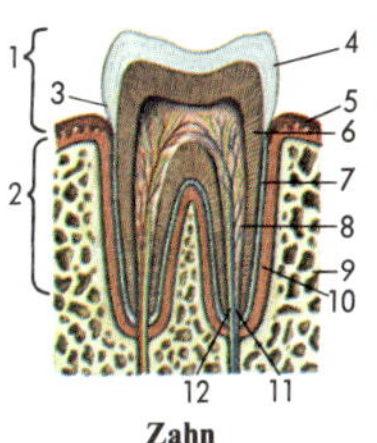

Zahn

Zahn: Schnittbild eines Schneidezahns (oben) und Backenzahns (unten); **1** Zahnkrone, **2** Zahnwurzel, **3** Zahnhals, **4** Zahnschmelz, **5** Zahnfleisch, **6** Zahnbein, **7** Zahnzement, **8** Zahnmark, **9** Kieferknochen, **10** Wurzelhaut, **11** Blutgefäß, **12** Nerv

Zahnradbahn, eine Bergbahn zur Personenbeförderung für Steigungen im Gelände bis etwa 25%. Unter der Lokomotive, die meist auf der Talseite der Wagen fährt, befindet sich ein elektrisch angetriebenes →Zahnrad. Während der Fahrt greift es in die Zahnstange ein, die zwischen den Schienen verlegt ist, und bewirkt auf diese Weise die Fortbewegung der Bahn.

Zaire [saịre], Republik in Äquatorialafrika, fast siebenmal so groß wie die Bundesrepublik Deutschland. Der größte Teil des Landes liegt im Kongobecken. Höchste Erhebung ist der Ruwenzori (5119 m) auf der Grenze nach Uganda. Im

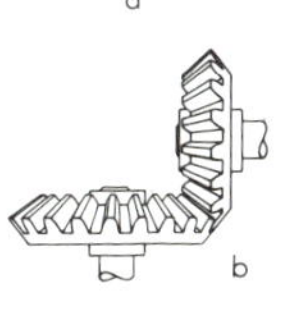

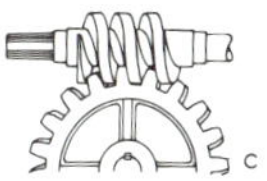

Zahnrad: a Stirn-, b Kegelrad, c Schneckengetriebe

Zaire

Staatswappen

Staatsflagge

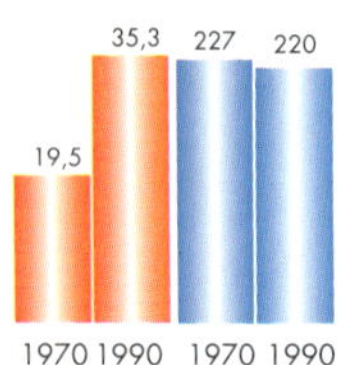

Bevölkerung (in Mill.) Bruttosozialprodukt je E (in US-$)

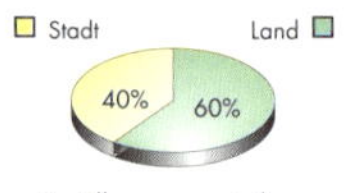

Bevölkerungsverteilung 1990

Bruttoinlandsprodukt 1990

Zaire

Fläche: 2 345 409 km²
Bevölkerung: 35,3 Mill. E
Hauptstadt: Kinshasa
Amtssprache: Französisch
Nationalfeiertag: 24. Nov.
Währung: 1 Zaïre (Z) = 100 Makuta (K; Einzahl: Likuta) = 10 000 Sengi (s)
Zeitzone (von W nach O): MEZ – MEZ + 1 Stunde

heißfeuchten Klima herrschen Regenwald und Feuchtsavanne vor. Rund 90% der Bevölkerung sind Bantuvölker.

Der Anbau von Mais, Reis, Zuckerrohr und Süßkartoffeln dient der Eigenversorgung; Palmkerne, Kaffee, Tee und Kakao werden für den Export angebaut. Im Bergbau werden vor allem Kupfererz, aber auch Kobalt, Zink und Diamanten abgebaut. Industrie hat sich um die Hauptstadt Kinshasa und im Süden um Lubumbashi entwickelt. – Im 19. Jahrh. kam das Land zum belgischen Kolonialreich (Belgisch-Kongo). 1960 erhielt es die Unabhängigkeit. Unruhen, bewaffnete Auseinandersetzungen, in die zeitweise Truppen der Vereinten Nationen eingriffen, bestimmten die Folgezeit. (KARTE Band 2, Seite 194)

Zander, ein Fisch (→Barsche).

Zar, russisches Wort für ›Kaiser‹. Von 1547 bis 1918 war Zar der Titel aller russischen Herrscher. Peter der Große nahm 1721 den Titel ›Imperator‹ an, behielt aber Zar im vollen Titel bei. Der Thronfolger hieß **Zarewitsch.**

Zauberwürfel, Rubikwürfel, von Ernő Rubik 1975 in Ungarn und unabhängig davon 1976 von Terutoshi Ishige in Japan zum Patent angemeldetes Knobelspielzeug. Der Zauberwürfel ist im Prinzip aus 27 (3 × 3 × 3) kleineren Würfeln zusammengesetzt; seine 6 Flächen, die sich aus jeweils 3 × 3 Flächen der Teilwürfel aufbauen, lassen sich unabhängig um ihre Mittelpunkte drehen. Im Ausgangszustand hat jede der 6 Würfelflächen eine einheitliche Farbe, nach wenigen Drehungen sind die 6 Farben auf alle Flächen verteilt. Ziel des Zauberwürfelspiels ist es, den verdrehten Würfel wieder in die Ausgangsstellung zu bringen oder bestimmte Muster zu erzeugen. Die aufzubauende Seitenfarbe ist durch die Mittelstücke der Flächen, die ihre Lage zueinander nicht verändern können, vorgegeben. Die 12 zweifarbigen Kantenwürfel und die 8 dreifarbigen Eckwürfel können durch Drehbewegungen untereinander ausgetauscht werden. Bei der ungeheuer großen Zahl von möglichen Anordnungen der Einzelwürfel (43 252 003 274 489 856 000, also über 40 Trillionen) ist die Ausgangsposition kaum durch einfaches Probieren, sondern nur mit Hilfe von wohldurchdachten Lösungsstrategien, die in großer Zahl entwickelt worden sind, zu erreichen. Es sind maximal 52 Drehungen erforderlich, um einen beliebig verdrehten Würfel in den geordneten Zustand zurückzuführen. Die besten ›Spieler‹ haben eine Lösungszeit von etwa 30 Sekunden erreicht. Es gibt keine Lösungsmöglichkeiten, bei denen nicht zwischenzeitlich die bis dahin erreichte Ordnung wieder zerstört werden muß. (BILD Seite 385)

Zaunkönig

Zaunkönig, brauner Singvogel, der auch im Winter laut und schmetternd singt. Mit nur 9,5 cm ist er einer der kleinsten heimischen Vögel. Das Männchen baut in niedrigem Gebüsch oder in Mauerhöhlen mehrere kugelrunde Nester, die teils nur zum Schlafen benutzt werden. In einem brütet das Weibchen die 5–7 Eier aus. Mit ihrem ziemlich langen, schmalen Schnabel fressen sie vor allem Insekten und deren Larven.

ZDF, Abkürzung für **Z**weites **D**eutsches **F**ernsehen, 1961 durch Staatsvertrag der Länder der Bundesrepublik Deutschland gegründete Fernsehanstalt mit Sitz in Mainz. Das ZDF strahlt seit 1963 das zweite deutsche Fernsehprogramm aus. (→Rundfunkanstalten)

Zebras: Grévy-Zebra

Zebras, mit den Pferden verwandte Tiere, die schwarzweiß oder braunweiß quergestreift sind. Jedes Zebra hat eine individuelle Streifung ähnlich den Hautlinien der Fingerkuppen des Menschen. Die Fellzeichnung dient als Tarnung und reguliert die Körpertemperatur, da die dunklen Stellen mehr Hitze aufnehmen als die hellen. Die schnellen und scheuen Zebras leben in Herden, oft gemeinsam mit Straußen und Gnus, in den heißen Steppen Ost- und Südafrikas. Das bis

1,60 m hohe **Grévy-Zebra** ist die größte Art; es ist, ebenso wie das **Bergzebra,** selten geworden; relativ häufig ist noch das **Steppenzebra.** Als natürlichen Feind fürchten Zebras vor allem den Löwen. Sie lassen sich nicht als Haustiere halten. Im Zoo, wo sie häufig zu sehen sind, können sie über 20 Jahre alt werden.

Zebus leben als Hausrinder vor allem in Indien; sie wurden aus dem Auerochsen (→Rinder) gezüchtet. Auffallend ist ihr buckelförmiger Fettmuskelhöcker. Das Zebu dient als Arbeitstier und Milchlieferant. Das Fleisch darf in Indien nicht gegessen werden, da Zebus dort als ›heilige‹ Kühe verehrt werden.

Zecken, zu den →Milben gehörende Spinnentiere, die an Tieren und Menschen Blut saugen. Besonders die zahlreichen in den Tropen lebenden Arten können dabei gefährliche Krankheiten (z. B. Fleckfieber, Viehseuchen) übertragen. Mit den Widerhaken ihres Stechrüssels verankern sich die Zecken in der Haut und schwellen beim Blutsaugen bis zur Größe einer Erbse an. Sind sie vollgesogen, fallen sie ab. Die bekannteste Zecke Mitteleuropas ist der **Holzbock.** Ein Holzbock kann durch Betupfen mit Öl und anschließendes vorsichtiges Herausdrehen entfernt werden. Andernfalls bleibt sein Kopf stekken und verursacht Hautentzündungen.

Zedern, lärchenähnliche, aber immergrüne Nadelbäume mit tönnchenförmigen Zapfen, die in den Bergländern des Mittelmeergebiets und Asiens heimisch sind. In Deutschland werden sie als Parkbaum gepflanzt. Bekannt sind die **Libanonzeder** und die **Atlas-** oder **Silberzeder.**

Zeichnung: Albrecht Dürer, Porträt der Mutter des Künstlers; Kohle, 1514 (West-Berlin, Staatliche Museen, Kupferstich-Kabinett)

Zehn Gebote, →Gebote.

Zehnkampf, an 2 Tagen ausgetragener leichtathletischer Mehrkampf für Herren, der aus folgenden Wettbewerben besteht: erster Tag: 100-m-Lauf, Weitsprung, Kugelstoßen, Hochsprung, 400-m-Lauf; zweiter Tag: 110-m-Hürdenlauf, Diskuswerfen, Stabhochsprung, Speerwerfen, 1 500-m-Lauf. In den einzelnen Disziplinen gelten die für sie üblichen Regeln. Die Übungen des Zehnkampfes werden nach einer internationalen Mehrkampftabelle, der **1 000-Punkte-Wertung,** bewertet. Dabei wird in jeder Disziplin eine bestimmte Leistung mit 1 000 Punkten bewertet. Übertrifft ein Athlet diese Leistung, erhält er mehr Punkte; bleibt er unter der Marke, erringt er weniger Punkte. Sieger ist der Wettkämpfer mit der höchsten Gesamtpunktzahl.

Zehnt. Im 6. Jahrh. wurde von der Kirche im Fränkischen Reich unter Berufung auf Moses (Buch Levitikus, Kapitel 27, Vers 30) die Abgabe des zehnten Teils der landwirtschaftlichen Erträge an die Kirche verlangt. Dieser Zehnt wurde von Karl dem Großen bestätigt. Im 13. Jahrh. kam auch ein Geldzehnt auf. Seit dem 10. Jahrh. bekamen Laien das Recht, den Zehnt zu erheben. Dieses Recht bestand bis ins 19. Jahrh. und wurde von der Steuer abgelöst.

Zeichensetzung, →Interpunktion.

Zeichnung, die künstlerische Darstellung in der Fläche, die im Unterschied zur Malerei vorwiegend an die Linie gebunden ist. Träger der Zeichnung sind Pergament, weißes oder farbiges Papier, seltener Pappe, Leinwand, Holz, Bein, Rinde, Stein und Glas. Als Zeichenmittel dienten Stifte wie Silberstift (vorherrschend im 15./16. Jahrh.), Bleigriffel (vom Mittelalter bis ins 19. Jahrh.), Bleistift (Graphit, seit Anfang des 19. Jahrh.), Kohle (Holzkohle), verschiedene Kreiden, Rötel (rote Erdfarbe), Pastellstifte (→Pastell). Für die Arbeit mit Feder und Pinsel verwendete man flüssige Zeichenmittel, so verschiedene Tinten, chinesische Tusche, Sepia (Farbstoff aus einer Drüse des Tintenfischs), Deckweiß und Aquarellfarben. Bei der Zeichnung mit Pastellstift und Pinsel sind die Grenzen zur Malerei fließend. Auf Zeichnungen beruhen auch die druckgraphischen Verfahren wie →Kupferstich und Radierung, →Holzschnitt, →Lithographie. (Weiteres BILD Barock)

Die Zeichnung ist die älteste Kunstübung überhaupt. Gezeichnete und eingeritzte Darstellungen (z. B. Fels- und Höhlenzeichnungen) wa-

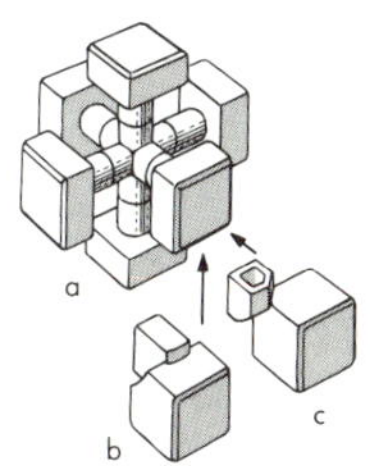

Zauberwürfel: OBEN Zauberwürfel in Drehposition, UNTEN **a** zentraler Stern mit sechs Zentrumswürfeln, **b** Kantenwürfel, **c** Eckwürfel

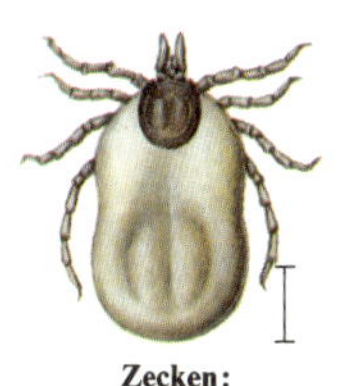
Zecken: Holzbock; der Strich gibt die natürliche Größe an

Zedern: Atlas- oder Silberzeder; hängender Zweig mit Zapfen

ren seit der Altsteinzeit Vorstufe der Malerei. Hauptwerke antiker Zeichenkunst sind die griechischen Vasenmalereien (→Vase), die zugleich Pinsel- und Ritzzeichnung sind. Neue Aufgaben bot seit der Spätantike die Buchillustration (→Buchmalerei), zu der auch Federzeichnungen gehörten. Im Mittelalter zeichneten die reisenden Maler, Bildhauer und Baumeister ihre Vorbilder in Musterbücher. Sonst gab es nur die Vorzeichnung unter Wand- und Tafelbildern. Die Entwurfszeichnung, den Riß, verwendeten nur die Baumeister. Seit der Renaissance diente die Zeichnung meist der Vorarbeit für die Ausführung eines Kunstwerks, so als eher flüchtige Skizze, als Studie (von Einzelheiten), als Entwurf (des Gesamtwerks) oder als maßstabsgerechte Vorzeichnung (Karton). Doch schon bei Albrecht Dürer und später besonders bei Rembrandt gewann die Zeichnung auch selbständige Bedeutung. Seither wurden Zeichnungen in zunehmendem Maß um ihrer selbst willen geschaffen.

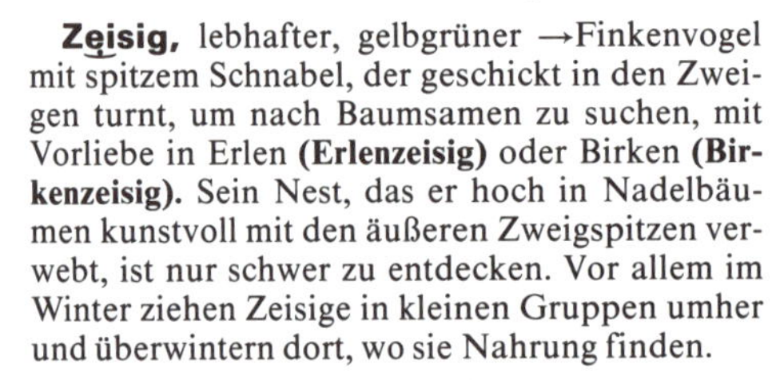

Zeisig: Erlenzeisig

Zeisig, lebhafter, gelbgrüner →Finkenvogel mit spitzem Schnabel, der geschickt in den Zweigen turnt, um nach Baumsamen zu suchen, mit Vorliebe in Erlen **(Erlenzeisig)** oder Birken **(Birkenzeisig).** Sein Nest, das er hoch in Nadelbäumen kunstvoll mit den äußeren Zweigspitzen verwebt, ist nur schwer zu entdecken. Vor allem im Winter ziehen Zeisige in kleinen Gruppen umher und überwintern dort, wo sie Nahrung finden.

Zeichnung: Pablo Picasso, Don Quijote; Pinsel (Saint Denis, Musée d'Art et d'Histoire)

Zeit. Schon früheste Kulturen gliederten den Tag in einzelne Abschnitte, Stunden, ein, um bestimmte Bereiche des Lebens, der Arbeit, des Ackerbaus, der Jagd usw. einzuteilen. Dabei wurde die Zeit meist mit Hilfe des scheinbaren Sonnenlaufes, gelegentlich auch der Bewegung der Sterne bestimmt. So ist die Zeitmessung aus der →Astronomie hervorgegangen und später durch

Zeichnung: Rembrandt, Landschaft mit Windmühle vor einer Stadt; Feder laviert, um 1641 (Chantilly, Musée Condé)

die Entwicklung der →Uhr verbessert worden. Die wichtigsten Zeiteinheiten wurden der durch die Dauer einer ganzen Umdrehung der Erde um ihre Achse festgelegte →Tag und das durch einen Umlauf der Erde um die Sonne festgelegte →Jahr. Der Tag wurde in 24 Stunden, die Stunde in 60 Minuten, die Minute in 60 Sekunden unterteilt. Als SI-Basiseinheit der Zeit wird die →Sekunde heute jedoch nicht mehr astronomisch definiert, sondern atomar.

Jeder Ort auf der Erde hat seine bestimmte Ortszeit, auch Mittagszeit genannt. Sie ist durch die obere Kulmination der Sonne festgelegt, wenn diese den Meridian mittags um 12 Uhr durchschreitet. Alle Orte auf derselben geographischen Länge haben deshalb zur selben Zeit Mittag. Durch die Erdrotation geht die Sonne 4 Minuten später durch den nächsten Meridian, der um 1 Grad weiter westlich liegt. Dadurch gibt es verschiedene Ortszeiten. Um Zeitunterschiede auf Entfernungen von wenigen Kilometern zu vermeiden, wurde die Erde in 24 **Zeitzonen** eingeteilt, die durchschnittlich 15 Längengrade breit sind und in denen jeweils dieselbe Zonenzeit gilt (→Datumsgrenze, →Mitteleuropäische Zeit).

Zeitdehner, eine Filmkamera, mit der schnell ablaufende Vorgänge, z. B. das Zerplatzen einer Seifenblase, gefilmt werden können. Dazu läßt man die Kamera bei der Aufnahme wesentlich schneller als gewöhnlich laufen, es werden also mehr Bilder je Sekunde als bei normaler Geschwindigkeit aufgenommen. Beim Abspielen läuft der Film jedoch mit der normalen Geschwindigkeit von 24 Bildern je Sekunde durch den Projektor, so daß der Zuschauer den in Wirklichkeit kurzen Vorgang zeitlich gedehnt betrachten kann. Diese Aufnahme- und Wiedergabetechnik wird auch als **Hochgeschwindigkeitskinematographie** oder **Hochgeschwindigkeitsphotographie** bezeichnet. Sie dient besonders der wissenschaftlichen Forschung und wird zu Meß- und Prüfzwecken eingesetzt.

Zeitformen, →Tempus.

Zeitraffer, Einrichtung, die es ermöglicht, besonders langsam ablaufende Vorgänge, z. B. das Wachsen und Aufblühen einer Blume, mit einer Filmkamera aufzunehmen. Der Zeitraffer besteht aus einer Schaltuhr, die das Laufwerk der Kamera steuert. Er bewirkt, daß die Kamera im Unterschied zum normalen Aufzeichnungsverfahren in regelmäßigen Abständen (z. B. einmal am Tag) immer nur ein Bild macht. Läßt man den Film dann mit normaler Geschwindigkeit ablaufen, erscheint der Vorgang zeitlich stark gerafft.

Zeitrechnung, die →Chronologie.

Zeitwort, →Verb.

Zelle [von lateinisch cella ›Kammer‹], kleinste lebensfähige Grundeinheit, aus der alle Lebewesen von den Einzellern bis zum Menschen aufgebaut sind. Entdeckt wurden die Zellen 1665 von dem Engländer Robert Hooke, der mit einem einfach gebauten Lichtmikroskop Flaschenkork untersuchte und feststellte, daß dieser aus vielen Bausteinen zusammengesetzt ist. Die Wissenschaft, die sich mit der Zelle befaßt, heißt **Zytologie** (von griechisch kytos ›Höhlung‹).

Man unterscheidet bei →Vielzellern in der Regel zwischen den **Körperzellen,** aus denen Gewebe, Organe und damit der gesamte Organismus aufgebaut sind, und den **Geschlechtszellen,** die als →Eizelle und Samenzelle (→Sperma) der Fortpflanzung dienen. Die Größe der Zellen ist sehr unterschiedlich. Die Körperzellen und die Samenzellen sind im allgemeinen nur mit dem Mikroskop zu sehen. Die Eizellen dagegen können relativ groß sein, beim Menschen z. B. 0,25 mm, bei Vögeln bis zu mehreren cm (z. B. Straußenei: 7,5 cm Durchmesser). Eine **Zellmembran** umschließt das **Zellplasma** (→Plasma), in das der **Zellkern** und die **Zellorganellen** eingeschlossen sind. Der Zellkern ist die Steuerzentrale für alle Lebensvorgänge in der Zelle und enthält in den →Chromosomen die genetische Information, die bei der Teilung der Zelle an die 2 neuen, selbständigen Tochterzellen weitergegeben wird. Die Zellorganellen sind nur im Elektronenmikroskop sichtbare Strukturen, die – entsprechend den Organen in einem Körper – besondere Aufgaben haben. Die **Mitochondrien,** die ›Kraftwerke‹ der Zelle, stellen die zur Aufrechterhaltung aller Körperfunktionen notwendige Energie bereit. Das **endoplasmatische Retikulum,** ein Netzwerk aus Röhren und Spalträumen, dient der Zelle als Transportsystem. Der **Golgi-Apparat** produziert vor allem Transporteiweiße und Verdauungsenzyme, die **Ribosomen** sind die Orte der Eiweißsynthese. Pflanzliche Zellen haben den gleichen Aufbau, besitzen aber darüber hinaus als feste Hülle eine **Zellwand** aus →Cellulose, **Vakuolen** als Kammern für Reservestoffe und als besondere Strukturen die →Plastiden.

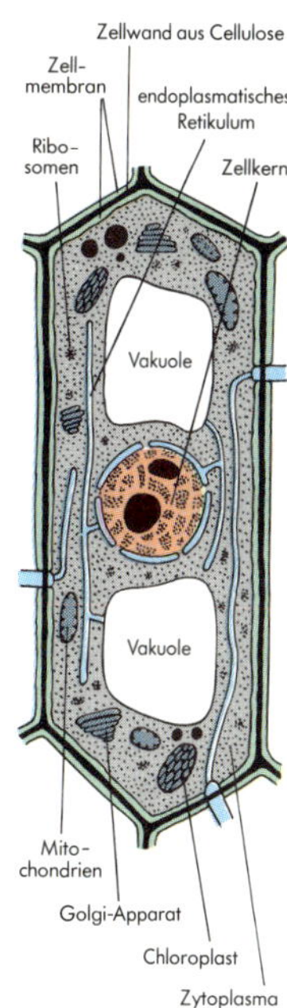

Zelle: Aufbau einer pflanzlichen Zelle (schematisch)

Zellstoff, bis zu 99% aus →Cellulose bestehende Faserstoffe, die durch chemischen Aufschluß aus Holz und anderen Faserpflanzen isoliert werden. Zellstoff wird als Watte und vor allem zur Herstellung von Papier, Pappe, Zellwolle und anderen Chemiefasern verwendet. Rohstoffe sind meist Nadelhölzer sowie Holzabfälle aus

Zentralafrikanische Republik

Staatswappen

Staatsflagge

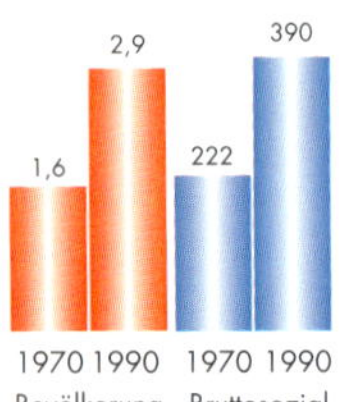

Bevölkerung (in Mill.)

Bruttosozialprodukt je E (in US-$)

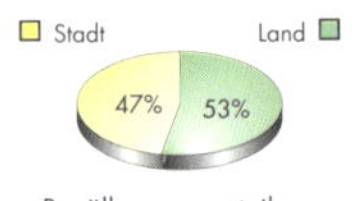

Bevölkerungsverteilung 1990

Bruttoinlandsprodukt 1990

Sägewerken. Das entrindete Stammholz wird in Hackmaschinen durch rotierende Messerscheiben zu Schnitzeln zerkleinert. Nach der chemischen Aufbereitung ist der Zellstoff dunkel gefärbt. Er wird gewaschen, gebleicht und zu Vliesen (eine Schicht aus Faserstoffen) geformt.

Zement [von lateinisch caementum ›Bruchstein‹], ein Baustoff, der aus Kalkstein und Tonen durch Brennen in bis zu 100 m langen Drehöfen bei Temperaturen von 1 400–1 500 °C hergestellt wird. Hauptbestandteile sind Verbindungen aus Calcium-, Aluminium-, Eisen- und Siliciumoxid. Der Zement ist Bestandteil von Mörtel oder wird als selbständiger Baustoff verwendet. Der Mörtel wird aus Zement, Sand und Wasser angemacht und härtet nach einigen Stunden ab. Die Bestandteile verbinden sich dabei mit Wasser zu festen, harten, wasserbeständigen Massen. Eine ähnliche Zusammensetzung hat der →Beton.

Zenit, Scheitelpunkt, Punkt am gedachten Himmelsgewölbe, der sich genau über dem Scheitel des Beobachters befindet. Er ist somit genau 90 Winkelgrade vom →Horizont entfernt. Der dem Zenit gegenüberliegende Punkt unterhalb des Horizontes heißt →Nadir.

Zentaur, Kentaur, Centaur, wilde Fabelwesen der griechischen Sagenwelt mit Pferdeleib und menschlichem Oberkörper.

Zenti [zu lateinisch centum ›hundert‹], Vorsatzzeichen **c,** ein Vorsatz vor →Einheiten für den Faktor 10^{-2} (Hundertstel); z. B. 1 **Zentimeter** = 1 cm = 10^{-2} m = 0,01 m.

Zentner, Einheitenzeichen **Ztr,** nicht gesetzliche Gewichtseinheit: 1 Ztr = 50 kg = 0,5 dt (Dezitonne). **Doppelzentner,** Einheitenzeichen **dz,** nicht gesetzliche Gewichtseinheit: 1 dz = 100 kg = 1 dt.

Zentralafrikanische Republik

Fläche: 622 984 km²
Bevölkerung: 2,9 Mill. E
Hauptstadt: Bangui
Nationalfeiertag: 1. Dez., 13. Aug.
Währung: 1 CFA-Franc (FC. F. A.) = 100 Centimes (c)
Zeitzone: MEZ

Zentralafrikanische Republik, Binnenstaat in Zentralafrika, mehr als doppelt so groß wie Italien. Das Land liegt im Bereich der Asandeschwelle, die das Tschad- vom Kongobecken trennt, in 500–1 000 m Höhe. Das Klima ist tropisch. Regenwälder und Feuchtsavannen bestimmen das Landschaftsbild. Die Bevölkerung besteht aus vielen, sehr unterschiedlichen Stammesgruppen. Der Anbau von Mais, Maniok und Hirse dient der Versorgung der Bevölkerung. Wertvolle Bodenschätze wie Diamanten und Erze werden abgebaut. Edelhölzer werden exportiert. Die Industrie ist schwach entwickelt. – 1890 kam das Gebiet zum französischen Kolonialreich. 1960 erhielt das Land die Selbständigkeit. 1976–79 war es ein Kaiserreich, das von der persönlichen Willkürherrschaft Kaiser Bokassas I. geprägt war. (KARTE Band 2, Seite 194)

Zentralamerika, die Festlandbrücke Mittelamerikas, die Nordamerika und Mexiko mit Südamerika verbindet (→Amerika).

Zentralmassiv, Landschaft im mittleren und südlichen Frankreich. Sie umfaßt mit 85 000 km² etwa ⅙ der Fläche Frankreichs. Das Zentralmassiv wird umgeben vom Garonne-Becken im Westen, dem Pariser Becken im Norden und der Rhône-Saône-Senke im Osten. Es erreicht durchschnittlich eine Höhe von 700 bis 800 m und wird von einzelnen vulkanisch entstandenen Berggruppen überragt. Die höchste Erhebung ist der Puy de Sancy im Mont-Dore mit 1 886 m. Im Osten und Südosten (Cevennen) fällt das Zentralmassiv steil zur Rhône hin ab, während es nach Norden und Westen abdachend ausläuft. Die Landschaft ist sehr dünn besiedelt und gehört zu den am wenigsten entwickelten Gebieten Frankreichs. Der Abbau von Steinkohle sowie die Nutzung von Mineral- und Thermalquellen (Heilbäder) sind von Bedeutung.

Zentrifugalkraft, die →Fliehkraft.

Zentrische Streckung, Mathematik: eine Ähnlichkeitsabbildung (→Abbildung).

Zenturie [von lateinisch centuria ›Hundertschaft‹], kleinste Einheit von 100 Mann im römischen Heer. Ihr Befehlshaber war der **Centurio.** (→Legion)

Zeppelin. Als württembergischer Offizier hatte **Ferdinand Graf von Zeppelin** (* 1838, † 1917) im amerikanischen Bürgerkrieg Gelegenheit, die zur militärischen Aufklärung verwendeten Ballons zu beobachten; sie brachten ihn auf die Idee, lenkbare Luftschiffe zu konstruieren. 1891 schied er aus dem Dienst aus und entwickelte in den folgenden Jahren ein lenkbares, von Motoren angetriebenes starres →Luftschiff. Zusammen mit einigen Mitarbeitern hatte er sich bei Friedrichshafen eine Werkstatt eingerichtet. Am 2. Juli 1900 stieg das erste Zeppelin-Luftschiff zu seinem Jungfernflug auf, dem viele weitere folgen sollten (→Luftfahrt, ÜBERSICHT).

Zerberus, Kerberos, in der griechischen Sagenwelt ein Höllenhund, der den Eingang zum Totenreich in der Unterwelt bewachte und keinen wieder hinausließ, der sich schon im Reich der Schatten befand. Meist wurde er mit 3 Köpfen und einem Schlangenschweif dargestellt.

Zerstreuungslinse, Konkavlinse, Optik: eine →Linse, die in der Mitte dünner ist als am Rand.

Zeugen Jehovas, eine um 1875 von dem Amerikaner Charles Taze Russell gegründete religiöse Gemeinschaft, die sich auf die Bibel stützt und diese in ihrem Sinn auslegt. Hauptsitz der Glaubensgemeinschaft ist New York, USA. Die Zeugen Jehovas erwarten die Aufrichtung einer Theokratie (Gottesherrschaft). Sie glauben, daß das Ende der gegenwärtigen, alten Welt bereits begonnen habe. In der kommenden Schlacht von Harmageddon, dem biblischen Entscheidungskampf der Endzeit, werde Jehova (Gott) alle Feinde vernichten; auf der zum Paradies umgestalteten Erde hätten dann allein die Zeugen Jehovas ewiges Leben.

Die kirchliche Glaubenslehre wird in ihren Hauptstücken (→Dreifaltigkeit, Gottheit Jesu, Verständnis von Kirche und Sakrament) von den Zeugen Jehovas abgelehnt. Aus einer grundsätzlichen Ablehnung des Staates heraus verweigern sie auch jeden Wehrdienst und werden daher besonders in totalitären Staaten vielfach verfolgt.

Zeugnis, eine allgemeine Aussage über Tatsachen. Bei Beendigung eines Dienstverhältnisses (Dienstzeugnis), besonders eines Arbeitsverhältnisses (Arbeitszeugnis) wird vom Arbeitgeber dem Arbeitnehmer eine schriftliche Bestätigung ausgestellt, aus der Art und Dauer der Beschäftigung sowie auch Führung und Leistung des Arbeitnehmers hervorgehen.

Schulzeugnisse sollen den Leistungsstand eines Schülers beurkunden; sie regeln am Ende des Schuljahres die Versetzung. Es gibt immer wieder Zweifel an der Objektivität von Schulzeugnissen wegen der unterschiedlichen Notengebung in den einzelnen Bundesländern.

Zeugnisverweigerungsrecht. Allgemein muß ein Zeuge vor Gericht aussagen (Aussagepflicht). Davon gibt es jedoch Ausnahmen: Ein Zeuge hat ein Zeugnisverweigerungsrecht, wenn er mit einem Prozeßbeteiligten verlobt, verheiratet oder verwandt ist (bis zum 3. Grad) oder verschwägert (bis zum 2. Grad). Ein Zeugnisverweigerungsrecht zur Wahrung des Berufsgeheimnisses steht Geistlichen zu, wenn ihnen als Seelsorger etwas anvertraut wurde, weiterhin Ärzten, Steuerberatern, Anwälten, Abgeordneten, Redakteuren und Journalisten, im Strafprozeß dem Verteidiger des Beschuldigten, im Zivilprozeß den Zeugen, denen die Beantwortung von Fragen vermögensrechtlichen Schaden verursachen würde.

Zeus
als Blitzeschwinger, Bronzestatuette aus Dodona, um 470 v. Chr. (West-Berlin, Staatliche Museen)

Zeus, der höchste griechische Gott. Der Sage nach war er ein Sohn des →Kronos und der Rhea aus dem Göttergeschlecht der Titanen, das er bekämpfte und schließlich in die Unterwelt verbannte. Damit begründete er die Herrschaft der olympischen Götter auf dem Göttersitz des Olymp. Mit seinen Brüdern, dem Meeresgott Poseidon und dem Gott der Unterwelt, Hades, teilte er sich die Weltherrschaft; seine Gemahlin, mit der er viele Kinder hatte, war Hera. – Der antike Dichter Homer kennzeichnete Zeus mit seiner großen körperlichen Kraft als ›Wolkenballer‹, ›Blitzeliebenden‹ und ›Hochdonnernden‹. Zeus galt aber auch als milder und weiser Gott, der Freiheit, Recht und Sitte des Menschen behütete und als Beschützer des Staates angesehen wurde. In der Macht des Zeus lag es, einen im Kampf getöteten Helden, besonders wenn er göttlicher Abstammung war, in den Olymp aufzunehmen. Der Tote mußte dann nicht in die Unterwelt des Hades überwechseln, sondern wohnte als Halbgott bei den Göttern. Meist handelte es sich bei diesen Halbgöttern um Söhne des Zeus, die er mit einer irdischen Frau gezeugt hatte. Hauptkultstätten der Zeus-Verehrung waren Olympia, Dodona und Athen. Im römischen Götterglauben entsprach **Jupiter** dem Zeus.

Ziegen, Gattung der →Huftiere, die die Hoch- und Mittelgebirge Südeuropas, Nordafri-

Ziegen: LINKS Zwergziege, RECHTS Weiße Deutsche Edelziege

kas und Asiens bewohnen. Innerhalb der Gattung gibt es 4 Arten von Wildziegen, den Steinbock, den Iberiensteinbock, die Schraubenziege und die Bezoarziege, die Stammform unserer Hausziege. Die Männchen (Böcke) tragen einen Kinnbart und lange säbelförmig gebogene oder schraubig gedrehte Hörner; die Hörner der Weibchen (Geißen) sind kürzer. Die **Steinböcke** leben heute in den Alpen, Pyrenäen und asiatischen Hochgebirgen oberhalb der Waldgrenze bis in 3 500 m Höhe. Die Männchen haben kräftige, nach hinten gebogene Hörner, an denen man an der Zahl der Zuwachsringe das Alter des Bocks ablesen kann. Die **Hausziege,** die auch hornlos gezüchtet wird, ist ein äußerst anspruchloses Nutztier, das noch auf sehr kargen Weiden Futter findet. Sie liefert fett- und eiweißreiche Milch (Butter, Käse) und Fleisch. Die Haut wird zu feinem Leder verarbeitet. Aus der weichen Unterwolle in Asien lebender Ziegen werden wertvolle Garne hergestellt (Angora, Mohair, Kaschmir). Für einen Kaschmirpullover braucht man z. B. die Wolle von 2 Ziegen. **Zwergziegen,** die in Afrika als Haustiere gehalten werden, sind in Deutschland im Zoo zu sehen. Mit den Ziegen verwandt ist der →Moschusochse.

Ziesel: Perlziesel

Ziegenpeter, →Mumps.

Ziehharmonika, volkstümliches Musikinstrument, das zum →Akkordeon verbessert wurde.

Ziesel, Nagetiere aus der Familie der →Hörnchen, die in Europa, Asien und Nordamerika leben. Sie ähneln den Murmeltieren, sind aber viel schlanker – nur so groß wie ein Eichhörnchen – und haben einen kurzen Schwanz und Backentaschen. Der Ziesel lebt in großen Gemeinschaften in selbstgegrabenen Erdhöhlen und ernährt sich von Pflanzen.

Ziffern [aus arabisch sifr ›Null‹], Zahlzeichen, mit deren Hilfe →Zahlen schriftlich dargestellt werden. Die heute üblichen Zahlzeichen sind die **arabischen Ziffern** 0, 1, 2, 3, 4, 5, 6, 7, 8, 9. Diese Zeichen stammen von den Indern und wurden von den Arabern und, als diese vor etwa 1200 Jahren nach Europa eindrangen, von den Europäern übernommen. Die arabischen Ziffern ersetzten nach und nach die **römischen Zahlzeichen** (→römische Zahlen), die jedoch auch heute noch z. B. auf manchen Gebäuden, Denkmälern oder Uhren zu finden sind.

Zigeuner, im deutschen Sprachraum verbreitete Bezeichnung der →Roma, die von diesen als diskriminierend abgelehnt wird.

Zigeunermusik, der musikalische Vortragsstil der Zigeuner. Seit dem 15. Jahrh. haben Zigeunermusikanten in Ungarn aus ungarischen Volksweisen und eigenen Kompositionen eine Art volkstümlich-urbaner Unterhaltungsmusik (Csárdás) entwickelt. Im 19. Jahrh. wurde Zigeunermusik im allgemeinen mit der ungarischen Musik gleichgesetzt. Melodien und Interpretationstechnik der ungarischen Zigeunermusik ließ F. Liszt in seinen Ungarischen Rhapsodien anklingen. Dieser Typ fand viele Nachahmer (P. de Sarasate, B. Bartók, M. Ravel).

Zikaden, Insekten mit stechend-saugenden Mundwerkzeugen, die sich von Pflanzensäften ernähren. Die meisten Arten können gut fliegen und weit springen. Die auch in Deutschland häufigen, bis 1 cm langen **Schaumzikaden** erzeugen z. B. am Wiesenschaumkraut den ›Kuckucksspeichel‹, ein Schaumklümpchen, mit dem sich die Larven vor Sonne und Feinden schützen. Besonders die Männchen der **Singzikaden** der Mittelmeerländer zirpen laut, um Weibchen anzulokken. Dabei versetzen sie Teile ihres Panzers in Schwingungen.

Zink, Zeichen **Zn,** ein bläulichweißglänzendes Metall, das bei 100 bis 150 °C walz- und dehnbar wird (→chemische Elemente, ÜBERSICHT). An der Luft ist Zink infolge Bildung einer farblosen Schutzschicht aus Zinkoxid und Zinkcarbonat verhältnismäßig beständig. Deshalb wird es auch zum Verzinken und Galvanisieren verwendet, da es Gegenstände aus unedlen Metallen wie z. B. Eisen gegen Korrosion zu schützen vermag. Auch Zinkfarben wirken korrosionsschützend, z. B. Zinkoxid. Dieses wird aber auch für viele andere Zwecke, z. B. als Hautbehandlungsmittel (Zinksalbe), verwendet.

Zink ist seit dem 6. Jahrh. in Persien, später auch in Indien und China bekannt. Messing, eine Legierung aus Kupfer und Zink, wurde bereits im Altertum von Römern und Griechen hergestellt.

Zinn, Zeichen **Sn** (von lateinisch **st**an**n**um); weiches, silberweißglänzendes Metall, das sich zu dünnen Blättchen (›Stanniol‹, Zinnfolie) auswalzen läßt (→chemische Elemente, ÜBERSICHT). Diese sind geschmacksneutral und können deshalb zum Aufbewahren von Speisen verwendet werden. Unterhalb von 13,2 °C wandelt sich Zinn in eine nichtmetallische, pulverförmige Form um, die zur Zerstörung zinnener Gegenstände führt (Zinnpest).

Zinn dient vor allem zur Herstellung von Weißblech, Legierungen, Lagermetallen, Bronzen, Stanniolen und Chemikalien sowie zur Herstellung von Kunst- und Gebrauchsgegenständen.

Als Legierung mit Kupfer (Bronze) hat es einer Zeitepoche den Namen gegeben (Bronzezeit). Die Gewinnung von Bronze im 3. Jahrtausend v. Chr. ging der des eigentlichen Zinn voraus. Bei den Chinesen war es bereits einige tausend Jahre vor unserer Zeitrechnung in Gebrauch.

Zinsen [von lateinisch census ›Vermögensschätzung‹], Leihgebühren, die jemand erhält, wenn er sein Geld anderen zur Verfügung stellt (Habenzinsen) oder die er bezahlen muß, wenn er sich Geld bei anderen ausleiht (Sollzinsen). Wer Geld auf sein Konto einzahlt, stellt es der Bank zur Verfügung und erhält für die Dauer der Überlassung Zinsen. Die Bank leiht dieses Geld dann an andere Leute, z. B. Unternehmen, aus (→Kredit); diese müssen nach einer vereinbarten Zeit die ausgeliehene Geldsumme in vereinbarten Teilbeträgen zurückzahlen **(Tilgung)** und die Leihgebühren (Zinsen) dafür entrichten.

Zinsen erhält man auch, wenn man Wertpapiere (Aktien, Anleihen) erwirbt, da man z. B. bei einer öffentlichen Anleihe damit dem Staat Geld zur Verfügung stellt. Die Zinserträge bei Aktien heißen **Dividende.**

Je länger jemand einem anderen Geld leiht **(Laufzeit),** umso mehr steigt das Risiko, daß er dieses Geld vom Schuldner nicht in voller Höhe zurückerhält. Daher ist der Zins eine Prämie für übernommenes Risiko und für längeres Ausleihen in der Regel höher als für kurzfristiges.

Zinsrechnung, die Berechnung der →Zinsen. Die ausleihende Bank legt einen **Zinssatz** fest, der angibt, wieviel Prozent des eingezahlten Kapitals die Bank nach einem Jahr bezahlt. Die Zinsen, die der Bankkunde nach einem Jahr erhält, heißen **Jahreszinsen.**

Die Höhe der Zinsen (Z) richtet sich nach der Höhe des eingezahlten Kapitals (K), der Höhe des Zinssatzes (p) sowie der Zeitdauer (i), während der das Kapital der Bank zur Verfügung steht. Die Banken teilen üblicherweise das Jahr in 360 Tage ein. Die Berechnung der Zinsen kann mit Hilfe des Dreisatzverfahrens (→Dreisatz) durchgeführt werden.

Aufgabe: Ein Bankkunde läßt ein Kapital von $K = 2\,160$ DM 60 Tage auf der Bank. Er erhält dafür Zinsen ($p = 5$). Wie hoch sind die Zinsen, die der Bankkunde erhält?

Lösung: Zuerst berechnet man die Jahreszinsen:

1. Schritt: 100% erbringen 2 160 DM Jahreszinsen.
2. Schritt: 1% erbringt 2 160 DM : 100 = 21,60 DM Jahreszinsen.
3. Schritt: 5% erbringen 21,60 DM · 5 = 108 DM Jahreszinsen.

Aus den Jahreszinsen kann man dann die Höhe der Zinsen nach 60 Tagen berechnen:

1. Schritt: 360 Tage erbringen 108 DM Zinsen.
2. Schritt: 1 Tag erbringt 108 DM : 360 = 0,30 DM Zinsen.
3. Schritt: 60 Tage erbringen 0,30 DM · 60 = 18 DM Zinsen.

Der Kunde erhält nach 60 Tagen 18 DM Zinsen. Aus dem Lösungsweg erkennt man, daß bei der Berechnung der Zinsen stets nach dem Schema

$\text{Zinsen} = \frac{\text{Kapital} \times \text{Prozentsatz} \times \text{Zeit}}{100}$ oder

$Z = \frac{K \cdot p \cdot i}{100}$ verfahren werden kann, wenn man für die Zeit i den Ausdruck

$i = \frac{\text{Anzahl der Zinstage } (t)}{360}$ setzt.

Die **Zinsformel** lautet somit: $Z = \frac{K \cdot p \cdot t}{100 \cdot 360}$.

Sind nicht die Zinsen, sondern eine andere Größe gesucht, so kann man die Zinsformel nach dieser Größe auflösen. So ergibt sich:

bei gesuchtem **Kapital** $K = \frac{Z \cdot 100 \cdot 360}{p \cdot t}$

bei gesuchtem **Zinssatz** $p = \frac{Z \cdot 100 \cdot 360}{K \cdot t}$

bei gesuchter Anzahl der **Zinstage** $t = \frac{Z \cdot 100 \cdot 360}{K \cdot p}$

Werden die Zinsen am Jahresschluß nicht abgehoben, so werden sie dem Kapital hinzugefügt und mit diesem weiter verzinst. Dadurch entstehen fortgesetzt Zinsen der vorhergehenden Zinsen. Man spricht von **Zinseszinsen.**

Zionismus, die Bewegung innerhalb des Judentums, alle →Juden in das ›Land Israel‹ mit dem religiösen Mittelpunkt ›Zion‹ (vorisraelitischer Name für den Tempelberg in Jerusalem) zurückzuführen. Mit seiner Schrift ›Der Judenstaat‹ (1896) gab der jüdische Wiener Schriftsteller **Theodor Herzl** der ursprünglich religiös bestimmten Sehnsucht einer Rückkehr nach ›Zion‹ eine politische Richtung. Er gab mit seiner Überzeugung, daß die Juden eine Nation sind, den Anstoß zur Entstehung einer Massenbewegung; diese gab sich in der ›Zionistischen Weltorganisation‹ (gegründet 1897) einen politischen Rahmen (erster Präsident: Herzl). Als im Ersten Weltkrieg Großbritannien im Kampf gegen das Osmanische Reich Palästina besetzte, erreichte der zionistische Politiker Chaim Weizmann die Zusage der britischen Regierung an die Juden, in Palästina eine ›nationale Heimstätte‹ begründen zu können. Unter Berufung auf dieses Versprechen arbeitete seitdem die zionistische Bewegung – vor allem in Auseinandersetzung mit den

Arabern und der britischen Verwaltung in Palästina – an der Errichtung eines jüdischen Staates dort. Mit der Errichtung des Staates →Israel erreichte sie ihr Ziel.

Zirkonium, Zeichen **Zr,** →chemische Elemente, ÜBERSICHT.

Zisterzienser, katholischer →Orden, der nach dem französischen Kloster Cîteaux benannt ist, wo diese Mönchsgemeinschaft 1098 gegründet wurde. Sie erlebte einen großen Aufschwung durch den Abt →Bernhard von Clairvaux. Allein in Deutschland und in den Gebieten der deutschen Ostkolonisation entstanden über 700 Klöster, deren bleibende Bedeutung in der Erschließung und landwirtschaftlichen Nutzung unzugänglicher Gebiete bestand. Durch die →Reformation und die →Säkularisierung verloren die Zisterzienser ihre herausragende Bedeutung. Heute sind sie vor allem in Seelsorge und Unterricht tätig. Der weibliche Zweig des Ordens widmet sich besonders dem Gebet, der Meditation und der Erziehung von Mädchen.

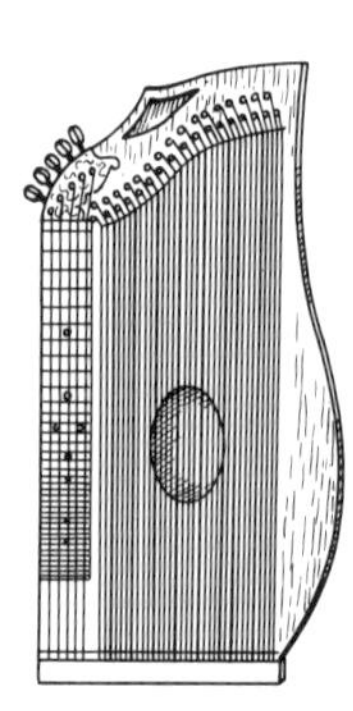
Zither

Zither, Zupfinstrument, das besonders in Bayern und im alpenländischen Raum verbreitet ist. Die Zither besteht aus einem Resonanzkasten, dessen Saiten von rechts nach links laufen, und zwar 5 Melodiesaiten auf einem Griffbrett mit 29 Bünden und dahinter über dem Korpus 37 Harmoniesaiten, die abwechselnd in Quarten und Quinten gestimmt sind. Der Spieler verkürzt mit der linken Hand die Melodiesaiten, der Daumen der rechten Hand mit dem Schlagring schlägt diese Saiten an, die übrigen Finger zupfen die Harmoniesaiten. Da der Ton nicht besonders laut ist, eignet sich die Zither zur Begleitung von Gesangsstimmen, obwohl die Stimmung der Harmoniesaiten nur einfache Akkordfolgen zuläßt.

Zitrone, eine →Citrusfrucht.

Zitronenfalter, ein →Schmetterling.

Zitteraal, Zitterrochen, Zitterwels, verschiedene →Elektrische Fische.

Ziu, der germanische Gott →Tyr.

Zivildienst. Verweigert ein junger tauglicher Wehrpflichtiger in der Bundesrepublik Deutschland aus Gewissensgründen den Wehrdienst und werden diese Gründe als gerechtfertigt anerkannt, so muß er einen zivilen Ersatzdienst außerhalb der Bundeswehr leisten. Der gegenwärtig (1993) 15 Monate dauernde Zivildienst wird meist in sozialen Einrichtungen (Krankenhäuser, Altenheime, Rettungsdienste) abgeleistet. Hiermit kommt der Betreffende der gesetzlich vorgeschriebenen →Wehrpflicht nach.

In Österreich kann Zivildienst ähnlich wie in der Bundesrepublik Deutschland geleistet werden. Da in der Schweiz Kriegsdienstverweigerung bisher strafbar war, gab es dort keinen Zivildienst. In einer Volksabstimmung 1992 wurde eine Verfassungsänderung zur Einführung eines Zivildienstes angenommen.

Zivilprozeß, gerichtliches Verfahren, in dem die privaten Rechte einzelner Bürger festgestellt und durchgesetzt werden. Der Zivilprozeß beginnt damit, daß eine Prozeßpartei, der **Kläger,** beim zuständigen Gericht (Amts- oder Landgericht) schriftlich einen bestimmten Antrag stellt, z. B. ›ich beantrage, Herrn Müller zu verurteilen, an mich DM 1 000.- zu zahlen‹. Der Gegner, der **Beklagte,** muß sich hierzu äußern. Beide Parteien können (so beim Amtsgericht) oder müssen (so beim Landgericht) sich durch Rechtsanwälte vertreten lassen. Danach erörtert das Gericht den Streitfall mit den Beteiligten in einer mündlichen Verhandlung. Unter Umständen erhebt es über bestrittene Behauptungen Beweis, z. B. durch Anhörung von Zeugen. Einigen sich die Parteien nicht, entscheidet das Gericht den Fall durch →Urteil. Wird, in obigem Beispiel, Herr Müller verurteilt, muß er die 1 000.- DM bezahlen und die gesamten Prozeßkosten (Gerichtsgebühren, Kosten für Rechtsanwälte, Zeugenauslagen) tragen.

Zivilschutz, Zivilverteidigung, alle nichtmilitärischen Maßnahmen zum Schutz der Zivilbevölkerung vor Kriegseinwirkungen, vor allem der **Luftschutz** sowie die **Arznei-** und **Lebensmittelbevorratung.** Zum Zivilschutz werden im Kriegsfall alle Organisationen eingesetzt, die im Frieden die Aufgaben des Katastrophenschutzes wahrnehmen, z. B. das Technische Hilfswerk.

Zobel. Wegen seines wunderschönen, sehr wertvollen Pelzes wurde dieser →Marder stark verfolgt und lebt heute nur noch in dichten Wäldern Sibiriens, Nordchinas und Japans. Das Fell ist dunkelbraun bis schwärzlich mit schimmernden schwarzgrauen, rötlichen und kastanienbraunen Schattierungen.

Zölibat [von lateinisch coelebs ›ehelos‹], die Verpflichtung zu Ehelosigkeit und sexueller Enthaltsamkeit aus religiösen Gründen. In der katholischen Kirche ist jeder Priester zum Zölibat verpflichtet, das ein Zeichen der ungeteilten Hingabe an Gott und die Menschen sein soll. Es wurde gegen starke Widerstände 1139 kirchliches Gesetz (1563 bestätigt) und ist bis heute eine verbindliche, aber umstrittene Vorschrift geblieben. Der Versuch einer Eheschließung führt zur Exkommunikation. Die evangelischen Kirchen haben das Zölibat von Anfang an abgelehnt.

Zoll, 1) eine Steuer auf Waren, die über die Staatsgrenzen gebracht (›eingeführt‹) werden. Zölle werden vor allem zum Schutz der heimischen Industrie oder Landwirtschaft vor ausländischer Konkurrenz erhoben: Wird auf ein billigeres ausländisches Erzeugnis bei der Einfuhr ein Zoll aufgeschlagen, so verteuert es sich im Inland in einem Maß, daß es nicht länger lohnend erscheint, ihm gegenüber dem – ursprünglich teueren – Inlandsprodukt den Vorzug zu geben.

Durch die Erhebung von Zöllen und die Einführung anderer **Handelshemmnisse** (z. B. Einfuhrverbote, technische Normen, staatliche Beihilfen an inländische Wirtschaftszweige, Abkommen über die mengenmäßige Beschränkung der Ausfuhr) wird die **internationale Arbeitsteilung** behindert; danach ist es z. B. wirtschaftlich sinnvoll, die Produktion in solche Länder zu verlagern, die bestimmte Güter am kostengünstigsten herstellen können und diese Güter dann ohne Beschränkungen international auszutauschen **(Freihandel).** Durch das internationale Zoll- und Handelsabkommen (→Gatt) wird versucht, Zölle und Handelshemmnisse schrittweise abzubauen.

Nicht auf jede Wareneinfuhr werden Zölle erhoben. Verschiedene Staaten haben Abmachungen getroffen, nach denen die Einfuhr bis zu einem bestimmten Warenwert sowie für bestimmte Güter zollfrei ist. Daneben gibt es **Zollunionen** (z. B. die Europäischen Gemeinschaften), **Freihandelszonen** (z. B. die Europäische Freihandelsgemeinschaft) und **Zollfreigebiete** (z. B. auf Schiffen, in Freihäfen, in Duty-Free-Shops), innerhalb derer überhaupt keine Zölle erhoben werden. Nach außen hat die Zollunion einen gemeinsamen Zolltarif, während in einer Freihandelszone der Außenzolltarif jedem Beteiligten überlassen bleibt. – Bei der Einreise in ein Land muß man an der Grenze alle eingeführten Waren anmelden und die zollpflichtigen verzollen. Wird dies unterlassen, so begeht man einen →Schmuggel.

Zollähnliche Abgaben waren schon in der Antike bekannt. Ursprünglich war der Zoll eine Gebühr für die Benutzung von Wegen und Straßen (→Maut), Häfen und anderen Gemeinschaftseinrichtungen, jedoch wurde er nur innerhalb des Landes erhoben **(Binnenzoll).** Erst an der Wende vom 18. zum 19. Jahrh. wurden die Binnenzölle durch **Grenzzölle** abgelöst, da der Binnenhandel zu sehr behindert war.

2) alte deutsche Längeneinheit mit unterschiedlichen Werten entsprechend der Länge eines Fingerglieds, zwischen 2,2 und 3 cm.

3) englisches Zoll, Einheitenzeichen ″, nicht gesetzliche Längeneinheit: 1 ″ = 25,4 mm (entspricht 1 inch).

Zoologie, Tierkunde, Wissenschaft von den Tieren, ein Teilgebiet der →Biologie.

Zoom, Zoomobjektiv [suhm-, von englisch to zoom ›schnell ansteigen lassen‹], →Objektiv.

Ztr, Einheitenzeichen für →Zentner.

Züchtung, die gezielte Paarung bei Tieren oder die Bestäubung bei Pflanzen, durch die bei den Nachkommen bestimmte Eigenschaften erzielt oder verbessert werden sollen. Bei der Züchtung nutzt man die Kenntnis der Gesetze der Vererbung (→Mendelsche Gesetze), indem man Arten miteinander kreuzt, die die gewünschten Eigenschaften zeigen. Zuchtziele sind z. B. beim Rind oder Schwein eine hohe ›Fleischleistung‹ oder beim Huhn eine hohe ›Legeleistung‹. Bei Pflanzen werden Sorten gezüchtet, die hohe Erträge liefern.

Zucker, zusammenfassende Bezeichnung für süße, in Wasser leicht lösliche →Kohlenhydrate. Umgangssprachlich wird darunter der Haushaltszucker verstanden, der aus je einem Molekül Fruchtzucker und →Traubenzucker besteht und in allen grünen Pflanzen vorkommt.

Die Rohstoffe der Zuckergewinnung sind in den warmen Gebieten der Erde das **Zuckerrohr** und in den gemäßigten die **Zuckerrübe.** Ahorn, Palmen und Zuckerhirse spielen nur eine lokale Rolle. Die in den Zuckerfabriken durchgeführten Reinigungs-, Zerkleinerungs- und Verdampfungsvorgänge werden als Raffination bezeichnet, an deren Ende der ›raffinierte‹ Zucker in seinen verschiedenen Handelsformen wie Kristalle, Pulver, Würfel oder Zuckerhüte steht.

Im menschlichen Organismus ist Zucker reiner Energieträger. 1 g Zucker hat einen Nährwert von 17 kJ (rund 4 kcal). Bei der Verdauung wird er in seine Bestandteile Frucht- und Traubenzucker abgebaut. Bei vermehrter Zufuhr oder bei Stoffwechselstörungen kann Zucker in Fett umgewandelt werden.

Zuckerkrankheit, Diabetes mellitus, erblich bedingte oder erworbene Stoffwechselerkrankung, die mit Störungen im Kohlenhydrat-, aber auch im Fett- und Eiweißstoffwechsel des Körpers einhergeht. Die Ursache ist das Fehlen oder ein Mangel an dem →Hormon Insulin, das in der →Bauchspeicheldrüse gebildet wird. Da nur durch den Einfluß des Insulins die Kohlenhydrate (Zucker) in die Zellen des Körpers gelangen können, kommt es bei Diabetikern zu einer gestörten Zuckerverwertung, die eine Erhöhung der Blutzuckerwerte und eine vermehrte Zuckerausscheidung im Harn zur Folge hat. Man unterscheidet den **Jugendlichendiabetes,** bei dem der Körper nicht in der Lage ist, Insulin zu bilden, vom **Altersdiabetes,** bei dem die Insulinbildung nur ungenügend ist oder der Körper nicht ausreichend darauf anspricht. Die Behandlung richtet sich nach Art und Schweregrad des Diabetes und besteht in Diät und dem Einsatz von Medikamenten (Insulin oder Tabletten). Da die Zuckerkrankheit nach Jahren durch Gefäßveränderungen zu schwerwiegenden Folgeschäden an Augen, Herz und Nieren führen kann, ist eine gute Überwachung und Einstellung des Stoffwechsels unbedingt erforderlich.

Zuckerrohr, eines der größten →Gräser. Es wird 3–7 m hoch und der Stengel bis 7 cm dick. Im Mark des Stengels speichert die Pflanze den Zucker. Ursprünglich in Südasien heimisch, wird Zuckerrohr heute in vielen tropischen Gebieten in großen Plantagen angebaut, vor allem in Kuba, Brasilien, Indien und Thailand. Aus Stengelteilen werden die neuen Pflanzen gezogen. In Quetschmühlen wird der Zuckersaft ausgepreßt und zu Rohrzucker verarbeitet (→Zucker).

Zuckerrüben, Rüben, deren Wurzel bis zu einem Fünftel aus →Zucker besteht. Die Blätter sind ein vitaminreiches Viehfutter oder Düngemittel.

Zug
Kantonswappen

Zug. Kanton der Zentralschweiz; er umfaßt das Tal der Lorze sowie die Nordhälfte des Zuger Sees mit dem Hauptort Zug. Seine Einwohner sind deutschsprachig. Ihre Haupterwerbsquelle ist die Landwirtschaft. Eine Spezialität ist hier die Herstellung von Kirschwasser. Der Zuger See und der Ägerisee sind beliebte Fremdenverkehrsgebiete. – Der Kanton Zug wurde 1352 in die Eidgenossenschaft aufgenommen.

Zug
Stadt
22 000 Einwohner
Kanton
Fläche: 239 km²
Einwohner: 85 000

Zugspitze, mit 2 962 m der höchste Gipfel der deutschen Alpen. Die Zugspitze gehört zum Wettersteingebirge in den Bayrischen Alpen. Sie ist für den Fremdenverkehr gut erschlossen. Auf bayerischer Seite führt eine Zahnradbahn zum Schneefernerhaus in 2 694 m Höhe, von da eine Seilbahn zur Bergstation (2 950 m). Außerdem führt eine Großkabinenseilbahn vom Eibsee (994 m) zur Bergstation. Auf österreichischer Seite verkehrt eine Seilbahn von Obermoos (1 225 m) zur 2 805 m hohen Station Zugspitzkamm. Auf der Zugspitze befinden sich das Münchner Haus des Alpenvereins sowie eine Wetterstation.

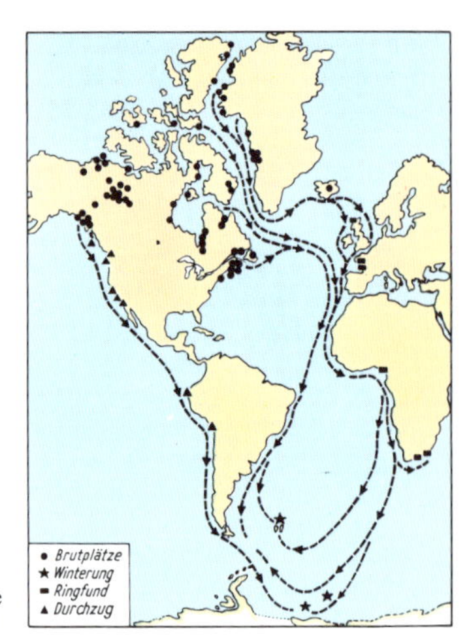

Zugvögel: Vogelzug; die Zugbahnen der Küstenseeschwalbe von der Arktis zur Antarktis, 18 000 km (nach G. Knabe und E. Schütz)

Zugvögel. Beim Herannahen der kalten Jahreszeit verlassen viele Vögel ihre nördlichen Brutgebiete, um in südlichen, wärmeren Ländern Winterquartier zu beziehen. Von den kleineren Arten sind es vor allem die insektenfressenden Vögel, die im Winter keine ausreichende Nahrung finden. Der Abflug, der auch durch innere (hormonelle) Einflüsse ausgelöst wird, erfolgt mehr oder minder früh nach Beendigung der Brutzeit. Der Mauersegler z. B. verläßt Deutschland schon Anfang August, bald gefolgt von Kuckuck und Pirol; die meisten Vögel brechen im September und Oktober auf. Vor dem Abflug liegt die Zeit der →Mauser. Außerdem fressen die Vögel mehr als sonst und legen dadurch Fettpolster als Nahrungsreserve an.

Dieser **Vogelzug** findet in Europa im wesentlichen in südwestlicher Richtung über Deutschland–Frankreich–Spanien statt, entsprechend der wärmeren Witterung des westlichen Europas, und wird entweder in diesen Ländern beendet oder bis nach Afrika fortgeführt. Viele Vögel bleiben in Nordafrika und in den Gebieten um den Tschadsee, manche fliegen bis nach Südafrika (Störche, Rauchschwalben). Den Entfernungsrekord hält mit 18 000 km die Küstenseeschwalbe, die von der Arktis zur Antarktis fliegt.

Pro Tag legen Zugvögel etwa 50 km (kleine Singvögel) bis 400 km (Schnepfen) zurück, wobei

Wörter, die man unter Z vermißt, suche man unter C, S oder Sch die Geschwindigkeit 65–145 km pro Stunde beträgt. Mehrmals werden Pausen eingelegt, vor allem zum Ausruhen und zur Futtersuche, aber auch bei schlechtem Wetter (Sturm, Nebel). Die Zughöhe liegt in der Regel unter 1 500 m, häufig nicht über 500 m. Die meisten Vögel ziehen in großen Schwärmen und halten dabei oft eine bestimmte Flugordnung ein. So fliegen Graugänse und Kraniche in keilförmiger Anordnung, Schwäne und Wildenten in schrägen Ketten. Nur wenige ziehen einzeln (Kuckuck, Grasmücken). Besonders die großen und schnellen Vögel fliegen am Tag (Störche, Schwalben), viele in der Nacht, vor allem die insektenfressenden Vögel, die am Tag Nahrung suchen. Entgegen früherer Ansicht folgen die Vögel nicht festgelegten ›Zugstraßen‹, sondern fliegen in ›breiter Front‹ über Länder und Meere. Stellenweise (an Pässen, Inselketten) wird dieser Zug gebündelt und auf schmaler Bahn weitergeführt.

Auf ihrem langen Flug orientieren sich die Vögel am Tag an der Sonne, bei Nacht an den Sternen, zum Teil vielleicht am Mond. Bei bedecktem Himmel nutzen sie das Magnetfeld der Erde. Vögel, die man bis 6 000 km von ihrem Standort entfernt in ein unbekanntes Gebiet gebracht hat, haben wieder heimgefunden. Den Vogelzug erforscht man durch Beringen der Vögel, Radarbeobachtung und mit Peilsendern.

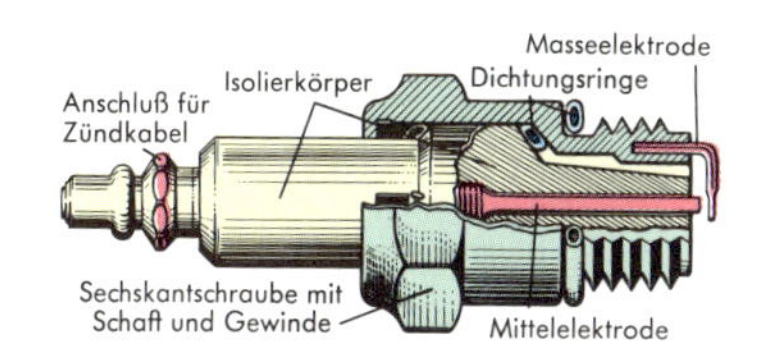

Zündkerze (Teilschnitt)

Zuidersee [söjder-], →Ijsselmeer.

Zukunft, die erwartete Zeit. Sprachwissenschaft: →Futur.

Zulu, zu den Bantu gehörige Stämme, die seit dem 17. Jahrh. nach Südafrika eingewandert sind und sich an der Küste des Indischen Ozeans niederließen **(Zululand).** Unter dem Herrscher Chaka wurden sie zu Beginn des 19. Jahrh. zu einer Nation zusammengefaßt und gerieten dann in Konflikt mit der Kolonialmacht Großbritannien. Nach zeitweiligen militärischen Erfolgen unterlagen die Zulu 1879. Zululand wurde 1897 der britischen Kolonie Natal einverleibt. Ihr heutiger Lebensraum, das Homeland **KwaZulu,** besteht aus 10 Landstücken. Ihre Führung befürwortet gegenwärtig eine Politik des Ausgleichs mit der südafrikanischen Regierung.

1
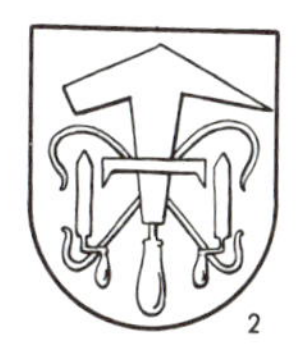
2

3

4

Zündkerze, in den Zylinderkopf von →Ottomotoren eingeschraubtes zylindrisches Bauteil; es zündet das verdichtete Luft-Kraftstoff-Gemisch. Dies geschieht, indem zwischen der Mittelelektrode und der Außen-(Masse-) Elektrode der Zündkerze ein Funken überspringt. Die dafür nötige Energie entnimmt die Zündspule der Batterie oder dem Generator. Zwischen Primär- und Sekundärkreis der **Zündanlage** entsteht eine Hochspannung von etwa 25 kV, die über den Verteiler zur Zündkerze gelangt. **Zündung** nennt man den Vorgang des Zündens und auch die Zündanlage. Die **Zündfolge** nennt die Reihenfolge der Zündung in den einzelnen Zylindern. Sie und der richtige **Zündzeitpunkt** müssen genau festgestellt und eingestellt sein.

Zünfte. Seit dem 12. Jahrh. schlossen sich die Handwerker in den Städten nach Berufszweigen in Zünften zusammen. Jeder Handwerker mußte seiner Zunft angehören (›Zunftzwang‹). Diese legte den Preis und die Menge der herzustellenden Waren fest und überwachte deren Qualität. Sie bestimmte, wieviele Lehrlinge und Gesellen ein Meister beschäftigen durfte, welchen Lohn er ihnen zu zahlen hatte und wieviele Meister sich in einer Stadt niederlassen durften. Durch die Zünfte wurde jede freie Konkurrenz ausgeschaltet. Es war oft nicht leicht, in eine Zunft aufgenommen zu werden. Im 17. und 18. Jahrh. ging die Bedeutung der Zünfte zurück. 1791 wurden sie in Frankreich, im 19. Jahrh. im übrigen Europa aufgehoben. An die Stelle des mittelalterlichen Zunftzwangs trat die Gewerbefreiheit. Die

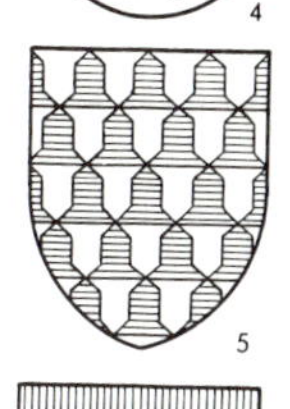
5
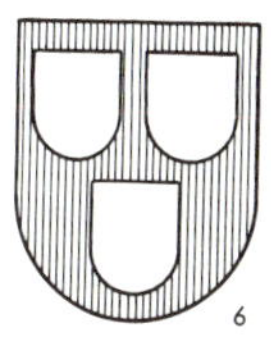
6

7

8

9

10

Zünfte: Wappen; **1** Bäcker (Hamburg, 18. Jahrh.). **2** Dachdecker (Magdeburg). **3** Fischer (Köln, 1396). **4** Fleischer. **5** Kürschner (Osnabrück, 1550). **6** Maler (seit 14. Jahrh.). **7** Müller (Potsdam, 18. Jahrh.). **8** Sattler (Küstrin, 1758). **9** Schmiede (seit 14. Jahrh.). **10** Schneider (Berlin, 14. Jahrh.). **11** Schuhmacher (seit 14. Jahrh.). **12** Tuchmacher (Grünberg in Schlesien, 1678). **13** Leineweber. **14** Zimmerleute (Straßburg, 1696)

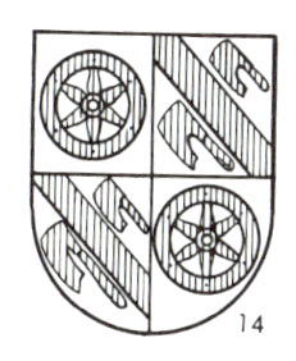
14
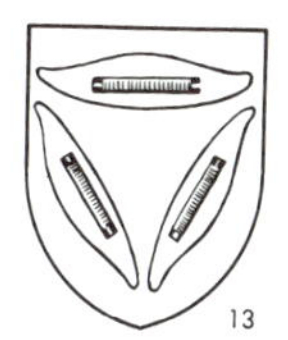
13
12
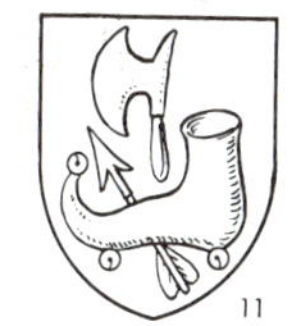
11

Zusammenschlüsse von Handwerkern heißen in neuerer Zeit **Innung**.

Zürich. Der nordschweizerische Kanton mit dem gleichnamigen Hauptort umfaßt den größten Teil des Gebietes um den Zürichsee, im Norden das Zürcher Unterland sowie im Osten das Zürcher Oberland mit dem Greifen- und dem Pföffikersee. Der volkreichste Kanton der Schweiz wird von der Verkehrslinie Schaffhausen – Zürich – Sankt-Gotthard-Paß durchzogen. Industrie hat sich besonders in den Ballungsgebieten Zürich und Winterthur angesiedelt. Landwirtschaft und Weinbau gehen zurück. Dagegen sind im Dienstleistungsbereich über die Hälfte der Erwerbstätigen beschäftigt. Zürich, die größte Stadt der Schweiz, hat als Handels- und Finanzzentrum weltweite Bedeutung.

Zürich
Stadt
356 000 Einwohner
Kanton
Fläche: 1 729 km²
Einwohner: 1 150 000

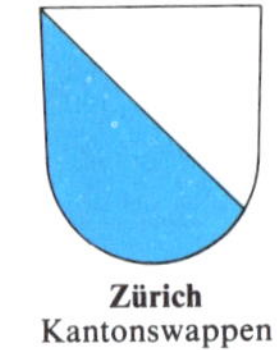
Zürich
Kantonswappen

Die Stadt Zürich liegt zu beiden Seiten der Limmat an ihrem Austritt aus dem Zürichsee. Am Seeufer erstrecken sich Quais und Parkanlagen, während flußabwärts nach Westen neue Wohn- und Industrieviertel liegen. Im Vorort Kloten befindet sich der größte internationale Flughafen der Schweiz. Zürich ist seit 929 als Stadt bezeugt und seit 1351 Mitglied der Eidgenossenschaft. Seither gewann es umliegende Territorien hinzu. Erst im 20. Jahrh. wurde Zürich Großstadt.

Zürichsee, See in der nördlichen Schweiz, an dessen Nordspitze Zürich liegt. Der 90,1 km² große, langgestreckte See liegt in 406 m Höhe und erreicht eine Tiefe von 143 m. Er erhält über den Linthkanal einen Zufluß aus dem Walensee und entwässert über die Limmat zur Aare. Das Ufer des fischreichen Sees ist dicht besiedelt.

Zypresse:
Echte Zypresse

Zwanzigster Juli, →Widerstandsbewegung.

Zweibund, 1879 geschlossenes geheimes Verteidigungsbündnis zwischen dem Deutschen Reich und Österreich. Durch die Einbeziehung Italiens wurde der Zweibund 1882 zum →Dreibund erweitert.

zweihäusig nennt man Pflanzenarten, bei denen männliche und weibliche →Blüten auf verschiedenen Exemplaren stehen.

Zweikeimblättrige, eine Gruppe der Bedecktsamigen unter den →Samenpflanzen, deren Keimling 2 Keimblätter hat, im Unterschied zu den Einkeimblättrigen. Die Laubblätter dieser Pflanzen sind netzartig geadert. Sie treten in großer Formenvielfalt (→Blatt) auf. Die überwiegend zwittrigen Blüten sind meist nach der Zahl 5 aufgebaut. Eine Kirschblüte hat z. B. 5 Kelchblätter, 5 Kronblätter und viele Staubblätter, deren Zahl (etwa 30) ein Mehrfaches der Zahl 5 beträgt, und einen Stempel. Die Blüten der →Kreuzblüter sind 2zählig. Zu den Zweikeimblättrigen gehören viele Obst- und Waldbäume, Gemüsearten und Rosengewächse.

Zweitaktmotor, →Verbrennungsmotor.

Zweiter Weltkrieg, →Weltkriege.

Zwerchfell, eine in Ruhelage nach oben (›kopfwärts‹) gewölbte Muskelplatte, die den Brustraum vom Bauchraum trennt. Durch verschiedene Öffnungen treten Blutgefäße, Nerven und die Speiseröhre durch das Zwerchfell hindurch. Das Zwerchfell ist der wichtigste Atemmuskel, der sich bei der Einatmung senkt und so den Brustraum vergrößert. Plötzliche, krampfartige Zusammenziehungen des Zwerchfells machen sich als Schluckauf bemerkbar.

Zwerge, im Volksglauben zauberkundige Erd- und Hausgeister von kleiner, häßlicher Gestalt. In Märchen und Sagen werden sie regional verschieden als **Wichtelmännchen, Erdmännchen, Erdbiberli, Heinzelmännchen, Hollen** oder **Lutchen** bezeichnet. Sie wohnen unter der Erde, in Bäumen, Höhlen und im Inneren von Bergen. Sehr geschickt in handwerklichen und häuslichen Arbeiten, treten die Zwerge oft als Helfer der Menschen auf, rächen Beleidigungen und bestrafen Hartherzigkeit. Manchmal bewachen sie auch Schätze und machen sich zu bestimmten Zwecken durch Tarnkappen unsichtbar.

Zwiebeln werden aus einem umgewandelten →Sproß gebildet. Meist wachsen sie unterirdisch. An der oft scheibenförmigen Achse stehen nach unten Wurzeln, nach oben schuppenförmige Blätter. Die inneren fleischigen Blätter dienen als Speicherorgan für Nährstoffe, die äußeren trockenen, braunen Blätter schützen vor Verletzung und Austrocknung. Zwiebelgewächse vermehren sich nicht nur durch Samen, sondern bilden auch Tochterzwiebeln aus. Viele Frühlingsblumen besitzen Zwiebeln, z. B. Schneeglöckchen, Tulpe, Hyazinthe. Die zu den Lauchgewächsen gehörenden **Küchenzwiebel** wird vor allem als Würzmittel benutzt.

Zwillinge, zwei gleichzeitig in der Gebärmutter sich entwickelnde Keimlinge, die kurz nacheinander geboren werden. Dieses Ereignis ist beim Menschen relativ selten, während bei vielen Tieren Mehrlingsgeburten regelmäßig vorkommen. Man unterscheidet eineiige und zweieiige Zwillinge. **Eineiige Zwillinge** stammen aus der

Wörter, die man unter Z vermißt, suche man unter C, S oder Sch

Verschmelzung eines Samenfadens mit einer Eizelle; diese spaltet sich durch Teilungen in einem frühen Entwicklungsstadium in 2 Hälften, so daß 2 getrennte Lebewesen daraus hervorgehen, die erbgleich und gleichgeschlechtlich sind. Werden bei einem Eisprung zufällig 2 befruchtungsfähige Eizellen ausgestoßen (häufig nach Hormonbehandlung) und befruchtet, so entwickeln sich daraus **zweieiige Zwillinge,** die nicht erbgleich sind und unterschiedlichen Geschlechts sein können. Sie ähneln sich nicht mehr als normale Geschwister. Die Erkennung von Zwillingsschwangerschaften ist heute durch die Ultraschalluntersuchung frühzeitig möglich.

Zwingli. Der Reformator **Ulrich (Huldrych) Zwingli** (* 1484, † 1531) war Pfarrer in Zürich. Er kämpfte unter dem Einfluß zunächst des Humanisten →Erasmus von Rotterdam, dann auch Martin →Luthers gegen die Mißstände in der Kirche. 1523 führte er mit dem Rat der Stadt Zürich die →Reformation in Zürich ein, von wo sie sich rasch über die nördliche Schweiz ausbreitete. Anders als Luther schaffte er überlieferte gottesdienstliche Formen ab. Besonders in der Abendmahlsfrage hatten die beiden Reformatoren unterschiedliche Auffassungen: Luther betonte die wirkliche Gegenwart Christi, während Zwingli die Abendmahlsworte rein symbolisch deutete. Zwingli fiel 1531 als Feldprediger in der Schlacht bei Kappel gegen die katholischen Urkantone.

Zwitter, Biologie: ein Lebewesen, das männliche und weibliche Geschlechtszellen erzeugt. Zwittrige Pflanzen sind die einhäusigen Pflanzen (→einhäusig) und solche, bei denen Staubblätter und Fruchtknoten in einer Blüte stehen. Im Tierreich kommen Zwitter vor allem bei den niederen Tieren vor, so bei den Weichtieren und vielen Würmern. Man unterscheidet Selbstbefruchtung, z. B. beim Bandwurm, und Fremdbefruchtung, wobei die Samenzellen wechselseitig zwischen 2 verschiedenen Tieren derselben Art ausgetauscht werden, z. B. bei Regenwurm und Schnecke.

Zwölftonmusik, von dem Komponisten Arnold Schönberg seit 1920 entwickelte ›Methode der Komposition mit 12 nur aufeinanderbezogenen Tönen‹. 12 Ganz- oder Halbtöne der Tonleiter bilden eine Grundreihe und stellen das Motiv dar. Die Reihenfolge dieser Töne wird nun im Verlauf der Komposition nach bestimmten Regeln verändert. In der Zwölftonmusik spielen Tonarten keine Rolle, sie ist ›atonal‹. Nach Schönberg komponierten auch seine Schüler Alban Berg und Anton Webern Zwölftonmusik.

Zyklon [von griechisch kyklos ›Kreis‹], orkanartiger Wirbelsturm in tropischen Gebieten.

Zyklone [von griechisch kyklos ›Kreis‹], ein wanderndes →Tief. Als dynamisches Tiefdruckgebiet ausgebildet, verändert eine Zyklone ihre Lage mit den in den gemäßigten Breiten vorherrschenden Westwinden nach Osten. An ihrer Ostseite führt sie warme Luft polwärts, an ihrer Westseite fließt kalte Luft äquatorwärts. Der Durchzug von Warm- und Kaltfronten (→Front) ist für das Gebiet, über das Zyklonen hinwegziehen, wetterbestimmend. Dies ist vor allem in Mitteleuropa der Fall, besonders ausgeprägt im Frühjahr und im Herbst. Zyklonen treten meist scharenweise auf, von Südwesten nach Nordosten hintereinander aufgereiht. Sie haben eine begrenzte Lebensdauer, weil sich die gegensätzlichen Luftmassen und die Luftdruckunterschiede mit der Zeit ausgleichen. Die spiralförmig aus Nordwesten vordringende Kaltfront holt die vorangehende Warmfront nach wenigen Tagen ein und drängt die warme Luft in die Höhe ab; dabei löst sich das Tief auf und das Wetter wird sonniger. Nach kurzer Zeit ziehen hohe Schleierwolken (→Wolken) auf und kündigen das Herannahen der nächsten Zyklone mit einer Warmfront an.

Zyklopen, in der griechischen Sage einäugige Riesen, die dem Zeus die Donnerkeile schmiedeten. Später galten sie als Schmiedegesellen des Feuergottes Hephaistos.

Zylinder [von griechisch kylindros ›Walze‹], **1)** Geometrie: ein geometrischer →Körper. Er wird meist begrenzt von 2 parallelen und gleich großen Kreisflächen und allen Verbindungsstrekken der beiden Kreislinien. In diesem Fall spricht man von einem **Kreiszylinder.** Die beiden Kreisflächen werden **Grund-** und **Deckfläche** genannt. Die Außenfläche eines Zylinders zwischen der Grund- und der Deckfläche, heißt **Zylindermantel.** Steht der Zylindermantel senkrecht auf der Grundfläche, so spricht man von einem **geraden Zylinder** (BILD 1). In allen anderen Fällen spricht man von einem **schiefen Zylinder** (BILD 2). Das Lot von der Deckfläche auf die Grundfläche heißt **Höhe** des Zylinders. Die Oberfläche des geraden Kreiszylinders besteht aus einem Rechteck und 2 gleichgroßen Kreisflächen (BILD 4).

Formeln: Für das Volumen V und die Flächeninhalte des Mantels M und der Oberfläche O eines geraden Kreiszylinders gilt:
$V = r^2\pi h,\ M = 2\pi rh,\ O = 2\pi r^2 + 2\pi rh,$

Ulrich Zwingli

Zylinder 1)

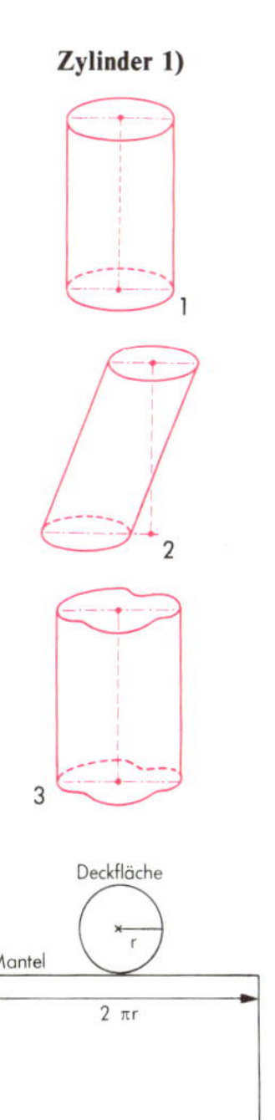

Zylinder 1): 1 gerader, **2** schiefer Kreiszylinder, **3** Zylinder mit geschlossener, unregelmäßiger Kurve als Grundfläche, **4** Oberfläche eines geraden Zylinders

wobei r die Länge des Kreisradius und h die Länge der Zylinderhöhe ist.

Außer dem Kreiszylinder spricht man allgemein von einem **Zylinder,** wenn die Grund- und die Deckfläche aus 2 parallelen und kongruenten Flächen bestehen (BILD 3). Für das Volumen V jedes Zylinders gilt die Formel: $V = G \cdot h$, wobei G der Inhalt der Grundfläche und h die Länge der Zylinderhöhe ist.

2) bei Kolbenmaschinen, z. B. Verbrennungsmotoren, Dampfmaschinen oder Pumpen, der Raum, in dem sich der Kolben hin- und herschiebt. Die Zylinder von Motoren werden häufig zu einem **Zylinderblock** zusammengegossen. Als Werkstoff dient Grauguß (Gußeisen mit Graphitbestandteilen), bei luftgekühlten Motoren auch Leichtmetallguß.

Zypern

Staatswappen

Staatsflagge

Zypern, Inselstaat im östlichen Mittelmeer, drittgrößte Insel des Mittelmeers, etwa halb so groß wie Rheinland-Pfalz. Die Insel ist überwiegend gebirgig. Südlich der Nordkette (bis 1 024 m hoch) erstreckt sich eine weite Ebene (Mesaoria), das Hauptanbaugebiet Zyperns. An sie schließt sich das Troodos-Gebirge an (bis 1 952 m hoch). Das Klima hat heiße, trockene Sommer und milde Winter. Die Bevölkerung besteht zu $^4/_5$ aus Griechen, zu $^1/_5$ aus Türken. Die Landwirtschaft erzeugt Getreide, Kartoffeln, Südfrüchte, Tabak, Oliven; daneben wird Schaf- und Geflügelzucht betrieben. Der Bergbau fördert eisenhaltige Erze, Kupfer, Asbest, Chromerz und Gips. Die Industrie verarbeitet landwirtschaftliche Produkte. Der Fremdenverkehr ist im griechischen Teil bedeutend, im türkischen Teil gering.

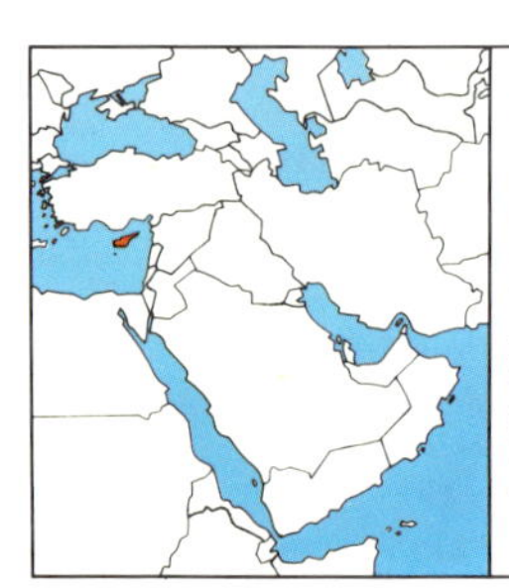

Zypern

Fläche: 9 251 km²
Bevölkerung: 701 000 E
Hauptstadt: Nikosia
Amtssprachen: Neugriechisch, Türkisch
Nationalfeiertag: 1. Okt.
Währung: 1 Zypern-Pfund; im türk.-zypr. Teil: 1 Türk. Lira (TL)
Zeitzone: MEZ + 1 Stunde

Geschichte. Schon in der Vorgeschichte und im Altertum war die Insel besiedelt. 58 v. Chr. lösten die Römer die Griechen als Herrscher ab. Ostrom, die Kreuzfahrer und Venedig beherrschten die Insel, bevor diese im 16. Jahrh. von den Türken unterworfen wurde. 1878–1960 gehörte das Land zu Großbritannien. 1960 entließ Großbritannien die Insel in die Unabhängigkeit. 1963 brachen Unruhen zwischen dem türkisch- und dem griechisch-zypriotischen Bevölkerungsteil aus. Ein Putschversuch griechisch-zypriotischer Offiziere (Ziel: Anschluß Zyperns an Griechenland) löste 1974 den Einmarsch türkischer Truppen aus. Die Folge war die Teilung der Insel in einen griechisch-zypriotischen Süd- und einen türkisch-zypriotischen Nordteil. Über die zukünftige Entwicklung besteht keine Einigkeit. (KARTE Band 2, Seite 199)

Zypressen, charakteristische Bäume der südlichen Länder, die zu den Nadelhölzern gehören. In Deutschland werden sie in Parks und als ›Trauerbaum‹ auf Friedhöfen angepflanzt. Zypressen haben in der Regel schuppenförmige Blätter und kugelige, holzige Zapfen. Sie wachsen bis zu einer Höhe von 20–50 m und können bis 2000 Jahre alt werden. (BILD Seite 396)

Hinweise für den Benutzer des Jugend-Brockhaus

Die Stichwörter sind nach dem Alphabet angeordnet.
Für die Einordnung gelten alle fettgedruckten Buchstaben, auch wenn das Stichwort aus mehreren Wörtern besteht.
Die Umlaute ä, ö, ü werden wie a, o, u behandelt, also folgen z. B. aufeinander: Atmung, Ätna, Atoll.
Dagegen werden ae, oe, ue wie getrennte Buchstaben behandelt; z. B. folgen aufeinander: Cadmium, Caesar, cal.

Die **Betonung** wird bei jedem Stichwort durch einen Punkt unter dem betonten Vokal angezeigt, z. B.
Altamịra, Atọm, Dịesel.
Stichwörter, die schwierig auszusprechen sind, erhalten in der eckigen Klammer Angaben zur **Aussprache** in vereinfachter Form. Hierzu werden die Buchstaben des deutschen Alphabets verwendet sowie die folgenden zusätzlichen Zeichen:
ã für den Nasal, der dem a entspricht, z. B. **Entente**
ẽ für den Nasal, der dem e entspricht, z. B. Chop**in**
õ für den Nasal, der dem o entspricht, z. B. Bet**on**

Angaben zur **Herkunft der Wörter** werden gebracht, wenn sie zum Verständnis des Stichworts beitragen können. Sie stehen entweder in der eckigen Klammer hinter dem Stichwort oder an geeigneter Stelle im Text, z. B.
Alibi [lateinisch ›anderswo‹]
Albinismus [zu lateinisch albus ›weiß‹]

Der **Verweisungspfeil** → fordert auf, das dahinterstehende Stichwort nachzuschlagen, um dort weitere Auskünfte zu finden.
Das Zeichen ⇒ am Schluß einiger Artikel weist auf Stichwörter hin, die in größerem, ergänzendem Zusammenhang mit dem behandelten Thema stehen.

Als **Abkürzungen** werden verwendet:

°C	Grad Celsius	usw.	und so weiter
Jahrh.	Jahrhundert	z. B.	zum Beispiel
n. Chr.	nach Christi Geburt	*	geboren
v. Chr.	vor Christi Geburt	†	gestorben

Das Bildquellenverzeichnis erscheint am Schluß von Band 3.

Erläuterungen zu den graphischen Darstellungen bei Länderartikeln

Die roten Säulen geben die Bevölkerungsentwicklung eines Landes für zwei verschiedene Jahre an, so daß man die Veränderung in einem bestimmten Zeitraum erkennen kann. Die Bevölkerungszahlen in Millionen Einwohner stehen über den Säulen. Die blauen Säulen geben die Entwicklung des Bruttosozialprodukts (in amerikanischen Dollars), der wirtschaftlichen Leistung eines Landes, für zwei verschiedene Jahre an, so daß die Veränderung einer Volkswirtschaft in einem bestimmten Zeitraum erkennbar ist. Die entsprechende Säule ist um so höher, je größer das Bruttosozialprodukt ist. Eine geringe wirtschaftliche Leistungsfähigkeit ergibt nur eine kurze Säule.
Die weiteren Darstellungen sind Kreisdiagramme. Das erste gibt die Anteile der Land- und Stadtbevölkerung wieder. Das zweite zeigt das Bruttoinlandsprodukt in den Bereichen Landwirtschaft, Industrie und Dienstleistungen.

Beispiele:
Die hier abgebildeten Beispiele, Frankreich als Industriestaat und Bangladesh als Entwicklungsland, zeigen im Hinblick auf die Bevölkerungszahl einige Unterschiede: Bangladesh hat mehr Einwohner als Frankreich.
Auffallend ist die unterschiedliche Stellung beider Länder hinsichtlich der wirtschaftlichen Leistung: Die hochentwickelte Wirtschaft Frankreichs erzeugt wesentlich mehr und hochwertigere Güter als die Wirtschaft des Entwicklungslandes Bangladesh.
In bezug auf die Bevölkerungsverteilung weist Frankreich die typischen Merkmale eines Industrielandes auf: Von 100 Einwohnern wohnen 74 in der Stadt. Dagegen gehören nur 16 % der Einwohner Bangladeshs zur städtischen Bevölkerung. Sehr unterschiedlich ist auch der Anteil der in einzelnen Bereichen erwirtschafteten Leistung: Im Dienstleistungssektor wurden in Frankreich 67 %, in Bangladesh nur 47 % aller Produktionswerte geschaffen, in der Landwirtschaft in Bangladesh hingegen 38 % gegenüber nur 4 % in Frankreich; in der Industrie 29 % in Frankreich und 15 % in Bangladesh.

Bangladesh

Staatswappen

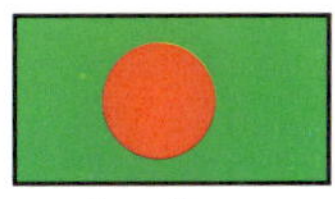

Staatsflagge

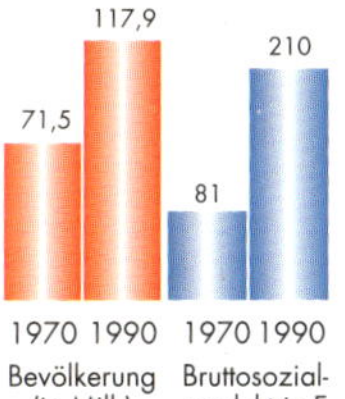

Bevölkerung (in Mill.) · Bruttosozialprodukt je E (in US-$)

Stadt · Land

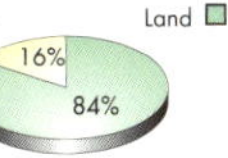

Bevölkerungsverteilung 1990

Industrie · Landwirtschaft · Dienstleistung

Bruttoinlandsprodukt 1990

Frankreich

Staatswappen

Staatsflagge

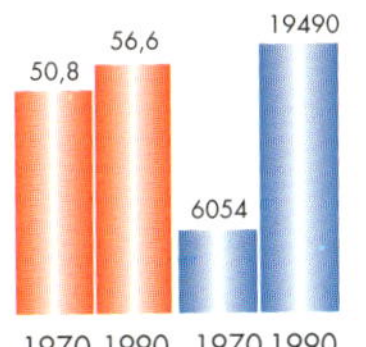

Bevölkerung (in Mill.) · Bruttosozialprodukt je E (in US-$)

Stadt · Land

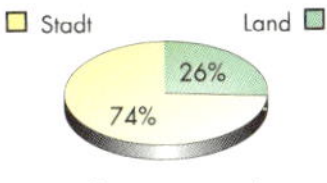

Bevölkerungsverteilung 1990

Industrie · Landwirtschaft · Dienstleistung

Bruttoinlandsprodukt 1990

Bildquellen

AEG Telefunken Briefsortiertechnik, Konstanz · ARDEA Photographics, London · F. Arens, Mainz · Archiv für Kunst und Geschichte, Berlin · Atlas-Photo, Paris · Bavaria-Verlag, Bildagentur, Gauting · Bayerische Motorenwerke AG, München · Bildagentur Mauritius, Mittenwald · Bildarchiv Huber, Garmisch-Partenkirchen · Bildarchiv Preußischer Kulturbesitz, Berlin · H. u. R. Bukor, Eltville · Cosmopress, Genf · H. M. Czerny, München · Deutscher Wetterdienst, Offenbach am Main · dpa-Bildarchiv, Frankfurt am Main · G. Eder, Langen · W. Ernst, Ganderkesee · Euro-Photo GmbH, Canon Archiv, Willich · H. Felten, Frankfurt am Main · Fichtel & Sachs, Schweinfurt · G. Haag, Eschborn · L. Hausdorff, Wiesbaden · K. Heidt, Gießen · Hirmer-Verlag, München · S. Hoeher, Bielefeld · Interessengemeinschaft der Welsh Pony und Welsh Cob-Züchter e. V., Langmeil · Kestner-Museum, Hannover · Kleinhempel, Hamburg · P. Koch, Zollikon · E. Koch-Weiland, Zollikon · Fried. Krupp GmbH, Duisburg-Rheinhausen · R. Künkel, München · Kunsthalle Basel · W. Menzendorf, Berlin · Messerschmidt-Bölkow-Blohm GmbH, München und Kirchheim/Teck-Nabern · Minox GmbH, Gießen · C. H. Moessner, München · Münchener Stadtmuseum · The Museum of Modern Art, New York · Orenstein & Koppel, Dortmund · H. Orth, Worms · M. Petry, Wiesbaden · H. Petzoldt, Wiesbaden · Photo-Center Greiner & Meyer, Braunschweig · Prenzel-IFA Bildagentur, München · K. Profes, Mainz · Reinhard-Tierfoto, Eiterbach · roebild, Frankfurt am Main · Rollei-Werke Franke & Heidecke, Braunschweig · SCALA, Florenz · A. Schmidecker, Oberschleißheim · G. Schmitt-Teßmann, Walluf · M. Schneiders, Lindau (Bodensee) · H. Schrempp, Oberrimsingen · Sowjetunion heute, Köln · W. Steinkopf, Berlin · S. A. Thompson, London · Fr. Thorbecke, Lindau (Bodensee) · Tierbilder OKAPIA KG, Frankfurt am Main · V-Dia-Verlag GmbH, Heidelberg · Verband der Züchter und Freunde des Warmblutpferdes Trakehner Abstammung e. V., Hamburg · Verband hannoverscher Warmblutzüchter e. V., Hannover · Volkswagenwerk, Wolfsburg · Wallraf-Richartz-Museum, Köln · G. Wawra, Wiesbaden · B. Wietrzynski, Landshut · ZEFA, Düsseldorf · Reproduktionsgenehmigungen für Abbildungen künstler. Werke von Mitgliedern und Wahrnehmungsberechtigten der Verwertungsgesellschaften S. P. A. D. E. M./Paris, S. A. B. A. M./Brüssel, BEELDRECHT/Amsterdam, V. A. G. A./New York, S. I. A. E./Rom, wurden erteilt durch die Verwertungsgesellschaft BILD-KUNST/Bonn.